CW00590059

COLLECTION
FOLIO CLASSIQUE

James Joyce

Ulysse

TRADUCTION ET ÉDITION
SOUS LA DIRECTION DE JACQUES AUBERT

Traduction de Jacques Aubert, Pascal Bataillard, Michel Cusin, Sylvie Doizelet, Patrick Drevet, Stuart Gilbert, Bernard Hœpffner, Valery Larbaud, Auguste Morel, Tiphaine Samoyault et Marie-Danièle Vors

Édition de Jacques Aubert, Pascal Bataillard, Michel Cusin, Daniel Ferrer, Jean-Michel Rabaté, André Topia et Marie-Danièle Vors

Gallimard

Titre original :

ULYSSES

Traduction dérivée de Du monde entier.
Édition dérivée de la Bibliothèque de la Pléiade.

PRÉFACE

*L'opinion couramment admise est qu'*Ulysse *est un ouvrage ardu. Certains le qualifient même d'illisible. Pourtant, à écouter le témoignage de tels lecteurs, il semble qu'il s'agisse d'autre chose : le rejet qu'il suscite prend la forme d'un abandon au bout de quelques épisodes. Joyce aurait dérouté le lecteur, qui ne le suit plus dans son cheminement, comme si tous deux rejouaient à leur manière, dans les lettres, l'aventure du héros éponyme, dont la route ne cesse de bifurquer au gré de son commerce, heureux ou malheureux, avec les Dieux. Seulement, ce n'est pas Homère, à la suite de son héros, qui est ici en cause dans cette constante « sortie de route », mais James Joyce, et son écriture même.*

Unité ?

Passé le titre, dans les premiers épisodes, une certaine continuité s'installe avec le personnage de Stephen Dedalus, et une action, sinon une intrigue, paraît se nouer autour de son départ annoncé. Mais dès le quatrième épisode, Stephen Dedalus cède la place au couple Leopold-Molly Bloom, avant de se dissoudre, en quelque sorte, dans un paysage de Dublin animé par ses habitants. À défaut d'une unité action, une action portée par des personnages occupant la scène, un lieu au moins se dessine, la ville capitale de l'Irlande, ainsi qu'une unité de temps, marquée peu à peu par les repères d'une journée rythmée par les tâches, les rencontres et autres menus événements du quotidien. Il est à noter que, conformément à l'enseignement de la Poétique *d'Aristote, où il n'est nulle part question de l'unité de lieu, celle-ci est une* construction *qui se déduit de l'unité de temps : c'est ainsi, à travers les rythmes du quotidien, que se (re)construit peu à peu le Dublin de Joyce qui, loin d'être décrit de manière réaliste, se trouve en suspension dans le discours, dans la trame romanesque.*

Là encore, une certaine cohérence s'organise, sans pourtant enchaîner notre attention. Ce n'est pas un hasard si Joyce ne parle jamais de chapitres, mais toujours d'épisodes : la révision de son Portrait de l'artiste en jeune homme *avait précisément consisté à éliminer tout ce qui pouvait, grâce à des transitions, instaurer l'unité d'un discours. Et c'est au fond la même idée qu'il reprend et élargit lorsque, dès l'épisode de Nestor, il décrit l'Histoire comme un « cauchemar » dont il voudrait s'éveiller. Il s'agit au fond, pour lui, au lieu d'être la victime passive d'un discours insupportable parce que impossible, de revenir à la vie en donnant voix au langage. N'est-ce pas ce qu'il avait assigné pour tâche à l'Artiste, dans son premier petit « Portrait de l'artiste » : réhabiliter « la doctrine* vivante *de la* Poétique[1] *» ? C'est ce qu'il va tenter de réaliser dans* Ulysse*, par un travail qu'il conduit épisode par épisode, à partir de ce qu'il est convenu d'appeler le monologue intérieur, visant à redonner une vie poétique à la langue qui constitue le sujet humain. Mais cette question nécessite que soit clarifiée une inflexion majeure, et*

1. Joyce, *Œuvres*, Bibl. de la Pléiade, t. I, p. 1076-1084.

d'une certaine manière scandaleuse, qui s'impose très vite au lecteur le moins attentif.

De l'autobiographie à la fiction

Il n'est pas abusif, on le verra, de dater du séjour à Rome, en 1906-1907, le début de cette inflexion majeure, encore qu'inchoative, obscure sans doute à l'auteur lui-même : l'avènement de Leopold Bloom, personnage de fiction surgissant au quatrième épisode pour supplanter de façon quasi définitive le personnage ouvertement autobiographique qui a jusque-là occupé la scène.

Il est avéré que M. Bloom a quelques traits majeurs d'un certain Mr Hunter, citoyen de Dublin : judéité, difficultés conjugales. Mais l'important est que, par rapport à Stephen Dedalus, il est d'ordre fantasmatique, et construit selon les règles d'un scénario, non pas posé a priori, mais se dessinant peu à peu sous nos yeux au long de ses déambulations et de ses propos. Fantasmatique, il l'est d'ailleurs au second degré, en quelque sorte, puisqu'il est juif avant tout dans le regard de ses concitoyens, ne l'étant pas tout à fait au regard de la généalogie. De même, cocu, l'est-il vraiment, ce 16 juin 1904, avant la rencontre de Molly et de Boylan ? La liste des amants de la première est avant tout celle des hommes qui l'ont désirée : de la sorte, elle n'est adultère qu'au sens large, celui que définissent les Écritures. Quant à sa judéité, il faudrait d'abord avoir de sa filiation une idée plus fiable que celle fournie par le roman.

Un effet essentiel de l'intrusion de Leopold Bloom dans l'œuvre, c'est la généralisation du principe de fiction sous des formes inédites. Même lorsque Joyce met à profit telle ou telle épiphanie, ce n'est pas à des fins peu ou prou autobiographiques ; elles s'insèrent dans un développement textuel tout autre. En revanche, dans le sillage des Bloom, de leurs souvenirs et autres vagabondages mentaux, de leurs rencontres, vient proliférer, souvent dans la confusion et le malentendu, tout le petit monde qui anime Dublin, lui donne son âme. On dira que c'est souvent celui des Dublinois, *mais cette fois-ci en liberté, et non assujetti à un projet de critique sociale. Leur présence est inséparable de leur discours, de leur verbe, jusqu'aux tics de parole. Ils sont de la sorte immergés et diffusés dans le texte, sans que la reprise de ces paroles soit toujours identifiable et assignable à leur personne.*

Quant à Molly Bloom, son monologue a, entre autres fonctions, celle de représenter, de résumer, et d'incarner, comme en un paradigme, cette dimension de la fiction : son extension au-delà de la Cité, la fiction par excellence qu'est la Femme, au-delà de tous les désirs, en deçà de tous les ratages et de tous les malentendus.

Du monologue intérieur

*L'expression prête à confusion. Ce concept cher à l'histoire littéraire moderne postule une certaine transparence de la langue, et en dernier ressort une communication univoque entre le sujet et le monde extérieur. Et le fait est que James Joyce n'en a pas récusé l'emploi au sujet d'*Ulysse, *loin de là : il en fit une sorte de paradigme au moment où Valery Larbaud, enthousiasmé par le livre et déjà intéressé par cette technique, qu'il allait utiliser dans « Amants, heureux amants » (1921) et « Mon plus secret conseil » (1923), la mit à profit dans sa campagne en faveur de son nouvel ami (c'était « une des sources formelles de* Ulysses[1] *», disait-il). Il s'agissait d'inscrire celui-ci, honorablement, dans la tradition lit-*

1. Préface à *Les lauriers sont coupés* d'Édouard Dujardin (Éditions Messein, 1924), Bibliothèque 10/18, 1968, p. 9.

téraire française : non seulement l'expression avait été créée par Paul Bourget dès 1893 dans Cosmopolis, mais Joyce lui-même affirma que la technique lui en avait été révélée par sa propre lecture, dès 1903, de Les lauriers sont coupés d'Édouard Dujardin (paru en 1887 dans sa Revue indépendante) — Dujardin, « l'annonciateur de la parole intérieure », auquel il dédicacera en ces termes un exemplaire d'Ulysse. Dès lors, Larbaud et Dujardin, de concert, firent tout pour établir la priorité de ce dernier. D'abord, dès 1925, par une réédition, préfacée par Larbaud, des Lauriers sont coupés, dûment revu, corrigé et orienté, puis, en 1931, avec l'essai de Dujardin, Le Monologue intérieur, son apparition, ses origines, sa place dans l'œuvre de James Joyce. Joyce ne fut jamais dupe de l'aspect à la fois intéressé et stratégique de cette campagne[1], qui visera à le faire glisser de la Maison des Amis des Livres et Adrienne Monnier à la NRF[2] et au monde de l'Académie incarné par Louis Gillet.

On sait, par le journal de Stanislaus, avec lequel il échangeait beaucoup en matière de littérature et d'esthétique, que ce frère, inspiré notamment par les Récits de Sébastopol de Tolstoï, s'était essayé à un monologue intérieur ; et sa bibliothèque de Trieste contenait Le lieutenant Gustel (1901) de Schnitzler, autre texte canonique. Le monologue intérieur ne fut qu'un moment, une rencontre, dans le parcours de l'artiste, dans la composition d'un texte en devenir plus que d'un roman concerté, mettant en scène des personnages construits, et impliqués dans une intrigue.

Ce qui peut gêner le lecteur, c'est qu'à partir de l'épisode VII, « Éole », il entre dans un livre différent, qui à

1. Voir notamment les lettres à Harriet Shaw Weaver des 25 novembre 1921 (inédite) et 19 novembre 1923.

2. C'est ainsi qu'en 1930 il fera obstacle à la publication dans *Bifur* de la traduction par Samuel Beckett et Alfred Péron d'un fragment de *Work in Progress*, « Anna Livia Plurabelle », pour le réserver à la *N.R.F.*

son tour prendra un autre visage avec l'épisode des « Rochers Errants », où le monologue intérieur se fragmente entre une série de personnages mineurs, puis éclate avec le « Cyclope », avant, pour l'essentiel dans la dernière année, que se développe tout un travail de remaniement, souvent rétrospectif, affectant peu ou prou la totalité des épisodes.

Scansions

Il y a donc un rapport de type expérimental, au sens du célèbre essai de Claude Bernard, entre l'auteur et sa création, rapport voué à affecter à son tour le lecteur, à le contraindre à s'impliquer dans une autre lecture. Oublier cet aspect évolutif, et surtout actif et critique, de la création de Joyce est passer à côté de ce qui fait l'originalité de sa recherche. L'épisode VII, « Éole », introduit le lecteur à ce qui peut lui paraître une œuvre différente, une œuvre qui devient, plus qu'un roman, un texte, *dans l'acception canonique de ce vocable : un fragment d'écriture auquel il est redonné vie par une parole. Et d'abord une* voix, *témoignant d'une absence, autant que d'une présence, du sens.*

Tel est bien ce qui se passe avec « Éole », où des voix font intrusion dans le brouhaha déjà assez fourni des conversations de la salle de rédaction : la voix des réseaux de tramways, la voix des rotatives, la voix des intertitres des journaux, celle des moments d'éloquence rejoués. C'est ainsi que bat, en ses systoles et diastoles, « le cœur de la métropole hibernienne[1] *» : des voix qui ne se substituent pas toujours au monologue individuel, celui de Leopold Bloom au premier chef, mais s'y surajoutent et à l'occasion le complique. Dans la série d'épisodes qui suit, par exemple dans « Les Rochers Errants » et « Les*

1. Titre de la première section de l'épisode.

Sirènes », Joyce joue avec le monologue intérieur. Dans le premier, il l'applique à d'autres personnages que Bloom et Stephen. Dans le second, le narrateur commence à introduire des passages antérieurs du récit (tirés par exemple des « Rochers Errants »). Il a également recours à diverse formes de parodies (dans « Nausicaa », dans « Le Cyclope », et bien sûr dans « Les Bœufs du Soleil »).

Les quatre derniers épisodes, récapitulatifs lorsqu'ils ne sont pas encyclopédiques, écrits, travaillés dans l'imminence et l'urgence de la fabrication, sont les plus longs et les plus riches en échos des épisodes précédents. Ils justifient la proposition de Régis Salado de placer Ulysse *à l'enseigne du monologue* antérieur *plutôt qu'intérieur*[1]*. On a pu dire qu'à la fin de l'épisode XV, « Circé », Joyce a incorporé tant de matériaux de ce type que «* Ulysse *lui-même est retourné comme un gant*[2] *». Cela au point que certains échos, reprises ou allusions défient la vraisemblance psychologique et renvoient, non à des personnages, mais à des fragments textuels devenus en quelque sorte autonomes.*

C'est bien pourquoi dans ces derniers épisodes est perceptible une recherche qui annonce clairement le travail dans lequel il va s'engager peu après la publication du livre, ce « work in progress *» dont le titre n'apparaîtra qu'à sa publication en 1939 :* Finnegans Wake. *Il reste à tenter au moins de saisir d'où vient l'extraordinaire richesse de ces deux dernières œuvres, et le défi majeur qu'elles constituent pour la littérature et, sans doute, c'est du moins le sentiment de bien des artistes, pour toute création artistique.*

1. Dans sa précieuse étude « Monologues antérieurs », *Ulysse à l'article, Joyce aux marges du roman,* Tusson, Du Lérot Éditeur, 1991.
2. Michael Groden, *« Ulysses » in Progress,* Princeton, Princeton University Press, 1977, p. 54.

Animation : d'un corps mystique

L'animation, cette donation d'une âme, *faite de déplacements, de rencontres et de propos tenus, est ce qui donne vie au grand corps social. Un grand corps dont Joyce avait rencontré une sorte de préfiguration dans certaines créations mythiques de William Blake, œuvre qui avait été un objet d'admiration dans sa jeunesse, et mis en avant comme une référence majeure de l'histoire des lettres anglaises.*

Là encore un malentendu possible. L'intérêt pour le héros grec est dans la ligne de sa présence dans les textes ou dans les marges de la littérature occidentale, chez Dante, Shakespeare, et tant d'autres, ou, pour rester dans le monde anglophone, au XIXe *siècle, chez Alfred Tennyson et dans sa postérité. Il est cependant significatif que les auteurs de certaines recensions aient une telle difficulté à situer l'œuvre de Joyce dans cette filiation, qu'ils préfèrent la passer sous silence*[1]*. L'auteur nous met sur une piste en parlant d'une vision « mystique » de l'*Odyssée, *propos qui évoque les interrogations courantes dans le monde culturel de la fin du siècle, avec la crise du roman naturaliste et celle, plus large, des valeurs symbolistes*[2]*.*

T.S. Eliot, dès la publication du livre, perçut quelque chose de cette ambition, lorsqu'il salua la « méthode mythique » de Joyce, destinée selon lui à se substituer à la « méthode narrative » : un progrès rendu possible, précise-t-il, par le développement des sciences

1. Voir par exemple *Seconde Odyssée. Ulysse de Tennyson à Borges*, textes réunis, commentés et en partie traduits par Évanghélia Stead, Paris, Éditions Jérôme Millon, 2009.

2. Voir les travaux de Michel Raimond (*La Crise du roman*, José Corti, 1966) et de Michel Décaudin (*La crise des valeurs symbolistes*, Privat, 1960).

humaines, notamment la psychologie et l'ethnologie[1]. *Cette nouvelle procédure a « l'importance d'une découverte scientifique*[2] *», et le poète, ici critique, place Joyce en parallèle avec Einstein, pour nous rappeler que le mythe vient toujours en lieu et place d'une faille irréductible d'un discours sur la vérité du monde et des êtres, et ouvre l'espace des lettres à un autre jeu du langage, celui de la poésie. Ici, la référence glissée par Joyce à un sentiment « mystique » inspiré par cette lecture conduit à nous interroger sur l'acte poétique ainsi programmé : ne portera-t-il pas avant tout sur* l'acte d'énonciation, *et l'expérience qui la fonde, plutôt que sur des énoncés, des thèmes reçus, d'un caractère prétendument « poétique » ?*

Quel petit fragment de vérité issu de cette expérience se trouvait occulté dans ce mythe aux couleurs de mysticisme ? Quelle recherche conduisit Joyce dans le parcours qui s'acheva tout juste à la publication du livre le 2 février 1922 ? Son insistance à publier ses œuvres le jour anniversaire de sa naissance confirme que le fil rouge autobiographique est toujours, chez lui, présent dans l'ordre de l'écriture, dont « l'épiphanie », la publication, est ainsi l'alpha et l'oméga. C'est éminemment le cas avec Ulysse *: les biographes nous l'apprennent, le 16 juin 1904 est le jour du premier rendez-vous de James Joyce avec celle qui fut la compagne de son existence, Nora Barnacle. Dès ses premiers écrits autobiographiques il avait présenté son projet poétique comme*

1. Une « fécondation croisée », diraient sans doute certains critiques anglo-saxons, pour simplifier des rencontres autrement riches, comme celle décrite, par exemple, par Jean-Yves Tadié dans *Le Lac inconnu. Entre Proust et Freud* (Gallimard, 2012).

2. « *Ulysses*, Order and Myth », *Dial*, lxxv, nov. 1923, p. 480-483. Voir également Florence Dupont, *L'Invention de la littérature*, Paris, La Découverte, 1994, p. 23 : « La signification d'un mythe ne tient pas à l'histoire racontée [...]. Il la tiendra [...] du champ culturel, partiel, où cette histoire est appliquée, cette fois-là. »

visant à symboliser, ou plus exactement à sublimer « les deux éternités jumelles, celle de l'esprit et celle de la nature [...] par les éternités jumelles masculine et féminine[1] ». *Deux « éternités jumelles » s'étaient rencontrées, et en quelque sorte* vérifiées, *autant qu'il était possible. On entend ici la voix d'un autre grand Moderne : « Elle est retrouvée. Quoi ? — L'Éternité. C'est la mer allée... », où s'écrit le sillage en retour du roi d'Ithaque, et ses retrouvailles, sinon avec La Femme, du moins, comme en transparence, au-delà du désir réalisé, avec les bords et abords de la jouissance.*

Un grand corps symbolique

Cependant, en évoquant l'intrusion des sciences humaines dans la littérature, Eliot ne faisait qu'indiquer une voie nouvelle pour le récit, que Joyce parut cartographier en se plaisant à distiller auprès d'amis ou de critiques influents des schémas de correspondances, dans le dessein, certes, de piquer la curiosité, mais surtout de donner consistance à l'œuvre, en présentant Ulysse *comme une sorte de grand corps symbolique*[2]*, justiciable d'une présentation dans divers tableaux à entrées multiples, tableaux qui parfois diffèrent. Un tel tableau avait été confié à Valery Larbaud en vue de sa conférence de présentation du livre le 21 décembre 1921 ; un autre fut confié à Carlo Linati ; un autre à son premier biographe, Herbert Gorman ; un autre encore fut mis à profit par Stuart Gilbert*[3].

1. *Œuvres, op. cit.*, t. I, p. 511 *sq.*
2. Cet échafaudage n'était pas destiné aux yeux des lecteurs, et il se refusa même toujours à désigner, ailleurs que dans ses lettres, les épisodes par leur titre supposé.
3. Dans *James Joyce's* Ulysses. *A Study*, 1930 ; New York, Knopf, 1952. Voir les schémas Linati et Gorman, p. 1221-1230. Il nous a été donné d'en rencontrer un autre, relié dans l'exemplaire d'un collectionneur...

Voici en quels termes il présente les choses à Linati :

> C'est l'épopée de deux races (israélite-irlandaise) en même temps que le cycle du corps humain et la petite histoire d'un jour (vie). Le caractère d'Ulysse m'a toujours fasciné, même lorsque j'étais enfant. Imaginez-vous qu'il y a quinze ans j'ai commencé de le dépeindre sous forme de nouvelle pour *Dublinois* ! [...] C'est aussi une sorte d'encyclopédie. Mon intention est de transposer le mythe *sub specie temporis nostri*. Chaque aventure (c'est-à-dire chaque heure, chaque organe, chaque art intimement lié et en étroite corrélation avec le schéma structurel du tout) ne doit pas seulement conditionner, mais même créer sa propre technique. Chaque aventure, tout en étant composée de plusieurs personnes, n'en forme, pour ainsi dire, qu'une seule — comme Thomas d'Aquin le raconte des milices célestes[1].

*On remarquera que l'ordre des épisodes n'est pas celui de l'*Odyssée. *Surtout, la comparaison entre les différents tableaux est révélatrice, comme Daniel Ferrer l'a montré*[2]*, d'une « homérisation rétrospective » du texte : à partir de l'épisode des « Sirènes », Joyce s'engage dans l'écriture d'un autre livre, ou plus exactement dans une autre écriture du livre, qui l'amène à jeter un regard nouveau sur les premiers épisodes (où la présence d'Homère était encore modeste) et à les réviser de façons sensible. Plus généralement, on avancera qu'*Ulysse *se place, dans le projet de Joyce, sous le signe de la transparence. Ce caractère diaphane, qui tient à son expérience, il l'interroge au tout début de l'épisode III, « Protée » :*

1. Lettre (écrite en italien) du 21 septembre 1920, dans *Œuvres*, Bibl. de la Pléiade, t. II, p. 910-911.

2. « *Ulysses* de James Joyce : un homérisme secondaire », dans *Révolutions homériques*, textes réunis par Glenn W. Most, Larry F. Norman et Sophie Rabau, Scuola Normale Superiore, Pise, Edizioni Della Normale, 2009.

une transparence inséparable de l'opacité qui la borde, différente assurément, encore que parente, de celle que Marcel Proust décrivait comme l'attribut même de la beauté[1].

L'écriture aux limites

*Les fluctuations et les tâtonnements dans l'écriture d'*Ulysse *sont révélateurs des limites, des butées que Joyce avait déjà rencontrées, à une autre occasion : lorsqu'il s'était efforcé de conférer à son recueil de poésie,* Musique de chambre, *une dimension symbolique, celle d'un voyage de l'âme. Il avait eu alors conscience d'échouer à donner un sens à un événement qui se trouvait aux confins du sens. Tel était maintenant, une fois encore, l'enjeu. C'est dans cet esprit qu'il faut comprendre une remarque, ou un aveu, qui revient souvent chez lui : la défaillance, qui confine à la carence, de l'imagination. Une lettre adressée à Ezra Pound au moment même où il commence à travailler à* Ulysse, *en avril 1917, est révélatrice : « J'ai pensé tout le jour à ce que je pourrais faire ou écrire [pour les lecteurs de Pound]. Peut-être y a-t-il quelque chose mais il faudrait le trouver. J'ai malheureusement très peu d'imagination [...] Je suis un écrivain très fatigant pour moi-même au moins. Je suis épuisé avant la fin. Je me demande si vous aimerez l'ouvrage que j'écris ? Je le fais, comme dirait Aristote, par des moyens différents suivant les diverses parties. Chose étrange, j'ai pas mal écrit dernièrement malgré ma maladie*[2]. *» Un an plus tard, il s'explique en des termes assez comparables à sa mécène Harriet Shaw Weaver : « Il est impossible de dire ce que j'ai définitivement écrit du*

1. Proust, lettre à Anna de Noailles, 1904.
2. *Œuvres*, *op. cit.*, t. II, p. 869.

livre. Plusieurs autres épisodes [outre « Hadès »] ont été écrit une seconde fois, mais cela ne signifie rien, car après avoir longtemps laissé intacte la seconde ébauche de la "Télémachie", j'ai passé environ deux cents heures à en écrire la version finale. J'ai malheureusement peu d'imagination[1]. »

L'épiphanie et son fond insondable

Cette coexistence chez Joyce de l'absence d'imagination et d'une épuisante urgence à écrire, qui prend chez lui la forme d'une exigence de formulation symbolique rigoureuse, est effectivement des plus étranges. Pour le lecteur du Portrait de l'artiste en jeune homme, *en tout cas, elle illustre, et en quelque sorte généralise, le procédé décrit à propos de l'épiphanie, dont l'éclat signale la* quidditas, *l'essence de l'objet révélé : « L'artiste perçoit cette suprême qualité au moment où son imagination conçoit l'image esthétique*[2]. » *L'image n'est pas première, elle se dégage en fait d'on ne sait trop quoi, d'un tohu-bohu, certes intérieur, mais qui touche au* réel *des objets du monde : un réel qui, loin d'être équivalent à la réalité commune, en est la limite sans cesse repoussée au fil des ratages. L'éblouissement épiphanique se paie d'une opacité du sens.*

Toujours est-il que l'opération suivante, nous dit-il, consistera à traiter, à médiatiser cette image selon trois modes hiérarchisés : lyrique, épique et finalement dramatique. Restait à élaborer ce moment où « la forme épique la plus simple émerge de la littérature lyrique lorsque l'artiste s'attarde et insiste sur lui-même comme sur le centre d'un événement épique *[...]. La personnalité de l'artiste, d'abord cri, cadence, ou état d'âme, puis*

1. Lettre du 18 mai 1918, *ibid.*, p. 874.
2. *Œuvres*, *op. cit.*, t. I, p. 740.

récit fluide et miroitant, se subtilise enfin jusqu'à perdre son existence [...]. L'artiste, comme le Dieu de la création, reste à l'intérieur, ou derrière, ou au-delà, ou au-dessus de son œuvre, invisible, subtilisé, hors de l'existence, indifférent, en train de se limer les ongles [1] ».

Cri, cadence, état d'âme : Joyce ne cesse d'insister sur un nouage primordial, dans la sublimation en cause, de la voix, de la psyché, en un événement de corps *qui, à la fois témoigne de sa* défection, *et constitue son* avènement *dans la poésie, dans le jeu de ses lettres sonores : « La forme lyrique est, de fait, le plus simple vêtement verbal d'un instant d'émotion, un cri rythmique, pareil à ceux qui jadis excitaient l'homme tirant sur l'aviron ou roulant des pierres vers le haut d'une pente. » Dans ces pages du* Portrait de l'artiste en jeune homme, *Joyce, reprenant et ravaudant le manuscrit de* Stephen le Héros, *parvenait à dessiner un portrait de l'artiste, non plus dans sa vérité supposée, celle de la représentation et des énoncés qui peuvent le porter (« Stephen Dedalus le Héros »), celle surtout de l'idéologie qui prétendait l'imposer* [2], *mais tel qu'il se vit, témoignant d'*un savoir aux limites de l'insu, *et porté par sa pure énonciation, dans laquelle, grâce à laquelle, il disparaît. Joyce n'aura de cesse d'explorer et d'approfondir cet extraordinaire équivoque qui s'imposait à lui comme sa vocation propre d'écrivain, d'homme de* lettres.

De cette expérience il s'est employé à en déployer lui-même les implications dès son petit « Portrait de l'artiste » de janvier 1904, où il marque d'emblée son refus de toute identité fondée sur les catégories a priori de l'expérience, au profit d'une posture singulière « affi-

1. *Ibid.*, p. 742.
2. Sur sa liquidation de cette idéologie très victorienne, voir la lettre à son frère Stanislaus du 7 février 1905, dans *Œuvres*, *op. cit.*, t. I, p. 1151-1152.

chant à tous venant des manières énigmatiques destinées à couvrir une crise », en appelant à un imaginaire aux résonances explicitement mystiques, débouchant sur une invocation à la Femme digne du Cantique des Cantiques. On sait que ce texte fut refusé par les représentants mêmes de la Renaissance irlandaise, le rejetant dans un exil du monde de l'art irlandais qu'il rappellera dans Ulysse[1]. *Sans doute y percevaient-ils avec terreur quelque chose de l'*Ungrund, *du sans-fond des mystiques.*

On comprend qu'il convient de prendre terriblement au sérieux ce que Joyce nous dit de son manque d'imagination, au moment même où il se dépeint en proie à une frénésie d'écriture. Plutôt que d'imagination, il conviendrait de parler de cet élément de la structure psychique qu'est l'imaginaire : c'est là que se situerait la faille, la défaillance du rapport de ce sujet au monde. Jacques Lacan le rappelle : « L'homme est capté par l'image de son corps [...]. Son monde, si tant est que le mot ait un sens, son Umwelt, *ce qu'il y a autour de lui, il le corpo-réifie, il le fait chose à l'image de son corps[2]. » C'est bien pourquoi Joyce tourne tant autour de l'image du créateur, quand il s'aventure dans l'esthétique. Et tout se passe comme si, dans* Ulysse, *prenant les choses par leur envers, insistant à la cantonade sur les réseaux de correspondances, physiologiques aussi bien que culturelles, il s'appuyait sur l'*Umwelt *dublinois, son* Umwelt *à lui, pour faire pièce à une défaillance existentielle radicale.*

1. En particulier lorsque est évoqué devant Stephen Dedalus une soirée littéraire à laquelle il n'est pas convié.

2. Conférence inédite, « Le symptôme », prononcée à Genève dans un cercle analytique, en octobre 1975.

D'un Dublin l'autre : lecture et relecture

C'est bien pourquoi il importe de ne pas négliger la référence à Dublin. Répondant à une question d'Adolf Hoffmeister portant sur la continuité entre Ulysse *et* Finnegans Wake, *Joyce insiste d'une façon extraordinairement frappante : « Mon œuvre, à partir de* Dubliners, *se développe en ligne droite. Elle est presque indivisible, à cela près que l'échelle de l'expressivité et de la technique scripturale s'élève de façon un peu abrupte [...]. La différence tient au développement et à cela seul. Toute mon œuvre est en permanence* in progress[1]. » *« Expressivité, technique scripturale » : on pensera que Joyce en dit trop, ou pas assez, sur ses tâtonnements. Tentons pourtant de le suivre à la trace, à partir, bien sûr, de ce Dublin qui fut, sa vie durant, l'unique objet de ses pensées, être obsédant et paradoxalement énigmatique, dont Ulysse va constituer l'autopsie plus encore que l'anatomie.*

C'est qu'il se considéra très tôt, non comme un Dublinois parmi d'autres, mais comme le témoin privilégié de la capitale de l'Irlande, qu'il pensait avoir percée à jour, dans ses meilleurs et dans ses pires aspects. Joyce avait commencé à le marteler à l'éditeur Grant Richards : cet épithète, « dublinois », disait-il, a un sens *substantiel (on aimerait pouvoir dire substantif), dont il découvrit lui-même l'empan au fil de la composition des nouvelles de* Dublinois. *Certes, celles-ci furent au départ une commande d'un directeur de journal local à l'affut de tranches de vie. Mais, à cette époque, Joyce craignait plus que tout d'être considéré comme le « Zola*

1. Les deux récits des rencontres entre Joyce et l'écrivain tchèque Hoffmeister en 1930 ont été publiés par ce dernier en tchèque en 1961 et traduits en français dans *Visages écrits et dessinés*, trad. François Kerel, Paris, Les Éditeurs Français Réunis, 1963.

*irlandais ». Il était, bien plutôt, dans la mouvance de Claude Bernard et de ce qu'il désignait comme « l'esprit vivisectif » : il se voulait tout à la fois acteur et observateur, désireux d'être absolument fidèle à ce qu'il avait vu et entendu, afin d'en présenter le tableau comme en miroir à ses concitoyens, dans le dessein de les amender, car ce qu'il voyait et entendait ne lui plaisait pas. Tout cela avait à voir avec une sémiologie médicale, avec une symptomatologie, et le jeune Joyce, carabin manqué d'abord à Dublin, puis à Paris, avait foi en l'efficace de l'*acte *d'écrire, faisant de la plume à la fois un scalpel et un bistouri, comme Stephen Dedalus le souligne dès les premières pages d'*Ulysse.

Les Dublinois souffraient selon lui de paralysie, et maints traits de leur parole, frappée de diverses formes d'aphasie, le montraient bien[1] *: en quoi sa démarche se situait dans l'ordre actif du symbolique, du langage tel qu'il a vocation à se déployer dans la parole plutôt que dans les images du réalisme. C'est assurément ce qu'il s'emploie à mettre en scène dès la première nouvelle de* Dublinois. *D'entrée, le jeune héros, comme tous les enfants, s'interroge sur le sens de certains mots. Mais les creux, les silences du texte qui suivra, manifestent la connivence manipulatrice du groupe, désireux d'occulter le « péché » du prêtre, que seule la « maladie » avait pu conduire à* rire *en confession : peut-être même, qui sait,* de *la confession, et à travers elle de la Parole articulée sur la Faute ? Le scandale, l'horreur était là, et Joyce n'a pas besoin de l'expliciter : les proches du prêtre en saisirent derechef les insondables implications. Les interrogatoires pseudo-théologiques auxquels le prêtre déchu soumet par la suite l'enfant ne sont qu'une autre forme de perversion de la parole,*

1. Ce type d'analyse était alors fort en vogue, depuis le *Dégénérescence* de Max Nordau (1892).

dont les nouvelles suivantes vont monnayer les manipulations, à l'aune de petites existences. Joyce y est attentif aux inflexions de voix, aux tics, aux répétitions, aux malentendus et méprises de diverses sortes : il y interroge la jouissance à l'œuvre au-delà des désirs manifestés. Mais il ne tire pas encore les conséquences de cette analyse pour son écriture. C'est précisément qu'il restait dans une contradiction essentielle : il avait traité ses concitoyens en objets d'étude, en s'exemptant de leur monde.

Et pourtant quelque chose s'esquisse avec la dernière nouvelle. Il avait peiné à trouver la ponctuation finale du recueil : avec « Les Morts », Dublinois se conclut en paradoxe : sur un fond de convivialité, la constatation de l'échec des rapports entre les sexes dans le cadre social (Miss Ivors-Gabriel), annonce en apparence le ratage personnel entre Gretta et Gabriel. Mais la déhiscence est autrement plus profonde : le manque ressenti de rapports « authentiques » entre les sexes dans le réel vient confirmer ce que le symptôme des ratés de la langue n'avait cessé de démontrer. La neige immaculée recouvrant l'Irlande est une production moins métaphorique que métonymique ; elle vient offrir au héros, qui se rêve auteur, comme en une reprise amplifiée des intermittences de la parole, le défi absolu d'une image de la littérature comme telle, « précautionneuse déposition du mot sur la blancheur d'un papier », tout en lui laissant la charge, écrasante et décourageante, de cet acte par lequel traiter les restes d'une telle épuration.

Dans Stephen le Héros, après avoir signalé sa dette au premier lexicographe de la langue anglaise, Skeat, Joyce, à travers le personnage de Stephen Dedalus, s'explique longuement sur le déchiffrement de Dublin auquel il se livre. Il se constitue un thesaurus du parler dublinois, à base de fragments recueillis « au hasard, dans les boutiques, sur les affiches, sur les lèvres de la *foule [...]. Il se les répétait tant et tant qu'à la fin ils perdaient pour lui leur signification immédiate et se transformaient en paroles admirables*[1]. » *Mais le plus remarquable est la phase qu'il décrit ensuite, celle où « il se construisait une maison de silence », et où « il lui arrivait tout à coup d'entendre un ordre lui enjoignant de partir, de demeurer seul, une voix qui faisait vibrer jusqu'au tympan de son oreille. » Et Stephen de s'en aller « roder dans les rues, solitaire, entretenant par des jaculations la ferveur de son espérance », après quoi « avec une gravité ferme et décidée, il assemblait des mots et des phrases qui n'avaient pas de sens ».*

On relèvera l'extraordinaire équivoque de sa position, qu'il qualifie d'ailleurs d'énigmatique : « Dublinois » est un vocable éminemment porteur de sens, et en même temps son commerce avec la ville et ses habitants le conduit à élaborer un discours qu'il qualifie lui-même de hors-sens : on est même tenté, étant donné le contexte qu'il a pris la peine de nous décrire, de parler d'ab-sens[2]. *Pour revenir à la gestation d'*Ulysse, *on comprend mieux une confidence faite alors à sa mécène Harriet Shaw Weaver : « Vous avez déjà une preuve de mon intense stupidité. Voici un exemple de mon inanité. Je n'ai pas lu d'œuvre littéraire depuis plusieurs années. Ma tête est pleine de cailloux, de gravats, d'allumettes brisées et de bouts de verre ramassés un peu partout*[3]. » *Deux ans plus tôt, dans le même esprit, pour justifier la lenteur de sa composition, il avait expliqué à la même correspondante que « les éléments nécessaires ne fusionneront,* fuse, *qu'après une*

1. *Œuvres*, *op. cit.*, t. I, p. 345-346.
2. Pour reprendre un terme auquel Hervé Castanet a donné ses lettres de noblesse : *« L'ab-sens désigne le sexe » : Le non-rapport sexuel et ses suppléances*, Éd. Himéros, 2010.
3. Lettre du 24 juin 1921, *Œuvres*, t. II, p. 937.

coexistence prolongée », et parle encore de son écriture comme d'« un jet de sable décapant[1] *».*

Là se trouvait la jouissance à la source de sa vocation, qu'il avait tenté dans sa jeunesse de théoriser en un traité (avorté). Et l'on sait que ce projet d'une esthétique échoua précisément sur son impossible mise en formule à coups d'emprunts aux Pères de l'Église, faute d'avoir distingué entre le plaisir, signe du désir, et la jouissance, qui est en fait son impossible au-delà. On a compris que, pour lui, la difficulté majeure tenait à la défaillance, au sein du fonctionnement symbolique du sujet, de la fonction constructive de l'imaginaire. Et c'est bien pourquoi le chemin qui conduisit au monument Ulysse *fut balisé, dans une curieuse hâte, par plusieurs textes peu ou prou à l'enseigne du fantasme, au premier chef* Giacomo Joyce *dont il met au propre le manuscrit dans ces années, et* Exils[2] *sur lequel il travaillait depuis au moins 1913. Pourquoi également des événements, des rencontres de son existence personnelle jouèrent un rôle décisif dans cette édification.*

Hospitalités

L'un des événements les plus notables fut en 1906-1907 le séjour à Rome, où il échoua à stabiliser son existence, mais où, en revanche, il fut amené à reconsidérer son rapport à Dublin : il avait injustement jugé, disait-il, cette ville caractérisée par son hospitalité. Certes, dans les deux villes régnaient deux puissances, l'une un Empire temporel, l'autre un Empire qui régnait sur les âmes, l'Église catholique. Mais dans Ulysse, *ce*

1. Lettre du 20 juillet 1919, *ibid.*, p. 889.
2. Nous reprenons le titre choisi avec pertinence par Jean-Michel Déprats dans la nouvelle traduction qu'il a procurée, avec la précieuse édition de Jean-Michel Rabaté, pour la collection Folio théâtre (2012).

ne sont que de pâles reflets de ces puissances : l'idéologie britannique et la pompe ridicule du Vice-Roi, et d'autre part un personnage « bénin » et bénisseur, le P. Conmee. Est mis au-devant de la scène, au contraire, l'Autre, l'étranger absolu, l'Absent, qui prend la figure du Juif.

Cette évolution s'éclaire à la lumière de la vie politique italienne d'alors et des débats autour du socialisme, avec en particulier les écrits de Guglielmo Ferrero, auquel Joyce, nous le savons, s'était intéressé (en particulier à son Europa giovane[1]*). Transplanté de Trieste à Rome, Joyce se trouva dans une situation d'immigré qui pouvait faire penser à celle des Juifs à Dublin : « Au centre de la chrétienté, le Juif était encore un étranger, en dépit de la présence d'une communauté juive importante et fort ancienne, qui n'avait quitté les limites du ghetto que depuis relativement peu de temps. La question juive, qui avait été au premier chef une question religieuse, était en train de devenir une question politique : les Juifs représentaient les forces de progrès qui, en 1907, devaient bientôt donner à Rome un maire juif, Ernesto Nathan[2] ». On comprend mieux, dans ce contexte, l'effacement de Stephen Dedalus (et l'on sait maintenant que les premiers épisodes d'*Ulysse *sont des pages tombées de* Stephen le Héros *lors de la mue qui devait en faire le* Portrait de l'artiste en jeune homme*) et l'apparition sur la scène de Bloom et de sa famille[3]. Il n'est pas surprenant qu'à cette époque Joyce se soit attaché à mieux connaître la*

1. On lira avec profit *Joyce in Rome. The Genesis of « Ulysses »*, éd. Giorgio Melchiori, Rome, Bulzoni Editore, 1984.

2. *Joyce in Rome, op. cit.*, p. 40.

3. En fait, dès 1906, Joyce avait envisagé une nouvelle pour *Dublinois* tournant autour d'un compatriote juif, M. Hunter, dont on disait l'épouse infidèle (carte postale à Stanislaus, 30 septembre 1906 ; lettres au même du 30 novembre et du 3 décembre de la même année). En pleine composition d'*Ulysse*, le 14 octobre 1921, il se renseignera à nouveau sur lui auprès de sa tante.

culture juive, et en particulier son rapport à l'écrit, à la lettre, et à la lecture, culture portée également par ses amis psychanalystes de Trieste. Il rencontrait là maint trait de son expérience la plus intime, en même temps que des échos de son héritage chrétien.

Cette rencontre survenait donc en un moment de remaniement décisif des perspectives. Dublinois avait conclu sur un échec à dire le vrai sur le vrai du sujet écrivant : à la fois sur la société où il est né, et sur l'écrivain qui désire en témoigner en s'y impliquant par l'écriture : au plus vif de sa jouissance. Son créateur, Stephen Dedalus (c'est ainsi que Joyce signa ses premiers textes, et même certaines correspondances), ne pouvait plus posséder une stature héroïque, il était plutôt un pauvre hère, limité dans son savoir sur le monde et sur les êtres, et limité, du même coup, dans sa capacité à en rendre compte.

C'est ici que la question du nom prend tout son poids, et l'hospitalité tout son sens, avec l'anonymat qui préside au premier contact. L'étranger ainsi accueilli n'est pas le membre d'une famille, d'un clan, d'une tribu désignable. Ce n'est qu'au bout d'un laps de temps qu'il décline son identité, et d'ailleurs, selon les cultures, cet accueil est limité à un certain nombre de jours. L'Odyssée ne fait pas exception à la règle, à cela près qu'Ulysse se fait remarquer en tardant beaucoup, beaucoup trop selon ses commensaux, à le faire. La question est d'importance, et on le voit bien lorsqu'il se présente au Cyclope comme Outis, « Personne », pour sauver sa vie. L'arrière-fond symbolique est là encore essentiel : sur fond d'absence, c'est-à-dire aussi bien de mort, l'appellation, l'appel, dans toutes les acceptions du terme, touche bien à l'être du sujet. On comprend mieux que dans la récriture en cours du manuscrit de Stephen le Héros, le personnage de Stephen, à défaut de patronyme, a perdu sa consistance héroïque et paradigma-

tique. Se réalise ainsi le mouvement préfiguré à la fin des « Morts » : dès le Portrait de l'artiste en jeune homme, *Stephen est progressivement « raffiné jusqu'à l'inexistence »,* refined out of existence, *conformément au statut envisagé pour l'artiste, dont il cesse d'être la métaphore ultime, pour n'exister plus qu'au sein du mouvement métonymique du texte. Le dispositif est en place, qui verra, dans* Ulysse, *se déplacer la focalisation de Stephen vers Bloom.*

Incomplétudes

Avec Giacomo Joyce, *en dépit de son titre, Joyce commence à disparaître de la scène. C'est, en un sens, une contrepartie de la correspondance privée avec Nora. Ici, il semble hésiter entre une exploration fantasmatique de ses rapports avec une jeune élève (juive, notons-le), et la fidélité à une écriture du fragment inspirée par cette expérience même. Dans le manuscrit soigneusement préparé par lui, les blancs tiennent une place essentielle, suspens du sens dans l'écriture, comme si celle-ci* mimait *la question posée par l'intrigue, de l'impossible rapport sexuel, explicitement souligné : « Jeunesse a une fin : cette fin, la voici. Jamais elle n'aura lieu. Cela, tu le sais. Et après ? Écris-le, bon sang, écris-le ! De quoi d'autre es-tu capable*[1] *? » Tout se passe comme si le héros avait en tête la Femme déjà évoquée dans le premier « Portrait de l'artiste » de 1904.*

*Cette Femme est également présente entre les lignes, ou plus exactement dans les marges d'*Exils. *C'est d'elle que parle Joyce à travers son personnage, avec éloquence, dans une page dont la vérité lui a paru trop insoutenable pour être conservée, et dans laquelle il en vient à formuler, avant de le développer, son étrange*

1. *Œuvres, op. cit.*, t. I, p. 800.

fantasme : avoir porté sa femme dans son propre ventre. Le pathétique et l'éloquence de cette évocation, où l'on voit la métaphore amoureuse se muer en une saisissante métonymie, mérite d'être citée au long : « Ses livres, sa musique, le feu de la pensée, volé là-haut, dont les flammes ont été la source de tout bien-être et de toute culture, la grâce avec laquelle elle veille sur le corps que nous désirons... de quoi donc est-ce l'œuvre ? J'ai le sentiment que c'est de moi. C'est mon œuvre et l'œuvre d'autres hommes semblables à moi, aujourd'hui ou en d'autres temps. C'est nous qui l'avons conçue et mise au monde. Nos esprits, confondant leurs flots, sont la matrice dans laquelle nous l'avons portée [1]. »

Exils n'aura donc pas, pour finir, le même caractère de scénario poétique que Giacomo Joyce, mais, en même temps qu'il constitue un salut rétrospectif à une vieille admiration, Ibsen, il développe une autre variation sur le thème de l'absence de rapport, au sens logique du terme, entre les sexes. Il choisit, cette fois-ci, de mettre cette absence à l'enseigne du doute [2], dont on voit qu'il fait une mystique de La Femme. C'est ce qui peut le mieux unir les êtres, disait Joyce, « la vie est suspendue dans le doute comme le monde dans le vide. Vous trouverez cela en un sens traité dans Exils ».

Dans sa comédie à quatre, Joyce met en scène une intrigue liant au doute hospitalité et don [3], et c'est là probablement qu'il explorait une question très personnelle. Richard, pas plus que Joyce, n'est à Dublin un étranger, sa problématique est celle du retour aux lieux

1. *Ibid.*, p. 1764.

2. Voir la belle analyse de Jean-Michel Rabaté dans sa préface à l'édition de la pièce (Folio théâtre), à laquelle nous empruntons la citation attribuée à Joyce (p. 29).

3. En dépit des apparences, on voit que les perspectives dessinées par Joyce se distinguent sensiblement de celles de Pierre Klossowski dans *Les Lois de l'hospitalité.*

de son origine, la ville et son université, où l'on envisage de lui donner un poste, ce qui constituerait une revanche. On sent, à l'arrière-plan de cette affaire, la thématique de Monte Cristo, présente dans le Portrait *comme dans* Ulysse, *celle du vengeur qui finira par se poser la question de ce que doit être son acte ultime. L'homme digne de ce nom doit renoncer à se venger, et partir sans retour : ce non-retour est fondateur de toute symbolique, de toute culture, qu'il s'agisse du statut du prophète biblique ou plus généralement de la prohibition de l'inceste. Un non-retour associé au changement de nom : le héros d'*Ulysse *était voué à porter un nom n'évoquant pas l'Irlande* [1].

On peut avancer qu'en en restant à Exils, *Joyce se serait mis, sinon dans une impasse, du moins dans une équivoque. En se fabriquant un récit autobiographique imaginaire, que, selon certains, il tenta parfois de réaliser dans sa propre vie, au grand dam de Nora, il donnait en apparence une cohérence symbolique et éthique à sa position. C'est ainsi que Richard explique à son fils que le don est le meilleur moyen de posséder, car dès lors aucun voleur ne peut vous le prendre.*

On observera cependant qu'une autre position était possible, et c'est bien celle que toute sa démarche visait, sans qu'il en ait toujours eu conscience. Celle qui partait de la reconnaissance, au-delà de l'inexistence du rapport sexuel, celle de l'inadéquation totale de tout système symbolique, toujours marqué d'une incomplétude fondatrice : un exil, disons métaphysique, et non plus choisi dans une modeste histoire individuelle. Il ne pouvait se satisfaire d'une protection imaginaire contre le vol, il lui fallait, et précisément au titre de sa pratique de l'écriture, prendre en compte

1. C'est à ce titre-là, peut-on penser, que Joyce, plus ou moins obscurément, refusera de retourner s'installer en Irlande.

non seulement la perte *subie par tout sujet avec sa chute dans le langage, mais encore la défaillance du rempart imaginaire, cause de sa vocation d'écrivain. C'est cette dimension de la perte, sous ses multiples formes, qu'il va découvrir, puis explorer, au fil de la composition du livre, qui explique les aléas de son histoire, la variété de ses formes, les mécanismes de son fonctionnement textuel, tel qu'il a joué pour lui, avant d'être proposé, ou plutôt* imposé, *au lecteur.*

Voix

Ce n'est pas un hasard si le Portrait de l'artiste en jeune homme *débutera par une voix paternelle se lançant dans un conte, ni si* Ulysse *s'ouvre également sur une voix anonyme entamant parodiquement la liturgie de la Messe. Car cette première page est interrompue par une voix venue d'on ne sait où, qui fait entendre « Chrysostome ». Mais fait-elle vraiment entendre ce vocable ? Rien ne donne à penser qu'elle a pu avoir un auditeur, et elle reste d'ailleurs sans écho. Et quel pourrait être l'écho d'une voix aussi aphone ? Son rôle semble tenir à ce qu'elle est, du moins, bonne à lire, ou plutôt à déchiffrer, car elle n'est pas moins équivoque quant au sens que dans l'ordre linguistique proprement dit. Elle fait en effet surgir les figures opposées de saint Jean Chrysostome et de Dion Chrysostome, pour simplifier : l'apôtre de la Parole et le rhéteur, le jongleur de mots. En définitive, au lecteur de décider, à la lumière de ce qui suivra — une lumière bien incertaine. Car ici le nom est devenu surnom, sobriquet de l'imposteur Mulligan à la riche denture, et introduit une équivoque par le truchement de la métaphore homérique (la parole franchissant la barrière des dents) : son or,* chrysos, *est ce qui fait coupure,* tomos, *avec l'Autre.*

Ces voix inaugurent une aventure du et dans le

*texte. Elles interrogent plutôt qu'elles ne désignent ou ne décrivent : tel l'oracle de Delphes selon Héraclite, elles ne disent ni ne dissimulent, elles font signe. Elles le font de manière hermétique. Souvenons-nous qu'au chant premier de l'*Odyssée*, c'est Athéna qui se penche avec sollicitude sur le sort d'Ulysse, elle qui, heureusement pour lui, ressemble assez à Hermès, « préside aux mêmes arts, aux mêmes ruses, aux mêmes tromperies [...]. Elle partage avec lui un autre don : celui de la métamorphose [...]. La voici qui devient Mentès, Télémaque, Mentor, un oiseau, comme si se transformer sans cesse était son plus grand plaisir*[1]*. » Le lecteur a compris que c'est elle qui est à l'œuvre dans les trois premiers épisodes d'*Ulysse*, la Télémachie. Et qu'avec le troisième, « Protée », elle a bel et bien envahi l'écriture. C'est peut-être dans cette perspective que l'on peut entendre l'énigmatique notation du schéma Linati en marge de « Télémaque », « Télémaque ne souffre pas encore de son corps » : un schéma qui déroule une incroyable litanie de personnages, illustration de cette métempsycose propre à* Ulysse, *qui fait énigme pour Molly dans sa lecture d'un certain roman.*

Très vite, tristement, la voix est une bouche d'ombre, celle de la mère de Stephen, venue de l'outre-tombe, entre poème et musique, parler du « mot connu de tous les hommes » et de l'« amer mystère de l'amour ». Et puis, avec le troisième épisode, « Protée », apparaît la voix de la mer se brisant, entre sable et rochers. Et mille autres voix : par exemple, dans « Éole », les intertitres du journal, qui se révèlent, plus souvent qu'à leur tour, la fabrication des badauds et parasites de la salle de rédaction. Et puis, dans « Le Cyclope », les délires poétiques d'on ne sait qui, déclenchés par quelque propos

1. Pietro Citati, *La Pensée chatoyante. Ulysse et l'Odyssée*, Paris, Gallimard, coll. « L'Arpenteur », 2004, p. 121.

de pilier de bar. Ou dans le catéchisme d'« Ithaque », la voix du questionneur enchaînant, avec ou sans logique, ses demandes. Joyce avait failli achever son roman sur l'épisode d'« Ithaque » (XVII), en forme de catéchisme, un catéchisme passablement subverti, en ce qu'il n'est aucunement organisé en vue d'une apologétique, pas plus que d'une intrigue romanesque. On est tenté de dire que c'est pour éviter tout malentendu qu'il choisit, pour finir, de donner la parole à la jouissance de Molly Bloom, cette Molly qui, avant d'être Pénélope, chez Joyce s'éveille au monde, au quatrième épisode, sous les formes généreuses de l'enchanteresse Calypso, dans cette nouvelle Ogygie d'extrême Occident où elle ne parvient pas à garder son héros.

Nous sommes ici au foyer le plus vif de cette culture chaude magnifiquement décrite par Florence Dupont : « La vérité du monde n'est accessible aux hommes qu'à l'intérieur de leur réalité humaine, à travers les contingences de temps, de lieux et de personnes. Rien n'existe en deçà ni au-delà de l'accident. L'aède révèle donc aux hommes les connexions invisibles qui, dans l'événement, organisent la culture des hommes[1]*. » Il ne s'agit pas d'une jouissance perverse, celle de la répétition-citation, mais celle de la littérature, écoutée en son état natif, celui de la conversation, dans le commerce des sujets humains des plus humbles aux plus ambitieux, des pubs à la Bibliothèque nationale, sans oublier les toilettes, ni les lits de repos ou d'ébats. Telle est la leçon d'*Ulysse.

*C'est bien pourquoi, le 16 juin 2004, s'est produit un événement culturel remarquable, qui devait surgir un jour ou l'autre : la célébration du centenaire d'*Ulysse *à travers le monde entier, de Dublin à Rio de Janeiro, par des personnes dont il n'est pas assuré qu'elles avaient toutes lu jusqu'au bout (ou n'avaient lu ou écouté que le*

1. Florence Dupont, *L'Invention de la littérature, op. cit.*, p. 22.

bout, le monologue de Molly) cet ouvrage si souvent qualifié d'illisible ; il s'en fallait de beaucoup que toutes aient été des spécialistes, universitaires ou non, de cette œuvre. Pour la première fois, sans doute, était fêté l'anniversaire d'une journée hors Histoire, qui n'avait pas eu d'autre réalité que celle des Lettres, mais qui, en même temps, avait couleur d'universel : en témoigne, curieusement, le vocable créé par la vox populi pour la désigner : « Bloomsday », *du nom de Léopold Bloom, le personnage le plus constamment présent au long de ses pages, qui consonne avec* « Doomsday », *le Jour du Jugement. Un leitmotiv de l'œuvre qui suivra,* Finnegans Wake, *sera la célèbre maxime de saint Augustin,* Securus judicat orbis terrarum[1]. *Ici, le détournement bienvenu du vocable ajoute une autre dimension, essentielle, celle de la jouissance, dont on sait depuis Aristote qu'elle « ajoute à l'acte, comme à la jeunesse sa fleur » :* bloom.

Récrire, relire

L'acte en question est, tout uniment, l'acte d'écrire, envisagé cependant sous un angle spécifique. Le vocable « dublinois », *ce point de départ de toute l'affaire, s'était révélé des plus équivoques, désignant un ensemble porteur d'un sens, symboliquement désignable, et en même temps un point de vue singulier sur celui-ci : il y avait dans l'air l'hypothèse que ce point de vue impliquait l'exclusion du sens, l'ab-sens. Joyce se trouva pris au cœur de cette aporie, à laquelle il est significatif que la logique moderne se soit intéressée. La*

1. « En toute sûreté l'univers juge… », *Contre la lettre de Parménien*, III, 4, 24. Augustin poursuit : « … qu'ils ne sont pas bons, ceux qui se séparent de l'univers en quelque contrée de l'univers que ce soit ». On comprend que Joyce applique à lui-même ce jugement porté sur ces schismatiques qu'étaient les donatistes. Je remercie Gérard Bailhache d'avoir permis de donner substance à cette devise de Joyce.

conséquence pour lui, qui se dégagea progressivement, non point dans une théorie, mais au fil de sa pratique, par essais et erreurs, était qu'il convenait de manier l'écriture à partir de la lettre, de la littéralité, par définition déliée de tout sens.

Ce traitement n'avait rien de gratuit, l'oublier dénaturerait toute l'entreprise de Joyce. Son originalité, on l'a vu, tint à la rencontre, dans cette équivoque radicale, d'une expérience quasi mystique avec le moment singulier et datable d'une révélation amoureuse (la rencontre avec Nora du 16 juin 1904), porteuse de la même interrogation sur le sens, sur la possibilité même de formuler *le rapport entre les sexes. Cet horizon d'impossible est celui que Joyce se met à explorer avec une rigueur croissante au long de l'écriture d'*Ulysse, *en prélude à* Finnegans Wake.

Il n'est pas surprenant qu'en surgisse une œuvre résistant pareillement à la lecture : plutôt qu'un roman, un texte ; autrement dit, selon la tradition, la comparution d'un fragment d'écriture autorisant à relancer la parole. Car cette expérience rejoint celle même de l'auteur, dont tout le travail, toute l'élaboration fut fondée sur une opération de relecture de son propre texte. Cette relecture en effet vise un réel *de la langue, en même temps que celui du sujet : un réel qui a été perdu, qui a échoué à faire sens dans la langue et a dû renoncer à dire le vrai, tout le vrai sur le vrai, ouvrant l'espace d'un insu lourd d'un autre savoir, confrontant le sujet à sa propre perte. Un texte qui reste en faction n'est jamais seul, jamais tout à fait orphelin, de lui-même au moins*[1].

Et c'est bien pourquoi l'acte d'écrire, ainsi mis en circulation, est littéralement à l'œuvre : à la disposition

1. Voir Barbara Cassin, *L'Effet sophistique*, Paris, Gallimard, coll. « Nrf essais », 1995, p. 405 : « Écrire, au sens d'écrire un texte, c'est s'étonner de lire ce qu'on écrit (« ça écrit ») et travailler ce plus de sens donné par surprise, activer la perception et la signification de ce dérèglement de tous les sens. »

des lecteurs, qu'il accompagne plutôt qu'il ne dirige. Cet Ulysse-là est « l'instituteur du genre humain » de la tradition. Il est aussi ce Outis-Zeus, l'Absence en majesté, Personne-Dieu cher à Flaubert autant qu'à Joyce, pour chacun selon sa modalité propre, sans cesse se relisant, se biffant, surtout s'émendant à défaut de s'amender. Celui-là est le compagnon de route de tant d'écrivains. Chacun reading the book of himself, *« lisant le livre de lui-même », « marchant à travers lui-même »* (we walk through ourselves*), ses joies et ses deuils. Lecture, relectures après rencontres, re-trouvailles.*

*C'est de ce côté-là qu'on pourra trouver la leçon d'*Ulysse, *si tant est qu'on souhaite en chercher une. C'est celle dont il avait très tôt posé un repère en faisant de la comédie une forme plus parfaite que la tragédie, dans la mesure où à sa réalisation s'ajoute le supplément de la joie*[1]. *L'humour est ici le maître-mot, en lequel se conjoignent le comique et le tragique, ainsi que Socrate le suggérait à la fin du* Banquet[2]. *Les héros d'*Ulysse, *Stephen, Bloom, Molly, sont traversés par le souvenir térébrant de la perte d'un être cher, mère, enfant. Mais ils ne sont pas réduits à cette douleur hors-sens, à laquelle cet autre hors-sens qu'est l'écriture vise à faire pièce. C'est un humoriste qui, de quelque manière, dans cet au-delà, préside à* Ulysse, *proposant au lecteur de reconnaître sa parenté avec l'humanité commune, dans les naufrages de l'existence individuelle comme dans ceux des idéaux portés par la culture. C'est en quoi le livre rejoint les leçons de* Don Quichotte *ou de* Tristram Shandy, *et annonce le rire de* Finnegans Wake.

JACQUES AUBERT

1. *Œuvres*, *op. cit.*, p. 1000-1001.
2. 233d.

NOTE SUR L'ÉDITION

L'édition que nous présentons aujourd'hui constitue une sorte de synthèse de deux publications antérieures : elle se fonde à la fois sur la nouvelle traduction de l'œuvre, parue en 2004 dans la collection « Du monde entier » et reprise en 2010 en Folio, et l'appareil critique procuré dans la Bibliothèque de la Pléiade en 1995.

Rappelons que cette seconde traduction se fonde sur le texte de l'édition originale (1922) telle qu'elle a été procurée par Jeri Johnson (Oxford World Classics), corrigé ultérieurement en partie par James Joyce et par les émendations proposées par Philip Gaskell et Clive Hart (dans « *Ulysses* ». *A Review of Three Texts*, The Princess Grace Irish Library, nº 4, Colin Smythe, Gerrards Cross, 1989). Les traducteurs ne s'étaient pas interdits d'incorporer, après débat, quelques rares émendations de l'édition procurée par Hans Walter Gabler (1985-1987), ou fondée sur l'édition en fac-similé du manuscrit dit Manuscrit Rosenbach, préparée par Harry Levin et Clive Driver (Octagon Books, Farrar, Straus and Giroux, New York, in association with the Philip H. & A. S. Rosenbach Foundation, Philadelphia, 1975). La typographie de la présente édition suit celle de l'édition originale de 1922.

Nous reprenons, sous une forme allégée, les notices et les notes de la Bibliothèque de la Pléiade, ainsi que les schémas explicatifs fournis par James Joyce à certains de ses correspondants (schémas Linati et Gorman, p. 1221-1230) et les plans du Dublin de 1904.

Nous avons tenu à conserver un index des noms de personnes et de lieux en vue d'éviter, dans la mesure du possible, les renvois internes d'une occurrence à une autre, sauf cas particuliers appelant un commentaire. Les effets de ces échos, parfois trompeurs, sont laissés en dernier ressort à la charge du lecteur. Notons, à cet égard, que ce dernier sera amené à constater combien l'auteur joue avec lui, avec sa mémoire, qu'il met souvent au défi, ou tente de mettre en défaut, avec, tout simplement, son intelligence d'un texte qui déploie subtilement les possibilités et les perspectives offertes par les métaphores, les allusions, les associations de mots et d'idées, et bien d'autres procédés rhétoriques ou stylistiques.

J. A.

ULYSSE

I

En majesté, dodu, Buck Mulligan[1] émergea de l'escalier, porteur d'un bol de mousse à raser sur lequel un miroir et un rasoir reposaient en croix. Tiède, l'air matinal soulevait doucement derrière l'homme une robe de chambre jaune dénouée à la taille. Élevant haut le bol, il entonna :

— *Introibo ad altare Dei*[2].

À l'arrêt, son regard plongea dans le sombre escalier en colimaçon et il enjoignit d'un ton canaille :

— Allez, monte, Kinch[3]. Allez, monte, espèce d'affreux jésuite[4].

Solennel, il s'avança et grimpa sur la banquette de tir circulaire. S'étant retourné, il bénit par trois fois, grave, la tour, le pays environnant et les montagnes en cours d'éveil. Puis, apercevant Stephen Dedalus, il se pencha vers lui et dessina dans l'air des croix rapides, roucoulant du gosier et hochant la tête. Stephen Dedalus, mécontent et ensommeillé, s'appuya sur le haut des marches et regarda froidement ce visage qui le bénissait, tout en longueur chevaline, roucoulant et secoué de hochements et la chevelure blonde, indemne de tonsure, qui avait du chêne clair le grain et la nuance.

Buck Mulligan jeta un rapide coup d'œil sous le miroir avant de recouvrir le bol vivement.

— Au paddock, fit-il, sévère.

Il ajouta sur un ton de prédicateur :

— Car ceci, ô mes bienaimés, est l'authentique Christine : corps et sang et âme et tout le pataquès[5]. *Piano*, la musique, je vous prie. Fermez les yeux, messieurs. Un instant. J'ai un petit problème avec ces globules blancs. Silence dans les rangs.

Il leva un regard scrutateur de côté puis émit un long lent coup de sifflet d'appel avant de s'arrêter un instant, plongé dans le ravissement, ses dents blanches régulières brillant çà et là d'un éclat d'or. Chrysostomos[6]. Deux coups de sifflet aigus et puissants répondirent, traversant le calme.

— Merci, mon vieux, s'écria-t-il avec entrain. Ça fera parfaitement l'affaire. Sois gentil, coupe le courant.

Il sauta lestement de la banquette de tir et, grave, regarda celui qui l'observait, enveloppant ses jambes des plis épars de sa robe de chambre. Le visage joufflu et ombré, les bajoues ovales et maussades rappelaient un de ces prélats protecteurs des arts au moyen âge. Un sourire agréable s'esquissa sur ses lèvres.

— Quelle dérision[7], fit-il gaiement. Ton nom absurde, un Grec ancien.

Il braquait son index, amical et facétieux, et se dirigea vers le parapet, riant tout seul. Stephen Dedalus se leva, le suivit à mi-chemin d'un air las et s'assit au bord de la banquette de tir, continuant à l'observer tandis qu'il calait son miroir sur le parapet, plongeait le blaireau dans le bol et savonnait joues et cou.

Gaie, la voix de Buck poursuivait :

— Mon nom aussi est absurde : Malachie Mulligan, deux dactyles. Mais il a une consonance hellénique[8], pas vrai ? Leste et solaire comme un vrai bouc. Il faut qu'on aille à Athènes. Viendras-tu si j'arrive à faire cracher vingt livres à la tante ?

Il mit de côté le blaireau et, riant aux anges, s'écria :

— Viendra-t-il ? Ce maigrichon de jésuite.

S'interrompant, il commença à se raser avec application.

— Dis-moi, Mulligan, dit Stephen tranquillement[9].

— Oui, mon amour ?

— Combien de temps Haines va-t-il rester dans cette tour ?

Buck Mulligan laissa voir une joue rasée par-dessus son épaule droite.

— Bon dieu, quel horrible bonhomme, non ? lança-t-il franchement. Un lourdaud saxon[10]. Il trouve que tu n'es pas un gentleman. Bon dieu, ces foutus Anglais. Pleins à craquer de fric et de bouffe. Parce qu'il sort d'Oxford. Tu sais, Dedalus, toi, tu as les vraies manières d'Oxford. Il n'arrive pas à te déchiffrer. Ah, le nom que je t'ai trouvé est le meilleur : Kinch, la fine lame.

Il se rasait le menton avec circonspection.

— Il a passé la nuit à délirer à propos d'une panthère noire, dit Stephen. Où est son étui à fusil ?

— Un pauvre cinglé, dit Mulligan. Est-ce que tu as eu la trouille ?

— Oui, dit Stephen énergiquement et l'air de plus en plus effrayé. Là dans le noir, alors qu'un homme que je ne connais pas délire et gémit tout seul, parlant d'abattre une panthère noire. Tu as sauvé des hommes de la noyade. Mais moi je ne suis pas un héros. S'il reste ici je m'en vais.

Buck Mulligan fronça les sourcils devant la mousse ramassée par son rasoir. Il sauta de son perchoir et se mit à fouiller hâtivement les poches de son pantalon.

— Merde et merde ! s'écria-t-il d'une voix grasse.

Il s'approcha de la banquette de tir et dit, plongeant la main dans la poche de poitrine de Stephen :

— File-moi donc ton tire-jus, que j'essuie mon rasoir.

Stephen se laissant faire, Buck Mulligan sortit un

mouchoir sale et tout chiffonné qu'il tint par un coin pour l'édification des foules. Il essuya la lame de rasoir avec soin. Puis, contemplant le mouchoir, dit :

— Le tire-jus du barde [11]. Une nouvelle couleur artiste pour nos poètes irlandais : vert-morve. On peut presque la déguster, pas vrai ?

Il monta à nouveau au parapet et contempla les lointains de la baie de Dublin, sa chevelure blonde, chêneclair, légèrement agitée par le vent.

— Bon dieu, fit-il tranquillement. Est-ce que la mer n'est pas, comme le dit Algy [12], une mère grande et douce ? La mer vert-morve [13]. La mer serre-burettes. *Epi oinopa ponton* [14]. Ah, Dedalus, les Grecs. Il faut que je t'apprenne. Il faut que tu les lises dans l'original [15]. *Thalatta* [16] *! Thalatta !* C'est notre grande et douce mère. Viens voir.

Stephen se leva et s'approcha du parapet. S'y appuyant, il plongea le regard sur l'eau et regarda le paquebot-poste qui doublait l'embouchure du port de Kingstown [17].

— Notre mère toute-puissante [18], dit Buck Mulligan.

Brusquement le regard inquisiteur de ses yeux gris, quittant la mer, se tourna vers le visage de Stephen.

— La tante pense que tu as tué ta mère, dit-il. C'est pour ça qu'elle ne veut absolument pas que je te fréquente.

— Quelqu'un l'a tuée, fit Stephen sombrement.

— Tu aurais pu te mettre à genoux, sacrebleu, Kinch, quand ta mère mourante te l'a demandé, fit Buck Mulligan. Je suis hyperboréen [19] tout comme toi. Mais quand on pense que ta mère t'a supplié dans son dernier souffle de t'agenouiller et de prier pour elle. Et que tu as refusé. Tu as quelque chose de sinistre…

Il s'interrompit et étala à nouveau légèrement de

la mousse sur son autre joue. Un sourire tolérant lui retroussa les lèvres.

— Mais quel charmant cabot, murmura-t-il à part lui. Kinch, le plus charmant cabot de toute la bande[20].

Il se rasait à traits unis, avec soin, silencieux, sérieux.

Stephen, un coude posé sur les aspérités du granit, appuya sa paume contre son front et contempla le bord effrangé de sa manche de veste noire et lustrée. Une souffrance, qui n'était pas encore souffrance d'amour, lui rongeait le cœur. Silencieusement, elle était venue à lui en rêve après sa mort, son corps dévasté flottant dans ses vêtements mortuaires de bure, d'où émanait une odeur de cire et de bois de rose, son haleine, qui s'était penchée sur lui, muette, pleine de reproches, une faible odeur de cendres mouillées. À travers le bord élimé de la manchette il apercevait cette mer saluée comme une grande et douce mère par la voix repue qui se faisait entendre à son côté. Le cercle de la baie et de l'horizon contenait toute une masse liquide d'un vert terne. Un bol de porcelaine blanche était resté près de son lit de mort, qui avait recueilli la bile verte et glaireuse arrachée à son foie pourrissant dans des accès bruyants de vomissements ponctués de gémissements.

Buck Mulligan essuya à nouveau sa lame de rasoir.

— Ah, pauvre corniaud[21], fit-il d'une voix bienveillante. Il faut que je te donne une chemise et quelques tire-jus. Le bénard de seconde main, ça va ?

— Il me va assez bien, répondit Stephen.

Buck Mulligan attaqua le creux au-dessous de sa lèvre inférieure.

— Quelle dérision, fit-il d'un ton satisfait, on devrait plutôt dire de seconde jambe. Dieu sait quel poivrot vérolé s'en est débarrassé. J'en ai un très joli, avec passepoil, gris. Tu auras l'air sensass avec. Je ne plaisante pas, Kinch. Tu as sacrément belle allure quand tu t'habilles.

— Merci, dit Stephen. Je ne peux pas le porter s'il est gris.

— Il ne peut pas le porter, raconta Buck Mulligan à son visage dans le miroir. L'étiquette, c'est l'étiquette. Il tue sa mère, mais il ne peut pas porter des pantalons gris.

Il ferma son rasoir avec soin et palpa sa peau lisse à petits coups caressants.

Stephen détourna son regard de la mer vers le visage joufflu aux yeux mobiles d'un bleu fumée.

— Ce type avec qui j'étais au Ship hier soir, fit Buck Mulligan, dit que tu es atteint de p.g. Il travaille à Dingopolis[22] avec Conolly Norman. Paralysie générale[23].

Il fit décrire dans l'air à son miroir un demi-cercle pour signaler au monde la grande nouvelle dans le soleil rayonnant maintenant sur la mer. Ses lèvres rasées, retroussées, riaient, tout comme ses dents blanches scintillaient. Le rire s'empara de tout son torse solide et bien bâti.

— Regarde-toi, dit-il, espèce de barde à la manque.

Stephen se pencha et scruta le miroir qu'on lui tendait, traversé par une fêlure en zigzag, le cheveu dressé sur la tête. Tel que lui et les autres me voient. Qui m'a choisi ce visage ? Ce corniaud qu'il faut épucer. Il me le demande aussi.

— Je l'ai piqué dans la chambre de la bonniche, dit Buck Mulligan. C'est bien fait pour elle. La tante a toujours des domestiques moches à l'intention de Malachie. Ne l'induisez pas en tentation. Et elle a pour nom Ursule.

Se remettant à rire, il éloigna le miroir des yeux scrutateurs de Stephen.

— La rage qui s'empare de Caliban quand il ne voit

pas son visage dans le miroir[24]. Si Wilde était seulement en vie pour te voir.

Se reculant, et le doigt pointé, Stephen dit amèrement :

— C'est un symbole de l'art irlandais. Le miroir fêlé d'une servante[25].

Buck Mulligan tout à coup passa son bras dans celui de Stephen et déambula avec lui autour de la plate-forme, rasoir et miroir cliquetant dans la poche où il les avait fourrés.

— Ça n'est pas bien de te mettre en boîte comme ça, hein, Kinch ? dit-il gentiment. Dieu sait que tu as plus de caractère qu'aucun d'entre eux.

Encore paré. Il craint le bistouri de mon art tout comme je redoute celui du sien. La froide plume d'acier.

— Miroir fêlé d'une servante. Raconte ça en bas à l'espèce de bovin d'Oxford et tape-le d'une guinée. Il pue le fric et considère que tu n'es pas un gentleman. Son vieux a fait sa thune en vendant de l'huile de ricin aux Zoulous ou une de ces arnaques à la con. Bon dieu, Kinch, si toi et moi on pouvait seulement travailler ensemble on arriverait peut-être à faire quelque chose pour l'île. L'hélléniser[26].

Le bras de Cranly. Son bras.

— Et penser que tu es obligé de mendier devant ces porcs. Je suis le seul à savoir ce que tu es. Pourquoi n'as-tu pas plus confiance en moi ? Pourquoi m'as-tu dans le nez ? Est-ce que c'est Haines ? S'il fait le moindre boucan ici je ferai venir Seymour et on lui fera un bizutage encore pire que les autres avec Clive Kempthorpe.

Cris juvéniles de voix friquées dans la turne de Clive Kempthorpe. Visages pâles : ils se tiennent les côtes de rire, s'accrochant les uns aux autres, Ô, j'expire ! Qu'on lui apprenne la nouvelle avec ménagements, Aubrey[27] ! C'est à mourir ! Les pans de chemise coupés en rubans battant l'air il sautille à cloche-pied autour de la table, le pantalon sur les talons, poursuivi par Ades, de Magdalen College, armé de ciseaux de tailleur. Visage de veau épouvanté doré à la marmelade d'orange. Je veux pas qu'on me déculotte ! Je suis pas du bétail !

Des cris venus de la fenêtre ouverte qui répandent l'alarme dans le soir de la cour d'honneur. Un jardinier sourd, avec son tablier, portant sur son visage le masque de Matthew Arnold, pousse sa tondeuse sur la sombre pelouse en surveillant de près la danse des fétus d'herbe[28].

À nousautres[29]... nouveau paganisme[30]... omphalos.

— Qu'il reste, fit Stephen. Il n'y a rien à lui reprocher sauf la nuit.

— Alors, qu'est-ce que c'est ? demanda Buck Mulligan impatiemment. Crache le morceau. Je suis tout à fait franc avec toi. Qu'est-ce que tu as contre moi maintenant ?

Ils s'arrêtèrent, le regard tourné vers le promontoire obtus de Bray posé sur l'eau tel le museau d'une baleine endormie. Stephen libéra son bras tranquillement.

— Souhaites-tu que je te le dise ? demanda-t-il.

— Oui, qu'est-ce que c'est ? répondit Buck Mulligan. Je ne me souviens de rien.

Il scrutait le visage de Stephen tout en parlant. Un vent léger balaya son front, éventant doucement ses cheveux blonds impeignés et agitant dans ses yeux les points argentés de son anxiété.

Stephen, déprimé par sa propre voix, fit :

— Te souviens-tu du premier jour où je suis allé chez toi après la mort de ma mère ?

Buck Mulligan fronça vivement les sourcils et dit :

— Quoi ? Où ? Je ne peux me souvenir de rien. Je ne

me souviens que des idées et des sensations[31]. Pourquoi ? Au nom du ciel, qu'est-ce qui s'est passé ?

— Tu faisais le thé, dit Stephen, et tu as traversé le palier pour aller chercher un peu plus d'eau chaude. Ta mère et quelque visite sortaient du salon. Elle t'a demandé qui était dans ta chambre.

— Oui, fit Buck Mulligan. Qu'est-ce que j'ai dit ? J'ai oublié.

— Tu as dit, répondit Stephen, *Oh, c'est seulement Dedalus dont la mère est crevée comme une bête.*

Une rougeur qui le fit paraître plus jeune et plus engageant monta aux joues de Buck Mulligan.

— Ai-je dit cela ? demanda-t-il. Eh bien ? Quel mal y a-t-il ?

Nerveusement, il se débarrassait de la gêne qui l'avait envahi.

— Et qu'est-ce que la mort, demanda-t-il, celle de ta mère ou la tienne ou la mienne ? Tu n'as vu mourir que ta mère. Moi, tous les jours je les vois claquer au Mater et au Richmond et être découpés en rondelles dans les salles de dissection. Comme des bêtes, c'est tout. C'est sans la moindre importance. Tu n'as pas voulu te mettre à genoux et prier pour ta mère sur son lit de mort quand elle te l'a demandé. Pourquoi ? Parce que tu as en toi ce maudit esprit jésuite, à ça près qu'on te l'a injecté de travers. Pour moi, tout ça n'est que dérision et animalité. Ses lobes cérébraux ne fonctionnent pas. Elle appelle le docteur Sir Peter Teazle[32] et cueille des boutons d'or sur son édredon[33]. Fais-lui plaisir tant que tout n'est pas fini. Tu t'es mis en travers de son ultime désir et pourtant tu me boudes parce que je ne gémis pas comme un croque-mort de chez Lalouette[34]. Absurde ! J'ai dû le dire, effectivement. Je n'entendais pas offenser la mémoire de ta mère.

Il s'était enhardi à mesure qu'il parlait. Stephen,

protégeant les blessures béantes que ces paroles avaient laissées dans son cœur, dit très froidement :

— Je ne songe pas à l'offense faite à ma mère.

— À quoi donc, alors ? demanda Buck Mulligan.

— À l'offense qui m'est faite à moi, répondit Stephen.

Buck Mulligan tourna sur ses talons.

— Ah, quel être impossible ! s'exclama-t-il.

Il fit rapidement le tour du parapet. Stephen resta à son poste, à contempler la mer calme en direction du promontoire. Mer et promontoire se faisaient maintenant indistincts. Ses yeux étaient en proie à des pulsations qui voilaient leur vision et il éprouvait la fièvre qui avait envahi ses joues.

Une voix venue de l'intérieur de la tour appela bruyamment :

— Es-tu là-haut, Mulligan ?

— J'arrive, répondit Buck Mulligan.

Il se tourna vers Stephen et dit :

— Regarde la mer. Elle se fiche pas mal des offenses. Laisse tomber Loyola, Kinch, et descends donc. La Saxonnerie veut ses tranches de bacon matinales.

Sa tête fit à nouveau une pause un instant en haut de l'escalier, de niveau avec le toit.

— Ne passe pas ton temps à broyer du noir[35], dit-il. Je suis inconséquent. Laisse tomber, assez de ruminations moroses.

Sa tête disparut mais le bourdon de sa voix qui descendait jaillissait, ronflante, de la gueule de l'escalier.

Ne te détourne plus, ni ne rumine
L'amer mystère de l'amour,
Car Fergus commande aux chars d'airain[36].

Venues de cet escalier des ombresylvestres traversèrent silencieusement, flottantes, la paix matinale, se dirigeant vers la haute mer qu'il contemplait. Tout près du bord, et plus loin encore, le miroir des eaux blanchit, piétiné par le pas pressé de légères sandales. Sein blanc de la mer indécise. Ces accents enlacés, deux par deux. Une main qui pince les cordes de harpe, mêlant leurs accords enlacés. Mots mariés, blancvagues, miroitant sur la marée indécise.

Un nuage se mit à couvrir le soleil lentement, totalement ombrant la baie d'un vert plus profond. Il se trouvait au-dessous de lui, ce bol d'eaux amères[37]. La chanson de Fergus : je la chantais, seul dans la maison, soutenant les longs accords sombres. Sa porte était ouverte : elle voulait entendre ma musique. Réduit au silence par l'effroi et la pitié je suis allé à son chevet. Elle pleurait dans son lit misérable. Pour ces mots, Stephen : l'amer mystère de l'amour.

Où donc maintenant ?

Ses secrets à elle : vieux éventails de plume, carnets de bal à pompons, poudrés de musc, une parure de perles d'ambre dans son tiroir fermé à clé. Une cage à oiseaux pendue à la fenêtre ensoleillée de sa maison quand elle était petite fille. Elle avait entendu le vieux Royce[38] chanter dans la pantomime de *Turco le terrible*[39] et ri avec les autres quand il chantait :

Je suis le petit gars
Qui se flatte, n'est-ce pas ?
D'être invisible.

Gaieté fantasmatique, rangée loin des regards : parfumée-au-musc.

Ne te détourne plus, ni ne rumine.

Rangée loin des regards sous la mémoire de la nature[40] avec ses jouets. Des sous-venirs assaillaient son cerveau en pleine rumination, Son verre d'eau pris au robinet de la cuisine quand elle avait reçu les sacrements. Une pomme évidée, remplie de cassonade, rôtissant à son intention au bord du foyer par une sombre soirée d'automne. Ses ongles fuselés rougis par le sang des poux écrasés sur les chemises des enfants.

En rêve, silencieusement, elle était venue à lui, son corps dévasté flottant dans ses derniers vêtements d'où émanait une odeur de cire et de bois de rose, son haleine, penchée au-dessus de lui, avec ses paroles muettes[41], secrètes, une faible odeur de cendres mouillées.

Ses yeux vitreux, fixes, surgis de la mort pour secouer, plier mon âme. Sur moi seul. Le cierge funèbre éclairant son agonie. Lumière funèbre, spectrale sur le visage torturé. Sa respiration bruyante, rauque, râlant d'horreur, tandis que tous priaient à genoux. Ses yeux braqués sur moi pour m'abattre. *Liliata rutilantium te confessorum turma circumdet : iubilantium te virginum chorus excipiat*[42].

Goule ! Mâcheuse de cadavres !

Non, mère. Laisse-moi être et laisse-moi vivre.

— Ohé, Kinch.

La voix de Buck Mulligan chantait en bas dans la tour. Se faisant plus proche, elle monta dans l'escalier, appelant à nouveau. Stephen, laissé tremblant par le cri jailli de son âme, entendait la course des chauds rayons de soleil[43] et, dans l'air derrière lui, des paroles amicales.

— Dedalus, descends, comme le bon petit diable[44] que tu es. Le petit déjeuner est prêt. Haines fait ses excuses pour nous avoir réveillés la nuit dernière. Tout va bien.

— J'arrive, dit Stephen en se tournant.

— Oui, pour l'amour de Dieu, dit Buck Mulligan. Par amour pour moi et pour tous.

Sa tête disparut et réapparut.

— Je lui ai parlé de ton symbole de l'art irlandais. Il dit que c'est très astucieux. Tape-le d'une livre, hein ? Je veux dire une guinée[45].

— On me paie ce matin, fit Stephen.

— Ton école à la con ? dit Buck Mulligan. Combien ? Quatre livres ? Prêtes-en une.

— Si tu en as besoin, dit Stephen.

— Quatre resplendissants souverains, s'écria Buck Mulligan ravi. On va se pinter de première, à en époustoufler les druides pur jus. Quatre omnipotents souverains.

Levant les bras au ciel, il descendit lourdement les marches de pierre, chantant faux avec un accent cockney :

Ah, c'qu'on va s'marrer, non ?
À s'enfiler whisky, bière et canons
Pour le couronnement,
Ah, oui, le couronnement !
Ah, c'qu'on va s'marrer
Pour le couronnement[46] *!*

Un chaud soleil moirait la mer. Le bol à raser en nickel brillait, oublié, sur le parapet. Pourquoi le descendrais-je ? Ou alors le laisser là toute la journée, amitié oubliée ?

Il alla vers lui, le tint un instant dans ses mains, éprouvant sa fraîcheur, sentant l'odeur de la mousse poisseuse, baveuse, dans laquelle le blaireau était planté. C'est ainsi que je portais la navette d'encens jadis à Clongowes[47]. Je suis un autre maintenant et pourtant le même. Un servant également. Un serviteur de servant[48].

Sous le dôme lugubre de la salle de séjour, la forme robedechambrée de Buck Mulligan s'affairait énergiquement autour du foyer, tour à tour cachant et révélant sa lueur jaune. Deux traits de la douce lumière du jour traversaient le sol dallé, tombant des hautes barbacanes : et au point de rencontre de leurs rayons la fumée du charbon et celle de la graisse frite flottaient en un nuage tournoyant.

— On va s'asphyxier, dit Buck Mulligan. Haines, ouvre cette porte, veux-tu ?

Stephen déposa le bol sur le coffre. Une haute silhouette se leva du hamac où elle était assise, alla vers la sortie et ouvrit les portes intérieures.

— As-tu la clé[49] ? demanda une voix.

— C'est Dedalus qui l'a, dit Buck Mulligan. Putain, je suffoque.

Il hurla sans lever les yeux du feu :

— Kinch !

— Elle est dans la serrure, dit Stephen en s'avançant.

La clé racla, grinçante, par deux fois, et, la lourde porte une fois entr'ouverte, une lumière et un air éclatant, bienvenus, pénétrèrent dans les lieux. Haines, planté à l'entrée, regardait au dehors. Stephen hala jusqu'à la table sa valise posée sur un côté et s'assit pour attendre. Buck Mulligan fit sauter la friture sur le plat à côté de lui. Puis il porta le plat et une grosse théière sur la table, les posa lourdement et eut un soupir de soulagement.

— Je fonds, fit-il, comme disait la bougie lorsque... Mais chut ! Pas un mot de plus sur ce sujet ! Kinch, réveille-toi. Pain, beurre, miel. Haines, rentre. La bouffe est prête. Bénissez-nous, Seigneur, ainsi que ces dons que vous nous accordez. Où est le sucre ? Oh, merde, il n'y a pas de lait.

Stephen alla chercher la miche de pain et le pot de miel et le rafraîchissoir à beurre dans le placard. Buck Mulligan s'assit, en pétard tout à coup.

— Qu'est-ce que c'est que ce bordel ? dit-il. Je lui ai dit de venir après huit heures.

— On peut le boire noir, fit Stephen soiffeusement. Il y a un citron dans le placard.

— Ah, va au diable avec tes marottes parisiennes, dit Buck Mulligan. Je veux du lait de Sandycove.

Haines, qui était sur le pas de la porte, rentra et dit tranquillement :

— La femme monte avec le lait.

— Que la bénédiction de Dieu soit sur vous, s'écria Buck Mulligan en sautant de sa chaise. Assieds-toi. Sers le thé, là. Le sucre est dans le sac. Voilà, je peux pas passer mon temps à trifouiller ces œufs à la con.

Il sabra dans les œufs au bacon sur le plat et les flanqua sur les trois assiettes en disant :

— *In nomine Patris et Filii et Spiritus Sancti*.

Haines s'assit pour verser le thé.

— Je vous donne deux morceaux à chacun, dit-il. Mais, dis donc, Mulligan, tu fais du thé sacrément fort, hein ?

Buck Mulligan, occupé à tailler d'épaisses tranches dans la miche, dit d'une voix pateline de vieille femme :

— Quand j'faisions du thé, j'faisions du thé, comme disait la vieille Mère Grogan[50]. Et quand j'faisions de l'eau, j'faisions de l'eau.

— Bon Dieu, pour du thé, c'est du thé, dit Haines.

Buck Mulligan continuait à tailler, et toujours patelin :

— *C'est ce que je fais, madame Cahill,* qu'elle dit. *Ma Doué, m'dame,* fait Mme Cahill, *Dieu veuille qu'vous les fassiez pas dans l'même pot*.

D'un coup de pointe il présenta à ses compagnons

de popote tour à tour une épaisse tranche de pain empalée sur son couteau.

— Voilà le peuple, fit-il avec grand sérieux, qu'il faut pour ton livre, Haines. Cinq lignes de texte et dix pages de notes sur le peuple et les dieux-poissons de Dundrum. Imprimé par les Sœurs de l'Étrange en l'année du Grand Vent[51].

Il se tourna vers Stephen et lui demanda d'une voix intriguée, exquise, haussant les sourcils :

— Vous souvient-il, mon frère, si l'on parle du pot à thé et à eau de la Mère Grogan dans le Mabinogion[52], ou bien est-ce dans les Upanishads[53] ?

— J'en doute, fit Stephen avec gravité.

— Ah oui vraiment ? fit Buck Mulligan sur le même ton. Vos raisons, je vous prie ?

— À ce qu'il me semble, dit Stephen tout en mangeant, il n'a existé ni dans, ni hors du Mabinogion. La Mère Grogan, on peut le penser, était une parente de Mary Ann.

Le visage de Buck Mulligan sourit de ravissement.

— Délicieux, fit-il d'une voix douce et précieuse, montrant ses dents blanches et clignant des yeux, enjoué. Vous estimez que c'est le cas ? Tout à fait délicieux !

Puis, assombrissant subitement tous ses traits, il brama d'une voix de crécelle enrouée tout en taillant à nouveau vigoureusement la miche :

— *Car la vieille Mary Ann,*
Qui n'est pas une dame,
Mais, troussant ses jupons…

S'empiffrant d'œufs au bacon, il jouait des mandibules et bourdonnait.

L'entrée fut assombrie par l'arrivée d'une forme.

— Le lait, monsieur.

— Entrez, m'dame, dit Mulligan. Kinch, prends le pot.

Une vieille femme s'avança et se tint au côté de Stephen.

— C'est une bien belle journée, monsieur, dit-elle. Que Dieu en soit loué.

— Qui donc ? dit Mulligan en lui jetant un coup d'œil. Ah, oui, assurément.

Se penchant en arrière, Stephen prit le pot au lait dans le placard.

— Les insulaires, fit Mulligan négligemment à l'adresse de Haines, parlent fréquemment du collecteur de prépuces.

— Quelle quantité, monsieur ? demanda la vieille femme.

— Deux pintes, dit Stephen.

Il l'observa tandis qu'elle versait dans la mesure et de là dans le pot un lait blanc et riche, pas le sien. Vieilles mamelles rabougries. Elle versa encore une mesure et la bonne mesure. Vieille et secrète, elle était entrée, venue d'un monde du matin, peut-être messagère[54]. Elle chantait la louange de ce lait si bon, le versant. Accroupie près d'une vache patiente au lever du jour dans la prairie luxuriante, sorcière sur son tabouret de champignon vénéneux, ses doigts ridés affairés aux trayons gicleurs. Elles mugissaient autour de celle qu'elles connaissaient, bétail tout effleuré de rosée. Fleur du troupeau et pauvre vieille, des noms à elle donnés dans les temps anciens[55]. Vieillarde errante, humble forme revêtue par une immortelle au service de son conquérant et de son joyeux séducteur[56], leur concubine à tous deux, messagère du matin secret. Pour le service ou pour la remontrance, il n'aurait su le dire : mais dédaignait de mendier sa faveur.

— Certes, certes, m'dame, fit Buck en versant le lait dans leur tasse.

— Goûtez-le, monsieur, dit-elle.

Il but à son injonction.

— Si seulement on pouvait se nourrir sainement comme ça, lui dit-il à voix assez haute, le pays ne serait pas plein de dents pourries et de tripes pourries. À vivre dans un marécage, à manger de la cochonnerie, et les rues pavées de poussière, de crottin de cheval et de crachats de tuberculeux.

— Êtes-vous étudiant en médecine, monsieur ? demanda la vieille femme.

— C'est cela même, m'dame, répondit Buck Mulligan.

— Ah ben, voyez-vous ça, dit-elle.

Stephen écoutait dans un silence méprisant. Elle incline sa vieille tête devant une voix qui lui parle haut, son rebouteux, son guérisseur : de moi elle fait peu de cas. Devant la voix qui confessera et oindra pour le tombeau tout ce qui reste d'elle, sauf ses reins impurs de femme, créée de la chair de l'homme, non pas à la semblance de Dieu, la proie du serpent[57]. Et devant la haute voix qui en ce moment lui impose de rester silencieuse, le regard indécis et ébahi.

— Comprenez-vous ce qu'il dit ? lui demanda Stephen.

— Est-ce que c'est du français que vous causez, monsieur ? dit la vieille femme à Haines.

Haines lui fit à nouveau un plus long discours, avec assurance.

— De l'irlandais, dit Buck Mulligan. Est-ce que le gaélique est dans vos cordes ?

— Je pensais que c'était de l'irlandais, dit-elle, à cause des sons. Vous êtes de l'ouest, monsieur ?

— Je suis un Anglais, répondit Haines.

— Il est anglais, dit Buck Mulligan, et il pense que nous devrions parler irlandais en Irlande.

— Sûr qu'on devrait, dit la vieille femme, et j'ai honte de pas parler la langue moi-même. Les ceux qui savent disent que c'est une bien belle langue.

— Bien belle, c'est rien de le dire, fit Buck Mulligan. Merveilleuse en tout point. Sers-nous encore un peu de thé, Kinch. Désirez-vous une tasse, m'dame ?

— Non, je vous remercie, monsieur, dit la vieille femme, glissant l'anse de sa berthe à lait sur son avant-bras et se préparant à partir.

Haines lui dit :

— Avez-vous votre note ? Nous ferions mieux de la payer, Mulligan, n'est-ce pas ?

Stephen remplit à nouveau les trois tasses.

— La note, monsieur ? dit-elle en s'arrêtant. Eh bien, c'est sept matins une pinte à deux pence fait sept fois deux fait un shilling et deux pence et ces trois matins deux pintes à quatre pence fait six pintes fait un shilling ça fait un shilling et un shilling et deux fait deux et deux, monsieur.

Buck Mulligan soupira et, s'étant empiffré d'un croûton beurré épais des deux côtés, allongea les jambes et se mit à fouiller ses poches de pantalon.

— Casque et prends l'air aimable, lui dit Haines en souriant.

Stephen versa une troisième tasse, une cuillerée de thé colorant légèrement le lait riche et épais. Buck Mulligan exhiba un florin, le fit tourner entre ses doigts et s'écria :

— Un miracle !

Il le fit passer sur la table en direction de la vieille femme, en disant :

— Ne demande plus rien, douce amie. De ce que j'ai je ne garde mie[58].

Stephen déposa la pièce dans sa main incupide.

— Nous devrons deux pence, dit-il.

— On a le temps, monsieur, dit-elle en prenant la pièce. On a le temps. Bonne journée, monsieur.

Elle fit une révérence et sortit, suivie par la tendre psalmodie de Buck Mulligan :

— Ô, ma très chère, eussé-je plus eu,
C'est toi qui l'eusses reçu.

Il se tourna vers Stephen et dit :

— Sérieusement, Dedalus. Je suis complètement à sec. File à ton école à la con et ramène-nous un peu de fraîche. Aujourd'hui les bardes se doivent de boire et de faire la nouba. L'Irlande compte que chacun, en ce jour, fera son devoir[59].

— Cela me rappelle, dit Haines en se levant, que je dois me rendre aujourd'hui à votre bibliothèque nationale[60].

— Notre baignade d'abord, dit Buck Mulligan.

Il se tourna vers Stephen et lui demanda, suave :

— Est-ce le jour de ton bain mensuel, Kinch ?

Puis il dit à Haines :

— Le barde impur tient absolument à prendre un bain une fois par mois.

— L'Irlande tout entière est baignée par le gulf-stream, dit Stephen tout en laissant dégouliner du miel sur sa tranche de pain.

Du coin de la pièce où il nouait un foulard désinvolte sur le col souple de sa chemise de tennisman, Haines prit la parole :

— Je me propose de rassembler vos dits si vous m'en donnez la permission.

Me parle. Ils se lavent et se curent et se récurent. Re-mords de l'inextimé[61]. La conscience. Et pourtant voici une tache[62].

— Celle d'un miroir fêlé de servante comme symbole de l'art irlandais est rudement bonne.

Buck Mulligan donna un coup de pied à Stephen sous la table et dit d'un ton chaleureux :

— Attends son numéro sur Hamlet[63], Haines.

— Oui, je suis sérieux, dit Haines, s'adressant toujours à Stephen. J'y pensais justement quand cette pauvre vieille est entrée.

— Est-ce que ça me rapportera de l'argent ? demanda Stephen[64].

Haines rit et dit, en prenant son feutre gris accroché au crampon du hamac :

— À vrai dire, je n'en sais rien.

Il déambula vers la sortie. Buck Mulligan se pencha par-dessus la table et dit d'un ton âpre :

— Voilà, tu as mis tes gros sabots dans le plat. Où veux-tu en venir en disant ça ?

— Eh bien ? fit Stephen. Le problème, c'est de se procurer de l'argent. De qui le tirer ? de la laitière ou de lui. Ça se joue à pile ou face, à mon avis.

— Je le chauffe à ton sujet, dit Buck Mulligan, et tu te ramènes avec ton œil torve de pouilleux et tes lugubres sarcasmes de jésuite.

— Je n'espère pas grand'chose, dit Stephen, d'elle ni de lui.

Buck Mulligan soupira tragiquement et posa sa main sur le bras de Stephen.

— De moi, Kinch, dit-il.

D'un ton tout à coup changé, il ajouta :

— À parler franc, je crois que tu as raison. Ils ne sont pas bons à grand'chose d'autre. Pourquoi tu les joues pas cool comme moi ? Qu'ils aillent se faire voir. Allez, on se tire de ce bordel.

Il se leva et, avec gravité, défit sa ceinture et se dévêtit de sa robe de chambre, disant avec résignation :

— Mulligan est dépouillé de ses vêtements[65].

Il vida ses poches sur la table.

— Voilà ton tire-jus, fit-il.

Et tout en mettant son col dur et sa cravate rebelle, il leur parlait, les morigénant, de même à sa chaîne de montre pendouillante. Ses mains plongèrent et farfouillèrent dans sa malle cependant qu'il réclamait un mouchoir propre. Bon dieu, il faut tout bonnement le costume pour tenir le rôle. Il me faut des gants puce et des souliers verts. Contradiction. Est-ce que je me contredis ? Fort bien donc, je me contredis[66]. Malachie le Mercuriel. Un projectile noir et mou vola, lancé par ses mains bavardes.

— Et voilà ton chapeau à la quartier latin.

Stephen le ramassa et s'en coiffa. À la porte, Haines les appelait :

— Vous venez, vous autres ?

— Je suis prêt, répondit Buck Mulligan en se dirigeant vers la porte. Sors d'ici, Kinch. Tu as mangé tous nos restes, je suppose.

Résigné, il sortit, verbe et démarche pleins de gravité, disant, quasi chagriné :

— Étant donc sorti il rencontra Lamermoort[67].

Stephen, prenant sa frênecanne[68] là où elle était appuyée, sortit derrière eux et, tandis qu'ils descendaient l'échelle, tira à fond la lente porte métallique et la ferma. Il mit l'énorme clé dans sa poche intérieure.

Au pied de l'échelle Buck Mulligan demanda :

— As-tu pris la clé avec toi ?

— Je l'ai, dit Stephen en les précédant.

Il poursuivit son chemin. Derrière lui il entendit Buck Mulligan donner de grands coups, de son lourd drap de bain, sur les tiges mères des fougères ou des hautes herbes.

— Voulez-vous bien baisser ça, monsieur ! Comment osez-vous !

Haines demanda :

— Payez-vous un loyer pour cette tour ?

— Douze livres, dit Buck Mulligan.

— Au secrétaire d'état à la guerre, ajouta Stephen par-dessus son épaule.

Ils firent halte pendant que Haines considérait la tour et finissait par dire :

— Plutôt sinistre l'hiver, dirais-je. Vous l'appelez Martello[69] ?

— C'est Billy Pitt qui les a fait construire, dit Buck Mulligan, quand les Français avaient pris la mer[70]. Mais la nôtre, c'est l'*omphalos*.

— Comment voyez-vous Hamlet ? demanda Haines à Stephen.

— Non, non, cria Buck Mulligan, douloureux. Je ne suis pas à la hauteur de Thomas d'Aquin et des cinquante-cinq raisons qu'il a fabriquées pour étayer ça[71]. Patientez, il me faut d'abord quelques pintes dans la panse.

Il se tourna vers Stephen et, tout en tirant soigneusement sur les pointes de son gilet primevère[72], déclara :

— Tu ne pourrais pas t'en tirer à moins de trois pintes, hein, Kinch ?

— Ça attend depuis si longtemps, dit Stephen avec indifférence, ça peut encore attendre.

— Vous piquez ma curiosité, fit Haines aimablement. S'agit-il de quelque paradoxe ?

— Pooh ! fit Buck Mulligan. Nous n'en sommes plus à Wilde et aux paradoxes. C'est tout à fait simple. Il prouve par l'algèbre que le petit-fils d'Hamlet est le grand-père de Shakespeare et qu'il est lui-même le fantôme de son propre père.

— Quoi ? dit Haines, faisant mine de désigner Stephen. Lui-même ?

Buck Mulligan lança son drap de bain en étole autour de son cou et, plié en deux dans un rire débridé, dit à l'oreille de Stephen :

— Ah, par les mânes de Kinch l'aîné ! Japhet en quête d'un père[73] !

— Nous sommes toujours fatigués le matin, dit Stephen à Haines. Et c'est un assez long récit.

Buck Mulligan, se remettant en marche, éleva les mains.

— Seule la pinte consacrée peut délier la langue de Dedalus, dit-il.

— Ce que je veux dire, Haines expliquait à Stephen tandis qu'ils le suivaient, cette tour et ces falaises, d'une certaine façon, me font penser à Elseneur. *Qui surplombe sa base au-dessus des flots*[74], n'est-ce pas ?

Buck Mulligan se tourna tout à coup un instant vers Stephen, mais ne dit mot. Dans l'éclat de cet instant silencieux Stephen vit sa propre image : une silhouette de deuil, poussiéreuse et minable, plantée au milieu de leurs tenues aux couleurs vives.

— C'est un merveilleux conte, dit Haines, en les faisant s'arrêter à nouveau.

Des yeux, pâles comme la mer fraîchissante sous le vent, plus pâles, assurés et prudents. Souverain des mers[75], son regard se portait vers le sud, par-dessus la baie, vide à l'exception du panache de fumée du paquebot-poste qui se dessinait vaguement sur l'horizon lumineux, et d'une voile tirant des bords du côté des Muglins.

— J'en ai lu une interprétation théologique quelque part, dit-il, au comble de la perplexité. Le thème du Père et du Fils. Le Fils s'efforçant à la conciliation avec le Père.

Buck Mulligan tout de suite affecta un visage au large sourire béat. Il les regarda, sa bouche bien dessinée grand ouverte de bonheur, les yeux, dont il avait tout à coup effacé tout éclair de sagacité, papillotant d'une gaieté débridée. Sa tête de poupée dodelinait, sous le bord palpitant de son panama[76], et il se mit à psalmodier de la voix tranquille d'un débile heureux :

— *De tous les bons copains, il n'y a pas plus con*[77],
Ma mère, c'est une juive, mon père, c'est un pigeon.
De Joseph le jointif, il n'y a rien à faire.
Alors, à la bonne vôtre, aux disciples, au Calvaire !

L'index levé, il avertit.

— *S'il y en a un qui pense que je suis pas divin*
Y boira pas à l'œil quand je ferai du vin,
Mais de l'eau ce sera, et là j'insiste bien :
C'est c'que j'fais quand le vin de l'eau claire redevient.

D'une rapide secousse à la canne de Stephen il prit congé et, se lançant vers le bord de la falaise, il agita les mains à ses côtés, telles des nageoires ou les ailes de quelque être prêt à s'envoler, et entonna :

— *Adieu, adieu ! Notez le moment et le lieu*
Et dites à Pierre, Paul et Jacques ma résurrection.
Mes gènes, n'en doutez pas, vont aider l'ascension.
Ça souffle fort aux Oliviers. Adieu, adieu !

Il cabriolait devant eux, descendant en direction du trou de quarante pieds[78], faisant voleter ses mains comme des ailes, sautant agilement, pétase de Mercure palpitant dans le vent frais qui rabattait sur eux ses cris brefs doiseletdoux.

Haines, qui jusque-là avait ri avec mesure, et marchait au côté de Stephen, dit :

— Je crois que nous ne devrions pas rire. Il est assez blasphémateur. Je ne suis pas moi-même croyant, à vrai dire. En revanche sa gaieté fait passer ce que cela a de choquant, en quelque sorte, n'est-ce pas ? Quel titre lui donne-t-il ? Joseph le Jointif ?

— La Ballade du Joyeux Jésus.

— Ah, dit Haines, vous l'avez déjà entendue ?

— Trois fois par jour, après les repas, fit Stephen sèchement.

— Vous n'êtes pas croyant, n'est-ce pas ? demanda Haines. Je veux dire : croyant au sens étroit du mot. La création *ex nihilo* et les miracles et un Dieu en personne.

— Le mot n'a qu'un seul sens, il me semble, dit Stephen.

Haines s'arrêta pour sortir de sa poche un étui à cigarettes en argent poli sur lequel scintillait une pierre verte[79]. Il l'ouvrit d'un coup de pouce et le tendit.

— Merci, dit Stephen en prenant une cigarette.

Haines se servit et referma l'étui d'un coup sec. Il le remit dans une poche latérale et prit dans une poche de son gilet un briquet à amadou en nickel, l'ouvrit également d'un coup de pouce puis, ayant allumé sa cigarette, tendit l'amadou enflammé vers Stephen dans la conque de ses mains.

— Oui, bien sûr, dit-il, tandis qu'ils reprenaient leur chemin. Ou bien vous croyez, ou bien vous ne croyez pas, n'est-ce pas ? Personnellement, je ne pourrais pas avaler cette idée d'un Dieu en personne. J'imagine que vous n'en tenez pas pour ça ?

— Vous contemplez en moi, dit Stephen, contrarié et sinistre, un horrible spécimen de libre pensée.

Il poursuivit son chemin, attendant qu'on lui parle, traînant sa frênecanne à son côté. Son bout ferré suivait, léger, sur le sentier, criaillait sur ses talons. Mon démon familier, après moi, appelant Steeeeeeeeeeeephen[80]. Une ligne ondulante le long du sentier. Ils marcheront dessus cette nuit, en arrivant dans le noir. Il veut cette clé. Elle est à moi, j'ai payé le loyer.

Maintenant je mange son pain salé[81]. Donne-lui la clé aussi. Tout. Il la demandera. Je l'ai lu dans ses yeux.

— Tout compte fait, commença Haines…

Stephen se tourna et vit que le regard froid qui l'avait mesuré n'était pas vraiment malveillant.

— Tout compte fait, je dirais que vous êtes bien capable de vous libérer vous-même. Vous êtes votre propre maître, il me semble.

— Je suis le serviteur de deux maîtres[82], dit Stephen, un Anglais et une Italienne.

— Italienne ? fit Haines.

Une reine[83] insensée, vieille et jalouse. Agenouillez-vous devant moi.

— Et un troisième, dit Stephen, qui me requiert pour de petits boulots.

— Italienne ? répéta Haines. Que voulez-vous dire ?

— L'empire britannique, répondit Stephen, la couleur lui montant aux joues, et la sainte église romaine catholique et apostolique.

Haines détacha de sa lèvre inférieure quelques brins de tabac avant de parler.

— Je peux tout à fait comprendre cela, dit-il calmement. J'irai jusqu'à dire qu'un Irlandais ne saurait penser autrement. Nous autres, en Angleterre, avons le sentiment d'avoir été assez peu équitables avec vous. Il semble que la faute en revienne à l'histoire[84].

L'orgueilleuse titulature, lourde de puissance, martelait dans la mémoire de Stephen la sonnerie d'airain de son triomphe : *et unam sanctam catholicam et apostolicam ecclesiam*[85] : la lente poussée et les lentes métamorphoses du rite et du dogme pareilles à ses pensées rares, constellations alchimiques. Symbole des apôtres dans la messe pour le pape Marcel[86], les voix se mêlaient, chantant a cappella, sonores, leur affirmation : et derrière leur plain-chant, l'ange vigilant de l'église militante désarmait et menaçait ses hérésiarques[87]. Une horde d'hérésies fuyant, mitres de guingois : Photius[88] et toute la nichée des moqueurs dont Mulligan faisait partie, et Arius[89], bataillant sa vie entière à propos de la consubstantialité du Fils et du Père, et Valentin[90], piétinant le corps terrestre du Christ, et le subtil hérésiarque africain Sabellius[91], qui tenait que le Père était Lui-même Son propre Fils. Mots que Mulligan avait adressés un moment auparavant, en moquerie, à l'étranger. Vaine[92] moquerie. C'est le néant qui à tout coup attend quiconque tisse le vent[93] : menacés, désarmés et défaits par ces anges de l'église en ordre de bataille, la cohorte de Michel, qui la défendent à jamais à l'heure des conflits, de leurs lances et de leurs boucliers.

Bravo, bravo. Applaudissements prolongés. *Zut ! Nom de Dieu !*

— Bien sûr, je suis un Britannique, disait la voix de Haines, et j'en ai les sentiments. Je ne veux pas non plus voir mon pays tomber aux mains de juifs allemands. C'est là notre problème national[94], je le crains, à l'heure actuelle.

Deux hommes étaient plantés au bord de la falaise, en observation : un homme d'affaires, un marin.

— Le bateau se dirige vers le port de Bullock.

Le marin d'un signe de tête indiqua le nord de la baie, non sans quelque dédain.

— Il y a cinq brasses de fond[95] là-bas, dit-il. Il sera ramené de ce côté-là avec la marée montante vers une heure[96]. Ça fait neuf jours aujourd'hui.

L'homme qui s'est noyé. Une voile tirant des bords dans la baie blafarde, attendant qu'un ballot tout gonflé bondisse hors de l'eau, faisant rouler sous le soleil une face bouffie, blanche de sel. Me voici.

Ils suivirent le sentier sinueux descendant vers la crique. Buck Mulligan était planté sur une pierre, en manches de chemise, la cravate dégrafée ondulant sur son épaule. Un jeune homme accroché à un éperon rocheux près de lui remuait lentement, en grenouille, ses jambes vertes dans les profondeurs gélatineuses de l'eau.

— Est-ce que le frère est avec toi, Malachie ?

— Descendu dans le Westmeath. Avec les Bannon.

— Toujours là ? J'ai reçu une carte de Bannon. Dit qu'il s'est trouvé un gentil petit lot, là-bas. La fille aux photos, comme il l'appelle.

— Le coup de l'instantané, hein ? Courte exposition.

Buck Mulligan s'assit pour délacer ses chaussures. Un homme d'un certain âge surgit brusquement de l'eau près de l'éperon rocheux, la face rougeaude et soufflante. Il grimpa péniblement le long des pierres, le crâne et la guirlande de cheveux gris luisants d'eau, d'une eau qui dégoulinait sur la poitrine et sur la panse, et sortait en jets de son caleçon noir pendouillant.

Buck Mulligan s'écarta pour le laisser grimper et, jetant un coup d'œil à Haines et à Stephen, il se signa pieusement de l'ongle au front, sur les lèvres et sur le sternum.

— Seymour est de retour en ville, dit le jeune homme en s'accrochant de nouveau à son éperon rocheux. A laissé tomber la médecine et s'en va-t-à l'armée.

— Ah, c'est pas dieu possible, fit Buck Mulligan.

— S'en va la semaine prochaine pour bosser un coup. Tu connais cette rouquine de Carlisle, Lily ?

— Oui.

— Se serraient de près la nuit dernière sur la jetée. Le père est pourri de fric.

— Est-ce qu'elle a un polichinelle dans le tiroir ?

— Demande-le plutôt à Seymour.

— Seymour est un con d'officier ! dit Buck Mulligan.

Il hochait la tête d'un air entendu tout en retirant son pantalon et se dressa, disant, trivial :

— Les rouquines bouquinent comme des chèvres.

Il s'interrompit brusquement, affolé, se tâtant le côté sous sa chemise flottante.

— J'ai perdu ma douzième côte, s'écria-t-il. Je suis l'*Übermensch*. Kinch l'édenté et moi, les surhommes.

Il finit par se débarrasser de sa chemise, qu'il jeta derrière lui là où se trouvaient ses vêtements.

— Tu y entres, Malachie ?

— Oui. Fais de la place dans le lit.

Le jeune homme se rejeta en arrière dans l'eau et atteignit le milieu de la crique en deux longues brasses bien coordonnées. Haines s'assit sur une pierre pour fumer.

— Tu n'entres pas ? demanda Buck Mulligan.

— Plus tard, dit Haines. Pas sur mon petit déjeuner.

Stephen se détourna pour partir.

— Je m'en vais, Mulligan, dit-il.

— Donne-nous cette clé, Kinch, dit Buck Mulligan, pour garder ma chemise à plat.

Stephen lui tendit la clé. Buck Mulligan la déposa en travers de ses vêtements entassés.

— Et deux pence, dit-il, pour une pinte. Jette-les là.

Stephen jeta deux pennies sur l'entassement avachi. S'habille, se déshabille. Buck Mulligan, très droit, les mains jointes devant lui, dit solennellement :

— Celui qui vole le pauvre prête au Seigneur[97]. Ainsi parlait Zarathoustra.

Son corps dodu plongea.

— Nous vous reverrons, dit Haines, se tournant au moment où Stephen s'engageait sur le sentier, et adressant un sourire à ce spécimen de sauvage irlandais.

Corne de taureau, sabot de cheval, sourire de Saxon[98].

— Au Ship, s'écria Buck Mulligan. Midi et demi.

— Bien, dit Stephen.
Il suivit le sentier à la courbe ascendante.

Liliata rutilantium
Turma circumdet
Iubilantium te virginum

Le nimbe gris du prêtre dans une niche où il se rhabillait discrètement. Je ne dormirai pas ici cette nuit. À la maison non plus je ne peux pas aller.

Une voix aux douces inflexions soutenues l'appela, venant de la mer. S'engageant dans la courbe il fit signe de la main. Elle appela à nouveau. Une tête marron, lisse, celle d'un phoque[99], loin sur les eaux, ronde.

Usurpateur[100].

— Vous, Cochrane, quelle cité fit appel à lui ?

— Tarente[1], monsieur.

— Très bien. Et alors ?

— Il y a eu une bataille, monsieur.

— Très bien. Où ça ?

Le visage vide du petit garçon interrogea la fenêtre vide.

Fabulation des filles de la mémoire[2]. Et pourtant d'une certaine façon cela fut même si cela ne fut pas tel que la mémoire l'a fabulé. Une expression, alors, d'impatience, bruit sourd des ailes de l'outrance, Blake. J'entends s'effondrer l'espace, verre fracassé et maçonnerie croulante[3], et le temps n'est plus qu'un ultime flamboiement blafard. Que nous reste-t-il donc ?

— J'ai oublié l'endroit, monsieur. 279 avant Jésus-Christ.

— Asculum, dit Stephen, regardant furtivement nom et date dans le livre balafré de sang.

— Oui, monsieur. Et il a dit : *Encore une victoire comme celle-là et nous sommes fichus.*

Cette phrase le monde s'en était souvenu. Triste consolation de l'esprit. D'une colline dominant la plaine jonchée de cadavres un général parlant à ses officiers, appuyé sur sa lance. Un général lambda s'adressant à des officiers lambda. Ils prêtent l'oreille.

— Vous, Armstrong, dit Stephen. Quelle fut la fin de Pyrrhus ?

— La fin de Pyrrhus, monsieur ?

— Moi je sais, monsieur. Interrogez-moi, monsieur, dit Comyn.

— Attendez. Vous, Armstrong. Savez-vous quelque chose de Pyrrhus ?

Un sachet de fourrés aux figues se terrait douillettement dans le cartable d'Armstrong. Il en palpait dans ses paumes de temps en temps et les avalait sans bruit. Des miettes restaient collées à la pulpe de ses lèvres. L'haleine sucrée d'un petit garçon. Une famille assez-riche, fière que le fils aîné soit dans la marine. Rue Vico, Dalkey[4].

— Pyrrhus, monsieur ? Pyrrhus, pire, tomber de môle en pire.

Rire général. Rire sans gaieté strident et malicieux. Armstrong se retourna vers ses camarades, le profil sottement hilare. Dans un instant ils vont rire encore plus fort, conscients de mon manque d'autorité et des frais de scolarité que paient leurs papas.

— Dites-moi donc, dit Stephen, touchant de son livre l'épaule du jeune garçon, ce que c'est qu'un môle.

— Un môle, monsieur, dit Armstrong. Une chose qui avance dans les vagues. Une sorte de pont. Le môle de Kingstown, monsieur[5].

Quelques-uns rirent à nouveau : rire sans gaieté mais significatif. Dans le dernier banc deux d'entre eux chuchotaient. Oui. Ils savaient : sans avoir jamais appris ni avoir jamais été innocents. Tous savaient. Ils les enviaient en regardant leurs visages : Edith, Ethel, Gerty, Lily[6]. Leurs pareilles ; leurs haleines, sucrées elles aussi par le thé et les confitures, leurs bracelets tintinnabulant sottement lorsqu'elles se débattent.

— Le môle de Kingstown, dit Stephen. Oui, un pont avorté.

Ces mots jetèrent le trouble dans leurs yeux.

— Comment ça, monsieur ? demanda Comyn. Un pont c'est par-dessus une rivière.

À garder pour Haines et son recueil de bons mots. Personne ici qui puisse comprendre. Ce soir adroitement au milieu des beuveries et des propos d'ivrognes, pour percer l'armure bien polie de son intellect. Mais alors quoi ? Un bouffon à la cour de son maître, toléré et méprisé, gagnant les éloges d'un maître indulgent. Pourquoi avaient-ils tous choisi ce rôle ? Pas seulement pour les douces caresses. Pour eux aussi l'histoire était un conte comme tant d'autres trop souvent ressassés, et leur pays un mont-de-piété.

Si Pyrrhus n'était pas tombé dans Argos sous les coups d'une mégère ou si Jules César n'était pas mort poignardé. La pensée ne peut les congédier[7]. Le temps les a marqués de son fer rouge et les a enchaînés dans la chambre des possibilités infinies qu'ils ont exclues[8]. Mais étaient-elles possibles ces possibilités-là puisqu'elles n'ont jamais existé ? Ou bien la seule possibilité fut-elle celle qui arriva ? Tisse, tisseur de vent[9].

— Racontez-nous une histoire, monsieur.

— Oh, oui, monsieur. Une histoire de fantômes.

— Où en êtes-vous ici ? demanda Stephen, ouvrant un autre livre.

— *Ne pleurez plus*, dit Comyn.

— Alors allez-y, Talbot.

— Et l'histoire, monsieur ?

— Après, dit Stephen. Allez-y, Talbot.

Un gamin noiraud ouvrit un livre et le cala prestement à l'abri du parapet de son cartable. Il se mit à réciter des vers par saccades en louchant de temps en temps sur le texte :

— *Ne pleurez plus, dolents bergers, ne pleurez plus,*
Il n'est pas mort, ce Lycidas qui vous fait deuil,
Bien qu'il ait fait naufrage au plus profond des eaux[10]...

Ce doit donc être un mouvement, l'actualisation du possible en tant que possible. La phrase d'Aristote prenait corps parmi les vers bredouillés et s'en allait flottant dans le studieux silence de la bibliothèque Sainte-Geneviève où il avait lu, à l'abri du péché parisien, nuit après nuit. À ses côtés, un Siamois chétif potassait un manuel de stratégie. Des cerveaux nourris et se nourrissant autour de moi : sous les lampes à incandescence, épinglés, leurs antennes faiblement palpitantes : et dans les ténèbres de mon esprit un paresseux du monde souterrain, apeuré, évitant la clarté, remuant ses plis écailleux de dragon[11]. La pensée est la pensée de la pensée. Clarté tranquille. L'âme est d'une certaine manière tout ce qui est : l'âme est la forme des formes. Tranquillité soudaine, vaste, éblouissante : forme des formes.

Talbot répétait :

— *Le pouvoir de Celui qui marcha sur les flots,*
Le pouvoir de Celui...

— Tournez la page, dit Stephen paisiblement. Je ne vois rien.

— Quoi, monsieur ? demanda simplement Talbot, penché en avant.

Sa main tourna la page. Il se redressa et reprit de nouveau, ça lui était juste revenu. De celui qui marcha sur les flots. Ici aussi sur ces cœurs lâches son ombre s'étend et sur le cœur et sur les lèvres de celui qui le bafoue et sur les miennes. Elle s'étend sur les visages tendus de ceux qui lui présentèrent une pièce du tribut. À César ce qui est à César, à Dieu ce qui est à Dieu. Un long regard de ces yeux sombres, une phrase énigmatique à tisser et à retisser sur les métiers de l'église. En vérité.

Devinez, devinez, devinez
Mon père m'a donné graines à semer.

Talbot glissa son livre fermé dans son cartable.
— Ai-je interrogé tout le monde ? demanda Stephen.
— Oui, monsieur. Hockey à dix heures, monsieur.
— Demi-jour de congé, monsieur. Jeudi.
— Qui peut répondre à une devinette ? demanda Stephen.
Ils rangeaient leurs livres en vrac, bruit de crayons claqués, de feuilles froissées. Serrés les uns contre les autres ils bouclaient la courroie de leurs cartables, caquetant tous gaiement :
— Une devinette, monsieur. Posez-la-moi, monsieur.
— Oh, à moi, monsieur.
— Une difficile, monsieur.
— Voici la devinette, dit Stephen :

Le coq chantait,
Le ciel était bleu
Les cloches dans les cieux
Les onze coups sonnaient.
L'heure pour cette pauvre âme
De s'en aller aux cieux.

Qu'est-ce que c'est ?
— Quoi, monsieur ?
— Encore, monsieur. On n'a pas entendu.

Leurs yeux s'ouvraient plus grands en écoutant une seconde fois les vers. Après un silence Cochrane dit :

— Qu'est-ce que c'est, monsieur ? Nous donnons notre langue au chat.

Stephen, un picotement dans la gorge, répondit :

— Le renard qui enterre sa grand-mère sous un buissondehoux[12].

Il se leva et éclata nerveusement de rire à quoi firent écho leurs cris scandalisés.

Une crosse heurta la porte et une voix appela dans le corridor :

— Hockey !

Ils se dispersèrent, se coulant hors de leurs bancs, sautant par dessus. Promptement ils disparurent et on entendit venant du cagibi le raclement des crosses et le vacarme de leurs chaussures et de leurs voix.

Sargent qui seul s'était attardé s'avança lentement, montrant son cahier ouvert. Ses cheveux emmêlés et son cou de poulet trahissaient l'embarras et à travers ses lunettes embuées il levait des yeux myopes et implorants. Sur sa joue, terne et exsangue, une tache d'encre en forme de datte s'étalait, molle et humide comme la bave fraîche d'un limaçon.

Il tendit son cahier. Le mot *Sommes*[13] était écrit en tête. Au-dessous des chiffres inclinés et au bas une signature tortueuse aux boucles illisibles et un pâté. Cyril Sargent : son nom et son cachet.

— M. Deasy m'a dit de tout recommencer, et de vous le montrer, monsieur.

Stephen effleura les bords du cahier. Insignifiance.

— Avez-vous compris maintenant comment il faut les faire ? demanda-t-il.

— Du numéro onze au numéro quinze, répondit Sargent. M. Deasy[14] a dit que je devais recopier celles du tableau.

— Savez-vous les faire tout seul ? demanda Stephen.
— Non, monsieur.

Laid et insignifiant : cou maigre et cheveux broussailleux et une tache d'encre, la bave d'un limaçon. Pourtant quelqu'un l'avait aimé, l'avait porté dans ses bras et dans son cœur. Sans elle, le monde dans sa course l'aurait foulé aux pieds, flasque limaçon écrabouillé. Elle avait aimé ce sang pauvre et aqueux tiré du sien. Cela, c'était donc réel ? La seule chose sûre en ce monde ? Le corps prostré de sa mère le bouillant Colomban[15] dans son saint zèle enjamba. Elle n'était plus : le squelette tremblant d'une brindille brûlée au feu, une odeur de bois de rose et de cendres mouillées. Elle l'avait empêché d'être foulé aux pieds puis elle s'en était allée, ayant à peine existé. Une pauvre âme partie aux cieux : et sur une lande sous les étoiles clignotantes un renard, la fourrure empuantie du rouge relent de ses rapines, l'œil implacable et luisant grattait la terre, écoutait, grattait la terre, écoutait, grattait et grattait toujours.

Assis près de lui, Stephen résolut le problème. Il démontre par l'algèbre que le spectre de Shakespeare est le grand-père d'Hamlet[16]. Sargent le fixait en oblique derrière ses lunettes posées de travers. Les crosses de hockey se heurtaient bruyamment dans le cagibi : bruit creux de la balle et appels venus du terrain.

À travers la page les symboles déroulaient leur moresque solennelle[17], leurs momeries de petites lettres, coiffées de carrés et de cubes en guise de casquettes cocasses. Donnez-vous la main, pivotez, saluez votre partenaire : comme ça : farfadets fils de l'imagination des Maures. Partis de ce monde eux aussi, Averroès et Moïse Maimonide[18], hommes enténébrés de mine et de mouvement, faisant à leurs miroirs moqueurs flamboyer l'âme obscure du monde, obscurité brillant dans la clarté et que la clarté n'a point reçue.

— Avez-vous compris maintenant ? Pouvez-vous faire la seconde opération par vous-même ?

— Oui, monsieur.

En longs jambages tremblés Sargent copia les données. Attendant toujours une parole d'aide sa main déplaçait scrupuleusement les chiffres chancelants, une faible nuance de honte papillotant sous sa peau terne. *Amor matris* : génitif subjectif et objectif[19]. De son sang pauvre et de son maigre lait aigre elle l'avait nourri et elle avait caché ses langes aux yeux des gens.

Tel il est tel j'étais, ces épaules fuyantes, cette gaucherie. C'est mon enfance qui se penche près de moi. Trop loin pour que ma main la touche au passage ou du bout des doigts. La mienne est loin et la sienne est secrète comme nos yeux. Des secrets, silencieux, pétrifiés, trônent dans les palais sombres de nos cœurs à tous deux : des secrets lassés de leur tyrannie : des tyrans désireux qu'on les détrône.

L'opération était terminée.

— C'est très simple, dit Stephen en se levant.

— Oui, monsieur. Merci, répondit Sargent.

Il sécha la feuille avec un mince buvard et s'en alla ranger le cahier dans son pupitre.

— Vous devriez prendre votre crosse et rejoindre les autres, dit Stephen en accompagnant jusqu'à la porte la silhouette ingrate du petit garçon.

— Oui, monsieur.

Dans le corridor son nom retentit, on l'appelait du terrain de jeu.

— Sargent !

— Courez, dit Stephen. M. Deasy vous appelle.

Il resta sous le porche et regarda le traînard se hâter vers le terrain minable où se chamaillaient des voix aiguës. On les avait formés en équipes et

M. Deasy revenait à grands pas évitant les touffes d'herbes de ses pieds guêtrés[20]. Comme il atteignait le bâtiment de l'école des voix de nouveau bagarreuses l'appelèrent. Il tourna vers eux sa hargneuse moustache blanche.

— Qu'est-ce que c'est encore ? répétait-il en criant sans écouter.

— Cochrane et Halliday sont dans la même équipe, monsieur, cria Stephen.

— Voulez-vous m'attendre un moment dans mon bureau, dit M. Deasy, jusqu'à ce que j'aie rétabli l'ordre.

Et tandis qu'il retraversait le terrain d'un air important il criait de sa vieille voix sévère :

— Qu'est-ce qui se passe ? Qu'est-ce que c'est encore ?

Leurs voix aiguës l'environnaient de leurs cris : leurs silhouettes l'enserraient de toutes parts, le soleil aveuglant décolorait le miel de ses cheveux mal teints.

Un relent de tabac et de renfermé planait dans le bureau avec l'odeur du cuir terni et écorché des sièges. Comme le premier jour quand nous avons fait affaire ici. Comme il était au commencement, maintenant. Sur la desserte le plateau avec les monnaies des Stuarts, vil trésor d'une tourbière[21] : et toujours. Et douillettement installés dans l'écrin à cuillers en peluche pourpre, fanée, les douze apôtres[22] qui portèrent dans le monde entier la parole aux gentils ; et dans les siècles des siècles[23].

Un pas pressé sur la pierre du porche et dans le corridor. Soufflant sur sa maigre moustache M. Deasy s'arrêta près de la table.

— D'abord, nos petits arrangements financiers, dit-il.

Il tira de son veston un portefeuille fermé par une lanière de cuir. Clac, le portefeuille s'ouvrit et il y prit deux billets, l'un recollé dans son milieu, et les déposa soigneusement sur la table.

— Et de deux, dit-il, refermant son portefeuille et le remettant en place.

Et maintenant sa chambre forte pour l'or. La main gênée de Stephen s'avançait sur les coquillages entassés dans le froid mortier de pierre : buccins et cauris et rhombes : et celui-ci, en vortex comme un turban d'émir, et celui-ci, une coquille Saint-Jacques. Trésor amassé par un vieux pèlerin, magot défunt, coquillages vides[24].

Un souverain tomba, neuf et brillant, sur le velours moelleux du tapis de table.

— Et de trois, dit Deasy, manipulant sa petite boîte à monnaie. C'est une chose bien pratique qu'il faut avoir. Vous voyez. Ici c'est pour les souverains. Ici c'est pour les shillings, les six-pence, les demi-couronnes. Et ici les couronnes. Vous voyez.

Il fit sauter de la boîte deux couronnes et deux shillings.

— Trois livres et douze shillings[25], dit-il. Vous voyez que le compte y est.

— Merci, monsieur, dit Stephen, ramassant l'argent avec une hâte mêlée de gêne et mettant le tout dans une poche de son pantalon.

— De rien, dit M. Deasy. Vous l'avez gagné.

La main de Stephen, de nouveau libre, revint aux coquillages creux. Des symboles aussi de beauté[26] et de puissance. Un petit paquet dans ma poche. Des symboles souillés par la cupidité et l'avarice.

— Ne transportez pas ça comme ça, dit M. Deasy. Vous allez en faire tomber n'importe où et en perdre. Achetez donc un truc comme celui-là. Vous verrez comme c'est pratique.

Répondre quelque chose.

— Le mien serait souvent vide, dit Stephen.

La même pièce et la même heure, la même sagesse : et moi le même. Trois fois déjà. Trois nœuds coulants autour de moi. Et alors ? Je puis les rompre à cet instant si je veux.

— Parce que vous n'économisez pas, dit M. Deasy, le doigt tendu. Vous ne savez pas encore ce que c'est que l'argent. L'argent c'est le pouvoir. Quand vous aurez vécu autant que moi. Je sais, je sais. *Si jeunesse savait*. Mais au fait que dit Shakespeare ? *Mets seulement de l'argent dans ta bourse*[27].

— Iago, murmura Stephen.

Son regard quitta les coquillages dormants pour rencontrer le regard fixe du vieil homme.

— Il savait ce qu'est l'argent, dit M. Deasy. Il en a gagné. C'était un poète certes, mais c'était aussi un Anglais. Savez-vous ce qui fait la fierté des Anglais ? Savez-vous quelle est la parole la plus fière qui puisse sortir de la bouche d'un Anglais ?

Le souverain des mers[28]. Ses yeux froids-comme-la-mer regardaient la baie vide : la faute en revient à l'histoire : me regardaient moi et mes mots, sans haine.

— Que sur son empire, dit Stephen, le soleil ne se couche jamais[29].

— Bah ! s'exclama M. Deasy. Ce n'est pas anglais. C'est un Celte de France qui a dit ça.

Il tapotait de sa boîte à monnaie l'ongle de son pouce.

— Je vais vous dire, fit-il avec solennité, quelle est l'affirmation de sa fierté suprême. *J'ai payé mon dû*[30].

Le brave homme, le brave homme.

— *J'ai payé mon dû. Je n'ai jamais emprunté un sou de ma vie*. Comprenez-vous ça ? *Je ne dois rien*. Comprenez-vous ?

Mulligan, neuf livres, trois paires de chaussettes, une paire de brodequins, des cravates. Curran[31], dix guinées. McCann, une guinée. Fred Ryan, deux shillings. Temple, deux déjeuners. Russell, une guinée, Cousins, dix shillings, Bob Reynolds, une demi-guinée, Koehler, trois guinées, Mme MacKernan, cinq semaines de pension. Le petit paquet que j'ai là ne servira à rien.

— Pour le moment, non, répondit Stephen.

M. Deasy s'esclaffa avec délectation, en rangeant sa boîte à monnaie.

— J'en étais bien sûr, dit-il, toujours hilare. Mais il faudra bien que vous le compreniez un jour. Nous sommes un peuple généreux mais il nous faut être aussi équitables.

— J'ai peur de ces grands mots, dit Stephen, qui nous font tant de mal.

Pendant quelques minutes le regard sévère de M. Deasy s'arrêta au-dessus de la cheminée sur la silhouette massive d'un bel homme en kilt écossais : Albert Édouard, Prince de Galles[32].

— Vous me prenez pour une vieille baderne et un vieux tory, dit-il d'un ton rêveur. J'ai vu trois générations depuis O'Connell[33]. Je me souviens de la famine en 46[34]. Savez-vous que les loges orangistes[35] ont fait campagne pour l'abrogation de l'union vingt ans avant que O'Connell s'en mêle ou que les prélats de votre confession l'eussent dénoncé comme démagogue ? Vous autres fénians[36] vous avez la mémoire courte.

Glorieux, pieux et immortel souvenir[37]. La loge du Diamant dans Armagh la belle pavoisée de cadavres papistes[38]. Vociférants, masqués et armés, la sainte alliance des colons anglais[39]. Le nord obscurantiste et leur bible loyaliste. Couchés ptits tondus[40].

Stephen esquissa un geste bref.

— Moi aussi j'ai du sang de rebelle, dit M. Deasy. Du côté quenouille. Mais je descends de Sir John

Blackwood qui vota pour l'union[41]. Nous sommes tous Irlandais, tous fils de rois[42].

— Hélas, fit Stephen.

— *Per vias rectas*, dit M. Deasy fermement, telle était sa devise. Il vota pour l'union et pour ce faire enfila ses bottes à revers et chevaucha des Ards of Down[43] jusqu'à Dublin.

Tagada, tagada, voilà le sir John
Qui vers Dublin rudement éperonne[44].

Un hobereau bourru sur son cheval et ses luisantes bottes à revers. Pas trop humide, sir John ! Pas trop humide, votre honneur[45] !… Un temps !… Un temps ! Deux bottes à revers ballant et trottinant cahin-caha jusqu'à Dublin. Tagada, tagada, voilà le sir John.

— À ce propos, dit M. Deasy. Vous pouvez me rendre un service, monsieur Dedalus, auprès de vos amis du monde littéraire. J'ai une lettre ici pour les journaux[46]. Asseyez-vous un moment. Je n'ai plus qu'à recopier la fin.

Il alla au bureau près de la fenêtre, rapprocha deux fois sa chaise et relut quelques mots de la feuille placée sur le rouleau de sa machine à écrire.

— Asseyez-vous. Excusez-moi, dit-il en tournant la tête, *les impératifs du bon sens*. Juste un instant.

De dessous ses sourcils broussailleux son regard allait au manuscrit placé près de lui, et tout en marmonnant, il commença d'enfoncer lentement les touches rigides du clavier, soufflant parfois lorsqu'il tournait le rouleau pour effacer une erreur.

Stephen s'assit sans bruit devant la présence princière. Tout autour de la pièce des portraits encadrés de chevaux disparus rendaient hommage, portant haut leurs têtes dociles : Repulse à Lord Hasting,

Shotover au duc de Westminster, Ceylon au duc de Beaufort, *prix de Paris*, 1866[47]. Des cavaliers lutins les montaient, guettant un signe. Il estimait leurs vitesses, misant sur les couleurs du roi, et mêlait ses acclamations aux acclamations des foules disparues.

— Point, commanda M. Deasy à ses touches. *Seule une prompte mise en discussion de ce problème ultrimportant...*

Là où Cranly m'avait conduit pour faire rapide fortune, cherchant ses favoris entre les breaks éclaboussés de boue, parmi les braillements des books dans leurs stands et les odeurs de la buvette, et toute cette fange bariolée. *Fair Rebel ! Fair Rebel !* À égalité, le favori ; à dix contre un les autres. Frôlant les joueurs de dés et les prestidigitateurs, nous nous précipitions derrière les sabots des chevaux, la mêlée des casquettes et des jaquettes, passant devant cette femme au visage-viandeux, la bourgeoise d'un boucher, qui fourrait son museau assoiffé dans un quartier d'orange.

De stridentes clameurs montèrent du terrain de jeu des élèves et un coup de sifflet à roulette.

Encore : but. Je suis parmi eux, dans la mêlée de leurs corps bataillards, dans la joute de la vie. Il s'agit bien de ce chouchou à sa maman aux genoux cagneux qui a l'air d'avoir l'estomac un peu barbouillé ? Joutes. Le temps choqué rebondit, choc après choc. Joutes, boue et vacarme des batailles, les dégueulis des tués gelés dans la mort, un fracas de lances et de piques appâtées de boyaux humains sanguinolents.

— Ça y est, dit M. Deasy, en se levant.

Il s'approcha de la table, épinglant ses feuilles. Stephen se leva.

— J'ai fait un condensé de mon sujet, dit M. Deasy. Il s'agit de la fièvre aphteuse ce mal du pied et du museau[48]. Jetez-y un coup d'œil. Il est impossible de voir la chose autrement.

Puis-je empiéter sur vos précieuses colonnes. Cette doctrine du *laissez-faire* qui si souvent au cours de notre histoire. Notre commerce de bétail. Le sort de toutes nos industries traditionnelles. La clique de Liverpool qui sabota le projet du port de Galway[49]. La conflagration européenne. Les approvisionnements en céréales à travers le court espace du détroit. La ploutoparfaite imperturbabilité du ministère de l'agriculture. Qu'on me pardonne une allusion classique. Cassandre[50]. Par une femme qui ne valait pas mieux que sa réputation[51]. Pour en venir au point en discussion.

— Je ne mâche pas mes mots, hein ? fit M. Deasy pendant que Stephen continuait sa lecture.

Mal du pied et du museau. Connu sous le nom de préparation de Koch[52]. Sérum et virus. Pourcentage de chevaux immunisés. Rinderpest[53]. Chevaux de l'Empereur à Mürzsteg, basse Autriche. Vétérinaires. M. Henry Blackwood Price. Offre courtoise un essai loyal. Les impératifs du bon sens. Problème ultrimportant. Dans tous les sens du terme prendre le taureau par les cornes. Avec mes remerciements pour l'hospitalité de vos colonnes[54].

— Je tiens à ce que ceci soit imprimé et lu, dit M. Deasy. Vous verrez qu'à la prochaine alerte ils mettront l'embargo sur le bétail irlandais. Et c'est guérissable. On l'a guéri. Mon cousin, Blackwood Price, m'écrit qu'en Autriche des vétérinaires traitent et guérissent couramment cette maladie. Ils proposent de venir jusqu'ici. J'essaie de gagner du crédit au ministère. Maintenant je vais essayer la publicité. Je suis environné de difficultés, de… d'intrigues de… manœuvres sourdes de…

Il leva l'index en l'air et l'agita vieillardement avant de parler.

— Souvenez-vous de ce que je vous dis, monsieur

Dedalus, fit-il. L'Angleterre est aux mains des juifs. Dans tous les postes les plus élevés : sa finance, sa presse. Et ils sont le signe de la décadence d'une nation. Partout où ils s'assemblent ils sucent la vitalité de la nation[55]. Voilà des années que je vois cela venir. Aussi vrai que nous sommes ici les marchands juifs ont commencé leur œuvre de destruction. La vieille Angleterre se meurt.

Il s'éloigna de quelques pas rapides, et ses yeux s'animèrent d'azur en traversant un large rayon de soleil. Il fit demi-tour puis s'éloigna à nouveau.

— Elle se meurt, dit-il, si elle n'est pas déjà morte.

De ruelle en ruelle, de l'Irlande et l'Ulster
Le cri de la catin tissera le suaire[56]

Ses yeux écarquillés regardaient sévèrement par-delà le rayon de soleil dans lequel il s'était arrêté.

— Un marchand, dit Stephen, c'est celui qui achète bon marché et revend cher, juif ou gentil, n'est-ce pas ?

— Ils ont péché contre la lumière, dit M. Deasy gravement. Et vous pouvez voir les ténèbres dans leurs yeux. Et c'est pourquoi ils sont encore errants sur la terre de nos jours[57].

Sur les marches de la Bourse à Paris les hommes à la peau dorée chiffraient les cours de leurs doigts couverts de bagues. Jars jabotant. Ils fourmillaient dans le temple[58], bruyants, grotesques, le cerveau manigançant à tout va sous le gauche haut-de-forme. Pas les leurs : ces vêtements, ce parler, ces gestes. Leurs grands yeux lents démentaient les mots, les gestes empressés et inoffensifs, mais ils savaient les rancunes amassées contre eux et savaient que leur zèle était vain. Vaine patience qui entasse et thésaurise. Le temps à coup sûr disperserait tout cela. Un trésor entassé au bord de la route : pillé et passant de mains en mains. Leurs yeux savaient les années d'errance et, patients, ils savaient les déshonneurs de leur sang.

— Qui ne l'a fait ? dit Stephen.

— Que voulez-vous dire ? demanda M. Deasy.

Il fit un pas en avant et se trouva près de la table. Sa mâchoire inférieure béait un peu de côté perplexe. C'est donc ça l'antique sagesse ? Il attend une parole de moi.

— L'histoire, dit Stephen, est un cauchemar dont j'essaie de m'éveiller[59].

Du terrain de jeu un grand cri s'éleva. Coup de sifflet à roulette : but. Et si ce cauchemar vous renvoyait un coup de pied en traître ?

— Les voies du Créateur ne sont pas les nôtres, dit M. Deasy. Toute l'histoire humaine s'avance vers un seul et unique but, la manifestation de Dieu[60].

D'un coup de pouce Stephen montra la fenêtre, et dit :

— C'est ça Dieu.

Hourra ! Ouèèèè ! Youppiiiii !

— Quoi donc ? demanda M. Deasy.

— Un grand cri dans la rue[61], répondit Stephen, en haussant les épaules.

M. Deasy baissa les yeux et tint un instant les ailes de son nez pincées entre ses doigts. Puis il releva les yeux et libéra ses narines.

— Je suis plus heureux que vous, dit-il. Nous avons commis bien des erreurs et bien des péchés. Une femme a introduit le péché en ce monde. Pour une femme qui ne valait pas mieux que sa réputation, Hélène, l'épouse fugitive de Ménélas, dix années les Grecs guerroyèrent devant Troie[62]. Une épouse infidèle fit débarquer l'étranger pour la première fois sur nos rivages, l'épouse de MacMurrough aidée de son galant O'Rourke, prince de Breffni[63]. C'est une femme aussi qui fit chuter Parnell[64]. Bien des erreurs, bien des manquements mais pas le péché des péchés. Je lutte encore à la fin de mes jours. Mais je combattrai pour le droit jusqu'au bout.

Car l'Ulster combattra
Et son droit l'emportera.

Stephen éleva les feuillets qu'il tenait à la main.

— Alors, monsieur, commença-t-il.

— Je prévois, dit M. Deasy, que vous ne resterez pas longtemps ici à faire ce travail. Vous n'êtes pas fait pour enseigner à mon avis. Je me trompe peut-être.

— Plutôt fait pour apprendre, dit Stephen.

Et ici qu'apprendre de plus ?

M. Deasy hocha la tête.

— Qui sait ? dit-il. Pour apprendre il faut de l'humilité. Mais c'est la vie qui vous apprend le plus.

Stephen fit de nouveau bruire les feuillets.

— En ce qui concerne ceci, commença-t-il.

— Oui, dit M. Deasy. Vous avez là deux copies. Si vous pouvez les faire paraître en même temps.

Telegraph. Irish Homestead.

— Je vais essayer, dit Stephen, et je vous le ferai savoir demain. Je connais un peu deux rédacteurs-en-chef.

— Ça fera l'affaire, dit vivement M. Deasy. J'ai écrit hier soir à M. Field, le député. Il y a aujourd'hui une réunion du syndicat des marchands de bestiaux au City Arms Hotel. Je lui ai demandé de présenter ma lettre au début de la réunion. De votre côté voyez si vous pouvez la faire passer dans vos deux journaux. Lesquels au fait ?

— L'*Evening Telegraph*…

— Ça fera l'affaire, dit M. Deasy. Il n'y a pas de temps à perdre. Maintenant il faut que je réponde à cette lettre de mon cousin.

— Au revoir, monsieur, dit Stephen, en mettant les feuillets dans sa poche. Et merci.

— De rien, dit M. Deasy qui fouillait dans les papiers sur son bureau. J'aime rompre une lance avec vous, tout vieux que je suis.

— Au revoir, monsieur, répéta Stephen, en saluant son dos courbé.

Il sortit par le porche ouvert et descendit l'allée de gravier sous les arbres, accompagné par les cris et le claquement des crosses venant du terrain de jeu. Les lions couchants des piliers tandis qu'il franchissait la grille : vieilles terreurs édentées. Toujours est-il que je vais l'aider dans son combat. Mulligan va m'affubler d'un nouveau surnom : le barde bienfaiteurdubœuf.

— Monsieur Dedalus !

Il court après moi. Pas une autre lettre, j'espère.

— Rien qu'un instant.

— Oui, monsieur, dit Stephen, faisant demi-tour à la grille.

M. Deasy s'était arrêté, soufflant et ravalant sa respiration.

— Je voulais juste vous dire, dit-il. L'Irlande, dit-on, est le seul pays qui puisse s'honorer de n'avoir jamais persécuté les juifs. Vous le saviez ? Non. Et savez-vous pourquoi ?

Il fronçait un sourcil sévère dans l'air lumineux.

— Pourquoi, monsieur ? demanda Stephen, esquissant un sourire.

— Parce qu'elle ne les a jamais laissés entrer, dit M. Deasy solennellement.

Comme une balle, un rire-quinte-de-toux jaillit de sa gorge tirant après lui une chaîne glaireuse et grinçante. Il fit demi-tour, toussant, riant, brassant l'air de ses bras levés.

— Elle ne les a jamais laissés entrer, répétait-il au milieu de ses rires pendant qu'il tapait de ses pieds guêtrés sur le gravier de l'allée. Voilà pourquoi.

Sur ses sages épaules à travers la marqueterie du feuillage le soleil semait des paillettes, de virevoltants écus.

Inéluctable modalité du visible[1] : ça du moins, sinon plus, pensé par mes yeux. Signatures de toutes choses[2] que je suis venu lire ici, frai marin, varech marin, marée montante, ce godillot rouilleux. Vert-morve, argentbleu, rouille : signes colorés. Limites du diaphane. Mais il ajoute : dans les corps[3]. C'est donc qu'il avait conscience d'eux corps avant celle d'eux colorés. Comment ? En s'y cognant la tronche[4], pardi. Tout doux. Chauve qu'il était, et millionnaire[5], *maestro di color che sanno*[6]. Limite du diaphane dans. Pourquoi dans ? Diaphane, adiaphane[7]. Si l'on peut passer les cinq doigts au travers, c'est une grille, sinon une porte. Ferme les yeux et vois.

Stephen ferma les yeux pour entendre varech et coquillages s'écraser craquant sous ses godillots. Et ores donc, tu es bien en train de marcher au travers. Je le suis bien, un pas à la fois. Infime espace de temps traversant d'infimes moments d'espace. Cinq, six : le *nacheinander*[8]. Exactement : et voilà l'inéluctable modalité de l'audible. Ouvre les yeux. Non. Doux Jésus ! Et si je tombais d'une falaise surplombant sa base, traversant dans ma chute tout le *nebeneinander* inéluctablement ! Je me débrouille pas mal dans le noir. Ma frêne épée pend à mon flanc. Tape devant :

c'est ce qu'ils font. Mes deux pieds dans ses godillots arrivent au bout de ses jambes[9], *nebeneinander*. Ça sonne pas toc : l'ouvrage du maillet de Los *demiurgos*[10]. Suis-je là en marche vers l'éternité, longeant la grève de Sandymount[11] ? Crish, crac, cric, cric. Ici monnaie de mer sauvage. Deasy le magister y les connaît ben[12].

Veux pas v'nir à Sandymount,
Ma-deline la jument ?

Le rythme commence, vois-tu. J'entends. Tétramètre acatalectique d'iambes marchant au pas[13]. Non, au galop : *deline la jument*.

Ouvre les yeux maintenant. Oui. Un instant. Et si tout avait désormais disparu ? Si, les rouvrant, je me trouvais à jamais dans le noir adiaphane. *Basta*[14] ! Voyons voir si je vois encore.

Vois maintenant. Tout a subsisté sans toi : et à jamais, pour les siècles des siècles.

Elles descendaient les marches de Leahy's terrace précautionneusement, *Frauenzimmer*[15] : et suivaient la douce déclivité de la plage mollement leurs pieds plats s'enfonçant dans le sable mêlé de limon. Comme moi, comme Algy[16], s'avançant jusqu'à notre mère toute-puissante. La numéro un balance balourdement son sac de sage-femme, l'autre de son pébroc fourrage le sable. Viennent des liberties[17], en balade pour la journée. Mme Florence MacCabe, a survécu à feu Patrick MacCabe, regrets éternels, domicilié à Bride street. L'une de ses consœurs m'a balancé braillant dans la vie. Création à partir de rien[18]. Qu'est-ce qu'elle a dans son sac ? Résidu de fausse couche traînant son cordon ombilical étouffé dans du coton rougi. Tous nos cordons font une chaîne nous reliant au passé, câble toronnant les brins de toute chair.

C'est pour ça que les moines mystiques. Vous voulez être comme des dieux[19] ? Contemple ton omphalos[20]. Allô ! Kinch à l'appareil. Passez-moi Édenville. Aleph, alpha : zéro, zéro, un[21].

Épouse et soutien d'Adam Kadmon : Heva, Ève nue. N'avait pas de nombril[22]. Contemple. Ventre sans tache tout rebondi, bouclier de vélin tendu, non, blanc froment amoncelé[23], qui demeure auroral et immortel d'éternité en éternité. Matrice du péché.

Enfanté dans la sombre matrice du péché je le fus aussi, fait et non engendré[24]. Par eux, cet homme qui a mes yeux, ma voix[25], et une femme spectrale à l'haleine de cendres. Ils se sont étreints puis défaits, ont accompli la volonté de l'accoupleur. De toute éternité Il m'a voulu et désormais ne pourra pas vouloir que je ne sois plus. Une *lex eterna* L'enveloppe[26]. Est-ce donc alors cette divine substance dans laquelle Père et Fils sont consubstantiels ? Où est-il, ce cher pauvre Arius pour débattre dur de quelque conclusion[27] ? Bataillant d'art sa vie durant contre la contransmagnificaetjudeobigbangtantialité[28]. Infortuné hérésiarque ! Dans des latrines grecques, son dernier souffle : euthanasie[29]. Coiffé d'une mitre à cabochons et crosse à la main, en panne sur le trône, veuf d'une chaire épiscopale veuve, son omophorion[30] roidressé, l'arrière-train tout foireux.

Brises s'ébrouant joyeuses autour de lui, brises qui le pincent et le pressent[31]. Elles arrivent les vagues. Hippocampes à la blanche crinière, mâchant le mors, bridés par un vent radieux, coursiers de Mananaan[32].

Faut pas que j'oublie sa lettre à la presse. Et après ? Le Ship, midi et demi. Au fait, vas-y tout doux avec cet argent en parfait petit crétin. Certes, faut bien.

Son pas ralentit. Ici. J'y vais ou pas chez la tante Sarah[33] ? La voix de mon père consubstantiel. Dis, t'as vu l'artiste, ton frère Stephen, ces jours-ci ? Non ?

Sûr qu'il est pas fourré à Strasburg terrace avec sa tante Sally[34] ? Pourrait pas viser un peu plus haut, hein[35] ? Et pis et pis et pis et pis dis voir, Stephen, comment va l'oncle Si ? Oh, bon dieu, c'est à chialer, dans quoi je me suis collé en me mariant ! Lo p'tits gars dans l'grenier. Ce soûlard de petit recors avec son frère le cornet à pistons. Ah sont jolis les chanteurs de Mexico-o[36] ! Walter et sa biglerie, qui donne du monsieur à son père, rien que ça ! Monsieur. Oui monsieur. Non monsieur. Jésus pleura[37] : pas étonnant, sacristie !

Je tire la sonnette à bout de souffle de leur bicoque aux volets clos : et j'attends. Ils me prennent pour un agent de recouvrement, me guettent cachés à quelque endroit propice[38].

— C'est Stephen, monsieur.

— Fais-le entrer. Fais entrer Stephen.

Verrou tiré et Walter m'accueille.

— On t'avait pris pour quelqu'un d'autre.

Étendu dans son vaste lit, tonton Richie, entouré d'oreillers et de couvertures, allonge par-dessus l'éminence de ses genoux un robuste avant-bras. Poitrail impeccable. Il s'est nettoyé le dernier tiers.

— Jour, mon neveu. Prends un siège, Cinna, et mets tes fesses par terre.

Il repousse l'écritoire sur laquelle il rédige les factures faites pour le compte de maîtres Goff[39] et Shapland Tandy, classe des actes de conciliation et procès-verbaux d'enquête, ainsi qu'un ordre de *Duces Tecum*[40]. Un cadre, en chêne sorti des tourbières, surmonte sa tête chauve : le *Requiescat* de Wilde[41]. Son sifflement sourd et équivoque ramène Walter.

— Monsieur ?

— Un pur malt pour Richie et Stephen, dis-le à maman. Où est-elle ?

— Elle donne son bain à Crissie, monsieur.

Fait mumuse au lit avec papa. Sa petite pomme d'amour.

— Non, oncle Richie…

— Appelle-moi Richie. Au diable ton eau minérale. Ça vous fiche en l'air. Whosky !

— Mais vraiment, oncle Richie…

— Assieds-toi ou, vertu de ma vie, je te ferai rougir le nez.

Walter louche vainement en tous sens pour trouver une chaise.

— Il n'a rien pour s'asseoir, monsieur.

— Il n'a rien pour le poser, abruti. Apporte le fauteuil chippendale. Tu veux casser une croûte ? Bon, là t'arrêtes un peu tes chichis ; une tranche de lard maigre passée à la poêle avec un hareng ? Bien vrai ? Tant mieux alors. Rien d'autre dans cette maison que des cachets pour le dos.

All'erta[42] !

Il siffle sourdement quelques mesures de l'*aria di sortita* de Ferrando. Le numéro le plus sublime de tout l'opéra, Stephen. Écoute.

Il siffle à nouveau la mélodie, toute en fines nuances, l'air se fait entendre par à-coups, ses poings battent la grosse caisse sur ses genoux rembourrés.

Ce vent est plus doux.

Maisons en plein déclin, la mienne, la sienne, toutes[43]. À Clongowes[44], tu disais à ceux de la haute que tu avais un oncle juge et un oncle général d'infanterie. Sors-toi de là, loin de tout ça, Stephen. La beauté n'est pas là. Pas non plus dans les travées sans vie de la bibliothèque Marsh où tu lisais les prophéties presque effacées de Joachim Abbas[45]. Pour qui ? Pour la racaille, hydre aux cent têtes grouillant autour de la cathédrale ? Contempteur du genre humain, il les a fuis pour s'enfoncer dans les bois de la folie[46], sa crinière écumant au clair de lune, ses pupilles des étoiles. Houyhnhnm[47] aux naseaux de cheval. Ovale chevalin de leur visage, Temple[48], Buck Mulligan, Campbell le Renard, Lame de couteau. Abbas père, doyen[49] en furie, quel outrage enflamma leur cervelle ? Paf ! *Descende, calve, ut ne nimium decalveris*[50]. Une guirlande de cheveux gris posée sur sa tête de réprouvé voyez lui moi[51] qui dégringole à grand-peine les dernières marches de l'autel (*descende*), accroché à un ostensoir, yeux de basilic. Descends de là, déplumé du caillou ! Un chœur renvoie la menace en écho, affairé aux cornes de l'autel[52], latin morveux des curetons bougeant leur masse enrobée d'aubes, tonsurés, huilés, châtrés, gras de la graisse des rognons du froment[53].

Et peut-être bien qu'au même instant un prêtre à deux pas d'ici l'élève. Dringadring ! Et deux rues plus loin un autre l'enferme dans un ciboire. Dringadring ! Et dans une chapelle de la vierge un autre se garde l'eucharistie pour sa fraise. Dringdring ! À genoux, debout, devant, derrière. Messire Occam[54] avait pensé à ça, docteur invincible. Dans les brumes d'un petit matin anglais, le coquin démon hypostase[55] lui a chatouillé la cervelle. Il abaissait l'hostie et s'agenouillait lorsqu'il entendit dans le transept s'entremêlant à sa seconde sonnerie la première (il élève la sienne) et, se relevant, entendit (maintenant je l'élève) leurs deux sonneries (il s'agenouille) vibrer en diphtongue.

Cousin Stephen, tu ne seras jamais un saint[56]. Île des saints[57]. Tu étais terriblement cul béni, non ? Tu priais la Très Sainte Vierge pour ne pas avoir le nez rouge. Tu priais le démon dans Serpentine avenue pour que la veuve fessue que tu croisais relève un peu plus ses jupes au-dessus de la chaussée humide. *O si, certo*[58] *!* Vends ton âme pour ça, vas-y, quelques chiffons de couleur épinglés sur une squaw. Plus, dis-m'en plus encore ! Sur l'impériale du tram de Howth, tout seul qui criais sous la pluie : *des femmes nues ! des femmes nues !* Qu'est-ce que t'en dis, hein ?

Qu'est-ce que j'en dis de quoi ? Et pour quoi d'autre ont-elles été inventées ?

Lisais deux pages de sept livres tous les soirs, hein ? J'étais jeune. Tu faisais une courbette devant la glace, t'avançais pour recueillir les applaudissements, sérieux comme un pape, très frappant ce visage. Hourra pour l'abruti du dimanche ! Rra ! Personne n'en voyait rien : tu le dis à personne. Les livres que tu allais écrire avec des lettres pour titre[59]. Vous avez lu son F ? Oh oui mais je préfère Q. Certes, mais W est magnifique. Ah oui, W. Rappelle-toi tes épiphanies[60] écrites sur des feuilles vertes, ovales, profondément profondes, exemplaires à expédier en cas de décès à toutes les grandes bibliothèques du monde, y compris celle d'Alexandrie ? Quelqu'un devait les lire là au bout de quelques milliers d'années, lors d'un mahamanvantara[61]. Genre Pic de la Mirandole[62]. Ouais, tout à fait pareil à une baleine[63]. Quand on lit ces pages étranges de quelqu'un disparu il y a longtemps on a l'impression de ne faire qu'un avec quelqu'un qui un jour[64]…

Le sable grenu s'était détaché de ses pieds. Ses godillots firent à nouveau craquer une coquille de noix humide, des coquilles de couteaux, des petits galets qui crissent, tout ce qui vient battre sur les galets innombrables, bois troué par les vers, Armada perdue[65]. Des étendues de sable gorgé d'une eau insalubre guettaient ses semelles pour les aspirer, exhalant une haleine d'égout, dans une poche d'algues couvait le feu marin sous des cendres de fumier humain. Il les longea en prenant garde. Une bouteille de bière brune redressait son tronc pris dans l'épaisse croûte de sable. Une sentinelle : île des soifs terribles. Cercles de métal brisés jonchant le rivage ; à terre les filets rusés déploient leur sombre labyrinthe ; plus loin encore des maisons tournent le dos, des graffiti passés à la craie sur leur porte, et plus haut sur la dune une corde à linge avec deux chemises crucifiées. Ringsend : les wigwams de patrons de barque et de timoniers boucanés. Coquilles humaines.

Il s'arrêta. J'ai dépassé le chemin de chez la tante Sara. N'y vais-je donc point ? Semble que non. Personne par ici. Il obliqua vers le nord-est et coupa par le sable plus ferme en direction de la Pigeon House[66].

— *Qui vous a mis dans cette fichue position ?*

— *C'est le pigeon, Joseph*[67].

Patrice, de retour pour une permission, lapait son lait chaud avec moi au bar Mac-Mahon. Fils de l'oie sauvage, Kevin Egan[68] de Paris. Mon père est un oiseau, il lapait le doux *lait chaud* de sa jeune langue rose, visage épanoui de gros lapin. Lape mon *lapin*. Espère tirer le *gros lot*. Sur la nature des femmes a lu Michelet[69]. Mais doit m'envoyer *La Vie de Jésus* de M. Léo Taxil. L'a passée à son ami.

— *C'est tordant, vous savez. Moi, je suis socialiste. Je ne crois pas en l'existence de Dieu. Faut pas le dire à mon père.*

— *Il croit ?*

— *Mon père, oui.*

Schluss[70]. Lapements.

Mon chapeau du quartier latin. Bon dieu, faut tout bonnement le costume pour tenir le rôle. Je veux des gants puce. T'étais étudiant, pas vrai ? En quoi, pour l'amour du diable ? Peyceyenne. P. C. N., tu sais : *physiques, chimiques et naturelles*[71]. Ah ah. Mangeais pour quatre sous de *mou en civet*, marmites débordant de viande[72], l'Égypte, jouant des coudes avec les cochers roteurs. Dis juste de ta voix la plus naturelle possible : quand j'étais à Paris, *boul' Mich'*, souvent je. Oui, te promenais souvent avec des tickets oblitérés pour avoir un alibi au cas où tu serais arrêté pour meurtre.

La justice. La nuit du dix-sept février 1904, le prisonnier a été vu par deux témoins. C'est un autre qu'a fait le coup : un autre moi. Chapeau, cravate, manteau, nez. *Lui, c'est moi*. Tu as l'air de t'être bien marré.

Marchant fièrement. Qui essayais-tu d'imiter ? Oublie : un être spolié. Le mandat de ma mère à la main, huit shillings, la porte de la poste qui se referme, claquée sous ton nez par l'huissier[73]. Faim mal aux dents. *Encore deux minutes*. Regarde l'heure. Faut que je. *Fermé*. Chien de valet ! Éclate-le en charpie à coups de pétard, débris humains murs éclaboussés tous les boutons de cuivre. Des bouts tout khrrrrklak en place se remettent clac d'un coup. Rien de cassé ? Oh, ça va. On se serre la main. Vous voyez ce que je voulais dire, hein ? Oh, ça va. Serrons-nous la serre. Oh, ça va vraiment tout à fait bien.

Tu devais faire des merveilles, eh quoi ? Missionnaire en Europe sur les traces du bouillant Colomban. Fiacre et Scot[74] juchés aux cieux sur leur tabouret de discipline en ont fait déborder leur chope, riant-aux-éclats-en-latin : *Euge ! Euge*[75] *!* Prétendais ne parler qu'un mauvais anglais tout en tirant ta malle, trois pence pour un porteur et traverser la jetée glissante à Newhaven. *Comment ?* Un sacré trésor que t'as rapporté ; *Le Tutu*, cinq numéros en lambeaux de *Pantalon Blanc et Culotte Rouge*[76], un télégramme français bleu, curiosité à exhiber.

— Nanan mourante rentre père[77].

La tante pense que tu as tué ta mère. C'est pour ça qu'elle ne veut pas.

Buvons à la santé de la tante Mulligan
Je vais vous dire pourquoi bon sang !
Avec elle tout est nickel à cent pour cent
Dans la famille Hannigan et poil aux dents[78] *!*

Ses pieds marchèrent soudain d'un rythme fier sur les sillons de sable, longeant les enrochements de la digue sud. Il les contempla fièrement, crânes de mammouths de pierre amoncelés. Lumière dorée sur la mer, le sable, les enrochements. Le soleil est là, les arbres élancés, les maisons citron.

Paris[79] se réveille crûment, lumière du soleil brutale sur ses rues citron. Moiteur moelleuse des fars, brumes vert-rainette de l'absinthe, l'encens des matines, fleuretant avec l'atmosphère. Belluomo[80] se lève du lit de la femme de l'amant de sa femme, la ménagère enfoulardée s'agite une soucoupe d'acide acétique à la main. Chez Rodot[81] Yvonne et Madeleine remettent à flot leur beauté culbutée, démolissent de leurs dents en or des *chaussons* aux pommes, la bouche jaunie par le *pus* du *flan breton*. Visages de Parisiens qui passent, séducteurs satisfaits de ces dames, *conquistadores* frisottés.

Midi sommeille. Kevin Egan roule ses cigarettes de poudre noire entre ses doigts tachés d'encre d'imprimerie, sirotant sa fée verte[82] tout comme Patrice sa blanche. Autour de nous des goulus piquent de la fourchette des haricots bien relevés qu'ils s'engouffrent. *Un demi setier !* Un jet de vapeur de café jaillit du chaudron bruni. Elle me sert quand il fait signe. *Il est irlandais. Hollandais ? Non fromage. Deux Irlandais, nous, Irlande, vous savez ? Ah, oui !* Elle pensait que vous vouliez du fromage *hollandais*. Ton postprandial, tu connais ce mot ? Postprandial. Il y a ce type que j'ai connu à Barcelone, drôle de type, il appelait ça son postprandial. Allez : *slainte*[83] *!* Tout autour des tables de bistrot se mêlent des haleines avinées et des grognements de gosiers. Son haleine flotte au-dessus de nos assiettes maculées de sauce, les crocs de la fée verte pointent entre ses lèvres. De l'Irlande, des Dalcatiens, d'espérances, de conspirations, d'Arthur Griffith aujourd'hui, AE[84], poemander, bon berger, de moi. Pour me mettre avec lui sous le joug, nos crimes notre cause commune. Tu es le fils à ton père. Je connais cette voix. Sa chemise à quat'sous, motifs à fleurs pourpres, tremble de tous ses pompons d'hidalgo à l'écoute de ses secrets. M. Drumont[85], célèbre journaliste, Drumont, tu sais comment il l'a appelée la reine Victoria ? Vieille sorcière aux dents jaunes. *Vieille ogresse with the dents jaunes*. Maud Gonne, une beauté, *La Patrie*, M. Millevoye, Félix Faure[86], tu sais comment il est mort ? Dépravés. La *froeken*[87], *bonne à tout faire*, qui frotte frotte la mâle nudité dans les bains d'Upsala. *Moi faire*, dit-elle, *tous les messieurs*. Pas ce *Monsieur*-ci, ai-je rétorqué. Mœurs de dépravés. Le bain affaire très intime. Je ne permettrais pas à mon frère, non, pas même à lui, un truc de jouisseur. Yeux verts, je vous vois. Les crocs, je sens. Jouisseurs.

La mèche bleutée se consume mortelle entre ses doigts puis s'enflamme brillamment. Des brins de tabac échappés prennent feu : une flamme et de la fumée âcre éclairent notre coin. Ses pommettes saillent sous son chapeau de terroriste parpaillot[88]. Comment le chef a fichu le camp[89], version authentique. Fringué comme une jeune mariée, mon vieux, voile, fleurs d'oranger, envolé par la route de Malahide. La vérité, ma parole. Chefs disparus[90], trahis, échappées belles. Déguisements, dans leurs griffes, enfuis, plus là.

Amant bafoué. J'étais beau mec à l'époque, je peux te le dire. Je te ferai voir ma photo un de ces quatre. Beau, ma parole. Amant, pour son amour il rôde avec le colonel Richard Burke, chef héritier du clan[91], sous les murs de Clerkenwell où, tapis dans l'ombre, ils voient la flamme vengeresse les projeter dans le ciel embrumé[92]. Verre fracassé et maçonnerie croulante. C'est dans le gay Paree qu'il se cache, Egan de Paris[93], où nul ne vient le chercher que moi. Chemin de croix quotidien, sa casse d'imprimeur déglinguée, ses trois tavernes, la tanière de Montmartre où il passe une courte nuit, rue de la Goutte-d'Or, damasquinée de visages disparus piqués de chiures de mouches. Sans amour, sans pays, sans femme. *Madame*, elle mène sa petite vie tranquille sans lui, le banni, rue Gît-le-Cœur, avec un canari et deux pensionnaires montés comme des boucs. Joues de pêche, jupe à rayures, fringante comme une pouliche. Bafoué et qui ne désespère pas. Tu diras à Pat que tu m'as vu, OK ? J'ai voulu dégotter un job à ce pauvre Pat une fois. *Mon fils*, soldat de la France. Je lui ai appris à chanter. *Les gars de Kilkenny sont de joyeux drilles*[94]. Tu connais cette vieille chanson ? J'ai appris ça à Patrice. L'ancien Kilkenny : Saint-Canice, le château de Strongbow[95] là où coule le Nore. Ça démarre comme ça. *Oh, Oh*. Il me prend, Napper Tandy[96], par la main.

Oh, Oh les gars de
Kilkenny...

Pauvre main ravagée posée sur la mienne. Ils ont oublié Kevin Egan, lui se souvient d'eux. Nous souvenant de toi, Ô Sion[97].

Il s'était rapproché du bord de la mer et le sable humide giflait ses godillots. Un air neuf lui ouvrait les bras, jouant sur ses nerfs à vif, air vif annonciateur d'une grande clarté. Dis donc, mais ce n'est pas vers le bateau-phare de Kish[98] que je vais ? Il stoppa net, ses pieds s'enfoncèrent doucement dans le sol frémissant. Demi-tour.

Il se retourna, scrutant le rivage au sud, ses pieds

s'enfonçant à nouveau doucement dans leur nouvelle empreinte. La froide chambre voûtée de la tour attend. S'engouffrant par les barbacanes, les traits de lumière se déplacent sans cesse, lentement sans cesse, tout comme mes pieds qui s'enfoncent, rampant vers le crépuscule sur le sol cadran solaire. Crépuscule bleuté, tombée de la nuit, nuit d'un bleu profond. Dans l'obscurité du dôme ils attendent, leur chaise basculée en arrière et ma malle obélisque[99] relevée, autour d'une table jonchée d'assiettes abandonnées. À qui le tour de débarrasser ? Lui a la clé. Je ne dormirai pas là-bas lorsque cette journée s'achèvera. La porte refermée d'une tour silencieuse[100] mausolée de leurs corps aveugles, le sahib à la panthère flanqué de son pointer. Appel : pas de réponse. Il arracha ses pieds à l'aspiration et rebroussa chemin en passant par le môle enroché. Prends tout, garde tout. Mon âme m'accompagne, forme de formes. Alors quand la lune prend son quart je déambule au long du sentier surplombant les rochers sable argenté à l'écoute du flux tentateur d'Elseneur[101].

La marée me poursuit. Je l'observe qui me dépasse d'ici. Prends donc par la route de Poolbeg pour rejoindre la grève. Il enjamba les carex et les algues anguilleuses puis s'assit sur une roche plate, appuyant sa frênecanne dans une anfractuosité.

La charogne boursouflée d'un chien semblait s'abandonner sur le goémon. Devant lui le plat-bord d'un bateau enfoncé dans le sable. *Un coche ensablé*, ainsi Louis Veuillot qualifiait-il la prose de Gautier[102]. Ce sable pesant est un langage que vents et marées ont déposé ici. Et çà, les tumuli de bâtisseurs disparus, dédale de galeries pour rats fouines. Cache de l'or ici. Essaie. Tu en as. Du sable et des pierres. Lourds du passé. Joujoux de Messire Balour. Fais gaffe à pas prendre un coup derrière l'oreille. Je suis ce putain de géant, qui traîne tous ces sacrés putains de rochers, des os pour passer les chausses au sec[103]. Fihfofoum. Ze zens le zang d'un Irlandaiz[104].

Un point, chien bien en vie, bientôt en vue, coupant la courbe de la plage. Bon Dieu, va-t-il m'attaquer[105] ? Respecte sa liberté. Tu ne seras point le maître d'un autre ni son esclave. J'ai ma canne. Reste tranquille. De plus loin, s'approchant du rivage en fendant le flot armorié, silhouettes, deux. Les deux maries[106]. Elles l'ont planqué dans les roseaux[107]. Coucou. Vous ai vu. Non, le chien. Il court les rejoindre. Qui ?

Des galères des Lochlanns[108] sont ici venues à terre, en quête de proies, les becs rougesang de leurs proues au ras d'une écume d'étain fondu. Vikings danois[109], des torques tomahawks étincelants sur leur torse en ces temps où Malachie portait le collier d'or[110]. Troupeau de cachalots échoués sous un midi brûlant, ils crachent, soubresauts boiteux sur les bancs de sable. Alors de la cité de palissades[111] poulailler affamé accourt une horde de nains en justaucorps, mon peuple, leurs couteaux d'écorcheurs en avant, escaladent et taillent à même la viande verte et flasque[112]. Famine, peste[113] et massacres. Leur sang coule en moi, leur jouissance lame qui m'emporte. J'étais parmi eux sur la Liffey gelée, ce moi, cet enfantéchangé au berceau[114], au milieu des feux crépitant de résine. Je ne parlais à personne : personne à moi.

L'aboiement du chien se rapproche au galop de lui, s'arrête, repart. Chien de mon ennemi[115]. Suis juste resté là, pâle et silencieux, aux abois. *Terribilia meditans*[116]. Un pourpoint primevère, laquais de la fortune[117], souriait de ma peur. C'est de ça que tu te languis, qu'ils aboient leurs vivats ? Faux prétendants : vivre leur vie. Le frère de Bruce, Thomas Fitzgerald, chevalier à la soie, Perkin Warbeck, York imposteur, portant culottes de soie rose-blanche ivoire, merveille d'un jour, et Lambert Simnel[118] avec sa suite de bonnes et de tire-laine, loufiat devenu roi. Tous fils de rois. Paradis de prétendants[119] hier et aujourd'hui. Il[120] a sauvé des hommes de la noyade et toi tu trembles de peur dès qu'un bâtard aboie. Mais les courtisans se raillant de Guido dans l'enceinte d'Or san Michele étaient là chez eux[121]. Dans leur maison en... Épargne-nous tes bizarrités médiévales. Tu ferais ce qu'il a fait ? Un bateau serait là, tout proche, une bouée. *Natürlich*[122], mise là exprès pour toi. Alors, c'est oui ou c'est non ? L'homme qui s'est noyé il y a neuf jours de ça au large de Maiden's rock. Ils l'attendent maintenant. La vérité, crache le morceau. J'aimerais bien. Je tenterais le coup. Je ne suis pas bon nageur. L'eau froide, molle. Quand je plongeais la tête dans la cuvette à Clongowes. Peux rien voir ! Qui est là derrière moi ? Ressors vite, vite ! Tu vois la marée montant rapidement de tous côtés, recouvrant les bancs de sable rapidement, couleur fève de cacao ? Si au moins j'avais pied. Ce que je veux c'est qu'il sauve sa peau, et moi la mienne. Un type qui se noie. Son regard d'homme hurle pour moi l'horreur de sa mort. Je... Avec lui ensemble nous coulons... Je ne pouvais pas la sauver. Les eaux : mort amère : perdue.

Une femme et un homme. Je vois son jupon mignon. Maintenu par des épingles, je parie.

Leur chien trottinait sur les bords d'un banc de sable s'érodant, reniflant à droite à gauche. À la recherche de quelque chose égaré dans une vie antérieure[123]. Soudain il détala comme un lièvre, oreilles baissées, pourchassant l'ombre d'une mouette rasant l'eau. Le sifflet suraigu de l'homme s'abattit sur ses oreilles tombantes. Il fit demi-tour, quelques bonds le rapprochèrent, ses pattes moulinèrent à nouveau son trot. Sur champ orangé un cerf, passant, au naturel, sans massacre[124]. À la limite dentelée du flot il se campa droit sur ses pattes avant, les oreilles pointées vers la mer. Son museau levé aboiements lancés contre la clameur-des-vagues, troupeau de morses. Elles serpentaient vers ses pattes, en boucles, déroulant leurs crêtes infinies, la neuvième à chaque fois se brisant et clapotant plus forte[125], du lointain, du large, des vagues, encore des vagues.

Des coquetiers. Ils pataugeaient un peu dans l'eau puis se baissaient, trempaient leurs sacs, les relevaient et ressortaient en pataugeant. Le chien accourut en jappant, il se dressa pour les agripper de ses pattes levées, retomba sur les quatre fers, puis se dressa encore vers eux, démonstration muette, d'ours mal léché, d'affection excessive. Dans l'indifférence générale il continua à les accompagner en direction du sable sec, tirant une loque de langue de loup rouge et pantelante de sa gueule. Son corps tacheté trottina devant eux puis il piqua un galop de jeune veau[126]. La charogne se trouvait sur son chemin. Il s'arrêta, renifla, se raidit pour tourner autour de lui, frère, approcha la truffe, tourna encore, reniflant rapidement comme un chien la peau débraillée du chien crevé. Crâne de chien, flair de chien, les yeux baissés, s'avance vers un seul et unique but. Ah, pauvre corps de chien ! Ci-gît le corps du pauvre corniaud.

— Patouille ! Lâche ça tout de suite, foutu bâtard !

Le cri le ramena penaud vers son maître et un coup de pied nu appliqué de bon cœur l'envoya paître sans trop de dégâts de l'autre côté d'une langue de sable et il fila la queue basse. L'air de rien, il fait un grand détour pour revenir. Me voit pas. Longeant le bord du môle, il galope gauchement, flâne tranquille, renifle un rocher, et par-dessous la patte arrière tendue en l'air, lui pisse dessus. Il repart au trot et, levant à nouveau la patte, envoie aussi sec une petite rincée sur un rocher non flairé. Les joies simples du pauvre[127].

Puis ses pattes arrière font gicler le sable : puis celles de devant fourragent et creusent. Quelque chose qu'il a enterré ici, sa grand-mère. Il fouit le sable, fourrageant, creusant, et s'arrête à l'écoute du ciel, gratte encore le sable de ses griffes déchaînées, s'interrompant bientôt, léopard, panthère [128], fruit de l'adultère, vautour nettoyeur de cadavres.

Après qu'il m'a réveillé la nuit dernière le même rêve ou pas ? Attends. Vestibule ouvert. Rue de catins. Souviens-toi. Haroun al Rachid [129]. Je le presque. Cet homme me conduisait, parlait. Je n'avais pas peur. Le melon qu'il portait, il le tenait tout contre mon visage. Souriait : odeur de fruit crémeux [130]. C'était la règle [131], dit. Entre. Suis-moi. Tapis rouge déroulé. Tu verras qui.

Se coltinaient leurs sacs en traînant la patte, Égyptiens cuivrés [132]. Ses pieds bleuis sortant de ses pantalons relevés claquent le sable collant, cache-nez brique terne qui lui étrangle un cou pas rasé. De ses pas de femme elle le suit : le ruffian chouraveur et sa meuf tournant en balade [133]. Dépouilles qu'elle a jetées par-dessus l'épaule. Des grains de sable et d'infimes débris de coquillages formaient une croûte sur ses pieds nus. Au vent qui avait rougi son visage flottaient les cheveux. Suivant son seigneur et maître, son humble servante, bing awast à Romville toute [134]. Quand la nuit cache les imperfections de son corps, racole coiffée d'un châle marron sous une arche souillée par les chiens. Son joli cœur régale deux soldats du Dublin Royal chez O'Loughlin [135], quartier de Blackpitts. Fous-la, baise-la, dit autrement en rom affranchi, Ô, ma dimber baise dell ! Blancheur d'ennemie publique sous ses guenilles rances. Fumbally's lane [136] ce soir-là : ces odeurs de tannerie.

Blanches tes mimines, rouge ta poire,
Et t'es bien balancée encor,

Mettons la viande dans le sac alors,
Nuit d'enfer, on se mélange et dors[137] *!*

Délectation morose[138] que Thomas d'Aquin la barrique appelle ça, *frate porcospino*[139]. Avant la chute Adam montait sa jument sans le rut[140]. Bramer laissez-le faire : *t'es bien balancée encor*. Langage pas un pet plus grave que le sien. Mots de moinillons, grains de rosaires bredouillés sur leur ceinture : mots de racaille, pépites rugueuses qui rebondissent au fond de leurs poches.

Les voilà.

Regard en coin sur mon chapeau Hamlet. Si je me retrouvais soudain tout nu comme je vous parle ? Mais non. Cheminant de par les sables du monde entier, poursuivi par l'épée de feu du soleil[141], vers l'ouest, longue marche vers les terres du soir. Elle hale, schleppe, traîne, poulle, trascine[142] sa charge. Marée faisant cap à l'ouest, remorquée par la lune, dans son sillage. Marées émaillées de myriades d'îles, en elle, ce sang n'est pas le mien, *oinopa ponton*, mer vinsombre. Contemple la servante de la lune[143]. Dans le sommeil, le signe humide[144] sonne son heure, la prie de se lever. Lit nuptial, lit d'enfantement, lit de mort, cierge funèbre. *Omnis caro ad te veniet*[145]. Il approche, pâle vampire, à travers la tempête ses yeux, sa voilure de chauve-souris ensanglante la mer, lèvres collées à mes lèvres.

Voici. Épingle-moi ce gaillard, veux-tu bien ? Mes tablettes[146]. Bouche volant le baiser. Non. Il en faut deux. Ensemble cousus main. Lèvres collées à mes lèvres.

Ses lèvres se délivraient de murmures, embouchure pour la bouche sans chair de l'air : bouche posée sur sa bouchuuuttteruse[147]. Graviditombe, m'accouche ma triste tombe. Lèvres moule chuintant des souffles d'air sans paroles : ooheehaa : grondement de cataracte des planètes, orbées, s'embrasant, grondant voyevoyevoyevoyevoyage. Papier. Les billets, envoie péter. Lettre du vieux Deasy. Voici. En vous remerciant pour l'hospitalité arrache le bas de la feuille laissé vierge. Tournant le dos au soleil il s'allongea de tout son long pour griffonner quelques mots. Ça fait deux fois que j'oublie de prendre des fiches sur la banque de la bibliothèque.

Son ombre s'allongeait sur les rochers tandis que lui se courbait, en finissait. Pourquoi pas infinie courant jusqu'à l'astre le plus reculé ? Ténébreux ils guettent derrière cette lumière, ténèbres brillant dans la clarté[148], delta de Cassiopée, mondes. Moi être assis là avec de l'augure sa baguette de frêne[149], en sandales empruntées, de jour au bord d'une mer livide, passant inaperçu, parcourant la nuit violette sous l'enseigne d'astres mal dégrossis. Je rejette cette ombre finie, inéluctable modalité de la forme humaine, la rappelle. Infinie, serait-elle mienne, forme de ma forme ? Qui m'observe ici ? Qui donc lira un jour ces mots écrits ? Signes posés sur un blanc champ. Un jour à quelqu'un de ta voix la plus mélodieuse. Le bon évêque de Cloyne tira le voile du temple[150] de son chapeau de prélat : voile de l'espace, emblèmes colorés hachurant le champ. Attends voir. Colorés sur le plat : oui, c'est bien cela. Le plat je vois, ensuite pense distance, près, loin, plat je vois, à l'est, retour[151]. Ah, je vois maintenant : Revient soudain en place, arrêt sur image stéréoscopique[152]. Faut le déclic. Vous trouvez mes mots bien obscurs. L'obscurité, elle est dans nos âmes, non ? En plus mélodieux. Notre âme, mortifiée par nos péchés, s'accroche davantage encore à nous, femme qui s'accroche à son amant, plus et encore.

Elle a confiance, la main douce, ses yeux aux longs

cils. Et maintenant nom de bleu où est-ce que je l'entraîne derrière le voile ? Dans l'inéluctable modalité de l'inéluctable visualité. Elle, elle, elle. Quelle elle ? La vierge à la vitrine de la librairie Hodges Figgis [153] lundi à la recherche de l'un de ces livres alphabets que tu devais écrire. Regard insistant que tu lui as donné. Poignet passé dans l'entrave [154] tressée de son ombrelle. Elle vit à Leeson park, baignant dans son chagrin entourée de bibelots, femme de lettres. Raconte ça à d'autres, Stevie : style suivez-moi-jeune-homme. Parie qu'elle porte un de ces bons dieux de corset, porte-jarretelles et bas jaunes reprisés avec des gros bouts de laine. Parle beignets aux pommes, *piuttosto* [155]. Et ton intelligence, t'en as fait quoi ?

Touche-moi. Doux regard. Douce douce douce main. Ma grande solitude ici. Oh, touche-moi vite, maintenant. Quel est ce mot connu de tous les hommes [156] ? Je suis tranquille ici solitaire. Triste aussi. Touche, touche-moi.

Il se laissa retomber complètement en arrière sur les rochers acérés, bourrant notes griffonnées et crayon dans une poche, le chapeau rabattu devant les yeux. C'est l'attitude de Kevin Egan que j'ai prise, piquant un roupillon, repos du sabbat. *Et vidit Deus. Et erant valde bona* [157]. Hlo ! *Bonjour*. Plaisir de vous voir telle la fleur en mai [158]. Par-dessous la visière, perçant la parade des cils éventail mobile, il fixe le soleil au zénith. Je suis pris dans cette scène où tout s'embrase. L'heure de Pan, le midi d'un faune. Au milieu de plantes-serpents, lourdes de résine, de fruits exsudant leur lait, là où sur l'onde fauve les feuilles reposent étales. Loin est la douleur [159].

Ne te détourne plus ni ne rumine.

Rumination de son regard s'oubliant sur les larges bouts des brodequins, vieilles hardes de bouc, *nebeneinander*. Il compta les plis sur le cuir froncé où le pied d'un autre s'était niché douillet. Pied qui battait au rythme du tripudium[160], pied que je désamoure. Mais tu étais ravi de voir que le soulier d'Esther Osvalt t'allait comme un gant : une fille que j'ai connue à Paris. *Tiens, quel petit pied !* Ami fidèle, âme sœur : Wilde, l'amour qui n'ose pas dire son nom[161]. Son bras, celui de Cranly. Son tour de me quitter maintenant. À qui la faute ? Comme je suis. Comme je suis. À prendre ou à laisser.

Dessinant de longs lassos du lac Cock affluait l'eau, grosse, recouvrant des lagons de sable vert-dorant, montant, affluant. Ma frênecanne va être emportée. J'attendrai donc. Non, tout ça passera, passera, usera sa colère sur les roches basses en tourbillons et passera. Mieux vaut en terminer rapidement avec cette besogne[162]. Écoute : discours de l'onde en quatre mots : siissouhh, hrss, rssiiess, ouhhhs. Souffle véhément des eaux au milieu des serpents de mer, des chevaux cabrés, des rocs. Dans les cuvettes des rochers ça ressort : coule, sort, saoule : mis en barrique. Puis, tari, son discours s'épuise. Le flux gazouille, flue énorme, plaques d'écume qui flottent, fleur s'ouvrant.

Noyées sous le flot qui enfle il voit les algues se tordre, s'élever alanguies et balancer des bras troussant leurs jupons à contrecœur, dans l'eau chuchotante elles balancent et emplissent d'émoi les timides frondes d'argent. Jour après jour : nuit après nuit : soulevées, noyées, laissées en rade. Seigneur, elles sont lasses : et soupirent au premier chuchotement. Saint Ambroise[163] les entendit, soupirs de feuilles et de vagues, qui attendent et attendent encore de goûter la plénitude de leur temps, *diebus ac noctibus iniurias patiens ingemiscit*[164]. À nulle fin rassemblées : pour rien relâchées ensuite, emportées de l'avant par le flux, puis ramenées : navette de la lune. Lasse elle aussi à la vue des amants, des hommes jouisseurs, d'une femme dénudée brillant parmi sa cour, elle relève à grand-peine son piège aquatique.

Cinq brasses plus au large. Par cinq brasses sous les eaux repose ton père[165]. À une heure, a-t-il dit. Découverte d'un noyé. Marée haute à la barre de Dublin. Pousse devant elle un amas informe de décombres, bancs de poissons se déployant en éventail, coquilles débiles. Un cadavre remontant blanc de sel échappé au ressac, au pas au trot au galop tête de marsouin crevant la surface en direction du bord. Ça y est. Accroche-le vite. Ramène. Bien qu'il ait fait naufrage au plus profond des eaux[166]. On l'a. Tout doux.

Sac empli de gaz de macchab, mouillettes pour saumure infâme. Un frémissement de fretin, engraissé d'une friandise spongieuse, s'échappe par les fentes de sa braguette boutonnée. Dieu se fait homme se fait poisson se fait oie bernache se fait mon édredon se featherbed mountain[167]. Des souffles de morts moi vivant j'inspire, foule une poussière de morts, dévore les abats pisseux de tous les morts. Hissé tout raide sur le plat-bord, il exhale vers le ciel la puanteur de sa tombe verte, sa narine lépreuse ronfle à la face du soleil.

Une déferlante de changement tout ça, yeux marron bleuis par le sel. Mort en mer, la plus douce de toutes les morts connues de l'homme. Vieux Père Océan[168]. *Prix de Paris*[169] : méfiez-vous des imitations. Regardez touchez essayez un peu vous allez adorer. On s'est marrés incroyable.

Viens. J'ai soif[170]. Ça se couvre. Pas de nuages noirs à l'horizon, si ? Orage. Étincelant il chute, orgueilleux éclair de l'intellect, *Lucifer, dico, qui nescit occasum*[171]. Non. Mon chapeau à coquille, mon bourdon et sesmes sandalants croquenots[172]. Où ? Vers les terres du soir. Le soir finira bien par se trouver.

Il saisit sa canne par la poignée, esquissant mollement quelques attaques, lambinant encore. Oui, le soir finira bien par se trouver en moi, sans moi. À chaque jour sa fin. Au fait le prochain quand est-ce que ce sera ? Mardi sera le jour le plus long[173]. De toute la joyeuse nouvelle année, maman, et ron et ron[174]. Tennys-on-gazon, gentleman-poète. *Già*. Pour la vieille sorcière aux dents jaunes. Et Monsieur Drumont, gentleman-journaliste. *Già*. Mes dents sont dans un état lamentable. Pourquoi, je me le demande ? Sens. Celle-là se déchausse aussi. Coquilles. Devrais-je aller chez le dentiste, je me demande, avec cet argent ? Celle-là. Ça. Kinch l'édenté, le surhomme. Comment ça se fait, je me le demande, un sens à voir là-dedans peut-être ?

Mon mouchoir. Il l'a jeté. Je m'en souviens. Je ne l'ai pas ramassé ?

Sa main tâtonna en vain dans ses poches. Non. Ferais mieux d'en acheter un.

Il colla la crotte séchée curée de sa narine sur l'arête d'un rocher, soigneusement. Maintenant regarde qui veut.

Derrière. Peut-être quelqu'un.

Il tourne la tête par-dessus l'épaule, issant yeux regardant en arrière[175]. Déplaçant dans le ciel ses hauts espars, un trois-mâts, voiles mises en croix[176], rentre au port, remontant le courant, se déplaçant en silence, vaisseau silencieux.

II

Monsieur Leopold Bloom[1] se régalait des entrailles des animaux et des volatiles. Il aimait une épaisse soupe d'abats, les gésiers au goût de noisette, un cœur farci rôti, des tranches de foie panées frites, des laitances de morue frites. Plus que tout il aimait les rognons de mouton grillés qui lui laissaient sur le palais la saveur légèrement acidulée d'un délicat goût d'urine.

Il avait les rognons en tête tandis qu'il se déplaçait à pas légers dans la cuisine et installait sur le plateau bombé ce dont elle avait besoin pour son petit déjeuner. Dans la cuisine l'air et la lumière étaient glacés, mais dehors c'était partout la douceur d'un matin d'été. Ça lui donnait un petit creux.

Les braises rougeoyaient.

Une autre tranche de pain beurré : trois, quatre : bien. Elle n'aimait pas une assiette trop pleine. Bien. Il se détourna du plateau, prit la bouilloire sur la plaque où elle se tenait au chaud et la posa de guingois sur le feu. Elle y resta, maussade et trapue, le bec tendu. Tasse de thé bientôt. Très bien. Bouche sèche.

Raide sur ses pattes, la chatte faisait le tour du pied de la table, la queue dressée.

— Mkgnao !

— Ah ! te voilà, dit M. Bloom en se détournant du feu.

La chatte répondit par un miaulement et, raide et digne, fit à nouveau en miaulant le tour du pied de la table. C'est ainsi qu'elle se pavane sur mon bureau. Rrron. Gratte-moi la tête. Rrron.

M. Bloom observait avec une curiosité bienveillante l'agile silhouette noire. Si propre à voir : l'éclat de son pelage lustré, le bouton blanc sous la naissance de la queue, les éclairs que lançaient les yeux verts. Il se pencha vers elle, les mains sur les genoux.

— Du lait pour la minette ! dit-il.

— Mrkgnao ! se plaignit la chatte.

On dit qu'ils sont stupides. Ils comprennent ce que nous disons mieux que nous ne les comprenons. Elle comprend tout ce qu'elle veut. Et rancunière avec ça. Cruelle. Sa nature. Curieux que les souris ne couinent jamais[2]. Semblent aimer ça. Me demande de quoi j'ai l'air pour elle. Aussi haut qu'une tour ? Non, elle peut sauter plus haut que ma tête.

— A peur des poulets, dit-il d'un ton moqueur. A peur des pillots-pillots. Je n'ai jamais vu une minette aussi stupide que cette minette.

— Mrkrgnao[3] ! fit la chatte d'une voix forte.

Elle leva la tête, clignant ses yeux avides à demi fermés de honte et, avec de longs miaulements plaintifs, lui montra ses dents blanc-lait. Il observait les fentes sombres des pupilles que rétrécissait la convoitise jusqu'à ce que les yeux devinssent des jades verts. Il alla ensuite jusqu'au buffet, prit le pot que le laitier de Hanlon venait de lui remplir, versa du lait tièdemousseux dans une soucoupe et lentement la posa sur le sol.

— Gurrhr ! fit la chatte en se précipitant pour le laper.

Il regardait les moustaches qui brillaient d'un éclat

métallique dans la faible lumière tandis qu'elle baissait la tête à trois reprises et lapait à petits coups. Je me demande s'il est vrai qu'ils ne peuvent plus chasser les souris si on les leur coupe[4]. Pourquoi ? Peut-être qu'elles brillent dans le noir, les pointes. Ou peut-être que ça leur sert d'antennes dans l'obscurité.

Il écoutait ses coups de langue qui lapaient. Des œufs au jambon, non. Pas de bons œufs avec cette sécheresse. Besoin d'eau pure et fraîche. Jeudi : pas non plus un bon jour pour un rognon de mouton chez Buckley. Frit au beurre, avec une tombée de poivre. Mieux vaut un rognon de porc chez Dlugacz[5]. Pendant que l'eau chauffe. Elle lapait plus lentement, puis elle passa sa langue sur la soucoupe pour la nettoyer. Pourquoi ont-ils la langue si râpeuse : pour mieux laper, des trous poreux partout. Rien qu'elle puisse manger ? Il jeta un coup d'œil autour de lui. Non.

Ses souliers craquant faiblement, il monta l'escalier jusqu'au vestibule et s'arrêta près de la porte de la chambre. Peut-être aimerait-elle quelque chose qui ait du goût. De fines tranches de pain beurré, voilà ce qu'elle aime le matin. Cependant peut-être : de temps en temps.

Il dit à voix basse dans le vestibule vide :

— Je vais au coin de la rue. Reviens tout de suite.

Et après qu'il eut entendu sa voix le dire, il ajouta :

— Tu ne désires rien pour ton petit déjeuner ?

Un faible grognement ensommeillé répondit :

— Mn.

Non. Elle ne désirait rien. Il entendit alors un chaud soupir profond, plus léger, tandis qu'elle se retournait et que les anneaux de cuivre desserrés cliquetaient[6]. Dois vraiment les faire resserrer. Dommage. Tout ce chemin parcouru depuis Gibraltar. Oublié le peu d'espagnol qu'elle savait. Me demande combien son père l'a payé. Modèle ancien. Ah oui, bien sûr. L'a acheté à la vente aux enchères du gouverneur. Lui a été prestement adjugé. Sacrément dur en affaires, le vieux Tweedy[7]. Oui, monsieur. C'était à Plevna[8]. Je sors du rang, monsieur, et j'en suis fier. Et pourtant il a été assez futé pour faire sa pelote avec les timbres. Ça c'était voir loin !

Sa main prit son chapeau à la patère à laquelle étaient accrochés son lourd pardessus portant ses initiales et son imperméable acheté d'occasion aux objets trouvés. Les timbres : images au derrière collant. Je dirais que des tas d'officiers sont dans le coup. Bien sûr, et comment ! L'inscription tachée de sueur à l'intérieur de son chapeau lui dit de façon muette : Plasto, les meilleurs cha aux[9]. Il jeta un coup d'œil rapide sous la bande de cuir. Petit papier blanc. Pas de risque.

Sur le pas de la porte il tâta sa poche de derrière à la recherche de la clé. Pas là. Dans le pantalon que j'avais hier[10]. Dois la récupérer. La pomme de terre je l'ai[11]. L'armoire grince. Inutile de la déranger. Elle avait encore sommeil quand elle s'est retournée tout à l'heure. En sortant, il tira derrière lui la porte d'entrée très lentement, un peu plus jusqu'à ce que le rabat du jet d'eau vienne doucement recouvrir le seuil, flasque couvercle. A l'air fermé[12]. De toute façon, ça ira jusqu'à ce que je revienne.

Il traversa pour rejoindre le côté ensoleillé, évitant la trappe descellée de la cave du numéro soixante-quinze. Le soleil se rapprochait du clocher de George's church[13]. M'est avis qu'il va faire chaud. Particulièrement sensible avec ces vêtements noirs. Le noir conduit, reflète (réfracte non ?) la chaleur[14]. Mais je ne pourrais pas y aller avec ce costume clair. Serait comme aller à un pique-nique. Ses paupières s'abaissaient souvent doucement tandis qu'il marchait dans la tiédeur béate. La camionnette de Boland le boulanger qui livre sur des plateaux notre quotidien[15], mais elle préfère les miches d'hier les chaussons croustillants à la croûte encore chaude. Vous donne l'impression d'être jeune. Quelque part en Orient[16] : la pointe du jour : se mettre en route à l'aube, faire le tour de la terre en allant en avant du soleil, lui ravir une journée. Toujours continuer ainsi, ne jamais vieillir d'un jour, techniquement. Longer une grève, pays inconnu, arriver à la porte d'une ville, une sentinelle là, lui aussi un vieux briscard, les grosses moustaches du vieux Tweedy, appuyé sur une longue sorte de lance. Aller au hasard des rues, à l'ombre des auvents. Des visages enturbannés qui passent. Cavernes obscures des magasins de tapis, malabar, Turco le terrible[17], assis en tailleur qui fume un narghilé au tuyau en spirale. Cris des vendeurs dans les rues. Boire de l'eau au fenouil, de la limonade. Flâner tout le jour. Pourrais rencontrer un voleur ou deux. Bon, va pour la rencontre. Le crépuscule approche. L'ombre des mosquées parmi les piliers : prêtre qui tient un parchemin roulé. Un frémissement dans les arbres, signal, le vent vespéral. J'avance. Ciel d'or près de s'éteindre. Une mère m'observe dans l'encadrement de sa porte. Elle rappelle ses enfants dans leur langage obscur. Muraille : au-delà, des cordes que l'on touche. Lune de ciel nocturne, violet, couleur des jarretières neuves de Molly[18]. Instruments à cordes. Écoute. Une jeune fille qui joue de l'un de ces instruments chezplusquoi : des tympanons. Je passe.

Probable qu'en fait ça ne ressemble pas du tout à ça. Genre de truc qu'on trouve dans les livres : dans le sillage du soleil. Soleil radieux sur la pagedetitre[19]. Il sourit, content de lui. Ce que disait Arthur Griffith en parlant de l'en-tête au-dessus de l'éditorial du

Freeman : un soleil de l'autonomie qui se lève au nord-ouest de la ruelle derrière la banque d'Irlande[20]. Il prolongea son sourire de contentement. Trouvaille de youpin ça : le soleil de l'autonomie qui se lève au nord-ouest.

Il arrivait près de chez Larry O'Rourke. Du soupirail de la cave montaient les effluves douceâtres de la bière brune. Par la porte ouverte le bar exhalait des bouffées de gingembre, de poussièredethé, de miettesdebiscuits. Bon établissement tout de même : juste là où se terminent les transports urbains. Par exemple chez M'Auley plus bas : ça vaut rien comme emplacement. Bien sûr s'ils construisaient une ligne de tramway partant du marché aux bestiaux et empruntant la North Circular road jusqu'aux quais les prix grimperaient en flèche[21].

Tête chauve par-dessus le brise-bise. Vieux renard. Inutile de le démarcher pour une petite annonce. Du reste son métier c'est lui qui le connaît le mieux. Le voilà en personne ce brave Larry, en manches de chemise, appuyé contre le coffre à sucre surveillant le serveur en tablier qui lave le sol avec seau et serpillière. Simon Dedalus l'imite à la perfection quand il plisse les yeux. Savez-vous ce que je vais vous dire ? Quoi donc, monsieur O'Rourke ? Croyez-moi. Les Russes, les Japonais n'en feraient qu'une bouchée au petit déjeuner[22].

M'arrêter et lui dire un mot : au sujet de l'enterrement peut-être. C'est bien triste pour le pauvre Dignam, monsieur O'Rourke.

Tournant dans Dorset street, il lança d'un ton guilleret en guise de salut par la porte ouverte :

— Bonjour, monsieur O'Rourke.

— Bonjour à vous.

— Beau temps monsieur.

— Sûr.

Où trouvent-ils l'argent ? Ils arrivent, serveurs rouquins du comté de Leitrim, ils rincent les verres vides et font la ripopée dans la cave. Et puis voilà que par enchantement ils s'épanouissent en autant d'Adam Findlater[23] ou de Dan Tallon. Et puis imaginez un peu la concurrence. Soif générale. Un bon casse-tête : traverser Dublin sans passer devant un pub. Impossible que ce soient leurs économies. Sur le dos des ivrognes peut-être. Pose trois et retiens cinq. Ça fait combien ? Un shilling par-ci par-là, au compte-gouttes. Sur les commandes en gros peut-être. Jouent le double jeu avec les voyageurs de commerce. Arrangez ça avec le patron et nous partagerons le gâteau, vu ?

Ça irait chercher dans les combien ce qu'il gagne sur le porter en un mois ? Disons dix fûts de marchandise. Disons qu'il a eu dix pour cent de ristourne. Oh ! plus. Dix. Quinze. Il passait devant l'école publique Saint Joseph[24]. Les mioches qui piaillent en chœur. Fenêtres ouvertes. L'air frais stimule la mémoire. Ou en cadence. Abbessé déheueffjai kaeloemhaine opécul érestéuvé doublevé. Ce sont des garçons ? Oui. Inishturk. Inishark. Inishboffin[25]. À leur giographie. J'ai la mienne. Slieve Bloom[26].

Il s'arrêta devant la vitrine de Dlugacz regardant les chapelets de saucisses, les boudins blancs et noirs. Quinze multiplié par. Les chiffres pâlirent dans son esprit : aucun résultat : dépité, il les laissa s'estomper. Il mangeait des yeux les chapelets brillants de viande hachée et humait calmement l'arôme tiède de sang de porc cuit et épicé.

Un rognon perlait des gouttes de sang sur un plat décoré de feuilles de saule : le dernier. Devant le comptoir, il attendait près de la bonne des voisins. Allait-elle l'acheter aussi, lisant la liste qu'elle tenait à la main ? Gercée : la soude de la lessive. Et une livre et demie de saucisses de chez Denny. Ses yeux s'attardèrent sur ses hanches vigoureuses. Son patron s'appelle Forest. Je me demande ce qu'il fait. Sa femme n'est plus toute jeune. Sang nouveau. Défense de la courtiser[27]. Paire de bras robuste. Quand elle bat un tapis sur la corde à linge. Il faut voir comment elle le bat, grands dieux. Cette façon qu'a sa jupe de traviole de se balancer à chaque coup qu'elle donne[28].

Le charcutier fouineyeux pliait les saucisses qu'il avait détachées de ses doigts maculés, rose-saucisse. Chair ferme ça, comme une génisse engraissée à l'étable.

Il prit une feuille sur une pile de pages découpées. La ferme modèle de Kinnereth, au bord du lac de Tibériade. Serait idéal comme sanatorium d'hiver. Moïse Montefiore[29]. Je pensais bien il en était[30]. Ferme entourée d'un mur, image floue du bétail en train de paître. Il éloigna la page : intéressant : la ramena pour lire : le titre, l'image floue du bétail qui paît, le froufrou de la page. Une jeune génisse blanche. Ces matins au marché aux bestiaux, les animaux qui meuglaient dans leurs enclos, les moutons avec leurs marques, flaque de fiente qui choit, les éleveurs aux chaussures cloutées qui pataugeaient dans la gadoue donnant une claque de la paume sur un arrière-train pleincharnu, celle-là est de première qualité, une badine non écorcée à la main. Il tenait patiemment la page de travers, contrôlant ses sens et sa volonté, son regard tranquille subjugué immobile. La jupe de traviole se balançant et vli, et vlan, et vli, et vlan.

Le charcutier saisit deux feuilles sur la pile, en enveloppa les saucisses de première qualité de la jeune fille et fit une rouge grimace.

— Voilà, ma petite demoiselle, dit-il.

Elle lui offrit une pièce avec un sourire effronté, tendant son poignet épais.

— Merci ma petite demoiselle. Et un shilling trois pence en retour. Et pour vous s'il vous plaît ?

M. Bloom montra prestement du doigt. La rattraper et la suivre si elle allait lentement, marchant derrière ses jambonneaux en mouvement. Agréable à contempler comme premier spectacle matinal. Vite, zut. Battre le fer tant qu'il est chaud. Elle était dehors au soleil et s'éloigna d'un pas nonchalant vers la droite. Son nez exhala un soupir : elles ne comprennent jamais. Mains gercées par la soude de la lessive. Orteils aux ongles encroûtés aussi. Des scapulaires bruns en lambeaux la défendent pile et face. L'aiguillon de son indifférence alluma dans sa poitrine le feu d'un vague plaisir. Pour un autre : un policier en repos la serrait de près dans Eccles lane[31]. Ils les aiment bien en chair. Saucisse de premier choix. Oh, je vous en prie, monsieur l'Agent, je suis perdue dans cette forêt[32].

— Trois pence s'il vous plaît.

Sa main accepta la moite glande molle et la glissa dans une poche de sa veste. Il sortit ensuite trois pièces de la poche de son pantalon et les déposa sur les picots en caoutchouc. Posées là elles furent prestement déchiffrées, et prestement glissées, disque après disque dans le tiroir-caisse.

— Merci, monsieur. À la prochaine fois.

Une pointe de brûlant désir dans les furetyeux le remercia. Il détourna son regard dans la seconde qui suivit. Non : vaut mieux pas : une autre fois.

— Bonjour, dit-il en partant.

— Bonjour, monsieur.

Aucun signe[33]. Disparue. Quelle importance ?

Il s'en retourna par Dorset street en lisant gravement. Agendath Netaïm[34] : société de planteurs. Acheter au gouvernement turc des étendues de sable incultes et les planter d'eucalyptus. Excellent comme ombrage, bois de chauffage et de construction. Orangeraies et immenses champs de melons au nord de Jaffa. Vous payez quatre-vingts marks et ils plantent pour vous un dunam[35] de terre avec des oliviers, des orangers, des amandiers ou des cédratiers. Les oliviers sont moins chers, les orangers ont besoin d'irrigation artificielle. Chaque année on vous envoie un échantillon de la récolte. Votre nom figure à vie dans les registres de l'association des propriétaires. Pouvez ne payer que dix marks comptant et le solde par annuités. Bleibtreustrasse[36] 34, Berlin, W.15.

Rien à faire. Pourtant, une idée là-dessous.

Il regarda le bétail que la brume de chaleur argentée rendait flou. Oliviers poudrés d'argent. Longs jours tranquilles : taille, maturité. On met les olives dans des bocaux, pas vrai ? Il m'en reste quelques-unes de chez Andrews. Molly qui les recrachait. Sait maintenant le goût qu'elles ont. Les oranges enveloppées de papier de soie, emballées dans des cageots. Les cédrats aussi. Me demande si ce pauvre Citron[37] de Saint Kevin's Parade est toujours de ce monde. Et Mastianski avec sa vieille cithare. Quelles soirées plaisantes nous passions alors. Molly dans le fauteuil en osier de Citron. Cédrat : agréable à tenir, fruit frais, vernissé, le tenir dans la main, le porter à ses narines et en humer le parfum. Comme ça, parfum lourd, sucré, exotique. Ne change pas au fil des ans. Et ça rapportait gros aussi, me disait Moisel. Arbutus place : Pleasants street : un passé plaisant. Il disait qu'il n'y fallait pas un défaut[38]. Venus de si loin : l'Espagne, Gibraltar, la Méditerranée, le Levant. Cageots alignés sur le quai de Jaffa, un gars qui les coche dans un carnet, des manœuvres nu-pieds qui les transbahutent, sanglés dans leurs salopettes sales. Voici Machinchose qui sort de. Comment allez ? Ne voit pas. Type qu'on se contente de saluer un brin rasoir. Un dos à la Quasimodo. Me demande si je vais le rencontrer aujourd'hui. L'arroseuse. Pour faire pleuvoir. Sur la terre comme au ciel[39].

Un nuage commença à couvrir le soleil, lentement, complètement[40]. Gris. Loin.

Non, pas comme ça. Une terre aride, stérile et désolée. Lac volcanique, la mer morte : pas de poissons, pas d'algues, au plus profond de la terre. Nul souffle de vent ne pourrait soulever ces vagues, métal gris, eaux méphitiques brouillasseuses. Pluie de soufre, c'est comme ça qu'ils l'ont appelée : les villes de la plaine : Sodome, Gomorrhe, Édom[41]. Des noms morts tout ça. Une mer morte dans une terre morte vieille et grise. Vieille à présent. Elle a enfanté la race la plus ancienne, la première. Sortant de chez Cassidy, une vieille sorcière traversa, la main crispée sur le col d'une fiole à whisky. Le plus ancien peuple. A parcouru dans son errance les confins de la terre, de captivité en captivité, se multipliant, mourant, naissant partout. Elle s'étendait là maintenant. Maintenant elle ne pouvait plus rien enfanter. Mort : celui d'une vieille femme : le con gris et défoncé du monde.

Désolation.

Une horreur grise lui consumait les chairs. Pliant la feuille qu'il mit dans sa poche il prit dans Eccles street, se hâtant vers son domicile. Des huiles froides coulaient dans ses veines et lui glaçaient le sang : l'âge l'encroûtait d'une chape de sel[42]. Bon, j'y suis maintenant. Bouche du matin, esprit chagrin. Me suis levé du pied gauche. Dois reprendre ces exercices de Sandow[43]. Des pompes. Maisons de briques brunes tavelées. Le quatre-vingts encore à louer. Pourquoi ça ? Ils n'en demandent que vingt-huit livres. Towers, Battersby, North, McArthur[44] : placards sur les fenêtres du rez de chaussée. Emplâtre sur un œil malade. Humer la suave vapeur de thé, le fumet montant de la poêle, le beurre qui grésille. Être près de sa chair généreuse dans la chaleur du lit. Oui, oui[45].

Rapide, un chaud rayon de soleil se rapprochait venant de Berkeley road, prestement, en sandales légères, le long du trottoir qui s'éclairait. Elle court, court à ma rencontre, jeune fille aux cheveux d'or dans le vent.

Deux lettres et une carte gisaient à terre dans l'entrée. Il se baissa pour les ramasser. Madame Marion Bloom[46]. Son cœur qui s'était emballé ralentit immédiatement. Main de flam. Madame Marion.

— Popold[47] !

En entrant dans la chambre il ferma à demi les yeux et traversant la chaude pénombre jaune il se dirigea vers la tête ébouriffée.

— C'est pour qui ces lettres ?

Il les regarda. Mullingar[48]. Milly.

— Une lettre de Milly pour moi, dit-il prudemment, et elle t'envoie une carte. Et une lettre pour toi.

Il déposa sa carte et sa lettre sur le dessus-de-lit de laine croisée, près de la courbe de son genou.

— Veux-tu que je relève le store ?

Remontant le store à petits coups jusqu'à mi-hauteur, il la vit du coin de l'œil qui regardait rapidement sa lettre et la glissait sous son oreiller.

— Ça va comme ça ? demanda-t-il en se retournant.

Elle lisait la carte, appuyée sur son coude.

— Elle a reçu les affaires, dit-elle.

Il attendit qu'elle eût mis la carte de côté et qu'elle se fût à nouveau pelotonnée lentement en soupirant d'aise.

— Dépêche-toi de faire ce thé, dit-elle. J'ai la bouche sèche.

— L'eau bout, dit-il.

Mais il s'attarda encore un peu pour débarrasser la chaise : son jupon rayé, du linge sale jeté là négligemment : et il déposa toute la brassée qu'il avait ramassée au pied du lit.

Tandis qu'il descendait à la cuisine, elle appela :

— Popold !

— Quoi ?

— Ébouillante la théière.

L'eau bouillait, c'était sûr : la vapeur en panache sortait du bec verseur. Il ébouillanta et rinça soigneusement la théière, mit quatre pleines cuillers de thé, inclinant ensuite la bouilloire pour y verser l'eau. L'ayant mis à infuser, il ôta la bouilloire du feu, écrasa la poêle bien à plat sur les braises et regarda le morceau de beurre fondre et glisser. Tandis qu'il déballait le rognon la chatte miaulait de faim en se frottant contre lui. Si on lui donne trop de viande elle ne chassera plus les souris. On dit qu'ils refusent de manger du porc. Casher. Tiens. Il laissa tomber à son intention le papier maculé de sang et fit tomber le rognon dans le beurre fondu qui grésillait. Du poivre. Il se frotta le pouce contre l'index pour le saupoudrer en rond, se servant dans le coquetier ébréché.

Il ouvrit ensuite sa lettre, ses yeux parcourant la feuille recto verso. Remerciements : béret neuf : M. Coghlan : pique-nique au lough Owel : jeune étudiant[49] : les filles du bord de mer de Flam Boylan[50].

Le thé avait infusé. Il remplit en souriant sa tassa-moustache, en faux Derby. Cadeau d'anniversaire de Millinotte. N'avait alors que cinq ans. Non, attendez, quatre. Je lui avais offert ce collier en faux ambre qu'elle a cassé. Déposant pour elle dans la boîte aux lettres des morceaux de papier d'emballage pliés en quatre[51]. Il sourit tout en versant.

Ô Milly Bloom tu es bien ma chérie
Tu es mon miroir du soir au matin

Et je te préfère même sans un radis
À Kathey Keogh, son âne et son jardin[52].

Pauvre vieux professeur Goodwin[53]. Un vieux machin. C'était pourtant un petit vieux bien courtois. Cette façon désuète qu'il avait de raccompagner Molly avec force courbettes quand elle quittait la scène. Et ce petit miroir dans son chapeau de soie. Le soir où Milly le rapporta au salon. Oh, regardez ce que j'ai trouvé dans le chapeau du professeur Goodwin ! On a tous ri. Déjà une petite femme. Une vraie petite effrontée.

Il piqua une fourchette dans le rognon et le retourna d'un coup sec : puis installa la théière sur le plateau. Sa bosse fit saillie lorsqu'il le souleva. Tout y était ? Les tartines beurrées, quatre, sucre, cuiller, sa crème. Oui. Il monta l'escalier le pouce passé dans l'anse de la théière.

Ouvrant la porte d'un léger coup de genou il entra avec le plateau et le déposa sur la chaise près de la tête du lit.

— Tu en as mis du temps, dit-elle.

Elle fit cliqueter les anneaux de cuivre en se relevant vivement appuyant le coude sur l'oreiller. Il baissa calmement les yeux sur son corps volumineux, sur le sillon entre ses gros tétons doux qui pendaient sous sa chemise de nuit comme les pis d'une chèvre. La tiédeur de son corps étalé montait du lit et se mêlait à l'arôme du thé qu'elle versait.

Un bout d'enveloppe déchirée pointait sous l'oreiller creusé d'une fossette. Alors qu'il se dirigeait vers la sortie, il s'arrêta un instant pour arranger le dessus-de-lit.

— De qui était la lettre ? demanda-t-il.

Main de flam. Marion.

— Oh, de Boylan, répondit-elle. Il va apporter le programme.

— Que chantes-tu ?

— *Là ci darem* avec J.C. Doyle, dit-elle, et *L'Ancien Chant des doux amants*[54]. Ses lèvres pulpeuses en buvant souriaient. Ça laisse comme une odeur de renfermé le lendemain cet encens. Comme l'eau croupie d'un bouquet.

— Tu veux que j'ouvre un peu la fenêtre ?

Elle plia en deux une tranche de pain qu'elle introduisit dans sa bouche demandant :

— À quelle heure est l'enterrement ?

— Onze heures, je crois, répondit-il. Je n'ai pas vu le journal.

Suivant la direction dans laquelle pointait son doigt il ramassa sur le lit par une jambe sa culotte sale. Non ? Alors une jarretière grise, froissée, entortillée autour d'un bas : plante de pied déformée et lustrée.

— Non : ce livre.

Autre bas. Son jupon.

— Il est dû tomber, dit-elle.

Il tâta çà et là. *Voglio e non vorrei*. Me demande si elle prononce ça correctement : *voglio*. Pas dans le lit. A dû glisser. Il se pencha et souleva le cache-sommier. Le livre s'étalait à terre, étalé contre la panse du pot de chambre à grecorange.

— Fais voir, dit-elle. J'y ai mis une marque. Il y a un mot que je voulais te demander.

Elle avala une gorgée de thé de la tasse qu'elle tenait par la nonanse et, s'étant essuyé vivement le bout des doigts sur la couverture, elle commença à parcourir le texte avec son épingle à cheveux[55] jusqu'à trouver le mot en question.

— Mets ton ptit quoi[56] ? demanda-t-il.

— Là, dit-elle. Qu'est-ce que ça veut dire ?

Il se pencha au-dessus d'elle et lut en suivant l'ongle verni de son pouce.

— Métempsycose ?

— Oui. Ça sort d'où ça ?

— Métempsycose, reprit-il en fronçant les sourcils. C'est du grec : ça vient du grec. Ça veut dire la transmigration des âmes.

— Oh, sois pas casse-bonbons ! dit-elle. Dis-nous ça simplement.

Il sourit en regardant en coin ses yeux moqueurs. Les mêmes jeunes yeux[57]. La soirée qui a suivi le jeu des charades. Dolphin's Barn[58]. Il tourna les pages maculées. *Ruby : la Perle du cirque*[59]. Tiens. Illustration. Un Italien féroce avec un fouet de palefrenier. Doit être Ruby la perle du sur le plancher, nue. Prêt gracieux d'un drap. *Le monstre Maffei s'interrompit et projeta sa victime à terre avec un juron*. De la cruauté derrière tout ça. Animaux drogués. Le trapèze au Cirque Hengler[60]. Étais forcé de détourner les yeux. La foule bouche bée. Tordez-vous le cou et nous nous tordrons de rire. Des familles entières. Ils les désarticulent lorsqu'ils sont jeunes pour qu'ils médompsycosent. Que nous vivons après notre mort. Nos âmes. Qu'après sa mort l'âme d'un homme. L'âme de Dignam...

— Tu l'as terminé ? demanda-t-il.

— Oui, dit-elle. Il n'y a rien de cochon dedans. Est-ce qu'elle est amoureuse du premier type du début à la fin ?

— Jamais lu. Tu en veux un autre ?

— Oui. Un autre de Paul de Kock. Joli nom, hein[61] ?

Elle versa de nouveau du thé, le regardant couler du coin de l'œil.

Il faut que je renouvelle mon prêt à cette bibliothèque de Capel street[62] sinon ils vont écrire à Kearney, qui s'est porté garant pour moi. Réincarnation : c'est ça le mot.

— Il y en a qui croient, dit-il, que nous continuons à vivre dans un autre corps après notre mort, qu'on a vécu avant. Ils appellent ça la réincarnation. Que nous avons déjà vécu sur cette terre il y a des milliers d'années, ou sur quelque autre planète. Ils disent que nous l'avons oublié. Il y en a qui disent se souvenir de leur vie passée.

La crème paresseuse dessinait en précipités des arabesques dans son thé. Mieux vaut qu'elle se souvienne du mot : métempsycose. Mieux vaudrait un exemple. Quoi comme exemple ?

La *Nymphe au bain*[63] au-dessus du lit. Supplément gratuit au numéro de Pâques de *Photo Mag*[64] : splendide chef-d'œuvre en couleurs artistiques. Thé avant qu'on y verse du lait. Un peu comme elle quand elle a les cheveux défaits : en plus mince. Le cadre m'a coûté trois shillings six pence. Elle disait que ça ferait joli au-dessus du lit. Nymphes nues : la Grèce : et par exemple tous ceux qui vivaient à cette époque.

Il feuilletait le livre à l'envers.

— La métempsycose, dit-il, c'est comme ça que les Grecs de l'antiquité la nommaient. Ils croyaient que l'on pouvait être changé disons en animal ou en arbre. C'est ça qu'ils appelaient les nymphes par exemple.

Sa cuiller cessa de mélanger le sucre. Elle regardait droit devant elle en reniflant de ses narines dilatées.

— Ça sent le brûlé, dit-elle. Tu as laissé quelque chose sur le feu ?

— Le rognon, s'écria-t-il brusquement.

Il fourra tant bien que mal le livre dans la poche intérieure de sa veste et après avoir heurté du pied la chaisepercée déglinguée il se précipita vers l'odeur en dévalant l'escalier, avec une démarche de héron affolé. Un jet de fumée âcre fusait furieux d'un côté de la poêle. En introduisant à petits coups une dent de fourchette sous le rognon il le décolla et le retourna sens dessus dessous : une tortue sur le dos. À peine brûlé. Il le fit sauter de la poêle sur une assiette et fit couler dessus le peu de jus brunâtre qui restait, goutte après goutte.

Tasse de thé maintenant. Il s'assit, coupa de la miche une tranche de pain qu'il beurra. Il racla la partie brûlée et la lança à la chatte. Puis il piqua un morceau sur sa fourchette et la porta à sa bouche mâchant en connaisseur cette viande tendre et savoureuse. Cuite à point. Une gorgée de thé. Puis il tailla de petits dés de pain, en trempa un dans le jus et le mit dans sa bouche. C'était quoi déjà cette histoire d'un jeune étudiant et d'un pique-nique ? Il lissa de la main la lettre à côté de son assiette, la lisant lentement tout en mâchant, trempant un autre dé de pain dans le jus et le portant à sa bouche.

Mon Papli chéri[65],

Un très grand merci pour le superbe cadeau d'anniversaire. Il me va à la perfection. Tout le monde dit que je suis la plus belle avec mon nouveau béret. J'ai reçu la superbe boîte de chocolats à la crème de maman et je lui écris. Ils sont superbes. Ça marche du tonnerre pour moi dans la photo maintenant. M. Coghlan en a pris une de moi et sa dame l'enverra quand elle sera développée. Hier nous avons fait une grosse journée. C'était jour de foire et toutes les bouseuses étaient là. Lundi nous allons avec quelques amis au loch Owel pour un pique-nique à la fortune du pot. Embrasse maman pour moi ; je t'envoie une grosse bise et mille mercis. Je les entends qui jouent du piano au rez-de-chaussée. Il doit y avoir un concert au Greville Arms samedi. Il y a un jeune étudiant qui vient ici parfois le soir qui s'appelle Bannon il a des cousins ou quelque chose comme ça qui sont des grosses légumes il chante la chanson de Boylan (pour un peu j'écrivais Flam Boylan) où il est question de ces filles du bord de mer. Dis-lui que Millinotte lui envoie mes salutations distinguées. Maintenant il faut que je te quitte avec toute mon affection.

Ta fille affectionnée

MILLY

P.S. Excuse le griffonnage, suis pressée. Bye bye.

M.

Quinze ans hier[66]. Et aussi le quinze du mois : curieux. Son premier anniversaire hors de la maison. Séparation. Me souviens du matin d'été où elle est née, j'ai couru tirer du lit Mme Thornton dans Denzille street[67]. Une bonne vivante cette vieille dame. Elle a dû aider des tas d'enfants à venir au monde. Elle a su tout de suite que le pauvre petit Rudy ne vivrait pas[68]. Ma foi, Dieu est bon, monsieur. Elle a su immédiatement. Il aurait onze ans maintenant s'il avait vécu.

Son visage sans expression contemplait mélancoliquement le post-scriptum. Excuse le griffonnage. Pressée. Piano au rez-de-chaussée. Elle sort de sa coquille. Cette dispute que nous avons eue au café XL à cause de ce bracelet. Refusait de manger ses gâteaux, ou de parler ou de lever les yeux. Effrontée. Il trempa d'autres dés de pain dans le jus et mangea le rognon, un morceau après l'autre. Douze shillings six pence par semaine. Pas grand-chose. Pourtant elle pourrait se débrouiller plus mal. Scène de music-hall. Jeune étudiant. Il but une gorgée du thé un peu refroidi pour faire descendre son repas. Puis il relut la lettre : deux fois.

Enfin : elle sait ce qu'elle doit savoir. Mais si ce n'était pas le cas ? Non, il ne s'est rien passé. Bien sûr, ça reste possible. Attendre de toute façon que ça arrive. Une gamine délurée. Ses jambes fines qui montent l'escalier en courant. Le destin[69]. Elle mûrit maintenant. Coquette : très.

Il adressa un sourire plein d'affectueuse inquiétude à la fenêtre de la cuisine. Le jour où je l'ai surprise dans la rue qui se pinçait les joues pour les rendre plus roses. Un peu anémique. On l'a nourrie au lait trop longtemps. À bord de l'*Erin's King*[70] autour du Kish. Ce maudit rafiot qui tanguait de partout. Pas trouillarde pour deux sous. Son écharpe bleu clair et sa chevelure qui volaient dans le vent.

Toutes fossettes et bouclettes,
Elles vous font tourner la tête[71].

Filles du bord de mer. Enveloppe déchirée. Mains enfoncées dans les poches de son pantalon, cocher en ribote qui chante. Ami de la famille. Font turner, qu'il dit. Réverbères sur la jetée, soir d'été, orchestre.

Ces jeunes filles, ces jeunes filles,
Les belles filles du bord de mer

Milly aussi. Jeunes baisers : les premiers. C'est loin, c'est le passé. Mme Marion. Elle lit, allongée maintenant, comptant ses mèches de cheveux, souriant, les tressant.

Un léger malaise, regret, qui allait en augmentant lui coula le long de l'échine. Ça arrivera, c'est sûr. L'empêcher. Inutile : impossible d'intervenir[72]. Douces lèvres légères de jeune fille. Ça lui arrivera à elle aussi. Il sentit que le malaise qui l'envahissait se diffusait en lui. Inutile d'intervenir maintenant. Lèvres baisées, baisantes, baisées. Lèvres de femme, pulpeuses et collantes.

Mieux vaut qu'elle reste là où elle est : loin d'ici. Ça la tient occupée. Voulait un chien pour se distraire.

Pourrais aller y faire un petit tour. Le premier lundi d'août est un jour férié : aller-retour à deux shillings six seulement. Mais c'est dans six semaines. Pourrais me procurer une carte de presse [73]. Ou par l'intermédiaire de M'Coy.

La chatte qui s'était entièrement toilettée retourna au papier taché de sang, le flaira et, raide et digne, alla jusqu'à la porte. Elle se retourna pour le regarder en miaulant. Veut sortir. On attend devant une porte et elle finit par s'ouvrir. Elle peut attendre. Ne tient pas en place. Électrique. Le temps est à l'orage. Et elle se passait aussi la patte derrière l'oreille, en tournant le dos au feu.

Il se sentait lourd, repu : puis un discret relâchement de ses entrailles. Il se leva, dénouant sa ceinture. La chatte lui adressa un miaulement.

— Miaou ! lui répondit-il. Attends que je sois prêt.

Lourdeur : va faire chaud aujourd'hui. Trop pénible de se traîner jusqu'au palier, à l'étage.

Un journal. Il aimait lire assis sur la cuvette. J'espère qu'il n'y aura pas un emmerdeur qui viendra cogner à la porte juste pendant que je suis en train de.

Dans le tiroir de la table, il trouva un vieux numéro de *Titbits* [74]. Il le plia, le mit sous son bras, alla jusqu'à la porte et l'ouvrit. La chatte grimpa l'escalier par bonds légers. Ah, voulait aller là-haut se rouler en boule sur le lit.

En prêtant l'oreille, il l'entendit qui disait :

— Viens, viens minette. Viens.

Il sortit du jardin par la porte de derrière : s'arrêta pour tendre l'oreille vers le jardin des voisins. Pas un bruit. Peut-être en train d'étendre la lessive sur la corde à linge. La servante était dans le jardin, et rin et rin et rintintin. Une belle matinée.

Il se pencha pour observer une mince rangée de

menthe verte qui poussait près du mur. Construire une tonnelle ici. Des haricots d'Espagne. De la vigne vierge. Faudrait fumer tout l'endroit, sol croûté. Une couche de foie de soufre. Tout le sol est comme ça si on ne le fume pas. Eaux usées. Du terreau, qu'est-ce que c'est que ça ? Les poules dans le jardin d'à côté : leurs fientes en surface font un excellent fumier. Mais le meilleur c'est celui fourni par le bétail, surtout lorsqu'on lui donne ces tourteaux. Compost et fumier. Ce qu'il y a de mieux pour nettoyer les gants de chevreau que portent les femmes. Le sale nettoie. Les cendres aussi. Remettre en valeur tout le coin. Faire pousser des petits pois dans ce coin-là. De la laitue. Aurai alors toujours des légumes frais. Les jardins ont quand même leurs inconvénients. Cette abeille ou mouche à viande ici le lundi de Pentecôte[75].

Il avança de quelques pas. Où est mon chapeau, au fait ? Ai dû le remettre à la patère. Ou il a pris un billet de parterre. Drôle que je ne m'en souvienne pas. Trop de choses sur le portemanteau. Quatre parapluies, son imperméable. Quand j'ai ramassé ces lettres. Le tintement de la clochette de chez Drago. C'est drôle, j'étais juste en train de penser. Cheveux bruns brillantinés sur son col. N'ai fait que me débarbouiller et me donner un coup de brosse. Me demande si j'aurai le temps d'aller prendre un bain ce matin. Tara street. On dit que le gars qui tient la caisse là-bas a aidé James Stephens à s'enfuir. O'Brien[76].

Il en a une belle voix de basse ce Dlugacz. Agenda et quoi encore ? Voilà, ma petite demoiselle. Enthousiaste[77].

D'un coup de pied, il ouvrit la porte branlante des chiottes. Essayons de ne pas salir ce pantalon avant l'enterrement. Il entra en baissant la tête sous le linteau bas. Laissant la porte entrouverte, debout dans la puanteur du badigeon de chaux moisi et des vieilles toiles d'araignée, il déboutonna ses bretelles. Avant de s'asseoir il colla l'œil à une fente pour regarder la fenêtre des voisins. Le roi comptait ses ducats et ri et ra. Personne[78].

Accroupi sur le siège percé il déplia son journal en tournant les pages sur ses genoux dénudés. Quelque chose de nouveau qui passerait facilement. Rien ne presse. Me retenir un peu. Notre récit primé : *Le Coup de maître de Matcham*[79]. Par M. Philip Beaufoy, du club des amateurs de théâtre de Londres. L'auteur a touché une guinée par colonne. Trois et demie. Trois livres trois. Trois livres, treize shillings et six pence.

Tranquillement, il se mit à lire en se retenant la première colonne, puis, cédant et résistant à la fois, il commença la deuxième. Arrivé au milieu, et se laissant finalement aller, il permit à ses entrailles de se soulager tranquillement tandis qu'il lisait, en lisant toujours patiemment, cette légère constipation de la veille ayant complètement disparu. Espère que ça n'est pas trop gros, ça ferait ressortir les hémorroïdes. Non, juste comme il faut. Bien. Ah ! En cas de constipation une tablette de cascara sagrada. Pourrait en aller ainsi de la vie. Il n'en était ni ému ni chagriné, mais c'était quelque chose d'enlevé et de bien torché. On publie n'importe quoi de nos jours. Beau temps pour les marronniers. Il continua sa lecture, calmement assis au-dessus de son odeur qui s'élevait. Torché, certainement. *Matcham pense souvent au coup de maître qui lui assura la conquête de la rieuse magicienne qui maintenant*. Débute de façon morale et finit de même. *Main dans la main*. Bien enlevé. Il parcourut à nouveau ce qu'il avait lu et, tout en sentant couler tranquillement son eau il enviait, bonhomme, monsieur Beaufoy d'avoir écrit cela et reçu en paiement la somme de trois livres, treize shillings et six pence.

Pourrais imaginer une saynète. Par M. et Mme L.M. Bloom. Inventer une histoire à partir d'un proverbe. Lequel ? L'époque à laquelle j'essayais de noter sur ma manchette ce qu'elle disait en s'habillant. N'aime pas qu'on s'habille ensemble. Me suis écorché en me rasant. Elle se mordait la lèvre inférieure en agrafant la fente de sa jupe. Je la chronométrais. 9.15 Roberts ne t'a toujours pas payé[80] ? 9.20. Que portait Gretta Conroy ? 9.23 Qu'est-ce qui m'a pris d'acheter ce peigne ? 9.24. Ce chou m'a ballonnée. Un grain de poussière sur le cuir verni de sa bottine. Elle frottait vivement la trépointe de ses chaussures : l'une, puis l'autre, contre son mollet gainé de soie. Le lendemain de ce bal de bienfaisance où l'orchestre de May avait joué la danse des heures de Ponchielli[81]. Expliquer que c'étaient les heures du matin, de midi, puis venaient celles de la soirée, enfin les heures de la nuit. Se brossait les dents. C'était la première nuit. Sa tête à elle qui dansait. Le cliquetis des branches de son éventail. Ce Boylan a-t-il de quoi ? Il a de l'argent. Pourquoi ? J'ai remarqué quand il dansait que son haleine sentait bon. Inutile du coup de s'hum-mentir. Y faire allusion. Drôle de musique cette dernière nuit. Le miroir était dans l'ombre. Elle frottait rapidement sa glace à main sur sa camisole de laine contre ses nénés généreux qui ballottaient. Y scrutait son image. Des rides autour des yeux. De toute façon, ça ne marcherait pas.

Heures du soir, jeunes filles voilées de gris. Puis heures nocturnes, avec dagues et loups. Idée poétique rose, puis dorée, puis grise puis noire. Pourtant la vie c'est comme ça. Après le jour vient la nuit.

Il déchira brusquement la moitié du récit primé et se torcha avec. Puis il remonta son pantalon, rajusta ses bretelles et se reboutonna. Il tira à lui la porte branlante et bringuebalante des chiottes et quitta la pénombre pour sortir à l'air libre.

Au grand jour, le corps rafraîchi et plus léger, il regarda attentivement son pantalon noir, les revers, les genoux, le derrière des cuisses. À quelle heure est l'enterrement ? Vaut mieux consulter le journal.

Tout là-haut le ciel il y eut un grincement puis le bruit d'un bourdon : les cloches de George's church. Elles égrenaient les heures : airain sombre qui résonne.

Hé-las ! Hé-las !
Hé-las ! Hé-las !
Hé-las ! Hé-las !

Moins le quart[82]. Encore une fois : les harmoniques qui s'enchaînaient dans l'air. Une tierce.

Pauvre Dignam !

Devant les camions stationnés le long de sir John Rogerson's quay M. Bloom marchait d'un pas mesuré, doublant Windmills lane, les établissements Leask, broyage de lin, le bureau de postes et télégraphe. Aurais pu donner cette adresse aussi. Et devant la Maison du marin. Il se détourna de la rumeur matinale du quai et prit par Lime street. À hauteur des villas Brady un arpète[1] des tanneries traînassait, son seau rempli de déchets accroché au bras, tirant sur un mégot mâchouillé. Une gamine plus petite avec des marques d'eczéma au front le fixait, tenant distraitement son cercle de tonneau tout déformé. Dis-lui que s'il fume il ne grandira pas. Oh fous-lui la paix ! Sa vie n'est pas vraiment un lit de roses. Planté devant les pubs pour ramener papa à la maison. Rentre chez nous retrouver manman, pa. L'heure creuse : y aura pas grand monde. Il traversa Townsend street, passa devant la façade renfrognée de Bethel. El, oui : maison de : Aleph, Beth[2]. Et devant chez Nichols, pompes funèbres. À onze heures c'est. Y a le temps. M'est avis que c'est Corny Kelleher qu'a emballé l'affaire pour O'Neill. Chante les yeux fermés. Corny. Rencontrée une fois au jardin public. Le soir. Ce qu'on se marre. Un indic. Son nom et son adresse qu'elle m'a donnés avec mon tra-lalala, avec mon tra-lalala. Oh, pour sûr que c'est dans le sac. À la fosse et sans frais dans un machinchose. Avec mon tra-lalala, avec mon tra-lalala, avec mon tra-deridera et tralala.

À Westland row il fit halte devant la vitrine de la Belfast et Oriental Tea Company pour lire les légendes portées sur les paquets en papier d'argent : mélange premier choix, qualité supérieure, thé pour les familles. Plutôt chaud. Du thé. Faut m'en procurer par Tom Kernan[3]. Peux quand même pas lui demander ça à un enterrement. Tandis que ses yeux poursuivaient encore tranquillement leur lecture il retira son chapeau inspirant paisiblement le parfum de sa brillantine et remonta la main d'un geste lent et gracieux sur le front et les cheveux. Une matinée très chaude. Par-dessous ses paupières abaissées ses yeux tombèrent sur le nœud minuscule de la bande de cuir de son meilleur cha au. Juste là. Sa main droite plongea dans le melon de son chapeau. Ses doigts trouvèrent rapidement une carte enfoncée derrière la bande de cuir et la transférèrent dans la poche de son gilet.

Tellement chaud. Sa main droite une fois encore plus doucement passa sur son front et ses cheveux. Puis il remit son chapeau, soulagé : et reprit sa lecture : mélange premier choix, provenant des meilleures variétés de Ceylan. L'extrême orient. Un chouette coin que ça doit être : jardin du monde, grandes feuilles paresseuses sur lesquelles dériver, cactus, prairies en fleurs, lianes-serpents qu'ils les appellent. Va savoir si c'est vraiment comme ça. Ces Cinghalais lambinant au soleil, *dolce far niente*. Ne remuant pas le petit doigt de la journée. Dorment six mois sur douze. Trop torride pour chercher querelle. Influence du climat. Léthargie. Fleurs de l'oisiveté[4]. C'est l'air qui nourrit surtout. Azotes. Serres des

Jardins botaniques. Sensitives[5]. Nénuphars. Pétales trop fatigués pour. Maladie du sommeil dans l'air. Marchent sur des feuilles de rose. Imagine un peu manger des tripes et du pied de veau. C'était où ce gars que j'ai vu en photo quelque part ? Ah oui, dans la mer morte qui flottait sur le dos, lisant un livre sous un parasol déployé. Impossible de couler même si on le voulait : tellement épais avec tout ce sel. Parce que le poids de l'eau, non, le poids du corps plongé dans l'eau est égal au poids de quoi[6] ? Ou est-ce le volume qui est égal au poids ? C'est une loi quelque chose comme ça. Vance au lycée faisant craquer ses articulations, pendant ses cours. Le programme de la fac. Pour être craquant, le programme. C'est quoi le poids au juste quand on dit le poids ? Trente-deux pieds par seconde, par seconde. Loi de la chute des corps : par seconde, par seconde. Tout tombe par terre. La terre. La force de gravité de la terre c'est le poids.

Il s'éloigna et traversa la rue d'un pas nonchalant. Comment est-ce qu'elle marchait avec ses saucisses ? Quelque chose comme ça. Tout en marchant il prit le *Freeman* qui était plié dans sa poche, le déplia, le roula dans la longueur comme une baguette et en tapa à chaque pas nonchalant sa jambe de pantalon. L'air détaché : juste entrer pour jeter un œil. Par seconde, par seconde. Par seconde pour chaque seconde que ça signifie. Du bord du trottoir il lança un regard acéré par l'entrée de la poste. Levée supplémentaire. Lettres. Personne. Entrons.

Il tendit la carte au travers de la grille de cuivre.

— J'ai du courrier ? demanda-t-il.

Tandis que la postière fouillait un casier il examina l'affiche de recrutement où paradaient des soldats de toutes les armes : et maintint l'extrémité de sa baguette contre ses narines, respirant le papier chiffon fraîchement imprimé. Pas de réponse probablement. Suis allé trop loin la dernière fois.

La postière lui rendit en la faisant passer par la grille sa carte accompagnée d'une lettre. Il la remercia et jeta un coup d'œil rapide sur l'enveloppe dactylographiée.

Monsieur Henry Flower[7],
Poste restante, Westland row,
Centre-ville.

L'a répondu en tout cas. Il glissa carte et lettre dans sa poche et passa de nouveau en revue les soldats à la parade. Où est le régiment du vieux Tweedy ? Soldat mis au rancart. Là : bonnet en poils d'ours et à plume de coq. Non, c'est un grenadier. Revers en pointe. Le voilà : les royal Dublin fusiliers[8]. Tuniques rouges. Trop voyant. Ça doit être pour ça que les femmes leur courent après. L'uniforme. Plus facile de s'engager et de faire l'exercice. Maud Gonne[9] et sa lettre demandant de leur interdire O'Connell street le soir : une honte pour notre capitale irlandaise. Le journal de Griffith[10] est sur la même ligne maintenant : une armée rongée par les maladies vénériennes : empire d'outre-mer, plutôt plein comme une outre. Ils n'ont pas l'air bien cuits : hypnotisés on dirait. Regard droit devant. On marque le pas. Des gamelles-melles, des bidons-dons. La Garde royale. Jamais on le voit habillé en pompier ou en flic celui-là. Franc-maçon[11], eh oui.

Il sortit nonchalamment de la poste et prit sur la gauche. Parler : comme si ça pouvait arranger les choses. Sa main plongea dans sa poche et l'index se glissa sous le rabat de l'enveloppe pour le déchirer par petits coups. Les femmes se montrent très attentives, je ne crois pas. Ses doigts ramenèrent la lettre et chiffonnèrent l'enveloppe au creux de sa poche. Quelque chose d'épinglé : une photo peut-être. Mèche ? Non.

M'Coy. S'en défaire et vite. Va me détourner de mon chemin. Déteste les rencontres quand on.

— Salut, Bloom. Tu vas où comme ça ?

— Salut, M'Coy. Nulle part en particulier.

— Comment va, vieille branche ?

— Bien, et toi ?

— On survit, répondit M'Coy.

Les yeux en arrêt sur la cravate et les vêtements noirs, il demanda, à mi-voix respectueusement :

— Est-ce que... rien de grave j'espère ? Je vois que tu es...

— Oh non, répondit M. Bloom. Ce pauvre Dignam, tu sais. L'enterrement, c'est aujourd'hui.

— Pour sûr, pauvre gars. C'est comme ça. Quelle heure ?

Une photo, non. Une médaille peut-être.

— On... onze heures, répondit M. Bloom.

— Faut que j'essaye d'y aller, dit M'Coy. Onze heures, c'est bien ça ? Je l'ai entendu dire hier soir. Qui donc me l'a dit déjà. Holohan. Tu le connais, Hoppy patte folle ?

— Oui oui.

Bloom regarda de l'autre côté de la rue un cabriolet arrêté devant la porte de l'hôtel Grosvenor[12]. Le porteur hissa la malle et la posa entre les deux sièges. Elle attendait immobile tandis que l'homme, mari, frère, son semblable, fouillait ses poches à la recherche de monnaie. Plutôt classe, dans le genre, ce manteau à col roulé, chaud pour une journée pareille, on dirait de la ratine. Et son attitude désinvolte avec les mains fourrées dans ses poches rapportées.

Comme cette créature hautaine au match de polo. Les femmes jouent toutes les aristos avant qu'on ne les touche là où il faut. Joli cœur et joli coup. Réservée mais prête à rendre les armes. Femme honorable et Brutus est un homme d'honneur[13]. Les posséder une bonne fois ça vous les décoince.

— J'étais avec Bob Doran, il est dans une de ses virées coutumières, et comment c'est déjà, Bantam Lyons. Juste là au coin chez Conway[14] qu'on était.

Doran, Lyons chez Conway. Elle porta une main gantée à ses cheveux. Et voilà Hoppy qui se radine. S'en envoie un. Ramenant la tête en arrière et regardant au loin par-dessous ses paupières abaissées il voyait la peau fauve et lumineuse briller dans la lumière crue, les tresses en macaron. Clair, j'y vois clair aujourd'hui. C'est l'humidité dans l'air qui fait voir plus loin peut-être. Parlant de choses et d'autres. La main d'une vraie dame. De quel côté va-t-elle monter ?

— Et lui qui dit, *C'est bien triste pour notre pauvre ami Paddy ! Lequel de Paddy ?* j'ai dit. *Ce pauvre petit Paddy Dignam*, qu'il répond.

En route pour la campagne : Broadstone[15] probablement. De hautes bottines marron aux lacets qui pendillent. Bien tourné le pied. Qu'est-ce qu'il fabrique avec sa monnaie ? Voit bien que je regarde. L'œil aux aguets pour un autre toujours. Au cas où. Deux cordes à son arc.

— *Mais quoi ?* je dis. *Qu'est-ce qui ne va pas ?* je demande.

Fière : riche : bas de soie.

— Bien sûr, dit M. Bloom.

Il fit un léger pas de côté pour contourner la tête parlante de M'Coy. Va monter d'ici une minute.

— *Qu'est-ce qu'il a ?* qu'il fait. *Eh bien, il est mort*, qu'il fait. Et, ma foi, il a refait le plein. Alors je dis *C'est Paddy Dignam ?* J'en croyais pas mes oreilles. J'étais avec lui pas plus tard que vendredi dernier ou était-ce jeudi à l'Arche[16]. *Ouais*, qu'il dit. *Il nous a quittés. Il est mort lundi, le pauvre gars.*

Regarde ! Regarde-moi ça ! Éclair soyeux de somptueux bas blancs. Non mais vise un peu !

Un pesant tramway fit tinter sa cloche, vira de bord et s'interposa.

Loupé. Va au diable, toi et ton nezpaté sonore. L'impression qu'une porte s'est refermée. Le paradis et la péri[17]. C'est toujours comme ça. Juste au moment où. La fille à Eustace street dans une entrée d'immeuble lundi c'est ça rajustant sa jarretière. Son amie masquant le spectacle de. *Esprit de corps*. Bon, qu'est-ce que t'as à bayer aux corneilles ?

— Oui, oui, fit M. Bloom dans un morne soupir. Encore un qui nous a quittés.

— Et l'un des tout meilleurs, ajouta M'Coy.

Le tram passa. Ils faisaient route en direction du pont de la Loop Line, sa main richement gantée posée sur la rambarde métallique. Papillote, papillote : dentelles de son chapeau flambant sous le soleil : papillotements, pap.

— L'épouse, elle va bien j'imagine ? dit la voix de M'Coy changée.

— Oh oui, dit M. Bloom. Impeccable, merci.

Il déroula la baguette-journal nonchalamment et lut nonchalamment :

Que serait une maison
Sans les conserves Plumtree ?
Incomplète.
Avec elles un paradis[18].

— Ma bourgeoise vient d'obtenir un contrat. Enfin, c'est pas tout à fait conclu.

C'est reparti pour la malle[19]. Continue comme ça, pas de problème. Sans moi merci bien.

M. Bloom tourna vers lui ses larges paupières avec une affabilité retenue.

— Ma femme également, dit-il. Elle va chanter dans un truc très grand genre, à l'Ulster Hall[20] de Belfast, le vingt-cinq.

— C'est pas vrai ? fit M'Coy. Heureux de l'entendre, mon vieux. Qui monte ça[21] ?

Madame Marion Bloom. Pas encore levée. Aux marches du palais, aux marches du palais, sa brioche attendait[22]. Pas de livre. Des cartes crasseuses, figures disposées par sept sur sa cuisse. Dame brune et homme blond[23]. Lettre. Chat boule de fourrure noire. Morceau d'enveloppe déchirée.

L'ancien chant
Des doux amants
Et revient l'ancien chant…

— C'est un genre de tournée, tu vois, reprit M. Bloom songeur. *Douuuuu zamants.* Un comité a été constitué.

M'Coy acquiesça, tirant sur les poils de sa moustache mal rasée.

— Eh bien alors, ça ne s'annonce pas trop mal.

Il se prépara à partir. Partage des frais et des profits.

— Bon, ben je suis content de voir que c'est la forme, dit-il. On se reverra dans le secteur.

— Oui, dit M. Bloom.

— Au fait, reprit M'Coy. Tu pourrais inscrire mon nom à l'enterrement, ça ne te gêne pas ? J'aurais bien aimé y aller mais ça risque de ne pas être possible, tu comprends. Il y a cette histoire de noyé à Sandycove qui pourrait bien nous retomber dessus, et le coroner et moi, nous serons bien obligés d'aller y faire un tour si le corps est retrouvé. Tu glisses juste mon nom si je ne suis pas présent, ça ne t'ennuie pas ?

— Compte sur moi, dit M. Bloom, se préparant à partir. Aucun problème.

— Parfait, lança M'Coy avec entrain. Merci, vieux. J'irais bien si je le pouvais. Bon, ben à la revoyure. Simplement C.P. M'Coy, ça ira comme ça.

— Je n'y manquerai pas, répondit M. Bloom fermement.

Il ne m'a pas endormi avec son numéro cette fois. Et vas-y que je te tape mine de rien. Bonne poire. Ça me plairait comme boulot. Cette malle pour laquelle j'ai un goût particulier. Cuir. Coins renforcés, bords rivetés, verrou de sécurité à double fermeture. Bob Cowley lui a prêté la sienne à l'occasion du concert donné lors des régates de Wicklow[24], l'an passé, et n'en a plus jamais eu aucune nouvelle depuis cet heureux jour.

M. Bloom, se dirigeant tranquillement en direction de Brunswick street, esquissa un sourire. La bourgeoise vient juste d'avoir un. Un filet de soprano à taches de son. Le nez posé à l'économie. Pas mal quand même dans son genre : bien pour une gentille petite ballade. Ça manque de tripes. Toi et moi, tu comprends : dans la même barque. Et que je te passe de la pommade. C'est que ça finirait par vous taper sur le système. Incapable d'entendre la différence ? Je pense que c'est quand même bien sa tendance. Ça me prend à rebrousse-poil au bout du compte. Pensais que Belfast lui clouerait le bec. J'espère que la petite vérole[25] n'a pas empiré là-haut. Imagine qu'elle refuse de se refaire vacciner. Ta femme et ma femme.

Dis donc, serait-il pas là à jouer les entremetteurs ?

M. Bloom s'arrêta au coin de la rue, ses yeux errant sur les panneaux d'affichage riches en couleurs. Cantrell et Cochrane[26] : Bière au gingembre (Aromatisée).

Soldes d'été chez Clery[27]. Eh non, il file tout droit. Tiens. *Leah* ce soir : Mme Bandmann Palmer[28]. Ça me fait envie de la revoir là-dedans. *Hamlet*, c'est ce qu'elle jouait hier soir. Rôle masculin[29]. Peut-être que c'était une femme[30]. Serait pourquoi Ophélie s'est suicidée ? Pauvre papa[31] ! La manière dont il parlait toujours de Kate Bateman[32] dans ce rôle ! Planté devant l'Adelphi à Londres, attendant tout l'après-midi pour avoir une place. L'année précédant ma naissance : en 65. Et la Ristori[33] à Vienne. C'est quoi déjà le nom exact ? De Mosenthal que c'est. Rachel, pas vrai[34] ? Non. La scène dont il parlait tout le temps, celle où Abraham vieilli et aveugle reconnaît la voix et pose ses mains sur son visage.

La voix de Nathan ! La voix de son fils ! J'entends la voix de Nathan qui abandonna son père, le laissant mourir de chagrin et de misère entre mes bras, qui abandonna la maison de son père et abandonna le Dieu de son père[35].

Chaque mot est tellement profond, Leopold.

Pauvre papa ! Pauvre homme ! Je suis bien content de ne pas être entré dans cette pièce pour regarder son visage. Quelle journée ! Mon dieu ! Mon dieu ! Fooouuu ! Mais peut-être était-ce mieux ainsi pour lui.

M. Bloom tourna au coin de la rue et passa non loin des haridelles harassées de la station de fiacres. Ça ne sert à rien d'y penser désormais. L'heure du sac d'avoine. Qu'est-ce que j'ai fait de rencontrer ce bougre de M'Coy.

Il s'approcha et entendit un broiement d'avoine dorée, la mastication tranquille de leurs dents. Leurs grands yeux de biches le contemplèrent tandis qu'il s'avançait baigné par les doux effluves avoinés de pisse de cheval. Leur Eldorado. Pauvres niais ! Tu parles qu'ils en ont quelque chose à braire, pour ce qu'ils en savent, leur grand nez collé dans le sac d'avoine. La panse trop remplie pour causer. Remarque, ils s'en tirent pas mal avec la bouffe et le coucher. Et châtrés : leur bout de caoutchouc noir qui ballotte mollement entre les cuisses. Sont peut-être heureux comme ça malgré tout. Semblent être de braves pauvres brutes. N'empêche que leur hennissement peut être vraiment pénible.

Il sortit la lettre de sa poche et la mit dans le journal qu'il portait. Pourrais bien me retrouver nez à nez avec elle par ici. La ruelle est plus sûre.

Il passa devant l'abri du cocher[36]. Curieuse cette vie des cochers en maraude, par tous les temps, partout, à l'heure ou à la course, jamais leur mot à dire. *Voglio e non*. J'aime bien leur donner une cigarette à l'occasion. Sociables. Lancent quelques syllabes ailées au passage. Il fredonna :

Là ci darem la mano
La la lala la la.

Il vira dans Cumberland street et, après quelques pas, s'arrêta à l'abri du vent près du mur de la gare. Personne. Meade, bois de construction. Poutres empilées. Ruines et taudis. Regardant où il mettait les pieds il coupa au-dessus d'une marelle où traînait le palet oublié. Pas âme qui vive. Près du chantier un enfant accroupi jouant aux billes, seul, tirant le calot d'une pichenette. Une chatte pleine de sagesse, sphinx clignant des yeux, regardait tout depuis son rebord de fenêtre tiède. Dommage de les déranger. Mohammed coupa un bout de son manteau pour ne pas la réveiller[37]. Ouvre-la. Et autrefois j'ai joué aux billes quand je fréquentais l'école de cette vieille dame. Elle aimait le réséda. Madame Ellis[38]. Et Monsieur ? Il ouvrit la lettre rangée dans le journal.

Une fleur. Je crois que c'est une. Une fleur jaune

aux pétales aplatis. Pas fâchée alors ? Qu'est-ce qu'elle dit ?

Cher Henry,

J'ai bien reçu votre dernière lettre et je vous en remercie. Je regrette que vous n'ayez pas aimé ma dernière lettre. Pourquoi avez-vous joint ces timbres ? Je suis terriblement fâchée contre vous. Si seulement je pouvais vous punir pour ça[39]. Je vous ai traité de méchant garçon parce que je n'aime pas ce mont-là[40]. Je vous prie de me dire quel est le vrai sens de ce mot. N'êtes-vous pas heureux en ménage mon pauvre petit polisson. Si seulement je pouvais faire quelque chose pour vous. Je vous prie de me dire ce que vous pensez de ma pauvre petite personne. Je songe souvent au nom magnifique que vous avez. Cher Henry, quand nous verrons-nous ? Je pense à vous si souvent vous n'avez pas idée. Je ne me suis jamais sentie aussi attirée par un homme qu'avec vous. J'en ai si honte. Je vous prie de m'écrire une longue lettre et de m'en dire plus. Rappelez-vous bien que si vous ne le faites pas je vous punirai. Alors maintenant que vous savez ce que je vais vous faire, espèce de méchant garçon, si jamais vous n'écrirez pas[41]. Oh comme je brûle de vous rencontrer. Henry très cher, ne rejette pas ma demande avant que ma patience soient épuisée[42]. Alors je vous dirai tout. Au revoir à présent, méchant chéri. J'ai tellement mal à la tête aujourd'hui. Et puis écrivez *par retour du courrier* à celle qui se languit pour vous.

MARTHA.

P.-S. N'oubliez surtout pas de me dire quel parfum est-ce que votre femme utilise. Je tiens à le savoir.

x x x x

Il arracha la fleur avec gravité en tirant sur l'épingle sentit sa quasi pas de senteur puis la plaça dans la poche côté cœur. Langage des fleurs. Elles adorent parce qu'il n'y a pas d'oreille indiscrète. Ou un bouquet empoisonné pour le frapper mortellement. Puis, tout en poursuivant lentement son chemin, il relut la lettre, murmurant çà et là quelque mot. Tulipes très en colère contre vous chéri homme-fleur punirai votre cactus si vous non je vous en prie pauvre myosotis comme je me languis violettes aux chères roses lorsque nous prochainement anémones verrons toutes ces très vilaines belladones épouse parfum de Martha. Arrivé au terme de sa lecture il retira la lettre du journal et la remit dans l'une des poches de son veston.

Faible un sentiment de joie entrouvrit ses lèvres. Plus la même depuis la première lettre. À se demander si elle l'a écrivé elle-même. À jouer les indignées : une fille de bonne famille comme moi, de bonne réputation. Pourrions nous voir un dimanche après le rosaire. Sans façon : je ne fréquente pas la boutique. Les éternelles escarmouches amoureuses. Et puis on finit par se courir après dans les coins. Aussi éprouvant qu'une dispute avec Molly. Le cigare a un effet apaisant. Narcotique. Pousser les choses plus loin la prochaine fois. Méchant garçon : punir : peur des mots, évidemment. Brutal, et pourquoi pas ? À essayer en tout cas. À petites doses.

Palpant toujours la lettre au fond de sa poche, il en retira l'épingle. Ordinaire cette épingle, hein ? Il la jeta sur la chaussée. L'a prise sur ses vêtements à quelque endroit : avec des épingles qu'ils tiennent. Impensable le nombre d'épingles qu'elles se trimballent. Pas de roses sans épines.

Des voix à l'accent bien dublinois se mirent à brailler dans sa tête. Les deux catins de ce soir-là dans le quartier de la Coombe[43] qui s'accrochaient l'une à l'autre sous la pluie.

Ah c'est Mairy qu'a perdu
Les épingles de sa culotte,
Et la sotte, et la sotte,
Elle sait pas, elle sait plus,
Quoi faire pour pas montrer son cul.

Son quoi, son cul ? Sa culotte[44]. Tellement mal à la tête. Tu parles, les Anglais qui débarquent une rose à la main[45]. Ou alors c'est de rester assise à faire la dactylo toute la journée. Fatigue visuelle mauvaise pour l'estomac. Quel parfum est-ce que votre femme utilise. Sûr qu'une chose pareille ça ne s'invente pas !

Pour pas montrer[46]

Marthe, Marie[47]. J'ai vu ce tableau un jour où je ne sais plus vieux maître ou contrefaçon alimentaire. Il[48] est assis chez elles et parle. Mystérieux. Elles aussi, les deux catins de la Coombe, l'écouteraient.

Pour pas montrer

Agréable sensation vespérale. Ne plus errer sans fin. Simplement se prélasser là : tranquillité du crépuscule : laisser courir. Oublier. Raconter les endroits où l'on a été, les coutumes étranges. L'autre, une jarre posée sur la tête, apportait le souper : fruits, olives, l'eau si délicieusement fraîche tirée d'un puits, glacée comme le marbre, pareille au trou dans le mur d'Ashtown[49]. Faut que je me munisse d'un gobelet en carton la prochaine fois que j'irai aux courses de trot attelé. Elle écoute, immenses, sombres et doux sont ses yeux[50]. Lui dire : plus et plus encore : tout. Suit un soupir : silence. Long long long repos.

Passant sous le pont de chemin de fer il sortit l'enveloppe de sa poche, la déchira vivement en petits morceaux et les dispersa en direction de la route. Les morceaux voletèrent au loin, sombrèrent dans l'air humide : petit battement d'ailes blanches puis tout sombra.

Henry Flower. On pourrait déchirer un chèque de cent livres de la même manière. Simple morceau de papier. Lord Iveagh[51] encaissa un jour un chèque de sept chiffres, un million, à la banque d'Irlande. Ça vous montre un peu l'argent qu'on fait dans la porter. Toujours est-il que son frère lord Ardilaun[52] doit changer de chemise quatre fois par jour, à ce qu'on dit. La peau produit des poux ou autre vermine. Un million de livres, attends un peu. Deux pence la pinte, quatre pence le litre, huit pence le gallon de porter, non, un shilling quatre pence le gallon de porter. Un shilling quatre divisé par vingt : quinze en gros. Oui, c'est cela. Quinze millions de barils de porter.

Qu'est-ce que je raconte, des barils ? Des gallons. Autour d'un million de barils tout de même.

Un train entrant passa dans un fracas au-dessus de sa tête, wagon après wagon. Des barils se cognaient dans sa tête : de la porter sombre débordait et bouillonnait là-dedans. Les bondes sautèrent et un énorme flot sombre s'échappa, s'écoulant sinueusement par les marécages sur toute la plate étendue de terre en remous amollis, laissant mille flaques liquoreuses et emportant les larges feuilles de son écume fleurie.

Il avait atteint la porte laissée ouverte à l'arrière de All Hallows, église de tous les saints. Entrant sous le porche, il tomba son chapeau, saisit la carte laissée dans sa poche et la recolla derrière la bande de cuir. Bon sang de bon sang. J'aurais quand même pu l'entreprendre, M'Coy, et dégoter un laissez-passer pour Mullingar.

La même affiche sur la porte. Sermon par le très révérend John Conmee S. J. sur saint Peter Claver[53] et les missions africaines[54]. Et même des prières pour la conversion de Gladstone[55] dites lorsqu'il était quasi inconscient. Les protestants même chose. Convertir le Dr William J. Walsh D. D.[56] à la religion vraie. Sauvez des millions de Chinois[57]. Faudrait qu'on m'explique comment ils s'y prennent avec ces païens de Chinetoques[58]. Préfèrent une once d'opium, eux. Célestes. Fétide hérésie pour eux. Bouddha leur dieu allongé sur le flanc au musée[59]. Se la coule douce, la joue reposant sur la main. Bâtons d'encens allumés. Pas le style Ecce Homo[60]. Couronne d'épines et croix. Très fort saint Patrick avec son trèfle[61]. Des baguettes pour manger ? Conmee : Martin Cunningham le connaît : allure distinguée. Dommage que je ne l'aie pas entrepris lui pour faire entrer Molly dans le chœur au lieu de ce Père Farley qui avait tout l'air d'un ahuri mais ne l'était pas. Ils sont dressés à ça. C'est pas lui avec ses petites lunettes bleutées qui va se faire suer pour baptiser les noirs, hein ? Les lunettes, ça les accrocherait bien avec les reflets. Ça me plairait trop de les voir assis en cercle avec leurs grosses lèvres, en transes, tout ouïes. Nature morte. Boivent ça comme du petit lait, je suppose.

La senteur froide des pierres sacrées l'interpella. Il foula les marches usées, poussa la porte battante et entra doucement par l'arrière.

Quelque chose en cours : quelque confrérie religieuse. Dommage que ça soit si vide. Bel endroit discret pour être à côté d'une jeune fille. Qui donc est mon prochain[62] ? Serrés l'un contre l'autre sur fond de musique lente. Cette femme à la messe de minuit. Le septième ciel. Femmes agenouillées dans les travées portant un licou rouge[63], la tête inclinée. Une fournée s'agenouillait devant les grilles de l'autel. Le prêtre passa devant elles en murmurant, tenant la chose entre les mains. Il s'arrêtait devant chacune d'entre elles, prenait une communion, la secouait une ou deux fois pour l'égoutter (trempent-elles dans l'eau ?) et la déposait sans bavure dans leur bouche. Son chapeau et sa tête plongèrent. Puis la suivante : une petite vieille. Le prêtre s'inclina pour la déposer dans sa bouche, n'interrompant jamais ses murmures. En latin. Suivante. Ferme les yeux, ouvre la bouche[64]. Quoi ? *Corpus*[65]. Corps. Corps mort. Super idée le latin. Un stupéfiant pour entrer en matière. Hospice des agonisants[66]. Elles n'ont pas l'air de la mâcher, elles se contentent de l'avaler. Drôle d'idée : manger des petits morceaux de cadavre. Pour ça que les cannibales en raffolent.

Il se tint à l'écart observant leurs masques aveugles qui redescendaient la nef latérale, en file indienne, cherchant leur place. Il s'approcha d'un banc et s'assit à une extrémité, serrant son chapeau et son journal. Ces bocaux qu'il nous faut mettre[67]. On devrait faire confectionner nos chapeaux directement sur la tête. Elles étaient tout autour de lui, de-ci de-là, la tête toujours inclinée sous leur licol écarlate en attendant que ça veuille bien fondre dans leur estomac. Un peu comme ces mazzoth[68] : c'est le même genre de pain : pain de proposition sans levain. Regarde-moi-les. Eh bien je parie que ça les rend heureuses. Une sucette. Heureuses pour sûr. Oui, le pain des anges[69] qu'on l'appelle. Il y a une grande idée là derrière, genre le royaume de Dieu est en vous. Premiers communiants. Pas cher le cornet deux boules[70]. Et après se croient tous dans une grande fête de famille, même chose au théâtre, tous dans le même bain. Ils s'y croient. Je suis sûr de ça. Moins seuls. Dans notre confraternité. Et puis on ressort un peu parti. Fait retomber la pression. Le tout c'est de vraiment y croire. Lourdes, ses guérisons, les eaux de l'oubli[71] et l'apparition à Knock[72], statues qui saignent. Un petit vieux qui dort près du confessionnal. De là les ronflements. Foi aveugle. Ne craignant rien dans les bras de Votre règne vienne[73]. Apaise toute souffrance. Se réveiller à la même heure l'année prochaine.

Il vit le prêtre ranger le ciboire, bien planqué, et s'agenouiller un instant devant lui, dévoilant une imposante semelle grise qui dépassait du truc en dentelles qu'il avait revêtu. Imagine un peu qu'il perde l'épingle de son. Il serait bien embêté. Calvitie sur l'arrière. Lettres brodées dans le dos I. N. R. I. ? Non : I. H. S.[74] Molly m'a expliqué un jour que je lui demandais. Ici horribles supplices : ou plutôt non : ici homme supplicié, que c'est. Et l'autre alors ? Immolé nous rachète immortel[75].

Voyons-nous un dimanche après le rosaire. Ne dites pas non à ma demande[76]. Se ramènera voilée, sac à main noir. Dans la pénombre et à contre-jour[77]. Elle pourrait bien être ici un ruban passé autour du cou et faire malgré tout la bagatelle en douce. Leur réputation. Ce type qui a témoigné à charge contre les invincibles il ne ratait jamais la, Carey[78] que c'était son nom, communion chaque matin. Ici même dans cette église. Peter Carey[79]. Non, c'est Peter Claver que j'avais à l'esprit. Denis Carey. Et pense donc un peu. Sa femme et six enfants à la maison. Et lui pendant tout ce temps-là préparant cet assassinat. Cathos secs[80], tiens voilà un nom qui leur est bien trouvé, il y a toujours un je-ne-sais-quoi de pas net chez eux. Pas bien corrects en affaires non plus. Oh non elle n'est pas ici : la fleur : non, non. Au fait, l'ai-je bien déchirée l'enveloppe ? Oui : sous le pont.

Le prêtre rinçait le calice : puis il lampa prestement les dernières gouttes. Le vin. Ça lui donne un côté plus aristo que s'il buvait la même chose qu'eux Guinness ou quelque boisson sans alcool bière Wheatley[81] de Dublin ou bière au gingembre (aromatique) de

Cantrell et Cochrane. Leur en donne pas une goutte : vin de proposition[82] : juste un bout de pain. Mince consolation[83]. Pieuse supercherie mais ce n'est pas plus mal : autrement ils auraient les pires poivrots qui rappliqueraient tous plus imbibés les uns que les autres pour un canon. Bizarre toute cette atmosphère de. Très bien. C'est parfait comme ça.

M. Bloom se retourna pour jeter un œil en direction du chœur. Pas de musique à l'horizon. Dommage. Qui tient l'orgue ici je me demande ? Le vieux Glynn il savait comment faire parler l'instrument, le *vibrato* : cinquante livres par an qu'il aurait ramassées à Gardiner street[84]. Molly était bien en voix ce jour-là, le *Stabat Mater* de Rossini. Le Père Bernard Vaughan et son sermon d'abord. Jésus-Christ ou Pilate ? Jésus, mais on ne va pas passer l'hiver là-dessus. De la musique qu'on voulait. Les bruits de pieds cessèrent. On aurait entendu une mouche voler, une épingle tomber. Je lui avais dit de diriger sa voix dans cette direction. Je sentais toute l'émotion contenue dans l'atmosphère, la plénitude, les gens les yeux au ciel :

Quis est homo[85] ?

Il y a dans cette musique sacrée ancienne des splendeurs. Mercadante[86] : les sept dernières paroles. Mozart, sa douzième messe[87] : le *Gloria* tout particulièrement. Ces anciens papes étaient férus de musique, d'art, de statues et peintures de toutes sortes. Palestrina[88] par exemple aussi. Ils s'en sont payé une sacrée bonne tranche tant qu'ils ont pu. Bon pour la santé de surcroît, le chant, les horaires réguliers et la fabrication de liqueurs. Bénédictine. Chartreuse verte. Tout de même des eunuques dans leurs chœurs ça devenait un peu gros. Quel genre de voix est-ce ? Ça doit être curieux à entendre après leurs basses profondes. Fins connaisseurs. Suppose qu'ils ne sentaient plus rien après. Du genre placide. Pas de soucis. Se mettent à faire du lard, non ? Gloutons, grands, de longues jambes. Qui sait ? Eunuque. Une façon de s'en sortir.

Il vit le prêtre s'incliner et baiser l'autel puis se retourner pour bénir tout le monde. Tous se signèrent et se levèrent. M. Bloom jeta un œil alentour, puis se leva et vit le dessus des chapeaux qui avaient fait de même. Se lèvent pour l'évangile bien évidemment. Puis tous se remirent à genoux et lui se rassit tranquillement sur son banc. Le prêtre descendit de l'autel, tenant la chose[89] un peu à distance et avec l'enfant de chœur ils se donnèrent la réplique en latin. Puis le prêtre s'agenouilla et entama la lecture d'un petit carton :

— Ô Dieu, notre refuge et notre force[90]...

M. Bloom avança la tête pour saisir les mots. De l'anglais. Lance-leur un os à ronger. Je me rappelle vaguement. À combien de temps ça remonte ta dernière messe ? Glorieuse Vierge immaculée. Joseph son époux. Pierre et Paul[91]. Plus intéressant si l'on comprenait de quoi il retourne. Merveilleuse organisation indéniablement, réglée comme du papier à musique. Confession. Tout le monde veut. Ensuite je vous dirai tout. Pénitence. Punissez-moi, je vous en prie. Arme formidable placée entre leurs mains. Plus qu'un docteur ou un avocat. La femme meurt d'envie de. Et j'ai chuchuchuchuchuchu. Et avez-vous chachachacha ? Et pourquoi avez-vous ? Baisse les yeux et regarde son alliance pour chercher une excuse. Galeries renvoyant l'écho[92] les murs ont des oreilles. Le mari apprend à sa grande surprise. Dieu et sa bonne blague. La voilà qui ressort. Repentir à fleur de peau. Adorable honte. Prie à un autel. Je vous salue Marie, et sainte Marie. Fleurs, encens, les cierges qui coulent. Cache le rouge à son front. Armée du salut[93] contrefaçon manifeste. Prostituée repentie s'adressera à l'assemblée. Comment j'ai trouvé le Seigneur. Sûr qu'ils doivent avoir la tête bien sur les épaules tous ces gars à Rome : ils sont forts pour la mise en scène. Pas vrai qu'ils ramassent la mise en prime ? Des legs encore : somme laissée en toute discrétion à Monsieur le Curé. Messes pour le repos de mon âme à célébrer publiquement toutes portes ouvertes. Monastères et couvents. Et le prêtre dans l'affaire du testament de Fermanagh qui témoigne à la barre. Pas moyen de l'impressionner. Il avait une réponse imparable à chaque fois, et dans le mille ! Liberté et gloire à notre sainte mère l'église. Les docteurs de l'église : ils ont tiré les plans de sa théologie tout entière.

Le prêtre priait :

— Bienheureux Michel, archange béni, défendez-nous à l'heure du combat. Soyez notre secours contre la malice et les embûches du démon (que Dieu le maîtrise, humblement nous vous en supplions) : et vous, prince de la milice céleste, repoussez en enfer par la force divine Satan et les autres esprits mauvais qui errent dans le monde pour perdre les âmes[94].

Le prêtre et l'enfant de chœur se levèrent et s'éloignèrent. Fin. Les femmes restèrent là : action de grâces.

Ferais mieux de filer. Frère Martin[95]. Se ramène ici avec la corbeille peut-être. Réglez votre devoir pascal.

Il se leva. Ça alors. Est-ce que ces deux boutons de mon gilet sont restés ouverts tout ce temps. Les femmes aiment ça. Ne l'avouent pas. Mais nous. Pardon, mademoiselle, un de vos (pfft !) juste un peu (pfft !) duvet. Ou leur jupe derrière, dégrafée. Petits aperçus de la lune[96]. Tout embêtées si vous ne. Mais pourquoi ne me l'avez-vous pas dit plus tôt. Mais quand même, le débraillé vous va mieux. Encore heureux que ça n'était pas plus au sud. Se reboutonnant discrètement il descendit la nef latérale sortit par le portail central et se retrouva en pleine lumière. Il resta là un moment aveuglé près du froid marbre noir de la vasque, pris en sandwich entre deux dévots qui trempaient furtivement la main dans l'eau bénite à marée basse. Trams : une voiture des teintureries Prescott[97] : une veuve en grand deuil. Je la remarque parce que je suis moi-même en deuil. Il se couvrit. Quelle heure il se fait ? Et quart. Il y a le temps. Devrais faire préparer cette lotion. Où est-ce déjà ? Ah oui, la dernière fois. Chez Sweny, Lincoln Place. Les pharmaciens bougent rarement. Leurs bocaux d'apothicaires verts et dorés trop lourds à déplacer. Pharmacie Hamilton Long, fondée l'année du déluge. Cimetière huguenot pas loin. À visiter un de ces jours.

Il prit Westland row vers le sud. Mais la formule est dans l'autre pantalon. Ah, et j'ai oublié ma clé en plus. La plaie cette histoire d'enterrement. Ah mais, le pauvre diable, ce n'est pas sa faute. C'était quand la dernière fois que je l'ai fait préparer ? Attends. Il m'a rendu la monnaie sur un souverain ça me revient. Le premier du mois que ça devait être ou le deux. Oh et puis il peut chercher dans son registre.

Le pharmacien revenait en arrière tournant page après page. Un vieux machin blond sable, semble en avoir l'odeur. Ratatiné le crâne. Et vieux. Quête de la pierre philosophale. Les alchimistes. Les drogues vous vieillissent après vous avoir procuré une excitation mentale. Léthargie s'ensuit. Pourquoi ? Réaction. Toute une vie en une nuit. Change progressivement votre tempérament. À vivre toute la journée parmi ses herbes, onguents, désinfectants. Tous ses pots d'albâtre fleuris. Mortier et pilon. Aq. Dist. Fol. Laur. Te Virid.[98] Le sentir c'est déjà presque guérir comme avec la sonnette du dentiste. Docteur Crack-Boum[99]. Ferait bien de se soigner un peu lui-même. Électuaire ou émulsion. Le premier qu'a cueilli une plante pour se soigner ne manquait pas de couilles. Les simples. Faut faire gaffe. Assez de camelote ici pour vous chloroformer. Test : fait virer le papier tournesol du bleu au rouge. Chloroforme. Overdose de laudanum[100]. Somnifères. Philtres d'amour. L'élixir parégorique mauvais pour la toux. Bouche les pores ou le phlegme. Les poisons seuls remèdes. La guérison là où on l'attend le moins. Ruse de la nature.

— Ça fait à peu près quinze jours, monsieur ?

— Oui, dit M. Bloom.

Il attendait près du comptoir, inhalant l'odeur pénétrante des médicaments, l'odeur sèche et poussiéreuse des éponges et des loufahs. Tout ce temps passé à raconter ses bobos et petites misères.

— Huile d'amandes douces et teinture de benjoin, dit M. Bloom, et puis de l'eau de fleur d'oranger…

Aucun doute que cela lui faisait la peau d'une blancheur aussi délicate que la cire.

— Et de la cire blanche, ajouta-t-il.

Fait ressortir le noir de ses yeux. Me regardait, le drap remonté jusqu'aux yeux, espagnole, qui flairait ses propres odeurs, tandis que je remettais mes boutons de manchettes. Ces recettes de bonne femme sont souvent les meilleures : pour les dents des fraises : orties et eau de pluie : de la farine d'avoine, à ce qu'on dit, mise à tremper dans du babeurre. Nourrissant pour la peau. L'un des fils de la vieille reine, était-ce le duc d'Albany[101] ?, n'avait qu'une seule peau. Leopold oui. Trois que nous en avons. Verrues, oignons et boutons pour ne rien arranger. Mais il vous faut un parfum également. Quel parfum est-ce que votre[102] ? *Peau d'Espagne*. Cette eau de fleur d'oranger est si fraîche. Sentent bon ces savons oui. Savon pure crème. Le temps d'aller prendre un bain pas loin d'ici. Hammam. Turc. Massage. La crasse s'accumule dans le nombril. Plus agréable si c'était fait par une agréable jeune fille[103]. Je pense aussi que je. Oui je. Le faire dans le bain. Drôle d'envie que je. L'eau retourne à l'eau. Joindre l'utile à l'agréable. Dommage de ne pas avoir le temps pour un massage. On se sent frais toute la journée ensuite. L'enterrement va plutôt être sinistre.

— C'est cela monsieur, dit le pharmacien. Ça faisait deux shillings neuf. Avez-vous apporté un flacon ?

— Non, fit M. Bloom. Faites la préparation, je vous prie. Je repasserai plus tard aujourd'hui et je vous prendrai de ce savon. Il fait combien ?

— Quatre pence, monsieur.

M. Bloom porta un pain à ses narines. Douce cire citronnée.

— Je vais prendre celui-ci, dit-il. Cela fera trois shillings et un penny.

— Oui monsieur, confirma le pharmacien. Vous pouvez tout payer ensemble, monsieur, quand vous repasserez.

— Entendu, fit M. Bloom.

Il sortit tranquillement de l'établissement, le journal-baguette sous le bras, le savon emballéfrais dans la main gauche[104].

À hauteur de son aisselle la voix et la main de Bantam Lyons lancèrent :

— Salut Bloom, les nouvelles sont bonnes ? C'est celui du jour ? Faites voir une minute.

Rasé sa moustache une fois de plus, ben mon vieux ! Longue lèvre supérieure qui lui donne un air froid. C'est pour faire plus jeune. Il a l'air complètement timbré. Plus jeune que moi.

Bantam Lyons de ses doigts jaunis aux ongles crasseux déroula la baguette. L'a besoin de se récurer lui aussi. Histoire d'ôter le plus gros. Bien le bonjour, avez-vous utilisé le savon Pears & co[105] ? Pellicules plein les épaules. Son cuir chevelu aurait besoin d'une lotion.

— Je veux voir ce qu'ils disent de ce cheval français qui court aujourd'hui, déclara Bantam Lyons. Où foutre est-il ?

Il froissa les pages pliées, redressant vivement le menton au-dessus de son col montant. Feu du rasoir. Col trop serré il va perdre ses cheveux[106]. Autant lui laisser le canard et m'en débarrasser.

— Vous pouvez le garder, dit M. Bloom.

— Ascot. Gold Cup[107]. Un instant, marmonna Bantam Lyons. Juste un petit mom. Maximum second.

— Je me disais qu'il fallait que je jette ça[108], reprit M. Bloom.

Bantam Lyons leva soudain les yeux et lança un petit regard en coin.

— Comment ça ? fit-il sèchement.

— Ce que je dis, c'est que vous pouvez le garder, répondit M. Bloom. Il fallait que je jette ça de toute façon.

Bantam Lyons fut pris d'un doute pendant un court instant, lorgnant en coin : puis lança les feuilles étalées dans les bras de Bloom pour lui rendre.

— Je vais risquer le coup, dit-il. Tenez, merci.

Il fila vers chez Conway. Le diable à ses trousses.

M. Bloom replia soigneusement les feuilles en carré et y logea le savon, le sourire aux lèvres. Drôles de lèvres ce bonhomme. Les paris. Une véritable épidémie depuis quelque temps. Les coursiers fauchent pour miser six pence. Loterie avec en prix une grosse dinde bien tendre. Votre dîner de Noël pour trois pence. Jack Fleming tapant dans la caisse et jouant le fric avant de se faire la malle pour l'Amérique. Tient un hôtel à présent. Ils ne reviennent jamais ceux-là. Marmites d'Égypte débordant de viande.

Il se dirigea avec entrain vers la mosquée des bains. Font penser à une mosquée, briques cuites rouges, les minarets. Compétition universitaire aujourd'hui à ce que je vois. Il regarda l'affiche en forme de fer à cheval placée au-dessus de l'entrée du parc de Trinity : un cycliste plié en deux comme une morue en conserve. Pour une pub pourrie... Alors que s'ils l'avaient faite ronde comme une roue. Et puis les rayons : sports, sports, sports : et le moyeu en gros : collège. Quelque chose qui accroche l'œil.

Tiens, c'est Hornblower[109] devant la loge du concierge. Faire preuve de doigté : pourrait peut-être me laisser faire un tour à l'œil. Comment allez-vous, M. Hornblower ? Et vous-même, Monsieur ?

Un temps paradisiaque vraiment. Si la vie pouvait toujours être comme ça. Un temps pour le cricket. S'asseoir par là sous des parasols. Les services se succèdent. *Out !* Ils ne savent pas y jouer par ici. Zéro pour six wickets. Tout de même le Capitaine Buller a brisé un carreau du club de Kildare street d'une volée de batte destinée au *square leg*[110]. La foire d'empoigne de Donnybrook[111] où c'est n'importe quoi serait plus dans leurs cordes. Et les crânes qu'on a fendus quand M'Carthy est entré dans la danse[112]. Canicule. Ne durera pas. Toujours il fuit, le fleuve de la vie, et l'écume qui nous en reste est un plus grand trésor queeee tout[113].

Un bon bain maintenant : longue cuve emplie d'une eau pure, émail froid, flot tranquille et tiède. Ceci est mon corps.

Il vit d'avance son corps pâle étendu là de tout son long, nu, dans un ventre chaleureux, oint du savon parfumé fondant, doucement baigné. Il voyait son tronc et ses membres, sous les vaguevaguelettes mais maintenu, doucement soutenu comme une bouée, jaune citron : son nombril, bouton de chair : et voyait les sombres boucles emmêlées de son buisson qui flottaient, la toison flottante fluant autour du père alangui de multitudes[114], fleur flottant languide.

Martin Cunningham, le premier, pointa sa tête claquechapeautée à l'intérieur de la voiture qui grinça et il montra à se hisser beaucoup de souplesse puis s'assit. M. Power[1] grimpa après lui, prenant soin de courber assez sa haute taille.

— Montez, Simon.

— Après vous, dit M. Bloom.

M. Dedalus se couvrit en vitesse et monta, disant :

— Soit, soit.

— Sommes-nous tous là ? demanda Martin Cunningham. Allons, venez, Bloom.

M. Bloom entra et prit la dernière place disponible. Il tira la porte à lui et la fit bien claquer pour qu'elle fût bien fermée. Il passa un bras à travers la poignée de cuir et afficha un air grave pour observer, de l'autre côté de la vitre ouverte, les stores abaissés de l'avenue[2]. L'un était entrouvert : encore une bonne femme à épier. Son nez blanchaplati contre le carreau. En train de remercier sa bonne étoile de n'y être pas passée elle aussi. Étonnant la fascination des cadavres sur elles. Trop heureuses de nous voir partir après toute la peine que nous leur donnons pour venir. Semble être un boulot à leur goût ça. Messes basses dans les coins. Glissant alentour, savatisavatant[3], de peur qu'il ne revienne à lui. Puis y allant carrément. Le préparant. Molly et Mme Fleming qui font le lit[4]. Tirez un peu plus de votre côté. Notre linceul. Jamais savoir qui vous touchera mort. Toilette et shampooing. Je crois qu'on coupe les ongles et les cheveux. Qu'on en met dans une enveloppe. Poussent de toute façon encore après. Boulot impur[5].

On attendait. Pas un mot. En train d'embarquer les couronnes sans doute. Je suis assis sur quelque chose de dur. Ah, c'est ce savon, dans ma poche. Faudrait que je le déplace. À la première occasion.

On attendait. Enfin, de la tête du cortège arriva un bruit de roues démarrant : puis d'autres plus près : puis des clapots de sabots. Un hoquet. Leur voiture s'ébranla, oscillant et grinçant. D'autres clapots et d'autres grincements de roues enchaînèrent à l'arrière. Les stores abaissés de l'avenue défilèrent, avec le numéro neuf et son heurtoir encrêpé, sa porte entrouverte[6]. Au pas.

On attendait bouche cousue, genoux s'entrechoquant, jusqu'à ce qu'on eût tourné et pris en enfilade les rails du tramway. Tritonville road. Plus vite. Les roues tressautaient sur toutes les bosses du pavé, les vitres affolées cliquetaient en tressautant dans les châssis[7].

— Quel chemin nous fait-il prendre ? demanda M. Power qui regardait d'un côté et de l'autre.

— Irishtown, dit Martin Cunningham. Ringsend. Brunswick street.

M. Dedalus jeta un œil dehors et acquiesça.

— Voilà une bonne vieille coutume, dit-il. Je me réjouis de voir qu'elle n'est pas morte.

D'un côté comme de l'autre à travers les vitres ils observèrent un instant les casquettes et les chapeaux que soulevaient les passants. Respect. La voiture s'écarta des voies du tramway et emprunta la partie plane de la chaussée après Watery lane. M. Bloom aux aguets aperçut un mince jeune homme, habit de deuil, chapeau à large bord[8].

— Il y a là une de vos connaissances qui passe, Dedalus, dit-il.

— Qui donc ?

— Votre propre fils et héritier.

— Où est-il ? fit M. Dedalus en se déportant vers la vitre opposée[9].

La voiture, atteignant la portion de la rue qui était éventrée, avec ses tuyaux et ses monceaux de terre, en avant des vieux immeubles déclassés, fit un brusque écart et, revenant sur les voies du tramway, y roula de nouveau dans la piaillerie tonitruante de ses roues. M. Dedalus retombé à sa place poursuivit :

— Ce gredin de Mulligan était-il avec lui ? Son *fidus Achates*[10] !

— Non, dit M. Bloom. Il était seul.

— Se rend chez sa tante Sally, je suppose, trancha M. Dedalus, le clan Goulding, ce soûlard de petit recors et Crissie, la petite crotte à son papa — bien malin l'enfant qui sait qui est son vrai père.

M. Bloom sourit mélancoliquement sur Ringsend street. Wallace Bros fabricants de bouteilles. Dodder bridge.

Richie Goulding et son porte-documents-juridiques. Goulding, Collis et Ward, il l'appelle comme ça, l'étude. Ses plaisanteries commencent à dater un peu. C'était un sacré numéro. Valsant dans Stamer street avec Ignatius Gallaher un dimanche matin, les deux chapeaux de sa logeuse plantés sur la tête. De claque en claque toute la nuit. Commence à le payer : cette douleur dans le dos, je le crains. Sa femme qui lui passe le fer à repasser sur le dos. Croit qu'il va guérir avec des pilules. Rien que des boulettes à la mie de pain. À environ six cents pour cent de bénéfice.

— Il est au mieux avec de la sale engeance, ragea M. Dedalus. Ce Mulligan est un parfait fichu ruffian gâté jusqu'au trognon. Son nom pue dans tout Dublin. Mais, par la grâce de Dieu et de Sa sainte mère, je me fais fort d'écrire un de ces jours à sa mère ou tante ou qui qu'elle soit une lettre propre à lui faire des yeux comme des ronds de cuvette. Il va prendre une sacrée culottée, vous pouvez m'en croire.

Il criait à en couvrir le tapage des roues.

— Je ne supporterai pas que son bâtard de neveu fourvoie mon fils. Le fils d'un fanfreluchier. Qui vendait du ruban chez mon cousin, Peter Paul M'Swiney. Pas question.

Il se tut. De sa moustache toute hérissée le regard de M. Bloom se porta sur le visage lisse de M. Power, puis sur les yeux et la barbe de Martin Cunningham, tous agités, sévères, par les secousses. Homme braillard, entêté. Plein de son fils. Il a raison. Quelque chose à transmettre. Si mon petit Rudy avait vécu. Le voir grandir. Entendre sa voix dans la maison. En train de marcher à côté de Molly dans son complet d'Eton. Mon fils. Moi dans ses yeux [11]. Étonnante sensation ce serait. Issu de moi. Question de chance. A dû être ce matin-là Raymond terrace [12] elle était à la fenêtre elle regardait les deux chiens occupés justement à ça sous le mur du repens-toi. Et le rigolard regard du brigadier sur nous. Elle portait cette robe crème dont elle n'a jamais raccommodé l'accroc. Un p'tit coup vite fait, Popold ? Bon Dieu j'en meurs d'envie. C'est ainsi que la vie commence.

De là devenue grosse. Obligée de refuser le concert à Greystones. Mon fils dans son ventre. J'aurais pu l'aider dans la vie. J'aurais pu. En faire un homme indépendant. Et lui apprendre l'allemand.

— Sommes-nous en retard ? demanda M. Power.

— De dix minutes, dit Martin Cunningham consultant sa montre.

Molly. Milly. La même chose en plus délayé. Ses jurons de galopin. Par Toutatis et tous les autres ! Pour autant une brave fille. Bientôt une femme. Mullingar. Mon Papli chéri [13]. Jeune étudiant [14]. Oui, oui : une femme elle aussi. La vie. La vie.

La voiture tanguait, leurs quatre bustes ballottaient de concert.

— Corny aurait pu nous donner un engin plus confortable, dit M. Power.

— Il l'aurait pu, dit M. Dedalus, s'il n'avait ce strabisme qui le désoriente. Vous me suivez ?

Il cligna de l'œil gauche [15]. Martin Cunningham se mit à repousser des miettes de pain de dessous ses cuisses.

— Qu'est-ce que c'est que ça, mon Dieu, dit-il. Des miettes ?

— Tout laisse à penser qu'on a fait ici un pique-nique il y a peu, dit M. Power.

Tous de soulever leurs cuisses pour scruter d'un œil soupçonneux le cuir miteux et décapitonné des sièges. M. Dedalus renifla en plissant le nez, il grimaça et dit :

— À moins que je ne me trompe fort. Qu'en pensez-vous, Martin ?

— Ça m'a frappé aussi, dit Martin Cunningham.

M. Bloom reposa sa cuisse. Encore heureux que j'aie pris ce bain. Agréable de sentir ses pieds tout à fait nets. Mais j'aurais aimé que Mme Fleming ait mieux raccommodé ces chaussettes.

M. Dedalus soupira avec résignation.

— Après tout, dit-il, c'est la chose la plus naturelle du monde.

— Tom Kernan est-il là ? demanda Martin Cunningham en tortillant gentiment la pointe de sa barbe.

— Oui, répondit M. Bloom. Il est derrière avec Ned Lambert et Hynes[16].

— Et Corny Kelleher est-il là en personne ? demanda M. Power.

— Au cimetière, dit Martin Cunningham.

— J'ai rencontré M'Coy ce matin, dit M. Bloom. Il m'a dit qu'il essaierait de venir.

La voiture pila brutalement.

— Un pépin ?

— Nous voici bloqués.

— Où sommes-nous ?

M. Bloom passa la tête à la fenêtre.

— Au grand canal, dit-il.

Usine à gaz. Ça guérirait la coqueluche, dit-on. Une chance que Milly ne l'ait jamais attrapée. Pauvres petiots ! Ça les tord en deux avec des convulsions, ils deviennent bleu-noir. Tout à fait révoltant. Elle s'en est plutôt bien tirée avec les maladies, par comparaison. Rien que la rougeole. Tisanes de grains de lin. Épidémies de scarlatine, d'influenza. Passeports pour la mort. Occasion à ne pas manquer. Un refuge pour chiens par ici. Pauvre vieil Athos ! Sois gentil avec Athos, Leopold, c'est mon dernier vœu[17]. Que ta volonté soit faite. Nous leur obéissons eux dans la tombe. Gribouillis d'agonisant. A pris ça trop à cœur, s'est laissé aller. Une bête tranquille. Comme le sont en général les chiens des vieux bonshommes.

Une goutte de pluie claqua sur son chapeau. Il rentra la tête et vit le gris des pavés se tacher sous le jet d'un arrosage soudain. Des taches espacées. Surprenant. Comme à travers une passoire. Je le pressentais. Mes bottines crissaient, je me le rappelle à présent.

— Le temps tourne, se borna-t-il à noter.

— Il est dommage qu'il ne reste pas au beau, dit Martin Cunningham.

— La pluie est attendue à la campagne, dit M. Power. Voilà le soleil qui revient.

M. Dedalus, lorgnant à travers ses verres du côté du soleil voilé, infligea au ciel une semonce muette.

— C'est aussi peu sûr que les fesses d'un bébé, dit-il.

— On repart.

La voiture débloqua ses roues engourdies, les quatre bustes se remirent doucement à osciller. Martin Cunningham tortilla plus vite la pointe de sa barbe.

— Tom Kernan a été immense hier soir, dit-il. Et Paddy Leonard[18] qui le singeait sous son nez.

— Oh, faites voir un peu, Martin, fit M. Power tout émoustillé. Écoutez bien, Simon, ce qu'il lui a dit à propos de l'interprétation de Ben Dollard du *Ptit Tondu*.

— Immense, dit Martin Cunningham, emphatique. *Son interprétation de cette simple ballade, Martin, a le rendu le plus mordant que j'aie jamais entendu au cours de ma longue carrière*.

— Mordant, reprit M. Power en riant. Il en est mordu de ce mot. Ça et l'arrangement rétrospectif[19].

— Avez-vous lu le discours de Dan Dawson ? demanda Martin Cunningham.

— Pas encore, dit M. Dedalus. Où ça ?

— Dans le journal de ce matin.

M. Bloom sortit le journal de sa poche intérieure. Oh, le livre que je dois échanger pour elle[20].

— Non, non, s'empressa d'objecter M. Dedalus. Plus tard, je vous prie.

M. Bloom parcourut le bord des feuilles du journal jusqu'à tomber sur les avis de décès[21]. Callan, Coleman, Dignam, Fawcett, Lowry, Naumann, Peake, de quel Peake s'agit-il ? Serait-ce le type qui était chez Crosbie et Alleyne ? Oh non, Sexton, Urbright. L'encre des caractères facile à s'effacer dans les froissures du papier chiffonné. Nos pensées à la Petite Fleur[22]. Cruellement arraché aux siens. Pour la plus grande douleur de sa famille. Âgé de 88 ans après une longue et pénible maladie. Messe de quarantaine : Quinlan. Que Jésus veille sur le repos de son âme.

Voici juste un mois Henry tu nous quittais
Pour gagner dans le ciel le terme de l'errance
Ta famille depuis n'est que pleurs et regrets
Mais te revoir un jour est sa chère espérance.

J'aurais déchiré l'enveloppe ? Oui. Où donc ai-je mis sa lettre après l'avoir lue dans le bain ? Il tapota la poche de son gilet. Ouf. Henry tu nous quittais[23]. Avant que ma patience soient épuisée.

École publique. Le chantier de Meade. La station de fiacres. Il n'y en a que deux pour le moment. Qui piquent du nez. Pleins comme des œufs. Trop d'os dans le crâne. L'autre est en train de trotter avec un client. Il y a une heure je suis passé là. Les cochers ont soulevé leurs chapeaux.

Le dos d'un aiguilleur se redressa soudain contre un poteau de tramway du côté de M. Bloom. Ne pourrait-on pas inventer quelque chose d'automatique de sorte que la roue elle-même quelque chose de beaucoup plus pratique ? Oui mais ce type y perdrait son boulot ? Oui mais un autre type y gagnerait le boulot de fabriquer le nouveau système ?

Antient Concert Rooms. Plus rien au programme. Un homme en complet beige avec un crêpe au bras. Pas beaucoup de peine au programme. Quart de deuil. Un parent par alliance, peut-être.

Dépassèrent la morne chaire de l'église Saint-Marc, plongèrent sous le pont du chemin de fer, dépassèrent le Queen's theatre[24], tout cela en silence. Des panneaux d'affichage. Eugene Stratton[25]. Mme Bandmann Palmer. Pourrai-je aller voir *Leah* ce soir, je me le demande. J'ai dit que je. Ou *Le Lys de Killarney*[26] ? Troupe d'opéra Elster Grimes[27]. Spectacle entièrement renouvelé. Affiches aux couleurs avivées par la colle encore fraîche pour la semaine prochaine. *La Croisière s'amuse*. Martin Cunningham pourrait m'obtenir une entrée au Gaiety. En échange d'un verre ou deux. Kif-kif.

Il va venir cet après-midi. Les chants qu'elle va.

Chez Plasto. Sir Philip Crampton son mémorial en buste fontaine[28]. Qui était-ce ?

— Comment allez-vous ? lança Martin Cunningham, levant la paume à hauteur de sa tempe pour un salut.

— Il ne nous voit pas, dit M. Power. Ah si, il nous voit. Comment allez-vous ?

— Qui est-ce ? demanda M. Dedalus.

— Flam Boylan, dit M. Power. Il est là qui balade sa moumoute.

Juste au moment où je pensais.

M. Dedalus se pencha pour saluer. De la porte du Red Bank seul le disque blanc d'un chapeau de paille lui fit réponse : disparu.

M. Bloom inspecta ses ongles, ceux de la main gauche d'abord, puis ceux de la main droite. Les ongles, oui. Qu'a-t-il donc de plus qu'on qu'elle perçoit ? Fascination. L'homme le plus dissolu de Dublin. C'est ça qui le fait vivre. Quelquefois elles le sentent ce qu'un homme vaut. L'instinct. Mais ce genre d'individu. Mes ongles. Je suis simplement occupé à vérifier mes ongles : bien taillés. Et après : seule, rêveuse. Son corps qui s'amollit un peu. Je ne le remarque qu'à cause de l'image d'elle jeune qui m'est restée. Ce qui cause ça, je suppose, c'est la peau moins prompte à contenir le relâchement des chairs. Mais les formes sont là. Les formes sont là encore. Épaules. Hanches. Dodue. Quand elle s'habillait la nuit du bal. Sa chemise dans la raie de ses miches.

Il insinua ses mains jointes entre ses cuisses et, ravi, promena son regard sur les autres sans les voir.

M. Power demanda :

— Comment va la tournée de concerts, Bloom ?

— Parfait, dit M. Bloom. J'en entends beaucoup de bien. C'est une excellente idée, vous savez…

— En faites-vous partie vous-même ?

— Eh bien non, dit M. Bloom. En réalité je dois me rendre dans le comté de Clare pour une affaire d'ordre personnel[29]. Mais vous voyez l'idée : faire le tour des villes principales. Ce que vous perdez dans l'une, vous le récupérez dans l'autre.

— C'est juste, dit Martin Cunningham. Ainsi Mary Anderson est dans le nord en ce moment. Avez-vous de bons interprètes ?

— C'est Louis Werner son impresario, dit M. Bloom. Oh oui, nous aurons le dessus du panier. J.C. Doyle et John Mac Cormack[30] j'espère et. Ce qu'il y a de mieux, quoi.

— Et *Madame,* dit M. Power avec un sourire. La dernière mais non la moindre.

M. Bloom écarta les mains dans un geste d'acquiescement poli et les joignit à nouveau très vite. Smith O'Brien[31]. On a déposé là une gerbe. Une femme. Doit être le jour anniversaire de sa mort. Et qu'il y en ait encore de nombreux aussi heureux. La voiture en contournant la statue de Farrell fit irrésistiblement s'entrechoquer sans bruit leurs genoux ballottés.

Laas : de pâles guenilles couvraient un vieil homme[32] qui depuis le trottoir tendait ses articles, bouche béante : laas.

— Quaatre laacets pour un penny.

Me demande pourquoi il a été radié de l'ordre. Avait son étude Hume street. Même maison que l'homonyme de Molly. Tweedy, procureur du roi à Waterford. Ne quitte jamais son chapeau claque. Restes de son ancienne grandeur[33]. En deuil lui aussi. Triste dégringolade, le pauvre gars ! Baladé comme la branche de buis qu'on se passe autour du cercueil. O'Callaghan au bout du rouleau[34].

Et *Madame*. Onze heures vingt. Levée. Mme Fleming est après le ménage. Elle après sa coiffure, fredonnant : *Voglio e non vorrei*. Non : *vorrei e non*[35]. Regarde le bout de ses cheveux pour voir s'ils sont fourchus. *Mi trema un poco il*. Très belle sa voix sur ce *tre* : pathétique. Une grive. Une grive mauvis. Il y a une grive quelque chose qui exprime cela.

Ses yeux survolèrent le visage avenant de M. Power. Tempes grisonnantes. *Madame* : son sourire. Je le lui ai rendu. Un sourire en dit long. Simple politesse peut-être. Un homme charmant. Qui sait si c'est vrai cette maîtresse qu'il aurait ? Pas gentil pour l'épouse. Encore qu'on dise, mais qui donc me l'a dit, que ce ne serait pas charnel. Tu parles, la plaisanterie n'aurait guère duré. Ah oui, c'est Crofton qui l'a surpris un soir alors qu'il lui apportait une livre de rumsteak. Qu'est-ce qu'elle était déjà ? Barmaid au Jury ? Ou bien au Moira[36], que c'était ?

Ils passèrent sous la statue du Libérateur chaudemmitouflé.

Martin Cunningham poussa du coude M. Power.

— Un de la tribu de Reuben[37], dit-il.

Une grande silhouette à barbe noire, appuyée sur une canne, claudiquait au coin de chez Elvery à l'enseigne de l'éléphant, leur montrant une main ouverte à demi pliée dans son dos.

— Dans toute son originelle beauté, dit M. Power.

M. Dedalus jeta un regard sur la silhouette claudicante et dit suavement :

— Que le diable te vide par la queue[38] !

M. Power, éclatant de rire, fit écran de sa main entre son visage et la fenêtre alors que la voiture roulait sous la statue de Gray[39].

— Nous en sommes tous passés par lui, dit Martin Cunningham, magnanime.

Ses yeux croisèrent ceux de M. Bloom. Il caressa sa barbe et ajouta :

— Enfin, presque tous.

M. Bloom fut pris soudain d'une grande volubilité en s'adressant à ses compagnons.

— Il en circule une bien bonne en ce moment sur Ruben J. et son fils.

— L'histoire du batelier ? demanda M. Power.

— Oui. N'est-ce pas qu'elle est bien bonne ?

— De quoi s'agit-il ? demanda M. Dedalus. Je ne l'ai pas entendue.

— Le fils avait une fille en vue, commença M. Bloom, et son père avait décidé de l'envoyer sur l'île de Man pour leur éviter de faire une bêtise, mais quand ils furent tous deux…

— Hein ? fit M. Dedalus, ce grand dégingandégandin ?

— Oui, dit M. Bloom. Ils se rendaient tous les deux vers le bateau et il essaya de noyer…

— De noyer Barabbas[40] ! s'écria M. Dedalus. J'espère qu'il l'a fait, par le Christ !

M. Power émit un rire interminable sous l'écran de ses mains qui voilaient ses narines.

— Non, dit M. Bloom, le fils en personne…

Martin Cunningham lui coupa abruptement la parole :

— Reuben J. et son fils décanillaient sur le quai en direction du bateau de l'île de Man quand le jeunot s'est soudain échappé, a sauté par-dessus le parapet et s'est retrouvé dans la Liffey.

— Mon Dieu ! s'exclama M. Dedalus alarmé. Est-il mort ?

— Mort ! s'écria Martin Cunningham. Que non ! Un batelier a pris une gaffe, il l'a pêché par le fond de culottes et il fut ramené comme ça à son père sur le quai. Plus mort que vif. La moitié de la ville était là.

— Soit, dit M. Bloom. Mais le plus drôle…

— Et Reuben J., dit Martin Cunningham, s'est fendu d'un florin qu'il a remis au batelier en échange de la vie de son fils.

La main de M. Power ne put retenir le souffle qu'elle tentait d'étouffer alors qu'il pouffait.

— Il le lui a remis, insista Martin Cunningham. Grand seigneur. Un florin d'argent.

— N'est-ce pas qu'elle est bien bonne ? s'empressa de dire M. Bloom.

— C'était un shilling huit de trop, jeta M. Dedalus[41].

Le rire contenu de M. Power fusa dans la voiture.

Colonne Nelson[42].

— Huit prunes un penny ! Et huit pour un penny !

— Nous devrions affecter un peu plus de sérieux, dit Martin Cunningham.

M. Dedalus soupira.

— Quoique, dit-il, le pauvre petit Paddy ne nous en voudrait pas de plaisanter. Il n'était pas le dernier à en raconter de bien bonnes.

— Que Dieu me pardonne ! dit M. Power essuyant ses larmes de ses doigts. Pauvre Paddy[43] ! Quand je l'ai vu la dernière fois il y a une semaine, il avait son air habituel, j'étais loin de me douter que je roulerais aujourd'hui derrière lui comme voilà. Il nous a lâchés.

— Le plus correct petit homme qui ait jamais coiffé un chapeau[44], dit M. Dedalus. Il est parti vraiment d'un coup.

— Ça a lâché, dit Martin Cunningham. Le cœur[45].

Il tapota sa poitrine avec un air triste.

Sa face congestionnée : rouge vif[46]. Trop de John Barleycorn[47]. La cure qu'il faut pour un nez rubicond. Boire comme un trou jusqu'à ce qu'il devienne améthyste. A dû dépenser un paquet de fric pour se le colorer à ce point.

M. Power regarda défiler les maisons, l'expression douloureuse.

— Il est mort subitement, le pauvre, dit-il.

— La plus belle mort, dit M. Bloom.

Leurs yeux écarquillés le fixèrent.

— Aucune souffrance, dit-il. D'un coup tout est fini. C'est comme mourir dans son sommeil.

Personne ne répliqua[48].

C'est le côté mort de la rue, celui-ci. Le jour, des activités peu animées, gérants de domaines agricoles, hôtel de tempérance, Falconer et son indicateur des chemins de fer[49], école préparatoire aux services administratifs, chez Gill[50], le cercle catholique, l'ouvroir des aveugles. Pourquoi ? Doit y avoir une raison. Le soleil, le vent. Mais le soir aussi. Rien que des petits commis et des bonniches. Sous la haute protection de feu Father Mathew[51]. La première pierre pour le monument de Parnell[52]. Ça a lâché. Le cœur[53].

Des chevaux blancs avec leur plumet blanc viraient au coin de la Rotonde[54], au galop. Un tout petit cercueil se laissa entrapercevoir. À toute bombe vers la tombe. Une voiture de deuil. Non marié. Noire pour les personnes mariées. Pie pour les célibataires. Marronne pour les nonnes.

— C'est bien triste, dit Martin Cunningham. Un enfant[55].

Un visage de nain mauve et ridé comme était celui de petit Rudy. Un corps de nain, une poupée de cire molle, dans une boîte en bois doublée de blanc. La mutuelle inhumation paie. Un penny la semaine pour un bout de gazon. Notre. Petit. Poupon. Bébé. Ne voulait rien dire. Erreur de la nature. S'il est solide il tient de la mère. S'il ne l'est pas, du père[56]. Plus de chance la prochaine fois.

— Pauvre petite chose, dit M. Dedalus. Au moins ça ne souffre plus.

La voiture grimpa plus lentement la montée de Rutland square[57]. Tressautent ses os. Sur les bosses. Ce n'est qu'un pauvre. À la fosse[58].

— Au milieu de la vie, récita Martin Cunningham[59].

— Mais le pire de tout, dit M. Power, c'est quand l'homme attente à sa propre vie[60].

Martin Cunningham tira brusquement sa montre, il toussota et la remit.

— Il n'y a rien de plus honteux pour une famille, ajouta M. Power.

— Certainement un coup de folie, assena Martin Cunningham. Il convient de considérer cela avec indulgence.

— On dit qu'un homme qui le fait est un couard, dit M. Dedalus.

— Ce n'est pas à nous de juger, dit Martin Cunningham[61].

M. Bloom, s'apprêtant à parler, referma la bouche. Les grands yeux de Martin Cunningham. Regardent ailleurs maintenant. Quel homme compréhensif, délicat. Intelligent. Comme le visage de Shakespeare. Toujours un mot aimable. On est sans pitié pour ça ici comme pour l'infanticide. Pas d'obsèques religieuses. L'usage voulait qu'avec un épieu on transperce le cœur dans la tombe[62]. Comme s'il n'était pas déjà brisé. Pourtant quelquefois ils voudraient revenir sur leur geste, trop tard. Trouvé au fond d'une rivière s'agrippant aux branches. Il m'a regardé. Et l'affreuse poivrote de bonne femme qu'il a. Lui qui remonte pour elle toute la maison à chaque fois qu'elle met le mobilier en gage c'est presque tous les samedis. Lui fait mener une vie de bagnard. À en arracher des larmes à une pierre. Et le lundi matin repartir à zéro[63]. Reprendre le collier. Seigneur elle a dû faire un de ces sabbats l'autre soir, Dedalus me l'a raconté il y était. Promenant son ivresse et faisant des gambades avec le parapluie de Martin :

On m'appelle la perle de l'Asie,
De l'Asie,
La geisha[64].

Il a détourné les yeux. Sent les choses. Tressautent ses os.

L'après-midi de l'enquête. L'étiquette rouge de la bouteille sur la table. La chambre de l'hôtel avec ses vues de chasse. Il faisait étouffant. Les rayons de soleil à travers les lames des stores vénitiens. Les oreilles de l'officier de police, énormes, plantées de touffes de poils. Le garçon d'étage faisant sa déposition. D'abord j'avais cru qu'il était endormi. Puis j'ai remarqué ces espèces de raies jaunes sur son visage. Avait glissé au pied du lit. Diagnostic : surdose. Mort accidentelle. La lettre. Pour mon fils Leopold.

Ne plus souffrir. Ne plus se réveiller. À la fosse[65].

La voiture tressautait le long de Blessington street[66]. Sur les bosses.

— Nous faisons une pointe de vitesse, on dirait, dit Martin Cunningham.

— Pourvu qu'il ne nous verse pas sur la chaussée, dit M. Power.

— J'espère que non, dit Martin Cunningham. Il va

y avoir une grande course en Allemagne demain. La Gordon Bennett[67].

— Ah oui, mille sabords, dit M. Dedalus. Ce sera amusant de la suivre, ma foi.

Alors qu'ils tournaient dans Berkeley street un orgue de barbarie près du Réservoir les embobelina dans une insistante et tressautante rengaine de guinguette[68]. Quelqu'un ici a-t-il vu Kelly ? Ka e deux elles i grec[69]. Marche funèbre de *Saül*[70]. Antonio quel beau salaud. Il m'a laissée toute solo. Pirouette ! Le *Mater Misericordiae*. Eccles street. Ma maison là-bas. Gros édifice. Service pour les incurables. Très encourageant. Hospice Notre-Dame pour les mourants. Morgue à disposition au sous-sol. Où est morte la vieille Mme Riordan[71]. Elles ont un masque effrayant les femmes. Son écuelle et le tour de sa bouche que frotte la cuillère. Puis le paravent autour de son lit en attendant qu'elle passe. Mignon le jeune étudiant qui a soigné ma piqûre d'abeille. Est parti à la maternité m'a-t-on dit[72]. D'un extrême à l'autre.

La voiture prit un tournant au galop : pila.

— Encore un pépin ?

De chaque côté dans les fenêtres apparurent des bestiaux marqués, meuglant, vacillant sur leurs sabots patauds, balançant leurs queues avec lenteur sur leurs croupes osseuses toutes crotteuses. À leurs côtés et parmi eux trottinaient des moutons marqués de rouge bêlant d'effroi.

— Des émigrants, dit M. Power.

— Huuuh ! lançait la voix du toucheur, et l'on entendait la baguette qui claquait sur le flanc des bêtes. Huuuh ! Sortez de là !

Jeudi bien sûr. Demain est le jour de l'abattage. Des bouvillons. Cuffe les a vendus environ vingt-sept livres chacun[73]. Pour Liverpool probablement. Rosbifs pour la vieille Albion[74]. Raflent tout ce qu'il y a de plus goûteux. Et après le cinquième de la bête est foutu : ce qui n'est pas mangeable, peau, poils, cornes. Finit par faire un gros chiffre sur une année. Trafic des bas abats. Déchets des abattoirs pour tanneries, savon, margarine. Me demande si la combine marche toujours pour se procurer de la barbaque au train à Clonsilla.

La voiture avança à travers le troupeau.

— Je n'arrive pas à comprendre pourquoi la municipalité n'installe pas une ligne de tramway de l'entrée du parc à bestiaux jusqu'aux quais, dit M. Bloom. Tous ces animaux pourraient être transportés par wagons jusqu'aux bateaux.

— Au lieu de boucher la circulation, dit Martin Cunningham. Très juste. Faudrait le faire.

— Oui, dit M. Bloom, et une autre chose à quoi je pense souvent serait d'avoir des trams funéraires municipaux comme ils en ont à Milan, vous savez. Prolonger la ligne jusqu'aux portes du cimetière et avoir des trams spéciaux, corbillard et voiture de convoi et tout. Vous voyez ce que je veux dire ?

— Oh ça serait vachement bien, dit M. Dedalus. Voitures Pullman et salon restaurant.

— Sale perspective pour Corny, ajouta M. Power.

— Et alors ? demanda M. Bloom se tournant vers M. Dedalus. Est-ce que ce ne serait pas plus décent que ces cortèges au galop ?

— Soit, il y a une idée là-dedans, concéda M. Dedalus.

— En outre, dit Martin Cunningham, il nous serait épargné les spectacles comme celui qui nous a été donné quand le corbillard a versé au coin de Dunphy et que le cercueil a fait le grand saut.

— C'était horrible, fit le visage effaré de M. Power, le cadavre est retombé sur la chaussée. Horrible.

— En tête au virage de Dunphy, dit M. Dedalus opinant. Coupe Gordon Bennett.

— Que la volonté de Dieu soit faite ! pria Martin Cunningham pieusement.

Boum ! La bûche. Un cercueil qui saute sur la chaussée. Éclate. Paddy Dignam jaillit et le voilà roulant raide dans la poussière avec son habit brun trop grand pour lui. Son visage rubicond : gris maintenant. Bouche qui retombe ouverte. Demandant ce qui lui arrive. On a bien raison de la leur fermer. Elle est horrible ouverte. Et puis l'intérieur pourrit vite. Beaucoup mieux de leur fermer tous les orifices. Oui, aussi. Avec de la cire. Le sphincter se relâche. Sceller tout.

— Chez Dunphy, annonça M. Power comme la voiture tournait à droite[75].

Dunphy, le bistrot du coin. Les voitures de convoi alignées noyant leur chagrin. Une halte au bord du chemin. Situation au poil pour un pub. M'attends à ce qu'on s'y arrête au retour pour trinquer à sa santé. Se passer la consolation. Élixir de vie.

Et si juste maintenant ça arrivait ? Est-ce qu'il saignerait au cas où un clou l'entaillerait dans la culbute ? Cela se pourrait et peut-être non, je suppose. Ça dépendrait de l'endroit où. Plus de circulation. Encore qu'un peu pourrait suinter d'une artère. Serait préférable de les enterrer en rouge : un rouge sombre.

En silence ils roulèrent le long de Phibsborough road. Un corbillard à vide les croisa au trot, de retour du cimetière : semble soulagé.

Crossguns bridge : le canal royal[76].

L'eau rugissait à travers les vannes où elle se précipitait. Un homme se tenait debout sur sa péniche en phase de descente, entre des mottes de tourbe. Sur le chemin de halage près de l'écluse un cheval mollement attaché. À bord du *Bugabu*[77].

Leurs yeux l'observaient. Au fil de l'eau herbeuse et lente il s'était laissé flotter vers la côte sur son radeau à travers l'Irlande, tiré par une corde de halage frôlant les lits de roseaux, par-dessus la vase, les bouteilles embourbées, les chiens crevés. Athlone. Mullingar, Moyvalley. Je pourrais faire une petite balade à pied pour aller voir Milly en suivant le canal. Ou à bicyclette. Louer une vieille bécane, pas de risque. Wren en avait une l'autre jour à la salle des ventes[78] mais pour dame. Le développement des voies navigables. L'idée fixe de James M'Cann de me faire traverser à la rame. Pour ce transport plus économique. Par petites étapes. Maisons flottantes. Camper au grand air. Corbillards aussi. Au ciel au ciel par voie d'eau. Peut-être irai-je la voir sans écrire. Lui faire la surprise, Leixlip, Clonsilla[79]. En me laissant descendre, d'écluse en écluse, jusqu'à Dublin. Avec la tourbe des marais du centre. Salut. Il a levé son chapeau de paille brune pour saluer Paddy Dignam.

Ils dépassèrent le bistrot de Brian Boroimhe[80]. Presque arrivés maintenant.

— Je me demande comment va notre ami Fogarty[81], dit M. Power.

— Mieux vaut poser la question à Tom Kernan, dit M. Dedalus.

— Comment ça ? dit Martin Cunningham. Il ne lui a laissé que les yeux pour pleurer, n'est-ce pas ?

— Loin des yeux, cher à la mémoire, dit M. Dedalus.

La voiture se porta à gauche pour prendre Finglas road.

La cour du marbrier sur la droite. Dernière ligne droite. En foule sur la bande de terrain, des formes silencieuses, blanches, tourmentées, dressant des mains languides, agenouillées dans la peine, pointant un doigt. Des fragments de formes, mal dégrossies. Dans leur silence immaculé : implorantes. Le premier choix. Thos. H. Dennany, entrepreneur funéraire et sculpteur.

On le dépassa.

Sur le bord du trottoir, devant chez le sacristain Jimmy Geary, un vieux vagabond assis, grommelant, vidant la crasse et les cailloux de sa grosse godasse béante, brunboueuse. Après le voyage de la vie.

Des jardins sinistres vinrent ensuite, l'un après l'autre : sinistres demeures[82].

M. Power pointa son doigt :

— C'est là que Childs a été assassiné, dit-il. La dernière maison.

— Exact, dit M. Dedalus. Une sinistre affaire. Seymour Bushe l'a tiré de là. Il avait tué son frère. À ce qu'on dit[83].

— La preuve n'avait pas été faite, dit M. Power.

— Rien que des présomptions, ajouta Martin Cunningham. C'est le principe de la justice. Mieux vaut que quatre-vingt-dix-neuf coupables échappent à la peine plutôt qu'un seul innocent soit condamné à tort.

Ils regardaient. La propriété de l'assassin. Elle défila, sinistre. Volets fermés, sans locataires, jardin envahi. Lot tout entier voué à la mort. Condamné à tort. Assassinat. L'image de l'assassin sur la rétine de l'assassiné. Les gens se pourlèchent de ce genre de chose. La tête d'un homme retrouvée dans un jardin. Les vêtements de la femme se réduisaient à. Comment elle trouva la mort. A subi les derniers outrages. L'arme employée. L'assassin court toujours. Des indices. Un lacet de soulier. Le corps va être exhumé. Pas de crime parfait.

Sardinés, dans cette voiture. Elle n'aimerait peut-être pas me voir arriver comme ça sans avoir été prévenue. Faut être prudent avec les femmes. Surprenez-les la culotte baissée. Elles ne vous le pardonneront jamais. Quinze ans.

Les hautes grilles du cimetière de Prospect se déplacèrent en un long frisson devant leurs yeux[84]. Des peupliers noirs, des formes blanches, espacées. Puis des formes plus serrées, des ombres blanches qui se multiplient entre les arbres, une houle de formes blanches et de ruines muettes, dressant dans l'air leurs gestes vains[85].

La jante gémit contre le trottoir : terminus. Martin Cunningham sortit son bras et, tirant la poignée en arrière, ouvrit la portière d'une pression du genou. Il descendit. M. Power et M. Dedalus suivirent.

Déplacer mon savon maintenant. M. Bloom déboutonna sa poche revolver en vitesse et transféra le savon collé à son papier dans la poche intérieure de son veston. Il descendit de la voiture, remettant en place le journal qu'il tenait jusque-là de son autre main.

Enterrement de misère : le corbillard et trois voitures. Mais tout revient au même. Les cordons du poêle, les rênes dorées, la messe de requiem, les salves tirées. Pompes de la mort. Derrière la voiture de queue un vendeur ambulant et son banc de gâteaux et fruits. Simnel cakes c'en est, tout collés : des gâteaux pour les morts. Biscuits de chien[86]. Qui les mangeait ? Des familles qui sortent.

Il suivit ses compagnons. M. Kernan et Ned Lambert derrière lui, Hynes derrière eux. Corny Kelleher qui se trouvait près du corbillard ouvert sortit deux couronnes. Il en tendit une au petit garçon[87].

Où donc est passé cet enterrement d'enfant ?

Un attelage de chevaux se présenta, il venait de Finglas tout suant et soufflant, il fendit le silence funèbre avec son fardier criaillard où se dressait un bloc de granit. Le charretier qui marchait à leur tête salua.

Cercueil maintenant. Arrivé avant nous, tout mort

qu'il est[88]. Le cheval qui tourne la tête vers lui, le plumet incliné. Œil morne : collier étroit pour son cou, comprimant une veine ou quelque chose. Est-ce qu'ils savent ce qu'ils charrient ici tous les jours ? Doit bien y avoir vingt ou trente enterrements par jour. Sans compter le Mont Jérôme pour les protestants[89]. Des enterrements tout autour de la terre, partout, chaque minute. Qui les basculent là-dessous à pleines charretées à toute vitesse. Des milliers chaque heure. Trop de monde sur la terre.

De la parentèle en deuil passa le portail : une femme et une petite fille. Genre harpie, la bonne femme, sèche, dure à la détente, le bonnet de travers. Visage de la petite barbouillée de crasse et de larmes, s'accrochant au bras de la femme, levant les yeux vers elle pour savoir s'il faut pleurer. Une face de poisson, exsangue, livide[90].

Les croque-morts prirent le cercueil sur leurs épaules et lui firent franchir les grilles. Si lourd est un poids mort. Moi-même me suis senti plus lourd en sortant du bain. D'abord le refroidi : ensuite les amis du refroidi. Corny Kelleher et le petit garçon derrière avec leurs couronnes. Qui est-ce à côté d'eux ? Ah oui, le beau-frère[91].

On se mit en marche à leur suite.

Martin Cunningham chuchota :

— J'étais au plus mal quand vous avez parlé de suicide devant Bloom.

— Comment ça ? chuchota M. Power. Dites-moi.

— Son père s'est empoisonné, chuchota Martin Cunningham. Il tenait le Queen's Hotel à Ennis. Vous l'avez entendu, il va dans le comté de Clare. L'anniversaire.

— Mon Dieu ! chuchota M. Power. Je l'ignorais. Il s'est empoisonné !

Il jeta un regard derrière lui et y observa un visage

aux yeux noirs et songeurs tourné vers le mausolée du cardinal. Conversant.

— Était-il assuré ? demandait M. Bloom.

— Je crois que oui, répondait M. Kernan, mais le montant de la garantie a été sérieusement hypothéqué. Martin essaie de faire entrer le gamin à Artane[92].

— Combien d'enfants laisse-t-il ?

— Cinq. Ned Lambert dit qu'il va essayer de faire entrer une des filles chez Todd.

— Triste situation, dit M. Bloom apitoyé. Cinq jeunes enfants.

— Et un rude coup pour sa pauvre femme, ajouta M. Kernan.

— Ah ça, oui, approuva M. Bloom.

À son tour de rire maintenant.

Il observait ses chaussures qu'il avait cirées et lustrées lui-même. Elle lui a survécu, elle a perdu son mari. Plus mort pour elle que pour moi. L'un doit survivre à l'autre. C'est ce que disent les sages. Il y a plus de femmes que d'hommes sur la terre[93]. Lui faire mes condoléances. Terrible perte que la vôtre. Je vous souhaite de le rejoindre bientôt. Uniquement pour les veuves hindoues[94]. Elle ? Se remarierait. Avec lui ? Non. Mais qui sait après ? Le veuvage n'a plus la cote depuis la mort de la vieille reine. Convoyée sur une prolonge d'artillerie. Victoria et Albert[95]. Cérémonie anniversaire à Frogmore. Quoique à la fin elle avait mis quelques violettes à son chapeau. Coquette au fond du fond. Tout cela pour une ombre. Consort pas même roi. Son fils seul était ce qui comptait[96]. C'est vers l'avenir qu'elle aurait dû se tourner au lieu de chérir le passé dont elle voulait le retour, se vouant à l'attente. Ça n'arrive jamais. L'un doit partir d'abord : seul, dans la fosse : et plus question de rejoindre le chaud de son lit.

— Comment allez-vous, Simon ? dit Ned Lambert

avec aménité, lui serrant la main. Je ne vous ai vu depuis une éternité.

— Mieux que jamais. Comment ça va dans cette bonne ville de Cork ?

— J'y étais pour les courses du lundi de Pâques, dit Ned Lambert. Toujours la même histoire. Me suis arrêté chez Dick Tivy.

— Et comment va Dick, notre fort des Halles ?

— Il n'y a plus rien entre le ciel et lui, répondit Ned Lambert.

— Par saint Paul ! dit M. Dedalus, contenant sa surprise. Dick Tivy chauve ?

— Martin va ouvrir une souscription pour les enfants, dit Ned Lambert, pointant le doigt vers la tête du cortège. Une petite somme pour chacun. De quoi tenir jusqu'à ce que l'affaire de l'assurance soit réglée.

— Oui, oui, dit M. Dedalus, dubitatif. Est-ce l'aîné là devant ?

— Oui, dit Ned Lambert, avec le frère de l'épouse. John Henry Menton[97] est derrière. Il s'est porté pour une livre.

— J'aurais juré qu'il le ferait, dit M. Dedalus. Je disais souvent au pauvre Paddy de mettre du sien dans son travail. John Henry n'est pas le pire exploitant au monde.

— Comment a-t-il perdu sa place ? demanda Ned Lambert. La boisson, hein ?

— C'est le point faible de plus d'un brave homme, dit M. Dedalus avec un soupir.

Ils s'arrêtèrent à la porte de la chapelle du cimetière. M. Bloom se tenait derrière le petit garçon avec sa couronne, observant ses cheveux lissés sur sa nuque et son cou gracile, plissé par le col flambant neuf. Pauvre gamin ! Était-il là quand le père... ? Tous deux inconscients. Lucide au dernier instant et le reconnaître pour la dernière fois. Tout ce qu'il aurait pu faire. Je dois trois shillings à O'Grady. Comprendrait-il[98] ? Les croque-morts portèrent le cercueil dans la chapelle. À quel bout sa tête ?

Un moment plus tard il suivit les autres à l'intérieur, clignant les yeux dans la lumière filtrée. Le cercueil reposait sur des tréteaux en avant du chœur, encadré de quatre gros cierges jaunes. Toujours en avant de nous. Corny Kelleher, après avoir placé une couronne à chacun des coins antérieurs, fit signe au garçon de s'agenouiller. L'assemblée en fit de même çà et là sur les prie-Dieu. M. Bloom demeurait en arrière vers le bénitier et, quand tout le monde fut agenouillé, il fit discrètement glisser son journal déplié de sa poche et y posa le genou droit. Il installa posément son chapeau noir sur son genou gauche et, le tenant par le bord, s'inclina pieusement.

Un enfant de chœur, qui transportait un récipient en cuivre avec quelque chose dedans, entra par une porte. Ensurplissé de blanc, le prêtre le suivait, ajustant d'une main son étole et balançant de l'autre un petit livre contre son ventre de crapaud. Qui lira le mémento ? Moi, dit le corbeau[99].

Ils firent halte près de la bière et le prêtre commença d'émettre en lisant son expéditif croassement.

Père Corbyatt[100]. Je savais qu'il y avait du corbillard dans son nom. *Dominenamine*. Du clebs dans le museau, on dirait[101]. C'est le patron du bastringue. Chrétien musclé[102]. Malheur à quiconque se fiche de lui : un prêtre. Tu es Pierre. Bombe à retardement comme un mouton dans un champ de trèfle, dit Dedalus. Avec une panse ballonnante comme un chiot empoisonné. Rien de plus drôle que les expressions de cet homme. Hihi : bombe à retardement.

— *Non intres in judicium cum servo tuo, Domine*[103].

Ça les rend importants d'être pleurés en latin.

Messe de requiem. Crêpes de deuil. Papier à lettres bordé de noir. Votre nom sur le registre. Cette atmosphère glaciale. Ont besoin de bien se nourrir assis qu'ils sont toute la matinée dans cette pénombre à battre la semelle en attendant le suivant s'il vous plaît. Les yeux aussi, de crapaud. Mais qu'est-ce qui le gonfle de cette façon-là ? Molly, elle gonfle quand elle a mangé du chou. L'air de l'endroit peut-être. Semble plein de mauvais gaz. Doit y avoir un sacré stock de mauvais gaz dans les parages[104]. Les bouchers par exemple : deviennent comme leurs biftecks. Qui donc me le racontait ? Mervyn Brown. Dans la crypte de saint Werburgh très belles orgues vieilles de cent cinquante ans[105] il faut parfois percer un trou dans les cercueils pour laisser s'échapper les mauvais gaz et les brûler. Ça fuse : bleu. Tu en sniffes un coup, t'es rétamé.

Ma rotule me fait mal. Aïe. Voilà qui va mieux.

Le prêtre tira un bâton avec au bout une boule du seau de l'enfant et le secoua au-dessus du cercueil. Puis il se déplaça à l'autre extrémité et le secoua de nouveau. Puis il revint et le remit dans le seau. Tel que vous fûtes avant d'entrer dans le repos. Tout est consigné : c'est ce qu'il doit faire.

— *Et ne nos inducat in tentationem.*

L'enfant de chœur récitait les répons de sa voix de crécelle. J'ai souvent pensé qu'il valait mieux avoir des domestiques mâles. Jusqu'à quinze ans environ. Car après, bien sûr[106]...

C'était de l'eau bénite, j'imagine. Distribue le sommeil avec. Doit en avoir assez de cette corvée secouer cette chose sur tous les cadavres qu'on lui fourgue. Ça ne lui ferait pas de mal s'il pouvait voir ce qu'il asperge. Chaque jour que Dieu fait une nouvelle fournée : hommes mûrs, femmes âgées, enfants, femmes mortes en couches, hommes avec barbe, hommes d'affaires sans un poil sur le caillou, jeunes filles pulmonaires avec leur petite poitrine de moineau[107]. Tout au long de l'année sur eux baragouiner les mêmes prières et asperger d'eau leurs dépouilles : dormez. Sur Dignam maintenant.

— *In paradisum*[108].

A dit qu'il allait au paradis ou qu'il est au paradis. Dit ça pour tout le monde. Fastidieux ce boulot. Mais il faut bien dire quelque chose.

Le prêtre ferma son livre et sortit, suivi de l'enfant de chœur. Corny Kelleher ouvrit les portes latérales et les fossoyeurs entrèrent, hissèrent de nouveau le cercueil, le sortirent et le firent glisser sur leur chariot. Corny Kelleher donna une couronne au petit garçon et l'autre au beau-frère. Tout le monde les suivit au-delà des portes latérales dans l'air doux et gris. M. Bloom venait en dernier, repliant son journal et le glissant de nouveau dans sa poche. Il fixa le sol d'un air grave jusqu'à ce que le chariot funèbre s'ébranlât, prenant à gauche. Les roues ferrées mordaient sur le gravier avec un crissement aigu et les tapements sourds des souliers suivirent la carriole brinquebalante le long d'une allée de tombeaux.

Et ri et ra et ri et ra tralala. Seigneur, il ne faut pas que je me mette à chantonner ici.

— Le rond-point O'Connell, dit M. Dedalus à la cantonade[109].

Les yeux candides de M. Power s'élevèrent jusqu'à la cime du cône tout là-haut.

— Il repose, dit-il, au milieu de son peuple, le vieux Dan O'. Mais son cœur est à Rome[110]. Combien de cœurs brisés sont-ils ensevelis ici, Simon !

— Sa tombe à elle est plus loin, Jack, dit M. Dedalus. Je serai bientôt étendu à côté d'elle. Qu'Il me prenne quand Il voudra.

Déchiré, il lui vint quelques larmes qu'il dissimula, le pas légèrement vacillant. M. Power lui prit le bras.

— Elle est mieux là où elle est, lui dit-il délicatement.

— Je le crois aussi, dit M. Dedalus dans un sanglot. Je crois qu'elle est au ciel, s'il y a un ciel.

Corny Kelleher sortit du rang et laissa le pesant cortège le dépasser.

— Tristes circonstances, commença M. Kernan plein d'urbanité.

M. Bloom ferma les yeux et inclina tristement deux fois la tête.

— Ils remettent leur chapeau, dit M. Kernan. Je crois que nous pouvons le faire aussi. Nous sommes les derniers. Rien de plus traître que les courants d'air dans ce cimetière.

Ils se couvrirent.

— Le révérend a expédié l'office un peu vite, ne trouvez-vous pas ? fit M. Kernan sur un ton de reproche.

M. Bloom hocha la tête, gravement, fixant les yeux striés de rouge de son voisin. Yeux secrets, yeux en quête du secret. Franc-maçon, j'imagine : pas sûr[111]. De nouveau à côté de lui. Nous sommes les derniers. Dans le même bateau. J'espère qu'il va dire quelque chose d'autre.

M. Kernan ajouta :

— L'office de l'église protestante irlandaise en usage au Mont Jérôme est plus simple, plus émouvant, je dois dire[112].

M. Bloom fit un signe de prudent assentiment. Les mots bien sûr c'était autre chose.

M. Kernan récita avec solennité :

— *Je suis la résurrection et la vie*. Voilà qui touche un homme jusqu'au fond du cœur[113].

— En effet, dit M. Bloom.

Votre cœur peut-être mais qu'importe au pauvre

bougre dans son costume sans manches à fumer les pissenlits par la racine ? Il n'y a là rien qui puisse être touché. Siège des affections. Cœur brisé. Rien qu'une pompe, pompant des milliers de litres de sang par jour. Un beau jour elle se bouche et voilà. Il y en a des tas qui gisent partout ici : poumons, cœurs, foies. Vieilles pompes rouillées : rien d'autre, ni plus ni moins. La résurrection et la vie. Une fois que vous êtes mort vous êtes mort. Cette idée du jugement dernier[114]. Les faire tous surgir de leur tombe. Sors, Lazare ! Et il se présenta tout saur et il fit un flop. Lève-toi ! Voici le dernier jour ! Et voilà que chaque bougre renifle autour de lui à la recherche de son foie et de ses poumons et de ce qui reste de ses fringues. Un vrai casse-tête pour se rassembler ce matin-là. Une once de poudre au fond d'un crâne. Douze grammes l'once. Mesure de Troyes[115].

Corny Kelleher vint se ranger à leur côté.

— Tout est allé OK, dit-il. Quoi ?

Il les regardait de son œil reniflard. Des épaules de policier. Avec ton tralala tralala[116].

— Comme il convient, dit M. Kernan.

— Quoi ? Hein ? dit Corny Kelleher.

M. Kernan lui répéta.

— Qui est ce type là derrière avec Tom Kernan ? demandait John Henry Menton. Je connais cette tête-là.

Ned Lambert se retourna.

— Bloom, dit-il, Madame Marion Tweedy qui était, qui est, je veux dire, le soprano. C'est sa femme.

— Ah, oui, bien sûr, dit John Henry Menton. Voilà un bail que je ne l'ai vue. C'était un fort joli brin. J'ai dansé avec elle il y a, attendez, quinze, dix-sept ans, c'était le bon temps, chez Mat Dillon, à Roundtown[117]. Et il y avait de quoi en avoir plein les bras.

Il regarda en arrière à travers les autres.

— Qu'est-ce qu'il est ? demanda-t-il. Qu'est-ce qu'il fait ? N'était-il pas dans la papeterie ? Je me suis pris de bec avec lui un soir, je me rappelle, aux boules [118].

Ned Lambert sourit.

— Tout à fait, chez Wisdom Hely. Représentant en papier-buvard [119].

— Mon Dieu, dit John Henry Menton, pourquoi s'être mariée avec un coco pareil ? Elle avait plutôt du chien alors.

— Elle en a toujours, dit Ned Lambert. Lui il fait une sorte de démarchage en publicité.

Les grands yeux de John Henry Menton vaguèrent au loin.

La carriole tourna dans une contre-allée. Un homme corpulent, embusqué derrière les plantes, leva son chapeau en hommage. Les fossoyeurs touchèrent leur casquette.

— John O'Connell [120], dit M. Power l'air satisfait. Il n'oublie jamais un ami.

M. O'Connell serra les mains de tous en silence. M. Dedalus lui dit :

— Je viens de nouveau vous rendre visite.

— Mon cher Simon, répondit le conservateur à voix basse. Je ne vous veux absolument pas comme client.

Après avoir salué Ned Lambert et John Henry Menton, il marcha aux côtés de Martin Cunningham, entremêlant deux longues clés dans son dos.

— Connaissez-vous cette histoire, demanda-t-il, à propos de Mulcahy de la Coombe ?

— Non, dit Martin Cunningham.

Ils inclinèrent de concert leurs hauts-de-forme et Hynes tendit l'oreille. Le conservateur passa ses pouces aux boucles d'or de sa chaîne de montre et entama son récit d'une voix contenue face à leurs sourires hésitants.

— On raconte, dit-il, que deux poivrots sont venus ici un soir de brouillard à la recherche de la tombe d'un de leurs amis. Ils donnèrent le nom de Mulcahy de la Coombe et il leur fut indiqué où il était enterré. Après avoir un peu pédalé dans le brouillard, ils trouvèrent la tombe, bel et bien. Un des poivrots épela le nom : Terence Mulcahy. L'autre lorgnait la statue de Notre Seigneur que la veuve avait fait placer là.

Le conservateur cligna de l'œil vers l'une des sépultures auprès desquelles on passait. Il reprit.

— Après avoir bien examiné l'effigie divine, *Ce n'est vraiment pas la tronche de notre homme*, déclara-t-il. *Je ne sais pas qui a fait ça, mais ce n'est pas Mulcahy*.

Gratifié par les sourires, il resta en arrière et s'entretint avec Corny Kelleher, recevant de lui des fiches qu'il retournait et vérifiait tout en marchant.

— C'est à bon escient qu'il a raconté cela, expliquait Martin Cunningham à Hynes.

— Je sais, dit Hynes, je sais.

— Pour réconforter le pauvre bougre, dit Martin Cunningham. C'est pure bonté d'âme de sa part : rien d'autre.

M. Bloom admirait l'imposante carrure du conservateur. Veulent tous être en bons termes avec lui. Quelqu'un de bien, John O'Connell, vraiment un chic type. Ses clés : comme l'annonce de Descley [121] : n'a pas à craindre que quelqu'un se carapate ni à contrôler des laissez-passer. *Habeat corpus* [122]. Il faut que je m'occupe de cette annonce après l'enterrement. Ai-je bien écrit Ballsbridge sur l'enveloppe que j'ai prise pour me cacher quand elle m'a dérangé alors que j'écrivais à Martha ? Espérons que ma lettre n'a pas pris le chemin du service des plis perdus. Gagnerait à se raser. Grise pousse sa barbe. C'est le premier coup de semonce quand les cheveux grisent et que le tempérament s'aigrit. Fils d'argent parmi le gris. Ça doit être bizarre d'être sa femme. Ça m'épate qu'il ait eu l'aplomb d'offrir sa main à une jeune fille. Venez donc vivre au cimetière. Lui faire miroiter cela comme un idéal. Ça pouvait l'émoustiller sur le moment. Courtiser la mort. Les ombres de la nuit qui s'étendent là avec tout le peuple des allongés. Les ombres des tombeaux quand tout le cimetière bâille[123] et Daniel O'Connell il doit en être un descendant je suppose qui prétendait qu'il s'agissait d'un excentrique ce chaud lapin bon catholique néanmoins comme un grand géant dans le noir[124]. Feux follets. Gaz des tombeaux. Faut qu'elle sorte tout ça de sa pensée pour engendrer quand même. Surtout une femme elles sont tellement émotives. Au lit lui raconter une histoire de fantôme pour la bercer. Avez-vous déjà vu un fantôme ? Eh bien moi, oui. C'était par une nuit d'encre. L'aiguille de l'horloge était sur le point de marquer minuit. Même qu'elles doivent embrasser impec si le mouvement a été bien remonté. Les prostituées dans les cimetières turcs. Y a possibilité de leur apprendre n'importe quoi si on les prend jeunes. On pourrait ferrer une jeune veuve ici. Il y a des hommes qui aiment ça. L'amour entre les tombes. Roméo[125]. Du piment pour le plaisir. Au milieu de la mort nous sommes en vie. Les extrêmes se touchent. Supplice de Tantale pour le pauvre allongé. Fumet du bifteck grillé le crève-la-faim en train de consommer ses propres viscères. Question aussi d'émoustiller les gens. Molly voulait faire ça à la fenêtre. Ont fait huit gosses en tout cas.

Il en a vu une belle collection aller là-dessous pendant ce temps, occupant les terrains autour de lui l'un après l'autre. Terres consacrées. Il y aurait davantage de place si on les enterrait debout. Assis ou à genoux ce ne serait pas possible. Debout ? La tête pourrait apparaître un jour ou l'autre au gré d'un affaissement du sol avec une main en l'air. C'est comme une ruche qu'elle doit être la terre par ici : tout en alvéoles oblongues. Et il tient tout cela impeccable, gazon et bordures nickel. Son jardin, c'est ce que dit le Major Gamble de Mont Jérôme[126]. Tout à fait cela. Devrait penser à semer des fleurs de sommeil. Les cimetières chinois avec leurs pavots géants donnent le meilleur opium m'a dit Mastiansky. Le jardin botanique juste à côté. C'est le sang qui infuse dans la terre qui nourrit la vie nouvelle. Même idée pour ces juifs dont on disait qu'ils avaient tué un enfant chrétien[127]. Chaque homme son prix. Cadavre bien conservé d'un gentleman, épicurien, incomparable pour verger. Une affaire. Pour la carcasse de William Wilkinson, commissaire aux comptes et expert-comptable, récemment décédé, trois livres treize shillings six[128]. À votre service.

Suis persuadé que la terre serait enrichie avec du compost de cadavre, os, chair, ongles, fosses communes. Effrayant. Ça tourne au vert et au rose, la décomposition. Ça pourrit plus vite dans une terre humide. Les vieux desséchés plus durs à cuire. Alors une sorte de chanci une sorte de frometon. Après ça commence à noircir, de la mélasse suinte d'eux. Après ils se racornissent. Papillons tête-de-mort. Bien sûr les cellules ou je ne sais trop quoi continuent à vivre. Se transforment. On vit à jamais en somme. Rien à bouffer elles se bouffent elles-mêmes.

Mais doivent engendrer une sacrée quantité de vers. La terre en est toute retournée. Elles vous font tourner la tête. Ces belles filles du bord de mer. Semble assez bien se porter de tout cela, lui. Lui donne un sentiment de toute-puissance de voir les autres disparaître avant lui. C'est à se demander quelle idée il peut bien avoir de la vie. Mais il ne rechigne pas à plaisanter : en a besoin pour se réchauffer le cœur. L'histoire du communiqué. Spurgeon parti pour le ciel à quatre heures du matin. Il est onze heures du soir, on ferme. N'est pas encore arrivé. Pierre[129]. Les morts eux-mêmes les hommes du moins aimeraient entendre une bonne blague les femmes savoir ce qui est dans le vent. Une poire qui jute ou du punch pour dames, chaud, fort et doux. Pour endurer l'humidité. Il faut bien rire de temps à autre et alors, autant le faire. Les fossoyeurs dans *Hamlet*[130]. Ça dénote une connaissance profonde du cœur humain. On ne plaisante pas au sujet des morts pendant deux ans au moins. *De mortuis nil nisi prius*[131]. Sortir du deuil d'abord. Dur de s'imaginer ses funérailles à lui. Ça semblerait une blague. Lire son propre article nécrologique on dit que ça fait vivre plus longtemps. Que ça donne un second souffle. Un nouveau bail.

— Combien en avez-vous pour demain ? demanda le conservateur.

— Deux, dit Corny Kelleher. Dix heures et demie et onze heures.

Le conservateur mit les papiers dans sa poche. La carriole avait cessé de bringuebaler. Le cortège se partagea et se répartit de chaque côté de la fosse, chacun se maintenant avec précaution entre les tombes. Les fossoyeurs se chargèrent du cercueil et le déposèrent la tête au bord du trou pour y passer les cordes.

Ensevelissons-le. Nous venons pour ensevelir César[132]. Ses ides de mars ou de juin. Il ne sait pas qui est là et n'en a cure.

Au fait qui est ce grand dadais d'efflanqué là-bas dans son macintosh ? Mais qui est-ce donc j'aimerais bien le savoir. Oui je donnerais n'importe quoi pour savoir qui c'est[133]. Toujours quelqu'un pour surgir qu'on n'a jamais vu ni d'Ève ni d'Adam. Un type pourrait vivre tout seul toute sa vie. Oui, il pourrait.

Jusqu'au jour où il aurait besoin de quelqu'un pour le descendre une fois mort dans le trou qu'il aurait encore pu creuser tout seul. Nous en sommes tous là. Il n'y a que l'homme qui enterre. Non, les fourmis aussi. La première pensée qui vient à n'importe qui. Enterrer les morts. On dit que Robinson Crusoé représentait la vie dans sa vérité. Eh bien Vendredi l'a enterré[134]. Chaque vendredi enterre un jeudi si on y réfléchit.

Ô mon pauvre Robinson Crusoé[135]
Même pour toi il a fallu creuser !

Ô mon pauvre Dignam ! Pour la dernière fois tu te couches sur la terre, dans ta boîte. Quand on pense à tous ces cercueils quel gaspillage de bois. Tout ce bois complètement rongé. On pourrait inventer un beau cercueil avec une sorte de panneau coulissant pour larguer le cadavre. Oui mais sûr qu'il y en aurait pour refuser de s'en servir après d'autres. On est tellement individualiste. Mettez-moi dans ma terre natale. Une poignée de terre sainte[136]. Seuls une mère et son enfant mort-né peuvent être enterrés dans le même cercueil. Je vois ce que cela signifie. Je vois. Pour le protéger encore aussi longtemps que possible même dans la terre. Tout modeste qu'il soit, chaque Irlandais est maître en son cercueil[137]. Embaumement dans les catacombes, les momies, même principe.

M. Bloom demeurait en arrière, son chapeau à la main, comptant les têtes nues. Douze. Je suis le treizième. Non. C'est le type au macintosh le treizième. Chiffre fatidique. D'où diable a-t-il bien pu sortir ? Il n'était pas dans la chapelle, je pourrais le jurer. Superstition stupide à propos du chiffre treize.

De belle qualité la laine du complet de Ned Lambert. Nuance pourpre. J'en avais un comme ça quand nous habitions Lombard street west[138]. Il était très branché question toilette autrefois. Il changeait de costume trois fois par jour. Il faut que je fasse retourner mon complet gris par Mésias[139]. Mince. Il est teint. Sa femme non j'oubliais il n'est pas marié sa logeuse aurait dû lui ôter ces fils.

Le cercueil disparut au fond, à peine retenu par les hommes installés sur les chevalets. Ils se relevèrent et s'écartèrent : et tous de se découvrir. Vingt.

Pause.

Si nous étions soudain chacun quelqu'un d'autre.

Au loin un âne se mit à braire. La pluie. Pas si âne que ça. On ne peut jamais en voir un de mort, dit-on. Honte de la mort. Ils se cachent. Mon pauvre papa aussi s'en est allé à l'écart.

Compatissante une douce brise passa sur les têtes nues dans un soupir. Un soupir. Le petit garçon au bord de la tombe et tenant sa couronne à deux mains fixait tranquillement le grand trou sombre. M. Bloom vint se placer derrière la rassurante carrure du conservateur. Bien coupée, sa redingote. Les observe en se demandant peut-être quel sera le prochain. Bien, eh bien ce n'est qu'un long repos. Plus de sensations. C'est sur le moment que tu ressens. Doit être sacrément désagréable. Tu ne peux pas le croire d'abord. Doit être une erreur : pas toi. Voyez la maison en face. Attendez, il faut que je. Je n'ai pas encore. Puis plongée dans le noir la chambre mortuaire. C'est de la lumière que tu voudrais. Chuchotements autour de toi. Souhaitez-vous voir un prêtre ? Puis le décrochage et la gamberge. Dans le délire tout ce que tu as caché durant toute ta vie. La lutte contre la mort. Son sommeil n'est pas naturel. Pressez la paupière inférieure. Regardez si son nez se pince si sa mâchoire tombe si la plante de ses pieds jaunit. Enlevez l'oreiller et que ça le finisse sur le plancher puisqu'il est condamné. Le diable dans ce tableau de la mort d'un pécheur lui montrant une femme. Mourant d'envie de la prendre dans ses bras, en chemise. Dernier acte de *Lucia*. *Hélas jamais plus ne te contemplerai-je ?* Et paf, il claque[140]. Parti pour de bon. Il en est pour parler encore un peu de toi : t'oublient. N'oubliez pas de prier pour lui. Souvenez-vous de lui dans vos prières. Même Parnell. Le Jour du lierre se meurt[141]. Puis ils défilent : pour sauter dans le trou l'un après l'autre.

Nous prions maintenant pour le repos de son âme. Nous vous espérons au calme et non pas dans les flammes. Joli changement d'air. Tomber du Charybde de l'existence dans le Scylla du purgatoire.

A-t-il quelquefois la pensée qu'un trou l'attend lui aussi ? On dit que c'est une idée qui vient quand on frissonne au soleil. C'est que quelqu'un a marché sur votre tombe. Avertissement du régisseur. Près de vous. La mienne là-bas du côté de Finglas, la petite concession que j'ai achetée. Maman, ma pauvre maman[142], et le petit Rudy.

Les fossoyeurs s'emparèrent de leurs pelles et firent voler de grosses mottes de terre sur le cercueil. M. Bloom détourna la tête. Et s'il était en vie tout ce temps-là ? Brrr ! Nom de nom, ce serait abominable ! Non, non ! il est mort, bien sûr. Bien sûr qu'il est mort. C'est lundi qu'il est mort. On devrait faire une loi obligeant à percer le cœur pour être tout à fait sûr ou bien à placer une sonnerie électrique ou un téléphone dans le cercueil et une espèce de conduit d'aération aussi. Signal de détresse. Trois jours. C'est un peu long pour les conserver en été. Autant s'en débarrasser dès qu'on est sûr qu'il n'y a plus.

La terre tombait plus mollement. Commence à être oublié. Loin des yeux loin du cœur.

Le conservateur se déplaça de quelques pas et remit

son chapeau. En avait assez. Les membres du cortège reprirent courage, se couvrant l'un après l'autre sans ostentation. M. Bloom remit son chapeau et vit la corpulente silhouette trouver adroitement son chemin à travers le dense réseau de sépultures. Tranquillement, en propriétaire, il arpentait son morne domaine.

Hynes en train de noter quelque chose sur son calepin. Ah, les noms. Mais il les connaît tous. Non : le voici qui vient à moi.

— Je prends les noms, dit Hynes parlant dans sa barbe. Votre nom de baptême ? Je n'en suis pas sûr[143].

— L, dit M. Bloom, Leopold. Pouvez-vous inscrire aussi M' Coy ? Il me l'a demandé.

— Charley, dit Hynes en notant. Je le sais. Il était autrefois au *Freeman*.

Exact. Il y était avant d'avoir son poste à la morgue sous les ordres de Louis Byrne. Bonne idée qu'une autopsie pour les médecins. Découvrir ce qu'ils croyaient savoir. Il est mort un mardi. A été renvoyé. Est parti avec l'argent de quelques annonces. Charlie, c'est toi que j'aime[144]. C'est pourquoi il m'a demandé de. Oh, ce n'est pas un crime. C'est fait, M'Coy. Merci, mon vieux : bien obligé. Le laisser sur le sentiment qu'il m'est redevable : cela ne coûte rien.

— Et dites-moi, dit Hynes, connaissez-vous le type en, un type qui était là-bas en…

Il cherchait des yeux.

— Macintosh. Oui, je l'ai vu, dit M. Bloom. Où est-il passé ?

— M'Intosh, dit Hynes, inscrivant. Je ne sais pas qui c'est. C'est bien son nom ?

Il s'éloigna, le cherchant du regard.

— Mais non, commençait M. Bloom, se tournant et s'arrêtant. Hep, Hynes !

N'a pas entendu. Quoi ? Où a-t-il disparu ? Pas

trace. Elle est bien bonne. Quelqu'un ici l'a-t-il vu ? Ka e deux elles. Devenu invisible[145]. Bon Dieu, qu'est-ce qu'il a pu devenir ?

Un septième fossoyeur s'approcha de M. Bloom pour prendre une pelle qui n'était pas utilisée.

— Oh, pardon !

Il s'écarta lestement.

La terre, brune, humide, commençait à apparaître dans le trou. Elle montait. Presque fini. En monticule les mottes humides montèrent encore, montèrent, puis les fossoyeurs déposèrent leurs pelles. On se découvrit une dernière fois pendant quelques instants. L'enfant installa sa couronne contre un angle : le beau-frère la sienne sur une motte. Les fossoyeurs remirent leur casquette et emmenèrent leurs pelles terreuses vers le chariot. Là, ils tapotèrent la lame sur l'herbe : net. L'un d'eux se pencha pour arracher du manche une touffe d'herbes plus longues. Un autre, s'écartant de ses collègues, s'éloigna lentement l'arme à l'épaule, le fer lançant un éclat bleu. Impassible au chevet de la tombe un troisième enroulait les cordes. Son cordon ombilical. Le beau-frère, se détournant, lui remit quelque chose dans sa main libre. Remerciements muets. Toutes mes, m'sieur : condoléances. Hochement de tête. Je sais ce que c'est. Juste pour vous.

L'assemblée se disloquait peu à peu, chacun allant sans but, au hasard des sentes, s'arrêtant çà et là pour lire un nom sur une sépulture.

— Revenons par le tombeau de Parnell, dit Hynes. Nous avons le temps.

— D'accord, dit M. Power.

Ils tournèrent sur la droite, chacun plongé dans sa pensée engourdie. Étranglée, la voix blanche de M. Power s'éleva :

— Certains prétendent qu'il n'a jamais été dans ce

tombeau. Que son cercueil avait été rempli avec des pierres. Qu'un jour on le verrait revenir.

Hynes secoua la tête.

— Parnell ne reviendra jamais, dit-il. Il est bien ici, du moins tout ce qui était mortel en lui. Paix à ses cendres.

M. Bloom suivait son allée, isolé des autres, passant devant des anges affligés, des croix, des colonnes brisées, des caveaux de famille, des espérances pétrifiées en prière les yeux au ciel, des cœurs et des mains de la vieille Irlande. Il serait plus raisonnable d'utiliser l'argent pour venir en aide aux vivants. Priez pour le repos de l'âme de. Y a-t-il seulement une personne qui le fasse ? On le verse là et on en est quitte avec lui. Comme du charbon dans un trou de cave. Et on s'en souvient collectivement pour gagner du temps. Le jour des trépassés. Le vingt-sept j'irai sur sa tombe. Dix shillings pour le jardinier. Il arrache les mauvaises herbes. Vieil homme lui aussi. Plié en deux avec ses cisailles qui clic-claquent. Au seuil de la mort. Qui s'en est allé. Qui a quitté cette vie. Comme s'ils l'avaient fait de leur propre gré. Envoyés balader, tous. Qui a cassé sa pipe. Serait plus intéressant s'ils racontaient ce qu'ils étaient. Un tel, charron. Moi je voyageais pour le linoléum[146]. Moi je payais du 25 %. Ou encore une tombe de femme avec sa casserole. Je faisais un excellent ragoût. Eulégie dans un cimetière de campagne on devrait dire pour ce poème de qui au juste Wordsworth ou Thomas Campbell[147]. Entré dans son repos mettent les protestants. Là c'est la tombe du vieux Dr Murren. Le médecin suprême l'a rappelé à lui. Soit, ce sont les arpents du Seigneur, pour eux. Agréable résidence de campagne. Récemment recrépie et repeinte. Endroit idéal pour fumer tranquillement en lisant le *Church Times*. Les annonces de mariage on n'a jamais tenté de les égayer. Couronnes rouillées accrochées, guirlandes en faux bronze. On en a davantage pour son argent. Pourtant, les fleurs naturelles ont plus de poésie. Le reste finit par lasser à ne jamais se faner. N'exprime rien. Immortelles.

Un oiseau était perché plutôt placide sur une branche de peuplier. Comme empaillé. Comme le cadeau de noces que nous avait fait l'adjoint Hooper[148]. Hou ! Pas la moindre réaction. Sait qu'il n'y a pas de fronde pour le tirer. Un animal mort c'est encore plus triste. Millinotte enterrant le petit oiseau mort dans la boîte d'allumettes de la cuisine, un collier de pâquerettes et des bris de porcelaine sur la tombe.

Ça c'est le Sacré-Cœur[149] : le montre. Cœur en bandoulière. Devrait être sur le côté et rouge devrait être peint comme un vrai cœur. L'Irlande lui a été consacrée ou quelque chose comme ça. Semble rien de moins que réjoui. Pourquoi m'avoir appliqué ça ? Est-ce que les oiseaux viendraient le picorer comme le garçon avec sa corbeille de fruits[150] mais il disait que non parce qu'ils auraient eu peur du garçon. Apollon que c'était[151].

Que de morts ! Et tous ils grouillaient à Dublin en leur temps. Fidèles disparus. Tels vous êtes maintenant tels nous avons été.

En outre comment pourrait-on se souvenir de chacun ? Yeux, démarche, voix. Bien sûr, la voix, oui : il y a le gramophone. Placer un gramophone dans chaque tombe ou le garder à la maison. Après le repas dominical. Mets donc le pauvre arrière grand'père. Craahraak ! Hellohellohello suisvraibeaucoupheureux craark vraibeaucoupheureuxreuxdevousrrevoir hellohello suisvrvaimbeau kopzsz. Rappellerait la voix comme la photographie le visage. Sans elle comment se souvenir du visage après disons quinze ans.

Par exemple qui ? Par exemple un type qui est mort quand j'étais chez Wisdom Hely.

Crcrrr ! Le gravier craque. Voyons. Un instant.

Il plongea un regard avide dans un caveau. Un animal. Voyons. Le voilà qui vient.

Un obèse de rat gris trottinait en bordure du caveau, remuant le gravier[152]. Un vieux de la vieille : arrière grand'père : il connaît toutes les ficelles. Le gris filou s'aplatit sous la plinthe, se trémoussant pour s'y faufiler. Bonne cachette pour un trésor.

Qui habite là ? Ici reposent les cendres de Robert Emery. Robert Emmet[153] fut enterré ici à la lueur des torches, n'est-ce pas ? Faisant sa ronde.

Queue disparue maintenant.

Ce genre de lascars ne ferait qu'une bouchée d'une personne. Ne se demandent pas qui c'était pour lui racler les os. Leur ordinaire. Un cadavre ce n'est que de la viande avariée. Soit, et qu'est-ce que c'est le fromage ? Du cadavre de lait. J'ai lu dans *Voyages en Chine* que les Chinois disent qu'un homme blanc sent le cadavre. La crémation c'est mieux. Les prêtres sont à mort contre. Se damnent au boulot pour l'autre boutique. Brûleurs en gros et fours hollandais. Au temps de la peste. Fosses de chaux vive pour les consumer. Chambre à gaz. Poussière tu retourneras en poussière. Ou bien larguer en mer. Où la tour de silence des Parsis ? Mangés par les oiseaux[154]. Terre, feu, eau. La noyade a réputation d'être ce qu'il y a de plus agréable. Revoit toute sa vie dans un éclair. Mais pour y retourner macache. Pas moyen d'enterrer en l'air, ça, non. En lâcher d'un objet volant. Je me demande si la nouvelle se propage parmi eux à chaque fois qu'un nouveau est amené. Communication souterraine. C'est d'eux que nous l'avons apprise. Ne serait pas surprenant. Un vrai bon casse-dalle. Mouches qui viennent avant qu'on soit bien mort. Ont eu vent de

Dignam. Pas gênées par l'odeur. Blancdesel la bouillie du cadavre en train de se décomposer : odeur et goût de navet cru.

Les grilles brillaient en face : encore ouvertes. Revenons au monde. Assez de cet endroit. T'en rapproches un peu plus chaque fois. La dernière fois que j'y suis venu c'était pour les obsèques de Mme Sinico[155]. Mon pauvre papa aussi. L'amour qui tue. Et même qui gratte la terre durant la nuit s'éclairant d'une lanterne comme dans ce procès que j'ai lu pour atteindre des femmes récemment inhumées ou même en putréfaction avec des crèvefilades dégoulinantes. Ça vous donne la chair de poule à la fin. Je vous apparaîtrai après ma mort. Vous verrez mon fantôme après ma mort. Mon fantôme vous hantera après ma mort. Il y a un autre monde après la mort appelé enfer. Je n'aime pas cet autre mont-là a-t-elle écrit. Moi non plus. Il y a tant à voir et à entendre et à sentir encore. Sentir vivre des êtres chauds près de soi. Laissons-les dormir dans leur lit de pourriture. Ils ne sont pas encore près de me retenir ce coup-ci. Des lits chauds : de la chair chaude et palpitante de sang rouge.

Martin Cunningham surgit d'une allée transversale, s'entretenant d'un air funèbre avec quelqu'un.

L'avoué, je pense. Je reconnais son visage. Menton. John Henry, avoué, déclarations sous serments et affidavits. Dignam a travaillé dans son étude. Chez Mat Dillon il y a longtemps. Ce brave Mat. Ses chaleureuses soirées. Poulet froid, cigare, la cave à liqueurs Tantale[156]. Un cœur d'or, vraiment. Oui, Menton. Avait piqué une rage un soir où on jouait aux boules parce que j'avais mis devant lui sur le gazon. Pure chance de ma part : le biais. Voilà pourquoi il m'a pris en telle grippe. Le coup de haine. Molly et Floey Dillon bras dessus bras dessous près du lilas, s'esclaffant. Un type comme ça est toujours mortifié s'il y a des femmes pas loin.

Une cabosse sur le flanc de son chapeau. Durant le transport, sans doute.

— Pardon, monsieur, dit M. Bloom derrière eux.

Ils s'arrêtèrent.

— Votre chapeau est un peu renfoncé, dit M. Bloom, le lui montrant du doigt.

John Henry Menton le fixa un instant, impassible.

— Là, appuya Martin Cunningham, pointant aussi son doigt.

John Henry Menton ôta son chapeau, repoussa la cabosse et lustra le poil avec soin, de la manche de son veston. Il planta de nouveau le chapeau sur sa tête.

— Il est parfait à présent, dit Martin Cunningham.

John Henry Menton hocha la tête en témoignage de gratitude.

— Merci, dit-il, sèchement.

Ils se dirigeaient vers les grilles. M. Bloom, penaud[157], se laissa devancer de façon à ne pas surprendre leur conversation. Martin qui dit la loi[158]. Martin qui peut embobiner facile un imbécile comme lui sans qu'il s'en aperçoive.

Yeux de poisson mort. Peu importe. Il regrettera plus tard peut-être quand il comprendra. Une façon d'avoir encore l'avantage sur lui.

Merci. Quelle grandeur d'âme aujourd'hui !

AU CŒUR DE LA MÉTROPOLE HIBERNIENNE[1]

Devant la colonne Nelson[2] les trams ralentissaient, aiguillaient, changeaient de trolley, partaient pour Blackrock, Kingstown et Dalkey, Clonskea, Rathgar et Terenure, Palmerston park et upper Rathmines, Sandymount Green, Rathmines, Ringsend et Sandymount Tower, Harold's Cross. Le contrôleur enroué de la Dublin United Tramway Company[3] les lançait en beuglant :

— Rathgar et Terenure !

— Allons-y, Sandymount Green !

À droite et à gauche parallèles tintant sonnant un tram à impériale et un tram simple quittaient leur terminus, déviaient vers leur ligne, glissaient parallèles.

— En route, Palmerston park !

LE PORTEUR DE LA COURONNE[4]

Sous le porche de la poste centrale[5] les cireurs de chaussures criaient et ciraient. Garés dans North

Prince's street les fourgons postaux vermillon de Sa Majesté, portant sur leurs flancs les initiales royales, E. R., recevaient l'avalanche bruyante des sacs de lettres, de cartes postales, de cartes-lettres, de paquets, assurés et port payés, pour livraison locale, provinciale, britannique et outremer.

CES MESSIEURS DE LA PRESSE

Lourdbottés des haquetiers roulaient des tonneaux tonitruboulants hors des entrepôts de Prince et les laissaient tomber sur le haquet de la brasserie. Sur le haquet de la brasserie tombaient des tonneaux tonitruboulants que des haquetiers lourdbottés roulaient hors des entrepôts de Prince.

— Tenez, dit Red Murray[6]. Alexander Descley

— Pouvez-vous me le découper ? dit M. Bloom, j'irai l'apporter au bureau du *Telegraph*.

La porte du bureau de Ruttledge grinça de nouveau. Davy Stephens, minuscule dans une grande pèlerine, petit feutre couronnant ses bouclettes, sortit avec un rouleau de papiers sous sa cape, un courrier royal[7].

Les longs ciseaux de Red Murray découpèrent la publicité dans le journal en quatre coups bien propres. Ciseaux et colle[8].

— Je passerai par l'imprimerie, dit M. Bloom en prenant le carré découpé.

— Naturellement, s'il veut un entrefilet, dit Red Murray avec empressement, une plume derrière l'oreille, nous pouvons lui en faire un.

— Parfait, dit M. Bloom en acquiesçant. J'insisterai. Nous.

WILLIAM BRAYDEN, ESQUIRE, D'OAKLANDS, SANDYMOUNT

Red Murray toucha le bras de M. Bloom avec les ciseaux et chuchota :

— Brayden.

M. Bloom se retourna et vit le portier en livrée soulever sa casquette à initiales lorsque l'auguste silhouette passa entre les placards des dernières nouvelles du *Weekly Freeman and National Press* et du *Freeman's Journal and National Press*. Tonneaux de Guinness tonitruboulants. Elle passa augustement et prit l'escalier sous la gouverne d'un parapluie, visage solennel barbencadré. Son dos de drap noir grimpait chaque marche : dos. Tout son cerveau est dans sa nuque, dit Simon Dedalus. Bourrelets de chair sur lui derrière. Gros plis de cou, gros, cou, gros, cou.

— Vous ne trouvez pas que son visage est comme Notre Sauveur ? chuchota Red Murray.

La porte du bureau de Ruttledge chuchota : ii : crii. On installe toujours une porte en face d'une autre pour que le vent. Entrée. Sortie.

Notre Sauveur : visage ovale barbencadré : bavardant au crépuscule Marie, Marthe. Sous la gouverne d'un parapluie épée jusqu'aux feux de la rampe : Mario le ténor[9].

— Ou comme Mario, dit M. Bloom.

— Oui, reconnut Red Murray. Mais on a dit que Mario était le portrait craché de Notre Sauveur.

Jésus Mario aux joues fardées, doublet et mollets-coq. Main sur le cœur. Dans *Martha*[10].

Re-e-viens toi ma douleur,
Re-e-viens m'offrir ton cœur[11] *!*

LA CROSSE ET LA PLUME

— Son éminence a téléphoné deux fois ce matin[12], dit Red Murray avec gravité.

Ils observèrent les genoux, les jambes, les souliers disparaître. Cou.

Un petit télégraphiste entra prestement, jeta une enveloppe sur le comptoir et ressortit à toute vitesse en lançant un mot.

— *Freeman !*

M. Bloom dit lentement :

— Eh bien, il est aussi un de nos sauveurs.

Un doux sourire l'accompagnait alors qu'il soulevait le rabat du comptoir, alors qu'il passait par la porte latérale et par le sombre escalier tiède et corridor, le long des placards des dernières nouvelles à présent réverbérants. Mais pourra-t-il sauver le tirage ? Pulsation, pulsation.

Il poussa la porte battante vitrée vers l'intérieur et entra, enjambant des amas de papier d'emballage. Par une allée de cylindres cliquetants il se dirigea vers le cabinet de lecture de Nannetti[13].

Hynes est là aussi : compte-rendu de l'enterrement sans doute.

C'EST AVEC DE SINCÈRES REGRETS QUE NOUS ANNONÇONS LA DISSOLUTION D'UN NOTABLE TRÈS RESPECTÉ DE DUBLIN

Pouls sourd. Ce matin la dépouille de feu M. Patrick Dignam. Machines. Pulvérisent un homme s'il se fait happer. Dirigent le monde aujourd'hui. Ses rouages à lui vont bon train aussi. Comme ceux-là, se sont emballés : fermentation. Toujours à s'acharner, toujours à déchirer. Et ce vieux rat gris qui s'acharne à entrer.

COMMENT ON FABRIQUE UN GRAND ORGANE QUOTIDIEN

M. Bloom s'arrêta derrière le corps mince du prote, admirant un chef luisant.

Étrange qu'il n'ait jamais vu son vrai pays. Irlande mon pays[14]. Député de College green. Un battage à n'en plus finir sur son image d'ouvrier de base. C'est la réclame et les à-côtés qui font vendre un hebdomadaire pas les nouvelles rancies de la gazette officielle. Le pape est mort[15]. Publié par autorisation officielle en l'année mille et. Demaine[16] situé dans la commune de Rosenallis, baronnie de Tinnachinch. À tous les ayantdroits inventaire conforme aux statuts mentionnant retour du nombre de mules et genets exportés de Ballina. Pensées sur la nature. Dessins humoristiques. Phil Blake et son Coq-à-l'âne hebdomadaire. La page d'oncle Toby pour les tout-petits. Questions du naïf campagnard. Monsieur le Rédacteurenchef, quel serait le remède approprié pour les flatulences ? Ça, je le ferais bien[17]. On apprend beaucoup en enseignant aux autres. La touche personnelle. S. D. P[18]. Surtout des photos. Baigneuses bien galbées sur le sable d'or. Le plus gros ballon du monde. Célébration d'un double mariage de sœurs. Deux mariés se mettant en boîte de bon cœur. Cuprani aussi, imprimeur. Plus irlandais que les Irlandais[19].

Les machines cliquetaient en troisquatre. Pouls, pouls, pouls. Et puis s'il était frappé de paralysie là et que personne ne sache comment les arrêter elles continueraient à cliqueter pareil, imprimeraient encore et encore et dans un sens et dans l'autre. Foutrait tout en l'air. Faut garder la tête froide.

— Bon, mettez-le dans l'édition du soir, monsieur le conseiller, dit Hynes.

On l'appellera bientôt monsieur le maire. On dit que Long John[20] est derrière lui.

Le prote, sans répondre, gribouilla BAT dans un coin de la feuille et fit signe à un compositeur. Il tendit la feuille silencieusement par-dessus l'écran de verre sale.

— Parfait : merci, dit Hynes en s'éloignant.

M. Bloom se trouvait sur son chemin.

— Si vous voulez toucher le caissier va partir déjeuner, dit-il en pointant son pouce vers l'arrière.

— Vous en venez ? demanda Hynes.

— Hm, fit M. Bloom. Ne traînez pas et vous l'attraperez.

— Merci mon vieux, dit Hynes. Moi aussi je vais aller le taper[21].

Il partit avec empressement vers le *Freeman's Journal*.

Trois shillings que je lui ai prêtés chez Meagher. Trois semaines. Troisième allusion.

OÙ L'ON VOIT LE PLACIER AU TRAVAIL

M. Bloom posa sa coupure sur le bureau de M. Nannetti.

— Excusez-moi, monsieur le conseiller, dit-il. C'est pour cette publicité, vous savez. Descley, vous vous rappelez.

M. Nannetti considéra un instant la coupure et hocha la tête.

— Il veut qu'on la mette en juillet, dit M. Bloom.

Le prote avança son crayon vers la coupure.

— Mais attendez, dit M. Bloom. Il voudrait un changement. Des clés, vous comprenez. Il veut deux clés en haut.

Sacré boucan qu'elles font. Il n'entend pas. Nannan. Nerfs d'acier. Peut-être comprend-il ce que je.

Le prote se retourna pour écouter patiemment et, soulevant un coude, se mit à gratter lentement l'aisselle de sa veste d'alpaga.

— Comme ça, dit M. Bloom en croisant ses index vers le haut.

Il faut d'abord qu'il saisisse ça.

M. Bloom, jetant un coup d'œil de biais depuis la croix qu'il avait faite, vit le teint terreux du prote, pense qu'il a une légère jaunisse, et au-delà les roues obéissantes introduisant d'immenses rouleaux de papier. Cliquette-le. Cliquette-le. Des miles et des miles déroulés. Que devient-il après ? Oh, emballer de la viande, des paquets : diverses utilisations, mille et une choses[22].

Glissant adroitement ses mots dans les pauses du cliquettement il dessina rapidement sur le bois éraflé.

MAISON DES CLÉS

— Comme ça, vous voyez. Deux clés croisées ici. Un cercle. Et puis là le nom Alexander Descley, négociant en thés, vins et spiritueux. Ainsi de suite.

Mieux vaut ne pas lui apprendre son propre travail.

— Vous savez très bien, monsieur le conseiller, ce qu'il veut. Puis en haut autour et en gras : la maison des clés. Vous comprenez ? Qu'en pensez-vous, c'est une bonne idée ?

Le prote dirigea sa main gratteuse vers sa dernière côte et se mit tranquillement à gratter.

— L'idée, dit M. Bloom, c'est la maison des clés. Vous me suivez, monsieur le conseiller, le parlement manxois[23]. Allusion au home rule. Touristes, vous savez, de l'île de Man. Ça accroche le regard, vous voyez. Vous pouvez le faire ?

Je pourrais peut-être lui demander comment on prononce ce *voglio*. Mais alors s'il ne sait pas ça sera d'autant plus embarrassant pour lui. Vaut mieux pas.

— Ça peut se faire, dit le prote. Vous avez le dessin ?

— Je peux l'avoir, dit M. Bloom. C'était dans un journal de Kilkenny. Il a une maison là-bas aussi. Je cours le lui demander. Bon, eh bien vous pouvez faire ça et un entrefilet pour attirer l'attention. Vous savez comme d'habitude. Un établissement de première classe. Tellement attendu. Et ainsi de suite.

Le prote réfléchit un instant.

— Ça peut se faire, dit-il. Qu'il nous donne une prolongation de trois mois.

Un compositeur lui apporta un placard flasque. Il se mit à le corriger en silence. M. Bloom demeura là, entendant la bruyante pulsation des leviers, regardant les compositeurs silencieux devant leurs casses.

ORTHOGRAPHIQUE

Faut qu'il soit sûr de son orthographe. Fièvre d'épreuves. Martin Cunningham a oublié de nous faire passer son test d'orthographe ce matin. C'est amusant de remarquer l'incomparable un r embarra deux ers je crois ? deux esses ment d'un colporteur harassé jaugeant la sym un seul em étrie d'une poire pelée sous le mur d'un cimetière[24]. Idiot, non ? Cimetière est là évidemment à cause de la symétrie.

J'aurais pu dire quand il a enfoncé son haut-de-forme. Merci. J'aurais dû dire quelque chose à propos d'un vieux chapeau, quelque chose comme ça. Non, j'aurais pu dire. Il a l'air comme neuf maintenant. Voir sa tête alors.

Sllt. Le barboteur inférieur de la première machine fit avancer sa table de réception et sllt la première fournée de papier plié en feuilles. Sllt. Presque humain comme elle sllt pour attirer l'attention. Fait de son mieux pour parler. Cette porte aussi sllt grince, demande à être refermée. Toute chose parle à sa façon. Sllt.

CONTRIBUTION DE CIRCONSTANCE D'UN ECCLÉSIASTIQUE CONNU

Le prote rendit le placard brusquement en disant :

— Attends. Où est la lettre de l'archevêque ? Il faut la reprendre dans le *Telegraph*[25] ? Où est machin-truc ?

Il regarda autour de lui ses bruyantes machines sans réponse.

— Monks, monsieur ? demanda une voix depuis le moule à cliché.

— C'est ça. Où est Monks ?

— Monks !

M. Bloom reprit sa coupure. Temps de partir.

— Bon, je vais chercher le dessin, monsieur Nannetti, dit-il, et vous le mettrez en bonne place j'en suis sûr.

— Monks !

— Oui monsieur[26].

Trois mois de prolongation. D'abord sortir ce que j'ai sur le cœur, tout ce vent. En tout cas essayer. Insister sur le mois d'août : bonne idée : mois de la saison hippique. Ballsbridge. Touristes venus pour le concours.

UN TITREUR[27]

Il traversa la salle des casses, passa devant un vieillard, courbé, portant lunettes et tablier. Le vieux Monks, le titreur. Tout un tas de choses étranges avaient dû lui passer entre les mains de son temps : notices nécrologiques, encarts pour des pubs, discours, actions en divorce, noyés. Au bout du rouleau maintenant. Un bonhomme sobre et sérieux avec des économies à la banque je parie. Épouse sait faire la cuisine et laver. Fille à la machine au salon. Aime bien sa mère, pas de grands espoirs.

ET CE FUT LA FÊTE DE LA PÂQUE

Il fit une pause pour observer un compositeur distribuant la fonte avec précision. Lit d'abord à l'envers. Rapidement il le fait. De la pratique ça doit demander[28]. mangiD. kcirtaP. Pauvre papa avec son livre de l'haggadah[29], lisant à l'envers avec le doigt pour moi. Pessah. L'an prochain à Jérusalem[30]. Oh, là là ! Toute cette longue histoire sur ce qui nous a fait sortir de la terre d'Égypte jusque dans la maison de servitude[31] *Alleluia. Shema Israël Adonaï Elohenu*[32]. Non, ça c'est l'autre. Et puis les douze frères, fils de Jacob[33]. Et puis l'agneau et le chat et le chien et le bâton et l'eau et le boucher et puis l'ange de la mort tue le boucher et il tue le bœuf et le chien tue le chat[34]. Ça paraît un peu idiot jusqu'à ce qu'on y regarde de plus près. Justice c'est ça que cela veut dire mais c'est tout le monde qui mange tous les autres. C'est ça la vie après tout. Comme il travaille rapidement. C'est en lisant qu'on devient liseron. On dirait qu'il voit avec ses doigts.

M. Bloom poursuivit sortit des bruits de cliquetis en passant par la galerie pour se rendre sur le palier. Maintenant je vais aller jusque là-bas en tram peut-être pour le trouver sorti. Vaudrait mieux lui téléphoner d'abord. Numéro ? Le même que la maison de Citron. Vingthuit. Vingthuit quatre et quatre.

POURTANT UNE FOIS DE PLUS CE SAVON

Il descendit l'escalier de l'immeuble. Mais qui diantre a gribouillé sur tous ces murs avec des allumettes ? On dirait que c'était un pari. Lourde odeur grasse planant toujours ici dans ces ateliers. Colle tiède chez Thom[35] à côté quand j'y étais.

Il prit son mouchoir pour se tapoter le nez. Citron-limon ? Ah oui, le savon que j'ai mis là. Vais le perdre dans cette poche. Rempochant le mouchoir il sortit le savon et le serra, boutonné dans la poche revolver de son pantalon.

Quel parfum est-ce que votre femme utilise ? Je pourrais encore rentrer chez moi : tram : une chose oubliée. Juste un coup d'œil : avant : toilette. Non. Ici. Non.

Un soudain glapissement de rire s'échappa du bureau de l'*Evening Telegraph*. Sais qui c'est. Quoi donc ? Entrer une seconde pour téléphoner. Ned Lambert c'est lui.

Il entra doucement.

ERIN, VERT JOYAU DE LA MER ARGENTÉE [36]

— Le spectre marche[37], murmura doucement, biscuitellement le professeur MacHugh à la vitre poussiéreuse.

M. Dedalus, son regard passant de la cheminée vide au visage railleur de Ned Lambert, demanda d'un ton revêche :

— Par le Christ en croix, mais j'en aurais presque des aigreurs dans le cul.

Ned Lambert, assis à la table, continua sa lecture :

— *Ou encore, notez les sinuosités de quelque ruisselet gazouilleur qui coule en babillant, encor que luttant contre les obstacles lithoïdes, jusqu'aux eaux bouillonnantes du bleu royaume de Neptune, emmi les rives mousseuses, rafraîchi par le plus suave des zéphyrs, dessous les glorieux rayons du soleil ou dans les ombres que le feuillage surplombant des géants de la forêt jette sur son sein pensif.* Qu'en pensez-vous, Simon ? demanda-t-il par-dessus la frange de son journal. Dans le genre élevé, non ?

— Il est passé à l'eau, dit M. Dedalus.

Riant, Ned Lambert frappait ses genoux avec le journal, répétant :

— *Le feuillage surplombant et le sein sans pif.* Eh bien, ça alors !

— Et Xénophon regardait Marathon, dit M. Dedalus, regardant de nouveau de la cheminée à la fenêtre, et Marathon regardait la mer[38].

— Ça suffit, cria le professeur MacHugh depuis la fenêtre. Je ne veux pas en entendre davantage.

Il avala le croissant de biscuit sec qu'il avait mordillé et, affamé, se prépara à mordiller le biscuit dans son autre main.

Ça se pousse haut col. Billevesées. Ned Lambert prend un peu de repos je vois. Ça vous chamboule la journée un enterrement. Il a de l'influence dit-on. Le vieux Chatterton, le président de l'université est son grand-oncle ou son arrière-grand-oncle. Presque quatrevingtdix ans dit-on. L'article nécrologique rédigé depuis longtemps peut-être. Vit pour les contrarier. Peut-être partira-t-il lui-même le premier. Johnny, faut laisser la place à ton oncle[39]. Le très honorable Hedges Eyre Chatterton. Suppose qu'il lui rédige quelques chèques tremblotants les jours de tempête. Un bon vent quand il mettra les voiles. Alléluia.

— Un autre spasme c'est tout, dit Ned Lambert.

— Qu'est-ce donc ? demanda M. Bloom.

— Un fragment de Cicéron récemment découvert, répondit le professeur MacHugh d'un ton plein de pompe. *Notre belle patrie*[40].

COURT MAIS PERTINENT

— La patrie de qui ? dit M. Bloom simplement.

— Question fort pertinente, dit le professeur entre ses mâchements. En mettant l'accent sur le qui.

— La patrie de Dan Dawson, dit M. Dedalus.

— C'est son discours d'hier soir ? demanda M. Bloom.

Ned Lambert acquiesça.

— Mais écoutez ça, dit-il.

La poignée de porte frappa M. Bloom dans le creux du dos quand la porte fut poussée.

— Excusez-moi, dit J. J. O'Molloy, entrant.

M. Bloom se glissa lestement sur le côté.

— Mais ce n'est rien, dit-il.

— Bonjour, Jack.

— Entrez. Entrez.

— Bonjour.

— Comment allez-vous, Dedalus ?

— Bien. Et vous-même ?

J. J. O'Molloy secoua la tête.

TRISTE

Le type le plus intelligent des espoirs du barreau qu'il était. Il décline le pauvre bonhomme. Cette rougeur hectique signifie la fin. Il ne tient plus qu'à un fil. Quel vent l'amène, je me le demande. Soucis d'argent.

— *Ou encore suffirait-il de gravir les sommets mantelés.*

— Vous avez très bonne mine.

— Le rédacchef est-il visible ? demanda J. J. O'Molloy, en regardant vers la porte du fond.

— Mais certainement, dit le professeur MacHugh. Visible et audible. Il est dans le saint des saints avec Lenehan[41].

J. J. O'Molloy s'approcha lentement du pupitre incliné et se mit à tourner à l'envers les pages roses[42] de la collection.

Clientèle en chute. Un auraitpuêtre. Perd courage. Le jeu. Dettes d'honneur. Récolte la tempête. Avait de bons honoraires chez D. and T. Fitzgerald. Leurs perruques pour montrer leur matière grise. Cervelle sur leur manche comme la statue à Glasnevin. Crois bien qu'il œuvre en littérature pour l'*Express* avec Gabriel Conroy. Beaucoup lu. Myles Crawford a commencé à l'*Independent*[43]. Bizarre comme ces types des journaux changent de cap quand ils ont vent d'une opportunité. Girouettes. Chaud et froid du même souffle. Peut pas savoir lequel croire. On entend une histoire et puis on entend la suivante. Se lancent des attaques têtebaissée dans les journaux et puis ils calent la voile. À tu et à toi l'instant suivant.

— Ah, écoutez ça bon Dieu, supplia Ned Lambert. *Ou encore suffirait-il de gravir les sommets mantelés…*

— Boursouflé ! interrompit le professeur avec humeur. Ça suffit avec cette outre gonflée !

— *Mantelés*, continua Ned Lambert, *dominant de toujours plus haut, afin de baigner nos âmes, pour ainsi dire…*

— Au bain, oui ! dit M. Dedalus. Dieu saint et éternel ! Oui ? Et il se fait payer pour ça ?

— *Pour ainsi dire, dans le panorama à nul autre second de l'album de l'Irlande, sans pareil, malgré les prototypes tant vantés pour leur grande beauté dans d'autres contrées glorifiées, de bocages boisés et de plaine onduleuse et de luxuriants pâturages d'un vert vernal, plongés dans la lueur transcendante translucide de notre doux et mystérieux crépuscule irlandais…*

— La lune, dit le professeur MacHugh. Il a oublié Hamlet[44].

SON PARLER NATAL[45]

— *Qui recouvre la perspective de tous côtés et attend que l'orbe brillant de la lune s'illumine et vienne irradier sa splendeur argentée.*

— Oh ! s'écria M. Dedalus, donnant vent à un grognement exaspéré, merde aux petits oignons ! Ça suffit, Ned. La vie est trop courte.

Il ôta son haut-de-forme et, soufflant impatiemment dans sa moustache broussailleuse, peigna ses cheveux à la galloise avec le peigne d'Almain.

Ned Lambert jeta le journal de côté, gloussant de plaisir. Un instant plus tard un aboiement de rire rauque éclata sur le visage mal rasé lunetté de noir du professeur MacHugh.

— Dawson la Galette[46] ! s'écria-t-il.

CE QUE DISAIT WHETHERUP[47]

C'est un peu facile de s'en moquer maintenant quand c'est froid et noir sur blanc mais ça s'avale comme des petits pains si je ne m'abuse. Il était dans la boulangerie je crois bien. Pour ça qu'on l'appelle Dawson la Galette. A bien fait sa pelote en tout cas. Fille fiancée à ce type du fisc avec une automobile. A bien ficelé tout ça. Divertissements. Table ouverte. Gros balthazar. Wetherup le disait toujours. Retenez-les par l'estomac.

La porte du fond fut violemment ouverte et un visage becqué écarlate, couronné par une crête de cheveux duveteux, surgit brusquement. Les yeux bleus hardis regardèrent tout autour et la voix aigre demanda :

— Qu'est-ce que c'est ?

— Et voici qu'arrive le gentilhomme à la gomme lui-même[48], dit le professeur MacHugh avec grandeur.

— Arrêtezmoiça, satané vieux pédagogue ! dit le rédacchef en guise de réponse.

— Venez, Ned, dit M. Dedalus, mettant son chapeau. Je dois boire quelque chose après ça.

— Boire ! s'écria le rédacchef. On ne sert pas à boire avant la messe.

— Et avec raison, dit M. Dedalus, en sortant. Allez, venez, Ned.

Ned Lambert se glissa le long de la table. Les yeux bleus du rédacchef se promenèrent jusqu'au visage de M. Bloom, ombré par un sourire.

— Venez-vous avec nous, Myles ? demanda Ned Lambert.

OÙ L'ON ÉVOQUE DE MÉMORABLES BATAILLES

— Milice de North Cork ! s'écria le rédacchef, avançant à grandes enjambées jusqu'au manteau de la cheminée. Nous avons toujours vaincu ! North Cork et officiers espagnols !

— Où était-ce, Myles ? demanda Ned Lambert en jetant un regard pensif à la pointe de ses chaussures.

— Dans l'Ohio[49] ! hurla le rédacchef.

— Et c'est bien vrai, ma foi, acquiesça Ned Lambert.

En sortant il murmura à J. J. O'Molloy :

— Les tremblements ne sont pas loin. Triste à voir.

— Ohio ! croassa le visage écarlate tendu du rédacchef d'une voix haut perchée. Mon Ohio !

— Un parfait crétique ! dit le professeur. Longue, courte et longue.

Ô, HARPE ÉOLIENNE !

Il sortit une bobine de fil gommé de la poche de son gilet et, en ayant brisé un morceau, le fit vibrer habilement entre deux et deux de ses résonnantes dents malpropres.

— Bingbang, bangbang.

M. Bloom, voyant que le champ était libre, se dirigea vers la porte du fond[50].

— Un instant, monsieur Crawford, dit-il. Je voudrais donner un coup de téléphone au sujet d'une publicité.

Il entra.

— Et cet éditorial de ce soir ? demanda le professeur MacHugh, s'approchant du rédacchef et posant une main ferme sur son épaule.

— Tout ira très bien, dit Myles Crawford d'un ton plus calme. Ne vous faites pas de bile. Hello, Jack. Ça va très bien.

— Bonjour, Myles, dit J. J. O'Molloy, laissant retomber mollement les pages qu'il tenait sur la collection. Parlera-t-on aujourd'hui de l'escroquerie du Canada ?

Le téléphone grésilla à l'intérieur.

— Vingthuit... Non, vingt... Quatre et quatre... Oui.

TROUVER LE GAGNANT

Lenehan sortit du bureau avec les papiers pelure du *Sport's*.

— Qui veut un couru d'avance pour la Gold Cup ? demanda-t-il. Sceptre monté par O. Madden.

Il jeta les feuilles sur la table.

Hurlements de crieurs de journaux pieds nus dans le vestibule s'approchant puis la porte s'ouvrit brutalement.

— Chut, dit Lenehan. J'en pends des tas.

Le professeur MacHugh traversa la pièce à grands pas et saisit par le col le garnement terrifié tandis que les autres se dispersaient dans le vestibule et dégringolaient l'escalier. Les papiers pelure bruissèrent dans le courant d'air, flottèrent doucement dans l'air gribouillages bleus pour aller toucher terre sous la table.

— C'est pas moi, monsieur. C'est le grand qui m'a poussé, monsieur.

— Flanquez-le dehors et fermez la porte, dit le rédacchef. Il souffle un ouragan.

Lenehan se mit à ramasser les papiers à tâtons, grognant en se courbant deux fois.

— On attend l'édition spéciale des courses, monsieur, dit le crieur de journaux. C'est Pat Farell qui m'a poussé, monsieur.

Il désignait deux visages qui les observaient depuis l'encadrement de la porte.

— Lui, monsieur.

— Dehors et qu'on ne vous voie plus, dit le professeur MacHugh avec brusquerie.

Il poussa le garçon dehors et fit claquer la porte.

J. J. O'Molloy feuilletait la collection crissamment, murmurant, cherchant :

— Suite page six, colonne quatre.

— Oui... Ici l'*Evening Telegraph*, téléphonait M. Bloom depuis le bureau. Le patron est-il... ? Oui, *Telegraph*... Où donc ?... Aha ! Quelle salle des ventes ?... Aha ! Je vois... Bon. Je le trouverai.

S'ENSUIT ALORS UNE COLLISION

La sonnette grésilla de nouveau à l'instant où il raccrochait. Il entra à toute vitesse et se cogna contre Lenehan, qui se débattait avec le second papier pelure.

— *Pardon monsieur,* dit Lenehan, se rattrapant un instant à lui et grimaçant.

— Ma faute, dit M. Bloom, sans se rebiffer d'être ainsi agrippé. Vous êtes-vous fait mal ? Je suis pressé.

— Genou, dit Lenehan.

Il fit une grimace comique et gémit, se frottant le genou :

— L'accumulation des *anno Domini.*

— Désolé, dit M. Bloom.

Il gagna la porte et, la maintenant ouverte, fit une pause. J. J. O'Molloy rabattait les lourdes pages dans un claquement. Le bruit de deux voix aiguës, d'un harmonica, résonnait dans le vestibule vide venant des crieurs de journaux accroupis sur les marches :

Nous sommes les gars du Wexford
Nos armes, un cœur et des mains [51].

EXIT BLOOM

— Je fais juste un saut jusqu'à Bachelor's walk, dit M. Bloom, au sujet de cette publicité de Descley. Je dois régler ça. On m'a dit qu'il est là-bas chez Dillon [52].

Il regarda un instant irrésolument leurs visages. Le rédacchef qui, appuyé sur le manteau de la cheminée, avait posé sa tête sur sa main brusquement étendit un bras en avant amplement.

— Allez ! dit-il. Le monde s'offre à vous[53].

— De retour tout de suite, dit M. Bloom, sortant rapidement.

J. J. O'Molloy prit les papiers pelure de la main de Lenehan et se mit à lire, soufflant doucement sur les feuilles pour les séparer, sans commentaire.

— Il obtiendra cette publicité, dit le professeur, regardant à travers ses lunettes noircerclées pardessus le brisebise. Regardez les petits garnements lui courir après.

— Faites voir. Où ? s'écria Lenehan, se précipitant à la fenêtre.

UN CORTÈGE DANS LA RUE

Tous deux souriaient par-dessus le brisebise en voyant la file de crieurs de journaux qui gambadaient dans le sillage de M. Bloom, le dernier faisant zigzaguer blanc dans la brise un cervolant moqueur, une queue de nœudspapillon blancs.

— Regardez-moi cette jeune merdaille derrière lui et la clameur de haro, dit Lenehan, et vous vous tordrez. Oh, ma côte rigolote ! Imitant ses pingots plats et sa démarche. Quarante-deux fillette. Pour surprendre les alouettes[54].

Il se mit à mazurker une rapide caricature sur le plancher devant la cheminée jusqu'à J. J. O'Molloy qui déposa les papiers pelure dans ses mains tendues.

— Qu'est-ce que c'est ? dit Myles Crawford avec surprise. Où sont partis les deux autres ?

— Qui ? dit le professeur, se tournant. Ils sont partis boire un verre à l'Oval. Paddy Hooper y est avec Jack Hall[55]. Est arrivé la nuit dernière.

— Allons-y alors, dit Myles Crawford. Où est mon chapeau ?

Il se dirigea d'un pas saccadé vers le bureau du fond, ouvrant le passepet de sa veste, faisant cliqueter les clés dans sa poche revolver. Elles cliquetèrent alors dans l'air et contre le bois lorsqu'il verrouilla le tiroir de son bureau.

— Il est bien parti, dit le professeur MacHugh à voix basse.

— C'est ce qu'il paraît, murmura, méditatif, J. J. O'Molloy, en sortant un étui à cigarettes, mais les apparences peuvent être trompeuses. Qui a le plus d'allumettes ?

LE CALUMET DE LA PAIX

Il offrit une cigarette au professeur et lui-même en prit une. Lenehan frotta promptement une allumette et leur donna du feu à l'un puis à l'autre. J. J. O'Molloy rouvrit son étui et le tendit.

— *Thanky vous*, dit Lenehan, qui en prit une.

Le rédacchef sortit de son bureau, canotier incliné sur le front. Il déclama en chantant, désignant sévèrement le professeur MacHugh :

> *Dignité et célébrité t'ont tenté,*
> *L'empire a charmé ton cœur*[56].

Le professeur grimaça, pinçant ses longues lèvres.

— Hein ? Ce foutu vieil empire romain ? dit Myles Crawford.

Il prit une cigarette dans l'étui ouvert. Lenehan, l'allumant avec une grâce alerte, dit :

— Silence pour ma devinette flambantneuve !

— *Imperium romanum*, dit J. J. O'Molloy doucement. Cela sonne plus noble que britannique ou

Brixton[57]. Le mot fait vaguement penser à de la graisse sur le feu.

Myles Crawford souffla violemment sa première bouffée vers le plafond.

— C'est ça, dit-il. Nous sommes la graisse. Vous et moi nous sommes la graisse sur le feu. Nous n'avons pas plus de chance qu'une boule de neige en enfer.

LA GRANDEUR QUE FUT ROME[58]

— Attendez un instant, dit le professeur MacHugh, levant deux calmes griffes. Ne nous laissons pas entraîner par les mots, par le son des mots. Nous pensons à Rome, impériale, impérieuse, impérative[59].

Il étira des bras élocutionnaires hors de manchettes élimées tachées, faisant une pause :

— Que fut leur civilisation ? Grande, je vous l'accorde : mais vile. *Cloacæ* : égouts. Les juifs dans le désert et au sommet de la montagne dirent : *Il est juste d'être ici. Bâtissons un autel à Jéhovah.* Le Romain, comme l'Anglais qui le suivit à la trace, n'apporta sur chaque nouveau rivage sur lequel il posait le pied (sur notre rivage il ne l'a jamais posé) que son obsession cloacale[60]. Il regardait autour de lui drapé dans sa toge et disait : *Il est juste d'être ici. Construisons un watercloset.*

— Ce que d'ailleurs ils ont toujours fait, dit Lenehan. Nos vieux ancêtres anciens, comme nous pouvons le lire dans le premier chapitre du livre de Guinness, appréciaient fort le cours de l'eau.

— C'étaient des gentlemen-nés selon la nature, murmura J. J. O'Molloy. Mais nous avons également le droit romain.

— Et Ponce Pilate est son prophète, rétorqua le professeur MacHugh.

— Connaissez-vous cette histoire à propos du lord baron Palles ? demanda J. J. O'Molloy. C'était au dîner de l'université royale. Tout se déroulait magnifiquement…

— D'abord ma devinette, dit Lenehan. Êtes-vous prêts ?

M. O'Madden Burke[61], grand en ample gris de tweed Donegal, entra par le vestibule. Stephen Dedalus, qui le suivait, se découvrit en entrant.

— *Entrez, mes enfants !* s'écria Lenehan.

— J'escorte un suppliant, dit M. O'Madden Burke mélodieusement. La Jeunesse conduite par l'Expérience rend visite à la Notoriété.

— Comment allez-vous ? dit le rédacchef, la main tendue. Entrez. Votre paternel vient de partir.

???

Lenehan leur dit à tous :

— Silence ! Quel opéra fait penser à la tonte des moutons ? Réfléchissez, cogitez, excogitez, répondez.

Stephen tendit les feuilles dactylographiées, montrant le titre et la signature.

— Qui ? demanda le rédacchef.

Bout déchiré.

— M. Garrett Deasy, dit Stephen.

— Ce vieux dosd'azur, dit le rédacchef. Qui l'a déchiré ? A-t-il été pris de court ?

D'une aile brûlante de zéphyr
Depuis le sud, trombe de fièvre
Voilà qu'il vient, pâle vampire,
Lèvres collées à mes lèvres[62].

— Bonjour, Stephen, dit le professeur, s'approchant pour regarder par-dessus leurs épaules. Fièvre aphteuse ? Êtes-vous devenu... ?

Barde bienfaiteurduboeuf.

ESCLANDRE DANS UN RESTAURANT COTÉ

— Bonjour, monsieur, répondit Stephen, rougissant. La lettre n'est pas de moi. M. Garrett Deasy m'a demandé de...

— Oh, je le connais, dit Myles Crawford, et j'ai également connu sa femme. La plus acariâtre de toutes les vieilles carnes que Dieu ait créées. Doux Jésus elle avait la fièvre affreuse ça c'est sûr ! Le soir où elle a jeté le potage à la tête du garçon au Star and Garter. Oho !

Une femme a introduit le péché dans le monde. Pour Hélène, l'épouse fugitive de Ménélas, dix années les Grecs. O'Rourke, prince de Breffni[63].

— Il est veuf ? demanda Stephen.

— Eh oui, mais au vert, dit Myles Crawford, parcourant le texte des yeux. Chevaux de l'empereur. Habsbourg. Un Irlandais lui sauva la vie sur les remparts de Vienne. Ne l'oubliez jamais ! Maximilien Karl O'Donnell, graf von Tirconnel en Irlande[64]. A récemment envoyé son héritier faire du roi un maréchal autrichien[65]. Il y aura un jour du grabuge là-bas[66]. Oies sauvages. Oh oui, chaque fois. Ne l'oubliez surtout pas !

— Ce qui compte c'est, l'a-t-il oublié, lui, dit J. J. O'Molloy calmement, retournant un fer à cheval pressepapier. Sauver les princes est une tâche ingrate.

Le professeur MacHugh se retourna contre lui.

— Et sinon ? dit-il.

— Je vais vous dire comment ça s'est passé, commença Myles Crawford. Il y avait un Hongrois qui un jour…

CAUSES PERDUES ON PARLE D'UN NOBLE MARQUIS[67]

— Nous avons toujours été loyaux envers les causes perdues, dit le professeur. Pour nous le succès est la mort de l'intellect et de l'imagination. Nous n'avons jamais été loyaux envers ceux qui réussissent. Nous les servons. J'enseigne la braillarde langue latine. Je parle la langue d'une race dont l'esprit a atteint son sommet dans la maxime : le temps c'est de l'argent. Domination matérielle. *Dominus !* Seigneur ! Lord ! Où est ta spiritualité ? Lord Jésus ! Lord Salisbury[68]. Un canapé dans un club du westend. Mais les Grecs !

KYRIE ELEISON[69] !

Un sourire lumineux illumina ses yeux noirscerclés, allongea ses longues lèvres.

— Les Grecs ! répéta-t-il. *Kyrios !* Mot éclatant ! Les voyelles que le Sémite et le Saxon ne connaissent pas. *Kyrie !* Le rayonnement de l'intellect. Je devrais enseigner le grec, la langue de l'esprit. *Kyrie eleison !* Le fabricant de cabinets et le fabricant de cloaques ne seront jamais seigneurs de notre esprit. Nous sommes les hommes liges de la chevalerie catholique d'Europe qui a sombré à Trafalgar et de l'empire de l'esprit, pas d'un *imperium*, qui a coulé avec les flottes athéniennes à Ægospotamos[70]. Oui, oui. Elles ont coulé. Pyrrhus, trompé par un oracle, fit une dernière tentative pour sauver le sort de la Grèce. Fidèle à une cause perdue.

Il s'éloigna d'eux à grands pas pour se diriger vers la fenêtre.

— Ils s'engageaient dans la bataille, dit M. O'Madden Burke en gris, mais ils perdaient toujours.

— Nouhou ! pleurnicha Lenehan en faisant un peu de bruit. Du fait d'une brique reçue dans la seconde partie de la *matinée*. Pauvre, pauvre, pauvre Pyrrhus !

Il chuchota alors près de l'oreille de Stephen :

LE LIMERICK DE LENEHAN

— *Le pesant MacHugh, ce vieux marabout*
Porte des lunettes couleur de cachou.
Si souvent il voit double
Alors, pourquoi ce trouble ?
Je ne vois pas le Jack O'Bear. Et vous ?

Porte le deuil de Salluste, dit Mulligan. Dont la mère est crevée comme une bête[71].

Myles Crawford enfonça les feuillets dans une poche latérale.

— Ça ira très bien, dit-il. Je lirai le reste après. Ça ira très bien.

Lenehan tendit les mains en guise de protestation.

— Mais la devinette que j'ai posée ! dit-il. Quel opéra fait penser à la tonte des moutons ?

— Opéra ? Le visage de sphinx de M. O'Madden Burke reposa.

Lenehan annonça avec triomphe :

— *L'Enlèvement d'Hélène*. Vous voyez le truc ? L'enlèvement des laines. Hein !

Il donna gentiment un coup de coude dans la rate

de M. O'Madden Burke. M. O'Madden Burke retomba avec grâce sur son parapluie, feignant un râle.

— À l'aide ! soupira-t-il. Je ressens une forte faiblesse.

Lenehan, se soulevant sur la pointe des pieds, lui éventa rapidement le visage avec les papiers pelure froufroutant.

Le professeur, revenant en longeant les collections, passa sa main sur les cravates défaites de Stephen et de M. O'Madden Burke.

— Paris, passé et présent, dit-il. Vous avez l'air de communards.

— De types qui auraient fait sauter la Bastille, dit J. J. O'Molloy avec une douce moquerie. Ou bien serait-ce vous qui avez assassiné le lord-lieutenant de Finlande à vous deux ? Vous m'avez tout à fait l'air d'avoir commis ce crime. Le général Bobrikoff[72].

— Nous n'avons encore fait qu'y penser, dit Stephen.

OMNIUM RASSEMBLUM

— Tous les talents, dit Myles Crawford. Le barreau, les classiques…

— Le turf, glissa Lenehan.

— La littérature, la presse.

— Si Bloom était ici, dit le professeur. Le noble art de la publicité.

— Et Madame Bloom, ajouta M. O'Madden Burke. La muse vocale. La grande favorite de Dublin.

Lenehan toussa bruyamment.

— Ahem ! dit-il à mi-voix. Oh, pour un soufre d'aile frais[73] ! J'ai pris froid dans le parc. Le portail était resté ouvert.

« VOUS EN ÊTES CAPABLE »

Le rédacchef posa une main nerveuse sur l'épaule de Stephen.

— Il faut que vous écriviez quelque chose pour moi, dit-il. Quelque chose d'un peu mordant[74]. Vous en êtes capable. Je lis cela sur votre visage. *Dans le lexique de la jeunesse*[75]...

Vois cela sur votre visage. Vois cela dans votre œil[76]. Sale petit paresseux sournois.

— Fièvre aphteuse ! apostropha le rédacchef, méprisant. Grand meeting nationaliste à Borris-in-Ossory[77]. Que des conneries ! On intimide le public ! Donnez-lui quelque chose d'un peu mordant. Mettez-nous tous dedans, et que son âme aille au diable ! Père, Fils et Saint-Esprit et ce M' Carthy de Merdeux.

— Nous pouvons tous fournir des aliments spirituels, dit M. O'Madden Burke.

Stephen leva les yeux et rencontra le regard fixe hardi indifférent.

— Il veut vous enrôler dans la bande des journaleux, dit J. J. O'Molloy.

LE GRAND GALLAHER

— Vous en êtes capable, répéta Myles Crawford, en serrant ses poings pour souligner ses propos. Attendez une minute. Nous paralyserons l'Europe comme le disait Ignatius Gallaher quand il battait l'antifle, était marqueur de billard au Clarence. Gallaher, en voilà, un journaliste. Ça c'était une plume. Vous savez comment il a laissé sa marque ? Je vais vous le dire. Dans le journalisme c'était le plus beau coup qu'on ait jamais vu. C'était en quatrevingtun, le six mai, l'époque des invincibles, du meurtre de Phœnix park, avant votre naissance, je suppose[78]. Je vais vous montrer.

Il passa devant eux et se dirigea vers les collections.

— Regardez ça, dit-il, se retournant. Le *New York World* avait câblé pour sortir une édition spéciale[79]. Vous vous souvenez de ce moment-là ?

Le professeur MacHugh hocha la tête.

— Le *New York World*, dit le rédacchef, son excitation le faisant repousser son canotier en arrière. Où ça s'est passé. Tim Kelly, non Kavanagh je veux dire, Joe Brady et tous les autres[80]. Là où Écorchèvre[81] a conduit le fiacre. Tout le parcours, vous voyez ?

— Écorchèvre, dit M. O'Madden Burke. Fitzharris. Il tiendrait l'abri du cocher, dit-on, là-bas à Butt bridge. Holohan me l'a dit. Vous connaissez Holohan.

— Hop la boum, c'est ça ? dit Myles Crawford.

— Et le pauvre Gumley est là-bas aussi, c'est ce qu'il m'a dit, surveille des pierres pour la municipalité. Un veilleur de nuit.

Stephen surpris se retourna.

— Gumley ? dit-il. Eh bien dites donc. Un ami de mon père, non ?

— Peu importe Gumley, Myles Crawford s'écria en colère. Que Gumley surveille ses pierres, qu'il vérifie qu'elles ne s'envolent pas. Regardez ça. Qu'a fait Ignatius Gallaher ? Je vais vous le dire. Une inspiration de génie. A câblé immédiatement. Avez-vous le *Weekly Freeman* du 17 mars ? Bien. Vous l'avez ?

Il tourna violemment les pages de la collection[82] et posa son doigt à un endroit précis.

— Prenez la page quatre, publicité pour le café Bransome disons. Vous l'avez ? Bien.

Le téléphone grésillait.

UNE VOIX LOINTAINE

— Je vais répondre, dit le professeur en s'éloignant.

— B est la grande porte du parc. Bien.

Son doigt bondissait et frappait un point après l'autre, vibrant.

— T est le pavillon du vice-roi. C le lieu du meurtre. K la porte Knockmaroon.

Les replis de son cou vibraient comme le fanon d'un coq. Son faux plastron malamidonné débordait et il le remit dans son gilet d'un geste vulgaire.

— Allô ? Ici l'*Evening Telegraph*… Allô ?… Qui est-ce ?… Oui… Oui… Oui…

— De F à P c'est la route que Écorchèvre a fait prendre à son fiacre pour l'alibi. Inchicore, Roundtown, Windy Arbour, Palmerston Park, Ranelagh. F. A. B. P. Vous avez ça ? X est le pub de Davy dans upper Leeson street.

Le professeur apparut à la porte du fond.

— Bloom est au téléphone, dit-il.

— Dites-lui d'aller se faire pendre, dit promptement le rédacchef. X est le pub de Burke, d'accord ?

ASTUCIEUX, TRÈS

— Astucieux, dit Lenehan. Très.

— Le leur a servi sur un plateau, dit Myles Crawford, toute cette foutue histoire.

Cauchemar dont tu ne te réveilleras jamais[83].

— J'ai vu ça, dit fièrement le rédacchef. J'étais présent, Dick Adams[84], le meilleur des foutus cœurd'or de Cork à qui le Seigneur a jamais insufflé la vie, et moi-même.

Lenehan s'inclina devant une forme aérienne, annonçant.

— Né de l'Éden. Et s'il est Abel, le bât se lis[85]...

— L'histoire ! s'écria Myles Crawford. La Vieille Femme de Prince's street[86] était là la première. Il y a eu des pleurs et des grincements de dents à ce sujet. À partir d'une publicité. Gregor Grey[87] l'a dessinée. Ça lui a mis le pied à l'étrier. Et puis Paddy Hooper a travaillé Tay Pay[88] qui l'a embauché au *Star*. Maintenant il est avec Blumenfeld[89]. Ça c'est de la presse. Ça c'est du talent. Pyatt[90] ! Il était leur papa à tous.

— Le père du journalisme catastrophe, confirma Lenehan, et le beau-frère de Chris Callinan[91].

— Allô ?... Vous êtes là ?... Oui, il est toujours ici. Venez donc vous-même.

— Où peut-on trouver aujourd'hui un journaliste comme lui, hein ? s'écria le rédacchef.

Il lâcha brutalement les pages.

— Satrément ascucieux, dit Lenehan à M. O'Madden Burke.

— Très malin, dit M. O'Madden Burke.

Le professeur MacHugh arriva du bureau.

— À propos des invincibles, dit-il, avez-vous vu que quelques vendeurs ambulants s'étaient retrouvés devant le président du tribunal correctionnel...

— Oh oui, dit J. J. O'Molloy avec empressement. Lady Dudley[92] traversait le parc à pied pour voir tous les arbres qui avaient été abattus par ce cyclone l'année dernière[93] et elle s'est dit qu'elle allait acheter une vue de Dublin. Et il s'est trouvé que c'était une carte postale commémorative de Joe Brady ou du Numéro Un ou de Écorchèvre. Juste devant le pavillon du vice-roi, imaginez un peu !

— Ils ne s'occupent que d'agrafes et d'œillets, dit Myles Crawford. Pfui ! La presse et le barreau ! Où trouverait-on aujourd'hui à la barre un homme comme ces types-là, comme Whiteside[94], comme Isaac Butt[95], comme O'Hagan languedargent[96] ? Hein ? Ah, rien que des bêtises ! Des statures d'à peine trois sous !

Ses lèvres continuèrent à frémir sans parler en un nerveux rictus de mépris.

Y aurait-il quelqu'un pour vouloir embrasser cette bouche ? Comment le sais-tu ? Pourquoi l'as-tu écrit alors ?

RIMES ET RAISONS

Lèvres, fièvres. Les lèvres peuvent-elles avoir la fièvre ? La fièvre a-t-elle des lèvres ? Ça doit l'être un peu. Fièvre, fier, hier, lierre, lièvre. Rimes : deux hommes vêtus pareil, aspect pareil, deux par deux[97].

. . . . *la tua pace*
. . . . *che parlar ti piace*
. . . *mentre che il vento, come fa, si tace.*

Il les vit trois par trois, des jeunes filles s'approchant, en vert, en rose, en feuillemorte, s'entrelaçant, *per l'aer perso* en mauve, en pourpre[98], *quella pacifica oriafiamma* en or des oriflammes, *di rimirar fè più ardenti*[99]. Mais moi vieillards, pénitents, piedsplombés, ensombredessous la nuit : lèvres fièvres : de profundis matrice[100].

— À vous de jouer, dit M. O'Madden Burke.

À CHAQUE JOUR SUFFIT…

J. J. O'Molloy, souriant avec pâleur, releva le gant.

— Mon cher Myles, dit-il, se débarrassant de sa

cigarette, vous interprétez mal mes paroles. Pour autant que je le sache à présent, je ne suis pas chargé de plaider pour la troisième profession [101] en tant que profession mais vos jambes de Cork [102] vous entraînent trop loin. Pourquoi ne pas invoquer Henry Grattan et Flood et Démosthène et Edmund Burke [103] ? Ignatius Gallaher nous est à tous fort connu de même que son patron de Chapelizod, Harmworth [104] et ses canards à un sou, et que la presse de caniveau de son cousin américain du Bowery [105], sans parler de *Paddy Kelly's Budget* [106], de *Pue's Occurrences* [107] et de notre ami vigilant *The Skibbereen Eagle* [108]. Pourquoi invoquer un maître de l'éloquence judiciaire tel que Whiteside ? À chaque jour suffit son journal.

LIENS AVEC LES JOURS PASSÉS D'ANTAN

— Grattan et Flood écrivaient pour ce journal-ci, lui cria au visage le rédacchef. Volontaires irlandais [109]. Où êtes-vous à présent ? Fondé en 1763. Le Dr Lucas [110]. Qui avez-vous aujourd'hui qui soit à la hauteur de John Philpot Curran [111] ? Pfui !

— Eh bien, dit J. J. O'Molloy, Bushe K. C., par exemple.

— Bushe ? dit le rédacchef. Bon, c'est vrai. Bushe, c'est vrai. Il en a un peu les accents dans le sang. Kendal Bushe ou je veux dire Seymour Bushe [112].

— Il aurait pris place sur le banc des magistrats depuis longtemps, dit le professeur, si seulement… Mais peu importe.

J. J. O'Molloy se tourna vers Stephen et lui dit doucement et lentement :

— Une des périodes les plus élégantes que j'aie

jamais entendues de ma vie est tombée des lèvres de Seymour Bushe. C'était dans cette affaire de fratricide, Childs accusé du meurtre. Bushe était avocat de la défense.

Et dans les porches de mienne oreille versa[113].

À propos comment a-t-il trouvé ça ? Il est mort dans son sommeil. Ou l'autre histoire, la bête à deux dos[114] ?

— C'est-à-dire ? demanda le professeur.

ITALIA, MAGISTRA ARTIUM

— Il parlait de la théorie des preuves[115], dit J. J. O'Molloy, de la justice romaine qu'il opposait au code mosaïque plus ancien, à la *lex talionis*. Et il mentionna le Moïse de Michel-Ange au Vatican[116].

— Ha.

— Quelques mots bien sentis, préfaça Lenehan. Silence !

Pause. J. J. O'Molloy sortit son étui à cigarettes.

Fausse accalmie. Quelque chose de très ordinaire.

Le messager sortit pensivement sa boîte d'allumettes et alluma son cigare.

J'ai souvent pensé depuis en me remémorant cette époque étrange que c'est ce petit geste, trivial en soi, le frottement de cette allumette, qui a déterminé toute la suite de nos deux vies[117].

UNE PÉRIODE ÉLÉGANTE

J. J. O'Molloy reprit, sculptant ses mots :

— Il a dit à ce sujet : *cette effigie marmoréenne de musique figée*[118]*, cornue et terrible, de la divine forme humaine, cet éternel symbole de sagesse et de prophétie* *qui, pour autant que l'imagination ou la main du sculpteur ayant gravé l'âmetransfigurée et l'âmetransfigurant dans le marbre mérite de vivre, mérite de vivre.*

D'un geste sa main déliée honora l'écho et la chute.

— Très beau ! dit immédiatement Myles Crawford.

— Le souffle divin, dit M. O'Madden Burke.

— Vous avez aimé ? demanda J. J. O'Molloy à Stephen.

Stephen, son sang charmé par la grâce du langage et du geste, rougit. Il prit une cigarette dans l'étui. J. J. O'Molloy tendit son étui à Myles Crawford. Lenehan alluma leurs cigarettes comme précédemment et prit son trophée, disant :

— Millibus mercibus.

UN HOMME D'UNE HAUTE VERTU MORALE

— Le professeur Magennis[119] me parlait de vous, dit J. J. O'Molloy à Stephen. Que pensez-vous vraiment de cette confrérie d'hermétiques[120], les poètes du silence opale[121] : A. E. le maître mystique ? C'est cette femme, Blavatsky[122], qui a tout commencé. C'était un sacré vieux sac à malice. A. E. a raconté à un interviewer yankee[123] que vous étiez allé le voir au petit matin pour lui poser des questions sur les plans de conscience. Magennis pense que vous vous payiez la tête d'A. E. C'est un homme d'une très haute vertu morale, Magennis.

Parlé de moi. Qu'a-t-il dit ? Qu'a-t-il dit ? Qu'a-t-il dit à mon sujet ? Ne demande pas.

— Non, merci, dit le professeur MacHugh, écartant d'un geste l'étui à cigarettes. Attendez un instant. Laissez-moi vous dire une chose. Le plus bel exemple d'éloquence qu'il m'ait jamais été donné d'entendre fut un discours prononcé par John F. Taylor à la société d'histoire de l'université[124]. M. Justice Fitzgibbon, l'actuel président de la cour d'appel, avait pris la parole et l'article dont nous débattions était un essai (une nouveauté à cette époque-là) exhortant au renouveau de la langue irlandaise.

Il se tourna vers Myles Crawford et dit :

— Vous connaissez Gerald Fitzgibbon. Vous pouvez donc imaginer le style de son discours[125].

— D'après la rumeur, dit J. J. O'Molloy, il siège avec Tim Healy[126] à la commission des domaines de Trinity college[127].

— Il siège avec une petite mignonne en robe d'enfant, dit Myles Crawford. Continuez. Eh bien ?

— C'était, remarquez bien, dit le professeur, le discours d'un orateur achevé, plein de morgue courtoise et déversant dans une diction châtiée je ne dirais pas les coupes de sa colère[128] mais déversant le mépris du superbe[129] sur le nouveau mouvement. C'était alors un nouveau mouvement. Nous étions faibles, donc sans valeur[130].

Il referma un instant ses longues lèvres minces mais, pressé de poursuivre, porta une main grandouverte à ses lunettes et, touchant légèrement d'un pouce et d'un annulaire tremblants leur monture noire, les installa pour mieux voir.

IMPROMPTU

Il s'adressa à J. J. O'Molloy sur un ton férial :

— Taylor, vous devez le savoir, était venu là directement de son lit de malade. Qu'il eût préparé son discours je ne le crois pas car il n'y avait pas un seul sténographe dans la salle. Son mince visage sombre était encadré d'un peu de barbe broussailleuse. Il portait un foulard lâchement noué autour du cou et il avait tout à fait l'air d'un mourant (ce qu'il n'était pas).

Tout d'un coup mais avec lenteur son regard alla du visage de J. J. O'Molloy à celui de Stephen avant de se baisser de nouveau vers le sol, cherchant. Son col en tissu non amidonné apparaissait derrière sa tête penchée, sali par ses cheveux clairsemés. Cherchant toujours, il dit :

— Quand Fitzgibbon eut terminé son discours John F. Taylor se leva pour répondre. En résumé, aussi fidèlement que je puisse m'en souvenir, ses mots furent ceux-ci [131].

Il releva la tête bien droit. Ses yeux rentrèrent une fois de plus en eux-mêmes. D'innocents mollusques nageaient dans les grosses lentilles de droite à gauche, cherchant une issue.

Il débuta :

— *Monsieur le président, mesdames et messieurs : Grande fut mon admiration en écoutant les remarques adressées à la jeunesse d'Irlande il y a quelques instants par mon érudit ami. Il me semblait avoir été transporté dans un pays très éloigné de ce pays-ci, à une époque distante de cette époque-ci, me trouver dans l'ancienne Égypte et écouter le discours d'un grandprêtre de cette contrée adressé au jeune Moïse.*

Ceux qui l'écoutaient tenaient leur cigarette en suspens pour mieux l'entendre, leurs fumées s'élevant en tiges frêles qui fleurissaient avec son discours. *Et que nos tortueuses fumées* [132]. Nobles mots en perspective. Attention. Pourrais-tu toi-même t'y essayer ?

— *Et il me semblait entendre la voix de ce grandprêtre égyptien s'élever en un ton d'une égale morgue et d'un égal orgueil. J'entendais ses paroles et leur signification me fut révélée.*

D'APRÈS LES PÈRES

Il me fut révélé que sont bonnes ces choses qui néanmoins corrompues qui si elles étaient souverainement bonnes ni à moins d'être bonnes, ne pouvaient se corrompre [133]. Ah, maudit sois-tu ! C'est saint Augustin.

— *Pourquoi vous les juifs n'acceptez-vous pas notre culture, notre religion et notre langue ? Vous êtes une tribu de pasteurs nomades : nous sommes un peuple puissant. Vous n'avez ni cités ni richesses aucunes : nos cités sont des ruches d'humanité et nos galères, trirèmes et quadrirèmes, chargées de toutes sortes de marchandises labourent les eaux du monde connu. Vous venez à peine d'émerger de l'état primitif : nous avons une littérature, une prêtrise, une histoire séculaire et une constitution politique.*

Nil.

Enfant, homme, effigie.

Près de la rive du Nil s'agenouillent les abébérigènes, berceau d'ajoncs : un homme agile au combat : pierrecornu [134], pierrebarbu, cœur de pierre.

— *Vous priez une idole locale et obscure : nos temples, majestueux et mystérieux, sont les demeures d'Isis et d'Osiris, d'Horus et d'Ammon Râ. À vous la servitude, la crainte et l'humilité : à nous le tonnerre et les mers. Israël est faible et peu nombreux sont ses enfants : l'Égypte est une multitude et redoutables sont ses armes. Vagabonds et journaliers, voilà comment on vous appelle : le monde tremble devant notre nom.*

Un rot muet de faim fendit son discours. Sa voix le couvrit avec hardiesse :

— *Mais, mesdames et messieurs, le jeune Moïse eût-il écouté et accepté cette vision de la vie, eût-il ployé la tête et ployé sa volonté et ployé son esprit devant cette arrogante admonition jamais il n'aurait emmené le peuple élu hors de la maison de servitude ni suivi de jour la colonne de nuée. Jamais il n'aurait conversé avec l'Éternel parmi les éclairs au sommet du mont Sinaï ni jamais n'en serait redescendu avec la lumière de l'inspiration brillant sur son visage et portant dans ses bras les tables de la loi, gravées dans la langue des hors-la-loi.*

Ayant achevé, il les regarda, appréciant le silence.

INQUIÉTANT — POUR LUI !

J. J. O'Molloy dit non sans regret :

— Et pourtant il mourut sans avoir pénétré sur la terre qui lui avait été promise[135].

— Un-décès-soudain-sur-le-moment-bien-que-du-fait-d'une-longue-maladie-préalablement-attendrie, dit Lenehan. Et avec un grand avenir derrière lui.

La troupe de pieds nus précipitée se fit entendre dans le vestibule et piétina dans l'escalier.

— Ça c'est de l'art oratoire, dit le professeur, non contredit.

Autant en emporte l'esprit[136]. Multitudes à Mullaghmast et à la Tara des rois[137]. Des miles d'oreilles de porches. Les mots du tribun hurlés et dispersés aux quatre vents. Un peuple se réfugie dans sa voix. Bruit mort. Mémoire akashique de tout ce qui partout n'importe où fut jamais[138]. Aimez-le et célébrez-le : moi c'est fini.

J'ai de l'argent.

— Messieurs, dit Stephen. Étant donné la motion qui suit sur l'ordre du jour puis-je suggérer qu'on lève la séance ?

— Vous me coupez le souffle. N'est-ce pas

d'aventure un compliment français ? demanda M. O'Madden Burke. C'est l'heure, me cuyde-t-il, où la cruche de vin, au sens métaphorique, est des plus agréables dans une hostellerie d'antan.

— Qu'il en soit ainsi et résolument résolu. Que tous ceux qui en sont partisans clament oui, déclara Lenehan. Le contraire non. Je déclare la motion adoptée. Vers quel chopinappentis particulier... Ma voix prépondérante va à : Mooney's[139] !

Il sortit le premier, exhortant :

— Nous refuserons rigoureusement de nous approcher des boissons fortes, ne pensez-vous pas ? Oui, nous ne le pensons pas. Absolument d'aucune façon.

M. O'Madden Burke, le suivant de près, dit en l'accompagnant d'une botte alliée de son parapluie :

— Frappe, Macduff[140] !

— Chasse de race ! s'écria le rédacchef, frappant Stephen sur l'épaule. Allons-y. Où sont ces foutues clés ?

Il fouilla dans sa poche, en tirant les feuilles dactylographiées froissées.

— Fièvre aphteuse. Je sais. Ça ira très bien. On le mettra. Où sont-elles ? C'est parfait.

Il remit les feuillets dans sa poche et pénétra dans le bureau.

ESPÉRONS

J. J. O'Molloy, s'apprêtant à le suivre, dit à Stephen sans élever la voix :

— J'espère que vous vivrez assez pour le voir publié. Myles, un instant.

Il entra dans le bureau, refermant la porte derrière lui.

— Venez donc, Stephen, dit le professeur. C'est

très bien, n'est-ce pas ? C'est une vision prophétique. *Fuit Ilium*[141] *!* Le sac de Troie battue des vents[142]. Royaumes de ce monde[143]. Les maîtres de la Méditerranée sont aujourd'hui des fellahs.

Le premier crieur de journaux dégringola les marches sur leurs talons et se précipita dans la rue, hurlant :

— Spécial courses !

Dublin. J'ai beaucoup, beaucoup à apprendre[144].

Ils tournèrent à gauche dans Abbey street.

— J'ai également une vision, dit Stephen.

— Oui, dit le professeur, avec un sautillement pour se mettre à son pas. Crawford suivra.

Un autre crieur de journaux les dépassa à toute allure, hurlant en courant :

— Spécial courses !

CHÈRE ET SALE DUBLIN[145]

Dublinois[146].

— Deux vestales dublinoises, dit Stephen, âgées et pieuses, ont vécu cinquante et cinquantetrois ans dans Fumbally's lane[147].

— Où est-ce ? demanda le professeur.

— Pas loin de Blackpitts[148], dit Stephen.

Nuit humide aux relents affamés de pâtapain. Contre le mur. Visage luisant de suif sous son châle de futaine. Cœurs frénétiques. Mémoire akashique. Plus vite, mon chou !

En scène maintenant. Ose-le. Que la vie soit.

— Elles veulent voir le panorama de Dublin depuis le sommet de la colonne Nelson. Elles économisent trois shillings dix pennies dans une tirelire boîtaux-lettres en ferblanc rouge. Elles secouent la boîte et font tomber les pièces de troispence et une de sixpence et en soutirent gentiment les pennies avec une lame de couteau. Deux shillings trois en pièces d'argent et un shilling sept en cuivre. Elles mettent leur bonnet et leurs habits du dimanche et emportent leur parapluie de peur que ça tourne à la pluie.

— Vierges sages, dit le professeur MacHugh.

LA VIE SUR LE VIF

— Elles achètent à Mlle Kate Collins [149], propriétaire, pour un shilling quatre de fromage de tête et quatre tranches de painmoulé à north city dans le restaurant de Marlborough street... Elles achètent vingt et quatre prunes mûres à une jeune fille au pied de la colonne Nelson pour calmer la soif du fromage de tête. Elles donnent deux pièces de troispence au monsieur qui est au tourniquet et commencent à monter lentement l'escalier en colimaçon en se dandinant, grognant, s'encourageant de la voix, ayant peur dans l'obscurité, haletant, l'une demandant à l'autre as-tu le fromage de tête, louant Dieu et la Sainte Vierge, menaçant de redescendre, jetant un regard par les meurtrières d'aération. Dieu soit loué. Elles ne s'étaient vraiment pas doutées que c'était aussi haut.

Leurs noms sont Anne Kearns et Florence MacCabe. Anne Kearns a le lumbago et pour ça se frictionne avec l'eau de Lourdes qu'elle tient d'une dame qui en a eu une bouteille d'un père passionniste. Florence MacCabe s'offre un piedporc et une bouteille de double X [150] pour son souper tous les samedis.

— Antithèse, dit le professeur, hochant deux fois la tête. Vierges vestales. Je les vois tout à fait. Qu'est-ce qui retient notre ami ?

Il se retourna.

Une volée de crieurs de journaux dégringolait les

marches à toute allure, s'éparpillant dans toutes les directions, hurlant, leurs journaux blancs frémissant. Juste derrière eux Myles Crawford apparut au bas des marches, son chapeau auréolant son visage écarlate, bavardant avec J. J. O'Molloy.

— Venez donc, s'écria le professeur, agitant le bras.

Il se remit à marcher aux côtés de Stephen.

— Oui, dit-il. Je les vois.

RETOUR DE BLOOM

M. Bloom, hors d'haleine, pris dans un tourbillon de crieurs de journaux excités près des bureaux du *Irish Catholic* et du *Dublin Penny Journal*[151], appela :

— Monsieur Crawford ! Un instant !

— *Telegraph !* Spécial courses !

— Qu'y a-t-il ? dit Myles Crawford, se laissant distancer d'un pas.

Un crieur de journaux brailla au visage de M. Bloom.

— Terrible tragédie à Rathmines ! Un enfant mordu par un soufflet !

INTERVIEW AVEC LE RÉDACCHEF

— Simplement cette publicité, dit M. Bloom, se frayant un chemin jusqu'aux marches, soufflant, et sortant la coupure de sa poche. Je viens d'en parler avec M. Descley. Il veut bien prolonger de deux mois, c'est ce qu'il dit. Après il verra. Mais il veut aussi un entrefilet pour attirer l'attention dans le *Telegraph*, l'édition rose du samedi. Et il le veut copié si ce n'est pas trop tard je l'ai dit au conseiller Nannetti du *Kilkenny People*. Je peux le consulter à la bibliothèque nationale. Maison des clés, vous comprenez ? Son nom est Descley. C'est un jeu de mots sur son nom. Mais il a pratiquement promis qu'il reconduirait. Mais il veut juste qu'on gonfle un peu tout ça. Que dois-je lui dire, monsieur Crawford ?

B. M. C.

— Pouvez-vous lui dire qu'il peut baiser mon cul ? dit Myles Crawford, avec un grand geste de bras. Dites-lui que ça vient tout droit de l'écurie.

Un peu nerveux. Gaffe aux coups de vent. Vont tous boire un coup. Bras dessus bras dessous. Lenehan à la rince avec sa casquette de yachtman. Baratin habituel. Me demande si le jeune Dedalus est l'esprit qui lui souffle ça. Bonne paire de chaussures qu'il a mises aujourd'hui [152]. La dernière fois que je l'ai vu on lui voyait les talons. A marché dans la boue quelque part. Garçon négligé. Que faisait-il à Irishtown [153] ?

— Eh bien, dit M. Bloom, ses yeux revenant, si je peux obtenir le dessin je suppose que ça vaut bien un petit entrefilet. Il donnera la publicité je crois. Je lui dirai…

B. M. R. C. I.

— Il peut baiser mon royal cul irlandais, cria très fort Myles Crawford par-dessus son épaule. Quand ça lui plaira, dites-le-lui.

Tandis que M. Bloom restait là à évaluer le mot et sur le point de sourire il repartit d'un pas saccadé.

DOUBLER LE CAP[154]

— *Nulla bona*[155], Jack, dit-il en levant une main jusqu'à son menton. J'en ai jusque-là. J'ai moi aussi été sur la corde raide. Je cherchais un type pour endosser une traite pas plus tard que la semaine dernière. Désolé, Jack. Le désir y est mais les moyens manquent. Ce serait de bon cœur si je pouvais trouver une façon de doubler le cap.

J. J. O'Molloy fit une triste mine et continua à avancer en silence. Ils rattrapèrent les autres et marchèrent de front.

— Quand elles ont mangé le fromage de tête et le pain et essuyé leurs vingt doigts sur le papier dans lequel le pain était enveloppé, elles s'approchent de la balustrade.

— Quelque chose pour vous, expliqua le professeur à Myles Crawford. Deux vieilles Dublinoises en haut de la colonne Nelson.

ÇA C'EST UNE COLONNE ! C'EST CE QUE DIT PREMIÈRE DINDINEUSE

— C'est nouveau, dit Myles Crawford. C'est de la copie. Pique-nique de la saint Crespin à Dargle. Deux vieilles truqueuses, eh ?

— Mais elles ont peur que la colonne tombe, poursuivit Stephen. Elles voient les toits et discutent pour savoir où sont les diverses églises : le dôme bleu de Rathmines, Adam and Eve, saint Laurence O'Toole. Mais elles sont prises de vertige à force de regarder du coup elles troussent leurs jupes…

CES FEMELLES LÉGÈREMENT TURBULENTES

— Du calme là-dedans, dit Myles Crawford, pas de licence poétique. Nous sommes ici dans l'archidiocèse.

— Et s'installent sur leurs jupons rayés, le regard fixé sur la statue de l'adultère Unemanche[156].

— Adultère Unemanche ! s'écria le professeur. Ça me plaît. Je vois l'idée. Je vois ce que vous voulez dire.

DEUX DAMES OFFRENT AUX CITOYENS DE DUBLIN VÉLOCITEUX AÉROLITHES[157] PRUNELLÉS, APPAREMMENT

— Elles en ont le torticolis, dit Stephen, et elles sont trop fatiguées pour lever ou baisser les yeux ou pour parler. Elles posent le sac de prunes entre elles et en mangent les prunes, une à une, essuyant avec leur mouchoir le jus de prune qui dégouline de leur bouche et crachant les noyaux de prune lentement à travers les barreaux.

Un rire soudain jeune et bruyant indiqua la fin. Lenehan et M. O'Madden Burke, l'entendant, se retournèrent, firent signe et commencèrent à traverser en direction de Mooney's.

— Fini ? dit Myles Crawford. Tant qu'elles ne font pas pire.

UN SOPHISTE DONNE UN COUP EN PLEIN SUR LA PROBOSCIDE DE L'ORGUEILLEUSE HÉLÈNE. LES SPARTIATES GRINCENT DES MOLAIRES [158]. LES ITHAQUIENS JURENT QUE PEN EST CHAMP

— Vous me rappelez Antisthène, dit le professeur, un disciple de Gorgias, le sophiste. On a dit de lui que personne ne savait s'il était plus amer envers les autres ou envers lui-même. Il était le fils d'un noble et d'une esclave. Et il écrivit un livre dans lequel il enleva la palme de la beauté à l'argienne Hélène pour la donner à la pauvre Pénélope [159].

Pauvre Pénélope. Penelope Rich [160].

Ils s'apprêtèrent à traverser O'Connell street.

ALLÔ, CENTRAL [161] !

À divers endroits le long des huit lignes les trams aux trolleys inertes étaient figés sur place, allant ou retournant à Rathmines, Rathfarnham, Blackrock, Kingstown et Dalkey, Sandymount Green, Ringsend et Sandymount Tower, Donnybrook, Palmerston Park et Upper Rathmines, tous immobilisés, encalminés par un court-circuit. Voitures de louage, fiacres, voitures de livraison, fourgons postaux, broughams privés, charrettes d'eau minérale aérée avec des casiers bringuebalants de bouteilles, bringuebalaient, roulaient, chevauxtirés, rapidement.

COMMENT ? — ET DE MÊME — OÙ ?

— Mais comment appelez-vous ça ? demanda Myles Crawford. Où avaient-elles trouvé les prunes ?

VIRGILIEN, DIT PÉDAGOGUE. SOPHOMORE [162] EMBRASSE THÉORIE VIEIL HOMME MOÏSE

— Appelez ça, attendez, dit le professeur, ouvrant grand ses longues lèvres pour réfléchir. Appelez-la, voyons voir. Appelez-la : *deus nobis hæc otia fecit* [163].

— Non, dit Stephen, je l'appelle *Vue de la Palestine depuis le mont Pisga* [164] *ou la Parabole des Prunes*.

— Je vois, dit le professeur.

Il rit richement.

— Je vois, dit-il encore une fois avec un plaisir renouvelé. Moïse et la terre promise. C'est nous qui lui en avons donné l'idée, ajouta-t-il pour J. J. O'Molloy.

HORATIO [165] EST CYNOSURE EN CE BEAU JOUR DE JUIN

J. J. O'Molloy lança un coup d'œil las, oblique vers la statue et garda le silence.

— Je vois, dit le professeur.

Il s'arrêta sur l'îlot pavé de sir John Gray et observa Nelson là-haut à travers le filet de son sourire amer.

RÉDUCTION DIGITALE SE MONTRE TROP ÉMOUSTILLANTE POUR FOLÂTRES FRONDEUSES. ANNE BRICOTTE, FLO FRICOTTE [166] — POURTANT POUVEZ-VOUS LES EN BLÂMER ?

— Adultère Unemanche, dit-il sévèrement. Je dois dire que ça me chatouille.

— A également chatouillé les vieilles, dit Myles Crawford, si la vérité du Dieu Tout-Puissant était connue.

Bonbons à l'ananas, sucettes au citron, caramels mous. Une fille toute poisseuse pelletant des quantités de fondants au chocolat pour un frère des écoles chrétiennes[1]. Goûter de récré. Mauvais pour leurs petits bedons. Réglisses et fruits confits, fournisseur de sa majesté le Roi. Dieu. Protège. Notre[2]. Assis sur son trône, suçant à blanc de rouges jujubes.

Un jeune homme sombre Y.M.C.A.[3] en faction au milieu des odeurs chaudes et sucrées de chez Graham Lemon mit un prospectus dans une main de M. Bloom[4].

Causeries cœur à cœur.

Sans… Moi ? Non.

Sang de l'Agneau.

Lents ses pieds le portèrent vers la rivière, lisant. Êtes-vous sauvés ? Tous lavés dans le sang de l'agneau[5]. Dieu réclame des victimes qui saignent. Naissance, hymen, martyre, guerre, fondation de monument, sacrifice, holocauste des rognons[6], autels des druides. Élie arrive. Le Dr John Alexander Dowie, restaurateur de l'église à Sion[7], il arrive.

Il arrive ! Il arrive !! Il arrive !!!
Soyez tous les bienvenus, du fond du cœur.

Un jeu qui rapporte. C'était Torry et Alexander l'an dernier[8]. Polygamie. Sa femme va mettre un frein à tout ça. Où elle était cette pub de je ne sais quelle boîte de Birmingham le crucifix fluorescent ? Notre Sauveur. Se réveiller au fin fond de la nuit et le voir sur le mur, suspendu. Le coup du fantôme à la Méliès. Immolé nous rachète immortel.

Du phosphore ça doit être fait avec du phosphore. Quand on laisse traîner un morceau de morue, par exemple. Je voyais bien l'argent bleuté sur le dessus. La nuit où je suis allé dans le garde-manger de la cuisine. Affreux, toutes ces odeurs là-dedans prêtes à vous sauter dessus. Qu'est-ce qu'elle voulait déjà ? Les raisins de Malaga. Elle pensait à l'Espagne. Avant la naissance de Rudy[9]. La phosphorescence, ce verdâtre bleuté. Très bon pour les neurones.

À l'angle de chez Butler en face du monument il jeta un œil dans Bachelor's walk[10]. La fille de Dedalus toujours là devant la salledesventes Dillon. Doit être en train de refourguer des vieux meubles. Ai reconnu aussitôt ses yeux à ceux de son père. Elle traînasse en l'attendant. Quand la mère s'en va tout fout le camp. Quinze enfants il a eu. Une naissance par an ou presque. C'est dans leur théologie sinon le prêtre n'accorde pas à cette pauvre femme la confession, l'absolution. Croissez et multipliez-vous[11]. Vous imaginez une chose pareille ? Vous bouffent et vous mettent à la rue[12]. Ils n'ont pas de familles à nourrir eux. Se font du gras sur le dos du pays. Leurs offices et leurs garde-manger. Je voudrais bien les voir faire le grand jeûne de Yom Kippour[13]. Petits pains du Vendredi saint[14]. Un seul repas et une collation de crainte qu'il s'évanouisse sur l'autel. La bonne d'un de ces gars-là, si on pouvait lui tirer les vers du nez. Impossible de lui tirer les vers du nez. Comme de lui faire cracher son fric à lui. Il se dorlote. Pas d'invités. Tout pour sa pomme. Il surveille ses urines. On apporte son boire et son manger. Mon révérend : Motus et bouche cousue.

Mon Dieu, la robe de cette pauvre enfant est en loques. Sous-alimentée aussi ça se voit. Pommes de terre et margarine, margarine et pommes de terre. C'est après qu'ils s'en ressentent. Telle pâte tel gâteau. Mine l'organisme.

Comme il mettait le pied sur O'Connell bridge un champignon de fumée émergea du parapet. Une péniche brasserie avec de la brune d'exportation. Angleterre. Le sel marin la surit, paraît-il. Ça serait intéressant un de ces jours d'avoir par Hancock un laissez-passer pour visiter la brasserie[15]. Tout un monde. Des cuves et des cuves de Guinness[16], fabuleux. Les rats aussi s'en mêlent. Boivent à s'en péter le ventre comme un chien qui flotte à la surface. Ivres morts de Guinness. Boivent à en dégueuler comme de simples chrétiens[17]. Penser qu'on boit ça ! Rats en rut dans les fûts. Oui bien sûr si on savait tout.

En regardant par-dessus bord il vit, qui battaient des ailes avec force, tournoyant entre les murs lugubres du quai, des mouettes. Sale temps au large. Si je me jetais en bas ? Le fils de Ruben J. a dû s'en boire une bonne tasse de ce jus d'égout. Un shilling huit de trop. Hum hum. C'est cette façon trop drôle qu'il a d'amener les choses. S'y entend pour raconter une histoire aussi.

Elles tournoyaient plus bas. Guettant la pâtée. Attendez.

Il lança entre elles une boule de papier froissé. Élie trente-deux pieds par sec. arr. Ça ne prend pas. Ignorée la boule ballotta dans les remous, flotta sous le pont et le long des piles. Pas si folles les bêtes. Et le jour où j'ai jeté ce gâteau rassis depuis l'Erin's King elles l'ont récupéré dans le sillage cinquante mètres en arrière. Vivent de leur vivacité. Elles tournoyaient, battant des ailes.

La mouette famélique tableau
Plane sur les mornes flots[18]

Voilà comment écrivent les poètes, des ressemblances sonores. Mais pourtant Shakespeare n'a pas de rimes : le vers blanc. Ce qui compte c'est que le langage coule. Les pensées. Solennel.

Hamlet, je suis l'esprit de ton père
Condamné pour un temps à parcourir le monde[19].

— Deux pommes pour un penny ! Deux pour un.

Son œil brillant fit le tour des pommes luisantes bien alignées sur son étal. Australiennes certainement à cette époque de l'année. Peau lustrée : elle les fait reluire avec un vieux chiffon ou avec un mouchoir.

Attendez. Ces pauvres oiseaux.

Il s'arrêta une nouvelle fois et acheta pour un penny à la vieille pommarchande deux petits sablés, en effrita la pâte friable et en jeta les morceaux dans la Liffey. Voyez-moi ça. Les mouettes foncèrent en silence à deux, puis toutes, depuis les hauteurs où elles se trouvaient elles fondirent sur la proie. Envolé. Jusqu'au moindre morceau.

Connaissant leur voracité et leur ruse il secoua les miettes poudreuses restées entre ses mains. Elles ne s'attendaient pas du tout à ça. Une manne. Vivre de poisson, ils ont une chair de poisson, tous les oiseaux des mers, les mouettes, les plongeons. Les cygnes d'Anna Liffey[20] descendent quelquefois jusqu'ici pour se lisser les plumes. Tous les goûts sont dans la nature. Me demande comment c'est la viande de cygne. Robinson Crusoé a bien dû en vivre[21].

Elles tournoyaient, battant faiblement des ailes. Je vais arrêter de leur en donner. Un penny c'est assez. Pour ce qu'elles m'en remercient. Pas le moindre cri. En plus elles propagent la fièvre aphteuse. Quand on gave, une dinde disons, avec de la farine de châtaigne, elle en prend le goût. Cochon tu manges cochon deviens. Mais comment se fait-il pourtant que les poissons d'eau salée ne soient pas salés ? Comment ça se fait ?

Ses yeux cherchaient une réponse dans la rivière quand ils tombèrent sur une barque à l'ancre balançant paresseusement sur la mélasse houleuse son panonceau.

Chez Kino
11 shillings
Pantalons.

Riche idée ça. Me demande s'il paie une redevance à la municipalité. Comment est-ce qu'on peut être propriétaire de l'eau au fait ? Elle ne cesse de couler en un courant, jamais identique, que dans le fleuve de la vie nous suivons. Car la vie est un fleuve[22]. Pour les publicités tous les endroits sont bons. Ce blaireau de la blenno s'était collé dans toutes les pissotières. On n'en voit plus jamais. Strictement confidentiel. Docteur Hy Franks. Ça ne lui coûtait pas un radis comme Maginni le professeur de danse[23] sa propre publicité. Trouvait des types pour les coller ou après tout il les collait lui-même en catimini lorsqu'il courait là-dedans pour se soulager. Le petit oiseau de nuit. Le lieu parfait. DÉFENSE DE CRACHER, DÉPENSE DE CACHETS. Un type avec une bonne poussée ça le brûle.

Et si lui...

Oh !

Eh bien ?

Non... Non.

Non, mais non. Je n'y crois pas. Pas lui, pas possible.

Non, mais non[24].

M. Bloom avançait en levant des yeux inquiets. Arrêtons de penser à ça. Une heure passée. À l'horloge du ballast office la boule est abaissée. L'heure de Dunsink[25]. Fascinant le petit livre de Sir Robert Ball[26]. Parallaxes[27]. Je n'ai jamais vraiment compris. Tiens, un prêtre. Pourrais lui demander. Par, c'est du grec : parallèle, parallaxe. Mets ton ptit chose elle appelait ça jusqu'à ce que je lui aie tout dit sur la transmigration. Ô mes bonbons.

M. Bloom mit un Ô mes bonbons dans le sourire qu'il adressa aux deux fenêtres du ballast office. Elle a raison après tout. Tout simplement des grands mots mis sur des choses ordinaires juste parce que ça sonne bien. On ne peut pas dire qu'elle soit spirituelle. Parfois carrément obscène. C'est sorti comme ça m'est venu. Et encore je ne sais pas. Elle disait que Ben Dollard avait une voix de basse bariltonnante. Ses jambes on dirait des barils et il avait l'air de chanter dans le fond d'un tonneau. Alors, ce n'est pas de l'esprit, ça ? Les autres l'appelaient big Ben. Moitié moins spirituel que de le traiter de basse bariltonnante. Vorace comme un albatros[28]. Vient à bout d'un baron de bœuf. D'un costaud quand il entreposait la bière Bass[29] numéro un. Baril de Bass. Vous voyez ? Tout ça colle parfaitement.

Une procession d'hommes en sarrau blanc avançait vers lui en marchant d'un pas militaire le long du caniveau, leurs placards ceinturés d'une bande rouge. Soldes. Comme le prêtre de ce matin : ici horribles supplices : ici hommes suppliciés. Il lut les lettres écarlates sur leurs cinq hauts chapeaux blancs : H. E. L. Y. S. Wisdom Hely's[30]. Y passant en queue de cortège tira un quignon de pain de dessous sa devanture, l'enfourna dans sa bouche et mastiqua en marchant. Notre nourriture de base. Trois balles par jour à marcher le long du caniveau, rue après rue. Juste pour avoir la peau sur les os, du pain et du brouet clair. Ils ne sont pas à Boyl : non : ce sont les hommes de M'Glade[31]. Ça ne fait pas mieux marcher les affaires. Je lui avais donné l'idée d'un char publicitaire transparent qui aurait ménagé la vue de deux jolies filles assises à l'intérieur en train d'écrire des lettres, cahiers, enveloppes, buvard. Je parie que ça aurait pris. Des jolies filles en train d'écrire, ça attire l'œil d'office. On meurt d'envie de savoir ce qu'elle écrit. Suffit de fixer son regard dans le vide pour en avoir vingt autour de soi. Faut qu'ils se mêlent de tout. Les femmes aussi. Curiosité. Statue de sel[32]. N'en voulait pas, naturellement, parce qu'il n'y avait pas pensé le premier. Comme la bouteille d'encre que je lui avais proposée avec une fausse tache en celluloïd noir. Ses idées de pubs genre conserves Plumtree sous les nécros, rayon viandes froides. Impossible de les lécher. Quoi ? Nos enveloppes. Salut ! Jones, où allez-vous ? Pas le temps, Robinson, je suis pressé, je vais acheter le seul effaceur d'encre valable, l'effaceur *Kansell*, qu'on trouve chez Hely's, 85 Dame street[33]. Suis largement au-dessus de la mêlée. Sacré boulot d'aller faire l'encaisseur dans les couvents. Le couvent de Tranquilla[34]. Il y avait là une bien gentille bonne sœur, un visage très doux. La guimpe du voile enrobait parfaitement sa petite tête. Sœur ? Sœur ? À voir ses yeux je suis sûr qu'elle avait connu un amour malheureux. Difficile de discuter affaires avec ce genre de femmes. Ce matin-là je l'ai dérangée pendant ses dévotions. Mais ravie de communiquer avec le monde extérieur. Notre grand jour, dit-elle. Fête de Notre Dame du Carmel. Nom très doux lui aussi : caramel. Elle savait, je pense qu'elle savait à la façon dont elle. Si elle s'était mariée, elle aurait changé. J'imagine qu'elles étaient vraiment à court d'argent. Faisaient revenir tous leurs aliments dans du bon beurre tout de même. Pour elles pas de saindoux. J'ai des haut-le-cœur quand je mange du saindoux. Elles aiment se tartiner de beurre à l'extérieur et à l'intérieur. Molly qui y goûtait, sa voilette relevée. Sœur ? La fille de Pat Claffey, le prêteur sur gages. C'est une bonne sœur, dit-on, qui a inventé le fil de fer barbelé [35].

Il traversa Westmoreland street juste après qu'apostrophe S fut passé près de lui d'un pas lourd. Les cycles Rover[36]. Il y a ces courses aujourd'hui. Depuis combien de temps, déjà ? L'année de la mort de Phil Gilligan[37]. Nous étions dans Lombard street west. Attendez, j'étais chez Thom. J'ai eu le boulot chez Wisdom Hely's l'année où on s'est mariés. Six ans. Ça fait dix ans : en quatre-vingt-quatorze il est mort, oui c'est ça, le grand incendie de chez Arnott. Val Dillon était lord-maire. Le dîner à Glencree[38]. Le conseiller municipal Robert O'Reilly qui a versé tout le porto dans sa soupe avant le coup d'envoi, Bébert se le sifflant pour le plus grand bien de son intérieur municipal. Impossible d'entendre ce que jouait l'orchestre. Pour tout ce que nous avons déjà reçu que le Seigneur nous[39]. Milly était toute gosse à ce moment-là. Molly portait sa robe gris souris avec des brandebourgs. Taillée comme un tailleur avec des boutons dans le même tissu. Elle ne l'aimait pas parce que je m'étais foulé la cheville le jour où elle l'a portée pour la première fois au pique-nique de la chorale à la Sugarloaf[40]. Comme si ça. Le haut-de-forme du vieux Goodwin foutu à cause d'un truc poisseux. Un pique-nique pour les mouches. N'a jamais eu sur le dos une robe aussi bien que celle-là. Lui allait comme un gant, des épaules aux hanches. Qui commençaient tout juste à se rembourrer. On a eu du pâté de lapin ce jour-là. Tous ces gens qui la suivaient du regard.

Heureux. Plus heureux dans ce temps-là. La gentille petite chambre avec son papier peint rouge de chez Dockrell, un shilling neuf les douze rouleaux. Le soir du bain de Milly. Du savon américain j'avais acheté : à la fleur de sureau[41]. L'odeur douillette de l'eau de son bain. Elle était rigolote toute savonnée et mousseuse. Et bien faite. Maintenant la photo. Le studio de daguerréotypie dont me parlait le pauvre papa. Goût héréditaire[42].

Il marchait le long du trottoir.

Le fleuve de la vie. Comment il s'appelait déjà ce type avec un air de curé qui lorgnait toujours chez nous en passant ? Faible vue, une femme. Il s'arrêtait chez Citron, St Kevin's parade. Pen quelque chose. Pendennis[43] ? Ma mémoire commence à. Pen... ? C'est sûr, ça remonte à des années. Le bruit des trams probablement. Et puis s'il n'arrive même pas à se rappeler le nom du titreur qu'il voit tous les jours.

À l'époque, Bartell d'Arcy était le ténor qui commençait à faire parler de lui. La raccompagnait après les répétitions. Un type maniéré avec ses moustaches effilées à la cire. Il lui avait donné cette chanson qui commence par *Le vent qui souffle du sud*[44].

C'était venteux cette nuit-là où je suis venu la chercher il y avait cette réunion de la loge[45] à propos de ces billets de loterie d'après le concert de Goodwin dans la salle des banquets ou la salle des fêtes de l'hôtel de ville. Lui et moi à l'arrière. Une feuille de sa partition s'est envolée de ma main pour se coller sur la grille du lycée. Heureusement qu'elle n'a pas. Un truc comme ça ça peut lui gâcher une soirée. Le professeur Goodwin accroché à elle, tout devant. Tremblotant de la guibolle, ce pauvre vieux pochtron. Ses concerts d'adieu. Toute dernière apparition sur scène. Peut-être pour un jour peut-être pour toujours[46]. Me souviens d'elle qui riait dans le vent, son col coupe-vent bien remonté. Au coin de Harcourt street me souviens de cette rafale ? bbrrrr ! Toutes ses jupes se soulevaient et son boa a quasiment étouffé le vieux Goodwin. Elle a rougi vraiment sous le vent. Me souviens qu'en rentrant nous avons gratté le feu et nous avons fait frire des tranches de selle de mouton pour son dîner avec la sauce Chutney qu'elle aimait tant. Et le rhum chaud. Pouvais la voir dans la chambre depuis la cheminée dégrafant le busc de son corset[47]. Blanc.

Le plouf souple et le froufrou de son corset retombant sur le lit. Encore tout chaud d'elle. Toujours contente de se le retirer. Encore assise là à presque deux plombes, ôtant ses épingles à cheveux. Milly emmitouflée dans sa gigoteuse. Heureux. Heureux. C'est la nuit où…

— Oh, monsieur Bloom, comment allez-vous ?

— Oh, et vous, madame Breen ?

— On ne va pas se plaindre. Comment va Molly ces temps-ci ? Pas vue depuis une éternité.

— Tout est rose, dit gaiement M. Bloom, savez-vous que Milly a trouvé un travail à Mullingar ?

— Eh bien dites-moi ! La voilà lancée.

— Oui, chez un photographe du coin. Ça va comme sur des roulettes. Comment va toute votre nichée ?

— On fait travailler le boulanger, dit Mme Breen.

Combien est-ce qu'elle en a, déjà ? pas d'autre en vue.

— Vous êtes en noir, je vois. Vous n'avez pas…

— Non, dit M. Bloom. J'arrive d'un enterrement.

Ça risque de revenir sur le tapis toute la journée, je

le sens. Qui est mort, quand, de quoi est-il mort ? Ça vous revient comme une fausse pièce.

— Mon Dieu, dit Mme Breen, j'espère que ce n'était pas un proche.

Après tout, autant profiter de sa sympathie.

— Dignam, dit M. Bloom. Un vieil ami. Il est mort assez brutalement, le pauvre. Un problème cardiaque, je crois. L'enterrement a eu lieu ce matin.

Ton enterrement est pour bientôt
Et dans le seigle tu fais l'idiot[48]
Tralalalalère
Tralalalala…

— C'est triste de perdre ses vieux amis, firent mélancolisses les beauxieux de Mme Breen.

Maintenant c'est assez sur le sujet. Mais prudemment : son mari.

— Et votre seigneur et maître ?

Mme Breen leva ses deux grands yeux. Toujours aussi beaux[49].

— Oh, ne m'en parlez pas, dit-elle. C'est un phénomène, un serpent à sornettes. Tenez, il est là-dedans avec ses codes en train de chercher la loi sur la diffamation. Il m'échauffe les oreilles. Attendez que je vous montre.

Un fumet de tête de veau s'échappait de chez Harrison avec la vapeur de roulés à la confiture et de feuilletés tout chauds. Le lourd relent de midi titillait les papilles de M. Bloom. Pour faire de la bonne pâtisserie, du beurre, la meilleure farine, du sucre de canne, sinon on s'en apercevrait avec le thé brûlant. Ou est-ce que ça vient d'elle ? Un petit vanupieds était en faction près du soupirail, humant les bonnes odeurs. Émousse ainsi l'aiguillon de la faim. Plaisir ou douleur ? Repas à un penny. Couteau et fourchette fixés à la table par une chaîne[50].

Elle ouvre son sac à main, du cuir râpé, son épingle à chapeau : il faudrait un étui à ces choses-là. Ça s'enfonce dans l'œil d'un type dans le tram. Elle farfouille. Ouvert. Argent. Je vous en prie, servez-vous. Des vraies diablesses quand elles perdent une pièce de six pence. Un boucan du tonnerre. Le mari qui s'en mêle. Où sont les dix shillings que je t'ai donnés lundi ? La famille de ton petit frère ne serait-elle pas en train de bouffer à mon râtelier ? Mouchoir sale : fiole de médicament. Ce qui avait dû être une pastille tomba. Est-ce qu'elle ?…

— Ça doit être la nouvelle lune, dit-elle. Ça ne lui réussit pas. Vous ne savez pas ce qu'il m'a fait cette nuit ?

Sa main cessa de farfouiller. Ses yeux le fixaient dilatés d'inquiétude et pourtant souriants.

— Quoi ? demanda M. Bloom.

Laissons-la parler. Regardons-la droit dans les yeux. Je vous crois. Faites-moi confiance.

— M'a réveillée en plein milieu de la nuit, dit-elle. Un rêve qu'il avait, un cauchemar.

Indigest.

— Prétendait que l'as de pique était en train de monter l'escalier.

— L'as de pique ! dit M. Bloom.

Elle prit une carte postale pliée en deux dans son sac à main.

— Lisez ça, dit-elle. Il l'a reçue ce matin.

— Qu'est-ce que c'est ? demanda M. Bloom en prenant la carte. H.S.

— H.S. Hors service [51], dit-elle. C'est quelqu'un qui se fiche de lui. Une honte pour eux quel qu'il soit.

— Ça c'est sûr, dit M. Bloom.

Elle reprit la carte en soupirant.

— Et le voilà parti à l'étude de Me Menton[52]. Il veut intenter une action de dix mille livres pour dommages et intérêts, qu'il dit.

Elle replia la carte et la glissa dans son sac en foutoir dont elle fit claquer le fermoir.

La même robe de serge bleue qu'elle portait il y a deux ans, son tissu décoloré et tout râpé. Elle a fait son temps. Des petits accroche-cœurs au-dessus des oreilles. Et cette toque démodée, trois vieilles grappes de raisins pour la rafraîchir. Élégance miteuse. Autrefois, elle s'habillait avec goût. Ridules autour de la bouche. Seulement un an à peu près de plus que Molly.

Il faut voir l'œil que cette femme lui a jeté en passant. Cruel. Le beau sexe n'est pas toujours joli-joli.

Il la regardait toujours, en gardant son malaise pardevers lui. Potage piquant à la tortue queue de bœuf soupe au curry. J'ai faim moi aussi. Miettes de gâteau sur le plastron de sa robe ; grumeau de farine collé à sa joue. Tarte à la rhubarbe généreusement fourrée, intérieur gorgé de fruit. Josie Powell alors. Chez Luke Doyle il y a belle lurette, Dolphin's Barn, les charades. H.S. : hors service.

Changeons de sujet.

— Est-ce qu'il vous arrive de croiser Mme Beaufoy, demanda M. Bloom.

— Mina Purefoy ? dit-elle.

Je pensais à Philip Beaufoy. Du Club des Amateurs de théâtre. Matcham pense souvent au coup de maître. Ai-je tiré la chaîne ? Oui. Dernier acte.

— Oui.

— Je viens de demander de ses nouvelles sur le chemin du retour pour savoir si elle était délivrée. Elle est à la maternité de Holles street. Le docteur Horne l'y a fait entrer. Cela fait maintenant trois jours qu'elle est mal.

— Oh, dit M. Bloom. Je suis désolé.

— Oui, dit Mme Breen. Et toute une bordée d'enfants à la maison. C'est un accouchement très difficile, m'a dit l'infirmière.

— Oh, dit M. Bloom.

Son regard lourd compatissant buvait ses paroles. Il fit claquer sa langue pour exprimer sa sympathie. Tst, tst !

— Je suis désolé, dit-il. Pauvre petite ! Trois jours ! C'est épouvantable.

Mme Breen opina.

— Ses douleurs ont commencé mardi…

M. Bloom lui toucha doucement le petit juif pour la mettre en garde.

— Attention ! Laissez-le passer celui-là.

Une forme osseuse avançait à grands pas dans le caniveau en tournant le dos à la rivière, fixant d'un regard extatique les rayons du soleil derrière un épais lorgnon équipé d'un ruban. Emboîté comme une calotte un petit chapeau enfermait sa tête. À son bras un cache-poussière plié, une canne et un parapluie se balançaient au rythme de sa marche.

— Regardez-le, dit M. Bloom. Il passe toujours au large des becs de gaz. Regardez !

— Qui est-ce, si je puis me permettre ? demanda Mme Breen. Est-ce qu'il a un grain ?

— Il s'appelle Cashel Boyle O'Connor Fitzmaurice Tisdall Farrell[53], dit M. Bloom en souriant. Regardez !

— Ça va, il n'en manque pas, dit-elle. Denis sera comme ça un de ces jours.

Elle rompit là brusquement.

— D'ailleurs le voici, dit-elle. Il faut que j'aille le rejoindre. Au revoir. Mon meilleur souvenir à Molly n'est-ce pas ?

— Je n'y manquerai pas.

Il la regarda se frayer un chemin parmi les passants

en direction des devantures. Denis Breen en redingote minable et chaussures de toile bleue sortait de chez Harrison en serrant contre son cœur deux gros bouquins. Quel bon vent vous amène. Comme autrefois. Il la laissa le rejoindre sans manifester de surprise et leva vers elle sa barbe d'un gris terne et sa mâchoire tremblotante pour lui parler avec ferveur.

Meshuggah[54]. Il a perdu la boule.

M. Bloom reprit tranquillement sa route, avec devant lui sous le soleil la calotte, et ballants, la canne, le parapluie et le cache-poussière. Sur son trente et un. Regardez-le ! Le revoilà en bas du trottoir. Une façon comme une autre de faire son chemin dans le monde. Et lui ce vieux fou errant attifé n'importe comment. Elle doit en voir avec lui.

H.S. Hors service. Je donnerais ma parole que c'est Alf Bergan[55] ou Richie Goulding. L'ont écrit histoire de rigoler au Scotch House, je parierais n'importe quoi. Un petit tour à l'étude Menton. Ses yeux d'huîtres exorbités sur la carte. Un banquet des dieux.

Il dépassa l'immeuble de l'*Irish Times*[56]. Il pourrait bien y avoir d'autres réponses qui traînent là. Aimerais répondre à toutes. Bon système pour les criminels. Code. L'heure du déjeuner. Le réceptionniste à lunettes qui est là ne me connaît pas. Oh, laissons-les mijoter. Je me suis assez embêté à en lire quarante-quatre de vaseuses. On demande dactylo expérimentée pour assister monsieur dans travaux littéraires. Je vous ai appelé méchant chéri parce que je n'aime pas ce mont-là. Je vous prie de me dire quel est le vrai sens. S'il vous plaît, dites-moi quel parfum est-ce que votre femme. Dites-moi qui a fait le monde. Leur façon de vous bombarder avec ces questions. Et l'autre là, Lizzie Twigg[57]. Mes essais littéraires ont eu l'honneur de rencontrer l'approbation de l'illustre poète A.E.

(M. Geo Russell). Pas le temps de se coiffer à boire un fond de thé et à lire un livre de poésie.

Le meilleur journal de très loin pour les petites annonces. A pris en province maintenant. Cuisinière et bonne à tout faire, exc. cuisine, femme de chambre nourrie logée. On demande homme très actif pour débit de boisson. Jeune fille respect. (cathol.) aimerait situation dans primeur ou charcuterie. James Carlisle[58] l'a fait. Six et demi pour cent de dividende. Grosse affaire sur les actions Coates[59]. Sans s'en faire. Un de ces Écossais rapiats et propres sur eux. Toutes les nouvelles lèche-bottes. Notre vice-reine gracieuse et populaire. A même racheté *The Irish Field* [60]. Lady Mountcashel tout à fait remise de ses couches a chassé à courre avec la meute de la Ward Union[61] le gibier qu'ils avaient lâché hier à Rathoath. Renard immangeable. Des viandards aussi. La peur injecte des sucs qui le rendent suffisamment tendre pour eux. Monte à califourchon. Elle grimpe son cheval comme un homme. Chasseresse de poids. Pas de selle de dame ni de coussinet pour elle, pas pour un empire. Première au rendez-vous et présente à la mise à mort. Fortes comme des juments certaines de ces femmes de cheval. Paradent dans les manèges. S'envoient un verre de brandy cul sec avant que vous ayez eu le temps de dire « ouille ». Comme l'autre à l'hôtel Grosvenor ce matin. Hop, la voilà dans la voiture : froufrout. Muret ou obstacle à cinq barres, elle le fait passer son cheval. Je pense que ce conducteur nezpaté l'a fait exprès. À qui donc ressemblait-elle ? Oh oui ? Mme Miriam Dandrade qui m'a vendu ses vieilles pelures et ses dessous de soie noire à l'hôtel Shelbourne. Une Sud-Américaine divorcée. S'en moquait comme de sa première culotte de me voir les toucher. Comme si j'étais son portemanteau. L'ai vue à la fête du vice-roi quand Stubbs le garde forestier m'y a fait rentrer avec Whelan de l'*Express*. Pour liquider ce que le beau monde avait laissé. Thé-buffet. La mayonnaise que j'ai mise sur les prunes en croyant que c'était de la crème anglaise. Ses oreilles ont dû lui en tinter ensuite pendant quelques semaines. Un taureau il lui faudrait. Une courtisane-née. Pas de bébé à torcher, merci bien.

Pauvre Mme Purefoy ! Mari méthodiste. De la méthode dans sa folie[62]. Déjeuner avec pain d'épices, lait et soda dans la laiterie-école[63]. Y.M.C.A. Mangent avec un chronomètre, trente-deux mastications à la minute. Mais ses favoris en côtelettes de mouton continuaient à pousser. On dit qu'il a de la famille bien placée. Le cousin de Théodore au château de Dublin[64]. Un parent qui fait bien dans chaque famille. Des belles plantes qu'il lui offre chaque année. L'ai vu devant les Trois Joyeux Pochards défilait nu-tête avec son fils aîné tout en en transportant un autre dans un filet à provisions. Les brailleurs. Pauvre petite. Et puis devoir donner le sein année après année à toute heure du jour et de la nuit. Égoïstes ces AA. Chien du jardinier[65]. Un seul sucre dans mon thé, je vous prie.

Il s'arrêta au carrefour de Fleet street. Pause déjeuner à six pence chez Rowe ? Faut que je cherche pour cette annonce à la bibliothèque nationale. À huit pence chez Burton. Meilleur. Sur mon chemin.

Il dépassa le magasin Bolton dans Westmoreland street. Thé. Thé. Thé. J'ai oublié de taper Tom Kernan[66].

Tsss. Tst, tst, tst ! Trois jours faut voir à gémir dans un lit avec un mouchoir trempé de vinaigre sur son front, son ventre prêt à éclater ! Pffou ! Absolument effrayant ! La tête de l'enfant trop grosse : forceps. Recroquevillé à l'intérieur il doit essayer de trouver son chemin à l'aveugle en cognant, à tâtons pour trouver la sortie. Ça me tuerait. Une chance, Molly s'en est tirée sans trop de problèmes. On devrait inventer un moyen d'arrêter ça. La vie aux travaux forcés. L'idée de la semi-anesthésie : on l'a faite à la reine Victoria[67]. Neuf elle en a eu. Une bonne pondeuse. Il était une fois la vieille margot qui vivait dans un sabot et qui avait eu tant de marmots. Imaginez qu'il soit tuberculeux[68]. Il serait temps que quelqu'un y pense plutôt que de pérorer sur quoi déjà le sein pensif de la splendeur argentée[69]. Des balivernes à donner à bouffer à des balourds. Ils pourraient facilement avoir de grandes maisons. Toute l'affaire quasi sans douleur sur tous les impôts donner à chaque enfant qui naît cinq livres avec intérêts composés jusqu'à sa majorité, cinq pour cent ça fait cent shillings et toujours ces cinq livres, multipliez par vingt, système décimal, encourager les gens à mettre de l'argent de côté à se faire cent dix et même un peu plus vingt et un ans faudrait faire le calcul avec un papier et un crayon ça monte à une coquette somme, plus qu'on pourrait croire.

Pas les enfants mort-nés bien sûr. Ils ne sont même pas déclarés. Des ennuis pour rien.

Drôle d'en voir deux ensemble, le ventre en avant. Molly et Mme Moisel. La réunion des mères. La phtisie s'éloigne pendant cette période, puis elle revient. Comme elles paraissent plates après tout d'un coup ! Leurs yeux apaisés. Leurs consciences soulagées. La vieille Mme Thornton était bien brave comme vieille dame. Tous mes bébés elle disait. Une cuiller de bouillie pour elle, une cuiller pour eux. Oh, c'est miammiam. A eu la main écrasée par le fils du vieux Tom Wall. Sa première intervention publique. La tête grosse comme une citrouille primée. Une chique ambulante ce docteur Murren. Des gens à le sonner à toute heure. Pour l'amour du ciel, docteur. Ma femme a ses contractions. Ensuite, les laissent attendre des mois leurs honoraires. Pour soins donnés à votre femme. Aucune reconnaissance chez les gens. Humains les docteurs, presque tous.

Devant la porte monumentale du parlement irlandais[70] un groupe de pigeons s'égailla. Leurs petits ébats d'après le repas. Sur qui allons-nous laisser tomber ça ? Je vise ce mec en noir. Et voilà. Ça porte bonheur. Ça doit être excitant de faire en l'air. Apjohn, moi et Owen Goldberg[71] en haut des arbres près de Goose Green on jouait à faire les singes. Ils me traitaient de maquereau.

Une escouade d'agents déboucha de College street, marchant en file indienne. Pas de l'oie. Visages congestionnés par la bouffe, casques dégoulinants de sueur, ils tapotaient leur matraque. Après qu'ils se sont envoyé une charge de soupe bien grasse sous le ceinturon. Le sort d'un agent c'est pas dégoûtant[72]. Ils se séparèrent en petits groupes puis se dispersèrent, après force saluts, vers leurs postes. À chacun son pâturage. L'idéal pour en attaquer un c'est au moment du pudding. Un direct dans son dîner. Une autre escouade, qui marchait en ordre dispersé, tourna à la hauteur des grilles de Trinity College[73] en route pour le poste. Direction l'abreuvoir. Prêts à affronter la cavalerie. À eux la bonne soupe.

Il traversa sous le doigt espiègle de Tommy Moore[74]. Ils ont bien fait de l'installer au-dessus d'une pissotière : le confluent. Devrait y avoir des endroits pour les femmes. Elles se précipitent dans les pâtisseries. Me refaire une beauté. *Il n'est pas une vallée dans ce vaste monde*. Un des grands airs de Julia Morkan. Qui a gardé toute sa voix jusqu'à la fin. Une élève de Michael Balfe[75], non ?

Il suivit des yeux la large tunique du dernier agent. Des clients qu'il faut se faire. Jack Power pourrait raconter toute une histoire : son père, un poulet.

Quand un type leur faisait des ennuis et renâclait il lui en cuisait méchamment une fois au trou. Peut pas le leur reprocher après tout avec le métier qu'ils font en particulier les débutants. Ce type de la police montée le jour où Joe Chamberlain[76] recevait son diplôme de Trinity College on lui en a donné pour son argent. Ma parole qu'il en a eu. Les sabots de son cheval qui claquaient à notre poursuite dans Abbey street. Une chance que j'aie eu la présence d'esprit de plonger chez Manning ou j'étais cuit. Il s'est pris une de ces gamelles, nom de dieu. A dû se fendre le crâne sur les pavés. Je n'aurais pas dû me laisser embringuer par ces carabins. Et les bizuths de Trinity College avec leurs bonnets carrés. Cherchent les ennuis. Pourtant c'est là que j'ai fait la connaissance du jeune Dixon qui m'a mis une compresse sur ma piqûre au Mater et maintenant il est dans Holles street où Mme Purefoy. Tout s'enchaîne. Le sifflet de la police encore dans mes oreilles. Ils ont tous déguerpi. Pourquoi il s'est acharné sur moi. Me mettre en taule. Juste ici ça a débuté.

— Vivent les Boers !

— Un ban pour De Wet[77] !

— Joe Chamberlain au poteau !

Les imbéciles : une bande de jeunes clébards gueulards prêts à s'étriper. Vinegar hill[78]. La fanfare de la guilde des Crémiers[79]. Quelques années après la moitié d'entre eux magistrats et fonctionnaires. La guerre survient : à se bousculer à l'armée : les mêmes qui autrefois chantaient si pendus haut et court.

On ne sait jamais à qui on a affaire. Corny Kelleher il a quelque chose d'une balance dans le regard. Comme ce Peter ou Denis ou James Carey qui a vendu la mèche pour les invincibles. Faisait aussi partie de la municipalité. Cuisinait les jeunes pour connaître les dessous. Se faisait des sous tout ce temps-là au service de la Secrète. Laissé tomber comme une vieille chaussette. Voilà pourquoi ces hommes en civil font toujours la cour aux bonnes. On le repère vite l'homme habitué à l'uniforme. La serrer de près contre la porte de derrière. La brutaliser un peu. Et puis le plat suivant. Et qui c'est ce monsieur qui ne décolle pas d'ici ? Est-ce que le jeune maître avait dit quelque chose ? Tom le voyeur. Appelant. Jeune étudiant au sang chaud folâtrant autour de ses gros bras repassant.

— Est-ce que c'est à vous, Mary ?

— Je porte pas des trucs pareils… Arrêtez ou je le dirai à Madame. Dehors la moitié de la nuit.

— On se prépare de grands moments, Mary[80]. Attends et tu verras.

— Ah, laissez-moi avec vos grands moments qui se préparent.

Les serveuses aussi. Les petites buralistes.

L'idée de James Stephens était la meilleure[81]. Il les connaissait bien. Des cercles de dix, pour que chaque type ne puisse frayer que dans son propre cercle. Sinn Fein[82], nous seuls. S'en aller c'est le couteau assuré. La Main secrète[83]. Rester, et c'est le peloton d'exécution. La fille du geôlier l'a fait évader de Richmond et les voilà partis de Lusk. S'est mise à l'hôtel Buckingham Palace juste sous leur nez. Garibaldi[84].

Il faut avoir un certain charisme : Parnell. Arthur Griffith il a une tête bien faite mais il n'a pas le sens du peuple. Faut blablater sur notre merveilleuse patrie. Des salades. Salon de thé de la Dublinoise de Boulangerie. Sociétés des débats. Que la république est la meilleure forme de gouvernement. Que la question de la langue devrait primer la question économique. Faites en sorte que vos filles les attirent chez vous. Bourrez-les de viande et de boisson. L'oie de la Saint-Michel[85]. Voici pour vous un bon morceau de cou farci au thym. Reprenez encore un peu de ce jus d'oie avant qu'il ne refroidisse. L'appel du ventre. Pour un petit pain à un penny on marche derrière la fanfare[86]. Pas de bénédicité pour celui qui découpe. La pensée que c'est l'autre qui paie la meilleure sauce du monde. Font comme chez eux. Voyons voir un peu ces abricots, voulant dire ces pêches. Un jour viendra point trop lointain. Le soleil du Home Rule se lèvera au nord-ouest.

Son sourire disparut, il continuait sa marche, un nuage lourd dissimulait progressivement le soleil, une ombre descendait sur la façade revêche de Trinity. Les tramways se croisaient, montaient, descendaient, tintinnabulaient. Inutilité des mots. Les choses continuent de même ; jour après jour : des escouades de policiers sortent en rang, elles rentrent : les tramways vont et viennent. Ces deux timbrés qui traînent. Dignam rayé de la carte. Mina Purefoy ventre gonflé gémissant sur son lit pour qu'on lui sorte son enfant un bon coup. Un qui naît quelque part toutes les secondes. Un qui meurt toutes les secondes. Depuis que j'ai donné à manger aux oiseaux cinq minutes. Trois cents ont cassé leur pipe. Trois cents autres sont nés, on nettoie le sang, ils sont tous lavés dans le sang de l'agneau, braillant mééééé.

Toute une ville disparaît, une autre la remplace, disparaît à son tour : une autre viendra et elle disparaîtra. Maisons, rangées de maisons, rues, kilomètres de trottoirs, empilements de briques, pierres. Qui changent de mains. Ce propriétaire-ci, celui-là. Le proprio ne meurt jamais, dit-on. Un autre se glisse dans ses chaussures quand il reçoit son préavis. Ils se paient le lieu avec de l'or et ils conservent quand même tout l'or. Il y a de l'escroquerie dans l'air. Empilés dans les villes, rongés par les siècle. Pyramides dans le sable. Bâties à coups de pain et d'oignons. Esclaves muraille de Chine. Babylone. Restes de monolithes. Tours rondes[87]. Restent les décombres, les banlieues qui s'étendent, bâties à la va-comme-je-te-pousse, les bicoques de Kerwan[88], bâties sur du vent. Asile de nuit.

On n'est rien.

C'est la pire heure de la journée. Vitalité. Terne, lugubre : déteste cette heure. Me sens comme si j'avais été mangé et recraché.

La maison du doyen. Le révérend docteur Salmon[89]: saumon en conserve. Bien conservé ici. N'y vivrais pas pour un empire. Pourvu qu'ils aient du foie et du bacon aujourd'hui. La nature a horreur du vide.

Le soleil se dégageait lentement et faisait des flaques de lumière dans l'argenterie exposée en face dans la devanture de Walter Sexton devant laquelle John Howard Parnell passa, sans rien voir.

Le voilà : le frère[90]. Son portrait craché. Un visage obsédant. Pour une coïncidence c'en est une. Sûr que des centaines de fois on pense à quelqu'un et on ne le rencontre pas. Un vrai somnambule. Personne ne le connaît. Doit y avoir une réunion du conseil municipal aujourd'hui. On dit qu'il n'a jamais porté son uniforme de premier prévôt depuis qu'il occupe cette fonction. Charley Boulger, lui, sortait sur son grand cheval, tricorne sur la tête, torse bombé, poudré et rasé de près. Regardez-moi cette allure d'enterrement. A dû manger un œuf pourri. Des yeux pochés sur canapé, un spectre. J'ai un peu mal. Le frère du grand homme : le frère de son frère. Il aurait l'air fin sur la monture officielle. Va probablement faire un petit tour à la DB pour prendre un café, il y joue aux échecs. Son frère se servait des hommes comme de pions. Qu'ils aillent tous se faire voir. Peur de dire quoi que ce soit sur lui. Il les glace tous avec ce regard qu'il a. C'est ça le charisme : le nom. Tous un peu fêlés. *Fanny la folle* et son autre sœur Mme Dickinson[91] qui conduisait son équipage avec un harnais écarlate. Droite comme un i comme le chirurgien M'Ardle. Et pourtant David Sheehy[92] l'a battu dans la circonscription de Meath south. S'est porté candidat pour patrouiller les Chiltern Hundreds[93] et s'est retiré dans la vie publique. Le banquet d'un patriote. À manger des pelures d'orange dans le parc[94]. Simon Dedalus a dit quand ils l'ont fait entrer au Parlement que Parnell sortirait de sa tombe pour le bouter hors des Communes.

— De la pieuvre à deux têtes, l'une des têtes est celle sur laquelle les extrémités du monde ont oublié de se rejoindre et l'autre parle avec un accent écossais[95]. Les tentacules…

Ils dépassèrent M. Bloom le long du trottoir. Barbe et bicyclette. Jeune femme.

Et le voici aussi celui-là. En voilà vraiment une de coïncidence : deuxième fois. Les événements futurs projettent leurs ombres à l'avance. L'approbation de l'illustre poète M. Geo Russell. Ça pourrait bien être Lizzie Twigg avec lui. A.E.[96] : à quoi ça peut correspondre ? Peut-être des initiales. Albert Edward[97], Arthur Edmond, Alphonsus Eb Ed Em Émérite. Que disait-il à l'instant ? Les extrémités du monde avec un accent écossais. Tentacules : pieuvre. Quelque chose d'occulte : du symbolisme. Il pérore. Elle gobe tout. Sans rien dire. Pour assister monsieur dans travaux littéraires.

Il suivit du regard la haute silhouette portant tweed, barbe et bicyclette[98], à ses côtés une femme qui l'écoute. Sortent du restaurant végétarien. Rien que de la légumixture et des fruits. Ça mange pas un steak. Sinon, les yeux de cette vache vous poursuivront pour l'éternité entière. Ils disent que c'est meilleur pour la santé. Que des gaz et de l'eau oui. J'ai essayé. Vous êtes obligé d'y aller toute la journée. Mauvais comme du hareng saur. Des cauchemars toute la nuit. Pourquoi appelaient-ils cette chose qu'ils m'ont servie steak de noix ? Noixariens. Fruitariens. Pour vous donner l'illusion que vous mangez du rumsteak. N'importe quoi. Et puis salé. Ils cuisinent au bicarbonate. Vous oblige à rester toute la nuit à côté du robinet.

Ses bas plissent sur ses chevilles. J'ai horreur de ça : tellement négligé. Tous ces littérateurs quels personnages éthérés. Rêveurs, nébuleux, symbolistes. Des esthètes, c'est ça. Je ne serais pas surpris si c'était cette nourriture-là voyez-vous qui produisait ces espèces de vagues dans le cerveau le poétique. Par exemple un de ces sergents qui sue dans sa chemise son ragoût de mouton ; on ne lui presserait pas une goutte de poésie du citron. Ne sait même pas ce que c'est la poésie. Faut être dans une certaine disposition.

La mouette rêveuse dans le ciel pâlot
Ondule nébuleuse sur les mornes flots

Il traversa au coin de Nassau street et fit une halte à la devanture de Yeates et fils, évaluant le prix des jumelles. Ou si je faisais un saut chez le vieux Harris pour tailler une bavette avec le petit Sinclair ? Un type bien comme il faut. Probablement en train de déjeuner. Faudrait que je me fasse régler mes vieilles jumelles. Lentilles Goerz[99], six guinées. Les Allemands réussissent à s'infiltrer partout. Vendent à bas prix pour s'emparer du marché. Vente à perte. Peut-être que par hasard je pourrais tomber sur une paire aux objets trouvés de la gare. Étonnant ce que les gens peuvent laisser derrière eux dans les trains ou dans les consignes. À quoi ils peuvent bien penser ?

Les femmes aussi. Incroyable. L'année dernière en allant à Ennis[100] j'ai dû ramasser le sac de cette fille de fermier et le lui tendre à l'arrêt de Limerick. Et tout l'argent non réclamé. Il y a une petite montre là-haut sur le toit de la banque pour tester ces jumelles.

Ses paupières se plissèrent au point de dissimuler pratiquement ses iris. Peux pas la voir. Si on sait que c'est là on arrive presque à voir. Peux pas la voir.

Il fit demi-tour et tout en restant entre les calicots, il tendit le bras droit en direction du soleil. Ai souvent voulu en faire l'expérience. Oui : complètement. Le bout de son petit doigt dissimula le disque solaire[101]. Doit être le foyer où les rayons se croisent. Si j'avais des lunettes noires. Intéressant. Il était beaucoup question de ces taches du soleil[102] quand nous étions à Lombard street west. De formidables explosions en fait. Il va y avoir une éclipse totale cette année : quelque part à l'automne.

Maintenant que j'y pense, cette boule descend à l'heure de Greenwich. C'est l'horloge qui est reliée par un fil électrique à Dunsink. Faut que j'aille me balader par là un premier samedi du mois. Si je pouvais me faire recommander auprès du professeur Joly[103] ou me renseigner sur sa famille. Ça marcherait pour : on se sent toujours flatté. Vanité là où on s'y attend le moins. Un noble fier de descendre d'une quelconque maîtresse du roi. Sa grand'aïeule. Faites-en des tonnes. Qui a des atouts est invité partout. Surtout ne pas entrer et sortir ce qu'on sait qu'on ne devrait pas : c'est quoi, une parallaxe ? Reconduis ce monsieur à la porte.

Ah.

Il laissa retomber sa main.

On n'en saura jamais rien. Perte de temps. Des boules de gaz qui tournent à toute allure qui se croisent et qui passent. Toujours la même chanson.

Un gaz, puis un solide, puis un monde, puis froid, puis une coquille vide qui erre [104], un roc glacé comme ce rocher à l'ananas. La lune. Ça doit être la nouvelle lune, elle a dit. Je crois qu'elle a raison.

Il passa près de la Maison Claire.

Attendez. La pleine lune c'était la nuit qu'on était exactement dimanche il y a quinze jours, c'est la nouvelle lune. On marchait près de la Tolka [105]. Pas mal comme lune panoramique genre Fairview. Elle fredonnait : La jeune lune de mai resplendit, mon amour aussi. Lui de l'autre côté. Coude, bras. Lui. Le ver luiiisant resplendit, mon amour aussi. Frôlement. Doigts. Question. Réponse. Oui.

Assez. Assez… Si ça a eu lieu ça a eu lieu. Obligé.

M. Bloom, le souffle court, ralentit le pas et dépassa Adam court.

Après une petite pause repos ses yeux se remirent à observer : voici la rue en pleine journée les épaules en bouteilles de Perrier de Bob Doran. Sa petite entorse annuelle, dit M'Coy. Ils boivent pour dire ou faire quelque chose ou *cherchez la femme*. Montent en haut de la Coombe avec des potes et des putes et puis le reste de l'année sobres comme des chameaux.

Oui. Bien ce que je pensais. Se faufile à l'Empire. Disparu. De l'eau de Vichy lui ferait du bien. C'est là où Pat Kinsella avait son théâtre de la Harpe [106] avant que Whitbred ne lançât le Queen. Une bonne pâte. Une sorte de Dion Boucicault [107] avec sa face de lune et son bonnet riquiqui. Trois Petites Demoiselles de Pensionnat [108]. Comme le temps passe, hein ? On lui voyait un long pantalon rouge qui dépassait de ses basques. Buveurs, buvant, étranglés de rire, avalant de travers. À la bonne tienne, Pat. Rubicond : blagues pour poivrots : fumée et rires gras. Retire-moi ce chapeau blanc. Ses yeux de merlan frit. Où peut-il être maintenant ? À mendier quelque part. La harpe qui autrefois nous a mis sur la paille[109].

J'étais plus heureux dans ce temps-là. Mais était-ce bien moi ? Ou bien est-ce maintenant que je suis moi ? J'avais vingt-huit ans. Elle vingt-trois quand nous avons quitté Lombard street west depuis il y a eu quelque chose de changé. Plus pris de plaisir du tout à faire ça après Rudy. On ne fait pas revenir le passé. Comme de tenir de l'eau dans sa main. Tu voudrais revenir en ce temps-là ? Tout recommencer. Vraiment ? N'êtes-vous pas heureux en ménage mon pauvre petit méchant garçon ? Veut me recoudre mes boutons. Je dois donner une réponse. L'écrirai à la bibliothèque.

Grafton street toute gaie avec ses calicots déployés aiguisa ses sens. Imprimés de mousseline, dames vêtues de soie et douairières, cliquetis de harnais, bassourdesabots sur la chaussée en train de cuire sous le soleil. Quels poteaux elle a cette femme avec ses bas blancs. Pourvu que la pluie les lui crotte bien. Quelle grosse courge bouffie. Toutes les bouseuses étaient là. Ça donne toujours la démarche gauche à une femme. Molly a un air pas d'aplomb.

Il musarda à la devanture de Brown Thomas, soieries. Du ruban en cascade. Vaporeuses soies de Chine. Une urne inclinée déversait de son col un flot de popeline rouge sang : sang lustral. Les huguenots ont importé ça ici. *La causa è santa*[110] *!* Tsouin tsouin. Magnifique ce chœur. Tsouin tsouin. Se lave à l'eau de pluie. Meyerbeer. Tsouintsouin : boum boum boum.

Des pelotes à épingles. Il y a longtemps que je menace d'en acheter une. Elle en pique partout. Des aiguilles jusque dans les tentures.

Il dénuda légèrement son avant-bras gauche. Éraflure : presque disparue. En tout cas pas aujourd'hui.

Je dois retourner pour cette lotion. Pour son anniversaire peut-être. Juinjuilletaoûtseptembre le huit. Pas loin de trois mois. Et puis ça pourrait ne pas lui plaire. Les femmes ne ramassent pas les épingles. Elles disent que ça coupe l'am [111].

Soies chatoyantes, jupons pendus à de fines tringles de cuivre, rayons entiers de bas de soie.

Inutile de revenir en arrière. C'était fatal. Dis-moi tout.

Voix haut perchées. Soie chaude de soleil. Harnais qui tintinnabulent. Tout pour la femme et pour la maison, étoffes soyeuses, argenterie, fruits juteux, épices de Jaffa. Agendath Netaïm. Tous les trésors du monde.

Un sentiment d'humanité ronde et chaude envahit son cerveau. Son cerveau s'abandonna. Un parfum d'embrassements l'assaillait tout entier. Sa chair avide confusément implorait en silence d'adorer [112].

Duke street. Nous y sommes. Faut que je mange. Chez Burton. Me sentirai mieux après.

Il tourna au coin de Combridge, toujours obsédé. Bruit sourd des sabots claquetant. Des corps parfumés, chauds, des formes pleines. Tous embrassés, abandonnés : dans les champs au plus profond de l'été, l'herbe foulée emmêlée, dans les couloirs humides des immeubles, sur des canapés, dans des lits qui craquent.

— Jack, mon amour !

— Ma chérie !

— Embrasse-moi, Reggy !

— Mon petit garçon !

— Mon amour !

Le cœur battant il poussa la porte du restaurant Burton. La puanteur le saisit à la gorge, il tremblait déjà : épais jus de viande, brouet de légumes. Voyez comme se nourrissent les animaux.

Des hommes, des hommes, des hommes.

Perchés sur de hauts tabourets de bar, le chapeau en arrière, à table réclamant encore du pain à volonté, buvant à grandes lampées, engloutissant à pleine gueule des quantités de mauvaise bouffe, les yeux exorbités, essuyant leurs moustaches trempées. Un jeune homme blême au visage adipeux faisait reluire ses timbale couteau fourchette et cuiller avec sa serviette. Un nouveau bataillon de microbes. Un homme avec autour du cou un bavoir maculé de sauce engloutissait sa soupe à pleine cuiller avec force bruits de bouche. Un homme recrachait dans son assiette : un cartilage à moitié mastiqué : pas les dents pour le mamamacher. Côte de mouton grillée. Finissait par l'avaler. Le regard triste de l'alcoolo. Les yeux plus gros que le ventre. Est-ce que je suis comme ça ? Se voir comme les autres nous voient. Homme affamé, homme enragé. Travaille de la mâchoire et de la dent. Attention ! Oh ! Un os ! C'est ce dernier roi païen d'Irlande Cormac[113] dans la poésie qu'on apprend en classe qui s'est étranglé à Sletty au sud de la Boyne. Qu'est-ce qu'il pouvait bien manger ? Une chose goulucieuse. Saint Patrick l'a converti au christianisme. N'a tout de même pas pu tout avaler.

— Un rosbif au chou.

— Un ragoût, un.

Odeurs d'hommes. Ça lui soulevait le cœur. Sciure à glaviots, fumée douceâtre et tiédasse de la cigarette, relent de chique, flaques de bière, pisse biéreuse de ces hommes, l'odeur de renfermé de la fermentation.

Impossible d'avaler une bouchée dans cet endroit. Le type qui aiguise son couteau et sa fourchette, pour s'envoyer tout ce qu'il a devant lui, ce vieux qui récure ses chicots. Des ruminants, petit spasme, le plein, on remâche ce qui est remonté. Avant et après. Les grâces après le repas. Regardez-moi ce tableau, et puis celui-là[114]. Ils saucent le restant de ragoût avec des mouillettes de pain. Lèche ton assiette, mon vieux ! Allons-nous-en.

Il considéra les mangeurs attablés et ceux au bar, en pinçant les narines.

— Deux mousses, deux.

— Un bœuf en gelée avec du chou.

Ce type qui se fourrait dans la bouche des quantités de chou avec son couteau comme si sa vie en dépendait. Bonne pioche. Ça me rend nerveux rien que de le regarder. Plus sage pour lui de manger avec sa troisième main. Dépecez-le membre après membre. Sa seconde nature. Né avec un couteau en argent dans la bouche. Elle est pas mal, celle-là. Bof. En argent veut dire qu'on naît riche. Né avec un couteau. Mais on perd l'allusion.

Un serveur avec son tablier à moitié défait ramassait à grand bruit les assiettes collantes. Rock, l'huissier[115], debout au bar, soufflait sur le faux col de sa chope. Bien visé : elle alla faire une giclée jaune près de sa bottine. Un mangeur, couteau et fourchette dressés, les coudes sur la table, fin prêt pour le second service, fixait le monte plat par-dessus son carré de journal tout graisseux. Un autre gars lui adressait la parole la bouche pleine. Quelle oreille sympathique. Propos de table. Chlai enchontré lunchdi tans l'Unchster Bunk. Ah ? Vous m'en direz tant ?

M. Bloom, hésitant, porta deux doigts à ses lèvres. Ses yeux semblaient dire :

— Pas ici. Je ne le vois pas.

Dehors. Je ne supporte pas les gens qui mangent salement.

Il battit en retraite. Je prendrai un petit morceau chez Davy Byrne. Un en-cas. Ça m'aidera à tenir. J'ai pris un bon petit déjeuner.

— Un rôti purée à la trois.
— Un demi.

Chacun pour soi, bec et ongles. Goulée. Gorgée. Goulée. Goulegueule.

Il se retrouva dans un air plus pur et revint sur ses pas en direction de Grafton street. Manger ou être mangé. Tue-le ! Tue-le !

Imaginons un peu cette cuisine communautaire qui nous attend peut-être un jour. Tout le monde trottant avec des écuelles et des gamelles à remplir. On en dévorerait le contenu dans la rue. John Howard Parnell par exemple, le doyen de Trinity College tous les enfants à leur maman sans parler des doyens et du doyen de Trinity femmes et enfants, cochers, prêtres, pasteurs, maréchaux, archevêques. Venant d'Ailesbury road, de Clyde road, des quartiers ouvriers, de l'asile nord de Dublin, le maire dans son carrosse en pain d'épices[116], la vieille reine dans sa petite voiture[117]. Mon assiette est vide. Après vous et votre hanap municipal. C'est comme à la fontaine de Sir Philip Crampton[118]. On essuie les microbes avec son mouchoir. Le type suivant en remet une fournée avec le sien. Le père O'Flynn[119] les ferait courir. On s'y bousculerait quand même. Tout pour sa pomme. Les enfants se battraient pour lécher le fond de la marmite. Faudrait une marmite aussi grande que Phoenix Park. On y harponnerait des morceaux de lard et des gigots. On se prendrait à détester tous ses voisins. Comme au City Arms Hotel[120] ce qu'elle appelait *La table d'hôte*. Soupe, plat garni et dessert. On ne sait jamais la pensée de qui on est en train de mâcher. Mais qui laverait toutes les assiettes et toutes les fourchettes ? Peut-être qu'à cette époque on se nourrira seulement de cachets. Les dents devenant de plus en plus mauvaises.

Après tout il y a du vrai dans ce délicat goût

végétarien des produits de la terre l'ail, c'est sûr, ça pue l'oignon craquant des joueurs d'orgue de barbarie italiens, les champignons les truffes. La souffrance des animaux aussi. Plumer et vider une volaille. Les malheureuses bêtes au marché aux bestiaux qui attendent que le merlin leur fende le crâne. Meuh. Les pauvres veaux tout tremblants. Meuh. Flanchet de meuglard. Bœuf au chou. Chez les bouchers, le mou tremblote dans les seaux. Mets-nous ce morceau de poitrine qui est accroché là. Flop. Têtedemort et vieuxtibias. Moutons écorchés les yeux vitreux pendus par les pattes, museaux de mouton dans du papier sanguinolent les narines dégouttant de la confiote sur la sciure. Pour la tête et les déchets, à la caisse. Ne sabote pas ces morceaux, toi le petit jeune.

Du sang frais encore chaud, on le prescrit à ceux qui dépérissent. On a toujours besoin de sang. Insidieux. Le lécher, encore fumant, un sirop épais. Spectres affamés, vampires[121].

Ah, j'ai faim.

Il entra chez Davy Byrne. Vertubistrot. Il n'est pas bavard. Offre un verre de temps en temps. Une fois tous les quatre ans les années bissextiles. A endossé un chèque pour moi une fois.

Qu'est-ce que je vais bien pouvoir prendre ? Il tira sa montre. Voyons. Un panaché ?

— Salut Bloom ! lança Naze Flynn depuis son coin.

— Salut Flynn.

— Comment va ?

— Impecc… Voyons. Je vais prendre un verre de bourgogne et puis… voyons voir.

Des sardines sur les étagères. Rien qu'à les voir on a l'impression d'en manger. Un sandwich ? Lotte et sa descendance assaisonnées ici et enfournées dans du pain. Pâté en boîte. Une maison n'est pas une maison sans les conserves Plumtree. Il lui manque quelque chose. Quelle pub imbécile ! Sous les notices nécrologiques ils l'ont collée. Tous fichus avec ou sans conserve. Dignam en boîte. Bon pour les cannibales accompagné de citron et de riz. Ces missionnaires blancs sont tellement salés[122]. Comme du porc en saumure. On attend du chef qu'il consomme les parties nobles. Devaient sûrement être coriaces à force d'exercice. Ses femmes en rang devant lui pour contempler les effets. *Il était un bon vieux roi nègre. Qui mangea ou chosa en cachette Les choses du révérend Lagâchette*. Avec, c'est le paradis. Dieu sait quelle mixture. Turbans de tripes pourries trachées tranchées truquées. Cherchez la viande ! Casher. On ne mélange pas la viande et les laitages[123]. Hygiène comme on appelle ça maintenant. Le jeûne de Yom Kippour, le grand nettoyage de printemps. La guerre et la paix dépendent de la digestion d'un type. Religions. Dindes et oies de Noël. Massacre des innocents. Mangez, buvez et embrassez qui vous voudrez. Après quoi beaucoup se retrouvent aux urgences. Le front bandé. Le fromage, ça fait tout digérer, sauf lui. Fromage qui marche tout seul.

— Vous avez un sandwich au fromage ?

— Oui monsieur.

Quelques olives avec, ça me plairait bien s'ils en avaient. C'est l'italien que je préfère. Un bon petit bourgogne ; enlève ça. Lubrifie. Une bonne salade, frais comme le concombre[124]. Tom Kernan sait l'assaisonner. Il la relève bien. Huile d'olive pressée à froid. Milly m'a servi un jour une côtelette avec un brin de persil. Prendre un oignon d'Espagne. Dieu a fait l'aliment, le diable l'assaisonnement. Crabe à la diable.

— Votre femme ça va ?

— Bien, merci... Un sandwich au fromage, donc. Vous avez du gorgonzola ?

— Oui monsieur.

Naze Flynn sirotait son whisky à l'eau.

— Elle chante ces temps-ci ?

Faut voir sa bouche. Il pourrait se siffler dans les oreilles. Des oreilles décollées, c'est assorti. La musique. Il s'y connaît autant que mon cocher. Mais bon autant lui dire. Ça fait pas de mal. De la pub gratuite.

— Elle a été engagée pour une grande tournée à la fin du mois. Vous en avez peut-être entendu parler ?

— Non. C'est un bon coup. Qui monte ça [125] ?

Le garçon le servit.

— Ça fait combien ?

— Sept pence monsieur... Merci monsieur.

M. Bloom découpa son sandwich en minces languettes. *M. Lagâchette*. Moins compliqué que ces trucs rêveurs crêmeurs. *Ses cinq cents femmes. Vécurent ça sans drame*.

— De la moutarde, monsieur ?

— Oui, merci.

Il émailla l'intérieur de chacune des languettes de flaques jaunes. *Sans drame*. J'y suis. *Et ça lui fait une belle quéquette*.

— Qui monte ça ? dit-il. Eh bien, c'est le même principe qu'une société. Investissements partagés, bénéfices partagés.

— Ah oui, je me souviens maintenant, dit Naze Flynn en glissant la main dans sa poche pour se gratter l'aine. Qui a pu me dire ça ? C'est pas Flam Boylan qui est mêlé à l'affaire ?

Une gifle d'air chaud et moutardé déchiqueta le cœur de M. Bloom. Il leva les yeux et rencontra le regard bilieux de l'horloge. Deux heures [126]. L'horloge du bistrot avance de cinq minutes. Le temps passe. Les mains tournent comme les aiguilles [127]. Deux heures. Pas encore.

Pris de spasmes, son diaphragme se souleva, s'affaissa, se souleva de désir et encore de désir.

Du vin.

Il humasirota son cordial et après avoir contraint sa gorge à l'avaler d'un trait, il reposa délicatement son verre.

— Oui, dit-il. C'est lui l'organisateur en fait.

Rien à craindre. Rien dans le crâne.

Naze Flynn reniflait et se grattait. Une puce qui se fait un bon petit repas.

— Il a fait son beurre, Jack Mooney me disait, avec ce match de boxe que Myler Keogh a gagné contre ce soldat de la caserne de Portobello[128]. Bon sang, il l'a mis au vert ce petit blanc-bec dans le comté de Carlow qu'y me disait...

Espérons que cette goutte ne va pas tomber dans son verre. Non, il l'a reniflée.

— Pendant presque un mois, vieux, jusqu'au grand jour. À gober des œufs de canard, putain, jusqu'à nouvel ordre. L'empêchait de se cuiter, vous comprenez ? Oh, putain, Flam est un vieux singe.

Davy Byrne sortit de son arrière-boutique ses manches de chemise remontées d'un tour, il s'essuya la bouche en deux coups de serviette. Rougeur de hareng. Dont le sourire en chaque trait joue avec tel ou tel bourrelet. Trop de beurre dans les épinards.

— Et voici notre homme et bien remonté, dit Naze Flynn. Est-ce que vous pouvez nous donner un tuyau pour la Coupe d'or ?

— C'est pas mon truc, monsieur Flynn, répondit Davy Byrne. Je mise jamais rien sur un cheval.

— Z'avez bien raison, dit Naze Flynn.

M. Bloom mangeait ses languettes de sandwich, du pain blanc et frais, en les savourant avec dégoût, la moutarde forte, le fromage persillé qui sent les pieds. Les gorgées de vin apaisaient son palais. Pas du bois de campêche, ça. Plus de bouquet par ce temps quand il fait moins froid.

Joli bistrot, tranquille. Joli bois sur ce comptoir. Joliment façonné. Aime bien la façon dont il s'incurve ici.

— J'voudrais pour rien au monde m'engager dans cette voie, dit Davy Byrne. Ils en ont mis plus d'un sur la paille ces chevaux-là.

Loterie des marchands de vin. Licence pour la vente et la consommation de bière, de vin et de spiritueux[129]. Face je gagne pile tu perds.

— Vous êtes dans le vrai, dit Naze Flynn. À moins que vous ayez des tuyaux. Il n'y a plus tellement de sport réglo. Lenehan en a quelquefois des bons. Aujourd'hui, il donne Sceptre gagnant. Zinfandel est favori, à Lord Howard de Walden, il a gagné à Epsom. C'est Morny Cannon qui le monte. J'aurais pu gagner sept contre un en misant contre Saint-Amant, il y a quinze jours.

— C'est vrai ? dit David Byrne…

Il se dirigea vers la fenêtre et prit son livre de comptes qu'il feuilleta.

— Vrai de vrai, dit Naze Flynn en reniflant. Un sacré bon morceau ce cheval. Par saint Frusquin. Elle a gagné pendant un orage, la pouliche Rothschild, avec de la ouate dans les oreilles[130]. Casaque bleue et toque jaune. Maudit soit big Ben Dollard et son John O'Gaunt. C'est lui qui m'a empêché de la jouer. Ouais.

Il but avec résignation, le nez dans sa timbale, en faisant courir ses doigts sur les cannelures.

— Ouais, dit-il en soupirant.

Debout, mâchant bruyamment, M. Bloom considéra ce soupir. Naze naseau. Est-ce que je lui dis ce cheval Lenehan ? Il le sait déjà. Vaut mieux qu'il oublie. Il irait et perdrait encore. Le sot et son oseille[131]. Le voilà qui goutte encore du nez. Doit l'avoir froid quand il embrasse une femme. Peut-être qu'elles aiment ça. Les barbes qui piquent elles aiment. Museau froid des chiens. La vieille Mme Riordan avec son Skye terrier gargouillant du ventre au City Arms Hotel. Molly qui le flattait sur ses genoux. Ô le gros toutou-baouahououhaou.

Le vin mouillait et adoucissait la pâtée pain-moutarde au bout d'un moment fromage écœurant. Bon vin. Le goûte mieux parce que je n'ai pas soif. À cause du bain naturellement. Encore une bouchée ou deux. Et vers six heures je pourrai [132]. Six, six. Du temps aura coulé sous les ponts. Elle…

La douce ardeur du vin réchauffait ses veines. J'en avais rudement besoin. Je me sentais défaillir. Ses yeux inaffamés parcouraient les étagères de boîtes de conserve, sardines, pinces de homard criardes. Toutes ces bizarreries que les gens ramassent pour se nourrir. Des coquilles, les bigorneaux qu'on retire avec une épingle, sur les arbres, par terre les escargots que les Français mangent, de la mer avec un appât au bout d'un hameçon. Le poisson, l'imbécile, n'a rien appris en mille ans. Si on n'est pas au courant, risqué de se mettre quoi que ce soit dans la bouche. Baies empoisonnées. De l'églantier. Quand c'est rond on croit que c'est bon. Quand c'est d'un coloris criard on se dit gare. Un l'a dit à l'autre et ainsi de suite. Que le chien le goûte d'abord. Guidé par le nez ou par l'œil. Fruit de la tentation. Cornets de glace. Crème. L'instinct. Plantations d'orangers par exemple. Nécessitent une irrigation artificielle. Bleibtreustrasse. Oui mais que dire des huîtres [133] ? On dirait un affreux glaviot. Coquilles immondes. Et puis une catastrophe à ouvrir. Qui a bien pu découvrir ça ? Se nourrissent d'ordures et d'eau de vidange. Huîtres de Redbank et roteuse [134]. Bon pour la sexual. Aphrodis. Il était à Red Bank ce matin. Était-il huître ou vieux poisson à table. Peut-être qu'il est chair tendre au lit. Non. Juin n'a ni *r* ni huîtres. Mais il y a des gens ils apprécient le gibier faisandé. Civet de lièvre. Commencer par attraper le lièvre. Les Chinois mangent des œufs qui ont cinquante ans, bleus puis verts à nouveau. Dîner de trente services. Chaque plat inoffensif peut se mélanger à l'intérieur. Bonne idée pour un mystérieux empoisonnement. Cet archiduc, était-ce Léopold? Non. Si, ou bien était-ce Otto, l'un de ces Habsbourg[135] ? Ou qui c'était qui avait pour habitude de manger ses propres pellicules ? Plus économique repas il n'y a pas. Des aristocrates, naturellement. Que les autres imitent ensuite pour être dans le vent. Même Milly le pétrole et la farine. La pâte crue, même moi je l'aime. La moitié de la récolte d'huîtres ils la rejettent dans la mer pour maintenir les prix élevés. Bon marché. Personne n'en achèterait. Du caviar. Jouer le grand jeu. Le vin du Rhin dans des verres verts. Un gueuleton chic. Lady truc. Gorge poudrée perles. *L'élite. La crème de la crème*. Il leur faut des plats spéciaux pour prouver qu'ils en sont. Un ermite avec une platée de légumes secs réfrène les aiguillons de la chair. On se connaît, mangeons ensemble. Esturgeon royal[136]. Une huile de la municipalité, Coffey, le boucher a droit aux venaisons des forêts de son excell. Devrait lui renvoyer la moitié d'une vache. Quel festin j'ai vu préparer dans les cuisines du Juge à la Chancellerie. Un *chef* bonneté de blanc comme un rabbi. Canard flambé. Chou frisé *à la duchesse de Parme*. Ce serait bien d'écrire tout ça sur le menu en sorte de savoir ce qu'on mange, trop de choses gâchent la sauce. J'en sais quelque chose. Ce qu'ils y mettent de bouillons Kub. Oies gavées à en crever rien que pour eux. Homards ébouillantés vivants. Retprenez tonc un tpeu tperdrix. Refuserais pas d'être garçon dans un grand hôtel. Les pourboires, les habits de soirée, les dames à moitié dénudées. Vous laisserez-vous tenter par encore un petit morceau de ce filet de sole citronnée, mademoiselle de Wimafoy ? Oui ma foi. Et je le vis elle en reprit. Un nom huguenot, je suppose. Une mademoiselle de Wimafoy habitait Killiney, je m'en souviens. *De, vi, ma, foi,* du français. Pourtant c'est le même poisson, c'est peut-être le vieux Micky Hanlon de Moore street qui lui a arraché les boyaux, grâce à quoi il a fait des affaires en or, le doigt dans les branchies, peut même pas écrire son nom sur un chèque, je pense qu'il dessine le paysage avec les contorsions de sa bouche. Micky Ha, Hache A [137]. Ignorant comme des brodequins irlandais, il pèse cinquante mille livres.

Scotchées à la vitre, deux mouches bourdonnaient, scotchées.

Le vin ardent sur son palais s'attardait une fois bu. Écrasant dans son pressoir les raisins de Bourgogne. Toute la chaleur du soleil. C'est comme une caresse furtive qui parle à ma mémoire. Au contact humide ses sens se souvenaient. Cachés sous les fougères de Howth [138]. Au-dessous de nous la baie au ciel dormant. Pas un bruit. Le ciel. La baie pourpre à la pointe du Lion. Verte à Drumleck. Vert-jaune vers Sutton. Prairies sous-marines, des lignes marron clair dans l'herbe, villes englouties. Ma veste servait d'oreiller à ses cheveux, des perce-oreilles dans les touffes de bruyère ma main sous sa nuque, tu vas tout me bouleverser. Ô quelle merveille ! Sa main amollie par les onguents me touchait, me caressait : ses yeux fixés sur moi ne se détournaient pas. Allongé au-dessus d'elle, en extase, j'embrassais ses lèvres à bouche que veux-tu. Miam. Elle me mit délicatement dans la bouche du gâteau chaud à l'anis qu'elle avait mâché. Chair écœurante que sa bouche avait pétrie, aigre-douce de sa salive. Joie : je le mangeai : joie.

Jeune vie, ses lèvres qui se donnaient dans une moue. Ses lèvres douces, chaudes, collantes comme des bonbons. Des fleurs ses yeux, prends-moi, des yeux consentants. Des cailloux dégringolèrent. Elle restait immobile. Une chèvre. Personne. En haut, dans les rhododendrons de Ben Howth une bique avançait d'un pas sûr, semant des raisins de Corinthe. Cachée derrière l'écran de fougères elle riait chaudement enlacée. Sauvagement je me laissai tomber sur son corps, je l'embrassai : les yeux, ses lèvres, son cou tendu, palpitante, sa poitrine de femme remplissait sa blouse en voile de bonne sœur, les bouts épais et tendus. Chaud, j'y allais de la langue. Elle m'embrassait. J'étais embrassé. Toute à moi, elle ébouriffait mes cheveux. Embrassée elle m'embrassait.

Moi. Et moi aujourd'hui.

Scotchées, les mouches bourdonnaient.

Son regard baissé suivait les veines silencieuses du panneau de chêne. Beauté : il s'incurve : les courbes, c'est la beauté. Déesses aux belles formes, Vénus, Junon : des courbes que le monde entier admire. On les voit à la bibliothèque au musée debout dans le hall circulaire, déesses nues. Ça aide à digérer. Peu leur importe quel homme les regarde. On peut tout voir. Ne parlent jamais, je veux dire à des types comme Flynn. Mettons qu'elle parle Pygmalion et Galatée[139], que dirait-elle en premier ? Mortel ! Vous remettrait à votre place. Buvant du nectar à grands traits à la cantine avec les dieux, plats en or, tout ambroisie. Pas vraiment un repas à six sous, mouton bouilli, carottes et navets, bouteille de piquette Allsop[140]. Le nectar, c'est comme si tu buvais de l'électricité[141] : la nourriture des dieux. Les formes délicieuses des femmes sculptées genre Junon. Délicieuse immortelle. Et nous qui fourrons la nourriture dans un trou pour que ça ressorte par un autre : nourriture, sucs, sang, excrément, terre, nourriture : faut l'alimenter comme on chauffe une locomotive. Elles n'ont pas de. Jamais regardé. Je regarderai aujourd'hui. Le conservateur ne verra rien. Me baisserai laisserai tomber quelque chose pour voir si elle.

Par petites gouttes, un appel tranquille de sa vessie lui arrivait pour l'envoyer faire ne pas faire là mais faire. En homme toujours prêt il vida son verre jusqu'à la lie et sortit, aux hommes aussi elles se donnaient, conscientes de la présence des hommes, couchaient avec leurs amants humains, un éphèbe a joui d'elle, jusqu'à la garde.

Quand le bruit de ses bottines eut cessé Davy Byrne dit de derrière son livre :

— Qu'est-ce que c'est qu'il est ? Est-ce qu'il est pas dans les assurances[142] ?

— Il n'y est plus depuis longtemps, dit Naze Flynn. Il fait de la prospection publicitaire pour le *Freeman*.

— Je le connais bien de vue, dit Davy Byrne. Il a eu un malheur ?

— Un malheur ? dit Naze Flynn. Pas que je sache. Pourquoi ?

— J'ai remarqué qu'il était en deuil.

— En deuil ? dit Naze Flynn. C'est vrai ma foi. Je lui ai demandé comment ça allait chez lui. Vous avez raison, parbleu. Il était en deuil.

— J'aborde jamais le sujet dans ces cas-là, dit Davy Byrne avec humanité. Ça ne fait que raviver les choses.

— Ce n'est pas la femme, en tout cas, dit Naze Flynn. Je l'ai rencontré avant-hier il sortait de cette laiterie irlandaise que tient la femme de John Wyse Nolan sur Henry street avec à la main un pot de crème qu'il rapportait chez lui pour sa tendre moitié. Elle est bien nourrie, je vous le dis. Ortolans sur canapé.

— Et est-ce qu'il s'en sort bien, au *Freeman* ? dit Davy Byrne.

Naze Flynn fit une moue.

— Ce n'est pas avec les pubs qu'il ramasse qu'il peut acheter de la crème. Je vous en fiche mon billet.

— Comment ça ? demanda Davy Byrne, levant le nez de son livre.

Naze Flynn fit dans l'air quelques gestes rapides de prestidigitateur. Il fit un clin d'œil.

— Il en est, dit-il.

— Qu'est-ce que vous me racontez là ? dit Davy Byrne.

— La stricte vérité, dit Naze Flynn. Grand Ordre indépendant et reconnu. Lumière, vie et amour [143], parbleu. Ils lui font la courte échelle. Je l'ai appris par un, mais bon, je vais pas dire qui.

— Vrai de vrai ?

— Oh, c'est une bonne société, dit Naze Flynn. Ils vous laissent pas tomber quand vous êtes dans la merde. Je connais un type qui a essayé d'y entrer, mais ils sont sacrément fermés. Parbleu ils ont bien fait de laisser les femmes en dehors de tout ça.

Davy Byrne souritbâillaopina tout ensemble :

— Iiiihaaaaaaaah [144] !

— Une fois, dit Naze Flynn, une femme s'était cachée dans une horloge pour savoir ce qu'ils fabriquaient. Mais le diable c'est qu'ils l'ont flairée et sur-le-champ lui ont fait prêter le serment de maître-maçon. C'était une Saint-Léger de Doneraile [145].

Davy Byrne, bien content après son bâillement, dit avec des yeux délavés par les larmes :

— Mais vrai de vrai ? C'est un homme tranquille et bien comme il faut. Je l'ai souvent vu ici et pas une fois, vous comprenez, je ne l'ai vu dépasser les bornes.

— Le Tout-puissant lui-même ne pourrait le soûler, affirma énergiquement Naze Flynn. Prend la tangente quand l'excitation augmente. Vous l'avez pas vu regarder sa montre ? Ah, vous n'étiez pas là. Si vous lui proposez de prendre un verre, la première chose qu'il fait il sort sa montre pour savoir ce qu'il doit prendre. Devant Dieu qu'il le fait.

— Y en a des comme ça, dit Davy Byrne. C'est un homme prudent, je dirais.

— Il est plutôt brave, dit Naze Flynn en reniflant. Et on l'a vu mettre la main à la poche pour aider un copain. Il faut faire la part du diable[146]. Oh, Bloom a ses bons côtés. Mais il y a une chose qu'il ne fera jamais.

Sa main griffonna un semblant de signature à côté de son whisky à l'eau.

— Je sais, dit Davy Byrne.

— Jamais rien noir sur blanc, dit Naze Flynn.

Paddy Leonard et Bantam Lyons entraient. Suivis de Tom Rochford, lissant d'un doigt son gilet bordeaux.

— B'jour, monsieur Byrne.

— B'jour messieurs.

Ils firent halte au comptoir.

— Qui arrose ? demanda Paddy Leonard.

— Pas moi en tout cas, je suis à sec, répondit Naze Flynn.

— Eh bien, qu'est-ce que ce sera ? demanda Paddy Leonard.

— Je prends une limonade au gingembre, dit Bantam Lyons.

— Carrément ? s'écria Paddy Leonard. Depuis quand, nom de dieu ? Et pour toi, Tom ?

— Comment va le grand collecteur[147] ? demanda Naze Flynn qui sirotait.

En guise de réponse Tom Rochford pressa son sternum et hoqueta.

— Auriez-vous l'amabilité de me donner un verre d'eau fraîche, monsieur Byrne ? dit-il.

— Mais certainement, monsieur.

Paddy Leonard zieuta ses compagnons de libations.

— Nom d'une pipe, dit-il, faut voir un peu à qui j'offre un coup ! De l'eau claire et de la limonade ! Deux types qui suceraient du whisky sur une jambe de bois. Il a bien un sacré cheval caché dans sa manche pour la Coupe d'or. Un bon plan.

— C'est pas Zinfandel ? demanda Naze Flynn.

Tom Rochford versa la poudre qui se trouvait dans un papier plié dans le verre placé devant lui.

— Cette foutue dyspepsie, dit-il avant de boire.

— Le bicarbonate est très bon, dit Davy Byrne.

Tom Rochford opina et but son verre.

— C'est bien Zinfandel ?

— Dis rien, dit Bantam Lyons en lui faisant un clin d'œil. Je vais carrément jouer mes cinq balles sur le mien.

— Dis-le nous si t'es un homme et va te faire foutre, dit Paddy Leonard. Qui te l'a filé ?

M. Bloom en train de partir leva trois doigts pour saluer la compagnie.

— Au revoir, dit Naze Flynn.

Les autres se retournèrent.

— Le voilà l'homme qui me l'a filé, murmura Bantam Lyons.

— Pffuut ! fit Paddy Leonard avec un air de mépris. Byrne, monsieur, après ça, on va prendre deux petits verres de votre Jameson et...

— Une limonade, ajouta courtoisement Davy Byrne.

— Ouais, dit Paddy Leonard. Un biberon pour le bébé.

M. Bloom en se dirigeant vers Dawson street se lavait délicatement les dents avec sa langue. Il aurait fallu quelque chose de vert : disons des épinards.

Alors avec ces projecteurs de rayons Rötgen on pourrait.

Dans Duke lane, un terrier vorace recrachait sur la chaussée une épaisse bouillie d'os et la lapait à nouveau avec appétit. Repu. Rendu avec des remerciements après en avoir bien digéré la substantifique. D'abord le sucré ensuite le salé. M. Bloom avança avec circonspection. Les ruminants. Son second service. Bougent leur mâchoire supérieure. Me demande si Tom Rochford fera quelque chose de son invention. Quelle perte de temps de l'expliquer à cette grande gueule de Flynn. Aux maigres les grandes bouches. Devrait y avoir un hall ou un endroit où les inventeurs pourraient aller inventer gratuitement. Sûr que ça nous ferait une épidémie d'excentriques.

Il fredonna, en prolongeant en un écho solennel la fin de chaque mesure :

Don Giovnni, a cenar teco
M'invitasti[148].

Me sens mieux. Le bourgogne. M'a bien retapé. Qui le premier a distillé ? Un pauvre type qui avait le cafard. L'énergie du désespoir. Ce *Kilkenny People* à la bibliothèque nationale maintenant il faut que je.

Des cuvettes de WC propres et nettes qui attendaient dans la vitrine de William Miller, plombier, ramenèrent ses pensées en arrière. Ils pourraient : et le regarder descendre de bout en bout, on avale une épingle et il arrive qu'elle ressorte des côtes bien des années plus tard après avoir fait tout le tour du corps et changé de sens dans le conduit biliaire, les humeurs noires giclent du foie, suc gastrique, intestins enroulés comme des canalisations. Mais le pauvre vieux fossile devrait rester tout ce temps-là avec ses intérieurs en exposition. La science.

— *A cenar teco.*

Qu'est-ce que ça veut dire *teco* ? Ce soir peut-être.

Don Juan, tu m'as convié
Pour ce soir à souper
Taratata taratata

Ça ne va pas.

Descley : deux mois si je persuade Nannetti de. Ça ferait deux livres dix, environ deux livres huit. Trois que me doit Hynes. Deux livres onze. Tiens, la camionnette de la teinturerie Prescott. Si je décrochais l'annonce de Prescott. Deux quinze. Cinq guinées à peu près. Payées sur la bête.

Pourrais acheter un de ces jupons en soie à Molly, de la couleur de ses nouvelles jarretières.

Aujourd'hui. Aujourd'hui. N'y pensons pas.

Puis un petit tour dans le sud. Pourquoi pas les stations balnéaires anglaises ? Brighton, Margate. Les jetées au clair de lune. Sa voix qui plane. Ces belles filles du bord de mer. Contre la devanture du débit de boissons John Long était allongé un pauvre hère somnolent et absorbé dans ses pensées qui se rongeait les croûtes aux articulations. Homme habile de ses mains cherche travail. Salaire modeste. Mangera ce qu'on lui donnera.

M. Bloom tourna devant les tartes invendues de la vitrine de la pâtisserie Gray puis passa devant la librairie du révérend Thomas Connellan. *Pourquoi j'ai quitté l'église romaine ? Le Nid*[149]. Il se laisse mener par des femmes. Il paraît qu'on donnait de la soupe aux enfants pauvres pour en faire des protestants à l'époque de la maladie de la pomme de terre[150]. En face il y a la société où allait papa pour la conversion des juifs pauvres. Le même appât. Pourquoi nous avons quitté l'église de Rome ?

Un jeune aveugle, un jouvenceau, était là et frappait le rebord du trottoir à petits coups de sa canne grêle. Pas de tram en vue. Voudrait traverser.

— Vous voulez traverser ? demanda M. Bloom.

Le jeune aveugle ne répondit pas. Son visage muré se contracta légèrement. Il remua la tête avec hésitation.

— Vous êtes dans Dawson street, dit M. Bloom. Molesworth street est en face. Vous voulez traverser ? La voie est libre.

La canne fit un mouvement tremblant vers la gauche. M. Bloom suivit son tracé du regard et aperçut de nouveau la camionnette du teinturier garée devant chez Drago. C'est là que j'ai vu sa tête gominée au moment où je[151]. Cheval tête basse. Le conducteur est chez John Long. En train d'étancher sa pépie.

— Il y a une camionnette là, dit M. Bloom, mais elle est arrêtée. Je vous accompagne. Vous voulez aller sur Molesworth street?

— Oui, répondit le jouvenceau. Frederik street south.

— Venez, dit M. Bloom.

Il effleura doucement son coude saillant : puis prit sa main molle et clairvoyante pour la diriger.

Lui dire quelque chose. Ne pas être condescendant. Ils se méfient de ce qu'on leur dit. Lancer une banalité.

— La pluie n'est pas venue.

Pas de réponse.

Des taches sur son veston. Bave sa nourriture j'imagine. Pour lui les choses doivent avoir un goût totalement différent. On a dû le nourrir d'abord à la cuiller. Comme une main d'enfant sa main. Comme était celle de Milly. Sensible. Me jaugeant je dirais d'après ma main. A-t-il même un nom ? La camionnette. Maintenir sa canne loin des pattes du cheval, bête de somme fourbue pique un somme. Ça va. Voie libre. Derrière le taureau : devant le cheval[152].

— Merci bien, monsieur.

A compris que j'étais un homme. La voix.

— C'est bon maintenant ? Première à gauche.

Le jeune aveugle donna de petits coups sur le rebord du trottoir et alla son chemin, relevant sa canne puis tâtant à nouveau le terrain.

M. Bloom marchait derrière ce pas sans yeux, ce complet de tweed à chevrons mal coupé. Pauvre garçon ! Par quel miracle pouvait-il deviner que cette camionnette était là ? Il doit l'avoir senti. Ils voient les choses dans leur tête peut-être. Une espèce de sens du volume. Son poids ou sa taille, quelque chose de plus noir que l'obscurité. Me demande si. Le poids est-ce qu'il le sentirait si on enlevait quelque chose ? Sentirait un vide. Une drôle d'idée de Dublin il doit avoir à donner des petits coups le long des trottoirs pour avancer. Est-ce qu'il pourrait aller droit sans cette canne ? Figure exsangue et pieuse comme un type qui se prépare à la prêtrise.

Penrose ! C'était ça le nom de ce type.

Le nombre de choses qu'ils apprennent à faire. Lire avec leurs doigts. Accorder des pianos. Ou on est surpris de voir qu'ils ont un cerveau. Raison pour laquelle nous trouvons intelligent un handicapé ou un bossu qui dit quelque chose qu'on aurait pu dire. Il est certain que les autres sens sont plus. Ils brodent. Tissent des paniers. On devrait les aider. Un panier à ouvrage, je pourrais en acheter un pour l'anniversaire de Molly. Déteste coudre. Y trouverait peut-être à redire. Hommes de l'ombre comme on les appelle.

L'odorat aussi doit être plus développé. À chaque rue son odeur. De tous côtés des bouquets d'odeurs. À chaque personne aussi. Puis le printemps, l'été : des odeurs. Des goûts. On dit qu'on ne peut pas goûter à un vin les yeux fermés ou avec un rhume. On dit aussi que fumer dans l'obscurité ne procure pas de plaisir.

Et avec une femme, par exemple. Moins pudique quand on n'y voit rien. Cette fille qui passe devant l'Institut Stewart[153], le nez au vent. Regarde-moi. Je suis sur mon trente et un. Ça doit faire bizarre de ne pas la voir. Forme vague dans son œil intérieur. La voix, température quand il la touche avec ses doigts, doit presque voir les lignes, les courbes. Quand ses mains touchent ses cheveux, par exemple. Supposons par exemple qu'ils soient noirs. Bien. Disons qu'ils sont noirs. Puis il caresse sa peau blanche. Sensation différente peut-être. Sensation du blanc.

La poste. Dois répondre. Quelle plaie. Lui envoyer un mandat de deux shillings. Une demi-couronne. Veuillez accepter mon petit cadeau. Il y a une papeterie juste à côté. Attendez. Réfléchirai.

D'un mouvement délicat du doigt, il lissa doucement ses cheveux ramenés derrière ses oreilles. Encore. Brins de fine fine paille. Puis il palpa délicatement du doigt la peau de sa joue droite. Du duvet là aussi. Pas assez doux. Le ventre est ce qu'il y a de plus doux. Personne en vue. Là il prend Frederik street. Peut-être en direction de l'Académie Levenston de danse et piano[154]. Pourrais être en train de réajuster mes bretelles.

En marchant devant le café-épicerie Doran il glissa sa main entre son gilet et son pantalon et, soulevant délicatement sa chemise, palpa un bourrelet de son ventre[155]. Mais je sais que c'est blancjaune. Faut que j'essaie dans l'obscurité pour voir.

Il retira sa main et se rajusta.

Pauvre garçon ! Presque un enfant. Affreux. Vraiment affreux. Quels rêves peut-il faire, en n'y voyant pas ? La vie, un rêve pour lui. Y a-t-il une justice pour qu'on puisse naître comme ça ? Toutes ces femmes et ces enfants à bord en train de faire la fête brûlés et noyés à New York[156]. Holocauste. On appelle ça Karma la transmigration pour les péchés commis dans une vie antérieure la réincarnation mets ton ptit chose. Ouh là là. Dommage, bien sûr : mais on a beau faire, on ne peut pas vraiment s'entendre avec eux.

Voilà Sir Frederick Falkiner[157] qui entre dans le temple franc-maçon. Aussi solennel que Troy[158]. Après un bon déjeuner à Earlsfort terrace. De vieux copains du tribunal qui se boivent un magnum. Histoires de palais de justice et de cour d'assises et annales de l'orphelinat des uniformesbleus[159]. Je l'ai condamné à dix ans. J'imagine qu'il tordrait le nez devant ce truc que je viens de boire. Les grands crus pour eux, avec l'année sur la bouteille poussiéreuse. A ses idées à lui sur la justice quand il est à la correctionnelle. Un vieux bien intentionné. Les rapports de police bourrés de cas gagnent leur pourcentage en fabriquant les délits. Il les envoie balader. La terreur des usuriers. A donné un bel avertissement à Ruben J. Il faut dire que c'est vraiment un sale juif comme ils disent. Le pouvoir qu'ils ont, ces juges. Des soûlographes poussiéreux à perruque. Des ours blessés à la patte. Et puisse le Seigneur avoir pitié de votre âme[160].

Hello l'affiche. Vente de charité Mirus[161]. Son excellence le Lieutenant général. Le seize aujourd'hui. Au bénéfice de l'hôpital Mercer. La première du *Messie* a été donnée pour ça. Oui. Haendel[162]. Pourquoi ne pas aller y faire un tour. Ballsbridge. Un saut chez Descley. Inutile de le coller comme une sangsue. Dépenser son crédit. Sûr de rencontrer quelqu'un que je connais à la porte.

M. Bloom arrivait dans Kildare street. D'abord je dois. Bibliothèque.

Chapeau de paille au soleil. Chaussures fauve. Pantalons retroussés[163]. C'est. C'est.

Son cœur tressauta doucement. À droite. Musée. Les déesses. Il obliqua sur la droite.

Est-ce ? Presque certain. Ne vais pas regarder. Le vin me monte au visage. Pourquoi est-ce que j'ai ? Trop capiteux. Oui, c'est. La démarche. Ne pas voir. Ne pas voir. Continuer.

Tout en se rendant à la grille du musée à longues enjambées affolées il leva les yeux. Belle bâtisse. Dessinée par Sir Thomas Deane. Ne me suit pas ?

Ne m'a pas vu, peut-être. Le soleil dans l'œil.

Les palpitations de son cœur se faisaient plus saccadées. Vite. Froides statues : tranquille avec elles. En sécurité dans une minute.

Non, ne m'a pas vu. Deux heures passées. Me voici à la grille.

Mon cœur !

Palpitants ses yeux se fixaient fermement sur les courbes crémeuses de la pierre. Sir Thomas Deane c'était l'architecture grecque.

Cherche quelque chose je.

Sa main fiévreuse plongea dans une poche, en retira lut déplié Agendath Netaïm. Où est-ce que j'ai ?

Très occupé à chercher.

Il remit bien vite Agendath.

L'après-midi elle a dit.

Je cherche ça. Oui, ça. Regarder dans toutes les poches. Mouch. *Freeman*. Où est-ce que j'ai ? Ah, oui. Pantalon. Portefeuille. Patate. Où est-ce que j'ai ?

Vite. Marchons tranquillement. Moment de plus. Mon cœur.

Sa main qui cherchait le où est-ce que je l'ai mis découvrit dans sa poche revolver le savon la lotion dois aller chercher collé dans son papier tiède. Ah, savon là ! Oui. La grille.

En sécurité[164] !

Urbain, désireux de les réconforter, le bibliothécaire quaker[1] ronronna :

— Et nous avons, n'est-ce pas, ces pages inestimables de *Wilhelm Meister*. Un grand poète parlant d'un grand frère en poésie. Une âme hésitante prenant les armes contre un océan d'épreuves, déchirée par les courants contraires des doutes, comme on peut le voir dans la vie réelle[2].

Il fit un pas un pas de cinq en avant, crissant sur son cuir de bœuf, puis un pas en arrière, pas de cinq[3], sur le solennel parquet.

Un employé silencieux, n'entrouvrant qu'à peine la porte, lui adressa un geste silencieux.

— Tout de suite, dit-il, crissant vers lui, s'attardant néanmoins. Le beau rêveur inefficace qui vient se briser sur les faits bruts. Les jugements de Goethe nous semblent toujours si justes. Justes, en une plus vaste analyse.

Analyse bicrissante il s'en fut d'un pas de courante[4]. Chauve, avec le plus grand zèle, près de la porte il consacra toute sa vaste oreille aux paroles de l'employé : les entendit : disparut.

Plus que deux.

— Monsieur de la Palice, railla Stephen, vivait encore un quart d'heure avant sa mort.

— Avez-vous trouvé les six courageux carabins, demanda John Eglinton[5], aîné bilieux, qui doivent écrire le *Paradis perdu* sous votre dictée ? Il appelle ça *Les Souffrances de Satan*[6].

Souris. Souris. Du sourire de Cranly.

D'abord la chatouilla
Puis la tripota
Puis d'un spéculum la pénétra
Car c'était un carabin
Un bon vieux cara[7]...

— Pour *Hamlet*, je crois qu'il vous en faudrait un de plus. L'esprit mystique aime le sept. Les sept resplendissantes comme les appelle W.B.[8]

Étincelles dans le regard, son crâne fauve tout près de sa lampe de bureau couronnée de vert, en quête du visage, d'une barbe dans l'ombre vert plus sombre, un ollav, regard inspiré. Il rit tout bas : un rire de boursier de Trinity : sans réponse.

Satan-orchestre, pleurant à n'en plus finir
Larmes d'anges en pleurs.
Ed egli avea del cul fatto trombetta[9].

Il tient en otage mes folies.

Les onze justes de Cranly[10], hommes du Wicklow voués à affranchir leur terre ancestrale. Kathleen l'édentée, ses quatre magnifiques champs verts, l'étranger dans sa maison[11]. Et un de plus pour le saluer : *ave, rabbi*[12]. Les douze de Tinahely. Dans l'ombre du vallon[13] il lance son roucoulement à leur adresse. La jeunesse de mon âme, je la lui ai donnée, nuit après nuit. Bon vent. Bonne chasse.

Mulligan a mon télégramme.

Folie. Persiste.

— Nos jeunes bardes irlandais, censura John Eglinton, ont encore à créer un personnage que le monde puisse mettre à côté de l'Hamlet de Shakespeare le Saxon, que j'admire moi-même, quoique, tel le vieux Ben[14], je ne pousse pas l'admiration jusqu'à l'idolâtrie.

— Toutes ces questions sont purement académiques, augura Russell[15] depuis son coin d'ombre. Je veux dire, si Hamlet est Shakespeare ou James I ou Essex. Les débats d'ecclésiastiques sur l'historicité de Jésus. L'art doit nous révéler des idées, des essences spirituelles dépourvues de forme. La question suprême qui se pose au sujet d'une œuvre d'art est de savoir de quelle profondeur de vie elle jaillit. La peinture de Gustave Moreau[16] est une peinture d'idées. La poésie la plus profonde de Shelley, les paroles de Hamlet mettent notre esprit au contact de la sagesse éternelle, du monde des idées de Platon. Tout le reste est spéculation d'écoliers pour écoliers.

A.E. a raconté à un interviewer yankee. Ma foué, que le Tiable m'emporte !

— Les maîtres de l'École ont d'abord été des écoliers[17], dit Stephen poli jusqu'au bout des ongles. Aristote a d'abord été l'écolier de Platon.

— Et l'est resté, on peut l'espérer, dit posément John Eglinton. On l'imagine bien, écolier modèle avec son diplôme sous le bras.

Il rit de nouveau, face au visage barbu qui à présent souriait.

Spirituelles dépourvues de forme. Père, Verbe et Souffle Saint. Le Pèruniversel, l'homme divin. Hiesos Kristos, magicien du beau, le Logos qui souffre en nous à chaque instant. Il en est ainsi, en vérité. Je suis le feu sur l'autel. Je suis le beurre du sacrifice[18].

Dunlop, Juge, le plus noble Romain d'entre tous[19], A.E., Arval, le Nom Ineffable, ainsi dénommé au plus haut des cieux, K.H., leur maître, dont l'identité n'est pas un secret pour les initiés. Frères de la grande loge blanche toujours à l'affût d'une bonne action. Le Christ avec la sœur-épouse, rosée de lumière, née d'une vierge imprégnée d'âme, sophia repentante, disparu dans le plan bouddhique. La vie ésotérique n'est pas pour le tout-venant. Le T.V. doit d'abord éliminer son mauvais karma. Mme Cooper Oakley un jour a entrevu l'élémental de notre très illustre sœur H.P.B.[20]

Oh, fi ! Pas de ça Lisette ! *Pfuiteufel !* Pas beau, ça, mamzelle, pas beau de regarder quand une dame laisse voir son élémental.

M. Best[21] fit son entrée, grand, jeune, doux, blond. Avec grâce, il tenait à la main un carnet de notes neuf, grand, net, brillant.

— Aux yeux de cet écolier modèle, dit Stephen, les songeries d'Hamlet au sujet de la vie future de son âme princière, ce monologue peu dramatique, invraisemblable, insignifiant, seraient aussi creuses que celles de Platon.

John Eglinton, sourcils froncés, fulmina :

— Ma parole, ça me fait bouillir chaque fois que j'entends quelqu'un comparer Aristote à Platon.

— Lequel des deux, demanda Stephen, m'aurait banni de sa république ?

Dégaine tes définitions bien affûtées. La chevaléité est la quiddité de tout cheval[22]. Aux ondes de tendances, aux éons ils vouent un culte. Dieu : du bruit dans la rue : très péripapétique. L'espace : ce que tu es sacrément obligé de voir. À travers des espaces plus petits que les globules rouges du sang d'homme ils rampent rapides derrière les fesses de Blake dans l'éternité dont ce monde végétal n'est qu'une ombre. Tiens-toi au maintenant, à l'ici, à travers quoi tout futur plonge dans le passé.

M. Best s'avança, aimable, vers son collègue.

— Haines est parti, dit-il.

— Vraiment ?

— J'étais en train de lui montrer le livre de Jubainville[23]. Il adore, vous savez, les *Chants d'amour du Connacht* de Hyde[24]. Je n'ai pas pu l'amener ici pour assister à la discussion. Il est parti chez Gill pour les acheter.

Mon petit livre, prends les armes,
Et l'ingrat public va retrouver
Toi qui, bien malgré moi, es né
Dans cet anglais sans relief et sans charme[25].

— La fumée de tourbe lui monte à la tête, opina John Eglinton.

Nous autres en Angleterre avons le sentiment. Bon larron. Parti. J'ai fumé son pétun. Pierre verte scintillante. Une émeraude enchâssée dans l'anneau de la mer[26].

— Les gens n'imaginent pas comme les chansons d'amour peuvent être dangereuses, avertit, occulte, l'œuf aurique[27] de Russell. Les mouvements qui produisent les révolutions dans le monde sont nés de rêves et de visions dans le cœur d'un paysan perdu dans les collines. Pour eux la terre n'est pas un sol à exploiter mais la mère vivante même. L'air raréfié de l'académie et de l'arène produit le roman à six shillings, la chansonnette de music-hall. La France produit la plus fine fleur de corruption avec Mallarmé, mais la vie désirable n'est révélée qu'aux pauvres de cœur, les Phéaciens d'Homère.

Sur ces mots M. Best tourna vers Stephen un visage sans agressivité.

— Mallarmé, vous savez, dit-il, a écrit ces magnifiques poèmes en prose que Stephen Mac Kenna me lisait à Paris. Celui sur *Hamlet*. Il dit : *il se promène, lisant au livre de lui-même*[28], vous savez, *reading the book of himself*. Il décrit *Hamlet* représenté dans une ville française, vous savez, une ville de province. Ils ont fait une annonce.

Avec grâce, sa main libre traça dans l'air de minuscules signes.

Hamlet
ou
Le Distrait
Pièce de Shakespeare

Il répéta à l'adresse du nouveau froncement de sourcils de John Eglinton :

— *Pièce de Shakespeare*, vous savez. C'est tellement français, le point de vue français. *Hamlet ou*...

— Le mendiant distrait[29], termina Stephen.

John Eglinton se mit à rire.

— Oui, c'est peut-être ça, dit-il. D'excellentes gens, sans aucun doute, mais avec une lamentable myopie sur certains sujets.

Somptueuse et stagnante exagération du meurtre[30].

— Un bourreau de l'âme[31], c'est ainsi que Robert Greene l'appelait, dit Stephen. Ce n'est pas pour rien qu'il était le fils d'un boucher maniant la hache[32] et crachant dans ses paumes. Neuf vies sont prises pour la seule vie de son père. Notre Père qui êtes au purgatoire. Les Hamlets en kaki n'hésitent pas à tirer. La boucherie effrénée de l'acte cinq préfigure le camp de concentration chanté par M. Swinburne[33].

Cranly, et moi son ordonnance muet, suivant de loin les batailles.

Petits et femelles d'ennemis assassins
Que nul hormis nous n'eût épargnés…

Entre le sourire saxon et le braillement yankee. Le marteau et l'enclume.

— Il tient que *Hamlet* est une histoire de fantôme, annonça John Eglinton au bénéfice de M. Best. Comme le gros garçon dans Pickwick il veut nous donner la chair de poule[34].

Écoute ! Écoute ! Ô, écoute[35] *!*

Ma chair l'entend : chair de poule, entend.

Si oncques tu as…

— Qu'est-ce qu'un fantôme ? dit Stephen plein de vibrante énergie. Quelqu'un qui s'est évanoui dans l'impalpable, par la mort, l'absence, le changement de monde. Le Londres d'Elizabeth est aussi éloigné de Stratford que le Paris corrompu de la vierge Dublin. Qui est le fantôme surgi du *limbo patrum*, revenant au monde qui l'a oublié ? Qui est le roi Hamlet ?

John Eglinton déplaça son corps sec, se penchant en arrière pour apprécier.

Exalté.

— C'est cette même heure d'un jour de la mi-juin, dit Stephen, sollicitant d'un rapide regard leur attention. Le pavillon est hissé sur le théâtre près du quai[36]. L'ours Sackerson grogne dans la fosse tout à côté, jardin de Paris. Les crocheurs de toile qui ont navigué avec Drake mâchonnent leurs saucisses avec ceux du parterre.

Couleur locale. Fourre là tout ce que tu sais. Rends-les complices.

— Shakespeare a quitté la maison de huguenot de Silver street, il marche, longe la rivière, longe les cages aux cygnes. Mais il ne s'arrête pas pour nourrir la femelle qui houspille sa couvée de petits et les chasse vers les joncs. Le Cygne de l'Avon[37] a d'autres pensées.

Composition de lieu. Ignace de Loyola[38], hâte-toi de me secourir !

— La pièce commence. Dans l'ombre un acteur s'avance, affublé d'une cotte de mailles dont quelque joyeux luron de la cour s'est débarrassé, un bel homme à la voix de basse. C'est le fantôme, le roi, un roi qui n'est pas roi[39], et l'acteur est Shakespeare, qui a étudié *Hamlet* toutes les années de sa vie qui ne furent pas vanité, pour pouvoir jouer le rôle du spectre. Il adresse la parole à Burbage[40], le jeune acteur qui lui fait face, ayant traversé la nuée de l'outre-tombe, l'interpellant d'un nom :

Hamlet, je suis l'esprit de ton père[41]

lui enjoignant de l'écouter. C'est à un fils qu'il parle, le fils de son âme, le prince, le jeune Hamlet, et à son fils selon la chair, Hamnet Shakespeare[42], qui est mort à Stratford afin que son homonyme puisse vivre à jamais.

Est-il possible que cet acteur, Shakespeare, fantôme par l'absence, et portant la vêture du Danemark enterré[43], fantôme par la mort, s'adressant avec ses propres mots au nom de son propre fils (si Hamnet Shakespeare avait vécu il aurait été le jumeau du prince Hamlet), est-il possible, je voudrais bien le savoir, ou probable, qu'il n'ait pas tiré ou prévu la conclusion logique de ces prémisses : tu es le fils dépossédé : je suis le père assassiné : ta mère est la reine coupable, Ann Shakespeare, née Hathaway[44] ?

— Mais fouiner ainsi dans la vie privée d'un grand homme, commença Russell avec impatience.

Es-tu là, homme de bon aloi[45] ?

— Ça n'a d'intérêt que pour le registre paroissial. Je veux dire, nous avons les œuvres. Je veux dire, lorsque nous lisons la poésie du *Roi Lear*, que nous importe la manière dont le poète vivait ? Vivre, les serviteurs peuvent faire ça pour nous, a dit Villiers de l'Isle. Regarder par le trou de serrure, s'introduire dans la loge, en quête du ragot du jour, l'intempérance du poète, les dettes du poète. Nous avons *Le Roi Lear* : et il est immortel.

Le visage de M. Best, pris à témoin, approuva.

> *Roule sur eux avec tes vagues et tes eaux,*
> *Mananaan,*
> *Mananaan Mac Lir*[46]……

Alors, coquin, cette livre qu'il t'a prêtée lorsque tu avais faim, qu'en fais-tu ?

Par ma foi, j'en avais besoin.

Prends donc ce noble[47].

Allons donc ! Tu en as dépensé la majeure partie dans le lit de Georgina Johnson, fille de pasteur. Remords de l'inextimé.

As-tu l'intention de la rendre ?

Oh, certes.

Quand ? Maintenant ?

Eh bien… non.

Alors, quand ?

J'ai payé mon dû. J'ai payé mon dû.

Du calme. Il vient d' l'aut' bord de la Boyne[48]. Le coin nord-est. Tu la dois.

Attends. Cinq mois. Molécules changent, toutes. Je suis un autre moi à présent. Autre moi a empoché la livre.

Tape. Tape[49].

Mais moi, entéléchie, forme des formes, suis moi par la mémoire car sous des formes sans cesse changeantes.

Moi qui ai péché et prié et jeûné.

Un enfant que Conmee a sauvé de la férule[50].

Moi, moi et moi. Moi.

A.E. I. O. U[51]. À toi A.E. je dois

— Entendez-vous défier une tradition de trois siècles ? demanda la voix agressive de John Eglinton. Son fantôme à elle du moins a été exorcisé pour toujours. Elle est morte, pour la littérature du moins, avant que d'être née.

— Elle est morte, répliqua Stephen, soixante-sept ans après être née. Elle l'a vu venir au monde et le quitter. Elle a reçu ses premières étreintes. Elle a porté ses enfants, et elle a posé des pennies sur ses yeux pour tenir ses paupières fermées lorsqu'il reposait sur son lit de mort.

Le lit de mort de ma mère. Cierge. Le miroir voilé. Celle qui m'a mis en ce monde est étendue là, paupières de bronze, sous quelques fleurs bon marché. *Liliata rutilantium*.

J'ai pleuré, seul.

John Eglinton plongea son regard dans le ver luisant entortillé de sa lampe.

— Il est admis que Shakespeare a fait une erreur, dit-il, et qu'il s'en est dépêtré aussi vite et du mieux qu'il a pu.

— Niaiseries ! dit brutalement Stephen. Un homme

de génie ne fait pas d'erreurs. Ses erreurs sont volitionnelles et sont les portails de la découverte.

Des portails de découverte s'ouvrirent pour laisser passer le bibliothécaire quaker, piedcrissants légers, chauve, tout oreille et empressé.

— Une mégère, dit John Eglinton avec mégèreté, n'est pas d'une grande utilité comme portail de la découverte, on doit le supposer. Quelle découverte utile Socrate doit-il à Xantippe[52] ?

— La dialectique, répondit Stephen : et à sa mère l'art de mettre au monde les pensées. Ce qu'il a appris de son autre femme Myrto (*absit nomen !*) l'Epipsychidion de Socratididion[53], aucun homme, pas une seule femme, ne le saura jamais. Mais ni le savoir-faire de la sage-femme ni les sermons au chaudeau[54] soir après soir ne l'ont sauvé des archontes du Sinn Fein et de leur petit verre de ciguë.

— Mais Ann Hathaway ? fit oublieusement la voix tranquille de M. Best. Oui, nous l'oublions semble-t-il comme Shakespeare lui-même l'oublia.

Son regard alla de la barbe du bavasseur au crâne du critiqueur pour leur rappeler, pour les réprimander sans rudesse, puis passa à la tête lollarde rase et rose, innocente et pourtant calomniée.

— Il avait bien pour quatre sous d'esprit, dit Stephen, et une mémoire qui n'était pas buissonnière[55]. Et il avait un mémoire dans sa besace tandis qu'il se traînait jusqu'à Romville[56] en sifflant *La fille que j'ai laissée au pays*. Même si le tremblement de terre ne nous en donnait pas la date, nous saurions où situer ce pauvre Wat, assis dans son gîte, le cri de la meute, la bride cloutée et les fenêtres bleues de la dame. Ce mémoire, *Vénus et Adonis*[57], reposait dans la chambre à coucher de toutes les belles-de-nuit de Londres. Catherine la mégère est-elle disgraciée ? Hortensio la dit jeune et belle. Pensez-vous que l'auteur d'*Antoine et Cléopâtre*, pèlerin passionné, avait les yeux dans la poche lorsqu'il a choisi la plus laide catin de tout le Warwickshire pour partager son lit ? Bon : il l'a quittée et a gagné le monde des hommes. Mais ses femmes-garçons[58] sont les femmes d'un garçon. Leur vie, leurs pensées, leurs paroles leur sont prêtées par des mâles. Il a mal choisi ? Il a été choisi, à ce qu'il me semble. Si d'autres ont l'art du Will, Ann Hathaway en a la manière[59]. Nom d'une queue, c'est sa faute à elle[60]. Elle a su l'enjôler. Elle lui a bien mis le grappin dessus, la douce de vingt-six ans. La déesse aux yeux pers qui se penche sur le garçon Adonis, s'abaissant pour conquérir[61], en prologue à l'acte ballonnant[62], est une donzelle effrontée de Stratford qui culbute dans un champ de blé un amant plus jeune qu'elle.

Et mon tour ? Quand ?

Viens !

— Champ de seigle, dit M. Best avec brio, avec joie, élevant son carnet neuf, avec joie, avec brio.

Puis il murmura avec un blond ravissement à l'intention de tous :

Couchés au fond des champs de seigle
Soulaient s'ébattre ces bonnes gens[63]

Paris : le séducteur satisfait.

Une haute silhouette barbue en homespun émergea de l'ombre et dévoila sa montre coopérative[64].

— Je suis désolé, je dois aller au *Homestead*.

Où s'en va-t-il ? Terrain exploitable.

— Est-ce que vous partez, questionnèrent les sourcils expressifs de John Eglinton. On vous verra chez Moore[65] ce soir ? Piper vient.

— Piper ! pipa M. Best. Piper est revenu ?

Peter Piper picota un petit peu de poivre en poudre peu pimenté[66].

— Je ne sais pas si je pourrai. Jeudi. On a notre réunion. Si je peux m'échapper à temps.

Boîte à bête noire yogi dans les salons Dawson[67]. *Isis dévoilée*. Leur livre de pali qu'on a essayé de mettre au clou. En position du lotus à l'ombre d'une ombrelle il trône, logos aztèque, agissant sur le plan astral, leur sur-âme, mahamahatma. Les fidèles hermétistes attendent la lumière, mûrs pour le noviciat bouddhique, tousenrond autour de lui. Louis H. Victory. T. Caulfield Irwin. Les dames du Lotus ne les quittent pas des yeux, leurs glandes pinéales incandescentes. Empli de son dieu il trône, Bouddha sous un figuier d'Adam. Glouton d'âmes, engloutisseur. Mâles âmes, femelles âmes, amas d'âmes. Englouties avec de gémissants vagissements, vibrionnées, vibrionnantes, elles geignent.

En quintessencielle insignifiance
Des années durant
Dans cette enveloppe charnelle
Demeura une âme femelle[68]

— Il paraît qu'on nous réserve une surprise littéraire, dit le bibliothécaire quaker, amical, sérieux. M. Russell, à ce qu'on dit, rassemble une gerbe de vers de nos plus jeunes poètes. On attend tous avec impatience[69].

Avec impatience il jeta un coup d'œil en direction du cône de lumière où trois visages, éclairés, brillaient.

Regarde ceci. Souviens-toi.

Stephen baissa les yeux sur un large caloquet sans tête, accroché au manche de sa frênecanne, au-dessus de son genou. Mon casque et mon épée. Toucher légèrement avec deux index. L'expérience d'Aristote. Un ou deux ? La nécessité est ce en vertu de quoi il est impossible qu'il en soit autrement. Ergo, un chapeau est un chapeau.

Écoute.

Le jeune Colum et Starkey. George Roberts s'occupe du côté commercial. Longworth lui consacrera un bon papier dans l'*Express*. Ah, vraiment ? J'ai aimé le *Drover* de Colum. Oui, je crois qu'il possède cette chose bizarre, le génie. Vous croyez qu'il a vraiment du génie ? Yeats admirait ce vers de lui : *Comme en une terre inculte un vase grec*. L'admirait-il, vraiment ? J'espère que vous pourrez venir ce soir. Malachi Mulligan viendra aussi. Moore lui a demandé d'amener Haines. Vous avez déjà entendu la plaisanterie de mademoiselle Mitchell au sujet de Moore et Martyn ? Que Moore est la gourme de Martyn ? Drôlement bien trouvé, non ? Ils font penser à Don Quichotte et Sancho Pança. Notre épopée nationale reste à écrire, dit le docteur Sigerson. Moore est tout désigné pour le faire. Un chevalier à la triste figure ici à Dublin. En kilt safran ? O'Neill Russell ? Oh oui, il parle sûrement la noble et vieille langue. Et sa Dulcinée ? James Stephens compose des saynètes plutôt habiles. Nous prenons de l'importance, on dirait[70].

Cordelia. *Cordoglio*. La plus solitaire des filles de Lir[71].

Acculé. À présent ton meilleur vernis français.

— Merci beaucoup, monsieur Russell, dit Stephen en se levant. Si vous vouliez bien avoir l'obligeance de remettre la lettre à M. Norman[72]…

— Oh, oui. S'il lui trouve de l'importance elle passera. Nous avons tellement de courrier.

— Je comprends, dit Stephen. Merci.

Dieu vous le rende. La gazette des cochons[73]. Bienfaiteurdesbovins.

Synge[74] m'a promis un article pour *Dana*[75] aussi. Est-ce qu'on va nous lire ? Je crois que oui. La Ligue Gaélique[76] veut quelque chose en irlandais. J'espère que vous passerez ce soir. En amenant Starkey.

Stephen se rassit.

Le bibliothécaire quaker se détacha de ceux qui prenaient congé. Rougissant, son masque dit :

— Monsieur Dedalus, vos vues sont des plus illuminantes.

Il crissait, de long en large, hissé sur la pointe des pieds, plus près du ciel de toute la hauteur d'un socque et, couvert par le bruit du départ, il dit tout bas :

— Vous pensez, donc, qu'elle n'a pas été fidèle au poète ?

Visage alarmé m'interroge. Pourquoi est-il venu ? Courtoisie ou illumination intérieure ?

— Pour qu'il y ait réconciliation, dit Stephen, il faut qu'il y ait eu d'abord séparation.

— Oui.

Christ-renard et ses caleçons écossais en cuir, il se cachait, fuyant dans les fourches des arbres dévastés la clameur de haro[77]. Sans femelle, solitaire dans cette chasse. Les femmes il les gagna à sa cause, engeance sensible, une putain de Babylone, des femmes de magistrats, des épouses de cabaretiers brutaux. Un renard et des oies. Et à New Place, un corps flasque et déshonoré qui jadis fut aussi avenant, jadis aussi doux, aussi frais qu'un arbre à cannelle, à présent ses feuilles tombent, toutes, le laissent dépouillé, dans la terreur de la tombe étroite, impardonné.

— Oui. Vous pensez donc…

La porte se referma derrière le sortant.

La quiétude envahit soudain la discrète cellule voûtée, quiétude d'une atmosphère chaude et rêveuse.

Une lampe de vestale.

Ici il médite de choses qui ne furent pas : ce que César aurait pu accomplir s'il avait accordé foi au devin : ce qui aurait pu être : possibilités du possible en tant que possible : choses non connues : le nom porté par Achille lorsqu'il vivait parmi les femmes[78].

Pensées ensevelies tout autour de moi dans leur boîtàmomie, embaumées dans les épices des mots. Thoth, dieu des bibliothèques, un dieu-oiseau, à couronne-de-lune. Et j'ai entendu la voix de ce grand-prêtre égyptien. *Dans les chambres peintes aux murs chargés de briques-livres*[79].

Elles sont silencieuses. Jadis vives dans les cerveaux des hommes. Silencieuses : mais la mort en elles les démange de me dire à l'oreille une histoire larmoyante, me presse d'accomplir leur volonté.

— Assurément, fit John Eglinton, pensif, de tous les grands hommes il est le plus énigmatique. Nous ne savons rien, sinon qu'il a vécu et souffert. Et même pas tant. D'autres ont répondu. Une ombre recouvre tout le reste.

— Mais *Hamlet* est tellement personnel, n'est-ce pas ? allégua M. Best. Je veux dire, une sorte de journal intime, vous savez, de sa vie intime. Je veux dire, je me soucie comme d'une guigne, vous savez, de qui est tué ou qui est coupable…

Il reposa un innocent livre sur le bord du bureau, tout défi tout sourire. Son journal intime, le manuscrit original. *Ta an bad ar an tir. Taim imo shagart*[80]. Remets une couche de beurla là-dessus, littlejohn[81].

Ainsi parla littlejohn Eglinton :

— Après ce que nous a dit Malachi Mulligan je m'attendais à des paradoxes mais à mon tour je vous préviens si vous voulez ébranler ma conviction que Shakespeare est Hamlet vous avez une rude tâche devant vous.

Un peu d'indulgence pour moi[82].

Stephen supporta le venin des yeux du mécréant, brillant d'un éclat sévère sous les sourcils froncés. Un basilic. *E quando vede l'uomo l'attosca*. Maître Brunetto[83], je te remercie pour cette parole.

— De même que nous, ou mère Dana[84], tissons et

détissons notre corps, dit Stephen, de jour en jour, ses molécules allant et venant, de même l'artiste tisse et détisse son image. Et de même que la tache sur mon sein droit se trouve au même endroit que le jour de ma naissance, bien que mon corps entier ait été tissé de neuf maintes et maintes fois, de même au travers du fantôme du père sans repos l'image du fils sans vie apparaît. Dans l'intense instant d'imagination, lorsque l'esprit, dit Shelley, est une braise près de s'éteindre[85], ce que j'étais est ce que je suis et ce qu'en puissance je peux devenir. Ainsi dans le futur, frère du passé, je ne peux me voir tel que je suis actuellement, assis là que par réflexion de ce que je serai alors.

Drummond de Hawthornden[86] t'a aidé à franchir ce pas de haie.

— Oui, dit juvénilement M. Best, pour moi Hamlet est tout à fait juvénile. L'amertume pourrait provenir du père mais les passages avec Ophélie viennent certainement du fils.

Il se mélange les pinceaux. Il est dans mon père. Je suis dans son fils.

— Cette tache est la dernière à disparaître[87], dit Stephen en riant.

John Eglinton eut une fort peu plaisante moue.

— Si c'était la marque originelle du génie, dit-il, le génie s'achèterait au coin des rues. Les pièces des dernières années de Shakespeare que Renan[88] admirait tant soufflent un tout autre esprit.

— L'esprit de réconciliation, souffla le bibliothécaire quaker.

— Il ne peut y avoir réconciliation, dit Stephen, s'il n'y a eu séparation.

Déjà dit.

— Si vous voulez connaître les événements qui projettent leur ombre sur cette période de cauchemar du

Roi Lear, d'*Othello*, d'*Hamlet*, de *Troïlus et Cressida*, recherchez quand et comment l'ombre se dissipe. Qu'est-ce qui attendrit le cœur d'un homme, Rescapé des mers furieuses qui ont failli l'engloutir, Éprouvé, comme un autre Ulysse, Périclès, prince de Tyr.

Tête, encapuchonnée de rouge, ballottée, aveuglée par les flots.

— Un enfant, une petite fille déposée dans ses bras, Marina.

— Le penchant des sophistes pour les voies détournées des apocryphes est une constante[89], détecta John Eglinton. Les grandes routes sont fastidieuses, mais elles mènent à la ville.

Le bon Bacon : sent le moisi. Shakespeare, la gourme de Bacon[90]. Ceux qui jonglent avec les codes[91] prennent les grandes routes. Explorateurs de la grande quête. Quelle ville, mes bons maîtres ? Des noms pour masques : A.E., éon[92] : Magee, John Eglinton. À l'est du soleil, à l'ouest de la lune : *Tir na n-og*[93]. Tous les deux bottés et embourdonnés

D'ici Dublin combien de milles ?
Soixante et dix, messire.
Avant la nuit y serons-nous[94] ?

— M. Brandes[95] l'admet, dit Stephen, comme première pièce de la dernière période.

— Vraiment ? Et qu'en pense M. Lee[96], alias M. Simon Lazarus, comme certains affirment qu'il se nomme ?

— Marina, dit Stephen, une enfant de la tempête, Miranda, une merveille, Perdita, ce qui a été perdu[97]. Ce qui était perdu lui est rendu : l'enfant de sa fille. *Mon épouse bien-aimée*, dit Périclès, *ressemblait à cette vierge*[98]. Un homme aimera-t-il la fille s'il n'a pas aimé la mère ?

— L'art d'être un grand-père, se prit à murmurer M. Best. *L'art d'être grandp*[99]...

— Ne verra-t-il pas renaître en elle, s'ajoutant au souvenir de sa propre jeunesse, une autre image ?

Sais-tu de quoi tu parles ? L'amour, oui. Mot connu de tous les hommes. *Amor vero aliquid alicui bonum vult unde et ea quae concupiscimus*[100].

— Sa propre image, pour un homme doué de cette chose bizarre, le génie, est le modèle de toute expérience, matérielle et morale. Une telle attraction le touchera. Les images d'autres mâles de son sang le rebuteront. Elles seront pour lui de grotesques tentatives de la nature pour l'annoncer ou le répéter, lui.

L'affable front du bibliothécaire quaker s'embrasa d'espoir.

— J'espère que M. Dedalus élaborera sa théorie pour l'édification du public. Et nous devrions mentionner un autre commentateur irlandais, M. George Bernard Shaw[101]. Sans oublier non plus M. Frank Harris. Ses articles sur Shakespeare dans la *Saturday Review* étaient sans aucun doute brillants. Chose curieuse, lui aussi nous dépeint une liaison malheureuse avec la sombre dame des sonnets. Le rival heureux est William Herbert, comte de Pembroke. Je reconnais que si le poète doit être évincé, une telle éviction semblerait mieux s'accorder avec — comment dire — nos idées de ce qui aurait dû ne pas être.

Avec bonheur il se tut et leva une tête débonnaire au milieu d'eux, œuf d'alque[102], récompense de leur combat.

Il truffe sa conversation avec elle de graves et bibliques apostrophes conjugales. Aimes-tu, Miriam ? Aimes-tu ton seigneur et maître ?

— C'est peut-être ça aussi, dit Stephen. Il y a une parole de Goethe que M. Magee aime citer. Faites attention à ce que vous désirez pendant votre jeunesse, car vous l'obtiendrez dans votre maturité[103]. Pourquoi envoie-t-il à celle qui est une *buonaroba*, une jument que tous les hommes montent[104], une fille d'honneur à l'enfance scandaleuse, un petit seigneur pour la courtiser à sa place ? Lui-même était un seigneur du langage, il avait fait de lui-même un gentilhomme coutiller, il avait écrit *Roméo et Juliette*. Pourquoi ? Sa foi en lui-même a été prématurément détruite. Il a commencé par se faire culbuter dans un champ de blé (de seigle, plutôt), à partir de là il ne sera plus jamais un vainqueur à ses propres yeux, ni ne pourra gagner au jeu de ris-et-couche-toi-là[105]. Se faire passer pour un don juan ne le sauvera pas. Rien de ce qu'il pourra défaire plus tard ne défera sa première défaite. La défense du sanglier l'a blessé là où l'amour saigne toujours[106]. Si la mégère est domptée, il lui reste son arme invisible de femme. Il y a, je le sens dans les mots, quelque aiguillon de la chair qui le pousse à une nouvelle passion, ombre plus sombre de la première, assombrissant jusqu'à sa propre intelligence de lui-même[107]. Un destin semblable l'attend et les deux fureurs se fondent en un seul tourbillon.

Ils écoutent. Et dans le porche de leur oreille je verse[108].

— L'âme a d'abord été frappée mortellement, un poison versé dans le porche d'une oreille endormie. Mais ceux qui sont mis à mort pendant leur sommeil ne peuvent connaître le comment de leur extinction à moins que leur Créateur ne dote leur âme de cette connaissance dans l'autre monde. L'empoisonnement et la bête à deux dos qui l'a inspiré, le fantôme du roi Hamlet ne pouvait les connaître à moins d'avoir été doté de cette connaissance par son créateur. C'est pourquoi le discours (son anglais sans relief et sans charme) est toujours orienté vers ailleurs, en arrière. Ravisseur et ravi, ce qu'il voulait mais ne voulait pas, l'accompagne depuis les globes d'ivoire cerclés de bleu de Lucrèce jusqu'au sein d'Imogène, nu, avec sa tache en cinq points[109]. Il s'en retourne, las de cette création qu'il a entassée pour se cacher à ses propres yeux, un vieux chien léchant une vieille plaie. Mais, parce que la perte est son gain, il se retrouve dans l'éternité tout intact, incapable d'avoir tiré leçon de la sagesse qu'il a formulée ou des lois qu'il a révélées. Sa visière est levée[110]. C'est un fantôme, une ombre à présent, le vent près des rochers d'Elseneur ou de ce qu'il vous plaira, la voix de la mer, une voix entendue seulement dans le cœur de celui qui est la substance de son ombre, le fils consubstantiel au père.

— Amen, fut-il psalmodié depuis l'entrée.

M'as-tu trouvé, ô mon ennemi[111] ?

Entr'acte.

Face de ribaud, morose doyen, Buck Mulligan s'avança, puis s'épanouit, coloré en livrée de bouffon, vers l'accueil de leurs sourires. Mon télégramme.

— Vous parliez du vertébré gazeux, si je ne me trompe ? demanda-t-il à Stephen.

En gilet primevère, il saluait gaiement de son panama agité en marotte.

Ils lui font bon accueil. *Was Du verlachst wirst Du noch dienen*[112].

Toute la nichée des moqueurs : Photius, pseudo-Malachie, Johann Most[113].

Celui Qui s'engendra Lui-même, médiateur du Saint Esprit, et Lui-même s'envoyant Lui-même, Racheteur, entre Lui-même et les autres, Qui, abusé par Ses démons, déshabillé et flagellé, fut cloué comme chauve-souris sur porte de grange, dépérit sur l'arbre de la croix, Qui Se laissa enterrer, se releva, ravagea l'enfer, se transporta au paradis et là depuis dix-neuf cents années est assis à la droite de

Son Propre Moi mais ne manquera pas de venir au dernier jour pour condamner les vivants et les morts alors que tous les vivants seront morts déjà.

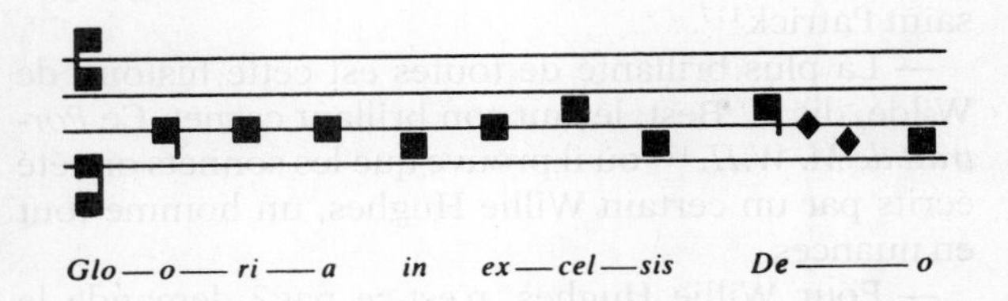
Glo — o — ri — a in ex — cel — sis De — o

Il lève les mains. Des voiles tombent. Ô fleurs ! Des cloches et des cloches et des cloches en chœur.

— Oui, vraiment, dit le bibliothécaire quaker. Une discussion des plus instructives. M. Mulligan, je gage, a lui aussi sa théorie sur la pièce et sur Shakespeare. Tous les côtés de la vie doivent être représentés.

Il adressa le même sourire de tous les côtés.

Buck Mulligan réfléchit, perplexe :

— Shakespeare ? dit-il. J'ai déjà entendu ce nom-là je crois.

Un fugace sourire éclaira ses traits mous.

— Ça y est, fit-il dans un brillant sursaut de mémoire. Le type qui écrit comme Synge[114].

M. Best se tourna vers lui :

— Haines vous a raté, dit-il. Est-ce que vous l'avez croisé ? Il vous verra tout à l'heure à la D.B. Il est allé chez Gill's acheter les *Chants d'amour du Connacht*, de Hyde.

— Je suis venu par le musée, dit Buck Mulligan. Il était ici ?

— Les compatriotes du barde, répondit John Eglinton, se sont peut-être lassés de nos fulgurances théorisantes. J'ai appris qu'une actrice jouait Hamlet pour la quatrecenthuitième fois hier soir à Dublin[115].

Vining[116] soutenait que le prince était une femme. Personne n'a-t-il eu l'idée de faire de lui un Irlandais ? Le juge Barton, je crois, est à la recherche de quelques indices. Il jure (le Prince, pas monsieur le Juge) par saint Patrick[117].

— La plus brillante de toutes est cette histoire de Wilde, dit M. Best, levant son brillant carnet. Ce *Portrait de M. W.H.* [118] où il prouve que les sonnets ont été écrits par un certain Willie Hughes, un homme tout en nuances.

— Pour Willie Hughes, n'est-ce pas ? demanda le bibliothécaire quaker.

Ou Hughie Wills. M. William Himself. W.H. : qui suis-je ?

— Je voulais dire, pour Willie Hughes, dit M. Best, amendant sans difficulté sa glose. Bien sûr tout cela n'est que paradoxe, vous savez, *Hughes* et *hews* (il taille) et *hues*, les nuances, mais c'est tellement typique de la manière dont il combine tout cela. C'est l'essence même de Wilde, vous savez. La touche légère.

Son regard toucha légèrement leurs visages, tandis qu'il souriait, blond éphèbe. Essence domestiquée de Wilde[119].

Tu es sacrément spirituel. Trois petits verres d'usquebac[120] tu as bus avec les ducats de Dan Deasy.

Combien ai-je dépensé ? Oh, quelques shillings.

Pour une badaudaille de journalistes. Humeur humide et sèche[121].

De l'esprit. Tu donnerais tes cinq esprits pour le fier pourpoint de jeunesse[122] dans lequel il caracole. Linéaments du désir satisfait[123].

Ce n'est pas ce qui manque. Prends-la pour moi. À la saison des amours. Jupiter, envoie-leur encore une fraîche saison de rut. Ouais, roucoule-la.

Ève. Péché nu du ventre de froment. Un serpent se

love autour d'elle, crochet enfoncé au cœur de son baiser.

— Pensez-vous qu'il ne s'agisse que d'un paradoxe ? demandait le bibliothécaire quaker. Le moqueur n'est pas pris au sérieux alors même qu'il l'est le plus.

Ils discutaient sérieusement du sérieux du moqueur.

Le visage redevenu obtus de Buck Mulligan fixa un instant Stephen. Puis, hochant la tête, il s'approcha, sortit de sa poche un télégramme plié. Ses lèvres mobiles lurent, souriant d'un nouveau ravissement.

— Télégramme ! Dit-il. Merveilleuse inspiration ! Télégramme ! Bulle papale !

Il s'assit sur un coin du bureau non éclairé, et lut tout haut avec entrain :

— *Le sentimental est celui qui voudrait la jouissance sans assumer l'immense dette due pour un acte accompli* [124]. Signé : Dedalus. D'où l'as-tu lancé ? Du bordel ? Non. College Green. Les quatre livres, tu les as bues ? La tante va aller voir ton père insubstantiel. Télégramme ! Malachi Mulligan, le Ship, lower Abbey street. Ô toi, cabot sans pareil ! Ô toi, petit encuraillonné !

Avec entrain il fourra message et enveloppe dans une poche et, d'un drôle de ton grincheux, se lança dans une jérémiade à l'accent irlandais :

— C'est ce que je suis en train de vous dire, mon petit trésor, on était tous les deux tout chose, pas bien du tout, Haines et moi, cette fois qu'il l'a apporté, en personne. Les soupirs qu'on faisait pour une potion à faire bander un moine, je crois bien, et il tenait plus debout tellement qu'il avait baisé. Et nous une heure et deux heures et trois heures qu'on a attendu sagement chez Connery pour avoir chacun son quelque chose à boire [125].

Il gémit :

— Et nous on était là, hélas, et toi à l'insu de tous tu nous balances tes conglomérations et on se retrouve avec une langue pendante comme les curés asséchés qui meurent quasiment d'envie de s'en taper une.

Stephen rit.

Vivement, histoire de prévenir, Buck Mulligan se pencha :

— Synge le trimardeur te recherche, dit-il, pour t'assassiner. Il a entendu dire que tu avais pissé sur sa porte d'entrée à Ghasthule[126]. Il est là, dans ses rustiques sandales, prêt à t'assassiner.

— Moi ! s'écria Stephen. C'était ta contribution à la littérature.

Buck Mulligan se pencha en arrière, avec jubilation, riant en direction du sombre plafond aux oreilles indiscrètes.

— T'assassiner ! rit-il.

Visage brut de gargouille qui me cherchait querelle au-dessus de notre platée de hachis d'abats rue Saint-André-des-Arts[127]. Dans les mots des mots pour les mots, palabras. Oisin avec Patrick. Le faune qu'il a rencontré dans les bois de Clamart, brandissant une bouteille de vin. *C'est vendredi saint !* Irlandais murdrier. C'est son image, dans son errance, qu'il a rencontrée. Et moi, la mienne. J'ai rencontré un fou, dans la forêt[128].

— M. Lyster, dit un préposé, de la porte entrebâillée.

— ... où chacun peut trouver ce qu'il veut. Ainsi M. le juge Madden dans son *Journal de Maître William Silence*[129] a relevé les termes de chasse... Oui ? Qu'y a-t-il ?

— Un monsieur qui désire vous voir, monsieur, dit le préposé, s'avançant et présentant une carte. Du *Freeman*. Il veut consulter les numéros du *Kilkenny People* de l'année dernière.

— Certainement, certainement, certainement. Ce monsieur est-il… ?

Il prit la carte avide, jeta un coup d'œil, ne vit rien, la reposa, sans avoir vu, regarda, demanda, crissa, demanda :

— Est-il ?… Ah oui, là !

Vivement d'un pas de gaillarde il fut dehors. Dans le couloir au grand jour, il se mit à parler avec de volubiles efforts, plein de zèle, l'obligeance même, tellement honnête, tellement aimable, tellement quaker.

— Ce monsieur ? *Freeman's Journal ? Kilkenny People ?* Assurément. Bonjour, monsieur. *Kilkenny*… Certainement nous avons…

Une silhouette patiente attendait, écoutait.

— Tous les principaux journaux de province… *Northern Whig, Cork Examiner, Enniscorthy Guardian*, 1903. Si vous voulez bien ?… Evans, conduisez ce monsieur… Si vous voulez bien suivre le prép… Ou même, permettez-moi… Par ici… Pardon, monsieur…

Volubile, obligeant, il ouvrit la voie vers l'ensemble de la presse provinciale, une forme sombre et courbée sur ses rapides talons.

La porte se referma.

— Le youpin ! s'écria Buck Mulligan.

Il bondit et saisit la carte.

— Comment s'appelle-t-il ? Youdi Moses ? Bloom.

On ne pouvait plus l'arrêter.

— Jéhovah, collecteur de prépuces, n'est plus. Je suis tombé sur lui au musée où j'étais allé saluer Aphrodite, née-de-l'écume. La bouche grecque que la prière n'a jamais déformée. Chaque jour nous devons lui rendre hommage. *Vie de la vie, tes lèvres embrasent*[130].

Brusquement il se tourna vers Stephen.

— Il te connaît. Il connaît ton vieux. Oh, j'en ai bien peur, il est plus grec que les Grecs. Ses pâles yeux galiléens[131] étaient posés sur son sillon médian. Vénus Callipyge. Ô, le tonnerre de cette chute de reins ! *Le dieu poursuivant la virginité cachée*[132].

— Nous voulons en savoir plus, décida John Eglinton avec l'approbation de M. Best. Nous commençons à nous intéresser à Madame S. Jusqu'à présent, lorsqu'il nous arrivait de penser à elle, c'était comme à une patiente Grisilde[133], une casanière Pénélope.

— Antisthène, élève de Gorgias, dit Stephen, a enlevé la palme de beauté à la poulinière du Kyrios Ménélas, l'Argienne Hélène, la jument en bois de Troie qui accueillit en elle une vingtaine de héros, et l'a remise à la pauvre Pénélope. Vingt ans, il vécut à Londres et, durant une partie de ce temps, il gagna autant d'argent que le lord chancelier d'Irlande[134]. Sa vie fut riche. Son art, plus que celui du féodalisme, comme l'appelait Walt Whitman[135], est l'art de la satiété. Tourtes de harengs bien chaudes, verts gobelets de vin blanc, sauces au miel, confitures de roses, massepain, pigeons aux groseilles, friandises au gingembre. Sir Walter Raleigh, lorsqu'ils l'ont arrêté, avait sur le dos pour un demi-million de francs, dont un extravagant corset. Eliza Tudor l'usurière possédait assez de dessous pour rivaliser avec sa semblable de Saba. Vingt ans il s'amusa entre l'amour conjugial aux joies pures et l'amour scortatoire aux plaisirs malsains. Vous connaissez l'histoire de Manningham sur la femme du marchand qui avait convoqué Dick Burbage dans son lit après l'avoir vu dans *Richard III* et comment Shakespeare, surprenant la proposition, sans plus de bruit pour rien, a pris la vache par les cornes et, lorsque Burbage est venu frapper à l'huis, lui a répondu de sous les couvertures du chapon : *William le Conquérant est venu avant Richard III*. Et la joyeuse poupée, Mistress Fitton, se laisse monter et fait la sainte nitouche, et sa délicate oiselle, Lady Penelope Rich[136], une femme de qualité bien propre, convient parfaitement à un acteur, et les catins des quais, on les a pour un penny.

Cours-la-Reine. *Encore vingt sous. Nous ferons de petites cochonneries. Minette ? Tu veux ?*

— L'élite de la haute société. Et la mère de Sir William Davenant, d'Oxford, avec sa petite coupe de vin des Canaries[137] pour la première queuedecanari venue.

Buck Mulligan, yeux pieusement levés, se mit à prier.

— Bienheureuse Marguerite Marie Àlaqueue[138] !

— Et la fille d'Henry aux six femmes sans compter les autres amies de demeures voisines[139], comme Lawn Tennyson, gentleman poète, les chante. Mais, durant toutes ces vingt années, d'après vous que faisait la pauvre Pénélope derrière les vitres à losanges ?

Agir, agir[140]. Acte accompli. Dans la roseraie du botaniste Gerard[141], à Fetter lane, il marche, auburn grisonnant. Une campanule azur comme ses veines à elles[142]. Les paupières de Junon[143], violettes. Il marche. On n'a qu'une seule vie. Un seul corps. Agir. Agir, rien d'autre. Au loin, dans un relent de luxure et de crasse, des mains se posent sur de la blancheur.

Buck Mulligan donna un coup sec sur le bureau de John Eglinton.

— Qui soupçonnes-tu ? défia-t-il.

— Disons qu'il est l'amant éconduit des sonnets. Éconduit un jour, éconduit pour toujours. Mais c'est au profit d'un lord, le moncheramour du poète, qu'il s'est fait éconduire par la libertine de cour.

L'amour qui n'ose pas dire son nom.

— Vous voulez dire qu'en bon Anglais, glissa John l'énergique Eglinton, il aimait un lord[144].

Vieux mur sur lequel brillent furtivement des lézards. À Charenton je les guettais.

— On dirait bien, dit Stephen, puisqu'il veut remplir pour lui, et pour toutes les autres matrices en friche[145], le saint office que le palefrenier remplit pour l'étalon. Peut-être, comme Socrate, avait-il une sage-femme pour mère, tout comme il avait une mégère pour épouse. Mais elle, l'effrontée libertine, n'a pas brisé un serment conjugal. Deux agents fermentent dans l'esprit de ce fantôme : un serment brisé et le rustre abruti sur lequel elle a rabattu ses faveurs, frère du mari défunt. La douce Ann j'imagine avait le sang chaud. Courtisane un jour, courtisane toujours.

Stephen se retourna carrément sur sa chaise.

— La charge de la preuve vous incombe, et non à moi, dit-il, fronçant les sourcils. Si vous niez qu'à la scène cinq d'*Hamlet* il ait stigmatisé son infamie, dites-moi pourquoi il n'est jamais fait mention d'elle pendant ces trente-quatre années depuis le jour des épousailles jusqu'au jour des funérailles. Toutes ces femmes ont vu leurs hommes morts et enterrés : Mary, son brave John, Ann, son pauvre cher Willun, lorsqu'il lui fit le coup de mourir, furieux d'être le premier à partir, Joan, ses quatre frères, Judith, son mari et tous ses fils, Susan, son mari également tandis que la fille de Susan, Elizabeth, pour parler comme grand-papa, épousa son second, après avoir tué son premier[146].

Oh si, il est fait mention d'elle. Pendant les années où il vivait somptueusement dans un Londres royal, elle a dû pour rembourser une dette emprunter quarante shillings au berger de son père. À vous d'expliquer. Expliquez aussi le chant du cygne par lequel il l'a vouée à la postérité[147].

Il se retrouva face à leur silence.

À quoi Eglinton :

Vous voulez parler du testament.
Les juristes, je crois, ont trouvé l'explication.
Elle devait toucher son douaire de veuve
Selon la loi. Lui avait une grande connaissance
du droit
Disent nos magistrats.
De lui Satan ricane,
Le moqueur :
Et de ce fait il omettait son nom
De la première version mais il n'a pas omis
Les présents pour sa petite-fille, pour ses filles,
Pour sa sœur, pour ses vieux compères de Stratford
Et de Londres. Et de ce fait alors qu'on le pressait
Comme je le crois, de la citer
Il lui laissa son
Moins bon
Lit.

Punkt

Luilaissason
Moinsbon
Luilaissason
Sibonlit
Secondbon
Laissalit.

Ho !

— Le beau monde des campagnes avait peu de biens meubles à l'époque, fit observer John Eglinton, et cela n'a pas changé si notre théâtre rural reflète bien la réalité.

— Il était un riche gentilhomme campagnard, fit Stephen, avec des armoiries et un domaine à Stratford et une maison dans Ireland Yard, un capitaliste possédant actions, un promoteur de lois, un affermeur de dîme. Pourquoi ne pas lui laisser son meilleur lit s'il voulait qu'elle passe le reste de ses nuits à ronfler paisiblement ?

— Il est clair qu'il y avait deux lits, un bon et un moins bon, dit M. Best Moinsbon, avec finesse.

— *Separatio a mensa et a thalamo*[148], surenchérit Buck Mulligan, s'attirant des sourires.

— L'Antiquité fait mention de lits célèbres, avança Eglinton Moins, dédiant un sourire à tous ces lits. Que je réfléchisse.

— L'Antiquité fait mention de ce malicieux écolier stagirite et sage païen chauve[149], dit Stephen, qui, lorsqu'il meurt en exil, affranchit et dote ses esclaves, rend justice à ses anciens, exprime le désir d'être enterré près des os de sa défunte épouse et demande à ses amis de prendre soin d'une vieille maîtresse (n'oubliez pas Nell Gwynn Herpyllis) et de la laisser vivre dans sa villa.

— Voulez-vous dire qu'il est mort de cette manière ? demanda M. Best avec une légère inquiétude. Je veux dire…

— Il est mort ivre mort[150], rétorqua Buck Mulligan. Un litre d'ale est un régal de roi. Oh, il faut que je vous raconte ce que Dowden[151] a dit !

— Quoi ? demanda Besteglinton.

William Shakespeare and co, ltd. Le William pour tous. Pour les conditions s'adresser à : E. Dowden, Highfield house…

— Charmant ! soupira Buck Mulligan amoureusement. Je lui ai demandé ce qu'il pensait de l'accusation de pédérastie portée contre le barde. Il a levé les mains et répondu : *Tout ce que nous pouvons dire, c'est que la vie ne manquait pas de sel en ce temps-là.* Charmant !

Giton.

— Le sens du beau nous égare, dit Best le beau ténébreux à Eglinton le guenillon.

Inébranlable John répondit grave :

— Le docteur peut nous donner l'interprétation de ces propos. On ne peut pas avoir le beurre et l'argent du beurre.

Tu allègues donc cela ? Est-ce qu'ils vont nous arracher, m'arracher la palme de beauté ?

— Et le sens de la propriété, dit Stephen. C'est du fin fond de sa propre poche qu'il a tiré Shylock[152]. Fils d'un trafiquant de malt et prêteur sur gages, il était lui-même trafiquant de grains et prêteur sur gages, avec ses dix minots de grains accaparés pendant les émeutes de la famine. Ses emprunteurs sont sans aucun doute ces représentants de diverses confessions cités par Chettle[153] Falstaff qui attestaient sa probité. Il poursuivit un de ses compagnons de scène pour le prix de quelques sacs de malt et exigeait sa livre de chair pour intérêt de chaque somme prêtée. De quelle autre manière le palefrenier et saute-ruisseau d'Aubrey[154] se serait-il enrichi rapidement ? Tous les événements apportaient de l'eau à son moulin. Shylock fait chorus avec la chasse aux juifs qui a suivi la pendaison et l'écartèlement de l'apothicaire de la reine, Lopez[155], son cœur de juif arraché pendant que le youpin vivait encore : *Hamlet* et *Macbeth* font chorus, eux, avec l'accession au trône du philosophâtre écossais amateur de sorcières grillées[156]. L'armada perdue est l'objet de ses railleries dans *Peines d'amour perdues*[157]. Ses spectacles, les reconstitutions historiques, naviguent à pleine voile sur une marée d'enthousiasme à la Mafeking[158]. Les jésuites du Warwickshire sont traduits en justice et nous avons la théorie de l'équivoque proposée par un concierge[159]. Le *Sea Venture* revient des Bermudes et dans la pièce qu'admirait Renan on retrouve Patsy Caliban[160], notre cousin d'Amérique. Les sonnets sirupeux suivent ceux de Sidney[161]. Quant à la fée Elizabeth, c'est-à-dire Bess la rouquine, la lourde vierge qui a inspiré *Les Joyeuses Commères de Windsor,* laissons quelque meinherr d'Allémanie tâtonner toute sa vie à la recherche de sens cachés dans les profondeurs d'un panier de linge sale.

Je crois que tu t'en tires très bien. Il suffit de mixtionner un méli-mélo théolologicophilolologique. *Mingo, minxi, mictum, mingere*[162].

— Prouvez qu'il était juif, défia John Eglinton, en attente. Votre doyen des études affirme qu'il était catholique romain[163].

Sufflaminandus sum[164].

— C'était un produit allemand, répondit Stephen, spécialiste du vernis français passé sur les scandales italiens.

— Un homme innombrable[165], rememora M. Best. Coleridge l'a appelé innombrable.

Amplius. In societate humana hoc est maxime necessarium ut sit amicitia inter multos[166].

— Saint Thomas, commença Stephen…

— *Ora pro nobis,* gémit Moine Mulligan, s'affalant sur une chaise.

Puis il entonna une rune de lamentation.

— *Pogue mahone ! Acushla machree*[167] *!* Détruits que nous sommes à ce jour ! Détruits que nous sommes c'est sûr !

Chacun y alla de son sourire.

— Saint Thomas, dit Stephen, souriant, dont j'aime lire dans l'original les œuvres ventripotentes, traitant de l'inceste d'un point de vue différent de celui de cette nouvelle école viennoise dont a parlé M. Magee, l'assimile à sa manière pleine de sagesse et d'originalité à une avarice des émotions[168]. Il veut dire que l'amour donné ainsi à un proche par le sang est avidement refusé à quelque étranger qui, peut-être, en avait un vital besoin. Les juifs, que les chrétiens taxent d'avarice, sont de toutes les races la plus encline au mariage consanguin. Qui veut noyer son chien l'accuse de la rage. Les lois chrétiennes qui ont empilé les réserves d'or des juifs (pour eux, comme pour les lollards, la tempête était le refuge) ont également cerclé de fer leurs affections. Que celles-ci soient vice ou vertu, le vieux Papapersonne[169] nous le dira au tribunal du Jugement dernier. Mais un homme qui s'attache si fort à ce qu'il appelle ses droits sur ce qu'il appelle ses dettes s'attachera aussi fort à ce qu'il appelle ses droits sur celle qu'il appelle sa femme. Nul Beausourire[170] du voisinage ne convoitera son bœuf ou sa femme ou son serviteur ou sa servante ou son bourricot.

— Ou sa bourrique, fit Buck Mulligan donnant le répons.

— Le doux Will est bien mal traité selon votre volonté, dit doucement le doux M. Best.

— Quel Will, quelle volonté ? plaisanta gentiment Buck Mulligan. On ne s'y retrouve plus.

— La volonté de vivre, pour la pauvre Ann, veuve de Will, philosopha John Eglinton, est la volonté de mourir.

— *Requiescat !* se mit à prier Stephen.

La volonté d'agir, qu'est-elle devenue ?
Depuis longtemps elle a disparu[171]*...*

— Elle repose, disposée toute rigide dans ce moinsbon lit, la reine emmitouflée[172], même si vous prouvez qu'un lit à cette époque était aussi rare qu'une automobile aujourd'hui, et que ses sculptures faisaient l'admiration de sept paroisses. Sur ses vieux jours elle fréquente des évangélistes (l'un séjournait à New Place et recevait de la municipalité son litre de vin blanc mais dans quel lit dormait-il il ne convient pas de le demander) et eut vent qu'elle avait une âme. Elle lut ou se fit lire ses livres de colporteurs, les préférant aux *Joyeuses Commères* et, répandant ses eaux nocturnes dans le jules, elle se mit à méditer sur *Crochets et Agrafes pour les Culottes des Vrais Croyants* et *La Tabatière selon l'Esprit pour Faire Éternuer les Âmes les plus Dévotes*[173]. Vénus s'est déformé les lèvres par la prière. Re-mords de l'inextimé : remords de conscience. C'est une époque où la putasserie à bout de souffle cherche à tâtons son dieu.

— L'histoire montre qu'il en est bien ainsi, *inquit Eglintonus Chronolologos*[174]. Les époques se succèdent. Mais nous savons de source sûre que les pires ennemis d'un homme seront dans sa famille et sa propre maison[175]. J'ai le sentiment que Russell a raison. Que nous importent sa femme et son père ? Je dirais presque que seuls les poètes pour famille ont une vie de famille. Falstaff n'était pas un homme à famille. Je crois que le gras chevalier est sa création suprême.

Maigre, il se pencha en arrière. Timide, renie tes parents, les purs et durs[176]. Timide soupant avec les impies, il dérobe la coupe. Un géniteur, un ulstérien d'Antrim[177], le lui avait ordonné. Lui rend visite le jour du terme. M. Magee, monsieur, un gentleman pour vous. Pour moi ? Dit qu'il est votre père, monsieur. Donnez-moi mon Wordsworth. Entre Magee Mor Matthew, rustre et rugueux mercenaire, avec ses culottes à la braguette à boutons et ses bas-de-chausses recouverts de la boue de dix forêts, une baguette de pommier à la main.

Et le tien ? Il connaît ton vieux. Le veuf.

Accourant vers son sordide gîte de mort depuis le gai Paris, sur le quai, j'ai touché sa main. La voix, chaleur nouvelle, qui parle. Le docteur Bob Kenny la soigne. Les yeux qui me veulent du bien. Mais ne me connaissent pas.

— Un père, dit Stephen, luttant contre la désespérance, est un mal nécessaire. Il a écrit la pièce pendant les mois qui ont suivi la mort de son père. Si vous soutenez que lui, un homme grisonnant avec deux filles à marier[178], et trente-cinq ans d'existence, *nel mezzo del cammin di nostra vita*[179], et cinquante d'expérience, est l'étudiant imberbe de Wittenberg[180], alors vous devez soutenir que sa vieille mère de soixante-dix ans est la reine lubrique. Non. Le cadavre de John Shakespeare ne se promène pas la nuit[181]. D'heure en heure il va pourrissant[182]. Il repose, désarmé de sa paternité, *ayant* légué à son fils cet état mystique. Le Calandrino de Boccace[183] fut le premier et dernier homme à se sentir enceint. La paternité, en tant qu'engendrement conscient, l'homme ne la connaît pas. C'est un état mystique, une succession apostolique, du seul engendreur au seul engendré. Sur ce mystère et non sur la madone que l'astuce italienne a jetée en pâture à la populace d'Europe l'église est bâtie et bâtie immuablement parce que bâtie, comme le monde, macro et microcosme, sur le vide. Sur l'incertitude, sur l'improbabilité. *Amor matris*[184], génitif subjectif et objectif, est peut-être la seule chose vraie de l'existence. La paternité est peut-être une fiction légale[185]. Qui donc est-il, le père d'un fils, pour qu'un fils l'aime ou qu'il aime un fils ?

Où diable veux-tu en venir ?

Je sais. Ferme-la. Tu m'embêtes ! J'ai mes raisons.

Amplius. Adhuc. Iterum. Postea[186].

Es-tu condamné à faire ça ?

— Ils sont séparés par une honte physique si catégorique que les annales criminelles du monde, souillées de toutes sortes d'incestes et de bestialités, ne gardent guère de trace de cette transgression. Fils et mères, géniteurs et filles, sœurs lesbiques, amours qui n'osent pas dire leurs noms, neveux et grand-mères, gibiers de potence et trous de serrures, reines et taureaux primés[187]. Le fils à naître gâche la beauté : né, il apporte le chagrin, divise l'affection, augmente les soucis. C'est un mâle : sa croissance est le déclin de son père, sa jeunesse le regret envieux de son père, son ami l'ennemi de son père.

C'est rue Monsieur-le-Prince que j'ai pensé cela.

— Dans la nature, qu'est-ce qui les lie ? Un instant de rut aveugle.

Suis-je un père ? Et si je l'étais ?

Main hésitante, recroquevillée.

— Sabellius, l'Africain, le plus subtil hérésiarque de toutes les bêtes du troupeau, soutenait que le Père était Lui-même Son Propre Fils. Le dogue d'Aquin[188], pour qui aucun verbe ne sera impossible, le réfute. Entendez : si le père qui n'a pas de fils n'est pas un père le fils qui n'a pas de père peut-il être un fils ? Lorsque Rutlandbaconsouthamptonshakespeare[189] ou un autre poète du même nom dans la comédie des erreurs écrivit *Hamlet* il n'était pas seulement le père de son propre fils mais, n'étant plus un fils, il était et se sentait lui-même le père de toute sa race, le père de son propre grand-père, le père de son petit-fils à naître, qui, entre parenthèses, ne naquit jamais, car la nature, telle que M. Magee la comprend[190], a horreur de la perfection.

Eglintonyeux, de plaisir, se levèrent, timidement brillants. Regard joyeux, un puritain ravi, à travers l'églantine tressée[191].

Flatter. Rarement. Mais flatter.

— Lui-même son propre père, Mulliganfils se dit à lui-même. Minute. Je suis gros d'un enfant. J'ai un enfant à naître dans le cerveau. Pallas Athena[192] ! Une pièce ! Ce qui compte, c'est la pièce[193] ! Laissez-moi accoucher !

Il étreignit son front ballonné avec ses deux mains forceps.

— Quant à sa famille, dit Stephen, le nom de sa mère survit dans la forêt d'Arden[194]. Sa mort lui fit concevoir la scène avec Volumnia dans *Coriolan*[195]. La mort de son jeune fils c'est la scène de la mort du jeune Arthur dans le *Roi Jean*[196]. Hamlet le prince noir, est Hamnet Shakespeare. Qui sont les jeunes filles dans *La Tempête*, *Périclès*, le *Conte d'hiver*, nous le savons. Qui Cléopâtre, marmite de chair d'Égypte, qui Cressida et qui Vénus, nous pouvons le deviner[197]. Mais on trouve trace d'un autre membre de sa famille encore.

— L'intrigue se complique, dit John Eglinton.

Le bibliothécaire quaker, tremblant, se glissa, entra sur la pointe des pieds, trembla, son masque, trembla, en hâte, trembla, démasqué.

Porte fermée. Cellule. Jour.

Ils écoutent. Trois. Ils.

Je tu il ils.

Allons, semons le bordel.

STEPHEN

Il avait trois frères, Gilbert, Edmund, Richard. Gilbert sur ses vieux jours raconta à quelques cavaliers qu'une fois il avait eu une entrée gratis du Maistre Collecteur un jour de messe oui il a vu son fraire le Maistre Wull l'écriveur de pièces là-bas à Lond' dans une pièce où qu'ons' battait avec un homme sur le dos. Les saucisses du parterre comblèrent l'âme de

Gilbert. Il n'apparaît nulle part : mais on trouve trace d'un Edmund et d'un Richard dans les œuvres du doux William.

MAGEEGLINJOHN

Des noms ! Qu'y a-t-il dans un nom[198] ?

BEST

C'est mon nom, Richard, vous savez. J'espère que vous direz quelque chose de gentil sur Richard, vous savez, pour me faire plaisir.

(Rires.)

BUCK MULLIGAN

(Piano, diminuando.)

Alors trancha le carabin Dick
Pour son compère carabin Davy[199]...

STEPHEN

Dans sa trinité de Wills noirs, les traîtres détrousseurs, Iago, Richard le Malbâti, Edmund du *Roi Lear*, deux portent le nom des méchants oncles. En fait, cette dernière pièce était écrite ou en cours d'écriture alors que son frère Edmund agonisait à Southwark.

BEST

J'espère que c'est Edmund qui va tout prendre. Je ne veux pas que Richard, mon nom...

(Rires.)

QUAKERLYSTER

(A tempo.) Mais celui qui me vole mon renom[200]…

STEPHEN

(Stringendo.) Il a caché son propre nom, un beau nom, William, dans les pièces, ici un figurant, là un rustaud, à la manière dont un peintre de l'ancienne Italie place son visage dans un coin sombre de sa toile. Il l'a révélé dans les sonnets où l'on trouve du Will à revendre[201]. Tout comme John O'Gaunt, son nom lui est cher, autant que les armoiries pour lesquelles il a rampé, sur bande de sable une lance d'or à pointe d'argent, honorificabilitudinitatibus, plus cher que sa gloire de plus grand branlescène[202] du pays. Qu'y a-t-il dans un nom ? C'est ce que nous nous demandons dans l'enfance, lorsque nous écrivons ce nom qu'on nous dit le nôtre. Une étoile, une étoile diurne, un dragon de feu se leva à sa naissance. Elle brilla en plein jour seule dans les cieux, plus vivement que Vénus la nuit, et la nuit elle brilla au-dessus du delta de Cassiopée, la constellation nonchalamment allongée qui signe son initiale parmi les étoiles. Ses yeux l'ont suivie, basse sur l'horizon, à l'est de l'Ourse, tandis qu'il marchait à travers les champs d'été assoupis à minuit, au sortir de Shottery et des bras de cette femme[203].

Satisfaits tous les deux. Moi aussi.

Ne leur dis pas qu'il avait neuf ans quand elle a disparu.

Et des bras de cette femme.

Attends d'être courtisé et conquis[204]. Hein, couillemolle[205]. Qui va te courtiser ?

Lis les cieux. *Autontimorumenos. Bous Stephanoumenos*[206]. Ta configuration, où est-elle ? Stephen, Stephen, fais bien la part des choses. S.D. : *sua donna. Già : di lui. Gelindo risolve di non amare S.D.*[207]

— Qu'était-ce, monsieur Dedalus ? demanda le bibliothécaire quaker. Un phénomène céleste ?

— Une étoile la nuit, dit Stephen, une colonne de nuée le jour[208].

Que dire de plus ?

Stephen regarda son chapeau, sa canne, ses chaussures.

Stephanos[209], ma couronne. Mon épée. Ses chaussures me déforment les pieds. En acheter une paire. Trous dans mes chaussettes. Mouchoir aussi.

— Vous faites bon usage du nom, reconnut John Eglinton. Votre propre nom est plutôt étrange. Je suppose qu'il explique votre humeur imaginative.

Moi, Magee et Mulligan.

Artificier fabuleux, l'homme faucon. Tu t'es envolé. Et pour où ? Newhaven-Dieppe, passager de troisième classe. Paris et retour. Vanneau. Icare. *Pater, ait*[210]. Trempé de mer, bas tombé, ballotté dans les flots. Vanneau tu es. Vanneau sois[211].

M. Best tranquillement fébrile leva son livre pour dire :

— C'est très intéressant car ce motif du frère, vous savez, nous le retrouvons dans les vieux mythes irlandais. Exactement ce que vous dites. Les trois frères Shakespeare. Chez Grimm aussi, vous savez, les contes de fées. Le troisième frère qui toujours épouse la belle au bois dormant et remporte le meilleur prix.

Le meilleur des frères Best[212]. Bien, mieux, meilleur.

Le bibliothécaire quaker se lança trébucha.

— J'aimerais savoir, dit-il, lequel des frères vous... Je crois comprendre que vous insinuez qu'il y a eu inconduite avec l'un des frères... Mais peut-être anticipé-je ?

Il se prit lui-même sur le fait : les regarda tous : s'abstint.

Un employé appela depuis l'entrée :

— Monsieur Lyster ! Le père Dineen[213] veut…

— Oh ! Le père Dineen ! Tout de suite.

De suite vite crissant de suite de suite il fut de suite parti.

John Eglinton engagea le fer.

— Allons, dit-il. Écoutons ce que vous avez à dire au sujet de Richard et d'Edmund. Vous les avez gardés pour la fin, n'est-ce pas ?

— En vous demandant de vous souvenir de ces deux nobles parents tonton Richie et tonton Edmund, répondit Stephen, je sens que j'en demande peut-être trop. Un frère s'oublie aussi facilement qu'un parapluie.

Vanneau.

Où est ton frère ? Apothecaries Hall. Mon affiloir[214]. Lui, puis Cranly, Mulligan : et maintenant ceux-ci. Discours, discours. Mais agis. Agis le discours. Ils se moquent de toi pour te mettre à l'épreuve. Agis. Sois agi.

Vanneau.

Je suis fatigué de ma voix, la voix d'Ésaü. Mon royaume pour un verre.

En avant.

— Vous me direz que ces noms existaient déjà dans les chroniques où il a pris la matière de ses pièces. Pourquoi a-t-il pris ceux-là plutôt que d'autres ? Richard, un vicieux bossu, avorton, s'empresse auprès d'une veuve Ann[215] (qu'y a-t-il dans un nom ?), la courtise et la conquiert, une vicieuse veuve joyeuse. Richard le conquérant, troisième frère, vient après William le conquis. Les quatre actes suivants sont mollement accrochés à ce premier acte. De tous ses rois Richard est le seul à ne pas être protégé par la déférence de Shakespeare, l'ange du monde. Pourquoi l'intrigue secondaire du *Roi Lear*, dans laquelle apparaît Edmund, est-elle empruntée à *L'Arcadie* de

Sidney et emberlificotée avec une légende celtique plus ancienne que l'histoire[216] ?

— C'était la manière de Will, justifia John Eglinton. Aujourd'hui on ne mélangerait pas une saga scandinave avec un extrait d'un roman de George Meredith. *Que voulez-vous ?* dirait Moore. Il place la Bohême au bord de la mer et son Ulysse cite Aristote[217].

— Pourquoi ? se répondit à lui-même Stephen. Parce que le thème du frère fourbe ou usurpateur ou adultère ou les trois à la fois est pour Shakespeare ce que le pauvre n'est pas : obsédant. La note de bannissement, bannissement du cœur, bannissement du foyer, résonne sans discontinuer depuis *Les Deux Gentilshommes de Vérone* jusqu'au moment où Prospero brise sa baguette, l'enterre sous quelques brasses de terre et noie son livre[218]. Elle se redouble cette note au milieu de sa vie, se réfléchit en une autre, se répète, protase, épitase, catastase, catastrophe[219]. Elle se répète à nouveau lorsqu'il approche de la tombe, lorsque sa fille mariée, Susan, bien fille de son père, est accusée d'adultère. Mais c'était le péché originel qui obscurcissait sa compréhension, affaiblissait sa volonté et laissait en lui un fort penchant au mal. Ces termes sont ceux de mes seigneurs les évêques de Maynooth : un péché originel et, comme le péché originel, commis par une autre dans le péché de laquelle il a péché lui-même. Cela se lit entre les lignes des derniers mots qu'il a écrits, et se retrouve pétrifié sur sa pierre tombale sous laquelle les malheureux os de sa femme ne doivent pas être déposés. Le temps ne l'a pas flétri[220]. La beauté et la paix n'en ont pas eu raison. Il est partout, en une infinie variété, dans le monde qu'il a créé, dans *Beaucoup de bruit pour rien*, deux fois dans *Comme il vous plaira*, dans *La Tempête*, dans *Hamlet*, dans *Mesure pour Mesure* — et dans toutes les autres pièces que je n'ai pas lues.

Il rit pour libérer son esprit du joug de son esprit.

Le juge Eglinton résuma.

— La vérité est à mi-chemin, affirma-t-il. Il est le fantôme et le prince. Il est tout dans tout[221].

— Il l'est, dit Stephen. Le jeune garçon du premier acte est l'homme mûr du cinquième. Tout dans tout. Dans *Cymbeline*, dans *Othello*, il est maquerelle et cocu. Il agit et il est agi. Amant d'un idéal ou d'une perversion, comme José il tue la Carmen réelle[222]. Son esprit implacable est le Iago en fureur de cocu qui s'acharne à vouloir faire souffrir le maure en lui.

— Coucou ! Coucu ! Cuck Mulligan gloussa, lubrique. Ô mot redouté[223] !

Le sombre dôme reçut et réverba.

— Et quel personnage est Iago ! s'exclama John Eglinton sans se laisser démonter. Quand on a tout dit Dumas *fils* (ou est-ce Dumas *père*[224] ?) a raison. Après Dieu, c'est Shakespeare qui a le plus créé.

— L'homme ne lui procure aucun délice et la femme non plus[225], dit Stephen. Il revient après une vie d'absence à ce coin de terre où il est né, où il a toujours été, adulte et jeune homme, un témoin silencieux et là, le voyage de sa vie achevé, il plante son mûrier en terre[226]. Et meurt. Le mouvement s'est achevé. Les fossoyeurs ensevelissent Hamlet *père* et Hamlet *fils*. Roi et prince, dans la mort au moins, avec musique d'ambiance. Et, bien que tué et trahi, pleuré par toutes les âmes tendres et fragiles puisque, du Danemark ou de Dublin, le chagrin pour un mort est le seul époux dont elles refusent d'être divorcées. Si vous aimez l'épilogue méditez-le : le prospère Prospero, le brave homme récompensé, Lizzie, la petite pomme d'amour de grand-papa, et tonton Richie, le méchant envoyé par la justice poétique là où vont les méchants nègres. Rideau opaque. Il a découvert comme actuel dans le monde extérieur ce qui dans le monde intérieur était potentiel. Maeterlinck dit : *Si Socrate sort de chez lui aujourd'hui il trouvera le sage assis sur le pas de sa porte. Si Judas sort ce soir c'est vers Judas que ses pas le mèneront*[227]. Chaque vie, c'est beaucoup de jours, jour après jour. Nous marchons à travers nous-mêmes, rencontrant voleurs, fantômes, géants, vieillards, jeunes gens, épouses, veuves, frères d'amour. Mais toujours nous rencontrant nous-mêmes. Le dramaturge qui a écrit le folio de ce monde et l'a mal écrit (Il nous a donné la lumière d'abord et le soleil deux jours plus tard[228]), le seigneur des choses telles qu'elles sont et que les plus romains des catholiques appellent *dio boia*, dieu bourreau, est sans aucun doute tout dans tout dans nous tous, palefrenier et boucher, et serait maquereau et cocu aussi si ce n'était que dans l'économie du ciel, prédite par Hamlet, il n'y a plus de mariage[229], l'homme glorifié, ange androgyne, étant à lui-même son épouse.

— *Eurêka !* cria Buck Mulligan. *Eurêka !*

Soudain tout en joie il bondit et d'une enjambée fut près du bureau de John Eglinton.

— Vous permettez ? dit-il. Le Seigneur a parlé à Malachie.

Il se mit à griffonner sur une fiche.

Prends quelques fiches sur le comptoir en sortant.

— Ceux qui sont mariés, dit M. Best, héraut tout douceur, tous pourront vivre, sauf un. Les autres resteront tels qu'ils sont.

Il rit, non marié, d'Eglinton Johannes, ès lettres bachelier[230].

Nonépousés, nondésirés, avertis des artifices, de nuit ils méditent du doigt chacun son édition variorium de *La Mégère apprivoisée*.

— Vous êtes une fabulation, dit carrément John Eglinton à Stephen. Vous nous avez fait faire tout ce chemin pour nous montrer un triangle à la française. Vous-même, croyez-vous en votre théorie ?

— Non, dit vivement Stephen.

— Allez-vous l'écrire ? demanda M. Best. Vous devriez en faire un dialogue, vous savez, comme les dialogues platoniciens qu'a écrits Wilde.

John Eclecticon fit un double sourire.

— Eh bien, dans ce cas, dit-il, je ne vois pas pourquoi vous compteriez être rétribué pour cela puisque vous n'y croyez pas vous-même. Dowden[231] croit qu'il y a un certain mystère dans *Hamlet* mais n'en dira pas plus. Herr Bleibtreu[232], l'homme que Piper a rencontré à Berlin, celui qui élabore cette théorie de Rutland, croit que le secret est caché dans le monument de Stratford. D'après Piper, il va se présenter au duc actuel, et lui prouver que c'est son ancêtre qui a écrit les pièces. Sa Grâce n'en reviendra pas. Mais lui croit en sa théorie.

Je crois, Ô Seigneur, viens au secours de mon incroyance[233]. Est-ce à dire aide-moi à croire, ou aide-moi à décroire ? Qui aide à croire ? *Egomen*[234]. Qui à décroire ? L'autre type.

— Vous êtes le seul collaborateur de *Dana* qui demande des deniers. Et pour le prochain numéro, je ne sais pas. Fred Ryan veut de la place pour un article d'économie politique.

Frederianne. Les deux deniers qu'il m'a prêtés. T'ont permis de tenir bon. Économie politique.

— Pour une guinée, dit Stephen, vous pouvez publier cet entretien.

Buck Mulligan leva les yeux, quittant son riant griffonnage en riant : puis il dit, avec gravité et mielleuse malveillance :

— Je suis allé rendre visite au barde Kinch dans sa résidence d'été d'upper Mecklenburg street[235] et je l'ai trouvé plongé dans l'étude de la *Summa contra*

Gentiles en compagnie de deux vénériennes dames, Nelly le Tendron et Rosalie, la pute du port à charbon.

Il coupa court.

— Viens, Kinch. Viens, Ængus-des-Oiseaux l'errant[236].

Viens, Kinch, tu as mangé tous nos restes. Que oui. Je vais te servir les déchets et les abats.

Stephen se leva.

La vie c'est beaucoup de jours. Ceci aura une fin.

— Nous vous verrons ce soir, dit John Eglinton. *Notre ami* Moore tient à ce que Malachi Mulligan soit là.

Buck Mulligan brandissait sa fiche et son panama.

— Monsieur Moore, dit-il, conférencier (très spécialisé) ès lettres françaises[237] à l'intention de la jeunesse irlandaise. Je viendrai. Viens, Kinch, les bardes doivent boire. Est-ce que tu peux marcher droit ?

En riant il…

Picole jusqu'à onze heures. Les Mille et Une Nuits irlandaises[238].

Marin d'eau douce…

Stephen suivit un marin d'eau douce.

Un jour à la bibliothèque nous avons eu une discussion. Shakesp. Je l'ai poursuivi. J'ai marché sur ses talons[239].

Stephen fit un salut puis, tout abattu, suivit un bouffon de pacotille, bien peigné, bien rasé, depuis la cellule voûtée jusqu'à l'écrasante clarté de l'absence de pensée.

Qu'est-ce que j'ai appris ? D'eux ? De moi ?

Marche comme Haines à présent.

La salle des lecteurs assidus. Sur le registre d'entrée Cashel Boyle O'Connor Fitzmaurice Tisdall Farrell parafe ses polysyllabes. Item : Hamlet était-il fou ? Le crâne du quaker sainteusement parlant livres avec un petit prêtre.

— Oh je vous en prie, monsieur… J'en serai tellement heureux…

Amusé Buck Mulligan médita avec lui-même en un aimable murmure, s'approuvant :

— Heureux postérieur.

Le tourniquet.

Est-ce ?… Chapeau à ruban bleu… Écrit sans se presser… Quoi ? A regardé ?…

La courbe de la rampe ; Mincius si lisse et si glissant[240].

Puck Mulligan[241], panamaheaumé, allait de marche en marche, un iambe, chantonnant :

John Eglinton, mon Jo, John.
Pourquoi ne prends-tu pas femme[242] ?

Il postillonna en l'air.

— Ô, le Chinois Chin Chon Eg Lin Ton Sans men ton[243] ! Nous sommes allés voir leur théâtre de poche, Haines et moi, le studio des plombiers. Nos acteurs sont en train de créer un nouvel art pour l'Europe, comme les Grecs ou M. Maeterlinck. Théâtre de l'Abbaye[244] ! Je sens la sueur pubique de moines !

Il cracha à blanc.

Oublié : pas plus qu'il n'a oublié les coups de fouet que ce pouilleux de Sir Lucy lui fit donner[245]. Et il quitta la *femme de trente ans*[246]. Et pourquoi n'y a-t-il pas eu d'autres enfants ? Et son premier, une fille ?

Esprit d'escalier. Fais demi-tour.

L'austère reclus est toujours là (il a sa part de gâteau) et l'avenant jouvenceau, mignon fait pour le plaisir, blonds cheveux de Phédon à caresser[247].

Eh… Je voulais… eh… seulement… J'ai oublié… il…

— Longworth et M'Curdy Atkinson[248] étaient là…

Puck Mulligan avança, habile, tout en chantonnant :

Il suffit que j'entende ici ou là
Les paroles d'un soldat près de moi[249]
Pour que mes pensées fassent un bond
Vers F. M'Curdy Atkinson
Celui-là même à la jambe de bois
Et ce flibustier de guingois
Qui n'a jamais osé se rincer le gosier
Magee à la face de gésier
Craignant le mariage sur cette terre
Jusqu'à l'épuisement se masturbèrent

Moque-toi. Connais-toi toi-même.

Figé en dessous de moi, un plaisantin me regarde. Je me fige.

— Mélancolique cabot, maugréa Buck Mulligan. Synge a renoncé à s'habiller en noir pour imiter la nature. Seuls les corbeaux, les prêtres et le charbon anglais sont noirs.

Un rire s'échappa de ses lèvres.

— Longworth est extrêmement mal, dit-il, à cause de ce que tu as écrit au sujet de cette vieille sorcière de Gregory[250]. Espèce d'inquisiteur jésuite enjuivé[251] et ivrogne ! Elle t'offre du travail dans un journal et tu en profites pour démolir ses radotages à Jaysus. Tu n'aurais pas pu faire à la manière de Yeats ?

Il continua à descendre, grimaçant, les bras agités en de gracieux moulinets :

— Le plus beau livre que notre pays ait produit à mon époque. On pense à Homère[252].

Il s'arrêta au pied de l'escalier.

— J'ai eu l'idée d'une pièce pour ces cabots, dit-il d'un ton solennel.

La salle aux colonnes mauresques, ombres entrecroisées. Finie la danse moresque des neuf figures avec leurs bonnets d'exposants.

D'une voix doucement modulée Buck Mulligan lut sur ses tablettes

Touthomme sa propre épouse
ou
Une Lune de miel dans la main
(immoralité nationale en trois orgasmes)
by
Mulligan le Couillu

Il adressa à Stephen un petit sourire en coin, faussement satisfait, disant :

— Le déguisement, j'en ai peur, est un peu mince. Mais écoute.

Il lut, *marcato* :

— Personnages :

TOBIE BRANLEMANCHE (un Polonais tout décati)
MORPION (un forçat réfugié dans la brousse)
CARABIN DICK et CARABIN DAVY (à deux sur le même morceau)
LA MÈRE GROGAN (porteuse d'eau)
NELLY LE TENDRON
et
ROSALIE (la pute des quais à charbon)

Il rit, inclinant une tête dodelinante, avançant, suivi de Stephen : et plein de joie il s'adressa aux ombres, âmes des hommes :

— Ô nuit de Camden Hall[253] lorsque les filles d'Erin durent relever leur jupes pour t'enjamber tandis que tu gisais dans ton vomi couleur mûre, multicolore, multitudineux !

— Le plus innocent fils d'Erin, dit Stephen, pour qui elles les aient jamais levées.

Au moment de passer la porte, sentant quelqu'un derrière lui, il s'écarta.

Retire-toi. Le moment, c'est maintenant. Mais alors, où ? Si Socrate sort de chez lui aujourd'hui, si Judas sort ce soir. Pourquoi ? C'est à quelque chose dans l'espace que je dois dans le temps en venir, inéluctablement.

Ma volonté : sa volonté qui me fait face. Et entre, des océans.

Un homme passa entre eux, s'inclinant, saluant.

— Re-bonjour, dit Buck Mulligan.

Le portique.

Ici j'ai observé les oiseaux, leurs augures[254]. Ængus-des-Oiseaux. Ils vont, ils viennent. Hier soir j'ai pris mon envol. Rien de plus facile. Les hommes se sont étonnés. Ensuite la rue des catins. Il m'a tendu un melon bien crémeux. Entrez. Vous verrez[255].

— Le juif errant, murmura Buck Mulligan, parodiant la crainte respectueuse. Tu as vu ses yeux ? Il t'a regardé d'un air plein de convoitise. J'ai peur de toi, vieux marin[256]. Ô Kinch, tu es en danger. Procure-toi un protège-cul.

Manière d'Oxenford[257].

Le jour. Brouette du soleil sur une arche de pont.

Un dos noir les précédait. Pas de lyepar, qui descend, passe le seuil, sous la herse barbelée.

Ils suivirent.

Offense-moi encore. Parle.

Un air suave cernait les coins des maisons de Kildare street. Pas d'oiseaux. Fragiles, du sommet des toits s'élevaient deux volutes de fumée, voletant, et dans une rafale de douceur doucement furent balayées[258].

Cesse de lutter[259]. La paix des prêtres druides de

Cymbeline[260], hiérophantique : de la vaste terre un autel.

Louons les dieux
Et que nos tortueuses fumées montent vers leurs narines
De nos autels bénis[261].

Le supérieur, le très révérend John Conmee S.J. replaça sa montre brunie dans sa poche intérieure en descendant les marches du presbytère. Trois heures moins cinq. Juste le temps d'aller à pied tranquillement à Artane[1]. Voyons, qu'est-ce que c'était le nom de ce garçon ? Dignam, oui. *Vere dignum et iustum est*[2]. Le frère Swan, c'était la personne à voir[3]. La lettre de M. Cunningham. Oui. L'obliger, si possible. Bon catholique, pratique : utile au moment des missions.

Un marin unijambiste, qui avançait en se balançant paresseusement sur ses béquilles à un rythme saccadé, grommela quelques notes. Dans une dernière saccade il s'arrêta pile devant le couvent des sœurs de la charité et tendit une casquette pour une aumône vers le très révérend John Conmee S.J. Le Père Conmee le bénit sous le soleil, car son porte-monnaie, il le savait, contenait, unique, une couronne d'argent.

Le Père Conmee traversa pour atteindre Mountjoy square. Il pensa, mais point longtemps, à des soldats et des marins, dont les jambes avaient été emportées par des boulets de canon, qui finissaient leurs jours dans quelque hospice pour indigents, et aux paroles du cardinal Wolsey[4] : *Si j'avais servi mon Dieu comme j'ai servi mon roi Il ne m'aurait pas abandonné dans mes vieux jours*. Il marchait sous les arbres dans une ombre traversée, entre les feuilles, par les œillades du soleil : et voilà que dans sa direction survint la femme de M. David Sheehy. Député.

— Oui, très bien, mon père. Et vous-même, mon père ?

Le Père Conmee allait merveilleusement bien assurément. Il irait à Buxton probablement prendre les eaux[5]. Et ses garçons, faisaient-ils de bonnes études à Belvedere[6] ? En vérité ? Le Père Conmee était assurément très heureux de l'apprendre. Et M. Sheehy lui-même ? Encore à Londres. La chambre siégeait encore, c'était cela bien sûr. Un beau temps, oui, délicieux assurément. Oui, il était très probable que le Père Bernard Vaughan reviendrait prêcher. Oh, oui : un très grand succès. Un homme merveilleux réellement.

Le Père Conmee était très heureux de voir que l'épouse de M. le Député David Sheehy allait si bien manifestement et il la pria de le rappeler au bon souvenir de M. le Député David Sheehy. Oui, il lui rendrait certainement visite.

— Bonsoir, madame Sheehy.

Le Père Conmee salua de son haut-de-forme, en prenant congé, à l'adresse des perles de jais de sa mantille brillencre sous le soleil. Et sourit à nouveau encore en s'en allant. Il s'était nettoyé les dents, il le savait, avec un dentifrice à la noix d'arec.

Le Père Conmee marchait et, tout en marchant, souriait car il songeait aux yeux farceurs et à la voix cockney du Père Bernard Vaughan[7].

— Pilate ! Pourquoi que tu r'tiens pas c'te foule urlante[8] ?

Un homme zélé, cependant. Oui réellement. Et il faisait réellement beaucoup de bien à sa manière. Sans l'ombre d'un doute. Il aimait l'Irlande, disait-il, et il aimait les Irlandais. De bonne famille en outre semblait-il ? Des Gallois, n'est-ce pas ?

Oh, gardons-nous d'oublier[9]. Cette lettre au père provincial.

Le Père Conmee arrêta trois petits écoliers au coin de Mountjoy square. Oui : ils étaient de Belvedere. La division des petits : Aha. Et se tenaient-ils bien à l'école ? Oh. C'était bien, c'était bien. Et comment s'appelait-il ? Jack Sohan. Et lui, son nom ? Ger. Gallaher[10]. Et l'autre petit bonhomme ? Son nom était Brunny Lynam. Oh, c'était là un très joli nom.

Le Père Conmee tira de sa poitrine une lettre qu'il donna au jeune Brunny Lynam et désigna la boîte aux lettres rouge au coin de Fitzgibbon street.

— Mais attention à ne pas te mettre à la boîte toi-même, petit bonhomme, dit-il[11].

Les garçons sixyeutèrent le Père Conmee et rirent :

— Oh, mon père.

— Bon, montrez-moi si vous êtes capables de mettre une lettre à la poste, dit le Père Conmee.

Le jeune Brunny Lynam traversa la rue en courant et mit la lettre du Père Conmee au père provincial dans la gueule de la boîte aux lettres rouge vif. Le Père Conmee sourit et hocha la tête et sourit et s'en alla, longeant Mountjoy square à l'est.

M. Denis J. Maginni, professeur de danse, &c. porteur d'un chapeau haut de forme, d'une redingote ardoise aux revers de soie, lavallière blanche, pantalons moulants lavande, gants jaune canari et escarpins vernis pointus, la démarche grave, avec un infini respect laissa le haut du pavé à lady Maxwell lorsqu'il la croisa au coin de Dignam's court[12].

N'était-ce pas Madame M'Guinness[13] ?

Madame M'Guinness, imposante, les cheveux argentés, qui parcourait majestueusement l'autre trottoir, s'inclina vers le Père Conmee. Et le Père Conmee sourit et salua. Comment allait-elle ?

Belle allure, oui. Quelque chose de la reine Mary d'Écosse[14]. Et dire qu'elle était prêteuse sur gages. Eh bien, ma foi ! Un tel… comment dire… un tel port de reine.

Le Père Conmee descendit Great Charles street et jeta un coup d'œil à l'église libre, bouclée[15], sur sa gauche. Le révérend T.R. Green B.A. prêchera (D.V.). Le titulaire de la charge, c'est comme cela qu'ils l'appelaient. Il pensait qu'il avait la charge de dire quelques mots. Mais on doit être charitable. Invincible ignorance[16]. Ils ont agi selon leurs lumières.

Le Père Conmee tourna le coin et suivit la North Circular road. Il était bien étrange qu'il n'y eût pas de ligne de tramway dans une artère aussi importante. Assurément, il devrait y en avoir une.

Une bande d'écoliers encartablés traversait, venant de Richmond street. Tous levèrent leurs casquettes malpropres. Le Père Conmee les salua de façon répétée, bénin. Des élèves des frères des écoles chrétiennes[17].

Le Père Conmee perçut une odeur d'encens sur sa droite, à mesure qu'il avançait. L'église saint Joseph, dans Portland row. Pour dames âgées et vertueuses[18]. Le Père Conmee souleva son chapeau à l'intention du Saint Sacrement. Vertueuses : mais aussi, à l'occasion, acariâtres.

Près d'Aldborough house[19] le Père Conmee songea à cet aristocrate prodigue. Et maintenant c'était des bureaux ou quelque chose de ce genre.

Le Père Conmee se mit à suivre la North Strand road et fut salué par M. William Gallagher qui se tenait sur le seuil de son magasin. Le Père Conmee salua M. William Gallagher et perçut les odeurs qui émanaient de flèches de lard et d'amples tonnelets de beurre. Il passa devant la boutique de Grogan, le buraliste, contre laquelle des panneaux d'affichage s'appuyaient et parlaient d'une terrible catastrophe à New York. En Amérique ces choses-là ne cessaient de se produire. Quel malheur pour ces gens de mourir comme cela, sans être préparés. Cependant, un acte de contrition parfaite[20].

Le Père Conmee passa devant le pub de Daniel Bergin contre la vitrine duquel flânaient deux hommes dés-œuvrés. Ils le saluèrent et furent salués.

Le Père Conmee passa devant l'établissement funéraire de H.J.O'Neill[21] où Corny Kelleher additionnait des chiffres sur le brouillard tout en mâchonnant un brin de foin. Un agent en tournée salua le Père Conmee et le Père Conmee salua l'agent[22]. Chez Youkstetter, le charcutier, le Père Conmee observa des boudins de porc, blanc et noir et rouge, aux tuyaux soigneusement enroulés. Amarré sous les arbres de Charleville Mall le Père Conmee vit un chaland de tourbe, un cheval de halage la tête pendante, un batelier coiffé d'un chapeau de paille sale assis au milieu du bateau, fumant, le regard perdu au-dessus de lui dans une branche de peuplier. C'était idyllique : et le Père Conmee se fit la réflexion que la providence du Créateur avait disposé de la tourbe dans les marais d'où les hommes pourraient l'extraire et l'apporter dans les villes et les hameaux pour faire du feu dans les maisons des pauvres gens.

Sur Newcomen bridge le très révérend John Conmee S.J. de l'église saint François Xavier, upper Gardiner street, monta dans un tram en direction de la banlieue.

D'un tram revenant au centre ville descendit le révérend Nicholas Dudley C.C. de l'église sainte Agathe[23], north William street, en route pour Newcomen bridge.

À Newcomen bridge le Père Conmee monta dans un tram en direction de la banlieue car il n'aimait pas suivre à pied l'itinéraire minable qui longeait Mud Island[24].

Le Père Conmee s'assit dans un coin de la voiture, un ticket bleu coincé soigneusement dans la boutonnière d'un gant de daim dodu, cependant que quatre shillings, une pièce de six pence et cinq pennies chutaient de son autre gant-paume dans son porte-monnaie. En passant devant l'église au lierre[25] il se fit la réflexion que le contrôleur d'ordinaire passait son inspection lorsque l'on avait inconsidérément jeté le ticket. La solennité des occupants de la voiture parut au Père Conmee excessive pour un déplacement aussi bref et aussi modique. Le Père Conmee aimait un décorum empreint de jovialité.

C'était une journée paisible. Le monsieur à lunettes en face du Père Conmee avait achevé son explication et baissait le regard. Sa femme, supposa le Père Conmee.

Un bâillement infime ouvrit la bouche de la femme du monsieur à lunettes. Elle leva son petit poing ganté, bâilla très très doucement, tapotant de son petit poing ganté sa bouche qui s'ouvrait et sourit d'un sourire infime, avec douceur.

Le Père Conmee perçut son parfum dans la voiture. Il perçut également que l'homme d'allure gauche, de l'autre côté de la dame, était assis au bord du siège.

Le Père Conmee à la table de communion plaça l'hostie avec difficulté dans la bouche du vieil homme gauche qui tremblait du chef.

À Annesley bridge le tram s'arrêta et, à l'instant où il allait repartir, une vieille femme se leva tout à coup de sa place pour descendre. Le receveur tira la courroie de la sonnette pour arrêter le tram et lui permettre de descendre. Elle s'en alla avec son panier et un filet à provisions : et le Père Conmee vit le receveur aider à descendre femme et filet et panier : et le Père Conmee pensa que, étant donné qu'elle était presque arrivée en fin de section, c'était une de ces âmes simples à qui il fallait dire deux fois *Dieu vous bénisse, mon enfant*, qu'elles ont reçu l'absolution, *priez pour moi*. Mais elles avaient tant de tracas dans leur vie, tant de soucis, les pauvres.

Du haut de son panneau d'affichage M. Eugene Stratton adressa au Père Conmee sa grimace épanouie de nègre à la lippépaisse.

Le Père Conmee songea aux âmes des hommes noirs et bruns et jaunes et à son sermon sur saint Peter Claver S.J. et sur les missions africaines et sur la propagation de la foi[26] et aux millions d'âmes noires et brunes et jaunes qui n'avaient pas reçu le baptême par l'eau lorsque leur dernière heure venait tel un voleur dans la nuit[27]. Ce livre du jésuite belge, *Le Nombre des élus*, semblait au Père Conmee un plaidoyer raisonnable[28]. Il s'agissait là de millions d'âmes humaines créées par Dieu à Sa Propre ressemblance auxquelles la foi n'avait pas (D.V.) été apportée. Mais c'étaient des âmes de Dieu créées par Dieu. Il semblait au Père Conmee dommage qu'elles soient toutes perdues, du gaspillage, pour ainsi dire.

À l'arrêt de la route de Howth le Père Conmee descendit, fut salué par le receveur et le salua à son tour.

La route de Malahide était tranquille. Elle plaisait au Père Conmee, la route tout comme le nom. Les cloches sonnaient la joie dans la gaie Malahide. Lord Talbot de Malahide[29], lord amiral héréditaire en ligne directe de Malahide et des mers adjacentes. Puis se produisit l'appel aux armes et elle fut fille, épouse et veuve en un seul et même jour. Ah, ce bon vieux temps, un temps de loyautés où la joie régnait dans les paroisses, la baronnie du temps jadis.

Le Père Conmee, tout en marchant, songea à son petit livre *La Baronnie du temps jadis* et à celui qui pourrait être écrit sur les maisons jésuites et à Mary Rochfort, fille de lord Molesworth, première comtesse de Belvedere[30].

Une dame mélancolique, plus très jeune, se promenait, seule, sur le rivage du lough Ennel, Mary, première comtesse de Belvedere, promeneuse mélancolique du soir, que n'effraie pas le plongeon d'une loutre. Qui pouvait savoir la vérité ? Non pas le jaloux lord Belvedere et point son confesseur si elle n'avait pas commis l'adultère pleinement, *eiaculatio seminis inter vas naturale mulieris*[31], avec le frère de son époux ? Elle confesserait à demi si elle n'avait point péché pleinement ainsi que font les femmes. Dieu seul savait et elle et lui, le frère de son époux.

Le Père Conmee songea à cette tyrannique incontinence, nécessitée cependant pour la perpétuation de la race humaine sur la terre, et aux voies de Dieu qui n'étaient point les nôtres.

Don John Conmee marchait et évoluait dans les temps anciens. Là, il était plein d'humanité et honoré. Il gardait à l'esprit des secrets reçus en confession et il souriait à de nobles visages souriants dans un salon bien ciré, au plafond lourd de grappes de fruits. Et les mains d'une épousée et d'un époux, noblesse allant à noblesse, étaient empaumées par don John Conmee.

C'était une charmante journée.

Le portail d'un champ offrit au Père Conmee la vue de vastes étendues de choux[32] lui faisant la révérence de tous leurs amples dessous feuillus. Le ciel lui offrit la vue d'un troupeau de petits nuages blancs s'en allant doucement sous le vent. *Moutonner*, disaient les Français. Un mot juste et sans prétention.

Le Père Conmee, lisant son office, observait un troupeau de nuages moutonnant, donc, au-dessus de

Rathcoffey. Ses chevilles finchaussettées étaient chatouillées par le chaume du terrain de Clongowes[33]. Il marchait là, par cette soirée, lisant et entendant les cris des équipes de garçons en train de jouer, cris juvéniles dans le calme du soir. Il était leur recteur : son règne était bénin.

Le Père Conmee retira ses gants et sortit son bréviaire à la tranche rouge. Un signet d'ivoire lui dit la page.

Nones. Il aurait dû lire cela avant le déjeuner. Mais lady Maxwell était venue.

Le Père Conmee lut *secreto* le *Pater* et l'*Ave* et se signa. *Deus in adiutorium*[34].

Il marchait calmement et lisait bouche close les nones, marchant et lisant jusqu'à *Res* en *Beati immaculati* :

— *Principium verborum tuorum veritas : in eternum omnia iudicia iustitiæ tuæ*[35].

Un jeune homme le visage en feu sortit de la trouée d'une haie[36] suivi d'une jeune femme tenant dans sa main des marguerites sauvages au chef branlant. Le jeune homme souleva sa casquette brusquement : la jeune femme brusquement se pencha et lentement, soigneusement, détacha de sa jupe légère une brindille qui s'y accrochait.

Le Père Conmee les bénit tous deux gravement et tourna une mince page de son bréviaire. *Sin : Principes persecuti sunt me gratis : et a verbis tuis formidavit cor meum*[37].

*
* *

Corny Kelleher referma son long brouillard et de son regard tombant jeta un coup d'œil à un couvercle de cercueil en pin posé en sentinelle dans un coin. Il se redressa, se dirigea vers lui et, le faisant pivoter sur son axe, considéra sa forme et ses garnitures de cuivre. Mâchonnant son brin de foin il mit de côté le couvercle de cercueil et s'en vint à la porte. Là il inclina le bord de son chapeau pour se protéger les yeux et s'appuya contre le chambranle, jetant audehors un regard oisif.

Le Père John Conmee monta dans le tram de Dollymount à Newcomen bridge.

Corny Kelleher coinça son quarante-six fillette et laissa planer son regard, le chapeau incliné sur le nez, mâchonnant son brin de foin.

Rathcoffey[38], en tournée, se planta là, histoire de tuer le temps.

— Voilà une belle journée, monsieur Kelleher.

— Ouais, dit Corny Kelleher.

— Il fait très lourd, dit l'agent.

Corny Kelleher expédia silencieusement de sa bouche un courbe jet de jus de foin cependant qu'un bras blanc généreux d'une fenêtre de Eccles street lançait une pièce[39].

— Les nouvelles sont bonnes ? demanda-t-il.

— L'ai vue la personne en question hier soir, dit l'agent dans un souffle.

*
* *

Un marin unijambiste à force béquilles prit le tournant de chez MacConnell, frôlant la carriole du marchand de glaces Rabaiotti, et se lança à grandes enjambées dans Eccles street.

— *Pour l'Angleterre*[40]...

Se propulsant violemment, il dépassa Katey et Boody Dedalus, fit halte et grommela :

— *la famille et les belles.*

Le visage blanc, aux traits rongés par les soucis, de

J.J. O'Molloy reçut l'information que M. Lambert se trouvait dans l'entrepôt avec un visiteur.

Une dame plantureuse s'arrêta, prit une pièce de cuivre dans son porte-monnaie et la laissa tomber dans la casquette tendue vers elle. Le marin marmonna un remerciement, jeta un coup d'œil plein d'aigreur aux fenêtres inattentives, rentra la tête dans les épaules et s'élança pour quatre enjambées.

Il fit halte et grommela, colérique :

— *Pour l'Angleterre…*

Deux petits morveux pieds nus, en train de sucer de longues tresses de réglisse, firent halte près de lui, la bouche barbouillée jaunebaveux béant devant son moignon.

Il s'élança en vigoureuses saccades, fit halte, leva la tête vers une fenêtre et émit un aboiement rauque.

— *la famille et les belles*.

À l'intérieur, le sifflotement d'oiseau, gai et charmant, se poursuivit pendant une ou deux mesures, cessa. Le store de la fenêtre fut tiré de côté. Un carton *Chambres à louer non meublées* glissa de la fenêtre à guillotine et tomba. Un bras généreux, nu et dodu, apparut, surgissant d'un jupon montant et de bretelles de chemise bien tendues. Une main de femme lança une pièce par-dessus la grille de la courette. Elle tomba sur le trottoir.

Un des petits morveux courut la ramasser et la fit tomber dans la casquette du ménestrel en disant :

— Voilà, monsieur.

*

* *

Katey et Boody Dedalus poussèrent la porte de la cuisine lourde de vapeur.

— Est-ce que tu as placé les livres ? demanda Boody.

Maggy devant la cuisinière enfonça par deux fois une masse grisâtre sous l'eau savonneuse bouillonnante à grands coups de cuiller en bois et s'essuya le front.

— Ils n'ont rien voulu en donner, dit-elle.

Le Père Conmee traversait les terrains de Clongowes, ses chevilles finchaussettées chatouillées par le chaume.

— Où as-tu essayé ? demanda Boody.

— Chez M'Guinness.

Boody tapa du pied et lança son cartable sur la table.

— Qu'elle aille se faire voir ! s'écria-t-elle.

Katey alla jusqu'à la cuisinière et jeta un regard scrutateur de ses yeux bigles.

— Qu'est-ce qu'il y a dans la marmite ? demanda-t-elle.

— Des chemises, dit Maggy.

En colère, Boody s'écria :

— Zut alors, est-ce qu'on n'a rien à manger ?

Katey, soulevant le couvercle de la bouilloire d'un bout de sa jupe tachée chiffonnée en manique, demanda :

— Et qu'est-ce qu'il y a là-dedans ?

Une lourde vapeur jaillit en réponse.

— Soupe de pois, dit Maggy.

— Où l'as-tu eue ? demanda Katey.

— Sœur Mary Patrick, dit Maggy.

Le crieur fit tinter sa cloche.

— Barang !

Boody s'assit à la table et dit d'un ton affamé :

— Amène-nous ça !

Maggy versa une épaisse soupe jaune de la bouilloire dans un bol. Katey, assise en face de Boody, dit tranquillement, tandis que le bout de son doigt montait à sa bouche des miettes égarées :

— Déjà bien qu'on ait ça. Où est Dilly ?

— Partie à la rencontre de père, dit Maggy.

Boody, brisant de gros morceaux de pain dans la soupe jaune, ajouta :

— Notre père qui n'êtes pas aux cieux[41].

Maggy, versant de la soupe jaune dans le bol de Katey, s'exclama :

— Boody ! Tu as pas honte !

Un esquif, un prospectus chiffonné, Élie arrive, descendait légèrement la Liffey, sous Loop Line bridge, franchissant les rapides que le courant créait autour des piles du pont, voguant vers l'est le long des coques et des chaînes d'ancres, entre le vieux dock des Douanes et George's quay.

*

* *

La jeune fille blonde de chez Thornton installa dans le panier d'osier un lit de fibres bruissantes. Flam Boylan lui tendit la bouteille emmaillotée d'un papier crépon rose[42] et un petit pot.

— Mettez d'abord ceci, voulez-vous ? dit-il.

— Oui, monsieur, dit la jeune fille blonde, et les fruits par-dessus.

— Voilà qui est bien, au poil, dit Flam Boylan.

Elle disposa de bonnes grosses poires avec soin, tête-bêche, et parmi elles des pêches mûres toutes rougissantes.

Flam Boylan arpentait de ses neuves chaussures fauves la boutique odorante de fruits, soulevant des fruits, de jeunes tomates rouges juteuses chiffonnées et dodues, reniflant les odeurs.

H.E.L.Y'S. défilèrent devant lui, hautchapeautés de

blanc, dépassant Tangier lane, se dirigeant d'un pas lourd vers leur but.

Il se détourna tout à coup d'une barquette de fraises, tira une montre d'or de son gousset et la tendit au bout de sa chaîne.

— Pouvez-vous les envoyer par le tram ? Maintenant ?

Une silhouette, dos noir, sous Merchant's arch examinait des livres sur la charrette du colporteur.

— Certainement, monsieur. Est-ce en ville ?

— Oh, oui, dit Flam Boylan. Dix minutes.

La jeune fille blonde lui tendit un fichet et un crayon.

— Voulez-vous écrire l'adresse, monsieur ?

Flam Boylan au comptoir écrivit et poussa le fichet vers elle.

— Envoyez-le tout de suite, voulez-vous ? dit-il. C'est pour une personne alitée.

— Oui, monsieur. Je m'en charge, monsieur.

Flam Boylan fit tinter ses piécettes guillerettes dans la poche de son pantalon.

— À combien se montent les dégâts ?

Les doigts minces de la blonde jeune fille calculèrent les fruits.

Le regard de Flam Boylan plongea dans l'échancrure de son corsage. Une jeune poulette. Il prit un œillet rouge dans le vase au long col.

— C'est pour moi ? demanda-t-il galamment.

La jeune fille blonde jeta un coup d'œil en coin à ce type sur son trente et un, la cravate un peu de guingois, rougissante.

— Oui, monsieur, dit-elle.

Se ployant, friponne, elle calcula à nouveau les bonnes grosses poires et les pêches rougissantes.

Flam Boylan plongea dans son corsage un regard plus favorable, la tige de la fleur rouge entre ses dents souriantes[43].

— Puis-je dire un mot à votre téléphone, mam'selle ? demanda-t-il d'un ton coquin.

*

* *

— *Ma !* dit Almidano Artifoni[44].

Il contemplait par-dessus l'épaule de Stephen la caboche bosselée de Goldsmith[45].

Deux voiturées de touristes passèrent lentement, leurs femmes assises devant, à cramponner les accoudoirs. Visagespâles[46]. Les bras des hommes entourant franchement leurs formes chétives. Leurs regards allaient de Trinity à la colonnade aveugle de la banque d'Irlande où des pigeons roucoucoulaient.

— *Anch'io ho avuto di queste idee,* dit Almidano Artifoni, *quand'ero giovine come Lei. Eppoi mi sono convinto che il mondo è una bestia. È peccato. Perchè la sua voce... sarebbe un cespite di rendita, via. Invece, Lei si sacrifica.*

— *Sacrifizio incruento,* dit Stephen en souriant, balançant sa frênecanne par le milieu en un lent dodo l'enfant do, légèrement.

— *Speriamo,* fit le rond visage moustachu, agréablement. *Ma, dia retta a me. Ci rifletta*[47].

Tout près de la sévère main de pierre de Grattan[48], invitant à l'arrêt, un tram pour Inchicore déchargea en débandade les Highlanders d'une fanfare.

— *Ci rifletterò,* dit Stephen, baissant le regard le long de la jambe de pantalon bien remplie.

— *Ma, sul serio, eh ?* dit Almidano Artifoni.

Sa lourde main prit celle de Stephen fermement. Des yeux humains. Ils se fixèrent un instant, curieux, et se tournèrent rapidement vers un tram de Dalkey.

— *Eccolo,* fit Almidano Artifoni, pressé mais amical. *Venga a trovarmi e ci pensi. Addio, caro.*

— *Arrivederla, maestro*, dit Stephen, soulevant son chapeau lorsque sa main fut libérée. *E grazie.*

— *Di che ?* dit Almidano Artifoni. *Scusi, eh ? Tante belle cose*[49] !

Almidano Artifoni, se signalant au moyen d'une partition roulée brandie en baguette de chef d'orchestre, trotta sur de robustes pantalons après le tram de Dalkey. C'est en vain qu'il trotta, se signalant en vain au milieu de la débandade des Écossais en kilts de clan occupés à introduire en contrebande des instruments de musique par le portail de Trinity.

*
* *

Mademoiselle Dunne cacha l'exemplaire de *La Dame en blanc*[50] de la bibliothèque de Capel street au plus profond de son tiroir et enroula une feuille de papier criard dans sa machine à écrire.

Trop d'histoires de mystère là-dedans. Est-ce qu'il est amoureux de celle-là, Marion ? Le changer et en prendre un autre de Mary Cecil Haye[51].

Le disque fila dans la rainure, tremblota un instant, cessa et les lorgna : six.

Mademoiselle Dunne cliqueta sur le clavier :

— 16 juin 1904.

Cinq hommes-sandwiches hautchapeautés de blanc entre le coin de Monypeny et la dalle où la statue de Wolfe Tone ne se trouvait pas[52], s'anguillèrent d'un tour en H.E.L.Y'S. et rebroussèrent chemin d'un pas lourd comme ils étaient venus.

Puis elle fixa son regard sur la grande affiche de Marie Kendall[53], charmante soubrette, et, se prélassant distraitement, griffonna sur le bloc-notes des seize et des esses majuscules. Cheveux moutarde et joues peinturlurées de rouge. Elle n'est pas jolie, hein ? La façon qu'elle a de soulever son bout de jupe. Me demande est-ce que ce type sera au concert ce soir. Si je pouvais obtenir de cette couturière qu'elle me fasse une jupe accordéon comme celle de Susy Nagle. Elles vous permettent de ces effets de jambes. Shannon et tous les playboys du club nautique ne la lâchaient pas des yeux. Espère rudement qu'il me gardera pas ici jusqu'à sept heures.

Le téléphone sonna, grossier, à son oreille.

— Allô. Oui, monsieur. Non, monsieur. Oui, monsieur. Je les appellerai après cinq heures. Seulement ces deux-là, monsieur, pour Belfast et Liverpool. Bien, monsieur. Donc je peux m'en aller après six heures si vous n'êtes pas de retour. À et quart. Oui, monsieur. Vingt-sept six. Je lui dirai. Oui : une, sept, six.

Elle griffonna trois chiffres sur une enveloppe.

— Monsieur Boylan ! Allô ! Ce monsieur du *Sport* est passé vous voir. M. Lenehan, oui. Il a dit qu'il serait à l'Ormond[54] à quatre heures. Non, monsieur. Oui, monsieur. Je les appellerai après cinq heures.

*

* *

Deux visages roses se tournèrent lorsque la minuscule torche flamba.

— Qui est-ce ? demanda Ned Lambert. Est-ce Crotty ?

— Ringabella et Crosshaven[55], répondit une voix qui tentait de retomber sur ses pieds.

— Hello, Jack, c'est toi-même ? dit Ned Lambert, soulevant en un salut sa souple latte au milieu des voûtes à l'éclat vacillant. Avance. Fais attention où tu marches.

L'allumette-bougie tenue par le clergyman[56] dans

sa main haut dressée se consuma en une longue et douce flamme et fut abandonnée à sa chute. À leurs pieds son point rouge mourut : et un air moisi se referma sur eux.

— Comme c'est intéressant ! dit un accent raffiné dans l'obscurité.

— Oui, monsieur, dit Ned Lambert avec chaleur. Nous nous trouvons dans la salle historique du conseil de saint Mary's abbey où Silken Thomas se proclama lui-même rebelle en 1534[57]. C'est l'endroit le plus historique de tout Dublin. O'Madden Burke va écrire quelque chose là-dessus un de ces jours. La vieille banque d'Irlande était de l'autre côté de la rue jusqu'à l'époque de l'union et à l'origine le temple des juifs était également ici avant qu'ils ne construisent leur synagogue là-bas dans Adelaïde road[58]. Tu n'es jamais venu ici avant, Jack, hein ?

— Non, Ned.

— Il descendit à cheval Dame walk, fit l'accent distingué, si mes souvenirs sont exacts. La demeure des Kildare était dans Thomas Court.

— C'est exact, dit Ned Lambert. C'est tout à fait exact, monsieur.

— Si donc vous pouviez être assez aimable, dit le clergyman, la prochaine fois pour m'autoriser peut-être…

— Certainement, dit Ned Lambert. Apportez l'appareil de photo quand vous voudrez. Je ferai enlever ces sacs des fenêtres. Vous pouvez la prendre d'ici ou d'ici.

Dans la lumière encore faible il se déplaçait, appliquant des coups de latte sur les sacs de semences entassés et, au sol, sur les points de vue intéressants.

Émergeant d'un long visage une barbe et un regard appuyé étaient suspendus au-dessus d'un échiquier.

— Je vous suis profondément obligé, monsieur

Lambert, dit le clergyman. Je ne veux pas empiéter sur votre précieux temps…

— Je vous en prie, monsieur, dit Ned Lambert. Passez donc quand ça vous dira. Disons la semaine prochaine. Y voyez-vous ?

— Oui, oui. Bonne journée, monsieur Lambert. Très heureux de vous avoir rencontré.

— Le plaisir est pour moi, monsieur, répondit Ned Lambert.

Il suivit son hôte jusqu'à l'issue avant d'envoyer valser sa latte quelque part au milieu des piliers. Accompagné de J.J. O'Molloy il sortit lentement sur le parvis de Mary's abbey, où des haquetiers chargeaient des charrettes de sacs de caroube et de farine de noix de palme, O'Connor, Wexford.

Il resta planté pour lire la carte qu'il avait à la main.

— Le révérend Hugh C. Love, Rathcoffey. Adresse actuelle : Saint Michael's, Sallins. Un gentil garçon, oui. Il est en train d'écrire un livre sur les Fitzgerald, il m'a dit. Il est calé en histoire, ma foi.

La jeune femme lentement, soigneusement, détacha de sa jupe légère une brindille qui s'y accrochait.

— Je pensais que vous étiez lancé dans une nouvelle conspiration des poudres[59], dit J.J. O'Molloy.

Ned Lambert fit claquer ses doigts en l'air.

— Bon dieu ! s'écria-t-il. J'ai oublié de lui raconter celle du comte de Kildare après qu'il a mis le feu à la cathédrale de Cashel[60]. Vous la connaissez ? *Je suis foutrement fâché d'avoir fait ça*, qu'il dit, *mais je jure devant Dieu que je croyais l'archevêque à l'intérieur*. Ça ne lui plairait peut-être pas, à vrai dire. Quoi ? Bon dieu, de toute façon je la lui raconterai. C'était le célèbre comte, le Fitzgerald Mor. Des gars à la redresse, qu'ils étaient tous, les Geraldine[61].

Les chevaux devant lesquels il passait s'ébrouaient,

le harnais relâché. Il donna une claque à une croupe couleur pie qui tremblait près de lui et s'écria :

— Holà, fiston !

Il se tourna vers J.J. O'Molloy et demanda :

— Eh bien, Jack. Qu'est-ce qu'il y a ? Qu'est-ce qui ne va pas ? Deux secondes. Attends.

La bouche grande ouverte et la tête rejetée en arrière il resta immobile et, au bout d'un instant, éternua bruyamment.

— Atchoum ! fit-il. Au diable !

— La poussière de ces sacs, dit J.J. O'Molloy poliment.

— Non, suffoqua Ned Lambert, j'ai attrapé un… rhume la nuit avant… diable de… avant-dernière nuit… et il y avait un sacré courant d'air…

Il tint son mouchoir prêt pour l'imminent…

— J'étais… Glasnevin ce matin… pauvre petit… comment s'appelle-t-il… Tchoum ! Sainte Mère de Moïse !

*

* *

Tom Rochford prit le disque sur le dessus de la pile qu'il serrait contre son gilet bordeaux.

— V'voyez ? Disons que c'est le numéro six. Là-dedans, v'voyez. Numéro Maintenant en Cours.

Il le glissa pour eux dans la fente de gauche. Le disque fila dans la rainure, tremblota un instant, cessa, les lorgna : six.

Des hommes de loi du passé, hautains, plaidant, contemplèrent Richie Goulding[62], qui passait du greffe des droits consolidés au tribunal civil, porteur de la sacoche de Goulding, Collis et Ward, et entendirent passer du tribunal des affaires maritimes à la cour d'appel, dans un bruissement, une dame d'un certain âge aux fausses dents souriant d'un air incrédule, vêtue d'une jupe de soie noire de vastes proportions.

— V'voyez ? dit-il. Vous voyez maintenant que le dernier que j'ai mis est de ce côté-ci : Numéros Terminés. Le choc. Effet de levier, v'voyez ?

Il leur montra la pile croissante des disques à droite.

— Idée astucieuse, dit Naze Flynn, en reniflant. Comme ça un type qui arrive en retard peut voir quel numéro est en cours et quels numéros sont passés[63].

— V'voyez ? dit Tom Rochford.

Il glissa un disque pour son compte : et le regarda filer, trembloter, cesser, lorgner, s'arrêter : quatre. Numéro en Cours.

— Je vais le voir maintenant à l'Ormond, dit Lenehan, et le sonder. Un service rendu en vaut un autre.

— Fais donc, dit Tom Rochford. Dis-lui que je suis Boylan d'impatience.

— Bonsoir, dit M'Coy, abrupt : quand vous commencez, tous les deux…

Naze se pencha vers le levier, le reniflant.

— Mais comment ça marche ici, Tommy ? demanda-t-il.

— Ciao, dit Lenehan, à plus.

Il suivit M'Coy, qui sortit et traversa le minuscule square de Crampton court.

— C'est un héros, dit-il simplement.

— Je sais, dit M'Coy. Tu veux parler de l'égout.

— Égout ? dit Lenehan. C'était au fond d'un trou d'homme.

Ils passèrent devant le music-hall de Dan Lowry où Marie Kendall, charmante soubrette, laissait tomber sur eux, d'une affiche, un sourire peinturluré.

Sur le trottoir de Sycomore street qu'ils descendaient, près de l'Empire musichall, Lenehan montra à

M'Coy comment l'affaire s'était présentée. Un de ces trous d'homme du genre de ces foutues conduites de gaz et le pauvre diable était là coincé dedans à moitié étouffé par les émanations de l'égout. Voilà Tom Rochford qui descend tant bien que mal, habillé comme il était avec son gilet de bookmaker, la corde autour du corps. Et, nom de dieu, il te file la corde autour du pauvre diable et on les hisse tous les deux[64].

— Un acte héroïque, dit-il.

Au Dolphin ils s'arrêtèrent pour permettre à une ambulance de passer au galop, en route pour Jervis street.

— Par ici, dit-il, en se dirigeant sur la droite. Je veux jeter un coup d'œil chez Lynam pour voir la cote de départ de Sceptre. Quelle heure est-il à ta montre de rupin ?

M'Coy scruta le bureau sombre de Marcus Tertius Moses, puis l'horloge de O'Neill.

— Trois heures passées, dit-il. Qui c'est qui la monte ?

— O'Madden, dit Lenehan. Et c'est une pouliche qui en a.

Tandis qu'ils attendaient dans Temple Bar, M'Coy dribbla à gentils petits coups d'orteil une peau de banane du trottoir dans le caniveau. Un type pourrait vachement facile se casser la gueule en s'amenant là éméché dans le noir.

Les grilles de l'avenue s'ouvrirent tout large pour livrer passage à la cavalcade du vice-roi.

— Paris au pair, dit Lenehan en revenant. Je suis tombé là-bas sur Bantam Lyons qui allait parier sur un canasson que quelqu'un lui a indiqué qui est foutu d'avance. Par ici.

Ils montèrent les marches et passèrent sous Merchants' arch. Une silhouette, dos noir, examinait des livres sur la charrette du colporteur.

— Le voilà, dit Lenehan.

— Me demande ce qu'il achète, dit M'Coy en jetant un coup d'œil en arrière.

— *Leopoldo, ou Le Seigle en Fleur*[65], dit Lenehan.

— C'est un cinglé de soldes, dit M'Coy. J'étais avec lui un jour et il a acheté un livre à un vieux de la rue de la Liffey pour deux shillings. Il y avait dedans de belles gravures qui valaient le double, les étoiles et la lune et des comètes à longues queues. C'est d'astronomie que ça parlait[66].

Lenehan rit.

— Je vais vous en raconter une bien bonne à propos de queues de comètes, dit-il. Venez donc au soleil.

Ils traversèrent le quai jusqu'au pont métallique et suivirent Wellington quay côté fleuve.

Le jeune Patrick Aloysius Dignam sortit de chez Mangan, anciennement Fehrenbach, porteur d'une livre et demie de grillades de porc.

— Il y avait un grand raoût à la maison de correction de Glencree, dit Lenehan très en verve. Vous savez, leur dîner annuel. Un machin à tenue de soirée. Le Lord Maire était là, c'était Val Dillon, et Sir Charles Cameron[67] et Dan Dawson a pris la parole et il y a eu de la musique. Bartell d'Arcy a chanté et Benjamin Dollard...

— Je sais, interrompit M'Coy. Ma bourgeoise y a chanté une fois.

— Ah oui ? dit Lenehan.

Un carton *Chambres à louer non meublées* réapparut sur la fenêtre à guillotine du 7 Eccles street.

Il rengaina son récit un moment mais éclata d'un rire sifflant.

— Mais attendez donc, dit-il, Delahunt, de Camden street, était le traiteur et votre serviteur était rince-bouteille en chef. Bloom et la femme étaient là. On s'en mettait derrière la cravate : du porto, et puis du sherry, et puis du curaçao, auxquels nous rendions pleine justice. C'était la grande nouba. Après les liquides, ça a été les solides. Du rôti froid en veux-tu en voilà, et des tourtes aux fruits…

— Je sais, fit M'Coy. L'année où ma bourgeoise était là…

Lenehan lui prit le bras chaleureusement.

— Mais attends que je te raconte, dit-il. Alors, après toutes les réjouissances, on s'est offert un souper, et quand on a émergé j'aime mieux te dire qu'on était fin saouls. Quand on est rentrés, il fallait voir cette nuit d'hiver sur la Featherbed Mountain. Bloom et Chris Callinan étaient d'un côté de la voiture et j'étais avec la femme de l'autre. On s'est mis à chanter des canons à plusieurs voix et des duos : *À la claire fontaine*. Elle était mûre, avec un bon peu du porto Delahunt, à s'en péter la sous-ventrière. À chaque cahot de cette foutue voiture elle me rentrait dedans. Par tous les… saints ! Le bon Dieu lui a donné une de ces paires. Comme ça.

Il tint ses mains en coupe à une coudée devant lui, l'air sévère :

— Je passais mon temps à lui border son plaid et à arranger son boa[68]. Voyez ce que je veux dire ?

Ses mains moulèrent dans les airs des courbes généreuses. De ravissement, il ferma les yeux très fort, se recroquevillant, et laissa échapper un petit gazouillis.

— En tout cas, Popaul était au garde-à-vous, fit-il dans un soupir. La pouliche a pas froid aux yeux, ça, c'est sûr. Bloom signalait toutes les étoiles et les comètes du ciel à Chris Callinan et au cocher : la grande ourse et Hercule et le dragon et tout le cirque. Mais moi, bon sang de bon sang, j'étais pour ainsi dire perdu dans la voie lactée. Ma foi, il les connaît toutes. À la fin, elle en repéra une toute, toute petite, à des kilomètres. *Et quelle étoile est-ce, Poldy ?* dit-elle.

Bon sang de bon sang, elle avait coincé Bloom. *Celle-là, hein ?* fait Chris Callinan, *sûr que c'est seulement comme qui dirait l'Aiguillon*. Bon sang de bon sang, il ne croyait pas si bien dire.

Lenehan s'arrêta et s'appuya sur le parapet, riant doucement à perdre haleine.

— Je défaille, suffoqua-t-il.

De son visage blanc, M'Coy en sourit à petits coups et se fit grave. Lenehan se remit en marche. Il souleva sa casquette de yachtman et se gratta rapidement la nuque. Il jeta un coup d'œil de côté dans le soleil à M'Coy.

— C'est un homme cultivé, qui s'intéresse à tout, ce Bloom, fit-il avec sérieux. Ce n'est pas un de ces types communs, du genre domestiqué… vous voyez ce que je veux dire… Ce vieux Bloom a un côté artiste[69].

*

* *

M. Bloom feuilleta distraitement les pages des *Abominables révélations de Maria Monk*, puis du *Chef-d'Œuvre* d'Aristote[70]. Typographie sabotée, toute de guingois. Des planches : bébés pelotonnés dans des matrices couleur sang pareils à des foies de vaches qu'on vient d'abattre. Des tas de leurs pareils en ce moment même dans le monde entier. Tous donnant du crâne pour sortir de là. Enfant naît à chaque minute quelque part. Madame Purefoy.

Il mit les deux livres de côté et jeta un coup d'œil au troisième : *Contes du Ghetto*[71], par Leopold von Sacher-Masoch.

— Ça je l'avais, dit-il en le poussant de côté.

Le vendeur laissa tomber deux volumes sur le comptoir.

— C'est deux bons, dit-il.

Les oignons de l'haleine émise par sa bouche en ruine traversèrent le comptoir. Il se pencha pour entasser les autres livres, les étreignit contre son gilet déboutonné et les emporta derrière le rideau crasseux.

Sur O'Connell bridge un grand nombre de personnes observaient la démarche grave et l'accoutrement pimpant de M. Denis J. Maginni, professeur de danse &c.

M. Bloom, seul, regardait les titres. *Les Fées au fouet* par Jacques Aimé Laverge. Connais le genre. L'a eu ? Oui.

Il l'ouvrit. Le pensais bien.

Une voix de femme derrière le rideau crasseux. Écouter : l'homme.

Non : elle n'aimerait pas beaucoup ça. Lui ai procuré autrefois.

Il lut l'autre titre : *Douceurs du péché*[72]. Plus dans ses goûts. Voyons.

Il lut là où son doigt ouvrit[73].

— *Tous les dollars que son mari lui donnait étaient dépensés dans les grands magasins en achats de robes merveilleuses et des falbalas les plus coûteux. Pour lui ! Pour Raoul !*

Oui. Ceci. Ici. Essayer.

— *La bouche de la femme se colla à la sienne en un délicieux, un voluptueux baiser cependant que ses mains à lui cherchaient les courbes opulentes au plus profond de son déshabillé.*

Oui. Prendre celui-ci. La fin.

— *Tu es en retard, fit-il d'une voix rauque, la détaillant, irrité, d'un œil soupçonneux.*

La femme splendide rejeta sa cape aux parements de zibeline, révélant ses épaules de reine et son embonpoint houleux. Un sourire imperceptible jouait sur ses lèvres parfaites lorsqu'elle se tourna vers lui calmement.

M. Bloom lut à nouveau : *La femme splendide.*

Une tiède ondée le couvrit, domptant sa chair. La chair cédait, ample, parmi les vêtements chiffonnés. Le blanc des yeux renversés en pâmoison. Ses narines se dilataient devant la proie. Onguents fondants pour les seins (*pour lui ! Pour Raoul !*). Sueur onionée des aisselles. Humeur visqueuse de poisson (*son embonpoint houleux*). Pelote-moi ! Serre fort ! Suis tout écrasée ! Fiente sulfureuse de lions !

Jeune ! Jeune !

Une femme d'un certain âge, plus très jeune, quittait les bâtiments des tribunaux de la chancellerie, du Procureur du Roi, de l'Échiquier et des Plaids Communs, après avoir entendu, au tribunal du lord chancelier, le procès pour démence de Potterton, au tribunal des affaires maritimes la citation sur requête *ex parte* des propriétaires du Lady Cairns à l'encontre des propriétaires du trois-mâts barque Mona, à la cour d'appel le jugement en délibéré dans le procès Harvey contre la Compagnie d'Assurances Maritimes Océaniques.

Une quinte de toux grasse ébranla l'atmosphère de l'échoppe du bouquiniste, gonflant les rideaux crasseux. La chevelure grise hirsute du vendeur émergea, ainsi que, toussant, son visage rougi en mal de rasoir. Il se racla la gorge grossièrement, cracha son flegme sur le sol. Il posa son pied sur son crachat, l'essuyant de la semelle et se pencha, découvrant un crâne à vif, au cheveu rare.

M. Bloom le contempla.

Dominant le trouble de sa respiration, il dit :

— Je vais prendre celui-ci [74].

Le vendeur leva ses yeux tout embrumés de vieux catarrheux.

— *Douceurs du péché*, dit-il, en le tapotant. C'est un bon.

*
* *

Le crieur à la porte de la salle des ventes Dillon secoua sa cloche à nouveau deux fois et se considéra dans le miroir marqué de blanc du cabinet.

Dilly Dedalus, qui traînassait au bord du trottoir, entendait les coups de cloche, les cris du commissaire-priseur à l'intérieur. Quatre shillings neuf. Ces très jolis rideaux. Cinq shillings. Des rideaux bien douillets. Se vendent neufs deux guinées. Pas d'enchères sur cinq shillings ? Adjugés pour cinq shillings.

Le crieur souleva sa cloche et l'agita :

— Barang !

Le bang de la cloche du dernier tour éperonna les coureurs cyclistes du demi-mile dans leur sprint final. J.A. Jackson, W.E. Wylie, A. Munro et H.T. Gahan, le cou tendu et oscillant, négociaient le virage de la Bibliothèque de Trinity College[75].

M. Dedalus, tirant sur une longue moustache, surgit de William's row. Il s'arrêta près de sa fille.

— Il est temps que tu arrives, dit-elle.

— Tiens-toi droite, pour l'amour de Notre Seigneur Jésus, dit M. Dedalus. Est-ce que tu essaies d'imiter ton oncle John, le joueur de cornet à pistons, la tête sur l'épaule ? Dieu du Ciel !

Dilly haussa les épaules. M. Dedalus posa les mains dessus et les maintint en arrière.

— Tiens-toi droite, ma fille, dit-il. Tu vas te fabriquer une scoliose. Sais-tu à quoi tu ressembles ?

Il fit plonger d'un coup sa tête en avant, rentrant les épaules et laissant tomber sa mâchoire inférieure.

— Ça suffit comme ça, papa, fit Dilly. Tout le monde te regarde.

M. Dedalus se redressa et se remit à tirer sur sa moustache.

— Est-ce que tu t'es procuré de l'argent ? demanda Dilly.

— Où est-ce que je trouverais de l'argent ? dit M. Dedalus. Il n'y a personne à Dublin qui me prêterait quatre sous [76].

— Tu t'en es procuré, fit Dilly, le fixant dans les yeux.

— Comment le sais-tu ? demanda M. Dedalus, pince-sans-rire.

M. Kernan, satisfait de la commande qu'il avait décrochée, arpentait James's street d'un pas conquérant.

— Je le sais, répliqua Dilly. Tu sors du Scotch House ?

— Je n'y étais pas à cet instant, dit M. Dedalus en souriant. Ce sont les petites nonnes qui t'ont appris à être aussi impertinente ? Tiens.

Il lui tendit un shilling.

— Vois si tu peux faire quelque chose avec ça, dit-il.

— J'imagine que tu en as eu cinq, fit Dilly. Donne-moi plus que ça.

— Deux secondes, fit M. Dedalus, menaçant. Tu es comme les autres, hein ? Une bande de petites garces insolentes depuis la mort de votre pauvre mère. Mais attends un peu. Vous allez voir ce que vous allez voir, vous toutes, avec moi. Fripouilles de bas étage ! Je vais me débarrasser de vous. Vous serait égal de me voir étendu raide. Il est mort. Le vieux, là-haut, il est mort.

Il la quitta et poursuivit son chemin. Dilly le suivit rapidement et le tira par la veste.

— Eh bien, qu'est-ce qu'il y a ? dit-il en s'arrêtant.

Le crieur sonna la cloche dans leur dos.

— Barang !

— Va donc, eh, espèce d'enfoiré, s'écria M. Dedalus, en se tournant contre lui.

Le crieur, qui avait perçu une réflexion, secoua le battant paresseux de sa cloche : mais faiblement :

— Bang !

M. Dedalus le fixa.

— Regarde-le, dit-il. C'est instructif. Je me demande s'il va nous permettre de parler.

— Tu as eu plus que ça, père, fit Dilly.

— Tu vas voir ce que tu vas voir, dit M. Dedalus. Je vous laisserai tous là où Jésus a laissé les juifs[77]. Regarde, c'est là tout ce que j'ai. J'ai eu deux shillings de Jack Power et j'ai dépensé deux pence à me faire raser pour les obsèques.

Il tira de sa poche une poignée de pennies avec irritation.

— Ne peux-tu pas chercher un peu d'argent quelque part ? fit Dilly.

M. Dedalus réfléchit et hocha la tête.

— Oui, je vais le faire, dit-il avec gravité, j'ai cherché dans le caniveau tout le long de O'Connell street. Je vais essayer celui-ci maintenant.

— Tu es très drôle, ricana Dilly.

— Tiens, dit M. Dedalus, en lui tendant deux pennies. Prends-toi un verre de lait et une brioche ou quelque chose de ce genre. Je rentre bientôt.

Il mit les autres pièces dans sa poche et reprit sa marche.

La cavalcade du vice-roi, saluée par des agents de police obséquieux, sortit de Phoenix Park par la grande porte.

— Je suis sûre que tu as un autre shilling, fit Dilly.

Le crieur fit entendre un puissant son de cloche.

Au milieu du vacarme, M. Dedalus s'en alla, murmurant à part lui, les lèvres en cul de poule :

— Les petites nonnes ! Elles sont jolies ! Oh, pour sûr, elles ne feraient pas ça ! Ah, ça, non ! Ça serait pas la petite sœur Monique !

*

* *

Parti du cadran solaire en direction de James's gate marchait M. Kernan, satisfait de la commande qu'il venait de décrocher pour Pulbrook Robertson, d'un pas conquérant arpentant James's street, devant les bureaux de Shackleton. L'ai bien entortillé. Comment allez-vous, M. Crimmins ? On ne peut mieux. Je craignais que vous ne soyez dans votre autre établissement, à Pimlico. Comment ça va ? On survit. On est gâtés avec ce temps. Oui, on peut le dire. C'est bon pour la campagne. Ces paysans sont toujours à se plaindre. Je me contenterai d'un dé à coudre de votre meilleur gin, M. Crimmins. Un petit gin, monsieur. Oui, monsieur. Affreuse histoire cette explosion du Général Slocum. Affreuse, affreuse ! Un millier de victimes. Et des scènes déchirantes. Des hommes piétinant femmes et enfants. Purement et simplement barbare. Qu'est-ce qu'on dit sur les causes ? Combustion spontanée : révélation proprement scandaleuse. Pas un seul canot de sauvetage ne flottait et les manches d'incendie toutes éclatées. Ce que je n'arrive pas à comprendre c'est comment les inspecteurs ont jamais pu autoriser un bateau comme celui-là... Voilà, vous êtes absolument dans le vrai, M. Crimmins. Vous savez pourquoi ? Les pots-de-vin. Vrai de vrai ? Sans le moindre doute. Alors, je vous prends à témoin. Après ça on nous dit que l'Amérique est le pays de la liberté. Moi qui croyais que ça n'était pas fameux chez nous.

Je lui ai souri. *L'Amérique*, je lui ai dit, tranquillement, comme je vous le dis. *Qu'est-ce que c'est ? Le rebut de tous les pays y compris du nôtre. Dites-moi que ça n'est pas vrai.* C'est la vérité pure.

La magouille, mon cher monsieur. C'est que, bien sûr, quand il y a de l'argent en jeu, on trouve toujours quelqu'un pour le ramasser.

L'ai vu regarder ma redingote. C'est la tenue qui fait tout. Rien de tel qu'une allure élégante. C'est ça qui les épate.

— Salut, Simon, dit le Père Cowley[78]. Comment ça va ?

— Salut, Bob, mon vieux, répondit M. Dedalus, s'arrêtant.

M. Kernan s'arrêta et prit un air avantageux devant le miroir incliné de Peter Kennedy, coiffeur. Une redingote qui a du chic, sans l'ombre d'un doute. Scott, Dawson street. Vaut largement le demi-souverain que j'en ai donné à Neary. Jamais du sur-mesure à moins de trois guinées. Me va comme un gant. Probablement celle d'un gandin du club de Kildare street. John Mulligan, le directeur de la Hibernian bank, hier, sur Carlisle bridge[79], m'a lorgné comme s'il se souvenait de moi.

Hem, hem ! Faut le costume pour tenir le rôle devant ces gens. Chevalier de la marmotte. Gentleman. Et maintenant, M. Crimmins, pouvons-nous espérer l'honneur de vous avoir à nouveau comme client, cher monsieur. La coupe qui réconforte sans enivrer[80], pour reprendre le vieux dicton.

Longeant le North wall et sir John Rogerson's quay, avec leurs coques et leurs chaînes d'ancres, voguant vers l'ouest, passa une petite embarcation, un prospectus froissé, balancé par le remous du ferry, Élie arrive.

M. Kernan gratifia son image d'un regard d'adieu. Coloré, bien sûr. Moustache grisonnante. Officier retour des Indes. Conquérant, il avançait, guêtré, le corps trapu, les épaules au carré. Est-ce que c'est le frère de Ned Lambert de l'autre côté de la rue, Sam ? Quoi ? Oui. C'est lui tout craché. Non. Le pare-brise de cette automobile dans le soleil là. Juste un éclair comme ça. Tout craché.

Hem, hem ! L'alcool brûlant du jus de genièvre réchauffait ses organes vitaux et son haleine. Ça, c'était une bonne goutte de gin. Sous le soleil éclatant, les queues de sa redingote clignaient au rythme de sa lourde pavane.

C'est là-bas que Emmet a été pendu, éviscéré et écartelé[81]. Corde noire toute graisseuse. Des chiens léchant le sang sur les pavés lorsque la femme du lord lieutenant passa dans son cabriolet.

Des temps difficiles ceux-là. Bon, bon. Bel et bien terminés. Des grands soiffards en plus. À quatre bouteilles par tête.

Voyons. Est-il enterré à saint Michan[82] ? Ou bien, non, il y a eu un enterrement de minuit à Glasnevin. Le cadavre apporté par une porte dérobée dans le mur. Dignam est là-bas maintenant. Est parti, pfuit. Bon, bon. Vaut mieux tourner ici. Faire un détour.

M. Kernan tourna et prit la descente de Watling street au coin de la salle d'attente des visiteurs de Guinness. Devant les entrepôts de la Compagnie des Distillateurs de Dublin se trouvait une voiture sans client ni cocher, les rênes nouées à la roue. Bougrement dangereux. Un lourdaud du Tipperary qui met en danger la vie des citoyens. Cheval échappé.

Denis Breen avec ses gros bouquins, las d'avoir attendu une heure dans l'étude de John Henry Menton, conduisait sa femme sur O'Connell bridge, en route pour l'étude de Messieurs Collis et Ward.

M. Kernan approchait de Island street. Du temps des événements. Faut que je demande à Ned Lambert de me prêter ces souvenirs de Sir Jonah Barrington[83]. Quand vous jetez un regard en arrière sur tout ça maintenant dans une sorte d'arrangement rétrospectif. Les joueurs chez Daly[84]. Pas de tricheurs dans ce temps-là. Un de ces types a eu la main clouée sur la table par une dague. C'est par ici que Lord Edward

Fitzgerald a échappé au major Sirr. Les écuries derrière l'hôtel particulier de Moira[85].

Fichtrement bon ce gin.

Belle figure de jeune aristocrate fougueux. De bonne souche, bien sûr. C'est cette canaille, le gentilhomme à la gomme, avec ses gants violets, qui l'a dénoncé. Sûr ils étaient du mauvais côté[86]. En ces jours sombres et mauvais, ils se dressèrent[87]. Joli poème, celui-là : Ingram. C'étaient des gentlemen. Ben Dollard chante vraiment cette ballade de façon touchante. Un rendu magistral.

C'est au siège de Ross que trépassa mon père[88].

Une cavalcade d'un trot aisé longeait Pembroke quay, les piqueurs sautant, sautant sur leur, sur leur selle. Redingotes. Ombrelles crème.

M. Kernan pressa le pas, soufflant, la bouche en cul de poule.

Son Excellence ! Pas de chance ! Manqué ça d'un cheveu. Bon Dieu ! Quel dommage !

*

* *

Stephen Dedalus observait à travers la vitrine à toile d'araignée les doigts du lapidaire occupés à contrôler une chaîne ternie par le temps. De la poussière entoilait la vitrine et les présentoirs. De la poussière noircissait les doigts affairés aux ongles de vautour. De la poussière dormait sur de ternes torsades de bronze et d'argent, des losanges de cinabre, sur des rubis, pierres lépreuses et vinsombre.

Nées, toutes, dans la sombre terre véreuse, froides mouchetures de feu, lumières malignes brillant dans les ténèbres[89]. Là où les archanges déchus jetèrent les étoiles de leur front[90]. Boueux, des groins de porc, des mains, fouissent et fouissent, les grippent et les arrachent.

Elle danse dans une ombre immonde, aux miasmes d'ail et de résines. Un marin, tout barberouillé, sirote dans un gobelet du rhum et la lorgne. Un interminable rut silencieux alimenté par la mer. Elle danse, cabriole, frétillant de la croupe et de ses hanches de truie, faisant battre sur son ventre bouffi un œuf de rubis[91].

Le vieux Russell d'un chiffon de chamois maculé polit à nouveau sa gemme, la tourna et la tint à la pointe de sa barbe de Moïse. Grandpère magot repaissant ses yeux d'un trésor volé[92].

Et toi qui arraches de vieilles images à la terre des morts ! Les paroles nées de l'esprit dérangé de sophistes : Antisthène. Un savoir secret des drogues. Froment auroral et immortel qui demeure d'éternité en éternité

Deux vieilles femmes émergeant toutes neuves de leur petit coup d'iode traversaient Irishtown, clopinant sur London bridge road, l'une avec un parapluie épuisé, sablé, l'une avec une sacoche de sage-femme dans laquelle roulaient onze clovisses.

Le vrombissement des courroies de cuir qui claquent et le ronronnement des dynamos qui s'échappaient de la centrale électrique poussèrent Stephen à poursuivre son chemin. Êtres sans être. Stop ! Palpitent sans cesse hors de toi et cette palpitation sans cesse en toi. Ton cœur que tu chantes. Moi entre eux. Où ? Entre deux mondes rugissants où ils tournoient, moi. Fracasse-les, l'un et tous deux. Mais m'assomme aussi de ce même coup. Fracasse-moi toi qui le peux. Maquerelle et boucher, c'étaient les mots. Dites donc ! Pas tout de suite, un moment. Un coup d'œil autour.

Oui, tout à fait exact. Très vaste et prodigieux et scande le temps à merveille. Vous dites vrai, monsieur. Un lundi matin, c'était bien ça, assurément.

Stephen descendit Bedford row, la poignée de sa frênecanne claquant contre son omoplate. Dans la vitrine de Clohissey une gravure fanée de 1860 représentant Heenan boxant contre Sayers[93] retint son regard. Des supporters fascinés en chapeaux haut de forme se tenaient autour des cordes délimitant le ring du défi. Les poids lourds vêtus de pagnes serrés proposaient en douceur chacun à l'autre ses poings bulbeux. Et ils palpitent : des cœurs de héros.

Il se tourna et s'arrêta près de la charrette inclinée.

— Deux pence chaque, dit le revendeur. Quatre pour sixpence.

Pages en lambeaux. *L'Apiculteur irlandais*[94]. *La Vie et les miracles du curé d'Ars. Guide de poche pour Killarney.*

Je pourrais trouver ici un de mes livres de prix mis en gage. *Stephano Dedalo, alumno optimo, palmam ferenti.*

Le Père Conmee, ayant lu ses petites heures, traversait le hameau de Donnycarney, murmurant les vêpres.

Reliure trop bonne probablement, qu'est-ce que c'est ? Huitième et neuvième livre de Moïse[95]. Secret de tous les secrets. Sceau du roi David[96]. Pages marquées de pouces : lues et lues. Qui est passé ici avant moi ? Comment adoucir des mains gercées. Recette pour le vinaigre de vin blanc. Comment gagner l'amour d'une femme. Pour moi ça. Dites le talisman suivant trois fois les mains jointes :

— *Se el yilo nebrakada femininum*[97] *! Amor me solo ! Sanktus ! Amen.*

Qui a écrit ceci ? Charmes et invocations du vénérable abbé Pierre Salanka[98] divulgués à tous les vrais croyants. Aussi valable que les charmes de n'importe quel autre abbé, que ceux du marmonnant Joachim. Descends, crâne d'œuf, ou on va te tondre la laine.

— Qu'est-ce que tu fais ici, Stephen ?

Dilly, ses hautes épaules et sa robe misérable.
Ferme le livre vite. Ne laisse pas voir.

— Qu'est-ce que tu fais ? dit Stephen.

Un visage Stuart d'un King Charles sans pareil[99], mèches raides retombant sur les côtés. Il s'embrasait lorsqu'elle s'accroupissait, à nourrir le feu de chaussures en lambeaux. Je lui parlais de Paris. Traînant au lit le matin sous de vieux pardessus en guise d'édredon, tripotant un bracelet en simili, gage d'affection de Dan Kelly. *Nebrakada femininum.*

— Qu'est-ce que tu as là ? demanda Stephen.

— Je l'ai acheté à l'autre charrette pour un penny, fit Dilly, avec un rire nerveux. Ça vaut quelque chose ?

Mes yeux on dit qu'elle a. Est-ce que les autres me voient comme ça ? Rapide, lointain et hardi. Ombre de mon esprit.

Il prit le livre sans couverture de sa main. Premiers éléments de français de Chardenal.

— Pourquoi as-tu acheté ça ? demanda-t-il. Pour apprendre le français ?

Elle opina de la tête, rougissant et serrant les lèvres.

Ne montrer aucune surprise. Tout à fait naturel.

— Tiens, dit Stephen. C'est bien. Attention que Maggy ne le mette pas en gage sur ton dos. J'imagine que tous mes livres sont partis.

— Quelques-uns, fit Dilly. Nous avons dû.

Elle se noie. Re-mords. Sauve-la. Morsure. Tous contre nous. Elle va me noyer avec elle, yeux et chevelure. Anneaux plats de chevelure algue autour de moi, de mon cœur, de mon âme. Mort vert-sel.

Nous.

Re-mords de l'inextimé. De l'inextimé le re-mords.

Misère ! Misère !

*

* *

— Salut, Simon, dit le Père Cowley. Comment ça va ?

— Salut, Bob, mon vieux, répondit M. Dedalus, s'arrêtant.

Ils se serrèrent la main bruyamment devant Reddy and Daughter. Le Père Cowley se brossait la moustache de haut en bas sans cesse d'une main mise en écope.

— Les nouvelles sont bonnes ? dit M. Dedalus.

— Eh bien, il n'y en a guère dit le Père Cowley. Je me barricade, Simon, avec deux hommes qui rôdent autour de la maison, tâchant d'y pénétrer.

— Elle est bien bonne, dit M. Dedalus. Qui est-ce ?

— Oh, dit le Père Cowley. Un certain vautour de notre connaissance.

— Avec le dos en zigzag, hein ? demanda M. Dedalus.

— En personne, Simon, répondit le Père Cowley. Reuben, de la tribu de même nom. J'attends seulement Ben Dollard. Il va dire un mot à Long John[100] pour le convaincre d'enlever ces deux hommes. Tout ce qu'il me faut c'est un peu de temps.

Son regard plein d'un espoir vague balayait le quai, une grosse pomme gonflant son cou.

— Je sais, dit M. Dedalus, en opinant du chef. Ce pauvre vieil éclopé de Ben ! Il passe son temps à rendre service à quelqu'un. Arrête !

Il mit son lorgnon et regarda en direction du pont métallique un instant.

— Le voilà, bon Dieu, fit-il, cul et couilles.

Ben Dollard, la jaquette bleue flottante et le haut-de-forme surmontant un vaste pantalon de marin[101], traversait le quai à belle allure, venant du pont métallique. Il se dirigea vers eux à l'amble, se grattant frénétiquement derrière ses basques.

Lorsqu'il fut proche M. Dedalus le salua :

— Attrapez ce type au pantalon dégueulasse.

— Attrapez-le.

M. Dedalus considéra avec un froid mépris tour à tour divers points de la silhouette de Ben Dollard. Puis, se tournant vers le Père Cowley avec un hochement de tête, il grommela, sarcastique :

— Jolie tenue, hein, pour un jour d'été ?

— Eh bien, tu peux aller au diable pour de bon, gronda Ben Dollard furieux, j'ai jeté plus de vêtements, dans le temps, que tu n'en as jamais vu.

Planté à côté d'eux, d'un air épanoui il les contempla d'abord, puis ses amples vêtements sur lesquels çà et là M. Dedalus époussetait des peluches en disant :

— Ils ont été faits pour un homme en bonne santé, Ben, en tout cas.

— Maudit soit le juif qui les a faits, dit Ben Dollard. Dieu merci il n'est pas encore payé.

— Et comment va ce *basso profondo*, Benjamin ? demanda le Père Cowley.

Cashel Boyle O'Connor Fitzmaurice Tisdall Farrell, murmurant, l'œil vitreux, passait à grands pas devant le club de Kildare street.

Ben Dollard se renfrogna et, se faisant tout à coup une bouche de chantre, émit une note profonde.

— OOO ! dit-il.

— C'est tout à fait ça, dit M. Dedalus, approuvant du chef le bourdon.

— Qu'est-ce que tu dis de ça ? dit Ben Dollard. Pas trop rouillé ? Hein ?

Il se tourna vers les deux hommes.

— Ça peut faire l'affaire, dit le Père Cowley, approuvant de même.

Le révérend Hugh C. Love ayant quitté la salle du chapitre de saint Mary's abbey passait devant chez James et Charles Kennedy, rectificateurs, en la compagnie de membres, hauts de taille et solidement bâtis, du clan Fitzgerald, en route pour le Tholsel, au-delà du Ford of Hurdles [102].

Ben Dollard qui donnait fortement de la bande vers les vitrines les entraînait, brandissant haut ses doigts joyeux.

— Accompagnez-moi au bureau du sous-shérif, disait-il. Je veux vous montrer le nouveau phénomène que Rock a comme agent de poursuites. C'est un croisement de Lobengula et de Lynchehaun [103]. Il vaut le détour, croyez-moi. Venez. Je viens juste de voir John Henry Menton accidentellement au Bodega et ça me coûtera une chute si je ne… attendez deux secondes… Nous sommes en bonne voie, Bob, crois-moi.

— Pour quelques jours, dis-lui, fit un Père Cowley anxieux.

Ben Dollard fit halte et ouvrit de grands yeux, son bruyant orifice béant, un bouton de veste pendouillard montrant au bout de son fil son dos brillant, cependant qu'il essuyait les épaisses chassies qui encrassaient ses yeux pour bien entendre.

— Quoi, quelques jours ? tonna-t-il. Est-ce que ton propriétaire ne t'a pas saisi pour un loyer ?

— Oui, bel et bien, fit le Père Cowley.

— Alors l'assignation de notre ami ne vaut pas le papier sur lequel elle est imprimée, dit Ben Dollard. C'est la créance du propriétaire qui est prioritaire. Je lui ai donné tous les détails. 29 Windsor avenue [104]. Le nom c'est Love ?

— C'est ça, dit le Père Cowley. Le révérend Love. Il est pasteur à la campagne, quelque part. Mais es-tu sûr de ça ?

— Je t'autorise à dire à Barabbas de ma part, fit Ben Dollard, qu'il peut mettre cette assignation là où Jacko mettait ses noisettes.

Il faisait avancer hardiment un Père Cowley enchaîné à son corps volumineux.

— Réflexion faite, je crois que c'étaient bel et bien des noix, dit M. Dedalus, laissant tomber ses lorgnons sur son plastron, et s'engageant derrière eux.

*
* *

— Tout ira bien pour le gamin, dit Martin Cunningham, tandis qu'ils passaient le portail de la cour du Château.

L'agent se toucha le front.

— Dieu te bénisse, dit Martin Cunningham, jovial.

Il fit signe au cocher qui attendait et qui, secouant les rênes, se mit en route en direction de Lord Edward street.

Bronze près d'or, la tête de mademoiselle Kennedy près de la tête de mademoiselle Kennedy[105], apparurent au-dessus du brisebise de l'hôtel Ormond.

— Oui, dit Martin Cunningham, en tripotant sa barbe. J'ai écrit au Père Conmee et lui ai exposé toute l'affaire.

— Tu pourrais essayer notre ami, suggéra M. Power par-dessus son épaule.

— Boyd ? fit Martin Cunningham brièvement. Pas de ça pour moi[106].

John Wyse Nolan, attardé à lire la liste, descendait rapidement Cork hill après eux.

Sur les marches de l'Hôtel de ville le Conseiller Nannetti, descendant, salua l'Adjoint Cowley et le Conseiller Abraham Lyon, montant[107].

La voiture officielle fit demi-tour à vide dans upper Exchange street.

— Dis donc, Martin, dit John Wyse Nolan les rejoignant aux bureaux du *Mail*. Je vois que Bloom s'est inscrit pour cinq shillings.

— Parfaitement exact, dit Martin Cunningham, en prenant la liste. Et casqué les cinq shillings en plus.

— Sans hésitation ni murmure, dit M. Power.

— Étrange, mais vrai, ajouta M. Cunningham.

John Wyse Nolan ouvrit de grands yeux.

— Je dirais qu'il est grande bonté en ce juif-là[108], cita-t-il élégamment.

Ils descendirent Parliament street.

— Voilà Jimmy Henry, dit M. Power, qui met juste le cap sur le bistrot de Kavanagh.

— Tout juste, dit Martin Cunningham. Le voici.

Devant la Maison Claire Flam Boylan intercepta le beau-frère de Jack Mooney, tout avachi, rond comme une queue de pelle, en route pour les liberties.

John Wyse Nolan se laissa rattraper par M. Power, pendant que Martin Cunningham prenait par le coude un petit homme fringant en complet de tweed chiné qui marchait, incertain, à pas pressés, devant les montres de Micky Anderson.

— Les cors du second greffier municipal lui donnent quelques soucis, dit John Wyse Nolan à M. Power.

Ils poursuivirent leur chemin au coin en direction de la taverne de James Kavanagh. La voiture officielle vide leur fit face au repos à Essex gate. Martin Cunningham, parlant toujours, leur montrait souvent la liste sur laquelle Jimmy Henry ne jetait pas un coup d'œil.

— Et Long John Fanning est également ici, dit John Wyse Nolan, grandeur nature.

La haute silhouette du long John Fanning emplissait l'encadrement de la porte où il était planté.

— Le bon jour, monsieur le sous-shérif, dit Martin Cunningham, cependant que tous s'arrêtaient et saluaient.

Long John Fanning ne leur céda pas le passage. Il

ôta son grand Henry Clay[109] et ses grands yeux féroces parcoururent, intelligents, tous leurs visages.

— Les pères conscrits poursuivent-ils leurs paisibles délibérations[110] ? dit-il, sur un ton aussi gras qu'acerbe à l'intention du second greffier municipal.

Un vrai pandémonium qu'ils tenaient, disait Jimmy Henry avec humeur, à propos de leur foutue langue irlandaise. Où était le premier prévôt[111], il voudrait bien le savoir, pour maintenir l'ordre dans la salle du conseil. Et le vieux Barlow le massier[112] alité avec une crise d'asthme, pas de masse sur la table, aucune forme respectée, même pas de quorum et Hutchinson le lord-maire, à Llandudno, et le petit Lorcan Sherlock *locum tenens*[113]. Foutue langue irlandaise, langue de nos ancêtres.

Les lèvres de Long John Fanning soufflèrent un panache de fumée.

Martin Cunningham parlait de temps en temps, en tortillant la pointe de sa barbe, au second greffier municipal et au sous-shérif, cependant que John Wyse Nolan se tenait tranquille.

— C'était quel Dignam ? demanda Long John Fanning.

Jimmy Henry grimaça et leva son pied gauche.

— Oh, mes cors ! fit-il plaintivement. Montez pour l'amour du ciel que je puisse m'asseoir quelque part. Hou ! Aaah ! Attention !

Irascible il se fraya un chemin sur le flanc de Long John Fanning et entra et monta l'escalier.

— Allez, monte, dit Martin Cunningham au sous-shérif. Je ne pense pas que tu le connaissais ou peut-être que si, pourtant.

Accompagné de John Wyse Nolan M. Power entra à leur suite.

— Un chic petit bonhomme, oui, fit M. Power à l'adresse du dos robuste de Long John Fanning montant en direction de Long John Fanning dans le miroir.

— Plutôt modèle réduit, ce Dignam de l'étude de Menton, dit Martin Cunningham.

Long John Fanning n'en avait aucun souvenir.

Clipclap de sabots de chevaux traversa les airs.

— Qu'est-ce que c'est ? dit Martin Cunningham.

Tous se tournèrent là où ils étaient : John Wyse Nolan redescendit. Depuis l'ombre fraîche de l'entrée il vit les chevaux passer dans Parliament street, harnais et paturons lustrés dans le soleil luisant. Gaiement ils défilèrent devant ses yeux fraîchement inamicaux, pas rapidement. Dans les selles des chevaux de tête, de tête sautant, chevauchaient des piqueurs.

— Qu'est-ce que c'était ? demanda Martin Cunningham, tandis qu'ils continuaient leur ascension.

— Le lord-lieutenant général et gouverneur général d'Irlande, répondit John Wyse Nolan du pied de l'escalier.

*
* *

Pendant qu'ils traversaient l'épais tapis Buck Mulligan murmura derrière son panama à l'intention de Haines.

— Le frère de Parnell. Là dans le coin.

Ils choisirent une petite table près de la fenêtre en face d'un homme au long visage dont la barbe et le regard absorbé étaient plongés sur un échiquier.

— Est-ce lui ? demanda Haines, en se retournant sur son siège.

— Oui, dit Mulligan. C'est John Howard, son frère, notre premier prévôt.

John Howard Parnell effectua la translation d'un

fou blanc tranquillement et sa serre grise remonta à son front sur lequel elle s'appuya. Un instant plus tard, à la faveur de cet écran, ses yeux jetèrent un coup d'œil rapide, d'un éclat spectral, en direction de son ennemi et retombèrent à nouveau sur un coin prometteur.

— Je prendrai un *mélange*[114], dit Haines à la serveuse.

— Deux *mélanges,* dit Buck. Et apportez-nous quelques scones et du beurre et aussi quelques cakes.

Quand elle fut partie, il dit en riant :

— Nous l'appelons la D.B. parce qu'ils ont des désolants babas. Ah, mais tu as manqué le numéro de Dedalus sur *Hamlet*.

Haines ouvrit le livre qu'il venait de s'acheter.

— Je suis navré, dit-il. Shakespeare est le terrain de chasse favori de tous les esprits quelque peu déséquilibrés.

Le marin unijambiste grommelait à l'adresse de la courette du 14 Nelson street :

— *L'Angleterre compte*[115]...

Le gilet primevère de Buck s'agitait gaiement au rythme de son rire.

— Tu devrais le voir, dit-il, quand son corps perd l'équilibre. Ængus l'Errant, c'est comme ça que je l'appelle.

— Je suis sûr qu'il a une *idée fixe,* dit Haines, se pinçant le menton pensivement entre le pouce et l'index. Alors je réfléchis à ce que cela pourrait bien être. De telles personnes en ont toujours.

Buck se pencha à travers la table avec gravité.

— Ils lui ont fait perdre la boule, dit-il, à coups de visions de l'enfer. Il ne parviendra jamais à saisir la note attique. La note de Swinburne, de tous les poètes, la mort blanche et la rougeaude naissance[116].

C'est là sa tragédie. Il n'arrive jamais à être poète. La joie de la création...

— Les peines éternelles, fit Haines, d'un sec hochement de tête. Je vois. Je l'ai attaqué ce matin sur la croyance. Quelque chose pesait sur son esprit, je l'ai bien vu. C'est plutôt intéressant parce que le Professeur Pokorny de Vienne[117] en tire une intéressante conclusion.

Le regard aux aguets de Buck vit arriver la serveuse. Il l'aida à décharger son plateau.

— Il ne trouve pas trace de l'enfer dans les anciens mythes irlandais, dit Haines, au milieu des coupes réconfortantes. L'idée morale semble absente, le sens de la destinée, du châtiment. Plutôt étrange qu'il ait précisément cette idée fixe. Écrit-il quelque chose pour votre mouvement ?

Il fit plonger deux morceaux de sucre habilement en longueur à travers la crème fouettée. Buck fendit un scone brûlant en deux et mit un emplâtre de beurre sur sa moelle fumante. Il en mordit un morceau tendre d'un air affamé.

— Dix ans, dit-il, mâchant et riant. Il va écrire quelque chose d'ici dix ans.

— Paraît loin, dit Haines, d'un air pensif soulevant sa cuiller. Pourtant, cela ne me surprendrait pas qu'il y parvienne en définitive.

Il goûta une cuillerée de crème prélevée sur le sommet de sa tasse.

— C'est de l'authentique crème d'Irlande je suppose, dit-il avec indulgence. Je n'aime pas qu'on me raconte des histoires.

Élie, esquif, léger prospectus chiffonné, voguait vers l'est, longeant le flanc de navires et de chalutiers, au milieu d'un archipel de bouchons de liège, au-delà de new Wapping street, passant devant le bac de

Benson, et près du trois-mâts goélette *Rosevean* en provenance de Bridgwater avec une cargaison de briques.

*
* *

Almidano Artifoni dépassa Holles street, dépassa Sewell's yard. Derrière lui Cashel Boyle O'Connor Fitzmaurice Tisdall Farrell, canneparapluiecache-poussière pendouillant, évita le réverbère devant la maison de M. Law Smith et, traversant la rue, longea Merrion square. À distance derrière lui un jouvenceau aveugle suivait le mur du parc de Trinity College à petits coups de sa canne.

Cashel Boyle O'Connor Fitzmaurice Tisdall Farrell poursuivit son chemin jusqu'aux gaies vitrines de M. Lewis Werner[118], puis rebroussa chemin, revenant à grands pas longer Merrion square, canneparapluie-cachepoussière pendouillant.

Au coin de la maison des Wilde[119] il fit halte, se renfrogna devant le nom d'Élie annoncé sur le Metropolitan Hall, se renfrogna à la vue, au loin, du jardin d'agrément de duke's lawn. Son monocle eut un éclair renfrogné sous le soleil. Montrant des dents de rat il marmonna :

— *Coactus volui*[120].

Il partit à grands pas en direction de Clare street, broyant ses paroles furieuses.

Au moment où il passait devant la vitrine dentaire de M. Bloom[121] son cache-poussière en se balançant balaya du coin une mince canne qui tapotait le sol et poursuivit son chemin animé du même mouvement, ayant bousculé violemment un corps sans muscles. Le jouvenceau aveugle tourna son visage maladif en direction de la forme qui marchait à grands pas.

— La malédiction de Dieu sur toi, dit-il aigrement, qui que tu sois. T'es ben plus aveugle que moi, fils de pute !

*

* *

En face de Ruggy O'Donohoe le jeune Patrick Aloysius Dignam, pétrissant la livre et demie de grillades de porc de chez Mangan, anciennement Fehrenbach, qu'on l'avait envoyé chercher, suivait en flânochant la tiède Wicklow street. C'était trop diablement barbe de rester assis au salon avec Madame Stoer et Madame Quigley et Madame Mac Dowell et le rideau baissé et toutes à renifler et à siffler des petits coups de vieux sherry premier choix qu'oncle Barney apportait de chez Tunney. Et elles à tout le temps manger des bouts de cake aux raisins maison, à jacasser toute la sainte journée et à soupirer.

Après Wicklow lane c'est la vitrine de Madame Doyle, couturière et modiste de la cour, qui l'arrêta. Il resta planté à regarder dedans les deux bagarreurs qui s'étaient mis quasi à poil, en garde, pognes en l'air. Dans les miroirs latéraux deux jeunes Dignam en deuil béaient silencieusement. Myler Keogh, le petit chéri de Dublin, rencontrera le sergent-major Bennett, le cogneur de Portobello[122], pour une bourse de cinquante souverains. Mince, ça serait une bonne bagarre à voir. Myler Keogh, c'est le type en position contre celui avec la ceinture verte. Deux ronds l'entrée, demi-tarif pour les militaires. Je pourrais facile me tirer sans que maman voie. Le jeune Dignam sur sa gauche tourna dès qu'il se tourna. C'est moi en deuil. Quand est-ce ? Le vingt-deux mai. Sûr, le diable de truc est bien terminé. Il se tourna à droite et à sa droite le jeune Dignam se tourna, la casquette de travers, le col rebiquant. Tout en le reboutonnant bien, le menton relevé, il vit l'image de Marie Kendall, charmante soubrette, à côté des deux bagarreurs. Une des ces gonzesses qui y a dans les paquets de clopes que Stoer fume que son vieux lui a donné une sacrée tannée à cause qu'un jour il l'avait surpris.

Le jeune Dignam rabattit son col et continua à flânocher. Le meilleur bagarreur qu'y avait question force c'était Fitzsimons[123]. Un marron de ce type-là dans le buffet t'étendrait raide jusqu'au milieu de la semaine prochaine, mon vieux. Mais le meilleur bagarreur question technique c'était Jem Corbett[124] avant que Fitzsimons lui sorte les tripes, esquive et tout.

Dans Grafton street le jeune Dignam vit une fleur rouge dans la bouche d'un rupin qu'avait une paire de grimpants vachement chouette et lui en train d'écouter ce que le poivrot lui racontait et ricanait tout le temps.

Pas de tram pour Sandymount.

Le jeune Dignam parcourut Nassau street, fit passer les grillades de porc dans son autre main. Son col remonta brusquement et il tira dessus pour le faire redescendre. Ce diable de bouton de col était trop petit pour la boutonnière de la chemise, qu'il aille au diable. Il rencontra des écoliers avec des cartables. J'y vais pas non plus demain, resterai absent jusqu'à lundi. Il rencontra d'autres écoliers. Est-ce qu'ils remarquent que je suis en deuil ? Oncle Barney a dit qu'il le ferait passer dans le journal ce soir. Alors ils le verront tous dans le journal et liront mon nom imprimé et celui de papa.

Son visage est devenu tout gris au lieu d'être rouge comme il était et il y avait une mouche qui se promenait dessus jusqu'à son œil. Ce grincement qu'il y a eu quand ils vissaient les vis dans le cercueil : et les chocs quand ils le descendaient en bas.

Papa était dedans et maman à pleurer au salon et oncle Barney disant aux hommes comment lui faire prendre le virage. Un gros cercueil que c'était, et haut et l'air lourd. Comment ça se faisait ? Le dernier soir que papa a pris une cuite il était planté sur le palier braillant qu'on lui apporte ses souliers pour aller sortir chez Tunney pour se cuiter plus et il avait l'air comme une souche et courtaud en chemise. Jamais plus le revoir. La mort, c'est ça. Papa est mort. Mon père est mort. Il m'a dit d'être un bon fils pour maman. J'ai pas pu entendre les autres choses qu'il a dites mais j'ai vu sa langue et ses dents essayant de le dire mieux. Pauvre papa. C'était M. Dignam, mon père. J'espère qu'il est au purgatoire maintenant parce qu'il est allé à confesse avec le père Conroy samedi soir.

*
* *

William Humble, comte de Dudley, et Lady Dudley, accompagnés du lieutenant-colonel Hesseltine[125], sortirent en voiture après le déjeuner de la résidence du vice-roi. Dans la voiture suivante se trouvaient l'honorable Madame Paget, Mademoiselle de Courcy[126] et l'honorable Gerald Ward, aide de camp, qui les escortait.

La cavalcade sortit par le portail d'en bas de Phœnix Park saluée par des agents obséquieux et poursuivit au-delà de Kingsbridge le long des quais nord. Le vice-roi reçut un accueil des plus cordiaux au cours de sa traversée de la métropole. Au Bloody bridge[127] M. Thomas Kernan de l'autre côté du fleuve le salua en vain de loin. Entre Queen's bridge et Whitworth bridge les voitures du vice-roi Lord Dudley passèrent, sans être saluées, devant M. Dudley White, B.L., M.A[128], qui se tenait devant la boutique de Madame M.E. White, la prêteuse sur gages, au coin de Arran street west en train de se caresser le nez de l'index, sans parvenir à décider s'il arriverait à Phibsborough plus rapidement par un triple changement de tram ou en faisant appel à une voiture ou à pied par Smithfield, Constitution hill et le terminus de Broadstone. Sous le portique des Four Courts Richie Goulding, porteur de la sacoche de Goulding, Collis et Ward, le vit avec surprise. Au-delà de Richmond bridge sur le seuil des bureaux de Reuben J. Dodd, avoué, agent de la Compagnie d'Assurances Patriotique, une femme d'un certain âge sur le point d'entrer changea de projet et revenant sur ses pas le long des vitrines de King[129] sourit avec crédulité au représentant de Sa Majesté. De son trop-plein de Wood quay wall audessous du bureau de Tom Devan la rivière Poddle[130] laissa pendre, féale, une langue d'eaux d'égouts. Audessus du brise-bise de l'hôtel Ormond, or près bronze, la chevelure de Mademoiselle Kennedy près de la chevelure de Mademoiselle Douce toutes deux observaient et admiraient. Sur Ormond quay M. Simon Dedalus, en train de naviguer entre la pissotière et le bureau du sous-shérif, s'arrêta pile au milieu de la rue et salua chapeau bas. Son Excellence rendit gracieusement le salut de M. Dedalus. Du coin de chez Cahill le révérend Hugh C. Love, M.A., s'inclina, inaperçu, en souvenir des lords députés dont les bénignes mains avaient détenu, aux temps anciens, de riches bénéfices. Sur Grattan bridge Lenehan et M'Coy, prenant congé l'un de l'autre, observèrent le défilé des voitures. Passant près du bureau de Roger Greene et de la grosse rouge imprimerie de Dollard Gerty Mac Dowell[131], qui portait les lettres de la linogravure de

Catesby pour son père qui était alité, comprit, d'après le grand style, qu'il s'agissait du lord-lieutenant et de sa lady mais elle ne put voir ce que portait Son Excellence parce que le tram et le gros fourgon jaune du garde-meubles Spring avaient dû s'arrêter devant elle du fait que c'était le lord-lieutenant. Passé Lundy Foot depuis le seuil ombreux de la taverne de Kavanagh John Wyse Nolan eut un sourire d'une froideur inaperçue à *l'adresse* du lord-lieutenant général et gouverneur général d'Irlande. Le Très Honorable William Humble, comte de Dudley, G.C.V.O.[132], passa devant les montres au tictac universel de Micky Anderson et des modèles en cire aux joues fraîches vêtus de complets élégants de Henry and James, Henry le gentleman, James *dernier cri*[133]. De l'autre côté de Dame gate Tom Rochford et Naze Flynn regardaient la cavalcade approcher. Tom Rochford, voyant les yeux de lady Dudley fixés sur lui, sortit prestement ses pouces des poches de son gilet bordeaux et la salua de sa casquette. Une charmante soubrette, la grande Marie Kendall, les joues peinturlurées et la jupe relevée, adressa un sourire peinturluré du haut de son affiche à William Humble, comte de Dudley, et au lieutenant-colonel H.G. Hesseltine et aussi à l'honorable Gerald Ward, aide de camp. Du haut de la fenêtre de la D.B. Buck Mulligan gaiement, et Haines gravement, considéraient l'équipage du vice-roi pardessus les épaules de clients passionnés, dont les formes massées obscurcissaient l'échiquier que John Howard Parnell fixait intensément. Dans Fownes's street, Dilly Dedalus, se fatiguant les yeux en les levant des premiers éléments de français de Chardenal, aperçut des ombrelles déployées et des rayons de roues toupillant dans cette lumière éblouissante. John Henry Menton, qui bouchait l'encadrement de la porte des Commercial Buildings, écarquillait ses yeux d'huîtres gros-de-vin, tenant une belle grosse montre à savonnette en or qu'il ne regardait pas dans sa grasse main gauche qui ne la sentait pas. Là où la patte avant du cheval de King Billy[134] battait l'air Madame Breen arracha son mari hâtif de dessous les sabots des piqueurs. Elle lui cria dans l'oreille le prestigieux événement. La comprenant, il fit passer ses gros bouquins sur son sein gauche et salua la seconde voiture. L'honorable Gerald Ward aide de camp, agréablement surpris, se hâta de répondre. Au coin de Ponsonby un flacon blanc éreinté H. fit halte et quatre flacons blancs hautchapeautés firent halte derrière lui, E.L.Y.'S., cependant que les piqueurs passaient en caracolant ainsi que les voitures. En face des magasins d'instruments de musique Pigott M. Denis J. Maginni, professeur de danse &c, accoutrement pimpant, marchait gravement, dépassé par un vice-roi et inaperçu. Le long du mur de la présidence de l'université[135] s'en venait, sémillant, Flam Boylan, chaussé de chaussures fauves et de chaussettes bleues à baguette qui rythmaient le refrain de *Ma môme est une fille du Yorkshire*[136]. Flam Boylan présenta aux frontaux bleu ciel des chevaux de volée en pleine action une cravate bleu ciel, un canotier à large bord planté cavalièrement et un complet de serge indigo. Les mains plongées dans ses poches oublièrent de saluer mais il offrit aux trois dames l'admiration hardie de ses yeux et la fleur rouge entre ses dents. Alors qu'ils parcouraient Nassau street Son Excellence attira l'attention de sa saluante consorte sur le programme musical en train de se dérouler dans le parc du College. D'invisibles gaillards des Highlands à force cuivres trompetaient et tambourbourinaient après le cortège :

Bien qu'elle turbine

À l'usine
Et ne s'habille pas vraiment chic
Baraaboum.
J'aime pourtant
La saveur Yorkshire
De ma p'tite rose.
Baraaboum.

Par-delà le mur les handicaps du 400 mètres plat, M.C. Green, H. Thrift, T.M. Patey, C. Scaife, J.B. Jeffs, G.N. Morphy, F. Stevenson, C. Adderly, et W.C. Huggard s'élancèrent en chasse. Passant à grands pas devant Finn's hotel[137], Cashel Boyle O'Connor Fitzmaurice Tisdall Farrell, l'œil fixe derrière son monocle, d'un regard qui traversait entre les voitures dévisagea M. E. Solomons à la fenêtre du vice-consulat d'Autriche-Hongrie. Tout au fond de Leinster street, près de la poterne de Trinity, un loyal sujet du roi, Hornblower, toucha sa casquette taïaut. Alors que les chevaux bien luisants caracolaient le long de Merrion square, le jeune Patrick Aloysius Dignam, qui attendait, vit qu'on saluait le m'sieur qui avait un haut-de-forme et souleva lui aussi sa nouvelle casquette noire de ses doigts graissés par le papier des grillades de porc. Et voilà que son col rebiqua. Le vice-roi, en route pour l'inauguration de la vente de charité Mirus organisée au bénéfice de l'hôpital Mercer, fit route avec sa suite en direction de Lower Mount street. Il croisa un jouvenceau aveugle en face de chez Broadbent. Dans Lower Mount street un piéton en macintosh brun, qui mangeait du pain sec, traversa, rapide, sain et sauf, le chemin du vice-roi. Au Royal Canal bridge, du haut de son panneau d'affichage, M. Eugene Stratton, la lippe épanouie, souhaita à tous les arrivants la bienvenue dans la commune de Pembroke. Au coin de Haddington road, deux femmes toutes sablées firent halte, un parapluie et un sac dans lequel onze clovisses roulaient pour considérer avec émerveillement le lord-maire et la lady mairesse sans son collier d'or[138]. Sur Northumberland road et Landsdowne road Son Excellence rendit ponctuellement les saluts des rares promeneurs de sexe masculin, le salut de deux petits écoliers à la porte du jardin de la maison dont on dit qu'elle fut admirée par feu la reine lorsqu'elle visita la capitale irlandaise avec son mari, le prince consort[139], en 1849, et le salut des robustes pantalons d'Almidano Artifoni avalés par une porte en train de se fermer[140].

Bronze près d'or entendit les fersabots, cliquetacier[1]

Impertuntne, tuntne

Petites peaux, picorant les petites peaux d'un pouce rocailleux, petites peaux.

Horrible ! Et or rougit encore.

Voilée une fifrenote blousa.

Blousa. Blues Bloom bleuet

La pyramide des cheveux d'or.

Une rose sautille sur les soyeux seins de satin, rose de Castille.

Trille, trille : idolores.

Coucou ! Qui voi… coucoudor ?

Ding apitoyé à bronze.

Et un appel pur, long et déchirant. Appel désimourant.

Mon leurre. Mot doux. Mais vois ! Pâlissent les étoiles d'or. Ô rose ! Des notes stridulent une réponse. Castille. Voici l'aurore.

Cliquetis cliquetis cabriolet cliquette.

Tinte la pièce. Sonne l'heure.

Aveu. *Sonnez*. Pourrais-je. La jarretière se détend. Te quitter. Clac. *La cloche !* Cuisse clac. Aveu. Ardente. Mon cœur, adieu !

Clique. Bloo.

Boum tonnèrent les accords fracassants. Quand l'amour vous prend. La guerre ! La guerre ! Le tympan.

Une voile. Un voile voguant sur les vagues.

Perdu. Une grive flûta. Tout est perdu.

Vit. Vite

Quand pour la première fois il vit. Hélas !

Pur choc. Pur frisson.

Gazouillis. Ah, leurre ! Alléchant leurre.

Martha ! Reviens !

Clapclop. Clipclap. Clapclapclap.

Dieubon ilnen tenja maisdanstout

Pat le sourd, Pat le chauve un sous-main apporta un couteau remporta.

Un appel nocturne par une nuit de lune : loin : loin.

Je me sens tellement triste. P.-S. Tellement seul et fleur bleue.

Écoutez !

La froide trompe marine incurvée et couverte de pointes. Avez-vous les ? Chacune et pour l'autre clapotement et mugissement muet.

Perles : quand elle. Les rhapsodies de Liszt. Isztszt.

Vous n'avez ?

Pas : non, non : cru : Lidlyd. Avec un pafpaf avec un panpan.

Noires.

Tréfondsonnant. Oui, Big Ben, oui.

Attentif pendant que vous attendez. Hé, Hé. Attentif pendant que vous hé.

Mais attendez !

Loin dans les profondeurs de la terre. Métal incrusté.

Naminedamine. Tous partis. Tous tombés.

Frêles, les frémissantes frondaisons de sa toison.

Amen ! Hors de lui, il en grinçait des dents.

En arrière. En avant, en arrière. Un bâton frais saillant.

Bronzelydie près de Minador.

Près de bronze, près d'or, dans l'ombre gridocéan. Bloom. Ce vieux Bloom.

Quelqu'un frappa, quelqu'un toqua avec un panpan, avec un pafpaf

Priez pour lui ! Priez braves gens !

Ses doigts goutteux qui craquent.

Big Benboum. Big Benben.

Dernière rose Castille de l'été laissa bloom bloosé, je me sens tellement triste tellement seul.

Pfruit ! un petit ventcoulis chuinta.

Hommes d'honneur. Lid Ker Co Ded et Doll. Oui, oui. Comme vous. Lèverez vos verres, tchin tchin.

Pruiiff ! Ôo !

Où bronze de près ? Où or de loin ? Où sabots ?

Prrouitpr. Kraa. Kraandl.

Alors, pas avant. Mon épripfftaphe. Soit épfrite.

Fini.

Commencez[2] !

Bronze près d'or, la tête de Mlle Douce près de la tête de Mlle Kennedy, par-dessus le brise-bise de l'Ormond bar entendirent les sabots vice-royaux passer près, sonnantacier.

— C'est elle[3] ? demanda Mlle Kennedy.

Mlle Douce dit oui, assise à côté de son excel, gris perle et *eau de Nil*.

— Charmant contraste, dit Mlle Kennedy.

Quand tout agitée Mlle Douce s'exclama avec excitation :

— Regarde ce type avec son tuyau de poêle[4].

— Qui ? Où ? demanda or plus excitée encore.

— Dans la deuxième voiture, firent les lèvres humides de Mlle Douce, riant dans le soleil. Il regarde. Fais voir.

Elle se précipita, bronze, au toutbout de la salle, aplatissant son visage contre la vitre dans un halo de souffle haletant.

Ses lèvres humides minaudaient :

— Il se tue à regarder derrière[5].

Elle rit :

— Bon sang ! Ce que les hommes peuvent être bêtes, c'est effrayant !

Avec tristesse.

Mlle Kennedy quitta tristement le grand jour, d'un pas nonchalant, entortillant une mèche derrière une oreille. Tristement nonchalante, plus du tout or, elle tortillait entortillait une mèche. Elle entortillait tristement ses nonchalants cheveux d'or derrière une oreille arrondie.

— C'est eux qui a le bon temps, dit-elle alors à pleurer.

Un homme.

Bloooù passait près devant les pipes Moulang[6], portant dans son cœur les douceurs du péché, devant les Antiquités Wine dans sa mémoire portant les doux mots du péché, devant l'argenterie terne et cabossée de Carroll, pour Raoul[7].

Le chasseur vers elles, elles dans le bar, elles filles de bar, arrivait. Pour elles qui l'ignoraient il cogna contre le comptoir son plateau où les porcelaines causaient. Et

— Voilà vos thés, dit-il.

Avec des mines Mlle Kennedy transposa le plateau sur une caisse d'eau minérale renversée, à l'abri des regards, au sol.

— C'est quoi le problème ? aboya le chasseur sans manières.

— Devine, répliqua Mlle Douce, délaissant son poste de guet.

— Votre jules, c'est ça ?

Un bronze hautain lui répondit :

— Je me plaindrai de toi à Mme de Massey[8] si j'ai encore à subir ton impertinente insolence.

— Impertuntne, tuntne, renifla impoliment le groinchasseur, comme il se retirait comme elle le menaçait comme il était venu.

Bloom.

Sur sa fleur fronçant le front Mlle Douce dit :

— Des plus exaspérants ce petit morveux. S'il ne se réforme pas tout seul je lui allongerai les oreilles d'un bon mètre.

Très grande dame en charmant contraste.

— Ne fais pas attention, répondit Mlle Kennedy.

Elle versa dans une tasse à thé le thé, puis remit dans la théière le thé. Elles se tapirent sous leur récif de comptoir, en attendant sur leurs trépieds, caisses renversées, en attendant que leur thé infuse. Elles tapotaient leurs blouses, toutes deux de satin noir, deux shillings neuf le mètre, en attendant que leur thé infuse, et deux shillings sept.

Oui, bronze de près, à côté d'or de loin, entendait l'acier de près, les sabots sonner de loin, et elles entendaient les sabots d'acier sondesabots sond'acier.

— N'ai-je pas pris des coups de soleil épouvantables ?

Mlle bronze déblousa son cou.

— Non, dit Mlle Kennedy. Cela bronze ensuite. As-tu essayé le borax dans de l'eau de laurier-cerise ?

Mlle Douce se leva à moitié pour voir sa peau de travers dans la glace du bar ornéedelettresdorées, au milieu des verres à riesling et des verres à bordeaux étincelants, avec en plein centre un coquillage.

— Je vais prendre ça en main, dit-elle.

— Essaye la glycérine, conseilla Mlle Kennedy.

En disant aurevoir à son cou et à ses mains Mlle Douce

— Des trucs à vous donner une éruption, répondit, rassise. J'ai demandé chez Boyd à ce vieux singe quelque chose pour ma peau.

Mlle Kennedy, qui versait enfin le thé fin prêt, fit la grimace et implora :

— Oh, ne me parle pas de lui de grâce !

— Attends que je te raconte, conjura Mlle Douce.

Son thé sucré Mlle Kennedy qui se l'était versé avec du lait se boucha les deux oreilles avec les deux petits doigts.

— Non, fais pas ça, cria-t-elle.

— Je n'écouterai pas, cria-t-elle.

Et Bloom dans tout ça ?

Mlle Douce grogna d'un ton de vieux singe enrhumé :

— Pour votre quoi ? il a dit.

Mlle Kennedy déboucha ses oreilles pour entendre, pour parler : mais elle redit, mais elle implora de nouveau :

— Ne me fais pas penser à lui ou je meurs. Cette espèce de vieux cochon ! Ce soir-là, aux Antient Concert Rooms.

Elle sirotait sans la goûter son infusion, thé brûlant, une petite gorgée, thé sucré siroté.

— Il faisait comme ça, dit Mlle Douce, redressant sa tête toute bronze de trois quarts, narines frémissantes. Ouaf ouaf !

Un hurlement de rire à en crever le tympan jaillit de la gorge de Mlle Kennedy. Mlle Douce gonflait et détendait ses narines qui frémissaient impertuntne comme le groin d'un animal en chasse.

— Oh ! à hurler de rire, s'écria Mlle Kennedy. Jamais je n'oublierai son œil exorbité.

Mlle Douce fit chorus avec un profond rire de bronze et s'exclama :

— Et ton autre œil, tu l'as vu ?

Bloodont l'œil noir lisait le nom d'Aaron Figatner. Pourquoi est-ce que je pense toujours à Figater ? Figues gâtées je suppose. Et le nom huguenot de Prosper Loré. À hauteur des madones de chez Bassi[9] l'œil noir de Bloom s'attardait. Robleues[10], dessous blanc, venez à moi. Ils croient qu'elle est dieu : ou déesse. Celles d'aujourd'hui. Je n'ai pas pu voir[11]. Ce type qui parlait. Un étudiant. Après avec le fils Dedalus. Pouvait être Mulligan. Que des vierges avenantes. C'est ce qui fait courir le mâle : son blanc.

Sont passés ses yeux. Les douceurs du péché. Douces sont les douceurs.

Du péché.

En gloussant à gorge déployée les jeunes voix bronzedorées se fondirent, Douce avec Kennedy et ton autre œil. Elles rejetaient leurs jeunes têtes en arrière, bronze gloussandor, pour laisser librecours à leur rire, se lançaient, ton autre, des signes de connivence l'une à l'autre, des notes suraiguës.

Ah ! haleter, soupirer. Soupirer, ah, consumée, leur hilarité se mourut.

Mlle Kennedy lèvra de nouveau sa tasse, but une gorgée et glougloussa. Mlle Douce, de nouveau penchée sur le plateau, enflait encore ses narines et roulait des yeux gonflés de rire. De nouveau Kennyglousse, abaissant sa jolie pyramide de cheveux, abaissée, exhiba son peigne en écaille de tortue, cracha hors de la bouche son thé, s'étranglant de thé et de rire, toussant de s'étrangler, miaulant :

— Oh ses yeux huileux ! Tu imagines être la femme d'un homme comme ça, miaulait-elle. Avec ses trois poils de barbe !

Douce laissa échapper un magnifique hurlement, le

vrai hurlement d'une vraie femme, ravissement, joie, indignation.

— La femme de ce nez huileux, hurla-t-elle.

Note aiguë, avec rire grave, bronze sur or, elles surenchérissaient l'une l'autre, cloche sur cloche, carillons alternés, bronzor, orbronze, aigugrave, rire sur rire. Et elles riaient de plus belle. Je connez huileux. Épuisées, hors d'haleine, leurs têtes chancelantes elles laissèrent retomber, torsades en pyramide sur coiffure laquée, sur le rebord du comptoir. Toutes rouges (Ô !), palpitantes, suantes (Ô !) et toutes soufflantes.

La femme de Bloom, de merdhuilemerbloom.

— Ô par pitié ! dit, soupira Mlle Douce derrière sa rose qui tressautait à mesure. Je n'aurais pas dû rire comme ça. Je suis toute mouillée.

— Oh, mademoiselle Douce ! protesta Mlle Kennedy. Petite dégoûtante !

Et elle rougit plus encore (dégoûtante !), plus rougeoyor.

Près des bureaux de Cantwell flânait Huileuxbloom, près des vierges de Ceppi [12], luisantes de leurs huiles. Le père de Nannetti colportait ce genre de trucs, bonimentant à toutes les portes comme je. La religion ça paye. Faut que je le voie pour l'entrefilet de Descley. D'abord manger. Je veux. Pas maintenant. À quatre heures elle a dit. Temps qui toujours passe. Les aiguilles des horloges qui tournent. En route. Où manger ? Au Clarence, au Dolphin [13]. En route. Pour Raoul. Manger. Si je me fais cinq guinées avec ces annonces. Les jupons de soie violette. Pas encore. Les douceurs du péché [14].

Moins rougissante, de moins en moins, d'orpâlissant.

Dans leur bar, en promeneur, M. Dedalus. Petites peaux, picorant les petites peaux de son pouce rocailleux. Petites peaux. En promeneur.

— Heureux de vous revoir, mademoiselle Douce.

Il lui prit la main. Elle a passé de bonnes vacances ?

— Extra.

Il espérait qu'elle avait eu beau temps à Rostrevor[15].

— Splendide, dit-elle. Voyez un peu quelle image édifiante je donne. Allongée sur le sable toute la journée.

Bronze blancheur.

— C'était excessivement méchant de votre part, lui dit M. Dedalus en lui pressant la main avec indulgence. De tenter ainsi de pauvres hommes innocents.

Mademoiselle Douce de satin douça son bras plus loin.

— Allons, dit-elle. Vous faites un bel innocent, vous.

Il l'était.

— À dire le vrai, je le suis, dit-il pensif. J'avais un air tellement innocent dans le berceau qu'on m'a baptisé Simon le simple.

— Vous deviez être un chouxe, lui dit Mlle Douce en réponse. Et qu'est-ce que le docteur a prescrit aujourd'hui ?

— À dire le vrai, dit-il pensif, ce sera ce que vous voudrez. Je vous demanderais bien un peu d'eau fraîche et un baby.

Cliquetis.

— Avec le plus grand empressement, acquiesça Mlle Douce.

Avec la grâce de l'empressement vers le miroir doré Cantrell et Cochrane elle se tourna. Avec grâce elle tira une dose de whisky d'or de son petit fût de cristal. Des basques de sa jaquette M. Dedalus sortit blague et tabac. Tout empressement elle servit. De sa pipe il blousa deux fifrenotes voilées.

— Dieu m'est témoin, dit-il pensif. J'ai souvent eu envie de voir les Monts Mourne. Doit être drôlement tonifiant l'air par là-bas. Mais tout vient à point à qui sait attendre, comme on dit. Oui, oui.

Oui. Il tripotait les petits poils, sa toison à elle, de son tabac La petite sirène, de sa sirène, dans le fourneau de sa pipe. Petites peaux. Petits poils. Pensif. Muet.

Personne ne disait, pas, rien. Oui.

Avec entrain Mlle Douce astiquait une timbale, en roucoulant :

— *Ô, Idolores, reine des mers d'Orient* [16] !

— Il est venu M. Lidwell aujourd'hui ?

Entra Lenehan. Tout autour de lui Lenehan scruta. M. Bloom arrivait sur Essex bridge. Oui, M. Bloom traversait Ouissex bridge. À Martha il faut que j'écrive. Acheter du papier. Chez Daly [17]. Une fille très polie là-bas. Bloom. Ce vieux Bloom. Bloom le bleuet est blé en fleur.

— Il est venu à l'heure du déjeuner, dit Mlle Douce.

Lenehan s'approchait.

— Est-ce que M. Boylan m'a cherché ?

Il demanda. Elle répondit :

— Mademoiselle Kennedy, est-ce que M. Boylan est venu pendant que j'étais en haut ?

Elle demanda. Demoiselle voix de Kennedy répondit, une deuxième tasse de thé suspendue, le regard sur sa page.

— Non, pas venu.

Mademoiselle regard de Kennedy, entendue mais non pas vue, continuait à lire. Lenehan faisait la ronde autour de la cloche à sandwiches, son corps rond tournait en rond.

— Coucou ! Qui voilà ?

Pas le moindre regard de Kennedy en retour, il pourtant reprit ses ouvertures. Faire attention à ses silences. Ne lire que les noires : o ronde et s croche.

Cliquetis du cabriolet qui cliquette.

Orfille elle lisait et ne regardait pas. Ne fais pas attention. Elle l'ignorait tandis qu'il ânonnait à son intention une fable rengaine, blablatant platement :

— Un renârd rencontre une cigôgne. Le Renâard dit à la cigôogne : Enfoncez donc votre bec dans ma gârge et retirez-en un âsse !

Il ronronnait en vain. Mlle Douce se tourna vers son thé en aparté.

Lui soupirait, en aparté :

— Ah pauvre de moi !

Il salua M. Dedalus et en obtint un signe de tête.

— Le salut du fils fameux d'un fameux père.

— De qui peut-il bien s'agir ? demanda M. Dedalus.

Lenehan ouvrit des bras des plus cordiaux. Qui ?

— De qui peut-il bien s'agir ? demanda-t-il. Et vous le demandez ? Stephen, le juvénile barde.

Sec.

M. Dedalus, fameux père, posa sa pipe bourrée de tabac bien sec.

— Je vois, dit-il. Je ne l'avais pas situé jusqu'à présent. J'entends dire qu'il fréquente du beau monde. L'avez-vous vu dernièrement ?

Il l'avait vu.

— J'ai bu le nectar ce jour même avec lui, dit Lenehan. Chez Mooney *en ville* et chez Mooney *sur mer*. Il avait touché le gros lot pour les œuvres de sa muse.

Il sourit aux lèvres théifiées de bronze, à ses lèvres et à ses yeux tout ouïes.

— L'*élite* d'Erin était suspendue à ses lèvres. Le pandit d'importance, Hugh MacHugh, le scribe et rédacteur en chef le plus brillant de Dublin[18], et ce jeune ménestrel de notre humide far ouest[19] qui répond au doux nom d'O'Madden Burke.

Après un silence M. Dedalus leva son whisky à l'eau et

— Ça a dû être hautement divertissant, il dit. Je vois.

Il vois. Il but. Dans l'œil les lointains des monts morts. Reposa son verre.

Il dirigea son regard vers la porte du bar.

— Je vois que vous avez changé le piano de place.

— L'accordeur est venu aujourd'hui, répondit Mlle Douce, pour l'accorder en vue du concert et je n'ai jamais entendu pianiste plus merveilleux.

— Vrai de vrai ?

— N'est-ce pas, mademoiselle Kennedy ? Du pur classique, voyez-vous. Et aveugle en plus, le pauvre. Pas vingt ans je le jurerais.

— Vrai de vrai ? dit M. Dedalus.

Il but et s'écarta.

— C'est trop triste de regarder son visage, s'apitoya Mlle Douce.

Maudit soit le fils de pute.

Ding répondit à sa pitié la sonnette d'un dîneur. À la porte du restaurant apparut Pat le chauve, apparut Pat le sourd, apparut Pat, serveur d'Ormond. Une blonde pour un dîneur. Une blonde sans empressement elle servit.

Patiemment Lenehan attend Boylan d'impatience, le clinquant cliquetant, le flambant jeune homme.

Soulevant le couvercle il (qui ?) jeta un coup d'œil dans le cercueil (cercueil ?) aux cordes triples (piano !) et obliques. Il pressa (celui qui avait pressé sa main à elle avec indulgence) trois touches en enfonçant la sourdine pour voir se soulever les épaisseurs du feutre, pour entendre en direct la chute amortie des marteaux.

Deux feuilles de vélin crème une en réserve deux enveloppes quand j'étais chez Wisdom Hely le sage Bloom Henry Flower chez Daly acheta. Vous n'êtes pas heureux en ménage ? Fleur pour me consoler et une épingle pique l'am. Veut dire quelque chose, le langage des fl. Était-ce une marguerite ? C'est l'innocence. Jeune fille bien sous tous rapports à rencontrer après la messe. Marci grassement. Le sage Bloom regardait sur la porte une réclame, une sirène s'y balançait en fumant au milieu des jolies petites vagues. Fumez La petite sirène, une bouffée de rêve. Chevelure ondoyante : d'amour peinée. Pour un homme. Pour Raoul. Un coup d'œil audehors lui permit de voir au loin sur Essex bridge un gai chapeau monté sur un cabriolet deux places. C'est. Troisième fois[20]. Coïncidence.

Cliquetant sur ses souples caoutchoucs, il cabriolait depuis le pont jusqu'à Ormond quay. Suivre. Risquer. Se dépêcher. À quatre heures. Bientôt. Dehors.

— Deux pence, monsieur, se risqua à dire la vendeuse.

— Ah… J'oubliais… Scuses.

— Et quatre.

À quatre heures elle. Elle d'un air engageant à Blooluiqui sourit. Bloo sour vit va. Bonaprem. Croyez qu'il n'y a que vous comme grain de sable dans la mer. Elle le fait à tous. Pour les hommes.

En somnolent silence or penchait sur sa page.

Un appel retentit du salon, désimourant. C'était le diapason que l'accordeur avait qu'il avait oublié que maintenant il a frappé. Encore un appel. Que maintenant il contrôla qui maintenant vibra. Vous entendez ? Il vibrait, pur, encore plus pur, doux, encore plus doux, de ses pointes sonores. Appel qui n'en finit pas de désimourir.

Pat paya la canette[21] du dîneur : et par-dessus chope, plateau et canette, avant de revenir il se mit à murmurer, chauve et sourdingue, avec Mlle Douce.

— *Pâlissent les étoiles d'or*[22]…

Une chanson sans voix montait de l'intérieur, qui chantait :

— … *voici l'aurore.*

Des doigts artistes firent gaiement striduler en réponse une douzaine de notes aiguës ailées. Gaieté des notes[23], toutes argentines, accordées, toutes arpégées, appelant la voix à chanter aux accents du matin clair, de la jeunesse, des adieux de l'amour, de la vie, du matin de l'amour.

— *Les perles de la rosée…*

Les lèvres de Lenehan esquissèrent au-dessus du comptoir un léger sifflement racoleurre.

— Regardez donc par ici, dit-il, rose de Castille[24].

Cliquetis du cabriolet qui s'arrête au bord du trottoir.

Rosissant elle se redressa en fermant son livre, rose de Castille. Rose tourmentée, délaissée[25], rose absorbée.

— Elle est tombée toute seule ou on l'a poussée ? lui demanda-t-il.

Elle répondit, sans ménagement :

— Ne posez pas de questions si vous ne voulez pas entendre de mensonges.

Comme une dame, une grandame.

Les élégantes chaussures fauves de Flam Boylan craquaient sur le plancher du bar comme il s'avançait. Oui, or de près à côté de bronze de loin. Lenehan l'entendit, le reconnut, le salua :

— Vive notre héros conquérant[26].

Entre vitre et fenêtre, qui marchait d'un pas prudent, Bloom, ce héros pas conquis. Me voir il pourrait. Le siège sur lequel il s'est assis : tout chaud. Prudent chat noir il progressait vers la sacoche de Richie Goulding, brandie en manière de bonjour.

— *Et moi de toi…*

— J'ai appris que vous étiez dans le coin, dit Flam Boylan.

À l'intention de la blonde Mlle Kennedy il mit la main au bord de son canotier penché. Elle sourit à son endroit. Mais sœur bronze sourit plus fort, se pomponnant pour lui, sa chevelure plus opulente, un sein, une rose.

Boylan commanda des breuvages.

— Vous voulez quoi ? Une brune ? Une brune, s'il vous plaît, et une prunelle pour moi. Déjà des résultats ?

Pas encore. À quatre il. Tout indiquait quatre heures.

Les rouges oreilles et la pomme d'Adam de Cowley à la porte du bureau du shérif. Éviter. Goulding la chance de salut. Qu'est-ce qu'il fait à l'Ormond ? Sa voiture qui attend. Eh bien attendez.

Bonjour. Où allez-vous ? Manger un morceau ? Moi aussi j'étais sur le point. Allons là. Quoi, l'Ormond ? Le meilleur rapport qualité prix de Dublin. C'est vrai ? Une salle de restaurant. Bien tranquille maintenant. Voir, sans être vu. Je crois que je vais me joindre à vous. Allons-y. Richie ouvrit la marche. Bloom suivait la sacoche. Repas digne d'un prince.

Mlle Douce se hissa très haut pour attraper un flacon, étirant son bras de satin, son corsage, et du coup pas très sage, si haut.

— Oh ! Oh ! lançait Lenehan en rythme, haletant à chaque cran. Oho !

Mais elle saisit sa proie sans peine et triomphalement la descendit.

— Quand vous déciderez-vous à grandir ? demanda Flam Boylan.

Elle bronze, prélevant de son pot un épais sirop destiné à ses lèvres, le regarda tandis que s'écoulait le fluide (fleur à la boutonnière : qui la lui a donnée ?) et lui sirupa avec sa voix :

— Dans les petits pots les bons onguents.

C'est-à-dire elle. Rompue à l'exercice, elle versa la prunelle lensirupeuse.

— À la bonne vôtre, dit Flam.

Il laissa tomber une large pièce de monnaie. Tinte la pièce.

— Attends, dit Lenehan, que je…

— À la tienne Étienne, fit-il en levant sa bière bulleuse.

— Sceptre t'arrivera dans un fauteuil, dit-il[27].

— J'ai mis le paquet, dit Boylan qui clignait de l'œil en buvant. C'est pas pour moi, tu comprends. La fantaisie de quelqu'un qui m'est cher.

Lenehan continuait à boire et grimaçait sur sa bière inclinée ainsi qu'aux lèvres de Mlle Douce qui presque fredonnaient, entrouvertes, le chantocéan que ses lèvres avaient roulé. Idolores. Les mers d'Orient.

Déclic de l'horloge. Mlle Kennedy passa devant eux (fleur, me demande qui l'a donnée), remportant le plateau. Sonne l'heure.

Mlle Douce prit la pièce de Boylan, frappa hardiment sur la caisse enregistreuse. Qui fit cling. Ding. Sonne l'heure. Belle Égyptienne tripota et rangea le tiroir-caisse et fredonna et rendit la monnaie. Lève les yeux à l'ouest. Ding. Pour moi[28].

— C'est quelle heure ? demanda Flam Boylan. Quatre ?

Heures.

Lenehan leva de petits yeux affamés sur son fredonnement, sur son buste tout fredonnant, tira Flam Boylan par la manche.

— Allons écouter l'heure, dit-il.

La sacoche de Goulding, Collis et Ward guida Bloom jusqu'aux tables bléfleuries. Incertain il se décida avec une agitation certaine, tandis que Pat le chauve attendait, pour une table près de la porte. Être près. À quatre heures. Il aurait oublié ? Une blague peut-être. Ne pas venir : ouvre l'appétit. Moi je ne pourrais pas. Attendre, attendre. Pat, attentif et attentionné, attendait.

Bronze d'azur pétillant zieuta les yeux bleu ciel de Flamazur et son nœud assorti.

— Allez, la pressa Lenehan. Il n'y a personne. Il ne l'a jamais entendu.

— *... vers les lèvres de Flore, il se hâtait.*

Haute, une note haute qui retentit dans les aiguës, limpide.

Doucebronze, accordée à sa rose qui se lève et repose, cherche la fleur et les yeux de Flam Boylan.

— S'il vous plaît, s'il vous plaît.

Il implorait par-dessus les réponses phrasées de l'aveu.

— *Comment puis-je te quitter...*

— Faudra y penser, promit chastement Mlle Douce.

— Non, tout de suite, insista Lenehan. *Sonnez la cloche !* Oh, allez ! Il n'y a personne.

Elle jeta un coup d'œil. Vite. Mlle Kenn hors de portée. Aussitôt se pencha. Deux visages embrasés contemplaient son mouvement.

En trilles les accords quittèrent la mélodie, y revinrent, accord perdu[29], la perdirent, y revinrent à la toute fin.

— Allez ! Allez-y ! *Sonnez !*

Penchée, elle souleva à deux doigts un bout de jupe au-dessus du genou. Les fit attendre. Continuait à les tenter, penchée, en suspens, avec des yeux coquins.

— *Sonnez !*

Clac. Elle laissa tout à coup se détendre la jarretière élastique qu'elle pinçait, claque chaude sur sa déclactable cuisse de femme chaudement chaussée.

— *La cloche !* s'écria Lenehan en joie. Entraînée par son propriétaire. Ce n'est pas du pipi de chat.

Elle sourit d'un petit air narquois et supérieur (bon sang ! les hommes quand même), mais, se glissant dans la lumière, doucement elle sourit sur Boylan.

— Vous êtes le comble de la vulgarité, dit-elle en glissant.

Boylan la fixait, la fixait. Jeta entre ses grosses lèvres le contenu de son calice, vida d'un coup son minuscule calice, suçant les dernières gouttes de l'épais sirop violet. Ses yeux fascinés suivaient sa tête qui glissa, comme elle longeait le bar, le long des miroirs, où sous une arche d'or étincelaient les verres à bière dorée, à bordeaux et à riesling, une conque épineuse, où s'accordaient et se miraient bronze et bronze plus bronzé.

Oui. Bronze de très touproche.

— … *Mon cœur, adieu !*

— Je me tire, dit Boylan d'impatience.

Il fit glisser vif son calice, ramassa sa monnaie.

— Attends une seconde, supplia Lenehan qui se dépêchait de finir son verre. Je voulais te dire. Tom Rochford…

— Approche-toi de la flamme, dit Flam Boylan en s'en allant.

Lenehan dut avaler d'un trait pour le suivre.

— Il a le vit en feu ou quoi ? dit-il. Attends. J'arrive.

Il emboîta le pas des chaussures pressées et craquantes mais s'arrêta aussitôt près du seuil saluant des formes, une massive avec une mince.

— Comment allez-vous, monsieur Dollard ?

— Tiens ? Et vous ? Et vous ? répondit la basse distraite de Ben Dollard, qui se détourna un instant des malheurs du Père Cowley. Il ne vous causera plus aucun souci, Bob. Alf Bergan parlera à ce type Long[30]. Nous allons lui chauffer les oreilles cette fois-ci, à ce Judas Iscariote.

Dans un soupir, M. Dedalus traversa le salon en se frottant la paupière d'un doigt apaisant.

— Hoho, on va le faire, yodla joyeusement Ben Dollard. Allez, Simon, pousse la chansonnette. Nous avons entendu le piano.

Pat le chauve, le serveur sourdingue, attendait attentif les commandes de boissons, du Power pour Richie. Et Bloom ? Voyons voir. Ne pas le déranger deux fois. Ses cors. Quatre heures. Comme ce noir tient chaud. Sûr un peu nerveux. Réfracte (c'est ça ?) la chaleur. Voyons voir. Du cidre. Oui, bouteille de cidre.

— N'importe quoi, dit M. Dedalus. Je ne faisais qu'improviser, mon vieux.

— Allons, allons, fit Ben Dollard. Fuyez sombres soucis[31]. Viens, Bob.

Il s'en alla sans se presser Dollard, gros plein de soupe, devant eux (emparez-vous de cet homme : attrapez-le) jusqu'au salon. Il se plaqua, lui Dollard sur le tabouret. Ses pattes goutteuses plaquèrent des accords. Brusquement plaqués arrêtés.

À la porte Pat le chauve croisa or sans thé qui revenait. Sourdingue il désirait du Power et du cidre. Bronze à la vitre faisait le guet, bronze de loin.

Cliqueta tintinnabula le cabriolet.

Bloom entendit un clic, un léger bruit. Il se tire. Bloom adressa un soupir légèrement étranglé aux muets bleuets blasés. Cliquetant. Il est parti. Cliquetis. Entends.

— L'amour et la guerre[32], Ben, dit M. Dedalus. Vive le bon vieux temps.

Les yeux audacieux de Mlle Douce, ignorés, se détournèrent du brise-bise, blessés par le soleil. Parti. Pensive (qui sait ?), blessée (la lumière blessante), elle abaissa le store avec un cordon coulissant. Elle fit descendre pensive (pourquoi est-il parti si vite alors que je ?) autour de son bronze au-dessus du comptoir où chauve se tient à côté de sœur or, contraste peu enchanteur, contraste désenchanteur peu enchanteur, la pénombre grisdocéan[33], profonde, fraîche et vague, *eau de Nil*.

— C'est ce pauvre vieux Goodwin qui était au piano ce soir-là, leur rappela le Père Cowley. Il y avait un léger différend entre lui et le piano à queue Collard.

En effet.

— Un symposium à lui tout seul, dit M. Dedalus. Le diable en personne n'aurait pu le faire taire. Un vieux cinglé en pleine montée.

— Ouh là là, vous vous souvenez ? dit Ben plein de Dollard, se détournant du clavier massacré. Et putain, je n'avais pas la robe nuptiale[34].

Ils rirent tous trois. Il n'avait pas la robe. Tout le trio rit. Pas de robe nuptiale.

— L'ami Bloom s'est révélé d'un grand secours ce soir-là, dit M. Dedalus. Au fait, où est ma pipe ?

Il s'en retourna errer dans le bar à la recherche de son tuyau accord perdu. Pat le chauve apportait les boissons des deux dîneurs, Richie et Popold. Et le Père Cowley repartit à rire.

— J'ai sauvé la situation, Ben, je pense.

— Et comment, convint Ben Dollard. Je revois aussi ce pantalon collant. C'était une idée de génie, Bob.

Le Père Cowley rougit jusqu'aux oreilles qu'il avait sanguines et brillantes. Il a sauvé la situ. Pantalon col. Idée de gén.

— Je savais qu'il était dans la merde, dit-il. Tous les samedis sa femme faisait le pianobar au café Palace pour une bouchée de pain et je ne sais plus qui m'a soufflé qu'elle faisait aussi l'autre métier. Vous vous souvenez ? Nous avons dû arpenter tout Holles street pour les retrouver jusqu'à ce que le gars de chez Keogh nous donne le numéro. Vous vous souvenez ?

Ben, avec sa large face de ravi, se souvenait.

— Bon sang, elle avait de somptueux manteaux de soirée et tout un tas de trucs là-dedans.

M. Dedalus s'en revenait, la pipe à la main.

— Pur style Merrion Square. Robes de bal, bon sang, et robes de cour. Et il n'a pas voulu accepter le moindre argent. Hein ? Une quantité inouïe de tricornes, de boléros et de dessous. Hein ?

— Oui, oui, renchérit M. Dedalus. Mme Marion Bloom a toutes sortes de vêtements à laisser pour compte.

Cliquetis qui cliqueta sur les quais. Flam se vautrait sur des pneus bondissants.

Foie au bacon. Tourte au bœuf et aux rognons. Bien monsieur. Bien, Pat.

Madame Marion mets ton ptit chose. Odeur de brûlé à la Paul de Kock. Un joli nom il[35].

— C'était quoi son nom à elle ? Une fille bien appétissante. Marion...

— Tweedy.

— Oui. Elle vit encore ?

— Pas qu'un peu.

— C'était la fille...

— La fille du régiment.

— Ah oui alors. Je me souviens du vieux tambour-major[36].

M. Dedalus craqualluma sa pipe et tirasavoura bouffée sur bouffée.

— Irlandaise ? Je ne sais pas ma foi. L'est-elle Simon ?

Bouffée sur bouffée, courte sur ample, saveur, crépitement.

— Mon buccinateur est... Hein ?... un peu rouillé... Oh, elle est... Ô Molly mon Irlandaise.

Il dégagea un panache de fumée âcre.

— Du rocher de Gibraltar... en ligne droite.

Elles se morfondaient dans la pénombre des

profondeurs océaniques, or près de la pompe à bière, bronze près du marasquin, pensives toutes deux, Mina Kennedy, 4, Lismore terrace, Drumcondra avec Idolores, une reine, Dolores, silencieuse.

Pat servit les plats dont il avait retiré les couvercles. Leopold coupa son foie en lamelles. Comme il a été dit plus haut il faisait son régal des entrailles, gésiers au goût de noisette, laitances de morue frites alors que Richie Goulding, Collis, Ward, mangeait bœuf et rognons, bœuf puis rognons, bouchée sur bouchée de tourte il mangeait Bloom mangeait ils mangeaient.

Bloom et Goulding, mariés par le silence, mangeaient. Repas dignes de princes.

Sur Bachelor's walk cahincahotait le clinquant Flam Boylan, bachelier[37], sous le soleil, en pleine ardeur, la galantecroupe de la jument au trot, petits coups de fouet, sur ses roues en caoutchouc : vautré, chaudement assis, Boylan d'impatience, la fougue, la foudre. Vit. Avez-vous le ? Vit. Avez-vous le ? Vite vite vit.

Par-dessus leurs voix, Dollard attaqua de sa basse et tonna par-dessus les accords fracassants :

— *Quand l'amour prend mon âme ardente…*

Le roulement de Benâmebenjamin roula jusqu'à la verrière tremblotante d'amourtrépidante.

— La guerre ! la guerre ! cria le Père Cowley. Vous êtes le guerrier[38].

— En effet s'esclaffa Ben Guerrier. Je pensais à votre proprio. L'amour ou l'argent.

Il s'arrêta. Il secouait sa barbe énorme, sa face énorme, riant de son énorme bourde.

— Eh ben mon vieux, vous devez lui crever le tympan à la malheureuse, dit M. Dedalus dans un nuage d'arômes, avec un organe comme le vôtre.

Un rire barbabondant secoua Dollard devant le clavier. Pour sûr.

— Pour ne rien dire d'une autre membrane, ajouta le Père Cowley. Repos, Ben. *Amoroso ma non troppo*. Laissez-moi faire.

Mlle Kennedy servait deux chopes de bière bien fraîche à deux messieurs. Elle hasarda une remarque. En effet, dit le premier monsieur, il fait très beau. Ils buvaient leur bière bien fraîche. Savait-elle où allait le lieutenant gouverneur ? Et entendirent les sabots d'acier sonsabots résonner. Non, elle ne savait pas. Mais ça devait être dans le journal. Oh, qu'elle ne se donne pas cette peine. Pas de peine. Elle agitait en tous sens son *Independant* déplié cherchant, le Lieutenant gouverneur, la pyramide de ses cheveux se balançait doucement, Lieutenant gouv. Pas cette peine, dit le premier monsieur. Oh non, pas le moins du monde. Façon dont il regardait ce. Lieutenant gouverneur. Or près de bronze entendit l'acier de fer.

— .... *de mon âme ardente.*
Je ne pense guè-ère au lendemain.

Dans la sauce de son foie Bloom écrasait ses pommes de terre écrasées. Quelqu'un l'amour et la guerre. Le grand air de Ben Dollard. Le soir où il a couru chez nous afin d'emprunter un habit pour ce fameux concert. Pantalon tendu sur lui comme une peau de tambour. Jambons musicaux. Ce que Molly a ri quand il est parti. Elle se jetait en travers du lit en hurlant et en gigotant. Avec tous ses avantages en devanture. Oh, mon dieu, je suis trempée ! Oh, les femmes du premier rang ! Ouh là là, je n'ai jamais autant ri ! Bien sûr, c'est ce qui lui donne sa basse bariltonnante. Les eunuques par exemple. Me demande qui joue. Joli toucher. Doit être Cowley. Musicien. Reconnaît toujours la note. Mauvaise haleine, pauvre gars. S'est arrêté.

Mlle Douce, l'air engageant, Lydie Douce, saluait un avocat plein d'onction, George Lidwell, gentleman, qui entrait. Bonjour. Elle tendit sa main moite, main de dame, à sa solide poigne. Jour. Oui, elle était de retour. De nouveau tout le tintouin.

— Vos amis sont à l'intérieur, monsieur Lidwell.

George Lidwell, plein d'onction, invoqué, tenait la main lydillique.

Bloom mangeait du foie comme on l'a dit plus haut[39]. Au moins ici c'est propre. Ce gars au Burton, tout dégoulinant avec son cartilage. Pas un chat ici : Goulding et moi. Tables nettes, fleurs, serviettes pliées en mitres. Pat qui va et vient, Pat le chauve. Rien à faire. Meilleur rapport qualité prix de Dub.

Piano à nouveau. C'est Cowley. Façon dont il s'assied bien calé devant, ne font qu'un, entente mutuelle. Assommants, ces amateurs qui grattent leur crincrin, l'œil sur le bout de l'archet, sciant le violoncelle, ça vous rappelle la rage de dents. Elle son long ronflement sonore. Le soir où nous étions dans la loge. Le trombone en dessous qui soufflait comme un phoque, pendant les entractes, un autre cuivre qui dévissait son instrument, pour le vider de ses postillons. Et les jambes du chef, en pantalon bouffant, dansant le cancan. Fait bien de les cacher.

Cliquetis du cancan du cabriolet cabriolant.

Que la harpe. Charmante. Diffuse une lumière dorée. C'était une fille qui en jouait. Poupe d'un charmant. Sauce vraiment bonne digne d'un. Navire doré. Erin. La harpe qui jadis ou naguère[40]. Des mains fraîches. Ben Howth, les rhododendrons. Nous sommes leurs harpes. Moi. Lui. Vieux. Jeune.

— Ah, je ne pourrai pas, vieux, dit M. Dedalus, en retrait, amorphe.

Avec énergie.

— Vas-y, bougez-vous, gronda Ben Dollard, crachez le morceau.

— *M'appari*, Simon, dit le Père Cowley.

Il fit quelques pas vers le devant de l'estrade, solennel, haut dans l'épreuve et étendus ses longs bras. Rauque, sa pomme d'Adam s'enroua doucement. Doucement il adressa son chant à une marine poussiéreuse qui se trouvait là : *Le dernier adieu*. Un cap, un bateau, une voile sur les crêtes. Adieu. Une charmante jeune fille, son voile voguant au vent, sur le cap, dans le vent.

Cowley chantait :

— *M'appari tutt' amor :*

Il mio sguardo l'incontr[41]...

Elle agitait, sansentendre Cowley, son voile vague en direction de celui qui part, l'aimé, en direction du vent, de l'amour, de la voile qui s'éloigne, le retour.

— Vas-y, Simon.

— Ah, elle est loin ma folle jeunesse, Ben... Eh bien...

M. Dedalus posa sa pipe au repos à côté du diapason, s'assit et caressa les touches dociles.

— Non, Simon, fit le Père Cowley en se retournant. Joue-le dans l'original. Un bémol.

Les touches, dociles, haussèrent le ton ; elles s'exprimaient, hésitaient, se confessaient, confuses.

Le Père Cowley marcha jusqu'au fond de l'estrade.

— Allez, Simon. Je vais t'accompagner, dit-il. Lève-toi.

Devant les bonbons à l'ananas de Graham Lemon, devant l'éléphant d'Elvery[42], le cabriolet cahotait.

Bœuf, rognons, foie, purée à ce repas princier étaient conviés les princes Bloom et Goulding. Princes de ce repas, ils levaient leurs verres et buvaient du Power et du cidre.

Plus bel air pour ténor jamais écrit, dit Richie : *Sonnambula*[43]. Il avait entendu Joe Maes chanter ça un soir. Ah, oui, M'Guckin ! Oui. À sa manière. C'était le type de l'emploi[44], Maes. Servait la messe. Voilà un ténor lyrique. N'oublierai jamais ça. Jamais.

Par-dessus le bacon sans foie, tendrement Bloom observait les crispations du visage. Mal aux reins lui. L'œil brillant du malade de Bright. Le prochain morceau au programme. Faut payer le violon. Pilules, de la mie de pain, qui valent une guinée la boîte. La différer un moment. Chante aussi : *Gisant parmi les cadavres*. De circonstance. Tourte aux rognons. Les douceurs du[45]. Ne lui profite guère. Meilleur rapport qualité prix. Typique. Du Power. Difficile pour la boisson. Un défaut dans le verre, de l'eau du robinet. Pique des allumettes au comptoir pour faire des économies. À côté de ça dilapide un souverain pour des riens. Et quand il faut régler, pas un kopeck. Arnaquait et refusait de payer le trajet. Des gens spéciaux.

Jamais Richie n'oublierait ce soir-là. Tant qu'il vivrait, jamais. Au poulailler du vieux Royal avec le petit Peake. Et quand la première note.

Les mots se suspendirent aux lèvres de Richie.

Va vouloir bluffer maintenant. Faire des rhapsodies de n'importe quoi. Croit à ses propres mensonges. Dur comme fer. Un menteur prodigieux. Mais ça demande une bonne mémoire.

— C'est quoi, cet air ? demanda Leopold Bloom.

— *Tout est perdu.*

Richie fit une bouche en cul de poule. Une note en sourdine commença à monter et la fée doucereuse murmurait : tout. Un merle. Une grive. Son souffle doiseletdoux, entre ses belles dents dont il est fier, flûta sa lamentation plaintive. Est perdu. Son plein. Deux notes en une à cet endroit. Le merle que j'entendais dans la vallée des aubépines. Il reprenait mes motifs qu'il mariait et retournait. Tout au plus trop neuf l'appel se perd en tout. Écho. Quelle douce réponse[46]. Comment est-ce possible ? Tout est perdu. Son chagrin il siffla. Chute, reddition, perdu.

Bloom prêtait une oreille léopoldine tout en jouant

avec une frange du napperon sur lequel était posé le vase. Commande. Oui, je me souviens. Un air charmant. Dans son sommeil elle vint vers lui. Innocence sous la lune. La retenir pourtant. Courageux, ne connaissent pas le danger. L'appeler par son nom. Lui faire toucher de l'eau. Cliquetis cabriolant. Trop tard. Elle brûlait d'y aller. Voilà pourquoi. Femme. Autant vouloir arrêter la mer. Oui : tout est perdu.

— Un air magnifique, dit Bloom perdu Leopold. Je le connais bien.

De toute sa vie Richie Goulding n'avait jamais.

Il le connaît bien lui aussi. Ou bien il sent. Encore à nous rebattre les oreilles avec sa fille[47]. Bien maligne l'enfant qui connaît son père, dit Dedalus. Moi ?

Bloom le voyait de biais par-dessus son sans foie. Figure du tout est perdu. Richie le luron d'autrefois. Vieilles blagues éculées à présent. Fait remuer ses oreilles. Rond de serviette dans les yeux. Désormais ce sont des demandes d'argent qu'il fait passer par son fils. Walter le bigleux monsieur c'est fait monsieur. Je ne voulais pas vous importuner mais j'attendais une rentrée d'argent. Mille excuses.

Piano à nouveau. Le son est meilleur que la dernière fois que je l'ai entendu. A été accordé sans doute. Arrêté à nouveau.

Dollard et Cowley continuaient à presser le chanteur peu pressé de s'y mettre.

— Lance-toi, Simon.

— Vas-y, Simon.

— Mesdames et messieurs, je suis profondément touché de votre aimable insistance.

— Vas-y, Simon.

— Je n'ai pas d'argent mais si vous m'accordez votre attention je vais m'efforcer de vous chanter la romance d'un cœur brisé.

Près de la cloche à sandwiches, dans une pénombre

protectrice, Lydie avec une grâce de lady offrait et refusait son bronze et sa rose : comme dans la glauque et fraîche *eau de Nil*, Mina aux deux chopes, deux, sa pyramide de cheveux.

Les accords arpégés du prélude s'éteignirent. Un accord soutenu, suspendu, entraîna une voix.

— *Quand pour la première fois je vis sa chère image*[48]...

Richie se retourna.

— La voix de Si Dedalus, dit-il.

Le cerveau chatouillé, la joue en feu, ils écoutaient, avec la sensation de ce flux charmant qui refluait sur peau membre cœur humain âme moelle épinière. Bloom fit signe à Pat, Pat le chauve est un serveur dur de la feuille, d'entrebâiller la porte du bar. La porte du bar. Comme ça. Ça ira. Pat, serveur attentif attendait, attendant d'entendre parce qu'il était dur de la d'entendre à côté de la porte.

— *Loin de moi les chagrins semblèrent s'éloigner.*

Trouant l'air silencieux une voix chantait pour eux, feutrée, ni la pluie ni le murmure des feuilles, pas non plus comme le chant des cordes et des vents ou chezplusquoi tympanons[49], elle touchait leurs oreilles immobiles avec des mots, cœurs immobiles tendus vers, chacun la sienne, la mémoire de ses vies antérieures. Du bien, ça fait du bien d'entendre ça : loin d'eux de chacun semblait de tous les deux s'éloigner la première fois qu'ils entendirent. La première fois qu'ils virent, Richie perdu, Popold, la beauté miséricordieuse, entendre, de la personne dont on l'aurait le moins attendu, le premier mot plein de miséricorde, suavadoré si suavaimé.

L'amour qui chante : l'Ancien Chant des doux amants. Bloom déroulait lentement l'élastique de son paquet. L'Ancien chant des am *sonnez la* d'or. Bloom l'enchevêtrait entre ses quatre doigts en diapason, le tendait, le détendait et le roulait en son double troublé, en quadruple, en octave et les ligota bien serré[50].

— *Plein d'espoir et d'ivresse...*

Les ténors ont des femmes à la pelle. Augmente leur émoi. Jette la fleur à ses pieds quand pouvons-nous nous rencontrer ? Ma pauvre tête[51]. Cliquetis tout ivresse. Lui ne peut pas chanter dans le beau monde. Ma pauvre tête tourrrne[52]. Parfumée pour lui. Quel parfum est-ce que votre femme ? Je veux savoir. Clic. Stop. Toc toc. Ultime coup d'œil dans la glace toujours avant d'aller ouvrir. L'entrée. Là ? Comment va ? Très bien. Là ? Quoi ? Ou ? Boîte de cachous, baisers sucrés, dans son sac. Oui ? Mains cherchent courbes opulentes.

Hélas ! La voix monta, tout en soupir, se transforma : puissante, pleine, éclatante, glorieuse.

— *Mais hélas, c'était une chimère...*

Quel timbre superbe il a encore. L'air de Cork est plus doux leur accent aussi[53]. L'imbécile ! Il aurait pu se faire des monceaux d'argent. Il se trompe dans les paroles. Il a éreinté sa femme : maintenant il chante. Mais qui sait ? Eux seuls. S'il ne s'effondre pas. Au trot et en route. Chante aussi des pieds et des mains. La boisson. Nerfs archi tendus. Faut être sobre pour chanter. Soupe fortifiante à la Jenny Lind[54] : bouillon, sauge, œufs crus, un quart de litre de crème. Pour crémeur rêveur[55].

Tout en tendresse ça monta : lent, enflant. Avec plénitude ça vibra. Et leur dialogue. Ah, donne ! Prends ! Vibre, une vibration, un battement, une fière érec.

Paroles ? Musique ? Non : c'est ce qui est derrière.

Bloom bouclait, débouclait, nouait, dénouait.

Bloom. Un flot de fluide flasque fleurit le furtif pour le flanquer dans la musique, désirant, sombre à lécher, envahissant. La tâtant la tapant la taillant la tassant. Tâche. Pores à dilater se dilatant. Tâche. La joie la sensation la chaleur la. Tâche. Pour lâcher les vannes, lâcher les eaux. Flux, jets d'eaux, flots, jets de joie, flonflons. C'est ça ! Le langage de l'amour.

— *... rayon d'espoir...*

Resplendissant. Lydie pour Lidwell poussa un petit cri l'entendre à peine tellement lady la muse qu'elle décria son rayon d'espouac.

C'est *Martha*. Coïncidence. Juste au moment d'écrire. La chanson de Lionel. Nom magnifique que vous avez. Peux pas écrire. Acceptez mon modeste cad. Jouer sur sa corde sensible aussi sur les cordons de sa bourse. C'est une. Je vous ai appelé méchant garçon. Mais le nom : Martha. Comme c'est étrange ! Aujourd'hui.

La voix de Lionel revenait inlassée mais toujours plus faible. Elle s'adressait toujours à Richie Popold Lydia Lidwell aussi à Pat la bouche béante et les oreilles attentives, en attente. Comment la première fois qu'il vit cette chère image, comment les chagrins semblèrent s'en aller, comme un regard, une image, un mot l'ont charmé lui Gould Lidwell, l'ont gagné, le cœur de Pat Bloom.

Aimerais voir sa figure pourtant. On comprend mieux. Pourquoi le coiffeur chez Drago regardait toujours mon visage quand je parlais son visage dans la glace. On entend quand même mieux à cet endroit que dans le bar bien que plus loin.

— *Chacun de ses traits charmants...*

Le premier soir quand pour la première fois je la vis à Terenure, chez Mat Dillon. Du jaune, de la dentelle noire elle portait. Chaises musicales. Nous deux les derniers. Le destin. Nous deux. Après elle. Le destin. Tourne tourne lent. Tourne vite. Tous regardaient. Halte. Elle s'asseyait. Tous les perdants regardaient. Rire sur ses lèvres. Genoux jaunes.

— *Ont charmé mes yeux…*

Elle chantant. Elle a chanté *L'Attente*. Je lui ai tourné les pages. Voix pleine de parfum de quel parfum est-ce que votre lilas[56]. Ses seins je voyais, les deux bien fermes, sa gorge qui gazouillait. La première fois que je la vis. Elle m'a remercié. Pourquoi m'a-t-elle ? Le destin. Des yeux d'Espagnole. Sous un poirier solitaire patio à cette heure dans le vieux Madrid un côté dans l'ombre Dolores dolorelle. Vers moi. Ah ! leurre, alléchant leurre.

— *Martha ! Ah, Martha !*

Laissant là toute langueur, Lionel faisait monter son cri de souffrance, son cri de passion dominante à l'aimée qu'elle revienne avec des accords d'harmonie ascendants mais profonds. Son cri de lionel solitude afin qu'elle sût, émouvoir Martha. Pour elle seule il attendait. Où ? Ici là cherche ici là cherchez tous où. Quelque part.

— *Re-e-viens, toi ma douleur !*
Re-e-viens m'offrir ton cœur !

Seul. Un seul amour. Un seul espoir. Un que l'on me console. Martha, note de poitrine, reviens à moi.

— *Reviens !*

Il montait, oiseau en vol plané, le cri prompt et pur, essor d'argent souverain, il s'imposa avec sérénité, s'accéléra, se soutint, reviens, ne le file pas trop longtemps long souffle, il a un souffle lui assurant longue vie, monte au sommet, resplendit au sommet, s'enflamme, couronné, au sommet dans les effluves symbolistes, au sommet et au sein de l'éther, au sommet de l'irradiation vaste et supérieure, partout tout monte tout autour autour du tout, l'infinitudetudetude[57]…

— *À moi !*

Siopold !

Consumée.

Reviens. Bien chanté. Tous applaudirent. Elle devrait. Revenir. À moi, à lui, à elle, vous aussi, moi, nous.

— Bravo ! Clapclap. Bien joué, Simon ! Clipclap-clap. Un bis ! Clapclipclap. Très en voix. Bravo, Simon ! Clapclopclap. Un bis, encore, ils réclamaient, applaudissaient, Ben Dollard, Lydie Douce, George Lidwell, Pat, Mina, les deux messieurs aux deux chopes, Cowley, le premier Monsieur à la chope et bronze Mlle Douce et or Mlle Mina.

Les élégantes chaussures fauves de Flam Boylan craquaient sur le plancher du bar, déjà dit. Cliquetis le long des monuments à sir John Gray, à Horace unemanche Nelson, au révérend père Theobald Matthew, cabriolait comme déjà dit présentement. Au trot, en pleine ardeur, chaudement assis. *Cloche. Sonnez la. Cloche. Sonnez la.* Plus lentement, la jument grimpa la colline longeant la Rotonde, sur Rutland square. Trop lente pour Boylan, bluff Boylan[58], Boylan impatience, la cahotante jument.

Une résonance prolongée des accords de Cowley s'évanouit, mourut dans l'air rendu plus riche.

Et Richie Goulding but son Power et Leopold Bloom son cidre but, Lidwell sa Guinness, le second monsieur dit qu'ils consommeraient volontiers deux autres chopes si elle n'y voyait pas d'inconvénient. Mlle Kennedy faisait des mines en desservant, lèvres de corail, au premier, au second. Elle n'y voyait pas d'inconvénient.

— Sept jours en prison, dit Ben Dollard, au pain et à l'eau. Et vous chanteriez, Simon, comme un pinson.

Lionel Simon, chanteur, riait. Le Père Bob Cowley jouait. Mina Kennedy servait. Le deuxième monsieur payait. En se pavanant Tom Kernan entrait ; Lydia, admirée, admirait. Mais Bloom chantait à part lui.

Admiratif.

Richie, admiratif, dissertait sur cette magnifique voix d'homme. Il se souvenait d'un soir lointain. N'oublierait jamais ce soir-là. Si chantait *Dignité et célébrité t'ont tenté* : c'était chez Ned Lambert. Bon dieu de sa vie il n'avait entendu un timbre pareil jamais *alors infidèle mieux vaut nous séparer* si pur si dieu il n'avait entendu *puisque l'amour est mort* une voix qui porte demandez à Lambert il peut le confirmer.

Goulding, avec une rougeur qui contrastait avec son pâle, dit à M. Bloom, visage de la nuit, que Si chez Ned Lambert, chez Dedalus, chanta *Dignité et célébrité t'ont tenté.*

Lui, M. Bloom, l'écoutait pendant que lui, Richie Goulding, parlait à M. Bloom, du soir où lui, Richie, l'entendit, Si Dedalus, chanter *Dignité et célébrité t'ont tenté*, chez lui, chez Ned Lambert.

Beaux-frères : des proches. Nous ne nous parlons jamais lorsque nous nous croisons. N'y touchez pas il est brisé[59], dirais-je. Le traite par le mépris. Voyez. Il l'admire d'autant plus. Le soir où Si chanta. La voix humaine, deux minuscules fils de soie. Fabuleuse, plus que toutes les autres.

Cette voix était une lamentation. Plus posée maintenant. C'est dans le silence qui suit qu'on sent qu'on entend. Vibrations. L'air maintenant silencieux.

Bloom libéra ses mains entrecroisées et de ses doigts désentravés pinça la fine lanière élastique. Il pinçait et il tirait. Elle bourdonnait et vibrait. Tandis que Goulding parlait de la voix puissante de Barraclough[60], tandis que Tom Kernan, remettant ça en une sorte d'arrangement rétrospectif, parlait au Père Cowley attentif, qui improvisait et qui opinait tout en improvisant. Tandis que Ben Dollard parlait avec Simon Dedalus qui allumait sa pipe. Qui opinait tout en fumant, qui fumait.

Toi ma douleur. Toutes les romances sur ce thème. Cependant Bloom de plus en plus étirait son cordon. Ça paraît cruel. Laisser les gens s'éprendre l'un de l'autre : les leurrer. Puis les arracher l'un à l'autre. Mort. Explos. Coup sur la tête. Lenfermaispasça. C'est la vie. Dignam. Beurk, cette queue de rat qui se tortillait ! Cinq balles j'ai donné. *Corpus paradisum*[61]. Coassant crevard : la bedaine d'un chiot empoisonné. Parti. Ils chantent. Oublié. Moi aussi. Et un jour elle avec. La quitter : fatigué. Souffrir alors. Pleurnicher. Ses grands yeux d'Espagnole écarquillés et vides. Sa toisondulétoisonlourdetondulédulédulé de cheveux em mêl :és.

Pourtant trop heureux ennuie. Il étirait de plus, en plus. N'êtes-vous pas heureux en ? Cling. Claque l'élastique.

Cliquetis dans Dorset street.

Mlle Douce retira son bras satiné, fâchée, contente.

— Ne prenez pas trop de libertés, elle dit, attendons de mieux nous connaître.

George Lidwell lui parla avec franchise et loyauté : mais elle ne le croyait pas.

Le premier monsieur assura à Mina que c'était vrai. Elle lui demanda c'était vrai. Et la seconde chope lui assura c'est vrai. Que c'était vrai.

Mlle Douce, Mlle Lydie, n'en croyait rien : Mlle Kennedy, Mina, n'en croyait rien : George Lidwell, non : Mlle Dou n'en : le premier, le premier : mons avec la cho : crois, non, non : rien, Mlle Ken : Lidlydiewell : la cho.

Plus pratique d'écrire ici. Les plumes de la poste toutes mâchouillées et tordues.

Pat le chauve à son signe s'avança. Une plume et de l'encre. Il y alla. Un sous-main. Il y alla. Un sous-main pour les pâtés. Il avait entendu, sourd Pat.

— Oui, dit M. Bloom, titillant l'élastique entortillé. Certainement. Quelques lignes feront l'affaire. Mon cadeau. Toute cette musique italienne pleine de fioritures. Qui c'est qui a écrit ça ? On sait le nom on comprend mieux[62]. Prendre feuille de papier à lettres, enveloppe : l'air de rien. C'est si caractéristique.

— Le numéro le plus grandiose de tout l'opéra, dit Goulding.

— C'est vrai, dit Bloom.

Des nombres. Voilà toute la musique quand on y réfléchit. Deux multiplié par deux divisé par la moitié fait deux fois un. Vibrations : les accords c'est ça. Un plus deux plus six font sept. On fait ce qu'on veut en jonglant avec les chiffres. On découvre toujours que ci est égal à ça, symétrie sous le mur d'un cimetière. Il ne remarque pas que je suis en deuil. Sans pitié : tout pour ses boyaux. Musemathématique. Et vous pensez que vous êtes en train d'écouter quelque chose d'éthéré. Mais mettons que vous disiez comme ça : Martha, sept fois neuf moins x font trente-cinq mille. Tombe à plat. À cause du son tout ça.

Exemple il est en train de jouer. Improvise. Pourrait être ce qu'on veut jusqu'à ce qu'on entende les paroles. Faut prêter une attention aiguisée. Difficile. Commencement, tout va bien : puis on entend les accords un peu moins bien : on se sent un peu perdu. Ballotté comme des balles sur des barils, balade dans les barbelés, course d'obstacles. C'est le rythme qui fait la chanson. Dépend de votre disposition. Toujours agréable à entendre toutefois. Sauf les gammes montantes et descendantes, les jeunes filles qui s'exercent. Deux à la fois chez des voisins la porte à côté. On devrait inventer des pianos muets pour ça. Milly aucune disposition. Étrange parce que nous deux, c'est-à-dire. *Blumenlied* la partition que je lui ai achetée. Le titre. Le jouait lentement, une jeune fille, la nuit que je rentrais, la jeune fille. Porte des écuries près de Cecilia street.

Pat le chauve sourd apportait un sous-main plutôt fin et de l'encre. Pat plaça avec encre plume sous-main tout fin. Pat remporta assiette plat couteau fourchette. Pat s'en alla.

C'était le seul langage, dit M. Dedalus à Ben. Il les avait entendus enfant à Ringabella, Crosshaven, Ringabella, qui chantaient leurs barcarolles. Le port de Queenstown rempli de bateaux italiens. Ils se promenaient, tu vois, Ben, au clair de la lune avec ces espèces de chapeaux de mousqueterres. Ils chantaient en canon. Dieu, quelle musique, Ben. Entendue enfant. Cross Ringabella haven lunarcarolle.

Son âcrepipe ôtée il mit une main en écran devant ses lèvres qui roucoulèrent un appel nocturne au clair de lune, clair et proche, un appel lointain en écho.

Sous le bâton de son *Freeman* furetait ton autre œil de Bloom qui cherchait avec soin où ai-je vu ça. Callan, Coleman, Dignam Patrick. Dong ! Dong ! Fawcett[63]. Aha ! J'étais justement en train de regarder…

J'espère qu'il n'est pas en train de me regarder, rusé renard. Il déplia son *Freeman*. Peut plus voir maintenant. Se rappeler d'écrire des e grecs[64]. Bloom trempa, Bloom murm : cher monsieur. Cher Henry écrivit : chère Mady. Bien reçu votre lett et fleu. Zut ai-je mis ? Cette poch ou l'aut. Il est absol imposs. Souligner *imposs*. D'écrire aujourd'hui.

Quelle barbe. Bloom barbé tambourina délicatement avec des je suis juste en train de réfléchir doigts sur le fin sous-main apporté par Pat.

Allons. Voyez ce que je veux dire. Non, changer ce e. Veuillez accepter mon pauvre petit cad. ci-incl. Lui demander pas de répon. Voyons. Dig cinq. Deux à peu près ici. Penny les mouettes. Élie arri. Sept chez Davy Byrne. Fait huit à peu près. Disons une demi-couronne. Mon modeste cad : mandat deux shillings six. Écrivez-moi une longue. Méprisez-vous ? Cliquetis, avez-vous le ? Si excité. Pourquoi m'appelez-vous méch ? Méchante vous-même ? Vlà Mairy qu'a perdu l'épingle de sa. Au revoir pour aujourd'hui. Oui, oui, vous dirai. Je veux. Pour pas montrer son cul. Appelez-moi de cet autre. Un autre mont elle a écrit. Ma patience sont épr. Pour pas montrer son cul. Vous devez croire. Croire. La chope. Que. C'est. Vrai.

De la folie pure d'écrire ça ? Les maris n'écrivent pas. C'est la faute au mariage, leurs femmes. Parce que je suis loin de. Supposons. Mais comment ? Elle doit. Ça conserve. Si elle découvrait. Carte de visite dans mon meilleur chap au. Non, ne pas tout dire. Chagrin inutile. Si elles ne voient pas. La femme. Sauce pour le jars[65].

Un fiacre, numéro troiscentvingtquatre, conducteur Barton James du numéro un de Harmony avenue, Donnybrook, dans lequel était assis un client, un jeune homme de bonne famille, vêtu avec style d'un complet de serge bleu indigo fait par George Robert Mesias, tailleur et façonneur, au numéro cinq d'Eden quay et qui portait un chapeau de paille très élégant, acheté chez John Pasto du numéro un de Great Brunswick street, chapelier. Hein ? C'est le cliquetis qui cahin-cahote et cliquette. Devant la charcuterie Duglacz où pendaient les tuyaux luisants d'Agendath une jument à la vaillantecroupe trottait.

— Répondez à une annonce ? demanda à Bloom le regard perçant de Richie.

— Oui, dit M. Bloom. VRP. Pas grand espoir je le crains.

Bloom murm : les meilleures références. Mais Henry écrivait : cela va me remplir d'excitation. Vous savez comment[66]. En hâte. Henry. E grec. Mieux d'ajouter un post-scriptum. Qu'est-ce qu'il est en train de jouer à présent ? Il improvise un intermezzo. P.-S. Le pom pom pom. Comment allez-vous me pun ? Vous me punir ?

Jupe de traviole qui se balance à chaque coup qu'elle donne. Dites-moi je désire le. Savoir. Oh. Sûr que si je ne le faisais pas je ne le demanderais pas. La la la sol. Chute de la phrase triste en mineur. Pourquoi le mineur est-il triste ? Signer H. Elles aiment les chutes tristes en queue. P.P.S. La la la sol. Je me sens tellement triste aujourd'hui. La sol. Tellement seul. Sol.

Vite il épongea sur le sous-main de Pat. Envel. Adresse. Juste recopier dans le journal. Murmura : Messieurs Callan, Coleman et Cie, ltd. Henry écrivit :

Mlle Martha Clifford
Poste restante
Dolphin's barn lane
Dublin

Éponger l'autre[67] pour qu'il ne puisse pas lire. Parfait. Idée pour la nouvelle primée du *Titbit*. Quelque chose que le détective déchiffre sur un sous-main. Payée une guinée la col. Matcham pense souvent à la rieuse magicienne. Pauvre Mme Purefoy. H.S. Hors service[68].

Trop poétique ça sur la trist. La faute à la musique. La musique a des sortilèges. A dit Shakespeare[69]. Citations pour tous les jours de l'année. Être ou ne pas être. Sagesse à disposition.

Dans la roseraie de Gerard, dans Fetter lane, il se promène, grisroux. On n'a qu'une vie. Qu'un corps. Agis. Agis donc[70].

En tout cas c'est fait. Mandat postal timbre. Une poste un peu plus bas. Y aller à pied maintenant. Assez. Chez Barney Kiernan j'ai promis de les retrouver. N'aime pas ce travail. Maison mortuaire[71]. À pied. Pat ! N'entend pas. Sourd comme un pot.

Voiture devrait arriver maintenant. Parler. Parler. Pat ! Pas. Arrange ces serviettes. Le nombre de pas qu'il doit faire dans la journée. On lui peindrait une figure par-derrière ça en ferait deux. Voudrais qu'ils chantent encore. M'empêche de penser à autre chose.

Pat le chauve et dur d'oreille faisait des mitres avec ses serviettes. Pat est un serveur dur de la feuille. Pat est un serveur attentionné, attentif quand vous attendez. Hé hé hé hé. Attentif quand vous attendez. Hé hé. Ça c'est un serveur. Hé hé hé hé. Attentif quand vous attendez. Quand vous attendez si vous attendez il sera attentif attentionné quand vous attendez. Hé hé hé hé. Ho. Attentif quand vous attendez.

Douce maintenant. Douce Lydie. Bronze et rose.

Elle a passé des congés sublimes, tout simplement sublimes. Et regardez le ravissant coquillage qu'elle a rapporté.

Vers lui à l'autre bout du bar elle apporta aérienne la trompe marine incurvée et couverte de pointes afin que lui, George Lidwell, avoué, puisse entendre.

— Écoutez ! lui intima-t-elle.

Sous les mots brûlants de gin de Tom Kernan l'accompagnateur tissait une musique lente. Absolument authentique. Comment Walter Bapty perdit sa voix. En vérité, monsieur, le mari lui a serré la gorge. *Mon salaud*, dit-il. *Jamais plus tu ne chanteras de chansons d'amour*. Il l'a vraiment fait, sir Tom. Bob Cowley tissait. Les ténors ont des fem. Cowley se pencha en arrière.

Ah, il entendait maintenant, elle la lui appliquait à l'oreille. Vous entendez ? Il entendait. Fabuleux. Elle se l'appliquait à elle-même et dans le clair-obscur atténué par contraste l'or pâle s'infiltrait. Pour entendre.

Toc.

Par la porte du bar Bloom vit un coquillage plaqué contre leurs oreilles. Il entendait plus faiblement cela qu'elles entendaient, chacune pour elle seule, puis chacune pour l'autre, entendant le clapotement des vagues, sonore, un mugissement muet.

Bronze près d'un or éteint, de près, de loin, elles écoutaient.

Son oreille est aussi un coquillage, là le lobe furtif. A été au bord de la mer. Belles jeunes filles du bord de mer. Peau cuite à cru. Aurait dû mettre de la crème protectrice avant de se faire bronzer. Toast beurré. Oh et cette lotion ne pas l'oublier. Bouton de fièvre au bord des lèvres. Votre tête tout simplement elle. Chevelure toute tressée : coquillage couvert d'algues. Pourquoi cachent-elles leurs oreilles derrière des cheveux comme des algues ? Et les Turques leurs bouches, pourquoi ? Les yeux au-dessus du drap, un litham. Trouver l'entrée. Un antre. Entrée réservée au service.

La mer elles croient entendre. Qui chante. Un mugissement. C'est le sang. Inonde parfois l'oreille. En effet, c'est une mer. Îles corpuscules.

Vraiment fabuleux. Si distinct. Encore. George Lidwell tenait ce murmure plaqué contre son oreille : puis il le déposa, avec soin.

— Que disent les vagues indomptées ? lui demanda-t-il, en souriant.

Avec un sourire de sirène, la séduisante Lydie à Lidwell sourit sans répondre.

Toc.

Devant chez Larry O'Rourke, devant chez Larry, ce brave Larry O', Boylan cahotait et Boylan tournait.

Du coquillage abandonné Mlle Mina glissait vers sa chope qui l'attendait. Non, elle n'était pas si seule que ça, faisait savoir malicieusement à M. Lidwell la tête de Mlle Douce. Promenades au clair de lune sur la grève. Non, pas seule. Avec qui ? Elle répondit noblement : avec un monsieur de mes amis.

Les doigts de Bob Cowley recommencèrent à voltiger dans les hautes. Le propriétaire a la prior. Un petit moment. Long John. Big Ben. De ses doigts aériens il joua un morceau allègre et scintillant pour dames au pied léger, souriantes et malicieuses et pour leurs amis, des messieurs de leurs amis. Un : un, un, un : deux, un, trois, quatre.

Mer, vent, feuillages, tonnerre, eaux, vaches qui meuglent, marché aux bestiaux, coqs, poules ne chantent pas, serpents sssifflent. Il y a de la musique partout. La porte de Ruttledge : elle crie iiii. Non, ça c'est du bruit. C'est le menuet de *Don Giovanni* qu'il joue à présent. Les robes de cour en tout genre dans les salles du château dansent. Misère. Les paysans à l'extérieur. Leurs visages que la faim fait virer au vert mangent la patience. C'est agréable. Regardez : regardez, regardez, regardez, regardez, regardez : vous nous regardez.

C'est joyeux, je m'en rends compte. N'ai jamais écrit cela. Pourquoi ? Ma joie est une autre espèce de joie. Mais toutes deux sont de la joie. Oui, ça doit être de la joie. Le simple fait de faire de la musique prouve que vous êtes en joie. Souvent pensé qu'elle broyait du noir et puis elle se mettait à fredonner. Alors je savais que non.

La malle de M'Coy. Ma femme et votre femme. Chatte miaulant. Comme la soie qu'on déchire. Langue quand elle parle comme le clapet d'un soufflet. Elles ne parviennent pas à des intervalles aussi grands que les hommes. Un trou aussi dans leurs voix. Remplis-moi. Je suis chaude, sombre, ouverte. Molly dans *Quis est homo* : Mercadante. Mon oreille collée contre le mur pour l'entendre. Cherche femme qui peut tenir ses promesses.

Cahin clic caha le cab stoppa. L'élégante chaussure fauve de l'élégant Boylan, ses chaussettes à baguettes bleu ciel, posèrent à terre un pied léger.

Oh, regardez, nous sommes si ! Musique de chambre[72]. On pourrait faire une sorte de jeu de mots là-dessus. C'est un genre de musique ai-je souvent pensé quand elle. C'est de l'acoustique. Tintement. Les vases vides font le plus de bruit. Parce que l'acoustique, la résonance change selon que le poids de l'eau est égal à la loi de la chute des liquides. Comme ces rhapsodies de Liszt, hongroises, œil-de-tziganes. Perles. Gouttes. Pluie. Dégoule goule roule roule coule coule. Sssifflent. Maintenant. Maintenant peut-être. Avant.

Quelqu'un frappa à la porte quelqu'un fit toc toc., toqua-t-il Paul de Kock, avec un marteau bruyant, avec un pafpaf avec un panpan. Pafpaf.

Toc.

— *Qui sdegno*[73], Ben, dit le Père Cowley.

— Non, Ben, intervint Tom Kernan, *Le Ptit Tondu*. Notre vieux parler natal.

— Ouais, chantez ça, Ben, dit M. Dedalus. Hommes sans peur et sans reproche[74].

— Chantez, chantez, le priaient-ils comme un seul homme.

Je vais y aller. Ici, Pat, retourne. Reviens. Il revint, il est revenu il n'est pas resté. À moi. Combien ?

— Quel ton ? Six dièses ?

— Fa dièse majeur, dit Ben Dollard.

Toutes griffes dehors, Bob Cowley s'agrippait aux noirs accords tréfondsonnants.

Faut que j'y aille annonça prince Bloom à Richie bon prince. Non, dit Richie. Si, il faut. A récupéré de l'argent quelque part. Il est parti pour faire la fête et pour s'arsouiller jusqu'au mal de reins. Combien ? il ouïvoit le parlerlèvre. Un shilling neuf. Un penny pour vous. Voici. Lui donner deux pence de pourboire. Sourd, dur de la feuille. Peut-être qu'il a femme et enfants qui l'attendent, qui attendent que Papa Pat rentre à la maison. Hé hé hé hé. Le sourd attentionné attend pendant qu'ils attendent.

Mais attendez. Mais entendez. Les sombres accords. Luguuuubres. Basses. Une caverne dans les profondeurs de la terre. Métal incrusté. Musique brute.

La voix du fond des âges, du désamour, de la fatigue de la terre faisait son entrée grave, et douloureuse, venue de loin, des montagnes chenues, et appelait les hommes sans peur et sans reproche. Il cherchait le prêtre, auquel il voulait dire deux mots.

Toc.

La voix de basse bariltonnante de Ben Dollard. Faisant de son mieux pour l'exprimer. Coassement d'un vaste marécage sans homme sans lune sans féminilune. Une autre dégringolade. Il a fait du commerce de fournitures pour gros bateaux autrefois. Me rappelle : les cordages goudronnés, les feux de position. Une faillite de dix mille livres, au bas mot[75]. Maintenant il est à la fondation Iveagh[76]. Box numéro tant. C'est Bass numéro un qui lui a réglé son compte.

Le prêtre est chez lui. Le serviteur d'un faux prêtre le pria d'entrer. Venez. Le saint père. Queues tarabiscotées des accords.

On les ruine. On fait de leur vie un naufrage. Puis on leur fabrique des boxes pour qu'ils finissent leurs jours dedans. Chut. Berceuse. Dodo chien chien do, chienchien qui mourra bientôt.

La voix, en signe d'avertissement, d'avertissement solennel, leur a raconté que le jeune homme était entré dans un couloir solitaire, leur a raconté quel bruit solennel y font ses pas, leur a raconté la sombre salle, le prêtre en surplis assis pour confesser.

Une âme intègre. Un peu ramollie à présent. Pense qu'il va gagner dans *Réponse à tout* le concours des portraits de poètes. Premier prix, un billet de cinq livres flambant neuf. Oiseau assis qui couve dans son nid. Le lai du dernier ménestrel[77] pensait-il. Cé blanc blanc té quel animal domestique. Bé blanc blanc té marin héroïque. Il a encore une voix pas mal. Pas encore castré avec tous ses avantages.

Écoutez. Bloom écoutait. Richie Goulding écoutait. Et près de la porte Pat le sourd, Pat le chauve, Pat pourboire, écoutait.

Les arpèges se firent plus lents.

La voix de la pénitence et de la douleur parvenait lente, embellie, vibrante. La barbe contrite de Ben confessait : *in nomine Domini*[78], au nom de Dieu. Il s'agenouilla. Il se frappa la poitrine de la main, confessant : *mea culpa*.

Du latin à nouveau. Ça les tient comme la glu. Le prêtre avec le corpus de la communion pour ces femmes. Le gars de la chapelle funéraire, corbillard ou corbyatt, *corpusnomine*. Me demande où est ce rat à présent. Gratte.

Toc.

Ils écoutaient : chopes et Mlle Kennedy, George Lidwell sa paupière très éloquente, corsage de satin bien plein. Kernan, Si.

La voix de l'affliction montait tout en soupirs. Ses péchés. Depuis pâques il avait juré trois fois. Enfant de put. Et une fois à l'heure de la messe il était allé jouer. Une fois près du cimetière il était passé sans prier pour le repos de sa mère. Un ptit. Un ptit tondu.

Bronze écoutant près de la pompe à bière regardait au loin. De toute son âme. Sait pas qu'un peu que je la. Molly très douée pour deviner que quelqu'un la regarde.

Bronze regardait au loin de biais. Une glace par là. Est-ce son plus joli profil ? Elles savent toujours ça. Coup à la porte. Dernier petit coup de poudre sur le nez.

Pafpafpanpanpanpan.

À quoi pensent-elles quand elles entendent de la musique ? Moyen d'attraper les serpents à sonnette. Le soir où Michael Gunn[79] nous avait donné la loge. Ils accordaient. Le moment que le Shah de Perse préférait. Lui rappelle sa chère patrie. Se mouchait dans les rideaux aussi. Une coutume de son pays peut-être. C'est aussi de la musique. Pas si mauvaise qu'elle y paraît. Un ptit air. Les cuivres, des ânes qui braient la queue en l'air. Contrebasses désarmées, déchirures au flanc. Les bois, des vaches qui meuglent. Le demi-queue ouvert un crocodile la musique a des mâchoires[80]. Les bois comme le nom de Dubois.

Elle avait belle apparence. Elle portait sa robe à semis de crocus, large décolleté avantages bien en vue. Son haleine sentait toujours le clou de girofle au théâtre quand elle se penchait pour poser une question. Lui racontais ce que disait Spinoza dans ce livre de pauvre papa. Hypnotisée, elle écoutait. Des yeux grands comme ça. Elle se penchait. Un type au balcon matait ses seins tant qu'il pouvait avec ses jumelles de théâtre. La beauté de la musique, il faut l'entendre deux fois. La nature la femme en un petit clin d'œil. Dieu a fait la campagne l'homme a fait la chanson[81]. Mets ton ptit chose. Philosophie. Ô mes bonbons !

Tous partis. Tous tombés. Au siège de Ross son père, à Gorey tous ses frères sont tombés. À Wexford, nous sommes les gars du Wexford, il allait. Dernier du nom et de sa race.

Moi aussi, dernier de ma race. Milly le jeune étudiant. Peut-être ma faute après tout. Pas de fils. Rudy. Maintenant c'est trop tard. Et pourquoi ? Pourquoi pas ? Pourquoi pas quand même ?

Il était sans haine.

Haine. Amour. Ça ce sont des noms. Rudy. Je me ferai bientôt vieux.

Big Ben sa voix déploya. Grande voix, dit Richie Goulding, avec une rougeur qui contrastait avec le pâle, à Bloom bientôt vieux mais quand il était jeune.

Voilà qu'arrive l'Irlande. Mon pays au-dessus du roi. Elle écoute. Qui craint de parler de mille neuf cent quatre[82] ? Temps de prendre le large. Assez vu.

— *Bénissez-moi, mon père,* clamait Dollard le tondu. *Bénissez-moi et laissez-moi partir.*

Toc.

Bloom regardait, pour partir sans bénédiction. Habillée pour faire des ravages : avec dix-huit balles par semaine. Il y a toujours des ânes pour casquer. Faut veiller au grain. Ces filles-là, ces belles filles. Près des vagues mélancoliques[83]. Le roman de la midinette. Lettres lues en public à cause de la rupture des fiançailles. Du ptit Loulou à son petit oiseau en sucre. Rires à l'audience. Henry. Ce n'est pas moi qui ai signé ça. Nom magnifique que vous[84].

La musique tomba dans les basses, l'air et les paroles. Puis se précipita. Le faux prêtre faisait bruire en soldat sa soutane. Un capitaine de la garde. Ils connaissent tous ça par cœur. Le frisson qui les démange. Capitaine de la gar.

Toc. Toc.

Elle écoutait, frissonnante, penchée dans un mouvement de compassion.

Visage blanc. Encore vierge je dirais : ou seulement tripotée. Écrire quelque chose dessus : page blanche. Qu'est-ce qu'elles deviennent sinon ? Déclin, désespoir. Ça les conserve. Même elles n'en reviennent pas. Voyez. Joue sur elle. Bouche à bouche. Le corps blanc de la femme, une flûte vivante. Souffler doucement. Fort. Trois trous toutes les femmes. Déesse je n'ai pas pu voir. Elles en ont envie : pas trop de délicatesse. C'est pour ça qu'il les a. De l'or dans la poche, du bronze sur la face[85]. Les yeux dans les yeux : romances sans paroles. Molly le petit joueur de limonaire. Elle a deviné qu'il voulait dire que le singe était malade. Ou parce que c'est si proche de l'espagnol. C'est la façon aussi dont elles comprennent les animaux. Comme Salomon. Don de la nature.

Ventriloquise. Mes lèvres closes. Je pense à travers mon estom. Quoi ?

Voulez ? Vous ? Je. Veux. Que. Vous.

Le capitaine lançait des imprécations rauques, colériques, brutales. Explosé d'enfant de putain apoplectique. Une bonne idée, mon garçon, d'être venu. Une heure c'est ce qu'il te reste à vivre, la dernière.

Toc. Toc.

Frémissement à présent. C'est de la pitié qu'ils ressentent. Pour essuyer une larme pour les martyrs qui veulent mourir, mourir de, mourir. En train de crever de tout cela, né pour tout cela. Pauvre Mme Purefoy. Espère qu'elle en a fini. À cause de leurs ventres.

Un œil de femme humide matriciel regardait derrière une barrière de cils calmement, à l'écoute. On voit vraiment la beauté de l'œil quand elle ne, parle. Sur la rivière au loin. Chaque fois que sa poitrine satinée se soulevait comme une vague (son houleux embonp), la rose rouge au même rythme s'élevait, et sombrait rose rouge. Son cœur battant son souffle : souffle de vie. Et les frêles frêles frondaisons de sa toison s'agitaient.

Mais vois. Pâlissent les étoiles d'or. Oh rose ! Castille. L'aurore.

Ah. Lidwell. Pour lui dans ce cas par pour. Entiché. Moi comme lui ? La vois bien d'ici pourtant. Bouchons qui ont sauté, flaques de mousse, monceau de bouteilles vides[86].

Sur le manche lisse faisant saillie sur la pompe à bière, Lydie posait une main légère, potelée, je vais prendre ça en main. Toute remplie de pitié pour le tondu. En avant, en arrière : en arrière, en avant : sur la poignée polie (elle sait que ses yeux, mes yeux, leurs yeux) le pouce et l'index passaient pleins de pitié : passaient et repassaient, toucher délicat, puis faisaient glisser en coulant, lentement, un bâton d'émail frais, ferme et blanc, saillant entre leur anneau mobile.

Avec un pafpaf avec un panpan.

Toc. Toc. Toc.

Je suis le maître ici. Amen. Il grinçait des dents, hors de lui. La corde pour les traîtres.

Les accords y consentirent. C'est bien triste. Mais c'était fatal.

Filer avant la fin. Merci, c'était divin. Où est mon chapeau. Passer à côté d'elle. Peux laisser ce *Freeman*. La lettre, je l'ai. Et si c'était elle la ? Non. En route, en route, en route. Comme Cashel Boylo Connoro Coylo Tisdall Maurice Pissedalle Farrell. En rououououte.

Bien, il faut que je. Vraiment, vous partez ? ouifstirvoir. Blmstva. Au-d'sus des hauts blébleuets. Bloom se leva. Euh. Sens ce savon un peu collant derrière. Ai dû transpirer : la musique. Cette lotion me rappeler. Bien, à bientôt. De luxe. Carte à l'intérieur, oui[87].

Devant Pat le sourd sur le pas de la porte, l'oreille tendue, Bloom passa.

À la caserne Geneva ce jeune homme mourut. À Passage son corps fut enseveli. Dolor ! Oh, doloril ! La voix du chantre en deuil invitait à une prière douloureuse.

Devant la rose, devant le sein de satin, devant la main caressante, devant les fonds de tasse, les bouteilles vides, les bouchons qui ont sauté, saluant en s'en allant, s'en allait Bloom, laissant derrière lui les yeux et la toison, le bronze et l'or terni dans la profondeur ombrocéan, le mol Bloom, je me sens tellement seul Bloom.

Toc. Toc. Toc.

Priez pour lui, priait la voix de basse de Dollard. Vous qui écoutez en paix. Faites monter une prière, versez une larme, hommes d'honneur, bonnes gens. C'était le ptit tondu.

Faisant sursauter le chasseur le jeune chasseur tondu qui écoute aux portes Bloom de l'entrée de l'Ormond entendait gronder et rugir les bravos, de lourdes démonstrations de satisfaction, leurs chaussures trépigner, les chaussures, pas le chasseur. Le chœur final parti pour une tournée générale afin d'arroser tout ça. Content d'avoir évité.

— Allons, Ben, dit Simon Dedalus. Au vrai, vous n'avez jamais été si bon.

— Meilleur, dit Tomgin Kernan. Un rendu des plus mordants de cette ballade, en mon âme et conscience c'est vrai.

— Lablache[88], dit le Père Cowley.

Le corpulent Ben Dollard fit pesamment des pas de flamenco vers le bar, tout repu de gloire et tout gros rosissant, Achille au pied lourdaud, ses doigts goutteux battant la castagnette dans l'air.

Big Benaben Dollard. Big Benben. Big Benben.

Rrr.

Et tous remués jusqu'au tréfonds, Simon trompetant son attendrissement de son nez corne de brume, tous riant aux éclats, ils l'entraînèrent, Ben Dollard, d'excellente humeur.

— Vous êtes bien cramoisi, dit George Lidwell.

Mlle Douce arrangeait sa rose pour servir.

— Ben mon cœur, dit M. Dedalus avec une grande claque sur l'épaule rembourrée de Ben. Frais comme un gardon malgré cette couche adipeuse répartie sur toute sa personne.

Rrrrrrsss.

— Gras à mort, Simon, grogna Ben Dollard.

Richie n'y touchez pas il est brisé était assis tout

seul : Goulding, Collis, Ward. Pas certain, il attendait. Pas payé Pat aussi attendait.

Toc. Toc. Toc. Toc.

Mlle Mina Kennedy approcha ses lèvres de l'oreille de chope numéro un.

— Monsieur Dollard, murmurèrent-elles tout bas.

— Dollard, murmura chope.

Cho numéro un croyait : Mlle Kenn quand elle : ce doll il était : elle baby doll : la cho.

Il murmura qu'il connaissait le nom. C'est-à-dire que le nom lui était familier. Ce qui revenait à dire qu'il avait entendu le nom de Dollard, c'est bien ça ? Oui, Dollard.

Oui, dirent ses lèvres plus distinctement, M. Dollard. Il a chanté cette chanson merveilleusement, murmura Mina. Et *La dernière rose de l'été* était une chanson merveilleuse. Mina adorait cette chanson. Chope adorait la chanson que Mina.

C'est la dernière rose de l'été Dollard quitté bloom sentit un vent tournoyer à l'intérieur.

D'un gazeux, ce cidre : et constipant. Attendez. La poste près de chez Reuben J. c'est dix fois tr. Arrêter avec ça[89]. Faire le détour par Greek street. Voudrais n'avoir pas promis de le retrouver. Plus libre dans l'air. Musique. Vous tape sur les nerfs. Pompe à bière. Sa main à elle qui balance le berceau gouverne le. Ben Howth. Qui gouverne le monde[90].

Loin. Loin. Loin. Loin.

Toc. Toc. Toc. Toc.

Il arrivait en remontant le quai, Lionelleopold, méchant Henry avec sa lettre pour Mady, avec douceurs du péché avec falbalas pour Raoul avec Mets ton ptit chose, Popold.

Toc l'aveugle marchait en toquant sa canne contre le trottoir toquant, toc et toc.

Cowley, il s'abrutit avec ça ; une sorte d'ivresse.

Mieux vaut ne faire que la moitié du chemin comme fait l'homme avec la vierge[91]. Exemple les fanas. Tout oreilles. N'en perdent même pas un quart de soupir. Les yeux clos. La tête qui bat la mesure. Cinglés. Vous n'osez pas faire le moindre mouvement. Défense formelle de penser. Toujours en train de parler de leur dada. Tant de blablablas à propos de notes.

Tout ça c'est une façon d'essayer de parler. Embêtant quand ça s'arrête parce qu'on ne sait jamais exac. L'orgue de Gardiner street. Cinquante livres par an le vieux Glynn. Bizarre là-haut dans son réduit avec ses tuyaux ouverts fermés et toutes ses clés. Assis toute la journée à son orgue. Divaguant des heures durant, parlant tout seul ou au type qui fait souffler ses soufflets. Grognement de colère, puis des cris perçants (lui faudrait de la cire ou quelque chose dans ses non fais pas ça cria-t-elle), puis d'une toute fluette soudaineté un chuintement, petit petit ventcoulis chuintant.

Pfuii ! un petit ventcoulis chuinta. C'est Bloom, son petit troufioui.

— Lui, vraiment ? dit M. Dedalus, de retour pipe récupérée. J'étais avec lui ce matin pour le pauvre petit Paddy Dignam…

— Ouais, que Dieu ait son âme.

— Au fait il y a un diapason là sur le…

Toc. Toc. Toc. Toc.

— Sa femme a une belle voix. Ou avait. Hein ? demanda Lidwell.

— Oh, ça doit être l'accordeur, dit Lydie à Simonlionel la première fois qu'il vit, il l'a oublié lorsqu'il était ici.

Aveugle il était dit-elle à George Lidwell la deuxième fois qu'elle. Et jouait d'une façon si charmante, un régal pour l'oreille. Charmant contraste : bronzelid minador.

— Allez-y ! cria Ben Dollard en versant à boire. Une chanson !

— Ça va ! cria le Père Cowley.

Rrrrrr.

Je sens que j'ai besoin…

Toc. Toc. Toc. Toc. Toc.

— Très, dit M. Dedalus les yeux fixés sur une sardine sans tête.

Sous la cloche à sandwiches gisait dans un cercueil de pain une dernière, une toute seule, la dernière sardine de l'été. Bloom tellement seul.

— Très, il la fixait. Dans le registre mezzo[92], surtout.

Toc. Toc. Toc. Toc. Toc. Toc. Toc. Toc.

Bloom passait devant chez Barry. Voudrais bien pouvoir. Attendre. Ce baumiracle, si je l'avais. Vingt-quatre avoués dans cette seule maison. Litiges. Aimez-vous les uns les autres. Des piles et des piles de parchemin. MM. Pick et Poche ont pouvoir de procuration. Goulding, Collis, Ward.

Mais par exemple le gars qui cogne dans la grosse caisse. Sa vocation : l'orchestre de Micky Rooney. Me demande comment ça l'a pris d'abord. Assis chez lui après le petit salé au chou qu'il dorlote dans le fauteuil. Quand il répète sa partie d'orchestre. Pom. Padapom. Sympa pour la femme. Peaux d'ânes. On les fouette pendant leur vie, on les cogne après leur mort. Pom. Cogne. Sans doute ce qu'on appelle litham je veux dire kismet. Le destin.

Toc. Toc. Un jeune aveugle, un jouvenceau, avec une canne qui toque, arrivait en toctoctoquant devant la vitrine de Daly où une sirène, les cheveux tout ondoyants (mais il ne pouvait pas voir), tirait des bouffées d'une petite sirène (aveugle ne pouvait), petite sirène bouffée de rêve

Instruments. Un brin d'herbe, ses mains arrondies en

coquillage puis souffler. Même peigne et du papier de soie on peut en sortir un air. Molly en petite tenue Lombard street west, les cheveux défaits. Je pense que chaque métier produit la sienne, voyez-vous. Le chasseur avec sa corne. Vite vit. Avez-vous le ? *Cloche. Sonnez la !* Le berger son flûtiau. L'agent un sifflet. Serrurier ! Ramoneur ! Quatre heures à la bonne heure ! Au dodo ! Tout est perdu ! Tambour ? Papadam. Attendez, je sais. Crieur de rue. Huissier en vadrouille. Long John. Réveiller les morts. Padam. Dignam. Pauvre petit *nominedomine*. Padam. C'est de la musique, je veux dire bien sûr que tout ça c'est très padam padam padam ce qu'on appelle *da capo*. On peut quand même l'entendre. Une, deux, une, deux. Au pas. Padam.

Il faut vraiment que je. Fff. Et si ça m'échappait à un banquet. Simple affaire de coutume shah de Perse. Faites monter une prière, versez une larme. Il fallait tout de même qu'il soit un peu con pour ne pas avoir vu que c'était un capitaine de la gar. Emmitouflé de pied en cap[93]. Me demande qui était ce type au cimetière avec le machin[94] marron. Oh, voilà la putain du coin !

Une pute négligée avec canotier de marin noir sur l'oreille avançait vitreuse le long du quai en plein jour en direction de M. Bloom. La première fois qu'il vit cette forme chère. Oui, c'est. Je me sens tellement seul. Soir de pluie dans la ruelle. Vit. Qui avait le ? Luivit. Ellevit. Loin de son champ de manœuvre ici. Qu'est-ce qu'elle ? Espère qu'elle. Psiit ! Vous me donneriez votre linge sale. Connaissait Molly. M'avait découvert. Une grosse dame avec toi dans une robe marron. Ça vous perturbe, ça. Rendez-vous que nous avions pris. Sachant que nous n'avons jamais, ou presque jamais[95]. Trop cher trop près du cher foyer. Me voit, n'est-ce pas ? Elle est à faire peur en plein jour. Une tronche en saindoux. Et merde. Après tout, il faut bien qu'elle vive elle aussi. Regardons voir là-dedans.

Dans la vitrine de la boutique d'antiquités de Lionel Marks le hautain Henry Lionel Leopold cher Henry Flower le très sincère M. Leopold Bloom contemplait des bougeoirs une cornemuse à soufflets toute délabrée qui perdait son outre mangée aux vers. Une affaire : six shillings. Pourrais apprendre à jouer. Pas cher. Laissons-la passer. Sûr tout paraît cher quand on n'en veut pas. C'est ce qui fait le bon commerçant. Vous fait acheter ce qu'il veut vendre. Un gars qui m'a vendu le rasoir suédois avec lequel il me rasait. Voulait me faire payer en plus pour l'avoir aiguisé. La voilà qui passe. Six shillings.

Ça doit être le cidre, ou le bourgo peut-être.

Auprès de bronze de près auprès d'or de loin ils entrechoquèrent leurs verres qui tintèrent, tous ces séducteurs à l'œil pétillant, devant bronze Lydie et sa rose tentatrice dernière rose de l'été, rose de Castille. Premier Lid, Ded, Co, Ker, Doll, une quinte : Lidwell, Si Dedalus, Bob Cowley, Kernan et Big Ben Dollard.

Toc. Un jeune homme a pénétré dans l'entrée solitaire de l'Ormond.

Bloom considérait le portrait d'un galant héros dans la vitrine de Lionel Marks. Les dernières paroles de Robert Emmet. Sept dernières paroles. Sont de Meyerbeer, hein[96].

— Des hommes d'honneur comme vous.

— Ouais, ouais, Ben.

— Lèvera son verre comme les autres.

Ils les levèrent.

Tchin. Tchin.

Tic et toc. Un nonvoyant un jouvenceau se tenait sur le seuil. Il ne voyait pas bronze. Il ne voyait pas or. Ni Ben ni Bob ni Tom ni Si ni George ni chopes ni Richie ni Pat. Hé hé hé hé. Il ne voyait pas.

Bloommer, bloommerd'huile considérait les dernières paroles. En sourdine. *Quand ma patrie prendra sa place parmi*[97].

Prrrprr

Doit être le bour.

Pff. Oho. Prrrut

Les nations de la terre. Personne derrière. Elle est passée. *Alors et pas avant*. Le tram. Kran, kran, kran. Bonne occase. Il arrive. Krandlkrankran. Je suis certain que c'est le bourg. Oui. Une, deux. *Que mon épitaphe soit*. Kraaaaaa. *Écrite*. *J'en ai.*

Prrrouftrrprff.

Fini.

J'étais là, peinard, en train de tuer le temps avec le vieux Troy de la Police Métropolitaine de Dublin au coin d'Arbour Hill quand voilà-t'y pas qu'un connard de ramoneur est arrivé et qu'il m'a pratiquement foutu son attirail dans l'œil. J'ai fait un demi-tour pour lui montrer de quel bois je me chauffe quand qui c'est que je vois qui traînasse le long de Stony Batter, Joe Hynes himself.

— Ho, Joe, je dis. La forme ? T'as vu ce connard de ramoneur qui a failli m'éborgner avec sa foutue brosse.

— La suie, ça porte bonheur, fait Joe. Et c'est qui ce vieux couillon avec qui tu parlais ?

— Le vieux Troy, je dis, l'était dans la police. Je suis à deux doigts de porter plainte contre ce type pour obstruction de la voie publique avec ses balais et ses échelles.

— Qu'est-ce que tu trafiques dans le coin ? fait Joe.

— Pas des masses, je dis. Y a un voleur, un sacré finaud là derrière, près de la chapelle de la caserne au coin de Chicken Lane — le vieux Troy était justement en train de me filer un tuyau sur lui — il a piqué des tonnes de thé et de sucre à payer trois balles par semaine, il a une ferme dans le comté de Down, qu'il dit, à un type même pas grand comme mon pouce qui s'appelle Moïse Herzog qu'il dit, par là dans les environs d'Heytesbury street.

— Un circoncis ! fait Joe.

— Ouais, je dis. Lui en manque un bout[1]. Un vieux plombier qui s'appelle Geraghty. Je lui cours sur le râble depuis maintenant une quinzaine et j'ai pas pu lui faire cracher un sou.

— C'est ça tes affaires en ce moment ? fait Joe.

— Ouais, je fais. Les héros sont tombés bien bas[2] ! Collecteur de créances mauvaises et douteuses. Mais c'est un sacré bandit, la fripouille la plus notoire qu'on puisse rencontrer au coin d'un bois et avec un visage vérolé que chaque trou pourrait contenir une averse. *Dites-lui*, il dit, *que je le défie*, il dit, *et que je le doubledéfie de vous envoyer encore ici car s'il le fait*, il dit, *je le ferai citer devant le tribunal, et il en sera ainsi, pour commerce sans patente*. Et lui après qu'il s'en est mis à s'en faire péter la panse ! Bon dieu, qu'il me faisait rire le petit youde qui se foutait en rogne. *Il me boit mes thés. Il me mange mes sucres. Parce que quoi il me paie pas mes argents ?*

Pour des denrées non périssables achetées à Moïse Herzog, domicilié 13, Saint Kevin's parade, Wood quay ward, négociant, subséquemment nommé le vendeur, et vendues et livrées à Michael E. Geraghty, Esquire, domicilié 29 Arbour Hill, ville de Dublin, d'Arran quay ward, particulier, subséquemment nommé l'acquéreur, videlicet, cinq livres bien pesées de thé premier choix à trois shillings zéro pence la livre bien pesée et quarante-deux livres bien pesées de sucre cristallisé, à trois pence la livre bien pesée, ledit acquéreur étant débiteur audit vendeur d'une livre cinq shillings et six pence pour la valeur reçue dont le montant devra être payé par ledit acquéreur audit vendeur par échéances hebdomadaires payables tous les sept jours de trois shillings sterling et zéro pence : et lesdites denrées non périssables ne devront pas être gagées ni engagées ni vendues ni aliénées d'aucune manière par ledit acquéreur mais devront être et rester et être tenues pour la seule et exclusive propriété dudit vendeur qui peut en disposer à son gré et selon son bon plaisir jusqu'à ce que ledit montant ait été dûment réglé par ledit acquéreur audit vendeur de la façon dont il a été spécifié ce jour par accord entre ledit vendeur, ses héritiers, successeur, représentants et ayants droit d'une part et ledit acquéreur, ses héritiers, successeur, représentants et ayants droit, d'autre part.

— Es-tu un antialcoolique pur et dur ? fait Joe.

— Je ne prends rien entre mes consommations, je réponds.

— Et si on allait boire à la santé de notre ami ? fait Joe.

— Qui ça ? je fais. En effet, il est à Jean de Dieu[3], il a plus toute sa tête le pauvre.

— Où il boit son propre jus ? fait Joe.

— Ouais, je dis. Il a du whisky et de l'eau à la place du cerveau.

— Viens faire un tour chez Barney Kiernan[4], fait Joe. Je dois voir le citoyen[5].

— OK pour l'amour de Barney[6], je dis. Y a quelque chose de spécial ou de spectaculaire, Joe ?

— Absolument rien, fait Joe. J'étais là à cette réunion au City Arms.

— Qu'est-ce que c'était que ça, Joe ? je demande.

— Les marchands de bestiaux, fait Joe, rapport à la fièvre aphteuse. J'ai deux trois infos à filer au citoyen là-dessus.

Alors comme ça on a contourné les casernes Linenhall et l'arrière du palais de justice à parler de tout et de rien. Il est correct, Joe, quand il en a mais il y a apparence qu'il en a jamais. Ma parole, je ne pourrai jamais me défaire de cette sacrée fripouille de Geraghty, ce voleur professionnel. Pour commerce sans patente, il dit.

Dans Inisfail la belle il est une terre, la terre de Michan le vénéré[7]. Là s'élève une tour de guet[8] que l'on découvre de très loin. Là reposent nos grands morts tels qu'ils dormaient pendant leur vie, les guerriers et les princes de haut renom[9]. C'est une terre amène en vérité, avec le murmure de ses rivières, des courants poissonneux où s'ébattent le grondin, la plie, le gardon, le flétan, l'aiglefin bossu, la truite, la limande, la barbue, le carrelet, le merlan, les poissons communs indifférenciés et autres habitants du royaume aquatique trop nombreux pour être énumérés. Dans les douces brises de l'ouest et de l'est les arbres altiers agitent en des directions variables leurs nobles frondaisons, le sycomore odoriférant, le cèdre du Liban, le platane élancé, l'eugénique eucalyptus[10] et d'autres ornements du monde arboré dont cette région est merveilleusement pourvue. De ravissantes jeunes filles assises tout contre les racines des arbres ravissants chantent les plus ravissantes chansons qu'il est possible d'entendre tout en jouant avec toutes sortes d'objets ravissants comme par exemple des lingots d'or, des poissons argentés, des barils de harengs, des filets d'anguilles, des petites morues, des paniers de jeunes saumons, de pourpres aigues-marines et des insectes rieurs. Et les héros viennent des confins de la terre pour leur faire la cour, depuis Eblana jusqu'à Slievermargy, les princes sans pairs de la libre Munster et de Connacht la juste et de la pure et douce Leinster et de la terre de Cruachan et d'Armagh la magnifique et du noble district de Boyle[11], les princes, les fils de rois.

Là s'élève un palais resplendissant dont le toit de

cristal brillant de mille feux s'offre à la vue des marins qui traversent les mers immenses dans des embarcations spécialement conçues pour cette entreprise et en ce lieu convergent tous les troupeaux et les jeunes bêtes à l'engrais et les primeurs de cette terre car O'Connell Fitzsimon en perçoit la dîme [12], chef descendant de chefs. En ce lieu de gigantesques chariots transportent les fruits de la terre, des paniers entiers de choux-fleurs, des charrettes d'épinards, d'énormes ananas, des haricots de Rangoon [13], des boisseaux de tomates, des tonnelets de figues, des cagettes de navets de Suède, des pommes de terre sphériques et de grandes quantités de choux chatoyants, de York et de Savoie, et des barquettes d'oignons, perles de la terre [14], et des cartons entiers de champignons, de courges jaunes, de vesces grasses, d'orge et de colza, et les pommes rouges vertes jaunes grises rousses douces acidulées mûres et pommelées et puis les fraises des bois, les tamis de groseilles à maquereaux, pulpeuses et translucides, les fraises dignes des princes et les framboises en branches.

Je le défie, il fait, et je le doubledéfie. Viens un peu par ici, Geraghty, espèce de salopard de voleur de grand chemin !

Et par la même voie s'acheminent des troupeaux innombrables de moutons à clochettes et de brebis pleines, de béliers à leur première tonte, d'agneaux, d'oies gavées, de bouvillons, de juments hennissantes, de veaux écornés, de moutons à poil long et de moutons d'élevage, de jeunes taureaux de chez Cuffe et d'animaux à abattre, des truies et des cochons bien gras et des variétés différemment variées de pourceaux des meilleurs lignages, des génisses du comté d'Angus, des bouvillards au pedigree impeccable avec les jeunes vaches laitières primées et les bœufs ; et là on ne cesse d'entendre le piétinement, le gloussement, le meuglement, le beuglement, le bêlement, le mugissement, le grondement, le grognement, le mâchement, le mâchonnement des moutons, des cochons, des vaches aux lourds sabots des pâturages de Lusk, de Rush et de Carrickmines ainsi que des vallées fertiles de Thomond, des M'Gillicuddy's reeks inaccessibles et du fleuve Shannon, seigneurial et insondable, et des douces déclivités du berceau de la race de Kiar[15], leurs mamelles distendues par surabondance de lait, et puis les mottes de beurre et la présure de fromage et des tonnelets et des poitrines d'agneaux et des monceaux de blé et des œufs oblongs par milliers, de toutes les tailles, d'agate aussi bien que d'onyx[16].

On est donc entrés chez Barney Kiernan et comme de juste le citoyen y était dans son coin au fond en grand conciliabule avec lui-même et son vieux galeux de bâtard, Garryowen[17], attendant que quelque chose lui tombe du ciel en fait de boisson.

— Le voilà, je fais, dans son glorieuxtrou, avec sa petite cruche[18] et sa masse de paperasses, qui travaille pour la cause.

Le sale clebs lâcha un de ces râles à vous en donner la chair de poule. Serait une œuvre pie si quelqu'un nous débarrassait de ce clébard. Je me suis laissé dire qu'il avait bouffé le fond de culotte d'un gendarme de Santry qui passait un jour par là avec le papier bleu des patentes.

— Qui va là ? il dit.

— Pas de problème, citoyen, dit Joe. Des amis.

— Passez les amis, il dit.

Alors il se frotte les yeux avec ses mains et il dit :

— Votre opinion sur la situation ?

Il faisait son rebelle, son Brigand des montagnes[19]. Mais, putain Joe était à la hauteur de la situation.

— Je pense que le marché est à la hausse, il dit, en glissant sa main dans son entrejambe.

Alors le citoyen putain il se tape le genou avec sa patte et il dit :

— C'est la faute aux guerres étrangères.

Alors Joe en fourrant le pouce dans sa poche :

— C'est les Russes faut qu'ils tyrannisent[20].

— Rrr, arrête un peu avec tes conneries, Joe, je dis, j'ai une de ces soifs que je la vendrais pas pour une demi-couronne.

— Tu l'étanches avec quoi, citoyen ? dit Joe.

— La bibine du pays[21], il fait.

— Et pour toi, ce sera ? dit Joe.

— Comme lui, ditto MacAnaspey[22], je dis.

— Trois pintes, Terry, fait Joe. Et comment va cette vieille branche, citoyen ? il dit.

— Au mieux, l'ami, *a chara*[23], au mieux. Hein mon Garry ? On les aura tous, hein ?

Et en disant cela, il attrapait son sacré vieux tueur par la peau du cou et nom de dieu, c'est miracle s'il l'a pas étranglé.

Le personnage assis sur un bloc de bonne taille au pied d'une tour ronde était un héros large d'épaules à la poitrine vaste aux membres robustes aux yeux francs aux cheveux roux aux éphélides nombreuses à la barbe broussailleuse à la bouche énorme au gros nez à la tête longue à la voix profonde aux genoux nus aux mains musculeuses aux jambes poilues à la face rubiconde aux bras musclés. D'une épaule à l'autre il mesurait plusieurs aunes et ses genoux pareils à des montagnes rocheuses étaient couverts, comme l'étaient toutes les parties visibles de son corps, d'une épaisse végétation de poils drus et fauves semblables par la teinte et la rudesse à des ajoncs de montagne (*Ulex Europeus*). Ses baibéantes narines, qui se hérissaient de poils de la même teinte fauve, étaient d'une telle ampleur que dans leur obscurité caverneuse l'alouette agreste eût facilement établi son nid. Ses yeux dans lesquels une larme et un sourire[24] luttaient sans cesse pour la suprématie avaient la taille d'un choufleur de bonne dimension. Un jet puissant d'haleine chaude sortait à intervalles réguliers de la profonde cavité de sa bouche tandis que dans un rythme retentissant les réverbérations bruyantes et puissantes de son formidable cœur grondaient comme le tonnerre et faisaient que le sol, le sommet de la tour altière et les murs encore plus altiers de la caverne vibraient et s'ébranlaient.

Il portait une longue tunique sans manches faite de la peau d'un bœuf récemment écorché qui lui descendait jusqu'aux genoux comme un kilt large et attachée en son milieu par une ceinture de paille et d'ajoncs tressés. En dessous il portait une étroite culotte de daim, grossièrement cousue avec un boyau. Ses extrémités inférieures étaient enfermées dans des hauts-de-chausses de Balbriggan[25] teintes avec du lichen pourpre et ses pieds étaient chaussés dans des brogues[26] en cuir de vache séché dans le sel attachées avec la trachée de la même bête. À sa ceinture pendait une rangée de galets qui tintaient à chacun des mouvements de sa carrure prodigieuse sur lesquels étaient gravées dans un style brut mais frappant les figures tribales de nombreux héros et héroïnes de l'antique Irlande, Cuchulin[27], Conn aux cent batailles, Niall aux neuf otages, Brian de Kincora, les Ardri Malachi, Art MacMurragh, Shane O'Neill, le Père John Murphy, Owen Roe, Patrick Sarsfield, Hugh O'Donnell le Rouge, Jim MacDermott le Rouge, Soggarth Eoghan O'Growney, Michael Dwyer, Francy Higgins, Henry Joy M'Cracken, Goliath, Horace Wheatley, Thomas Conneff, Peg Woffington, le Forgeron du Village, le Capitaine Clair de lune, le Capitaine Boycott, Dante Alighieri, Christophe Colomb, saint Fursa, saint Brendan, le Maréchal MacMahon, Charlemagne, Theobald

Wolf Tone, la Mère des Macchabées, le Dernier des Mohicans, la Rose de Castille, le Candidat de Galway, l'Homme qui a fait sauter la banque de Monte Carlo, Le Troisième Larron, la Femme qui n'osa point, Benjamin Franklin, Napoléon Bonaparte, John L. Sullivan, Cléopâtre, la Fidèle Bien-aimée, Jules César, Paracelse, sir Thomas Lipton, Guillaume Tell, Michel-Ange Hayes, Mahomet, la Fiancée de Lammermoor, Pierre L'Ermite, Pierre le Prévaricateur, la Brune Rosalinde, Patrick W. Shakespeare, Brian Confucius, Murtagh Gutenberg, Patricio Vélasquez, le Capitaine Nemo, Tristan et Yseut, le premier Prince de Galles, Thomas Cook et fils, le Hardi Petit Soldat, Arragh na Pogue, Dick Turpin, Ludwig Beethoven, Ma belle Irlandaise, Healy marche-en-canard, Angus servant Dieu, Dolly Mount, Sydney Parade, Ben Howth, Valentin Greatrakes, Adam et Ève, Arthur Wellesley, Boss Croker, Hérodote, Jack le tueur-de-géants, Bouddha Gautama, Lady Godiva, le Lis de Killarney, Balor le Mauvais Œil, la Reine de Saba, Acky Nagle, Joe Nagle, Alessandro Volta, Jeremiah O'Donovan Rossa, Don Philip O'Sullivan Beare. Une épée de granit acéré était couchée près de lui tandis qu'à ses pieds gisait un sauvage animal de la race canine dont les ronflements irréguliers suggéraient qu'il était plongé dans un sommeil difficile, hypothèse confirmée par des grognements rauques et des mouvements spasmodiques que son maître réprimait de temps à autre en lui donnant d'apaisants petits coups d'un solide gourdin, grossièrement fabriqué au moyen d'une pierre paléolithique.

Toujours est-il que Terry apporta les trois pintes de la tournée à Joe et putain je n'en croyais pas mes yeux quand je l'ai vu allonger un bifton. Aussi vrai que je vous parle. Qui sentait encore l'encre.

— Et la source est pas encore épuisée, il dit.

— Tu piques dans le tronc des pauvres, Joe ? je dis.

— À la sueur de mon front, fait Joe. C'notre membre prudent[28] qui m'a refilé la combine.

— Je l'ai vu avant de te croiser, je dis, il descendait bien pépère par Pill lane et Greek street[29] avec son œil de merlan frit qui passe en détail tous les boyaux du poisscail.

Qui traverse la terre de Michan, revestu d'une armure couleur de nuit ? O'Bloom, fils de Rory[30] : c'est lui. Impénétrable à toute crainte est le fils de Rory : lui dont l'âme est prudente.

— Pour la commère de Prince street, fait le citoyen, l'organe subventionné[31]. Le parti des grandes promesses à la Chambre[32]. Et regarde-moi ce foutu torchon, il fait. Regarde-moi ça, il dit. *The Irish Independent*, rien que ça, fondé par Parnell pour être l'ami des ouvriers[33]. Écoutez bien les naissances et les morts dans *L'Indépendant Irlandais tous pour l'Irlande* et les remerciements et les mariages.

Et il se met à les lire tout haut :

— Gordon, Barnfield Crescent, à Exeter[34] ; Redmayne à Iflley, Saint Anne's on Sea, la femme de William T. Redmayne, un fils. Vous en pensez quoi, hein ? Wright et Flint, Vincent et Gillett avec Rotha Marion, fille de Rosa et du regretté George Alfred Gillett, 179 Clapham road, à Stockwell, Playwood et Ridsdale à Saint-Jude, Kensington, par le Très-révérend Dr Forrest, Doyen de Worcester, hein ? Décès. Bristow, Whitehall lane, Londres ; Carr, Stoke Newington, des suites d'une maladie de l'estomac et d'une attaque : Chaudequeue, à la Maison des douves, Chepstow…

— Je connais ce type, fait Joe, j'en ai fait l'amère expérience.

— Chaudequeue. Dimsey, épouse de David Dimsey, retraité de l'Amirauté : Miller, de Tottenham, dans sa quatre-vingt-sixième année : Welsh, le 12 juin, 35 Canning street à Liverpool, Isabella Helen. T'en penses quoi, pour de la presse nationale, hein, mon coco[35] ? Et il en pense quoi, Martin Murphy, le magouilleur de Bantry[36] ?

— Du bien, c'est sûr, fait Joe en faisant circuler la pisseuse. Dieu merci qu'ils nous ont battus sur le poteau. Buvez ça, citoyen.

— Certainement, il dit, cher confrère.

— Santé, Joe, je fais. Et à toute la troupe.

Ah ! Ouf ! Taisez-vous ! J'en pouvais plus tellement que j'en avais envie de cette pinte. Bon dieu ça fait du bien par où ça passe.

Et voyez, tandis qu'ils vidaient à longs traits leur coupe de joie, un messager pareil aux dieux entra avec la rapidité de l'éclair, un jeune homme avenant aussi radieux que l'œil du ciel, et là, derrière lui, un ancien de noble allure et à la fière contenance passa portant les rouleaux sacrés de la loi, avec à ses côtés sa femme, une dame du plus haut lignage, la plus belle de sa race.

Le petit Alf Bergan se pointa à la porte et s'embusqua dans l'arrière-salle de Barney, rigolant comme un perdu et qui c'est qui était assis là dans le coin que je n'avais pas vu ronfler ivre mort, aveugle au monde qui l'entoure, Bob Doran himself. Je n'avais aucune idée de ce qui se passait et Alf qui continuait à faire des signes en direction de dehors. Et voilà que putain c'était rien moins que ce sacré vieux guignol de Denis Breen avec ses charentaises et deux sacrés gros bouquins sous l'aisselle et sa femme sur les talons, cette pauvre infortunée qui le suivait comme un caniche. J'ai cru qu'Alf allait en crever.

— Regarde-le, il me fait. Breen. Il traîne partout dans Dublin avec une carte postale que quelqu'un lui a envoyée avec H.S. écrit dessus, en route pour int…

Et le voilà reparti à rire de plus belle.

— Pour int… quoi ? je demande.

— Pour intenter un procès en diffamation, il répond, pour dix mille livres de dommages et intérêts.

— Nom de dieu ! je fais.

Le sale cabot commença à gronder à vous donner une sacrée frousse en voyant qu'il se passait quelque chose mais le citoyen lui carra un coup de pied dans les côtes.

— *Bi i dho husht*, ta gueule, il lui dit.

— Qui ? dit Joe.

— Breen, fait Alf. Il était chez John Henry Menton et de là il est allé faire un tour chez Collis et Ward[37] et ensuite Tom Rochford l'a rencontré et l'a envoyé faire un tour chez le sous-shérif pour lui faire une blague. Bon dieu, j'en peux plus de rire. H.S. Hors service. Le long John lui a lancé un regard aimable comme une porte de prison et depuis ce putain de vieux fou est parti dans Green street à la recherche d'un type de la police.

— Quand est-ce que le long John va se décider à pendre ce type à Montjoie[38] ? fait Joe.

— Bergan, fait Bob Doran qui se réveille. C'est pas Alf Bergan qui est là ?

— Si, fait Alf. Le pendre ? Attendez un peu que je vous montre. Hé, Terry, mets-nous un p'tit verre. Ce sacré vieux maboul ! Dix mille livres. T'aurais vu la tête de long John. H.S...

Et il recommença à rire.

— De qui vous vous moquez ? demande Bob Doran. C'est pas Bergan ?

— Vite, Terry, mon garçon, fait Alf.

Terence O'Ryan l'entendit et lui apporta aussitôt la coupe de cristal emplie de la mousse d'ébène écumeuse que les nobles frères jumeaux Bieriveagh et Bierardilaun[39] ont toujours brassée dans leurs divins fûts, aussi rusés que les fils de l'immortelle Léda[40]. Car ils engrangent les baies succulentes du houblon, ils les rassemblent et les trient, les pressent et les brassent et ils y mélangent les aigres jus puis apportent le moût au feu sacré et ils n'interrompent leur labeur ni le jour ni la nuit, ces frères rusés, rois des fûts.

Ainsi fis-tu, chevaleresque Terence, tu tendis, familiarisé de naissance avec ces mœurs[41], ce breuvage nectaréen, et tu offris la coupe de cristal à celui qui avait soif, l'âme de la chevalerie, égale en beauté aux immortels.

Mais lui, le jeune chef des O'Bergan, ne put souffrir d'être surpassé en hauts faits généreux tant et si bien qu'il tendit aussitôt en un geste gracieux un teston[42] du bronze le plus précieux. Forgée en relief sur ce remarquable ouvrage on pouvait voir l'image d'une reine au port souverain, descendante de la maison de Brunswick[43], Victoria était son nom, Sa Très Gracieuse Majesté, par la grâce de Dieu, du Royaume Uni de Grande Bretagne, d'Irlande et des Dominions de l'Empire britannique au-delà des mers, reine, championne de la foi, Impératrice des Indes, celle-là même qui détenait la règle, victorieuse de tant de peuples, la bien-aimée, car ils la connaissaient et l'aimaient du lever du soleil jusqu'à son couchant[44], le pâle, le sombre, le rouge et l'éthiopien[45].

— Qu'est-ce qu'il fout ce putain de franc-maçon, fait le citoyen, à rôder comme ça dehors de long en large ?

— Qui ça ? demande Joe.

— Voilà, fait Joe en faisant rouler son flouze. À propos de pendaison, je vais vous montrer un truc que vous avez jamais vu. Des lettres de bourreaux. Regardez-moi ça.

Alors il a sorti de sa poche une liasse de bouts de lettres et d'enveloppes.

— Tu te fous de nous ? je dis.

— Parole que non, fait Joe. Lis-les.

Alors Joe a pris les lettres.

— De qui vous vous moquez ? demande Bob Doran.

Alors j'ai vu qu'il allait y avoir du vilain. Bob il est un peu spécial quand la porter lui monte à la tête, alors je fais, juste pour dire un truc :

— Il va comment Willy Murray ces temps-ci, Alf ?

— Je sais pas, il me répond. Je l'ai vu à l'instant sur Capel street avec Paddy Dignam. Mais j'étais en train de courir après cet enfoiré…

— T'as quoi ? fait Joe qui en laisse tomber les lettres. Avec qui ?

— Avec Dignam, fait Alf.

— Tu parles de Paddy ? demande Joe.

— Oui, fait Alf. Pourquoi ?

— Tu sais pas qu'il est mort ? fait Joe.

— Mort, Paddy Dignam ? fait Alf.

— Ouais, fait Joe.

— J'en donne ma main à couper que je l'ai vu y a pas plus de cinq minutes, fait Alf, clair comme de l'eau de roche.

— Qui est mort ? demande Bob Doran.

— Alors t'as vu son fantôme, fait Joe, que Dieu nous protège.

— Quoi ? fait Alf. Bon dieu. Y a pas cinq… Quoi ?… et Willy Murray qui était avec lui, les deux là près de chez chezpluscomment… Quoi ? Dignam mort ?

— Qu'est-ce qu'il y a Dignam ? fait Bob Doran. Qui parle de… ?

— Mort ! fait Alf. Il est pas plus mort que vous et moi.

— Possible, fait Joe. Ça n'empêche qu'ils ont eu le toupet de l'enterrer ce matin même.

— Paddy ? fait Alf.

— Ouais, fait Joe. Il a payé son tribut à la nature, Dieu ait pitié de lui.

— Nom de dieu ! fait Alf.

Putain il en était ce qui s'appelle tout estomaqué.

Dans le noir on sentit voltiger les mains de l'esprit et lorsque la prière tantrique[46] fut dirigée vers l'endroit adéquat, un éclat faible mais croissant de lumière vermeille se fit de plus en plus distinct, l'apparition du double éthérique s'animant grâce à l'émanation de rayons jiviques[47] depuis le sommet de la tête et du visage. La communication fut établie à travers le corps pituitaire[48] mais également au moyen de rayons d'écarlate et d'orange ardent émanant de la région sacrée et du plexus solaire. Interrogé par son nom terrestre sur son séjour dans le monde céleste il répondit qu'il était maintenant sur le chemin de pralaya[49] ou chemin du retour mais qu'il était encore soumis à jugement entre les mains de certaines entités assoiffées de sang qui règnent au niveau astral inférieur. En réponse à la question portant sur ses premières impressions sur le grand passage dans l'au-delà il dit qu'au début il lui semblait voir comme en un miroir et confusément mais que ceux qui ont trépassé voyaient s'ouvrir à eux des possibilités supérieures de développement atmique[50]. À la question de savoir si la vie là-haut ressemblait à notre expérience corporelle il répondit qu'il avait su par des êtres maintenant mieux établis que lui dans l'esprit que leurs demeures étaient équipées de tout le confort moderne, avec talafane, asasar, achadafad, watarklasat[51], et que les adeptes les plus avancés étaient plongés jusqu'au cou dans les vagues de la voluptuosité la plus pure. Ayant réclamé deux pintes de petit lait qui lui fut apporté il se sentit apparemment soulagé. On lui demanda s'il avait un message particulier à adresser aux vivants et il exhorta tous ceux qui se trouvaient encore du mauvais côté de Maya[52] à entrer dans la connaissance de la vraie voie car il était rapporté dans les cercles dévaniques que Mars et Jupiter menaçaient à l'angle oriental, zone de pouvoir du bélier[53]. On sonda ensuite le défunt pour savoir s'il n'avait pas des vœux particuliers à transmettre et il répondit : *Nous vous saluons, amis de la terre, qui êtes toujours dans vos corps. Faites attention que C.K. n'en rajoute pas*. Il fut clairement établi qu'il y avait une allusion à M. Cornélius Kelleher, directeur de l'entreprise de pompes funèbres populaires de MM. H. J. O'Neill, un ami personnel du défunt, qui avait été responsable de la conduite des opérations d'enterrement. Avant de partir, il demanda qu'on dît à son cher fils Patsy que son autre botte, celle qu'il cherchait, était à présent sous la chaisepercée dans la pièce située à mi-étage et qu'il fallait envoyer la paire chez Cullen à ressemeler seulement étant donné que les talons étaient encore bons. Il déclara que tout cela avait grandement perturbé sa tranquillité d'esprit dans l'autre monde et il insista fortement pour que son vœu fût transmis. On l'assura qu'on s'emploierait à la chose et il nous fut précisé que cette assurance lui donnait toute satisfaction.

Il a quitté le repaire des mortels : O'Dignam, soleil de notre matin. Léger était son pied sur la fougère : Patrick au front resplendissant. Tu peux gémir, Banba[54], et faire souffler tes vents : et tu peux gémir, Ô Océan, et agiter la tempête.

— Le revoilà, fait le citoyen qui regardait dehors.

— Qui ? je demande.

— Bloom, il répond. Il est là à faire le planton de long en large depuis au moins dix minutes.

En effet putain, j'ai vu sa tronche jeter un œil à l'intérieur et puis se défiler encore une fois.

Le petit Alf en restait comme deux ronds de flan. Ma parole.

— Bon Dieu, il fait, je l'aurais parié que c'était lui.

Et alors Bob Doran, avec son chapeau à l'arrière de son crâne, la pire crapule de Dublin quand il est sous l'emprise, il fait :

— Qui a dit que Dieu était bon ?

— Je te demande lardon, fait Alf.

— Il est bon le Dieu qui a fait mourir le pauvre petit Willy Dignam ? fait Bob Doran.

— Bof, qui sait, fait Alf qui tente de calmer le jeu. Là où il est il a plus de problèmes.

Mais Bob Doran il repart à gueuler.

— C'est un sacré salaud moi je dis, d'avoir fait mourir le pauvre petit Willy Dignam.

Terry s'amena et lui fit un clin d'œil appuyé pour qu'il se tienne tranquille, on ne voulait pas ce genre de conversation dans un établissement patenté et respectable. Alors Bob Doran se met à pleurnicher sur Paddy Dignam, aussi vrai que je vous parle.

— Le meilleur des hommes, il fait en reniflant, le plus beau, le meilleur des êtres.

C'est tout juste si la larme vous va pas direct dans l'œil. Il travaille du chapeau. Ferait mieux de retourner chez lui retrouver la pauvre petite putain somnambule qu'il a mariée, Mooney, la fille au commis d'huissier, la mère avait un garni dans Hardwicke street qu'elle se trimballait sur le palier, c'est Bantam Lyons qui s'y arrêtait un temps qui me l'a dit, à deux heures du mat. Complètement à poil, le cul à l'air, à disposition, entrée libre mais c'est pas gratuit.

— L'être le plus noble, le plus loyal, il continue. Et il est plus là, pauvre petit Willy, pauvre petit Paddy Dignam.

Plein d'affliction et le cœur lourd, il pleura l'extinction de ce rayon du ciel.

Le vieux Garryowen recommença à gronder en voyant Bloom qui tournicotait autour de la porte.

— Venez, entrez, il va pas vous manger, fait le citoyen.

Alors Bloom il rapplique pépère en jetant son œil de merlan frit sur le chien et il demande à Terry si Martin Cunnigham était là.

— Oh, bon dieu de bois[55], fait Joe qui était en train de lire une des lettres. Écoutez voir un peu ça.

Et il se met à en lire une tout haut.

7, Hunter street
Liverpool.

Au Haut Shérif de Dublin,
Dublin.

Honoré monsieur je vous prie d'accepter mes services dans la triste affaire audessusmentionnée jai pendu Joe Gann à la prison de Bootle[56] *le 12 février 1900 et jai pendu...*

— Fais voir, Joe, je dis.

— ... *le soldat Arthur Chace pour le meurtre orible de Jessie Tilsit à la prison de Pentonville et jétais assistant quand...*

— Eh bien, je fais.

— ... *Billington a exécuté Toad Smith*[57] *l'effroyable assassin...*

Le citoyen tenta de lui arracher la lettre des mains.

— Minute papillon, fait Joe, *j'ai un truc spécial pour mettre le nœud une fois dedans il peut pas s'en réchapper espérant avoir l'honneur je reste, honoré monsieur, mon prix c'est cinq guinées.*

H. Rumbold[58],
Maître Barbier

— En voilà un beau barbare de chez les barbares en plus, fait le citoyen.

— Et quel sale torchon il envoie ce salaud, fait Joe. Tiens, Alf, il ajoute, mets toute cette merde hors de ma vue. Salut, Bloom, il fait, qu'est-ce que vous prendrez ?

Alors ils ont commencé à discutailler, Bloom qui disait que non rien, ne voulait pas ne pouvait pas et de l'excuser qu'il n'y avait pas d'offense et tout et tout et puis il dit que oui, finalement, il prendrait bien juste un cigare.

Putain, c'est un membre prudent, pas d'erreur.

— Donne-nous un de tes meilleurs bâtons de chaise, Terry, fait Joe.

Et Alf qui nous racontait qu'un brave type en avait envoyé une sur un faire-part avec une bordure noire autour.

— C'est tous des barbiers, il fait, qui viennent du Pays Noir[59] et qui pendraient père et mère pour cinq livres comptant avec les frais de déplacement.

Et il nous raconte qu'il y a deux types qui attendent en dessous pour le tirer par les pieds quand il dégringole et qu'il soit bien étranglé et ensuite ils tranchent la corde et ils la vendent par petits morceaux à quelques balles le bout.

Dans le sombre pays ils attendent, les chevaliers vengeurs de la lame. Ils se saisissent de la boucle fatale : oui, et c'est par là qu'ils envoient dans l'Érèbe[60] quiconque ayant commis un crime de sang puisque je ne saurai en aucune façon le souffrir, ainsi dit le Seigneur.

Alors ils se sont mis à parler de la peine capitale et naturellement Bloom a sorti ses pourquoi et ses comment et toute sa déconadologie[61] sur le sujet et le vieux chien qui le reniflait pendant tout ce temps, on m'a dit que ces youdes ils dégagent une espèce de drôle d'odeur que les chiens y sont sensibles, à propos de je ne sais quel pouvoir de dissuasion et ainsi de suite etcetera.

— Il y a une chose sur quoi ça n'a pas de pouvoir de dissuasion, fait Alf.

— Et c'est quoi ? fait Joe.

— L'instrument du pauvre couillon qu'on pend, fait Alf.

— C'est vrai ? demande Joe.

— Juré, fait Alf. Je l'ai su par le surveillant chef qui était à la prison de Kilmainham[62] quand ils ont pendu Joe Brady l'invincible. Il m'a raconté que quand ils ont coupé la corde après le grand saut ça se tenait droit sous leur nez comme un tisonnier.

— La maîtresse passion forte jusque dans la mort[63], fait Joe, comme a dit quelqu'un.

— On peut l'expliquer scientifiquement, fait Bloom. C'est un phénomène tout ce qu'il y a de plus naturel, comprenez-vous, parce qu'à cause de...

Et le voilà parti dans ses jargonnages à propos de phénomènes et de science et un phénomène par-ci et un phénomène par-là.

Le savant distingué Herr Professor Luitpold Blumenduft[64] avança la preuve médicale du fait que la fracture instantanée de la vertèbre cervicale et la scission résultante de la moelle épinière devaient, d'après les observations les mieux établies de la physiologie, être considérées comme devant produire nécessairement chez le sujet humain un violent stimulus ganglionnaire des centres nerveux, entraînant une rapide dilatation des pores élastiques des *corpora cavernosa*[65] de telle sorte que ces derniers facilitent instantanément l'afflux de sang dans cette partie de l'anatomie humaine qu'on appelle pénis ou organe mâle et que se produise le phénomène que la faculté a dénommé érection morbide et philoprogénérative verticale-horizontale *in articulo mortis per diminutationem capitis*[66].

Comme de bien entendu le citoyen n'attendait que

ce mot-là pour se mettre à jacter à propos des invincibles, de la vieille garde et des hommes de soixante-sept et qui a peur de parler de quatre-vingt-dix-huit[67] et Joe qui s'y met aussi à propos de tous ces types qu'on a pendus, éviscérés et déportés pour la cause par une cour martiale expéditive et d'une nouvelle Irlande et de la nouvelle-ci, ça et le reste. À propos de nouvelle Irlande il devrait commencer par aller se payer un nouveau chien. Cet animal galeux et bouffe-tout qui passe son temps à renifler et à éternuer partout dans tous les coins et qui se gratte ses croûtes et le voilà qui va tourner autour de Bob Doran qui régalait Alf d'un demi et qui se met à le lécher pour essayer d'obtenir quelque chose. Et ça manque pas, Bob Doran se met à faire le con avec lui :

— Donne la patte ! Donne la papatte, chienchien ! Mon bon chien. Donne la patte, là, c'est bien ! Donne la papatte !

Et merde ! Foutre de patte qu'il voulait patocher et Alf qui essayait de l'empêcher de dégringoler de ce foutu tabouret sur ce foutu clébard et l'autre qui arrêtait pas de radoter sur le dressage par la douceur, un chien de race, un chien bien intelligent : je t'en foutrais, moi. Le voilà qui se met à gratter les vieilles miettes de biscuits dans le fond de la boîte de chez Jacob[68] qu'il avait demandé à Terry d'apporter. Putain il a gobé tout ça comme une vieille paire de bottes et il tirait un bout de langue longue d'un mètre pour en redemander. C'est tout juste s'il a pas bouffé la boîte et le reste, ce sacré goulupatte de bâtard.

Et le citoyen et Bloom qui disputaient sur la question, sur les frères Sheares[69] et puis Wolfe Tone là-bas sur Arbour Hill et puis Robert Emmet et mourir pour la patrie, le couplet de Tommy Moore sur Sara Curran Elle est loin du pays[70]. Et Bloom qui naturellement continue à faire de l'esbroufe avec son bâton de chaise à vous foutre par terre et sa tête de lard. Tu parles d'un phénomène ! Le gros tas qu'il a marié est aussi un de ces phénomènes avec ses fesses qu'elle a comme un couloir de bowling. Du temps où ils créchaient au City Arms Pisseur Burke m'a raconté qu'il y avait là une vieille avec une espèce de demeuré[71] de neveu et que Bloom essayait de l'amadouer en la chouchoutant en lui faisant sa partie de bézigue tout ça pour avoir un bout du magot sur son testament et qu'il mangeait pas de viande le vendredi parce que la vieille elle arrêtait pas de se signer le jabot et qu'il emmenait le débile en promenade. Même qu'une fois il l'a conduit dans tous les troquets de Dublin et croyez-moi ou non, il a pas dit stop jusqu'à ce qu'il le ramène à la maison rond comme une bille en disant qu'il l'avait fait pour lui enseigner les dangers de l'alcool et nom d'un chien les trois bonnes femmes elles l'ont presque coupé en morceaux, c'est une histoire plutôt marrante, la vieille, la femme de Bloom et Mme O'Dowd qui tenait l'hôtel. Dieu qu'est-ce que j'ai pu rire en voyant Pisseur Burke les imiter en train de se hurler dessus et Bloom avec ses *Comprenez-vous ?* et ses *en revanche*. Ce qui est sûr, à ce qu'on m'a assuré, c'est que le débile allait depuis chez Power, le caviste, par là-bas dans Cope street et qu'il revenait chez lui en cabriolet, les jambes en coton, cinq fois par semaine, après avoir éclusé tous les échantillons de cette foutue taule. Tu parles d'un phénomène !

— À la mémoire des morts, fait le citoyen en levant sa pinte et en foudroyant Bloom du regard.

— Ouais ouais, fait Joe.

— Vous n'avez pas saisi ce que je voulais dire, dit Bloom. Ce que je veux dire c'est que...

— *Sinn Fein ! Nous-mêmes !* fait le citoyen. *Sinn*

fein amhain ! Nous-mêmes seuls ! Nos vrais amis sont à nos côtés et nos vrais ennemis sont en face[72].

Le dernier adieu fut émouvant au-delà de toute expression[73]. De tous les beffrois proches ou lointains le glas funèbre ne cessait de sonner tandis que dans tous les mornes alentours montait l'avertissement sinistre roulé par une centaine de tambours voilés, ponctué par le grondement sourd des canons. Les roulements d'un tonnerre assourdissant et les zébrures de l'éclair qui illuminaient cette scène terrifiante prouvaient que l'artillerie céleste avait prêté sa pompe divine à ce spectacle déjà si plein d'épouvante. Les cieux irrités déversaient de leurs écluses une pluie torrentielle sur les têtes nues de la foule assemblée qui comprenait, selon l'approximation la plus basse, cinq mille personnes. Un détachement de la Police Métropolitaine de Dublin, sous le haut commandement du Commissaire divisionnaire en personne, assurait l'ordre parmi cette affluence continue que l'harmonie cuivres et hanches de York street[74] faisait patienter en jouant admirablement, sur leurs instruments drapés de noir, l'incomparable mélodie rendue chère à notre cœur depuis le berceau par la muse plaintive de Speranza[75]. Des trains de plaisir affrétés spécialement et des chars à bancs capitonnés avaient été prévus pour le confort de nos cousins de la campagne qui étaient venus en nombre. Les fameux chanteurs des rues de Dublin, L-n-h-n et M-ll-g-n, soulevèrent l'hilarité générale en chantant *La Veille de la mort de Larry*[76] avec la gaieté communicative qu'on leur connaît. Nos deux inimitables lurons ont fait des affaires monstres en vendant leur feuillet parmi les amateurs de comédie et quiconque a un petit faible pour le véritable humour irlandais sans vulgarité ne saurait leur reprocher leurs pennies durement gagnés. Les petits garçons et les petites filles de l'Hôpital des Enfants Trouvés se pressaient aux fenêtres pour mieux voir la scène et ils s'émerveillaient de cette surprise supplémentaire à la fête et il faut remercier les Petites Sœurs des Pauvres d'avoir eu l'excellente idée d'offrir ce plaisir innocent et instructif à de pauvres enfants sans père ni mère. Les invités du vice-roi, parmi lesquels figuraient beaucoup de dames très en vue, furent conduits par Leurs Excellences aux meilleures places de la tribune officielle tandis que la pittoresque délégation étrangère plus connue sous le nom des Amis de l'Île d'Émeraude[77] fut installée dans une tribune située juste en face. Cette délégation, qui était venue au grand complet, comprenait le Commandant Bacibaci Beninobenone[78] (le *doyen* de l'assemblée, à demi paralysé et qu'il fallut hisser sur son siège à l'aide d'une puissante grue à vapeur), *Monsieur* Pierrepaul Petitépatant, le Grandtruc Vladinmire Mouchardeposcheff, l'architruc Leopold Rodolphe de Baindequeue de Périnée, la Comtesse Marha Virágo Kisászony Putápesthi, Hiram Y. Bombanst, Comte Athanatos Karamelopoulos. Ali Baba Bakchich Rahat Loukoum Effendi, Señor Hidalgo Caballero Don Pecadillo y Palabras y Paternoster de la Malora de la Malaria, Hokopoko Harakiri, Hi Han Chang, Olaf Kobberkeddelsen, Mitif Trik van Tromps, Merlin Pan Paddywhisky, Canmare Prhklstr Kratchninabritchchisitch, Herr Hurhausdirektorpräsident Hans Chuechli-Steurli, du Lycéenationalmuséesanatoriumet suspendsoriumordinairemaîtredeconférencesd'histoiregénéraleprofesseurspécialdocteur Paixtriste Tousensemble. Tous les représentants sans exception s'exprimèrent dans les termes les plus fermes et les plus hétérogènes possibles sur la barbarie sans nom dont on leur avait demandé d'être les témoins. Il s'ensuivit une dispute très vive (à laquelle tous prirent part) au sein de l'A.D.L.I.D.E.[79] sur la question de savoir si la date de naissance exacte du saint patron de l'Irlande était le huit ou le neuf mars[80]. Dans le cours de la discussion, des boulets de canons, des cimeterres, des boomerangs, des tromblons, des boules puantes, des hachoirs, des parapluies, des lance-pierres, des coups-de-poing américains, des sacs de sable, des gueuses de fonte furent mis à contribution et les coups furent échangés avec libéralité. L'agent MacFadden, le bébé policier, sommé par courrier spécial de revenir de Booterstown[81], rétablit l'ordre en un rien de temps et rapide comme l'éclair proposa le dix-septième jour du mois comme solution également acceptable pour les deux parties opposées. La suggestion de cet homme d'esprit de deux mètres cinquante gagna aussitôt tous les suffrages et fut unanimement approuvée. L'agent MacFadden fut chaleureusement félicité par tous les membres de l'A.D.L.I.D.E, parmi lesquels plusieurs saignaient abondamment. Après que le Commandant Beninobenone eut été extrait de dessous son fauteuil présidentiel, son conseiller juridique, Avvocato Pagamimi[82], expliqua que les divers objets dissimulés dans ses trente-deux poches avaient été soustraits par lui pendant la bagarre des poches de ses collègues plus jeunes dans l'espoir de les ramener à la raison. Les objets (qui comprenaient plusieurs centaines de montres en or et en argent, pour hommes et pour femmes) furent rapidement restitués à leurs légitimes propriétaires et la concorde régna à nouveau sans partage.

Avec calme et modestie, Rumbold monta sur l'échafaud en jaquette impeccable avec à la boutonnière sa fleur préférée le *Gladiolus Cruentus*[83]. Il prévint de sa présence avec cette légère toux rumboldiennne que tant de gens ont essayé d'imiter (mais sans succès) — brève, méticuleuse et qui en outre n'appartenait qu'à lui. L'arrivée de ce bourreau de renommée internationale fut saluée par une tempête d'acclamations venant de la foule immense, les dames de la tribune vice-royale enthousiastes agitaient leur mouchoir tandis que plus excités encore les représentants étrangers vociféraient leur joie dans un pot-pourri de cris, *hoch, banzai, eljen, zivio, chinchin, polla kronia, hiphip, vive, Allah,* parmi lesquels le sonore *evviva*[84] du représentant de la patrie du bel canto (un double fa aigu qui rappelait ces notes délicieusement perçantes avec lesquelles l'eunuque Catalani[85] ensorcelait nos arrière-arrière-grand-mères) se repérait facilement. Il était dix-sept heures tapantes. Le signal de la prière fut aussitôt donné par mégaphone et en un instant toutes les têtes furent découvertes, le sombrero patriarcal du Commendatore, propriété de sa famille depuis la révolution de Rienzi[86], lui étant ôté par son médecin particulier, le docteur Pippi. Le savant prélat qui administrait les derniers réconforts de la sainte religion au héros martyr sur le point de payer de la peine de mort, animé d'un esprit très chrétien s'agenouilla dans une flaque d'eau, sa soutane remontée sur sa tête chenue, et il adressa de ferventes prières et des supplications devant le trône de miséricorde. Tout contre le billot se tenait la sinistre silhouette de l'exécuteur, le visage dissimulé sous une marmite à large bord percée de deux ouvertures circulaires qui laissaient échapper les éclairs fulminants de ses yeux. En attendant le signal fatal, il appréciait le tranchant de son arme effroyable en le repassant sur son avant-bras musclé ou en décapitant à toute volée un troupeau de moutons qui lui avait été fourni par les admirateurs de son ministère cruel mais indispensable. À côté de lui, sur une jolie table en acajou, étaient disposés, bien en ordre, le couteau à découper, le nécessaire à éviscérer, composé d'instruments en acier finement trempé (fournis spécialement par la célèbre coutellerie de MM. John Round et fils, Sheffield), un poêlon de terre cuite destiné à recevoir le duodénum, le côlon, l'intestin grêle, l'appendice, etc., une fois extraits avec succès et deux pots à lait bien pratiques pour recueillir le très précieux sang[87] de la victime très précieuse. L'intendant de l'asile mixte pour chiens et chats avait pour mission d'apporter ces vaisselles une fois remplies à cette institution philanthropique. Un excellent petit repas composé d'œufs au bacon, d'un steak à l'oignon cuit à la perfection, de délicieux petits pains chauds et d'un thé revigorant avait été généreusement fourni par les autorités pour la sustentation du personnage central de la tragédie qui montrait un état d'esprit capital au moment des derniers préparatifs, manifestait le plus vif intérêt pour le complet déroulement des opérations et qui, avec une abnégation fort rare de nos jours, s'éleva noblement à la hauteur de cet instant solennel et exprima comme vœu ultime (qu'on exauça aussitôt) que son repas soit divisé en parts aliquotes et réparti entre les membres de l'Association pour le soin des malades et des infirmes à domicile[88], en témoignage de son estime et de sa considération. Le *nec* et *non plus ultra* de l'émotion fut atteint lorsque sa fiancée, celle qu'il avait entre toutes choisie, se fraya en rougissant un chemin à travers les rangs serrés de l'assistance et se jeta sur le torse puissant de celui qui était si près d'être précipité dans l'éternité pour elle. Le héros suivait les formes de son corps souple de jeunesaule en une amoureuse étreinte et murmurait tendrement, *Sheila, ma Sheila*[89]. D'être ainsi appelée par son prénom la faisait redoubler de baisers passionnés sur toutes les parties de son corps qu'elle pouvait embrasser et qu'offrait à son ardeur la tenue réglementaire du prisonnier. Tandis qu'ils mêlaient les torrents salés de leurs larmes, elle lui jura qu'elle chérirait toujours sa mémoire, que jamais elle n'oublierait son héros chéri marchant à la mort une chanson aux lèvres comme s'il ne faisait que se rendre au parc Clonturk pour un match de hurley[90]. Elle rappelait à son souvenir les jours heureux de leur commune enfance bénie sur les rives d'Anna Liffey quand ils se livraient aux jeux innocents de leur jeune âge et, oublieux du présent effroyable, ils riaient de bon cœur l'un et l'autre, tous les spectateurs, y compris le vénérable pasteur, s'associant à leur allégresse. Cette assemblée monstre tanguait tout simplement de joie. Mais bientôt ils furent submergés de douleur et ils joignirent leurs mains pour la dernière fois. Un flot de larmes jaillit à nouveau de leurs conduits lacrymaux et l'immense concours de peuple, touché au plus profond, éclata en sanglots déchirants, et le vénérable prébendier lui-même n'était pas le moins affecté. Des hommes virils, des gardiens de la paix et de joviaux géants de la police royale d'Irlande faisaient un usage non dissimulé de leur mouchoir et il n'est pas exagéré de dire que dans cette multitude sans précédent pas un œil n'était sec. Un coup de théâtre des plus romantiques se produisit lorsqu'un beau jeune homme frais émoulu d'Oxford, bien connu pour sa courtoisie envers le sexe faible, s'avança en présentant sa carte de visite, son relevé bancaire et son arbre généalogique, demanda sa main à la jeune infortunée, la priant de désigner elle-même la date du mariage, et qu'il fut agréé sur-le-champ[91]. Pas une dame parmi les spectateurs qui ne reçût en cette occasion un souvenir de bon goût, broche en forme de crâne et de tibias croisés, attention si appropriée et si généreuse qu'elle souleva une nouvelle explosion d'émotion : et quand le galant Oxonien (porteur, soit dit en passant, d'un des noms les plus illustres de l'histoire d'Albion) introduisit le doigt de sa rougissante *fiancée* dans une précieuse bague de fiançailles sertie d'émeraudes formant trèfle à quatre feuilles, l'excitation fut à son comble. Non, même le sévère commandant de la gendarmerie, le lieutenant-colonel Tomkin-Maxwell ffrenchmullan Tomlinson, qui présidait en cette douloureuse circonstance, lui qui avait pourtant sans fléchir projeté un nombre considérable de Cipayes de la bouche de ses canons[92], ne pouvait à présent réprimer ses émotions. De son gantelet de fer il essuya une larme furtive[93] et des citoyens privilégiés qui se trouvaient être dans son *entourage* immédiat l'entendirent murmurer d'une voix entrecoupée :

— Vingt dieux c'est pas n'importe quoi que cette poulette. Vingt dieux qu'elle me donnerait envie de chialer direct quand je la vois pour qu'elle me fait penser à ma vieille peau que c'est qu'elle m'attend là-bas du côté de Limehouse[94].

Alors le citoyen il se met à parler de la langue irlandaise, de la réunion du conseil municipal et tout et tout et puis des anglos de merde[95] qui peuvent même pas parler leur propre langue et Joe qui s'en mêle parce qu'il avait tapé une livre à quelqu'un et Bloom qui part à bavasser avec son mégot à deux balles qu'il avait soutiré à Joe avec son petit couplet sur la ligue gaélique et sur la ligue contre les tournées de boissons et sur l'alcoolisme[96], la malédiction de l'Irlande. La ligue contre les tournées ça c'est à sa mesure. Putain il vous laisserait lui tapisser la gueule de toutes les boissons imaginables mais le bon Dieu le rappellerait avant que vous ayez pu renifler sa tournée. Et puis un soir j'y suis allé avec un pote à une de leurs soirées musicales, chants et danses comme quoi elle pouvait y aller sur une botte de foin, elle pouvait y aller s'allonger ma Maureen, y avait là un type avec une cocarde bleue[97] de la ligue anti qui en faisait des tonnes en irlandais et toute une armée de blondes qui circulaient avec des boissons sans alcool qui vendaient des médailles, des oranges, de la limonade et quelques vieux gâteaux rances, une putain de belle fête, je t'en foutrais. L'Irlande sobre c'est l'Irlande libre[98]. Alors y a un vieux type qui se met à souffler dans sa cornemuse et toutes les pétasses à trépigner sur l'air dont est morte la vieille vache[99]. Avec un ou deux pilotes du ciel[100] pour monter la garde que personne allait basculer les nanas, un coup en dessous de la ceinture.

Alors et ainsi de suite, comme je disais, le vieux chien quand il voit que la boîte elle est vide il se met à renifler la souris autour de Joe et moi. Je te le dresserais, moi, par la douceur, si c'était mon chien. Lui donnerais un de ces bons coups de pied bien placés de temps en temps, là où ça le rendrait pas aveugle.

— La trouille qu'il te morde ? fait le citoyen en ricanant.

— Non, je fais. Mais il pourrait prendre ma jambe pour un réverbère.

Alors il rappelle son vieux chien.

— Qu'est-ce qui t'arrive, Garry ? il lui fait.

Et il se met à le tirer à l'agacer et à lui parler en irlandais et le vieux tueur à gronder et à faire sa partie comme dans un duo d'opéra. Un concert pareil j'avais jamais entendu qu'ils faisaient tous les deux. Quelqu'un qui aurait rien de mieux à faire il devrait écrire une lettre *pro bono publico*[101] aux journaux pour qu'on oblige à mettre une muselière à un chien de sa race. Grondant, grognant et ses yeux injectés de sang tellement il avait le gosier sec et l'hydrophobie qui lui dégoulinait de la gueule.

Tous ceux qu'intéresse la transmission de la culture humaine[102] aux animaux inférieurs (et ils sont légion) se doivent de ne pas ignorer les extraordinaires manifestations de cynanthropie du célèbre setter irlandais chien-loup à poil rouge anciennement connu sous le *sobriquet* de Garryowen et récemment rebaptisé par tout un cercle d'amis et de connaissances Owen Garry[103]. Ces manifestations, résultat d'années de dressage par la douceur et d'un régime soigneusement étudié, comprennent, entre autres démonstrations, la déclamation poétique. Celui qui est actuellement notre plus grand spécialiste de phonétique (nous ne dirons pas son nom, même sous la torture !) n'a pas ménagé ses efforts et ses recherches pour gloser et comparer les vers déclamés et il leur a trouvé une ressemblance *frappante* (c'est nous qui soulignons) avec les poèmes de nos anciens bardes celtes. Nous ne parlons pas tant ici de ces délicieuses romances qu'un auteur qui se dissimule derrière le charmant pseudonyme de Douce Petite Branche[104] a rendues familières au monde des amateurs de livres mais bien plutôt (ainsi que le souligne un intervenant déconadologue dans une communication passionnante publiée dans un journal du soir) de la note plus âpre et plus personnelle que l'on trouve dans les effusions satiriques d'un Raftery ou d'un Donal MacConsidine[105] pour ne rien dire d'un poète lyrique encore plus moderne qui retient en ce moment l'attention du public. Nous joignons ci-dessous un exemple, transposé en anglais par un éminent universitaire dont nous ne pouvons dévoiler l'identité pour le moment, mais nous sommes sûrs que nos lecteurs verront dans les références topographiques plus qu'une simple indication. La prosodie de l'original canin, qui n'est pas sans rappeler la difficulté des règles allitératives et isosyllabiques de l'englyn gallois[106], est infiniment plus complexe mais nous pensons que nos lecteurs seront d'accord pour trouver que l'esprit du texte a été bien rendu. Peut-être faudrait-il ajouter que les effets se trouvent notablement accrus si l'on récite les vers d'Owen relativement lentement et indistinctement afin de suggérer une rancune contenue.

Que la malédiction soit sur toi[107]
Barney Kiernan, qu'elle soit sur toi sept fois
Être sans loi qui me mets aux abois
Sans une gorgée d'eau pour me donner la foi
Tant et si bien que j'en ai mal au foie
Qu'après Lowry je ferai n'importe quoi
L'ami Lowry du musichall le roi[108]
Afin qu'il me recueille sous son toit.

Alors il a dit à Terry d'apporter de l'eau pour le chien et il l'a lapée bon Dieu, on aurait pu l'entendre un kilomètre à la ronde. Et Joe lui a demandé au citoyen s'il revoulait quelque chose.

— Je remettrais bien ça, *a chara*, mon bon, pour te prouver qu'y a pas de mal.

Bon Dieu il est pas aussi couillon qu'il en a l'air. Se culant d'un pub à l'autre, à toi l'honneur, avec le cabot du vieux Giltrap et s'en mettant plein le cornet aux frais des contribuables et des grands électeurs. La fête pour l'homme et la bête. Et Joe il me fait :

— Est-ce que tu mettrais pas en perce une autre pinte ?

— Est-ce qu'un nanard sait cager ? je réponds.

— La même chose, Terry, fait Joe. Vous êtes sûr que vous ne voulez pas quelque chose de rafraîchissant ? il demande.

— Merci, non, répond Bloom. En réalité, je venais seulement voir Martin Cunningham, vous comprenez, rapport à l'assurance de ce pauvre Dignam. Martin m'avait demandé de me rendre à la maison du mort. Il se passe que lui, je veux dire Dignam, n'avait pas avisé la compagnie d'assurances de l'hypothèque sur sa police et aux termes de la loi, le créancier ne peut récupérer cet argent[109].

— Tonnerre de Dieu, fait Joe en rigolant, c'est un coup à terrasser le vieux Shylock[110]. Alors la femme elle s'en met plein les poches, hein ?

— C'est en effet le problème, dit Bloom, les courtisans de la femme.

— Quels courtisans ? fait Joe.

— Je veux dire les courtiers de la femme[111], fait Bloom.

Et le voilà parti à se mélanger les pinceaux avec sa dette hypothécaire aux termes de la loi comme le président de la cour qui rend jugement au tribunal et au bénéfice de la femme et qu'un fidéicommis a été institué mais que par ailleurs Dignam devait l'argent au prêteur Bridgeman et si maintenant la femme ou la veuve conteste le droit du créancier et il était pas loin de m'embrouiller la tête avec ses hypothéqueries et avec ses aux termes de la loi. Il a eu un sacré pot de ne pas avoir été lui sous le coup de la loi dans le temps comme arnaqueur et vagabond seulement il avait un ami au tribunal. Vendait des billets de loterie ou quelque chose comme ça, la Loterie Royale et Privilégiée de Hongrie. Aussi vrai que je vous parle. Ô, fiez-vous donc à un israélite ! Filouterie royale agréée de Hongrie, oui !

Alors Bob Doran il arrive en titubant et il demande à Bloom de dire à Mme Dignam qu'il était bien désolé de ce qui lui arrivait et qu'il était encore plus désolé pour l'enterrement et de lui dire qu'il avait dit et que tout le monde qui le connaissait l'avait dit que c'était le meilleur, qu'il n'y en avait pas de plus gentil que le pauvre petit Willy qui est mort de bien lui dire. Il s'étranglait avec ses conneries. Et en lui disant de lui dire, il secouait la main de Bloom en faisant une tête d'enterrement. Salut, vieux frère, arnaqueurs d'un jour, arnaqueurs toujours.

— Laissez-moi, dit-il, abuser peut-être de notre lien qui, si ténu qu'il puisse paraître mesuré à l'aune du temps, n'en est pas moins fondé, comme je l'espère et comme je le crois, sur un respect mutuel, pour vous demander cette faveur. Si pourtant j'avais outrepassé les bornes de la discrétion, attribuez cela à la sincérité de mes sentiments, qu'elle excuse mon audace.

— Non, repartit l'autre, j'apprécie à leur juste valeur les motifs qui vous font agir ainsi et j'accomplirai la tâche que vous m'avez confiée, me consolant à l'idée que si douloureuse soit cette mission, cette preuve de confiance rend la potion un peu moins amère.

— Alors souffrez que je prenne votre main, dit-il. La bonté de votre cœur, je n'en doute pas, vous dictera mieux que mes pauvres mots les expressions les plus propices à rendre une émotion si poignante que, si je voulais laisser libre cours à mes sentiments, elle irait jusqu'à me priver de l'usage de la parole.

Et il s'écarte et il fout le camp en essayant de marcher droit. Rond à cinq heures. Le soir où il a failli se faire coffrer sauf que Paddy Leonard connaissait le flic, le nº 14 A. Complètement fait, dans un rade de nuit de Bride street[112] après l'heure de fermeture légale, forniquant avec deux poules et le mac qui montait la garde, s'envoyant de la porter dans des tasses à thé. Et il leur faisait croire, aux poulettes, qu'il était un Frenchy, Joseph Manuo, et il s'en prenait à la religion catholique lui qui a servi la messe à Adam et Ève quand il était petit les yeux fermés qui a écrit le nouveau testament et l'ancien testament et vas-y que je te pelote et que je te tripote. Et les deux poules elles étaient mortes de rire, elles lui faisaient les poches à ce couillon qui arrêtait pas de renverser de la porter partout dans le lit et les deux poules elles hurlaient de rire en se regardant. *Il est comment ton testament ? Tu as un ancien testament*[113] ? Sauf que Paddy il est passé dans le coin, sinon je vous raconte pas. Et il faut le voir, le dimanche, avec sa petite concubine d'épouse qui remue de la queue en remontant l'allée centrale de la chapelle, portant souliers vernis, pas moins, et des violettes, mignonne à croquer, faisant la dadame. Le sœur de Jack Mooney. Et sa vieille maquerelle de mère qui louait des chambres à l'heure. Putain Jack il l'a fait marcher droit. Lui a dit que s'il réparait pas les pots cassés il lui botterait le cul jusqu'à ce que la merde en sorte.

Sur ce Terry a apporté les trois pintes.

— À la vôtre, fait Joe, dont c'est la tournée. À la vôtre, citoyen.

— *Slan leat*, santé, il fait.

— Et prospérité, Joe, je dis. À la bonne vôtre, citoyen.

Bon sang ! il s'était déjà envoyé plus de la moitié du gobelet. Faudrait un bon petit magot pour lui payer à boire.

— Qui est-ce qu'il soutient le type Long, comme candidat maire[114], Alf ? demande Joe.

— Un de tes copains, répond Alf.

— Nannetti ? fait Joe. Le députain ?

— Je ne citerai pas de noms, dit Alf.

— J'y avais pensé, fait Joe. Je l'ai vu pas plus tard qu'à l'instant à la réunion avec William Field, député, des marchands de bestiaux.

— Iopas aux longs cheveux[115], fait le citoyen, ce volcan en éruption, le chouchou de tous les pays et l'idole du sien[116].

Alors Joe il se met à parler au citoyen de la fièvre aphteuse et des marchands de bestiaux rapport qu'il fallait aussi s'en occuper et le citoyen il les envoie tous se faire voir ailleurs et Bloom qui la ramène avec son bain pour la gale de mouton, sa potion pour les veaux enrhumés et son remède infaillible pour la langue de bois[117]. Parce qu'il a été un temps chez un équarrisseur. Se balade avec son carnet et son crayon la tête en avant, les pieds en arrière si bien que Joe Cuffe l'a décoré de l'ordre de la bottine pour avoir été insolent avec un éleveur. Monsieur Je-sais-tout. Apprends donc à ta grand-mère à traire les canards. Pisseur Burke me racontait qu'à l'hôtel sa femme elle pleurait parfois comme trois fontaines avec Mme O'Dowd[118] pleurant toutes les larmes de son corps tout confit dans la graisse. Ne pouvait pas dégrafer son corset sur le point de péter sans qu'œil de merlan frit se mette à valser autour d'elle pour lui expliquer comment on fait. C'est quoi le programme pour aujourd'hui ? Ah, oui. Humanité et méthodes. Parce que les pauvres animaux souffrent et que les experts disent que et le meilleur remède connu qui ne cause aucune douleur à l'animal et l'appliquer délicatement sur l'endroit malade. Putain il doit l'avoir douce la main quand il la met sous la poule.

Cot cot codek. Glou glou glou. C'est notre poule la Noiraude. Elle nous pond des œufs. Elle est si joyeuse quand elle pond un œuf. Codek. Glou glou glou. Voici le bon oncle Leo. Il met sa main sous la Noiraude et lui prend son œuf tout neuf. Cot cot cot cot codek. Glou glou glou.

— En tout cas, fait Joe, Field et Nannetti font la traversée ce soir pour Londres et vont mettre la question[119] sur le tapis à la Chambre des communes.

— Vous êtes sûr, demande Bloom, que le conseiller y va ? Il se trouve que j'avais besoin de le voir.

— Eh bien il embarque ce soir sur le bateau postal, fait Joe.

— Quelle malchance, dit Bloom. J'avais absolument besoin. Peut-être que M. Field y va seul. Je n'ai pas pu téléphoner. Non, vous êtes sûr ?

— Nannette y va aussi, fait Joe. La ligue lui a demandé de poser la question demain au sujet du commissaire de police qui interdit les jeux irlandais dans le parc. Qu'est-ce que vous pensez de ça, citoyen ? *Le Sluagh na h-Eireann*, l'armée d'Irlande[120].

M. Vachar de l'Acre (Multifarnham[121], Nationaliste) : À la suite de la question posée par mon honorable ami, le député de Grosgourdin[122], puis-je demander à mon très honorable collègue si le Gouvernement a donné l'ordre que ces animaux fussent abattus sans qu'aucune preuve médicale de leur état pathologique n'ait été fournie ?

M. de Quatrepattes (Tamoshant[123], Conservateur) : Les honorables députés sont déjà en possession de la preuve fournie à une commission nommée par l'assemblée tout entière. Je pense que je ne puis rien ajouter de plus qui soit utile à ce sujet. La réponse à la question de l'honorable député sera donc affirmative.

M. Oreiller (Montenotte[124], Nat.) : Un ordre similaire a-t-il été donné d'abattre les animaux humains qui osent se livrer aux jeux irlandais dans le Phœnix park ?

M. Aufour : La réponse sera négative.

M. Vachar de l'Acre : Le fameux télégramme de Mitchelstown[125] du très honorable collègue a-t-il été déterminant pour la politique de ces messieurs du ministère des Finances[126] ? (O ! O !)

M. Aufour : Cette question n'a pas été déposée.

M. Cocalane (La Fouterie[127], Indépendant) : N'hésitez pas à tirer surtout.

(Applaudissements ironiques de l'opposition.)

Le président : Silence ! Silence !

(La séance est levée. Applaudissements.)

— Voici l'homme, fait Joe, qui a ressuscité les sports gaéliques[128]. Le voilà qui s'assied là. L'homme qui a fait évader James Stephens[129]. Le champion d'Irlande du lancer de poids. Ça a été quoi votre meilleur lancer, citoyen ?

— *Na bacleis*, peu importe, dit le citoyen qui faisait son modeste. Il y a eu une époque où j'en valais bien un autre.

— Topez là, citoyen, fait Joe. Vous étiez meilleur et sacrément.

— C'est vraiment vrai ? demande Alf.

— Oui, dit Bloom. Tout le monde le sait. Vous ne le saviez pas ?

Alors les voilà partis sur les sports irlandais et les jeux angliches du genre tennis sur gazon, sur le hurley et le lancer de pierre et puis sur ce qui est de bonne race et édifier une nation à nouveau[130] et tout et tout. Et Bloom naturellement il fallait qu'il ait aussi son mot à dire que pour un type qui s'était fait un souffle au cœur il fallait éviter les exercices violents. Je jure sur la tête de mon banquier que si on ramasse un brin de paille de ce foutu plancher et qu'on dit à Bloom : *Regardez, Bloom. Vous voyez ce brin de paille ? C'est un brin de paille*. Je le jure sur la tête de ma grand-mère qu'il en parlerait une heure de rang et qu'il continuerait à déblatérer.

Il y eut une discussion passionnante dans l'antique salle de chez *Brian O'Ciarnain* dans *Sraid na Bretain Beagh*, chez Brian O'Kiernan, Little Britain street, sous les auspices de la *Sluagh na h-Eireann*, de l'armée d'Irlande, au sujet de la renaissance des anciens sports gaéliques et de l'importance de la culture physique, comme elle était comprise en Grèce ancienne, dans la Rome antique et dans l'ancienne Irlande, pour l'amélioration de la race. Le vénérable président de cette noble association occupait le fauteuil et l'assistance était nombreuse. Après un discours instructif du président, orateur hors pair qui s'exprimait avec une puissante éloquence, un débat s'ensuivit, aussi animé qu'instructif et qui ne se départit jamais des critères d'excellence en usage, sur la désirance de la renaissance des anciens jeux et des anciens sports pratiqués par nos premiers ancêtres panceltiques. M. Joseph M'Carthy Hynes, l'artisan bien connu et unanimement respecté de la cause de notre langue, lança un appel éloquent pour la résurrection des anciens sports et passe-temps gaéliques, pratiqués matin et soir par Finn Mac Cool[131] afin de faire revivre les meilleures traditions de force et de prouesse viriles qui nous ont été léguées par les âges anciens. L. Bloom, qui avait épousé la cause contraire, fut accueilli avec un mélange d'applaudissements et de sifflets et le président très en voix mit un terme à la discussion, cédant à des requêtes répétées et aux chaleureux vivats dont résonnait la totalité de cette salle archi-comble, en déclamant avec une sensibilité remarquable des vers toujours verts de notre immortel Thomas Osborne Davis (heureusement si bien connus de tous qu'il n'est pas nécessaire de les réciter ici) *Une nation à nouveau*, dans l'interprétation desquels notre vétéran patriote, notre champion on peut le dire sans craindre d'être contredit, a été jusqu'à se surpasser lui-même. Le Caruso, le Garibaldi irlandais était dans une forme superlative et l'on profita du meilleur de sa voix de stentor dans cet hymne consacré, chanté comme seul notre citoyen sait le chanter. Cette superbe manifestation vocale de tout premier plan, qui par sa qualité supérieure a encore accru dans des proportions remarquables sa réputation déjà internationale, fut frénétiquement applaudie par un large public au sein duquel on se doit de mentionner la présence de nombreuses notabilités ecclésiastiques ainsi que des représentants de la presse, du barreau et d'autres professions libérales. Après quoi la séance fut levée.

Parmi les membres du clergé présents[132], on citera le très révérend William Delany, de la Compagnie de Jésus, docteur ès lettres ; le très rév. Gérald Molloy, docteur en théologie ; le rév. P. J. Kavanagh, de la communauté du Saint-Esprit ; le rév. T. Waters, prêtre catholique ; le rév. John M.Ivers, curé ; le rév. P. J. Cleary, de l'ordre de Saint-François ; le rév. L. J. Hickey, de l'ordre des Dominicains ; le très rév. Fr. Nicholas, de l'ordre des Capucins ; le très rév. B. Gorman, de l'ordre des Carmes ; le rév. T. Maher, de la Compagnie de Jésus ; le très rév. James Murphy, de la Compagnie de Jésus ; le rév. John Lavery, des Pères de la congrégation de la Mission ; le très rév. William Doherty, docteur en théol. ; le rév. Peter Fagan, de l'ordre des Maristes ; le rév. T. Brangan, de l'ordre de Saint-Augustin ; le rév. J. Flavin, prêtre catholique ; le rév. M. A. Hackett, prêtre catholique ; le rév. W. Hurley, prêtre catholique ; le très rév. Mgr M'Manus, vicaire général ; le rév. B. R. Slattery, de l'ordre de Marie Immaculée ; le très rév. M. D. Scally, curé ; le rév. F. T. Purcell, de l'ordre des Prêcheurs ; le très rév. chanoine Timothy Gorman, curé ; le rév. J. Flanagan, prêtre catholique. Parmi les laïcs citons P. Fay, T. Quirke, etc., etc.

— À propos d'exercice violent, fait Alf, vous y étiez au match Keogh-Bennett ?

— Non, dit Joe.

— J'ai entendu dire qu'Untel avait ramassé un bon cent livres dans l'affaire, fait Alf.

— Qui ? Flam ? demande Joe.

Et Bloom qui dit :

— Ce que je voulais dire à propos du tennis, par exemple, c'est l'agilité et l'entraînement au coup d'œil.

— Ouais, Flam, dit Alf. Il racontait partout que Myler dessoûlait pas pour faire monter la cote et pendant ce temps-là l'autre s'entraînait à mort.

— On le connaît, fait le citoyen. Le fils du traître[133]. Nous savons comment l'or anglais entrait dans ses poches.

— C'est bien vrai, fait Joe.

Et Bloom qui coupe encore avec son tennis sur gazon et la circulation du sang et qui demande à Alf :

— Et qu'en pensez-vous, Bergan ?

— Myler lui a fait balayer la poussière, raconte Alf. Heenan et Sayers c'était de la gnognotte à côté. Lui a filé pas la moitié d'une raclée. Fallait voir la crevette qui lui arrivait à peine au nombril et l'autre gros qui essayait de cogner[134]. À la fin, bon dieu, il lui a foutu un de ces marrons dans le buffet. Les règles de la boxe et tout le reste, lui a fait dégueuler tout ce qu'il avait dans le ventre, et tout le reste.

Ce fut un combat remarquable qui restera dans les annales que celui où Myler et Percy durent combattre avec des gants pour gagner une bourse de cinquante souverains. Handicapé par son poids plus faible, le chouchou de Dublin dut compenser par son art consommé du ring. Le bouquet final du feu d'artifice fut exténuant pour l'un et l'autre champion. Le sergent-major poids welter avait fait couler le raisiné pendant la mêlée précédente, au cours de laquelle Keogh s'était fait receveur général des droites et des gauches, l'artilleur faisant du bon travail sur le nez du chouchou, et quand Myler s'avança, il paraissait groggy. Le soldat prit l'offensive avec un puissant coup du gauche auquel le gladiateur irlandais répliqua par un raide au ras de la mâchoire de Bennett. Le tuniquerouge esquiva mais le Dublinois l'atteignit d'un crochet du gauche, un très beau coup au corps. Les hommes s'agrippèrent. En distribuant des coups rapides et efficaces, Myler eut le dessus sur son adversaire et la reprise se termina avec le poids lourd dans les cordes, corrigé par Myler. L'Anglais, dont l'œil droit était quasi clos[135], gagna son coin où il fut copieusement aspergé d'eau et quand la cloche retentit, il revint en piste débordant d'énergie, bien décidé à mettre knock-out en un rien de temps le pugiliste d'Eblana. Ce fut le combat pour la victoire et que le meilleur gagne. Les deux boxeurs se battaient comme des lions et l'excitation du public était à son paroxysme. L'arbitre donna deux avertissements à Percy le Cogneur pour des tenus mais notre chouchou était plein d'astuces et son jeu de jambes un vrai bonheur à regarder. Après un vif échange de politesses au cours duquel un bel uppercut du militaire fit abondamment saigner la bouche de son adversaire, d'un assaut subit, l'agneau reprit l'avantage sur son rival et il assena à Bennett la bagarre un terrible coup du gauche dans l'estomac qui l'allongea sans discussion. Ce fut un knock-out propre et net. Quand, dans l'anxiété générale, on eut compté les secondes pour le cogneur de Portobello, le manager de Bennett, Ole Pfotts Wettstein, jeta l'éponge et l'enfant de Santry[136] fut déclaré vainqueur sous les applaudissements d'un public en délire qui envahit le ring et faillit l'étouffer sous sa joie.

— Il sait toujours où est le bon côté du manche, fait Alf. On m'a dit que maintenant il préparait une tournée de concerts dans le Nord.

— Je crois aussi, fait Joe.

— Qui ? demande Bloom. Ah, oui, c'est tout à fait vrai. Une sorte de tournée estivale, voyez-vous. Des petites vacances.

— C'est Mme B. qui en est la plus brillante star[137], n'est-ce pas ? fait Joe.

— Ma femme ? dit Bloom. Ah oui, elle chante. Je crois moi aussi que ce sera un succès. C'est un excellent organisateur. Excellent.

Oh putain, me suis-je dit à moi-même, me suis-je dit[138]. Ceci explique cela, et pourquoi les poules elles ont pas de dents. Flam qui joue son petit air de flûte[139]. Une tournée de concerts. Le fils de Dan, ce sale courtier à Island bridge il a vendu les mêmes chevaux deux fois au Gouvernement pour faire la guerre aux Boers[140]. Ce vieux Quoiquoi. Je viens vous voir à propos des taxes sur pauvre et sur l'eau, M. Boylan. Quoi ? La taxe sur l'eau, M. Boylan. Quoiquoi ? C'est le flambard qui va te l'organiser, je t'en fiche mon billet. Entre toi et moi Caddareesh, et puis quoi encore.

Orgueil de la cime rocheuse de Calpe[141], la fille de Tweedy aux cheveux noirdecorbeau. Là elle a grandi en incomparable perfection, là où la nèfle et l'amande parfument l'air. Les jardins d'Alameda[142] connaissaient ses pas : les enclos d'oliviers les connaissaient aussi et s'inclinaient à son passage. Elle est la chaste épouse de Leopold : Marion aux seins généreux.

Regardez qui voilà, un membre du clan des O'Molloy cet avenant héros au visage pâle avec cependant quelque chose de rutilant, ce conseiller de Sa Majesté, ce savant juriste, qu'accompagne le prince héritier de la noble maison des Lambert.

— Hello, Ned.

— Hello, Alf.

— Hello, Jack.

— Hello, Joe.

— Dieu vous garde, fait le citoyen.

— De même, fait J. J. Tu prendras quoi, Ned ?

— Un demi, répond Ned.

Sur ce J. J. a commandé les consommations.

— Tu as fait un tour au tribunal ? demande Joe.

— Oui, fait J. J. Il va arranger ça, Ned, il ajoute.

— J'espère bien, fait Ned.

Allons qu'est-ce qu'ils fabriquent ces deux là ? J. J. l'efface de la liste du grand jury et l'autre va lui tirer une épine du pied. Il a son nom sur la liste des débiteurs du Stubbs[143]. Joue aux cartes, fraye avec les noceurs d'aristos qui ont un carreau dans l'œil, il boit du champ et il est jusqu'au cou dans les assignations et les saisies. A engagé sa montre en or chez Cummins, Francis street[144], où il pensait que dans le bureau derrière personne ne le connaîtrait, mais j'étais là avec Pisseur qui venait retirer ses godasses du clou. À quel nom, monsieur ? Dunne, il dit. Ouais et bien donne, je fais. Putain que je pense, un des ces jours c'est les pieds devant que tu rentreras à la maison[145].

— Tu as croisé ce vieux cinglé de Breen par là-bas ? demande Alf. H. S. Hors service.

— Oui, dit J. J. Il cherchait un détective privé.

— Ouais, fait Ned, il voulait ni une ni deux saisir le tribunal sinon que Corny Keheller l'a fait changer d'avis en le persuadant de faire faire d'abord l'examen d'écriture.

— Dix mille livres, fait Alf en rigolant. Bon dieu je donnerais n'importe quoi pour le voir devant le juge et le jury.

— Et si c'était toi qui as fait le coup, Alf ? fait Joe. La vérité, toute la vérité rien que la vérité, avec l'aide de Jimmy Johnson[146].

— Moi ? fait Alf. Arrête de répandre des ragoûts sur mon compte.

— Tout ce que tu diras sera retenu contre toi, dit Joe.

— Évidemment qu'une action serait recevable, dit J. J. On dira qu'il n'est pas *compos mentis*[147]. H. S. Hors service.

— *Compos* de mes deux ! fait Alf en se marrant. Vous savez pas qu'il est maboul ? Suffit de le regarder. Il y a des matins où il est obligé de se servir de son chausse-pied pour enfiler son chapeau.

— Oui, dit J.J. Mais aux yeux de la loi, diffamation ne vaut pas preuve.

— Ah ah, Alf, fait Joe.

— Il n'en reste pas moins, dit Bloom, que par égard pour la pauvre femme, je veux dire son épouse.

— Elle est à plaindre, fait le citoyen. Comme toutes celles qui épousent un moitié moitié.

— Comment ça un moitié moitié ? demande Bloom. Est-ce que vous voulez dire qu'il...

— Je veux dire moitié moitié, dit le citoyen. Un type qui n'est ni chair ni poisson.

— Ni hareng saur, fait Joe.

— C'est ça, fait le citoyen. Un quimboiseur[148], si tu vois le genre.

Putain ça commençait à sentir mauvais. Et Bloom expliquait qu'il voulait dire que c'était cruel pour la pauvre femme d'être obligée de courir après son vieux gâteux. Oui, c'est de la cruauté envers les animaux que de laisser ce vieux traîne-la-faim de Breen à l'air libre s'empêtrant dans sa barbe et faisant venir la pluie. Et elle qui faisait la fière et relevait le nez après son mariage parce qu'un cousin de sa vieille barbe était sacristain chez le pape. Son portrait au mur avec ses moustaches de matamore irlandais[149]. Le signor Brini de Summerhill[150], le mac à Rosny, zouave pontifical auprès du Saint Père, il a quitté le quai et est parti s'installer Moss street[151]. Et qu'est-ce que c'était ? je vous le demande. Un rien du tout, un deux pièces sur cour et couloirs, à sept shillings la semaine, il se baladait avec trente-six plaques sur la poitrine et l'air de défier le monde entier.

— Et qui plus est, dit J.J., une carte postale vaut

publication. On l'a considérée comme preuve suffisante d'intention criminelle dans l'affaire Sadgrove-Hole qui fait jurisprudence [152]. À mon avis, une action sera recevable.

Six shillings et huit pence d'honoraires, s'il vous plaît [153]. Qui a demandé une consultation ? Laissez-nous boire nos bières tranquilles. Putain, même avec ça on ne sera pas quittes.

— Alors santé, Jack, dit Ned.

— Santé, Ned, dit J. J.

— Le revoilà, fait Joe.

— Où ? demande Alf.

Le voilà en effet, putain, il passait devant la porte avec ses bouquins sous l'aile et sa femme à côté et puis Corny Kelleher qui a jeté un coup de son œil mort à l'intérieur quand ils sont passés, qui lui parle comme un père, essayant de lui fourguer un cercueil d'occase.

— Et ça en est où cette escroquerie du Canada [154] ? fait Joe.

— Renvoyée, dit J.J.

Un de la confrérie des nez crochus qu'on connaissait sous le nom de James Wought alias Saphiro, alias Spark et Spiro, il avait mis une annonce dans les journaux disant qu'il vendait un aller pour le Canada vingt balles. Hein ? Tu me prends pour un con ? Évidemment c'était un tuyau crevé. Hein ? Les a tous roulés dans la farine, les bonniches et les bouseux du comté de Meath [155], et même ceux de sa race. J. J nous racontait qu'il y avait un ancêtre hébreu Zaretskty ou quelque chose comme ça qui pleurait à la barre des témoins le chapeau sur la tête, jurant sur Moïse qu'il avait été refait de deux livres.

— Qui arbitrait l'affaire ? demande Joe.

— Le président du tribunal correctionnel, dit Ned.

— Pauvre vieux Sir Frederick [156], fait Alf, on peut facilement le rouler dans la farine.

— Un cœur gros comme ça, fait Ned. Racontez-lui une histoire bien pathétique de loyer en retard, de femme malade et de bordée d'enfants et il s'effondre en larmes sur son siège.

— Ouais, fait Alf. Reuben J. a eu un sacré pot de pas se faire coffrer à l'audience pour avoir poursuivi le pauvre petit Gumley[157] qui surveille les pierres pour la municipalité là-bas, près de Butt bridge.

Et il se met à singer le vieux président sur le point de pleurer :

— C'est scandaleux ! Ce pauvre homme qui gagne sa vie à la sueur de son front ! Combien d'enfants ? Dix, avez-vous dit ?

— Oui, monsieur le président. Et ma femme qui a la typhoïde !

— Et une femme qui a la fièvre typhoïde ! Un scandale ! Quittez immédiatement le tribunal, monsieur. Non, monsieur, je ne signerai aucune assignation. Comment osez-vous, monsieur, vous présenter devant moi et me demander une assignation ! Un pauvre travailleur laborieux qui gagne sa vie à la sueur de son front ! Vous êtes débouté.

Et comme on se trouvait au seizième jour du mois de la déesse aux yeux de génisse[158] et dans la troisième semaine après la fête de la Sainte et Indivisible Trinité[159], la fille des cieux, la lune vierge étant alors dans son premier quartier, il advint que ces juges éclairés retournèrent dans le temple de la loi. Lors Maître Courtenay, siégeant en sa propre chambre, rendit ses avis et le juge maître Andrews[160], siégeant sans jury au tribunal des successions, pesa et examina de manière équitable les droits du premier demandeur aux biens faisant l'objet du testament en question et les dispositions testamentaires ultimes *in re*[161] concernant les propriétés réelles et personnelles de feu Jacob Halliday, marchand de vins, décédé, contre

Livingstone, mineur et ne jouissant pas de toutes ses facultés mentales et consort. C'est alors, à la session solennelle de Green street, qu'arriva Sir Frederick le Fauconnier. Il siégea là aux environs de la cinquième heure de l'après-midi afin d'appliquer la loi des anciens brehons [162], à la commission pour tout ce district et alentours qui doit être tenue dans et pour le comté de la cité de Dublin. Là siégeaient avec le haut sanhédrin [163] des douze tribus d'Iar, un représentant par tribu, de la tribu de Patrick et de la tribu de Hugh, de la tribu d'Owen et de la tribu de Conn, de la tribu d'Oscar et de la tribu de Fergus, de la tribu de Finn et de la tribu de Dermot, de la tribu de Cormac et de la tribu de Kevin, de la tribu de Caolte et de la tribu d'Ossian, douze hommes sans peur et sans reproche. Et il les conjura par Celui qui mourut au calvaire de juger en leur âme et conscience et de mener bonne conclusion dans l'affaire en cours opposant le roi leur souverain maître et le prisonnier présent à la barre et de rendre un juste verdict selon les preuves avec l'aide de Dieu et baisez les livres saints. Alors ils se levèrent de leurs sièges, les douze hommes d'Iar, et ils jurèrent par le nom de Celui qui est de toute éternité qu'ils feraient selon sa Haute Sagesse. Et aussitôt les serviteurs de la loi firent sortir du cachot de leur donjon celui que les limiers de la justice avaient appréhendé suite à une information reçue. Ils l'enchaînèrent alors pieds et poings liés et ne voulurent accepter ni liberté sous caution ni garant [164] mais proférèrent de le citer en jugement pour ce qu'il était un malfaiteur.

— C'est charmant, fait le citoyen, ils débarquent chez nous en Irlande et ils remplissent le pays de punaises.

Bloom il fait celui qui n'entend rien et il se met à parler avec Joe et à lui dire qu'il n'a pas besoin de s'en faire pour cette petite affaire de rien jusqu'au premier, mais que s'il voulait bien en dire un mot à M. Crawford[165]. Là-dessus Joe lui jura par tous les saints du paradis et les autres qu'il allait remuer ciel et terre.

— C'est que voyez-vous, dit Bloom, pour qu'une annonce marche, il faut qu'elle passe plusieurs fois. C'est le secret.

— Comptez sur moi, fait Joe.

— Rouler les paysans, fait le citoyen, et les pauvres d'Irlande. Nous ne voulons plus d'étrangers chez nous.

— Oh je suis persuadé que tout se passera très bien, Hynes, dit Bloom. C'est juste ce Descley, voyez-vous.

— C'est comme si c'était fait, dit Joe.

— C'est très gentil à vous, dit Bloom.

— Les étrangers, s'exclame le citoyen. C'est notre faute. Nous les avons laissés entrer. Nous les avons fait venir. La femme adultère et son amant ont fait venir chez nous les pilleurs saxons.

— Jugement provisoire[166], dit J. J.

Et Bloom il fait celui qui s'intéresse passionnément à des riens, une toile d'araignée dans le recoin derrière le tonneau, et le citoyen qui lui tire une de ces tronches avec le vieux clebs à ses pieds qui regarde partout qui il pourrait bien mordre et quand.

— Une épouse déshonorée, déclare le citoyen, voilà la cause de tous nos malheurs.

— Et la voilà, fait Alf qui ricanait en feuilletant avec Terry la *Police Gazette*[167] sur le comptoir, sur le sentier de la guerre.

— Laisse-nous jeter un œil, je dis.

Et ce n'était rien d'autre qu'une de ces saloperies de photos yankees que Terry pique à Corny Kelleher. Petits secrets pour augmenter vos parties. Les frasques d'une femme de la haute. Norman W. Tupper, un riche entrepreneur de Chicago, surprend sa femme, jolie mais infidèle, sur les genoux du lieutenant Taylor. La jolie femme en culotte de dentelle qui prend du bon temps et son jules qui lui fait des chatouillis et Norman W. Tupper qui débarque avec sa sarbacane juste après qu'elle a fini de jouer à la main chaude[168] avec le lieutenant Taylor.

— Au poil, Jeanne, fait Joe, que je te voie à poil !

— Et elle en a, du poil[169], Joe, je dis. On s'en taperait bien une bonne tranche de celle-là, hein ?

Sur ce, voilà John Wyse Nolan qui s'amène avec Lenehan qui fait une tête longue comme un jour sans pain.

— Eh bien, fait le citoyen, c'est quoi les dernières nouvelles des opérations ? Ils ont décidé quoi pour la langue irlandaise ces enfoirés de la mairie dans leur réunion électorale ?

O'Nolan, sanglé dans une armure resplendissante, s'inclinant jusqu'à terre, fit allégeance au chef puissant, illustre et redouté d'Erin tout entière et lui manda ce qui en était advenu, comment les vénérables anciens de la cité la plus soumise, la deuxième du royaume, les avaient rencontrés au tribunal de l'octroi et là, après les prières dues aux dieux qui résident dans l'éther supérieur, comment ils avaient tenu un conseil solennel pour savoir s'ils devaient, encore que la chose fût possible, remettre une fois de plus à l'honneur parmi les mortels le langage ailé des Gaëls que séparent les mers[170].

— C'est en bonne voie, fait le citoyen. Merde à ces putains de brutes de Saxissions[171] et à leur *patois*.

Alors J. J. il se la ramène et il nous sort que toute histoire a son envers et sa face cachée et que la politique de Nelson elle consistait à mettre son œil borgne dans le télescope et que décréter la confiscation des biens et la mort civile[172] à toute une nation c'était de l'aveuglement, et Bloom qui tente de l'épauler la modération et la masturbation et leurs colonies et leur civilisation.

— Leur syphilisation, vous voulez dire, fait le citoyen. Je leur dis merde ! Sacré bon dieu de bois maudits soient ces sacrés merdeux d'enfants de putain ! Pas la moindre musique, pas d'art, pas de littérature qui en vaillent le nom. Leur seule civilisation, ils nous l'ont piquée. Coincésdelalangue d'enfants de bâtards.

— La famille européenne, il dit, J. J...

— Ils sont pas européens, fait le citoyen. J'y ai été en Europe avec Kevin Egan qui est à Paris. On n'en voit pas la trace d'eux ni de leur langue nulle part en Europe sauf dans un *cabinet d'aisance*.

Alors John Wyse il dit :

— Mainte fleur naît pour mourir inconnue[173].

Et Lenehan qui cause un peu le jargon il ajoute :

— *Conspuez les Anglais ! Perfide Albion !*

Il dit et élevant alors dans ses mains larges, fortes et puissantes la coupe[174] d'ale mousseuse et sombre il poussa le cri de guerre de sa tribu *Lamh Dearg Abu*, Main rouge vers la victoire[175] et il trinqua à la défaite de ses ennemis, race de valeureux et de puissants héros, qui règnent sur les flots[176], assis sur des trônes d'albâtre, en silence comme les dieux immortels.

— Qu'est-ce qui t'arrive, je demande à Lenehan. T'as l'air d'un mec qui vient de perdre un billet mais qu'a trouvé une pièce.

— La Coupe d'or, il dit.

— Qui a gagné, monsieur Lenehan ? demande Terry.

— *Jetsam* il dit, à vingt contre un. Un outsider complet. Les autres ont rien pu faire.

— Et la jument de Bass[177] ? demande Terry.

— Elle court toujours, il fait. On est tous dans les choux. Boylan avait misé deux livres sur mon tuyau,

Sceptre, pour lui et pour une dame de sa connaissance.

— J'avais aussi mis une demi-couronne, fait Terry, sur *Zinfandel* que M. Flynn m'avait refilé. À Lord Howard de Walden[178].

— Vingt contre un, fait Lenehan. Quelle vie de chien. *Jetsam,* il fait. C'est la cerise sur le gâteau. Fragilité, ton nom est *Sceptre*[179].

Alors il s'est dirigé vers la boîte à gâteaux de Bob Doran pour voir s'il pourrait s'offrir quelque chose à l'œil, le sale cabot sur ses talons qui tente sa chance avec sa truffe galeuse en l'air. C'est la mère Hubbard qu'est allée dans le placard[180].

— Y a rien là mon toutou, il fait.

— Faut garder le moral, dit Joe. Elle aurait eu le gros lot si l'autre canasson s'en était pas mêlé.

Y avait J. J. et le citoyen qui continuaient à discuter de droit et d'histoire avec l'autre Bloom qui collait son mot de temps en temps.

— Certaines personnes, dit Bloom, voient la paille dans l'œil du voisin mais ne voient pas la poutre qui est dans le leur.

— *Raimeis,* balivernes, dit le citoyen. Y a pas plus aveugle que celui qui ne veut pas voir, si vous voyez ce que je veux dire. Que sont nos vingt millions d'Irlandais devenus, qui devraient être ici au lieu des quatre que nous sommes, que sont nos tribus devenues[181] ? Et nos poteries, nos textiles, sans rivaux dans le monde[182] ! Et notre laine qu'on vendait à Rome du temps de Juvénal et notre lin et nos damas tissés sur les métiers d'Antrim et nos dentelles de Limerick, nos tanneries et nos cristalleries, là-bas du côté de Ballybough, et notre popeline huguenote que nous avons depuis Jacquard de Lyon et notre soie tramée et nos tweeds de Foxford et nos ivoires incrustés du couvent des Carmélites de New Ross, rien de comparable dans tout l'univers. Que sont les marchands grecs devenus, qui passaient sous les colonnes d'Hercule, le Gibraltar que l'ennemi de l'humanité s'est approprié, pour vendre au Wexford, le jour de la foire de Carmen, l'or et la pourpre de Tyr ? Lisez Tacite et Ptolémée, lisez même Giraldus Cambrensis. Le vin, les pelleteries, le marbre de Connemara, l'argent de Tipperary, inégalable, nos chevaux universellement réputés aujourd'hui encore, les petits chevaux irlandais, et le roi Philippe d'Espagne qui proposait de payer des redevances pour avoir le droit de pêcher dans nos eaux. Qu'est-ce qu'ils nous doivent pas ces salopards d'Anglos pour avoir ruiné nos foyers, pour avoir ruiné nos cœurs ? Et les lits du Barrow et du Shannon qu'ils refusent d'approfondir, laissant des milliers d'hectares de marais et de boue pour nous faire tous crever de la tuberculose[183].

— Nous aurons bientôt aussi peu d'arbres qu'au Portugal, ajoute John Wyse, ou qu'à Héligoland[184] avec son unique arbre, si personne ne fait rien pour reboiser le pays. Mélèzes, sapins, tous les conifères disparaissent à toute allure. Je lisais un rapport de lord Castletown[185]...

— Sauvez-les, fait le citoyen, le frêne[186] géant de Galway et le roi des ormes, à Kildare, avec son tronc de quarante pieds et son feuillage d'un demi-hectare. Sauvez les arbres d'Irlande pour les Irlandais de demain sur les belles collines de l'Eire, O[187].

— L'Europe a les yeux tournés vers vous, dit Lenehan.

Cet après-midi-là, à l'occasion du mariage du chevalier Jean Sage de Neaulan, grand chef des gardes forestiers des Eaux et Forêts d'Irlande[188], se pressait *en masse* toute l'élite de la société cosmopolite : Mlle Sapin Conifère de la Vallée des Pins, Lady Sylvestre Delombre-Delorme, Mme Barbara Aimé Laverge, Mme Delacime-Dufresne, Mme du Houx de la Coudraie, Mlle Daphné Dulaurier, Mlle Dorothée des Ajoncs, Mme Clyde de la Clairière, Mme Rowan Auvert, Mme Hélène Follevigne, Mlle Virginie des Glycines, Mlle Gladys Dubuisson, Mlle Olive de L'Enclos, Mlle Blanche Érable, Mme Maud Acajou, Mlle Myra Myrte, Mlle Priscilla de la Fleur de Sureau, Mlle Abeille du Chèvrefeuille, Mlle Grace Peuplier, Mlle O. Mimosa San[189], Mlle Rachel Rameau du Cèdre, Mlles Liliane et Violette Lilas, Mlle Modestie Dutremble, Mme Kitty Fraîchemousse, Mlle May de l'Aubépine, Mme Gloriana Palmes, Mme Liane Desforêts, Mme Arabelle Dubois d'Ébène et Mme Norma Régis de Saint-Chêne de la Chesnais[190], toutes rehaussaient la cérémonie par la grâce de leur présence. La mariée, conduite par son père, le chevalier M'Conifère du Gland[191], était absolument ravissante dans une robe de soie verte amidonnée, moulée dans une combinaison gris crépuscule, ceinte d'un collier de grosses émeraudes, la tenue se terminant par une triple rangée de franges d'un ton plus soutenu, attachée en haut par des bretelles et à la hanche par une broche de bronze incrustée de glands. Les demoiselles d'honneur, Mlle Mélèze Conifère et Mlle Épinette Conifère, sœurs de la mariée, portaient de très seyants ensembles dans le même ton, un délicat motif de rose plume formant une bande courant dans les plis et se répétant librement sur les toques vert jade en aigrettes de tendre corail. Senhor Enrique Flor[192] tenait l'orgue avec la maîtrise qu'on lui connaît et il joua, outre les morceaux programmés pour la messe nuptiale, un arrangement aussi remarquable qu'inédit de *Bûcheron, arrête un peu le bras*[193] pour conclure la cérémonie. Sur le parvis de l'église Saint-Fiacre[194] *in Horto*, et après la bénédiction papale, les heureux époux furent soumis à un joyeux feu croisé de noisettes, faines, feuilles de laurier, chatons de saule, feuilles de lierre, baies de houx, brins de gui et pousses de sorbier. M. et Mme Sage Conifère de Neaulan passeront tranquillement leur lune de miel dans la Forêt Noire.

— Et nos yeux sont tournés vers l'Europe, fait le citoyen. Nous faisions du commerce avec l'Espagne, avec les Français et avec les Flamands[195] quand ces bâtards suçaient encore leur mère, la bière espagnole à Galway[196], les vins courant sur les cours d'eau couleur de vin.

— On reverra ça, dit Joe.

— Avec l'aide de la sainte mère de Dieu on reverra ça, dit le citoyen en se tapant les cuisses. Nos ports déserts se rempliront à nouveau, Queenstown, Kinsale, Galway, Blacksod Bay, Ventry dans le royaume de Kerry, Killybegs, le troisième port du monde[197] avec sa flotte et ses mâts aux armes des Lynch de Galway, des O'Reilly de Cavan et des O'Kennedy[198] de Dublin, du temps où le comte de Desmond[199] pouvait conclure un traité avec l'empereur Charles Quint en personne. On reverra ça, dit-il, quand on apercevra le premier cuirassé irlandais fendre les flots avec notre pavillon en proue, pas celui d'Henri Tudor avec vos harpes[200], non, mais le plus ancien pavillon qui ait traversé les mers, le pavillon de la province de Desmond et Thomond, trois couronnes sur champ d'azur, les trois fils de Milesius[201].

Puis il s'envoya une dernière lampée de bière, saperlipopette. Rien que du vent et de la pisse, comme un chat de tannerie. Les vaches ont de longues cornes dans le Connacht[202]. Il risquerait pas sa peau à aller débiter ses âneries aux foules de Shanagolden[203] où il ose pas montrer son nez rapport aux Molly Maguires[204] qui le recherchent pour le transformer en gruyère parce qu'il a mis la main sur le bien d'un exproprié.

— Ouais, bien envoyé, fait John Wyse. Qu'est-ce que tu prends ?

— Un cocktail Empereur[205], dit Lenehan, c'est de circonstance.

— Un demi-whisky, Terry, fait John Wyse, et une Allsop[206]. Terry ! Tu dors ou quoi ?

— Oui, monsieur, répond Terry. Un baby et une Allsop. Entendu, monsieur.

Avec Alf le nez dans ce sale torchon à la recherche de détails croustillants au lieu de s'occuper de la clientèle. Une image qui montre un match à coups de tête, ils essayent de se défoncer le crâne, l'un se précipitant sur l'autre la tête baissée comme un taureau sur une barrière. Une autre : *Bête brûlée à Omaha, Géorgie*[207]. Une bande de coureurs des bois[208] avec leurs chapeaux de cow-boy qui sont tous à tirer sur un bamboula pendu à un arbre, la langue pendante avec un feu de joie sous ses pieds. Putain, ils devraient le noyer encore en plus, et l'électrocuter et puis le crucifier pour être sûrs de leur affaire.

— Mais la marine invincible qui tient l'ennemi à distance[209], qu'est-ce que vous en faites ? demande Ned.

— Je vais vous le dire, répond le citoyen. C'est l'enfer sur terre. Lisez donc ce que révèlent les journaux sur les pratiques punitives dans les bateaux-écoles de Portsmouth[210]. Le type qui raconte ça il signe *Un Écœuré*.

Alors il se met à nous parler des châtiments corporels et de tout l'équipage de marins, d'officiers et de contre-amiraux en rangs avec leurs bicornes, le pasteur avec sa bible protestante qui est là pour assister à la punition et le jeune gars qu'ils amènent, qui appelle sa maman et qu'ils attachent sur la culasse d'un canon.

— Douze coups cul sec[211], fait le citoyen, comme

l'appelait cette vieille canaille de John Beresford[212] mais aujourd'hui ces bon dieu d'Angliches appellent ça déculottée sur la culasse.

Alors John Wyse :

— Coutume devant laquelle il est plus honorable de résister que de se déculotter.

Et il a continué en racontant que le maître d'armes arrive avec sa longue canne, prend son élan et il te flagelle le putain de derrière du pauvre gars jusqu'à ce qu'il hurle mille morts.

— Voilà ce qu'elle est notre glorieuse marine britannique, dit le citoyen, elle qui régente le monde. Des types qui ne seront jamais esclaves, qu'ils disent, avec la seule chambre héréditaire[213] qui existe à la surface du globe et toutes leurs terres entre les mains d'une douzaine de gros porcs et de barons de pacotille. Voilà le grand empire dont ils sont si fiers, un empire de bêtes de somme et de serfs qu'on fouette.

— Sur lequel jamais le soleil ne se lève, ajoute Joe.

— Et le plus tragique, dit le citoyen, c'est qu'ils y croient. Ils y croient ces malheureux Yahoos[214].

Ils croient au père fouettard tout-puissant, créateur de l'enfer sur la terre et en Jack le marin, fils de la gâchette, conçu du malsain esprit, né de la verge marine, qui a souffert sous douze coups cul sec, fut scarifié, étrillé et écorché vif, il a hurlé que c'était l'enfer, le troisième jour il s'est levé, il a quitté son pieu, il a mis le cap au port, s'est assis sur son derrière en attendant de revenir trimer parmi les vivants comme un mort[215].

— Pourtant, dit Bloom, la discipline n'est-elle pas la même partout ? Je veux dire est-ce que ce ne serait pas la même chose ici si vous opposiez la force à la force[216] ?

Je vous l'avais bien dit. Aussi sûr que je vais finir

ma bière, sur son lit de mort il continuerait à vous soutenir mordicus que mourir c'est vivre.

— Nous opposerons la force à la force, dit le citoyen. Nous avons notre grande Irlande au-delà des mers[217]. Ils ont été chassés de leurs maisons et de leurs foyers lors de l'année noire de 47[218]. Leurs chaumières et leurs huttes au bord de la route ont été mises à bas à coups de bélier et le *Times* s'est frotté les mains en racontant à ces poules mouillées de Saxons qu'il y aurait bientôt aussi peu d'Irlandais en Irlande que de peaux-rouges en Amérique[219]. Même le grand Turc nous a envoyé des piastres[220]. Mais les Saxissions ont essayé d'affamer la nation chez elle alors que notre terre regorgeait de blé, que ces hyènes d'Anglais ont tout raflé pour le vendre à Rio de Janeiro[221]. Ouaip, ils ont chassé les paysans en masse. Il y en a vingt mille qui sont morts dans des bateaux-cercueils[222]. Mais ceux qui ont atteint la terre de la liberté se souviennent de la terre de la servitude[223]. Et ils reviendront et en vengeurs ils seront un peu là, ils sont pas des lâches, les fils de Granuaile[224], les champions de Kathleen ni Houlihan.

— C'est tout à fait vrai, dit Bloom. Ce que je voulais dire, c'est…

— Ça fait longtemps qu'on l'attend ce jour-là, citoyen, fait Ned. Depuis que la Pauvre vieille nous a annoncé que les Français avaient pris la mer et débarquaient à Killala[225].

— Ouais, dit John Wyse. Alors qu'ils nous avaient reniés, nous avons combattu pour les Stuarts contre les partisans de Guillaume III et ils nous ont trahis. Souvenez-vous de Limerick et de la pierre du traité violé. Nous avons versé le meilleur de notre sang pour la France et l'Espagne, nous les oies sauvages. Fontenoy, hein ? Et Sarsfield, et O'Donnell, duc de Tétouan en Espagne, et Ulysse Browne de Camus, qui était maréchal dans l'armée de Marie-Thérèse[226]. Mais qu'est-ce qu'on en a récolté ?

— Les Français ! s'exclame le citoyen. Une bande de maîtres à danser ! Vous savez de quoi je parle ? Ce qu'ils ont fait pour l'Irlande ça ne vaut pas un pet de lapin. En ce moment ils doivent être à la soirée de Thomas Power[227] en train de manigancer une Entente cordiale avec la perfide Albion. Foutre le feu à l'Europe comme ils ont toujours fait.

— *Conspuez les Français*, fait Lenehan en attrapant sa bière.

— Quant aux Prouchiens et aux Hanofriens, dit Joe, on n'en peut plus de ces bouffeurs de saucisses de merde sur le trône depuis Georges l'Électeur jusqu'au petit boche[228] et sa vieille pute qu'est morte.

Il y avait vraiment de quoi se marrer, nom de dieu, avec sa sortie sur la vieille qui papillotait de l'œil, ivre morte dans son palais royal tous les soirs que Dieu fait, la vieille Victoria avec ses litres de gnôle et son cocher[229] qui se ramassait le tas pour le rouler dans le lit avec elle qui lui tirait les favoris en lui chantant des bribes de vieilles chansons genre *Ehren sur le Rhin* ou viens là où c'qu'on picole pour moins cher[230].

— Enfin, dit J. J., maintenant nous avons Édouard le pacifique.

— À d'autres, fait le citoyen. Plus de vérole qu'un vrai rôle ce gars-là. Édouard de Guelph-Wettin[231].

— Et qu'est-ce que vous en pensez, demande Joe, de nos saints farceurs, les prêtres et les évêques d'Irlande qui lui ont décoré sa chambre à Maynooth aux couleurs des écuries de Sa Majesté satanique en collant tous les portraits des chevaux que ses jockeys ont montés[232]. Le comte de Dublin[233], pas moins.

— Ils auraient dû coller toutes les femmes que lui-même a montées, fait le petit Alf.

Et J. J. :

— Nosseigneurs ont dû y renoncer faute d'espace.

— Vous en reprendrez un autre, citoyen ? demande Joe.

— Oui, monsieur, volontiers, il dit.

— Et vous ? demande Joe.

— Bien aimable à vous, Joe, je dis. Puisse votre ombre ne jamais diminuer[234].

— Remets-nous la même, fait Joe.

Bloom était en grande conversation avec John Wyse et il avait l'air tout excité avec sa tronche brunasombretcouleurdeboue et ses espèces d'yeux qui riboulaient.

— Persécutions, dit-il, l'histoire du monde en est pleine. Elle entretient la haine des nations contre les nations.

— Mais savez-vous ce que c'est qu'une nation ? demande John Wyse.

— Oui, répond Bloom.

— Alors ? demande John Wyse.

— Une nation ? fait Bloom. Une nation c'est les mêmes gens qui vivent au même endroit.

— Putain, dit Ned en riant, alors moi je suis une nation puisque je vis au même endroit depuis cinq ans.

Évidemment, tout le monde se fiche de Bloom et lui, il essaye de se dépêtrer :

— Ou bien qui vivent dans des endroits différents.

— Ça c'est mon rayon, fait Joe.

— Quelle est votre nation, sans vouloir être indiscret ? demande le citoyen.

— L'Irlande, dit Bloom. Je suis né ici. L'Irlande.

Le citoyen n'a rien répondu, il s'est contenté de se racler ce qui lui restait dans le gosier et putain, il a envoyé un mollard gros comme une huître direct dans le coin.

— Après vous et surtout vous gênez pas, Joe, il fait en sortant son mouchoir pour se récurer la face.

— C'est bon, citoyen, fait Joe. Prenez ça dans votre main droite et répétez après moi.

Le voile mortuaire merveilleusement brodé, ce trésor inestimable de l'antique Irlande attribué à Salomon de Droma et Manus Tomaltach og MacDonogh, auteurs du Livre de Ballymote[235], fut alors déployé avec précaution et suscita un murmure prolongé d'admiration. Il n'est pas nécessaire d'insister sur la beauté légendaire de ses quatre coins, un sommet de l'art où l'on peut précisément distinguer chacun des quatre évangélistes présentant à chacun des quatre maîtres[236] son symbole évangélique, un sceptre en chêne fossile, un puma d'Amérique du Nord (un roi des animaux bien plus noble que le modèle britannique, soit dit en passant), un veau de Kerry et un aigle de Carrantuohill[237]. Les scènes représentées sur le champ pituitaire, nos anciens duns et raths, nos cromlechs, nos grianauns, nos hauts lieux de savoir et nos pierres des maudits[238], sont aussi merveilleusement belles et les coloris aussi raffinés que du temps où les enlumineurs de Sligo laissaient libre cours à leur imagination esthétique, il y a si longtemps, du temps des Barmécides[239]. Glendalough[240], les lacs charmants de Killarney, les ruines de Clonmacnois, l'abbaye de Cong, Glen Inagh et ses Douze Collines, l'Œil de l'Irlande, les Vertes Collines de Tallaght, Croagh Patrick, la brasserie de MM. Arthur Guinness, fils & Cie (ltd), les bords du lac Neagh, la vallée d'Ovoca, la tour d'Yseut, l'obélisque de Mapas, l'hôpital de Sir Patrick Dun, le cap Clair, le glen d'Aherlow, le château de Lynch, le Scotch House, l'Asile de nuit de Rathdown à Loughlinstown, la prison de Tullamore, les rapides de Castleconnel, Kilballymacshonakill, la croix de Monasterboice, le Jury's Hotel, le Purgatoire de saint Patrick, le Saut du Saumon, le réfectoire du collège de Maynooth, le trou de Curley, les trois lieux de naissance du premier duc de Wellington, le rocher de Cashel, la tourbière d'Allen, les Magasins d'Henry street, la grotte de Fingal — toutes ces scènes émouvantes sont encore présentes là pour nous, rendues encore plus belles par les flots de larmes qui y furent versés et par les riches incrustations du temps.

— Passe-nous les verres, je dis. Lequel est à qui ?

— Celui-là il est à moi, dit Joe, comme dit le diable au policier mort.

— Et j'appartiens également à une race, dit Bloom, qui est haïe et persécutée. Encore aujourd'hui. En ce moment même. À l'instant même.

Bon sang, il a failli se brûler les doigts avec le mégot de son vieux cigare.

— Dépouillée, il dit. Pillée. Insultée. Persécutée. On nous prend ce qui nous appartient de droit. En ce moment même, il dit en levant le poing, au Maroc on nous vend aux enchères comme des esclaves ou du bétail[241].

— Est-ce que vous parlez de la nouvelle Jérusalem[242] ? demande le citoyen.

— Je parle de l'injustice, répond Bloom.

— OK, fait John Wyse. Alors résistez par la force, en hommes.

Tenez, une image d'almanach pour vous. Une vraie cible pour balle dumdum. Une vieille tronche de lard prête à affronter le canon du fusil. Putain, il pourrait décorer un plumeau, ce serait parfait, il lui manque plus qu'un tablier de nurse. Et puis il s'effondre aussi sec, changement à vue, flasque comme une chiffe molle.

— Mais ça ne sert à rien, il dit. La force, la haine, l'histoire, tout ça. C'est pas une vie pour des hommes et des femmes, les insultes et la haine. Tout le monde sait bien que c'est tout le contraire de ça la vraie vie.

— Quoi alors ? demande Alf.

— L'amour, dit Bloom. Je veux parler du contraire de la haine. Il faut que j'y aille à présent, il dit à John Wyse. Un petit tour au Palais pour voir si Martin y est. S'il vient, dites-lui que je reviens dans une seconde. J'en ai pour un instant.

Personne ne vous retient. Et il file comme du gruyère.

— Un nouvel apôtre des gentils[243], fait le citoyen. L'amour universel.

— Eh bien, fait John Wyse, n'est-ce pas aussi ce qu'on nous enseigne. Aime ton prochain.

— Ce type-là ? fait le citoyen. Baiser mon prochain, voilà sa devise. L'amour saperlipopette ! Il ferait un joli Roméo et Juliette.

L'amour aime aimer l'amour. L'infirmière aime le nouveau pharmacien. L'agent 14 A aime Mary Kelly. Gerty MacDowell aime le jeune homme à la bicyclette. M.B. aime un beau gentleman[244]. Li Chi Han li aime li embrasse Cha Pu Chow. Jumbo[245], l'éléphant, aime Alice, l'éléphante. Le vieux M. Verschoyle avec son cornet acoustique, il aime la vieille Mme Verschoyle avec son œil qui dit zut à l'autre. L'homme au macintosh brun aime une dame qui est morte. Sa Majesté le Roi aime Sa Majesté la Reine. Mme Norman W. Tupper aime le lieutenant Taylor. Vous aimez une personne. Et cette personne aime une autre personne parce que tout le monde aime quelqu'un mais Dieu, lui, aime tout le monde.

— Eh bien, Joe, je dis, santé et bonheur. Et vive le whisky, citoyen.

— Hourra ! fait Joe.

— Que la bénédiction de Dieu, de la vierge Marie et de saint Patrick soit sur vous, dit le citoyen.

Et il lève sa pinte pour se rincer le gosier.

— On les connaît ces culs-bénits, il dit, qui vous

font des sermons et qui piquent dans les poches. Et ce faux cul de Cromwell avec ses sbires qui passent les femmes et les enfants de Drogheda à l'épée en collant les paroles de la bible *Dieu est amour* sur la gueule de ses canons[246]. La bible ! Vous avez lu cette saynète dans *The United Irishman* d'aujourd'hui sur ce chef zoulou en visite en Angleterre[247] ?

— Non, c'est quoi ? demande Joe.

Alors le citoyen sort un des journaux de son bazar et il commence à lire tout haut :

— Une délégation des principaux magnats du coton de Manchester fut présentée hier à Sa Majesté le sultan d'Abeakuta[248] par le Bâtondoré d'honneur, Lord Tumarches Surdesœufs, pour adresser à Sa Majesté les remerciements émus des marchands anglais pour les possibilités qui leur ont été offertes dans ses territoires. La délégation prit part à un déjeuner à l'issue duquel le potentat basané fit un discours des plus heureux, librement traduit par le chapelain anglais, le révérend Ananias Priedieu Jusqualos[249], par lequel il adressa ses plus sincères remerciements à Missié Tumarches et célébra les relations cordiales établies entre l'Abeakuta et l'Empire britannique, affirmant qu'il considérait comme l'un de ses trésors les plus précieux une bible enluminée, livre de la parole de Dieu et secret de la grandeur de l'Angleterre, qui lui a été gracieusement offerte par la cheffesse blanche, la grande squaw Victoria, personnellement dédicacée par l'auguste main de la Royale Donatrice. Portant un toast au *Black and White*, le sultan but la coupe de l'amitié emplie du meilleur tord-boyaux[250] dans le crâne de son prédécesseur immédiat de la dynastie Kakachakachak, prénommé Quarante-verrues, après quoi il visita la manufacture la plus importante de Cotonopolis[251], fit une croix sur le livre d'or puis il exécuta une charmante danse de guerre traditionnelle des Abeakutes, au cours de laquelle il avala force couteaux et fourchettes, à la grande joie des jeunes ouvrières qui l'applaudirent vivement.

— La veuve, fait Ned, on peut lui faire confiance. Me demande s'il a fait de cette bible l'usage que j'en aurais fait moi.

— Le même et plus, dit Lenehan. Et depuis lors, dans cette terre fertile, le manguier aux larges feuilles fut florissant à l'excès.

— L'article est de Griffith ? demande John Wyse.

— Non, répond le citoyen. Il n'est pas signé Shanganagh. Il est seulement suivi de l'initiale : P[252].

— Ce n'est pas une mauvaise initiale non plus[253], dit Joe.

— Voilà comment c'est arrangé, dit le citoyen. Le commerce suit le drapeau.

— Eh bien, fait J. J., s'ils sont pires que les Belges dans l'État libre du Congo, ça doit être joli. Vous avez lu ce rapport d'un certain… c'est quoi son nom déjà ?

— Casement[254], fait le citoyen. Il est irlandais.

— Oui, c'est lui, dit J. J. Ils violent les femmes et les jeunes filles et ils fouettent les indigènes sur le ventre pour tirer d'eux le maximum de caoutchouc.

— Je sais où il est parti, fait Lenehan en claquant des doigts.

— Qui ? je demande.

— Bloom, il répond, le Palais de justice, c'est un bobard. Il avait mis quelques sous sur *Jetsam* et il est allé récupérer les shekels[255].

— Le voilà bien le cafre aux yeux blancs[256], fait le citoyen, qui n'a jamais parié sur un cheval de sa vie.

— C'est là qu'il est allé, fait Lenehan. J'ai rencontré Bantam Lyons qui allait miser sur ce cheval sauf que je l'en ai empêché et il m'a dit que c'est Bloom qui lui avait donné le tuyau. Je vous parie tout ce que vous voulez qu'il se fait cent shillings pour cinq. Il est le seul à Dublin à avoir ça. Un outsider.

— Un sacré outsider lui-même, fait Joe.

— S'te plaît, Joe, je demande, montre-nous l'entrée pour dégager.

— C'est par là, dit Terry.

Adieu, l'Irlande, je vais à Gort[257]. Alors donc que je m'en faisais un petit tour au fond de la cour pour pisser un coup et putain (cent shillings pour cinq) voilà-t-y pas que pendant que je déchargeais (*Jetsam* à vingt contre) je déchargeais mon trop-plein putain je me suis dit à moi-même que j'avais bien vu qu'il était mal à l'aise dans (deux pintes payées par Joe et une chez Slattery[258]) dans sa tête de se défiler pour (cent shillings ça fait cinq livres) et quand ils étaient dans le (outsider) Pisseur Burke il me racontait les parties de cartes et qu'il faisait semblant que l'enfant était malade (putain, ça doit pas faire loin de cinq litres) sa fesse molle de femme qui lui hurlait dans le cornet *qu'elle va mieux* ou *qu'elle* (han !) une combine pour qu'il puisse foutre le camp avec le pognon si il gagnait ou (bon dieu, ce que j'étais plein) faire du commerce sans autorisation (han !) Irlande ma nation il fait (Rhoik ! Phfuit !) on saura jamais faire comme ces sacrés (c'est la dernière goutte) coucous[259] (ah !) de Jérusalem.

En tout cas quand je suis retourné chacun y allait de son son de cloche, John Wyse il disait que c'était Bloom qui avait donné l'idée à Griffith pour le Sinn Fein qu'il mette dans son journal toutes sortes de fraudes électorales, les jurys truqués, à escroquer l'État sur les impôts et à nommer des consuls dans le monde entier partout pour aller vendre des produits de l'industrie irlandaise. Déshabiller Pierre pour habiller Paul. Putain ça va tout nous foutre en l'air et ça va être la foirade totale si ce putain d'œil mou il vient gâcher la fête. Laisse-nous nous démerder. Dieu sauve l'Irlande de mecs comme cette sacrée fouine. M. Bloom avec son ragoût de bagout. Et son paternel avant lui qui trafiquait avec tout le monde, le vieux Mathusalem Bloom, le voyageur de commerce de la rapine, qui s'est empoisonné avec de l'acide prussique après avoir intoxiqué tout le pays avec ses babioles et ses strass. Prêts par correspondance, faibles mensualités. Toute somme avancée sur signature. Pas de limite géographique. Aucune caution exigée. Putain c'est comme la chèvre de Lanty MacHale[260] qui faisait un bout de chemin avec tout le monde.

— Le fait est, dit John Wyse. Et voici l'homme qui vous dira tout sur cette affaire, Martin Cunningham.

Pas de doute, la voiture de fonction arrivait avec Martin dedans et Jack Power était avec lui avec un type qui s'appelait Croepffner ou Crofton, un retraité de la Recette-générale, un orangiste que Blackburn[261] emploie à l'enregistrement et lui il gagne sa paye, ou bien c'est Crawford, à vadrouiller dans tout le pays aux frais de la princesse.

Nos voyageurs atteignaient la rustique auberge et sautaient à bas de leurs palefrois.

— Hohé, valet ! cria celui qui, à en juger par sa mine, devait être le chef de la troupe. Ah ça, impudent coquin ! Tu vas t'occuper de nous !

Tout en parlant il frappait à grands coups de pommeau d'épée sur le volet ouvert.

Le bon aubergiste sortit à cette sommation en s'attachant son gilet tablier.

— Je vous dis bien le bonjour, mes maîtres, dit-il avec un salut obséquieux.

— Hâte-toi, drôle ! cria celui qui avait frappé. Prends soin de nos coursiers. Et pour nous, sers ce que tu as de meilleur, car par ma foi nous en avons bien besoin.

— Hélas, les temps sont durs, mes bons maîtres, ma pauvre maison n'a que cellier presque vide. Je ne sais guère quoi offrir à vos seigneuries.

— Qu'est-ce à dire, brave homme ? s'écria le deuxième voyageur, un homme aux façons avenantes, est-ce ainsi que tu traites les messagers du roi, Maître Lèchefût ?

À ces mots l'expression du maître de céans changea instantanément :

— Baillez-moi votre merci, gentilshommes, dit-il humblement. Or si vous êtes les messagers du roi (Dieu protège Sa Majesté !) vous ne manquerez de rien. Les amis du roi (Dieu bénisse Sa Majesté !) ne mourront pas de faim dans ma maison, j'en réponds.

— À l'œuvre donc ! s'écria le voyageur qui n'avait point encore parlé et qui avait l'air d'avoir un valeureux coup de fourchette. As-tu quelque chose à nous donner ?

Le bon hôte se courba derechef et répondit :

— Que diriez-vous, mes bons maîtres, d'un pâté de pigeonneau, de quelques pièces de venaison, d'une selle de veau, d'un canard bardé de lard croustillant, d'une hure de sanglier aux pistaches, d'une jatte de crème renversée, d'un pudding parfumé à la tanaisie et d'un flacon de vin vieux du Rhin.

— Palsambleu ! s'écria celui qui avait parlé le dernier. Cela me réjouit fort. Des pistaches !

— Haha ! s'écria l'homme aux avenantes façons. Une pauvre maison au cellier presque vide, diable. Le plaisant coquin.

Sur ce Martin entre et demande où est Bloom.

— Où il est ? répond Lenehan. En train de dépouiller la veuve et l'orphelin.

— Est-ce que ce n'est pas vrai de vrai, dit John Wyse, ce que je disais au citoyen à propos de Bloom et du Sinn Fein ?

— Si, fait Martin. Ou du moins on l'allègue.

— Qui est l'auteur de ces allégations ? demande Alf.

— Moi, fait Joe. C'est moi l'alligator.

— Et après tout, fait John Wyse, pourquoi est-ce qu'un juif n'aimerait pas autant son pays que n'importe qui ?

— Pourquoi pas ? fait J. J., une fois qu'il est tout à fait sûr que c'est son pays.

— Il est juif ou bien gentil ou bon catholique ou méthodiste ? Qu'est-ce qu'il est nom de dieu ? fait Ned. Qui il est au juste ? Soit dit sans vous offenser, Crofton.

— Qui est Junius[262] ? ajoute J. J.

— On ne veut pas de lui, fait Crofter l'orangiste ou le presbytérien.

— C'est un juif renégat, dit Martin, qui vient d'un coin de Hongrie et c'est lui qui a tiré tous les plans d'après le système hongrois. On sait ça au château[263].

— C'est pas un cousin de Bloom le dentiste[264] ? dit Jack Power.

— Rien à voir, dit Martin. Ils ont le même nom, c'est tout. Lui il s'appelait Virag. Le nom de son père qui s'est empoisonné. Il a obtenu d'en changer par acte sous-seing privé, le père.

— C'est ça le nouveau Messie de l'Irlande ! s'exclame le citoyen. Île des saints et des sages !

— En effet, eux attendent toujours leur rédempteur, dit Martin. Exactement comme nous finalement.

— Oui, fait J. J., et à chaque fois qu'ils ont un enfant mâle, ils pensent que c'est peut-être leur Messie. Et tous les juifs sont paraît-il dans un état d'excitation pas possible jusqu'à ce qu'ils sachent s'ils sont père ou mère.

— S'attendant à ce que chaque instant soit le suivant, dit Lenehan.

— Oh putain, dit Ned, il aurait fallu que vous voyiez Bloom avant que son fils qui est mort est né. Je l'ai rencontré un jour au marché sud qui achetait une boîte de lait en poudre six semaines avant l'accouchement.

— *En ventre sa mère*[265], fait J. J.

— Vous parlez d'un homme ! fait le citoyen.

— Je me demande même s'il a jamais su où la mettre dans le noir, fait Joe.

— Il a quand même réussi à faire deux enfants, dit Jack Power.

— Et qui soupçonne-t-il ? demande le citoyen.

Putain, n'empêche qu'il y a du vrai dans la plaisanterie. Un de ces résidus de fausse couche. À l'hôtel, me racontait Pisseur, il restait au lit une fois par mois avec la migraine comme une minette qui a ses lunes. Vous voulez que je vous dise ? Ce serait une œuvre pie de prendre un type comme ça par la peau du cou et de le foutre à la mer. Cas de légitime défense ce serait. Et puis il s'est tiré comme une gonzesse avec tout son bénef sans offrir une pinte aux copains, en homme. Bénissez-nous Seigneur. Même pas de quoi remplir un dé à coudre.

— Soyons charitables, dit Martin. Mais où est-il ? On ne peut plus attendre.

— Un loup déguisé en mouton[266], fait le citoyen. C'est tout ce qu'il est. Virag de Hongrie. Ahasvérus[267] moi je l'appelle. Maudit de Dieu.

— Vous avez le temps pour une petite libation, Martin ? demande Ned.

— Juste une, dit Martin. On est pressés. Un Jameson[268].

— Et toi Jack ? Crofton ? Trois babys, Terry.

— Saint Patrick il devrait débarquer à nouveau à Ballykinlar[269] pour nous convertir, dit le citoyen, puisque nous avons permis à des saletés pareilles de contaminer nos rivages.

— Allons, dit Martin en cognant sur la table pour avoir son verre. Que Dieu nous bénisse tous, voilà ce que je demande.

— Amen, répond le citoyen.

— Et je suis sûr qu'il le fera, dit Joe.

Et au son de la cloche consacrée, conduite par un crucifère et ses acolytes, thuriféraires, porteurs de navettes d'encens, lecteurs, porteurs d'ostensoirs, diacres et sous-diacres, s'avança la sainte procession des abbés mitrés, des prieurs, des pères gardiens, des moines et des frères : les moines de saint Benoît de Spolète, les Chartreux et les Camaldules, les Cisterciens et les Olivétains, les Oratoriens et les Vallombrosiens, et les frères de saint Augustin, les Brigittins, les Prémontrés et les Serviens, les Trinitaires et les enfants de saint Pierre Nolasque : et en outre venus du mont Carmel, les enfants d'Élie le prophète conduits par l'évêque Albert et par Thérèse d'Avila, chaux et déchaux : et les frères bruns et gris, fils du pauvre François, les capucins, les cordeliers, les minimes, les observants et les filles de Claire : et les fils de Dominique, les frères prêcheurs, et les fils de saint Vincent : et les moines de saint Wolstan : et d'Ignace, les fils : et la confraternité des frères des écoles chrétiennes conduite par le révérend frère Edmund Ignatius Rice. Et venaient ensuite tous les saints et martyrs, les vierges et les confesseurs : saint Cyr et saint Isidore Arator, saint Jacques le Mineur et saint Phocas de Sinope, saint Julien l'Hospitalier et saint Félix de Cantalice, saint Siméon Stylite et saint Étienne Protomartyr, saint Jean de Dieu et saint Ferréol, saint Leugarde et saint Théodote, saint Vulmar et saint Richard, saint Vincent de Paul et saint Martin de Todi, saint Martin de Tours et saint Alfred, saint Joseph et saint Denis, saint Cornélius et saint Léopold, saint Bernard et saint Térence, saint Édouard et saint Owen Canicule, saint Anonyme et saint Éponyme et saint Pseudonyme et saint Homonyme et saint Paronyme et saint Synonyme, saint Laurence O'Toole et saint Jacques de Dingle et Compostelle, saint Columcille et saint Columba, saint Célestin et saint Colman, saint Kevin et saint Brendan, saint Frigidian et saint Senan, saint Fachtna et saint Columban, saint Gall et saint Fursey, saint Fintan et saint Fiacre, saint Jean Népomucène et saint Thomas d'Aquin, saint Yves de Bretagne et saint Michan, saint Herman-Joseph et les trois patrons de la jeunesse chrétienne saint Louis de Gonzague, saint Stanislas Kostka et saint Jean Berchmans, les saints Gervais, Servais et Boniface, et sainte Bride et saint Kieran, saint Canice de Kilkenny et saint Jarlath de Tuam, saint Finbarr et saint Pappin de Ballymun, frère Aloysius Pacificus et frère Louis Bellicosus, les saintes Rose de Lima et de Viterbe, sainte Marthe de Béthanie et sainte Marie d'Égypte, sainte Lucie et sainte Brigitte, sainte Attracta et sainte Dympna, sainte Ita et sainte Marion Calpensis, la bienheureuse Thérèse de l'Enfant-Jésus, sainte Barbe, sainte Scholastique et sainte Ursule accompagnée des onze mille vierges. Et toutes et tous, saintes et saints avançaient avec des nimbes et des auréoles et des gloires, portaient des palmes et des harpes et des épées et des couronnes d'olivier, étaient vêtus de tuniques sur lesquelles étaient tissés les symboles sacrés de leur pouvoir, écritoires, flèches, pains, cruches, chaînes, haches, arbres, ponts, bébés dans une baignoire, coquilles, bourses, cisailles, clés, dragons, lis, chevrotines, barbes, cochons, lampes, soufflets, ruches, louches, étoiles, serpents, enclumes, pots de vaseline, cloches, béquilles, forceps, bois de cerfs, bottes en caoutchouc, faucons, meules, yeux sur un plat, bougies, goupillons, licornes. Et tout en suivant leur itinéraire par la colonne Nelson, Henry street, Mary street, Capel street et Little Britain street, chantant l'introït[270] de *in Epiphania Domini* qui commence par *Surge, illuminare* et continuant plus doucement avec le graduel *Omnes* qui dit *de Saba venient*[271], ils accomplirent plusieurs miracles, par exemple chasser les démons, ressusciter les morts, multiplier les poissons, guérir les paralytiques et les aveugles, retrouver divers objets égarés, interpréter et accomplir les écritures, bénir et prophétiser. Fermant la marche, sous un dais brodé d'or, s'avançait le révérend Père O'Flynn assisté de Malachie et de Patrick. Et quand les bons pères eurent rejoint le point de rencontre, l'établissement de Bernard Kiernan & Cie ltd, 8, 9 et 10 Little Britain street, épicier en gros, expéditeur de vins et spiritueux, licence pour la bière, le vin et les alcools à consommer sur place, le célébrant bénit la maison, encensa les fenêtres à meneaux, les croisées d'ogives, les voûtes, les arêtes, les chapiteaux, les frontons, les corniches, les arcs dentelés, les flèches et les coupoles et il aspergea les linteaux avec de l'eau bénite et adressa une prière à Dieu pour qu'il bénisse cette maison comme il avait béni la maison d'Abraham, d'Isaac et de Jacob et pour qu'il y fasse résider Ses anges de lumière[272]. Puis il entra et bénit les viandes et les boissons et tous ceux qui avaient reçu sa bénédiction répondirent à ses prières.

— *Adjutorium nostrum in nomine Domini.*

— *Qui fecit cœlum et terram.*

— *Dominus vobiscum.*

— *Et cum spiritu tuo*[273].

Puis, après la bénédiction, il imposa les mains, récita l'action de grâces, pria et tous prièrent avec lui :

— *Deus, cuius verbo sanctificantur omnia, benedictionem tuam effunde super creaturas istas : et praesta ut quisquis eis secundum legem et voluntatem Tuam cum gratiarum actione usus fuerit per invocationem sanctissimi nominis Tui corporis sanitatem et animae tutelam Te auctore percipiat per Christum Dominum nostrum* [274].

— On est tous d'accord, fait Jack.

— Mille livres par an, Lambert, fait Crofton ou Crawford.

— D'accord, dit Ned en levant son John Jameson. Et du beurre dans les épinards.

Je jetais juste un coup d'œil à la ronde pour voir qui serait frappé d'une heureuse inspiration quand merde alors le voilà qui rapplique encore en faisant celui qui a le feu au cul.

— Je viens de faire un tour au Palais, il dit, je vous cherchais. J'espère que je ne suis pas...

— Non, fait Martin, nous sommes prêts.

Le Palais, mon œil, et tes poches pleines à craquer d'or et d'argent. Sale trou du cul de radin. Nous payer un bon coup à boire. On peut toujours se brosser ! Ça, c'est un juif ! Tout pour sa pomme. Aussi finaud qu'un rat de chiottes. Cent contre cinq.

— Gardez bien ça pour vous, fait le citoyen.

— Pardon ? il dit.

— Allons, mes amis, dit Martin qui se rend compte que ça commence à sentir le roussi. On y va.

— Gardez bien ça pour vous, fait le citoyen, se laissant aller à gueuler. C'est un secret.

Ça a réveillé le sale cabot qui s'est mis à gronder.

— Au revoir tout le monde, fait Martin.

Et il les a fait sortir aussi vite qu'il a pu, Jack Power et Crofton ou machintruc je ne sais plus et lui entre les deux avec son air tout démonté et hop tous dans cette foutue carriole.

— Filons, dit Martin au cocher.

Le dauphin blanc comme neige secoua sa crinière

et, montant à la poupe dorée, l'homme de barre déploya la voile gonflée, allant au vent toutes voiles dehors, le spi à bâbord. Une foultitude de nymphes charmantes s'approcha de bâbord et de tribord et, s'attachant aux flancs de la noble nef, elles entrelacèrent leurs corps resplendissants comme fait le charron habile lorsqu'il adapte au cœur de sa roue les rayons équidistants dont chacun est frère de l'autre et qu'il les relie par un anneau externe et qu'il donne ainsi de la vitesse aux pieds de l'homme soit qu'ils courent au combat soit qu'ils prétendent conquérir le sourire des belles dames. Ainsi les vit-on venir et se placer, ces nymphes complaisantes, ces sœurs immortelles. Et elles riaient, s'ébattant dans leur cercle d'écume : et la nef fendait les flots.

Mais putain, j'avais à peine reposé mon verre sur son cul que j'ai vu le citoyen se lever et se dandiner jusqu'à la porte, haletant et soufflant comme un hydropique et lançant contre Bloom la malédiction de Cromwell, cloche, livre et chandelle[275], en irlandais, crachant et crachotant tout ce qu'il peut, avec Joe et le petit Alf tournant autour de lui comme un lutin pour essayer de le câalmer.

— Foutez-moi la paix, il dit.

Et il a pu arriver jusqu'à la porte putain et eux qui l'accrochaient et il se met à leur gueuler :

— Trois bans pour Israël !

Arragh, assieds-toi sur le côté parlementaire de ton cul pour l'amour du ciel et ne te donne pas en spectacle. Bon dieu, il y a toujours un foutu clown quelque part ou d'autre qui fout un sacré bordel pour des prunes. Putain ça vous ferait tourner la bière à l'aigre dans les boyaux et pas qu'un peu.

Et tous les vanupieds et les traînées du pays s'étaient donné rendez-vous devant la porte et Martin qui disait au cocher d'avancer, le citoyen qui gueulait et Alf et Joe à essayer de la lui boucler et lui sur ses grands chevaux à parler des juifs et les badauds qui réclamaient un discours et Jack Power qui essayait de le faire asseoir dans la voiture et qu'il ferme sa gueule et un badaud avec un bandeau sur l'œil qui commence à chanter *Si l'homme de la lune était un juif, un juif, un juif*[276] et une traînée qui se met à hurler :

— Eh, monsieur, votre braguette est ouverte, monsieur.

Et lui qui dit :

— Mendelssohn était juif et Karl Marx et Mercadante et Spinoza[277]. Et le sauveur était juif et son père était juif. Votre Dieu.

— Il n'avait pas de père, dit Martin. Ça suffit maintenant. En avant.

— Le Dieu de qui ? demande le citoyen.

— OK, son oncle était juif, alors, il dit. Votre Dieu était juif. Le Christ était juif comme moi.

Putain, le citoyen a fait un de ces plongeons dans la boutique.

— Bon dieu, il fait, je lui éclaterai la tête à ce putain de juif pour prononcer le saint nom. Bon dieu je le crucifierai, il verra. Passe-moi la boîte à biscuits là.

— Arrête ! Arrête ! fait Joe.

Un rassemblement nombreux et sympathique d'amis et de relations venus de la métropole et du grand Dublin s'était donné rendez-vous par milliers pour dire adieu à Nagyaságos uram Lipóti Virag[278], ancien collaborateur de MM. Alexander Thom[279], imprimeurs de Sa Majesté, à l'occasion de son départ pour les lointaines contrées de Százharminczbrojúgulyás-Dugulás[280] (Prairie du Murmure des Eaux). La cérémonie qui se déroula avec beaucoup d'*éclat* fut empreinte de la plus touchante cordialité. Le rouleau enluminé d'un antique parchemin irlandais, œuvre d'artistes irlandais, fut offert au distingué phénoménologue au nom d'une partie importante de l'assemblée et fut accompagné d'un présent, une cassette d'argent ouvragée avec goût dans le vieux style ornemental celtique, œuvre qui est tout à l'honneur de ses exécuteurs, MM. Jacob *agus* Jacob[281]. L'invité d'honneur reçut une ovation chaleureuse et bon nombre des assistants furent visiblement émus quand l'orchestre distingué des cornemuses irlandaises fit entendre les célèbres accents de *Reviens à Erin*, immédiatement suivis par *La Marche de Rakóczy*[282]. Des barils de goudron et autres feux de joie furent allumés le long des côtes des quatre mers[283] sur les sommets de la colline de Howth[284], de Three Rock Mountain, du Sugarloaf, du Bray Head, des Monts Mourne, des Galtees, des pitons d'Ox, de Donegal et de Sperrin, des Nagles et des Bograghs, des collines du Connemara, des M'Gillicuddy's reeks, du mont Aughty, du mont Bernagh et du mont Bloom. Au milieu des acclamations qui ébranlaient la voûte céleste, et auxquelles répondaient en écho les acclamations d'un important rassemblement de partisans sur les crêtes lointaines de Cambrie et de Calédonie[285], le gigantesque bateau de plaisance quitta lentement la rive, salué par un dernier tribut floral offert par les représentantes du beau sexe présentes en grand nombre, tandis que, comme il descendait la rivière, escorté par une flottille de barges, les drapeaux du Ballast office et de la Douane furent abaissés en signe d'adieu comme le furent tous ceux de la station électrique de la Pigeon House et du phare de Poolbeg. *Visszontlátásra, kedvés barátom ! Visszontlátásra*[286] ! Loin des yeux mais près du cœur.

Putain, même le diable n'aurait pas pu l'empêcher de saisir la boîte en fer-blanc et de sortir avec le petit Alf cramponné à son coude et de crier comme un cochon qu'on égorge, c'était mieux que n'importe quel drame merdique au Queen's Theatre.

— Où est-ce qu'il est que je l'étripe !

Ned et J. J. étaient pliés en deux de rire.

— Tonnerre, je dis, je vais arriver juste avant la fin de la messe.

Mais coup de chance le cocher avait tourné la tête du canasson dans l'autre direction et en route.

— Attendez, citoyen, fait Joe. Pas ça.

Putain il a allongé le bras, pris de l'élan et vlan, à toute volée. C'est une bénédiction qu'il avait le soleil dans l'œil[287] sinon il l'aurait étendu. Putain c'est tout juste s'il l'a pas envoyé bouler dans le comté de Longford[288]. Le canasson il a eu une de ces peurs et le vieux bâtard qui courait après la voiture à un train d'enfer et toute la populace qui criait et riait et la vieille boîte en fer-blanc qui dégringolait la rue en tintinnabulant.

Les effets de la catastrophe furent instantanés et terrifiants. L'observatoire de Dunsink enregistra onze oscillations en tout, toutes d'intensité cinq sur l'échelle de Mercalli, et pareille secousse sismique ne s'était pas produite dans notre île depuis le tremblement de terre de 1534[289], l'année de la rébellion de Thomas le Soyeux. L'épicentre semble en avoir été cette partie de la métropole qui constitue la circonscription de Inn's quay et la paroisse de Saint-Michan sur une surface de quarante et une acres, deux vergées et une perche ou cinq mètres carrés. Toutes les résidences aristocratiques situées dans le voisinage du Palais de justice furent détruites et ce noble édifice lui-même, où d'importants débats juridiques se déroulaient au moment de la catastrophe, n'est plus à proprement parler qu'un tas de ruines sous lesquelles il est à craindre que tous les occupants n'aient été enterrés vivants. Selon les récits des témoins oculaires, il apparaît que les ondes sismiques furent accompagnées par une violente perturbation atmosphérique à caractère cyclonique. Un article de chapellerie qu'on a reconnu depuis pour avoir appartenu au très estimé greffier de la couronne et de la justice de paix, M. George Fottrell, et un parapluie de soie à manche d'or où étaient gravés les initiales, l'écusson, les armes et l'adresse de l'érudit et vénérable président des assises trimestrielles sir Frederick Falkiner, président du tribunal correctionnel de Dublin, ont été découverts par les équipes de secours dans des endroits reculés de l'île, respectivement le premier sur la troisième crête basaltique de la chaussée des géants, le second enlisé d'un pied trois pouces dans la grève sablonneuse de la baie d'Holeopen près du vieux cap de Kinsale[290]. D'autres témoins oculaires assurent qu'ils ont aperçu une énorme boule incandescente qui trouait l'atmosphère à une vitesse terrifiante selon une trajectoire sud-ouest-ouest. Un feu d'artifice de messages de condoléances et de sympathie arriva de tous les points des différents continents et le souverain pontife dans sa grande bonté a daigné ordonner qu'une *missa pro defunctis*[291] extraordinaire soit célébrée simultanément par les desservants de toutes les églises cathédrales de tous les diocèses épiscopaux relevant de l'autorité spirituelle du Saint-Siège, à l'intention des âmes de ces fidèles défunts qui, d'une façon si soudaine, ont été enlevés à notre affection. Le travail de sauvetage, l'enlèvement des *débris*, restes humains etc. ont été confiés à MM. Michael Meade et fils, 159 Great Brunswick street, et à MM. T.C. Martin, 77, 78, 79 et 80 North Wall, secondés par les officiers et soldats d'infanterie légère du régiment du Duc de Cornouailles[292] sous le haut commandement de Son Altesse Royale, contre-amiral, le très honorable sir Hercule Hannibal Habeas Corpus Anderson, Chevalier de l'ordre de la Jarretière, chevalier de l'ordre de Saint-Patrick, chevalier de l'ordre du Chardon, conseiller privé, commandeur de l'ordre du Bain, député, juge de paix, diplômé de la faculté de médecine, décoré de l'Ordre pour Services distingués, chevalier de Sodome, maître des Chasses, membre de l'Académie Royale d'Irlande, licencié en droit, docteur en musicologie, administrateur des Bonnes Œuvres, membre du Trinity College de Dublin, membre de l'Université Royale d'Irlande, membre du Collège Royal de Médecine d'Irlande et membre du Collège Royal de Chirurgie d'Irlande.

Vous n'avez jamais vu une chose pareille de toute votre vie bordel. Putain, si il avait eu ce billet de loterie sur le coin de la poire il se serait rappelé la coupe d'or un bout de temps mais putain le citoyen il aurait été coffré pour coups et violences et Joe pour complicité active. Le cocher lui a sauvé la vie en foutant le camp comme un fou comme Dieu il a fait pour Moïse. Hein ? Ah, bon dieu c'est sûr. Et l'autre il a continué à lâcher toute une bordée d'injures.

— Je l'ai tué, il fait, oui ou merde ?

Et il crie à son sale clebs :

— Mords-le, Garry ! Mords-le mon chien !

La dernière chose qu'on a vue c'est la foutue carriole qui tournait le coin avec dedans cette vieille tête de mouton qui gesticulait et le sale cabot qui courait après toutes oreilles dehors, il était pas loin le con de l'étriper et de le détripailler. Cent contre cinq ! Bon dieu il en a eu pour son argent, je vous dis que ça.

Or, voici qu'une grande lumière descendit sur eux et ils virent le char où Il se tenait debout qui montait aux cieux[293]. Et ils Le virent dans le char, revêtu de la gloire de cette lumière, et il devint brillant comme le soleil[294], beau comme la lune et si terrible que dans leur crainte ils n'osaient plus lever les yeux vers Lui. Et une voix qui venait du ciel appela : *Élie ! Élie !* Et Il répondit dans un grand cri : *Abba ! Adonai*[295] *!* Et voici qu'ils Le virent, Lui, Lui en personne, ben Bloom Élie[296], au milieu de nuées d'anges, monter en gloire vers la lumière à un angle de quarante-cinq degrés au-dessus du pub Donohoe, little Green street, comme par un bon coup de pelle.

Le soir d'été avait commencé de fondre le monde dans son mystérieux embrassement. Au loin à l'ouest le soleil se couchait et le dernier éclat d'une journée hélas trop prompte à disparaître caressait suavement la mer et la grève, le fier promontoire de notre bon vieux Howth qui veille depuis la nuit des temps sur les eaux de la baie, les rochers tapissés de varech au long du rivage de Sandymount[1], et, en dernier mais non moins, la paisible église[2] d'où émanait de temps à autre dans le silence la voix de la prière à celle qui en son pur rayonnement est un phare éternel pour l'âme tempétueuse de l'homme, Marie, étoile de la mer[3].

Les trois jeunes amies étaient assises sur les rochers et savouraient l'harmonie du soir ainsi que l'air qui était frais mais point trop piquant. Souventes fois les voyait-on s'acheminer vers ce petit havre tout désigné pour une conversation intime auprès des vagues brasillantes et discuter de questions féminines, Cissy Caffrey et Edy Boardman avec le bébé dans sa poussette, ainsi que Tommy et Jacky Caffrey, deux petits garçons aux têtes bouclées, vêtus tous deux du même costume marin et du petit canotier assorti où courait l'inscription H.M.S. Bellisle. Car Tommy et Jacky Caffrey étaient des jumeaux, âgés de quatre ans à peine, et c'étaient des jumeaux très bruyants et très pourrigâtés parfois mais tout de même de bons petits garnements aux frimousses irrésistibles de drôlerie et aux manières propres à vous attendrir. Ils patouillaient dans le sable avec leurs pelles et leurs seaux, construisant des châteaux comme font les enfants, ou jouaient avec leur gros ballon coloré[4], heureux de la longueur du jour. Et Edy Boardman berçait le dodu bébé en avant en arrière dans la poussette tandis que notre ravi petit lord gazouillait à qui mieux mieux. Il n'avait que onze mois et neuf jours mais, bien qu'il fût encore château branlant, commençait déjà à zézayer ses premières expressions enfantines. Cissy Caffrey vint à se pencher sur lui pour chatouiller ses petites joues rebondies et la charmante fossette de son menton.

— Maintenant, bébé, dit Cissy Caffrey, dis voir tout haut, tout haut : je veux boire de l'eau.

Et bébé de babiller après elle :

— A boi a boi lolo.

Cissy Caffrey était aux petits soins pour le bambin car elle adorait les enfants, si attentive à leurs petits malheurs que jamais Tommy Caffrey n'eût consenti à prendre son huile de foie de morue si Cissy Caffrey n'avait été là pour lui pincer le nez et lui promettre le petit bout du quignon de la miche ou du pain bis tartiné de mélasse. Quel don de persuasion possédait cette jeune fille ! Mais bien sûr que bébé valait de l'or, un vrai petit trésor avec sa bavette dernier cri. Comme Cissy Caffrey se distinguait de nos beautés capricieuses, genre Flora O' Futile[5] ! Jamais créature au cœur plus pur n'avait encore foulé la surface de la Terre, avec un permanent pétillement de gaieté dans ses yeux de gitane et un mot espiègle sur ses lèvres cerise[6], une jeune fille adorable à tous points de vue. Et Edy Boardman riait elle aussi à l'amusant babil de son petit frère.

Mais voici qu'éclatait une légère altercation entre Maître Tommy et Maître Jacky. Les garçons sont les garçons et nos deux jumeaux ne faisaient point exception à la règle des règles. La pomme de discorde[7] était un certain château de sable que Maître Jacky avait édifié et dont Maître Tommy estimait que l'architecture devait être à tout prix améliorée en le dotant d'une porte d'entrée pareille que celle de la tour Martello. Mais si Maître Tommy était opiniâtre Maître Jacky n'était pas moins obstiné et, donnant raison à la maxime selon laquelle toute modeste que soit sa demeure chaque petit Irlandais est le maître chez soi, il se jeta sur son rival abhorré avec un tel emportement que le prétendu assaillant s'effondra et (il est triste de le dire) le château convoité aussi. Point n'est besoin de préciser que les cris de Maître Tommy déconfit attirèrent l'attention des jeunes amies.

— Ici, Tommy, l'appela impérativement sa sœur, tout de suite ! Et toi, Jacky, tu devrais avoir honte d'avoir fait tomber ce pauvre Tommy dans ce sable dégoûtant. Attends que je t'attrape !

Les yeux embués de larmes à peine contenues, Maître Tommy s'approcha car les ordres de la grande sœur avaient force de loi pour les jumeaux. Et en quel piteux état se trouvait-il après sa mésaventure. Son petit col marin et cette partie des vêtements que la décence ne permet pas de nommer[8] étaient couverts de sable mais Cissy était une virtuose dans l'art de réparer les petits ratés de la vie et très vite on ne vit plus le moindre petit grain de sable sur le joli petit costume. Néanmoins les yeux bleus brillaient encore de chaudes larmes sur le point de couler, aussi lui donna-t-elle un baiser antibobo et adressa-t-elle une main menaçante à Maître Jacky le coupable, disant que si elle était près de lui il le sentirait passer, ses yeux fulminant de blâme.

— Jacky, vilain petit diable ! lui lança-t-elle.

Elle passa son bras autour du petit marin et appliqua dans ses câlins tout son art de la consolation.

— Quel est ton nom ? Beurre ou citron ?

— Dis-nous quelle est ton amoureuse[9], intervint Edy Boardman. Est-ce Cissy ton amoureuse ?

— Nan, fit le larmoyant Tommy.

— Est-ce Edy Boardman ton amoureuse ? s'enquit Cissy.

— Nan, fit Tommy.

— Je vois, dit Edy Boardman sans trop d'amabilité et lançant un coquin regard de ses yeux de myope. Je vois qui est l'amoureuse de Tommy, c'est Gerty l'amoureuse de Tommy.

— Nan, fit Tommy au bord des sanglots.

La toute maternelle perspicacité de Cissy lui fit vite deviner ce qui n'allait pas et elle engagea discrètement Edy Boardman à l'emmener derrière la poussette où le monsieur ne pourrait pas voir et à veiller à ce qu'il ne mouille pas ses chaussures marron toutes neuves.

Mais qui était Gerty[10] ?

Gerty MacDowell, assise près de ses compagnes, perdue dans ses pensées, le regard fixé vers les lointains, incarnait incontestablement parmi les beautés de la jeunesse féminine irlandaise le spécimen le plus agréable qu'on puisse souhaiter de voir. Il n'était personne parmi ceux qui la connaissaient pour ne pas la qualifier de belle bien qu'elle fût, distinction qu'aimaient à faire les gens, plus une Giltrap qu'une MacDowell. Sa silhouette mince et gracieuse tendait même à la gracilité, mais ces capsules de fer qu'elle avait prises récemment lui avaient fait un bien fou, beaucoup plus en tout cas que les pilules gynécologiques de la Veuve Welch, et elle éprouvait une nette amélioration à propos des pertes qu'il lui arrivait d'avoir comme à propos de la langueur qu'il lui arrivait d'éprouver. La pâleur de cire de son visage touchait à l'immatérialité dans son ivoirine pureté alors que sa bouche bouton de rose atteignait, tel l'arc de Cupidon, à la perfection de l'art grec. Ses mains d'un albâtre finement veiné présentaient des doigts effilés et, quoiqu'elles pussent devoir leur blancheur au jus de citron et au roi des onguents, il n'en était pas moins faux qu'elle eût accoutumé d'enfiler des gants de chevreau pour dormir ou qu'elle prît des bains de pieds au lait. Bertha Supple l'avait rapporté un jour à Edy Boardman mais c'était une calomnie inventée de toutes pièces parce qu'elle était à couteaux tirés avec Gerty (les jeunes amies ont bien sûr leurs petites fâcheries de temps à autre comme le commun des mortels) et elle lui avait dit de ne pas révéler, quoi qu'elle entreprît pour le savoir, que c'était elle qui le lui avait dit, ou elle ne lui reparlerait jamais plus. Non. Il convient de rendre honneur à qui l'honneur est dû. Il y avait chez Gerty un raffinement inné, une *hauteur* languissamment souveraine qui prenait son éclatante évidence dans la délicatesse de ses mains et dans la cambrure de son pied. Que la bonne fortune eût bien voulu lui donner la naissance d'une dame de la haute société avec tous les privilèges y afférents et eût-elle seulement bénéficié des avantages d'une bonne éducation, Gerty MacDowell eût fait aisément jeu égal avec n'importe quelle grande dame du pays et se serait bien vue elle aussi habillée de vêtements d'un goût exquis avec des bijoux sur le front et de nobles soupirants à ses pieds rivalisant à l'envi pour y déposer leurs hommages. Peut-être était-ce cela, l'amour qui eût pu être, qui conférait à son évanescent visage l'intensité soudaine d'une parole tue, qui insufflait un pathétisme étrange à ses yeux magnifiques, un charme auquel il était difficile de résister.

Pourquoi les femmes ont-elles des yeux si envoûtants ? Ceux de Gerty étaient d'un bleu, le plus irlandais des bleus, que soulignaient le lustré des cils et le noir expressif des sourcils. Fut un temps, ces sourcils ne disposaient pas de cette soyeuséduction. C'est Madame Vera Verity, rédactrice en chef de la page Beauté Féminine dans *Nouvelle Princesse*[11], qui l'avait pour la première fois incitée à essayer Sourciléine pour donner à son regard cette expression ensorceleuse si distinctive des initiatrices de la mode, et elle ne l'avait jamais regretté. Là était expliqué aussi par quelle méthode scientifique se guérir du rougissement et accroissez votre taille et vous avez un beau visage mais votre nez vous chagrine ? Voilà qui eût pu convenir à madame Dignam qui l'avait en pied de marmite. Mais ce qui parachevait la beauté de Gerty tenait à son inestimable et somptueuse chevelure. Une chevelure châtain foncé aux crans naturels. Elle l'avait effilée ce matin même en tenant compte de la nouvelle lune et elle bouillonnait autour de sa jolie tête en une profusion de boucles luxuriantes et elle avait limé ses ongles aussi, le jeudi pour la richesse[12]. Et tandis qu'à ce moment même aux paroles d'Edy une roseur éloquente, délicate comme le plus suave pétale de rose, affleurait à ses joues, elle parut si adorable dans sa tendre pudeur virginale qu'assurément la divine terre de beauté qu'est l'Irlande ne portait alors sa pareille.

Un instant, elle garda le silence, la physionomie plutôt triste avec ses yeux baissés. Elle avait été sur le point de répliquer mais un ultime réflexe de prudence avait retenu les mots au bord de ses lèvres. Un élan la poussait à parler : la dignité lui commandait de se taire. Les jolies lèvres se gonflèrent d'une petite moue mais soudain elle releva les yeux et éclata d'un joyeux petit rire qui eut tout de la fraîcheur d'un joyeux matin de mai. Elle savait parfaitement, nulle autre n'eût pu mieux le savoir, ce qui poussait cette loucheuse d'Edy à dire cela, à savoir le refroidissement qu'il avait montré dans ses attentions à son égard alors qu'il s'agissait d'une simple querelle d'amoureux. Sans doute quelqu'une avait-elle de quoi faire le nez à voir le jeune homme à la bicyclette passer et repasser indéfiniment sous la fenêtre de Gerty. Seulement voilà, son père le retenait tous les soirs pour préparer d'arrache-pied le concours de bourses qui avait lieu et il irait à Trinity College pour devenir docteur après la Terminale comme son frère W.E. Wylie qui concourait dans les courses de vélo à l'université de Trinity College. Peu préoccupé était-il peut-être de ce qu'elle ressentait, cette angoisse qui lui poignait douloureusement le cœur quelquefois, et le perçait de part en part. Mais il était si jeune et peut-être apprendrait-il à l'aimer avec le temps. On était protestant dans sa famille et bien sûr Gerty savait qu'Il a la priorité et après Lui la Sainte Vierge et ensuite Saint Joseph. Mais indéniablement il était beau, avec un nez parfait, et son être correspondait en tout à son apparence, il était gentleman jusqu'au bout des ongles, la forme de sa tête aussi à l'arrière quand il était sans casquette qu'elle saurait partout reconnaître à quelque chose hors du commun et la façon dont il prenait le tournant au réverbère sans mettre les mains au guidon et aussi l'agréable parfum de ses cigarettes de luxe et en plus ils étaient de la même taille et voilà pourquoi Edy Boardman se croyait maligne d'observer qu'on ne le voyait plus aller et venir devant son petit bout de jardin.

Gerty était habillée simplement mais avec le goût instinctif d'une fervente adepte de Dame la Mode car elle avait pensé qu'il se pourrait qu'il puisse être de sortie. Une blouse bien coupée, d'un bleu électrique, qu'elle avait teinte elle-même avec des boules colorantes (parce qu'il était pronostiqué dans *Point de vue des Dames*[13] que le bleu électrique allait faire fureur) avec un charmant décolleté en V descendant sur la gorge et une pochette pour le mouchoir (dans laquelle elle plaçait toujours un bout de coton imprégné de son parfum favori puisque de toute façon le mouchoir cassait la ligne) et une jupe trois quarts bleu marine, coupée sur mesure afin de souligner parfaitement l'élégance de sa silhouette. Elle portait un coquet petit amour de chapeau à large bord en paille tête de nègre sur lequel contrastaient une résille de chenille bleu canard et sur le côté un nœud papillon du même ton. Tout l'après-midi du mardi elle s'était mise en quête de cette chenille et enfin elle avait trouvé ce qu'elle voulait aux soldes d'été de chez Clery, pile exactement, un peu chiffonnée sans doute mais pas au point qu'on puisse le remarquer, sept doigts à deux shillings un penny. Elle l'avait entièrement monté elle-même et quelle n'avait pas été sa joie quand elle l'avait essayé, souriant au ravissant reflet que lui renvoyait le miroir ! Et quand elle le posa sur le pot à eau afin qu'il gardât sa forme elle le savait bien qu'il allait ôter l'envie de sourire à certaine personne qu'elle savait bien. Ses souliers étaient ce qui se faisait de plus nouveau dans le genre (Edy Boardman se rengorgeait de sa *petite* pointure mais pour avoir un pied comme Gerty MacDowell, du trente-cinq, elle pouvait toujours courir) avec des bouts vernis et une boucle très chic vers son cou-de-pied bellement arqué. Ses chevilles faites au tour offraient leur confondante finesse au bord de sa jupe et juste ce qu'il convenait de montrer, pas plus, de ses sveltes jambes gainées de bas fins à talons et revers renforcés. Quant aux dessous ils étaient le souci majeur de Gerty et qui donc au courant des fébriles espoirs et hantises exquises de la dix-septième année (encore que Gerty ne fût plus en mesure de la revoir jamais) pourrait en son âme et conscience trouver là de quoi la blâmer ? Elle possédait quatre parures fort mignonnes, avec des jours joliment folichons, trois pièces et les chemises de nuit en plus, et chaque parure était agrémentée de rubans de couleurs différentes passés dans les trou-trous, rose pâle, bleu ciel, mauve, vert pomme, et c'est elle-même qui les séchait et les passait au bleu quand elles revenaient de la blanchisserie et qui les repassait et elle avait même un briqueton pour déposer son fer car elle ne pouvait faire confiance à ces blanchisseuses il fallait voir comme elles massacraient les affaires. Elle avait mis la bleue, ça porte bonheur, espérant contre tout espoir, le bleu était sa couleur préférée et aussi la couleur de la chance pour une mariée qui doit avoir quelque chose de bleu[14] sur elle parce que la verte qu'elle portait il y avait huit jours lui avait apporté du chagrin parce que son père l'avait retenu pour préparer le concours de bourses et parce qu'elle pensait que peut-être il pourrait sortir aujourd'hui parce que quand elle s'était habillée ce matin elle avait été sur le point de mettre son vieux panty à l'envers et que cela porte chance et annonce une rencontre amoureuse si vous enfilez ces choses à l'envers à condition que ce ne soit pas un vendredi.

Et pourtant et pourtant ! Quelle expression tendue sur son visage ! Une inquiétude la ronge et ne la lâche pas. Toute son agitation intérieure se livre là, dans ses yeux, et elle donnerait tout au monde pour se retrouver dans l'intimité de sa chambre où, donnant libre cours à ses larmes, elle pourrait pleurer tout son soûl et ouvrir la bonde à ses sentiments refoulés. Point trop cependant parce qu'elle savait sangloter devant un miroir. Vous méritez d'être aimée, Gerty, dirait-il. La pâle lumière du soir tombe sur son visage marqué d'une tristesse sans fin et sans espoir. Gerty MacDowell soupire en vain. Oui, elle a su depuis le début que son rêve éveillé de mariage arrangé avec cloches nuptiales carillonnant pour Mme Reggy Wylie T.C.D. (car c'est celle qui épousera le frère aîné qui sera Mme Wylie) et recension dans le courrier mondain signalant que Mme Gertrude Wylie portait une somptueuse toilette grise garnie d'un onéreux renard bleu, que ce rêve ne se réaliserait jamais. Il était trop jeune pour comprendre. Il ne pouvait avoir le sens de l'amour, privilège inné de la femme. Le soir de la fête chez les Stoers il y a déjà longtemps (il portait encore des culottes courtes) quand ils s'étaient retrouvés seuls et qu'il avait passé un bras autour de sa taille elle était devenue blanche comme un linge. Il l'avait appelée mon petit bout d'une voix étrangement étouffée et lui avait donné un demi-baiser (le premier !) mais c'était seulement sur le bout du nez et il s'était hâté aussitôt de filer en invoquant quelque chose à propos des boissons. Quel tempérament fougueux ! La force de caractère n'avait jamais été le point fort de Reggy Wylie et celui-là seul séduira et épousera Gerty MacDowell qui se révélera un homme entre les hommes. Mais attendre, toujours attendre d'être demandée et l'on était en plus une année bissextile et elle allait passer bien vite[15]. Ce n'est pas un prince charmant son idéal qui déposerait à ses pieds un amour absolu et merveilleux mais plutôt un homme viril, dont le visage exprime la force et le calme, qui n'a pas encore trouvé son idéal, peut-être sa chevelure est-elle parsemée de distingués fils d'argent, et qui la comprendrait, et qui la prendrait dans ses bras protecteurs, et qui la serrerait contre lui avec toute l'ardeur de sa nature profondément passionnée et qui la rassurerait d'un long long baiser. Ce serait comme le paradis. Tel est celui auquel elle aspire dans les fragrances de cette soirée d'été. De tout son cœur elle s'impatiente d'être toute à lui, sa compagne indéfectiblement liée à lui pour le meilleur et pour le pire, dans la tristesse et dans la joie, jusqu'à ce que la mort nous sépare, à partir de ce jour et dans la suite[16].

Et tandis qu'Edy Boardman s'occupait du petit Tommy derrière la poussette elle se demandait si le jour viendrait jamais où elle pourrait se dire sur le point d'être sa petite femme. C'est alors qu'elles pourraient bien jaser sur son compte jusqu'à en devenir bleues de rage, Bertha Supple aussi, et Edy, ce petit dragon, parce qu'elle va avoir vingt-deux ans en novembre. Elle serait aux petits soins pour lui et saurait aussi flatter ses désirs car Gerty était une femme vraiment femme et savait combien un homme un vrai aimait à se sentir choyé. Le doré croustillant de ses petits sablés et le moelleux fondant de son pudding Reine-Anne lui avaient valu une réputation de cordonbleu auprès de tous car elle avait aussi le coup de main pour allumer le feu, saupoudrer la farine mêlée de levure et tourner toujours dans le même sens et alors faire mousser le lait et sucre et bien battre les blancs pourtant elle n'aimait pas manger devant les gens cela l'intimidait et souvent elle se demandait pourquoi il n'était pas possible de consommer des denrées plus poétiques comme des violettes ou des roses et ils auraient un salon somptueusement aménagé avec des tableaux et des gravures et la photographie de l'adorable chien de grand-papa Giltrap, Garryowen auquel il ne manquait que la parole, il avait tellement figure humaine, et des housses de cretonne pour les fauteuils et ce porte-toast en argent qu'elle avait vu dans le capharnaüm des soldes d'été chez Clery comme ils ont les riches dans leurs demeures. Il serait grand avec de larges épaules (depuis toujours pour elle un époux était un homme grand) et des dents blanches qui étincelleraient sous sa moustache fournie tombante et bien taillée et ils iraient sur le continent pour leur lune de miel (trois semaines de rêve !) et puis, une fois installés dans le petit nid d'amour que serait leur charmant petit cottage, tous les matins ils prendraient leur p'tit-déj ensemble, simple mais parfaitement servi, rien que pour eux deux, et avant qu'il ne se rendît à ses affaires il donnerait à sa petite femme adorée un bon gros câlin et son regard s'attarderait un instant au plus profond de ses yeux.

Edy Boardman demanda à Tommy Caffrey s'il avait fini et il dit oui, alors elle lui reboutonna sa petite culotte et lui dit de se dépêcher d'aller jouer avec Jacky et d'être sage maintenant et de ne plus se battre. Mais Tommy dit qu'il voulait le ballon et Edy lui rétorqua que non que le bébé jouait avec et que si on le lui prenait il ferait du grabuge mais Tommy dit que c'était son ballon et qu'il voulait son ballon et il tapait des pieds s'il vous plaît. Quel caractère ! Ah ça, pour être un homme c'était un homme le petit Tommy Caffrey depuis qu'il ne portait plus la barboteuse. Edy lui dit que non, non, et d'aller jouer maintenant et elle enjoignait Cissy Caffrey de ne pas lui céder.

— Tu n'es pas ma sœur, maugréa Tommy. Et c'est mon ballon.

Mais Cissy Caffrey dit au bébé Boardman de regarder là-haut, tout là-haut au bout de son doigt et elle attrapa le ballon en vitesse et le fit rouler sur le sable et Tommy de se lancer après lui au galop, c'était son jour.

— Que ne ferait-on pas pour avoir la paix[17], fit Cissy en riant.

Et elle se mit à papouiller les pommettes du petit crapaud pour l'amener à penser à autre chose et à jouer à grand front petits yeux nez joli menton fleuri guiliguili et à la petite bête qui monte qui monte qui monte. Edy cependant en avait les nerfs en boule car voir tout le monde à ses pieds ne pouvait qu'amener l'enfant à faire selon son bon plaisir.

— Je voudrais bien lui donner quelque chose, dit-elle, oui, et je sais bien où.

— Sur son petit cucul, s'esclaffa la joyeuse Cissy.

Gerty MacDowell baissa la tête et rougit de ce que Cissy avait eu le toupet de prononcer comme ça tout haut un mot tellement inconvenant sur les lèvres d'une dame qu'elle aurait dû avoir honte pour le restant de sa vie et elle devint rouge comme une pivoine, et Edy Boardman dit qu'elle était sûre que le monsieur en face avait tout entendu. Mais elle s'en battait l'œil, Cissy.

— Laisse donc ! dit-elle avec un hautain hochement de tête et un piquant haussement du museau. Il peut en avoir autant au même endroit en moins de temps qu'il n'en faut pour le dire.

Cette fofolle de Cissy avec sa tignasse de clown. Vous forçait à rire quelquefois. Par exemple quand elle vous demandait voulez-vous encore un peu de thé de Chine et de la frelée de jamboise, ou quand elle dessinait des nénés et des figures d'hommes sur ses ongles à l'encre rouge il y avait de quoi se tenir les côtes, ou quand elle voulait aller où vous savez elle disait qu'elle ne pouvait repousser davantage sa visite à mademoiselle Blanche. Ça c'était du grand Cissy-rama. Oh, et comment oublier le soir où elle avait enfilé le costume de son père et mis son chapeau et s'était fait une moustache avec du noir de bouchon et qu'elle avait arpenté Tritonville road[18] en fumant une cigarette. Il n'y avait personne comme elle pour la plaisanterie. Mais elle était la franchise même, avec le cœur le plus brave et le plus généreux qu'on ait jamais vu, loin de ces créatures à double face, trop polies pour être honnêtes.

Et voici que se répandit dans les airs un chœur de voix accompagnées de la complainte mugissante de l'orgue. C'était la retraite de tempérance pour les alcooliques repentis[19] prêchée par le missionnaire, le révérend père John Hughes S.J. avec rosaire, sermon et bénédiction du Très Saint Sacrement[20]. Ils étaient tous réunis là sans distinction de classes (et c'était un spectacle des plus édifiants) dans ce modeste sanctuaire au bord des flots, rescapés des tempêtes de ce monde immonde, agenouillés aux pieds de l'Immaculée, récitant les litanies de Notre Dame de Lorette, la suppliant d'intercéder pour eux, les vieilles formules familières, Sainte Marie, Sainte Vierge des vierges. Tristes échos aux oreilles de la pauvre Gerty ! Si seulement son père avait pu échapper aux griffes du démon de la boisson soit en faisant le serment de ne plus boire soit en prenant ces poudres pour désintoxication recommandées dans *Votre santé*[21], elle aurait roulé maintenant dans sa voiture personnelle et n'aurait eu à s'effacer devant personne. C'est ce que maintes et maintes fois elle s'était répété à elle-même alors que près des braises mourantes elle s'abîmait en de noires réflexions sans allumer la lampe car elle détestait deux lumières à la fois ou lorsque plus d'une fois aussi elle égarait son regard rêveur pardelà la fenêtre durant des heures sur la pluie qui tombait sur la poubelle rouillée, toute pensive. Mais cette abjecte décoction qui a détruit tant de foyers et tant de familles avait jeté son ombre sur les jours de son enfance. Oui, elle avait même été témoin sous le toit familial des actes de violence dus à l'intempérance et elle avait vu son propre père, proie des vapeurs de l'alcool, perdre toute figure humaine, car s'il y avait une chose entre toutes que Gerty avait apprise, c'est que l'homme qui lève la main sur une femme cette main que les lois de l'humanité lui imposent de rendre secourable mérite d'être stigmatisé comme tombé plus bas que terre.

Et les voix implorantes ne cessaient pas de s'élever vers la Vierge toute-puissante, la Vierge toute miséricordieuse. Et Gerty, perdue dans ses pensées, ne voyait et n'entendait plus que vaguement ses compagnes ou les jumeaux livrés à leurs gambades de gosses ou le monsieur qui s'en venait de Sandymount que Cissy Caffrey appelait l'homme tel qu'en lui-même et qui faisait sur la grève une courte promenade[22]. On ne l'avait jamais vu le moins du monde éméché et pourtant tout bien considéré elle ne l'aurait jamais voulu pour père parce qu'il était trop vieux ou à cause d'un rien ou en raison de sa figure (il est des antipathies qu'on ne saurait expliquer) ou de son nez bourgeonnant avec plein de boutons et de la moustache jaunâtre un peu blanche sous ce nez. Pauvre papa ! En dépit de tous ses défauts elle l'aimait encore[23] quand il chantait *Dis-moi Marie, pour que tu souries*[24] ou *Tout près de La Rochelle mon gîte et mes amours*[25], après quoi ils avaient eu pour dîner des coquillages cuits et de la laitue arrosée de vinaigrette en pot, et quand il chantait *La lune s'est levée*[26] avec M. Dignam, celui qui est mort subitement et qu'on vient d'enterrer, Dieu ait son âme, d'une attaque. L'anniversaire de sa maman c'était et Charley se trouvait en vacances à la maison et Tom et M. Dignam et son épouse et Patsy et Freddy Dignam et on allait faire un portrait de groupe. Personne n'aurait pensé qu'il était si près de sa fin. Maintenant il reposait en paix. Et sa maman lui a dit que cela devait lui tenir lieu d'avertissement pour ce qui lui restait à vivre et il n'avait même pas pu se rendre aux obsèques à cause de son attaque de goutte et c'est elle qui avait dû aller en ville pour lui rapporter les lettres et les échantillons depuis son bureau à la linogravure Catesby, modèles courants dignes d'un palais, durée garantie, éclaire et égaye toujours un intérieur.

Une fille qui valait un trésor, notre Gerty, une vraie petite mère dans la maison, un ange secourable[27] avec son petit cœur valant son pesant d'or. Et quand sa mère avait ces maux de tête à hurler et se tordre qui donc lui passait le bâton de menthol sur le front sinon Gerty qui n'aimait pas voir, il est vrai, sa mère user de tabac à priser, ce qui était la seule et unique chose au sujet de quoi elles avaient des mots ensemble, le tabac à priser. On ne tarissait pas d'éloges sur son comportement exemplaire. C'était Gerty qui fermait le gaz au compteur tous les soirs et c'était Gerty qui avait accroché au mur des lieux qu'elle n'oubliait jamais de désinfecter au chlorate de chaux chaque quinzaine le calendrier offert à Noël par l'épicier M. Tunney et dont l'image illustrant les jours alcyoniens[28] représentait un jeune homme dans le costume qu'on avait l'habitude de porter à l'époque et avec un tricorne en train d'offrir un bouquet de fleurs à la dame de son cœur avec toute la courtoisie du bon vieux temps par une fenêtre à grille. On devinait qu'il y avait toute une intrigue là-dessous. C'était colorié que c'en était ravissant. Elle, elle était moulée de blanc et prenait une pose étudiée tandis que le jeune homme en habit chocolat avait toute l'apparence d'un parfait aristocrate. Gerty la contemplait souvent, songeuse, quand elle venait là pour certain besoin particulier et, les manches relevées, elle caressait ses propres bras qui avaient exactement la même blancheur et la même douceur que les siens et elle rêvait à ce temps-là parce qu'elle avait trouvé dans le dictionnaire de prononciation de Walker qui appartenait à grand-papa Giltrap ce que les jours alcyoniens cela voulait dire.

Les jumeaux jouaient à présent en parfaite complicité fraternelle, mais voici qu'à la fin Maître Jacky qui ne manquait décidément pas de culot, il faut en convenir, shoota aussi fort qu'il put dans le ballon en direction des rochers couverts de varechs. Il va sans dire que le pauvre Tommy ne fut pas long à manifester bruyamment son désarroi mais par bonheur le monsieur en noir qui était assis là tout seul vint obligeamment à la rescousse et intercepta le ballon. Nos deux champions réclamèrent leur jouet à coups de braillements vigoureux, aussi pour éviter le scandale Cissy Caffrey cria-t-elle au monsieur de bien vouloir le lui renvoyer s'il vous plaît. Le monsieur visa avec le ballon une ou deux fois puis il le lança sur la grève en direction de Cissy Caffrey mais il roula plus bas sur la pente et s'arrêta juste sous la jupe de Gerty près de la petite flaque contre le rocher. Les jumeaux se reprirent à brailler pour l'avoir et Cissy invita Gerty à dégager d'un shoot en laissant les jumeaux batailler pour l'avoir et ainsi Gerty donna-t-elle de l'élan à son pied mais elle aurait préféré que leur fichu ballon ne fût pas venu rouler jusqu'à elle et elle donna un coup mais elle le manqua et Edy et Cissy s'esclaffèrent.

— Tu as droit à un deuxième essai, dit Edy Boardman.

Gerty acquiesça avec un sourire et se mordilla la lèvre. Un rose délicat aviva sa joue charmante mais elle était bien déterminée à leur faire voir, aussi releva-t-elle un peu sa jupe mais juste assez puis elle prit son élan comme il faut et donna dans le ballon un si beau coup de pied qu'il s'envola au loin et que les deux jumeaux durent courir après lui vers la zone des galets. Pure jalousie bien sûr, rien d'autre, pour attirer l'attention à cause du monsieur en face qui regardait. Elle sentit la chaude rougeur, toujours un signal d'alarme chez Gerty MacDowell, monter et enflammer sa joue. Jusque-là, ils avaient échangé seulement quelques regards sans importance mais cette fois, de sous le rebord de son nouveau chapeau, elle s'aventura à le considérer, et le visage que ses yeux découvrirent dans la lueur crépusculaire, diaphane et étrangement marqué, lui sembla le plus triste qu'elle avait jamais vu.

Les fenêtres ouvertes de l'église diffusaient le parfum de l'encens et avec lui les noms parfumés de Celle qui fut conçue sans la tache du péché originel, vase spirituel, priez pour nous, vase honorable, priez pour nous, vase d'insigne dévotion, priez pour nous, rose mystique[29]. Et c'étaient des cœurs accablés qu'il y avait là et des gens qui trimaient pour leur pain quotidien et qui nombreux avaient erré et divagué, leurs yeux mouillés de contrition mais éclairés malgré tout d'espérance parce que le révérend père Hughes leur avait rappelé ce qu'affirme le grand saint Bernard dans sa fameuse prière à Marie[30], le pouvoir d'intercession de la Vierge très pieuse dont on n'a jamais entendu dire qu'aucun de ceux qui ont imploré sa protection toute-puissante ait jamais par elle été abandonné.

Les jumeaux jouaient maintenant de tout leur entrain retrouvé car les chagrins de l'enfance ne durent pas plus qu'averses d'été. Cissy jouait avec bébé Boardman qui en gazouillait de jubilation, et l'on voyait ses menottes battre l'air. Coucou ! lançait-elle en se dissimulant derrière la capote de la poussette et Edy demandait où elle était passée Cissy et Cissy remontrait sa tête en faisant ah ! et, mon Dieu, que cela était du goût du petit bonhomme ! Et puis elle entreprit de lui faire dire papa.

— Dis papa, bébé. Dis pa pa pa pa pa pa.

Et bébé faisait tout son possible pour le dire car il était très éveillé pour ses onze mois, tous s'accordaient à le reconnaître, et fort pour son âge et respirant la santé, un parfait petit trognon d'amour, et il ne faisait pas de doute qu'il allait devenir quelqu'un, c'est ce que tous reconnaissaient aussi.

— Haja ja ja haja.

Cissy essuya sa petite bouche avec la bavette et elle s'apprêta à l'asseoir correctement pour lui permettre de mieux articuler les syllabes mais quand elle eut débouclé la sangle elle s'exclama, doux Jésus, qu'il baignait dans son jus et de plier aussitôt la couverture pour la doubler et de la retourner sous lui. Naturellement, sa jeune majesté était fort contrariée de ces formalités hygiéniques et le faisait savoir à qui voulait l'entendre :

— Habaa baaaahabaaa baaaa.

Et deux grosses larmes, merveilleusement rondes, de rouler le long de ses joues. Il ne pouvait alors être question de le bercer avec dodo l'enfant do, ou de lui parler du dada ou de lui demander où qu'elle était la tuture mais Cissy, avec son à-propos habituel, lui mit dans le bec la tétine de son biberon et le jeune brigand fut bien vite apaisé.

Gerty priait le ciel pour qu'elles ramènent leur braillard de bébé à la maison, du balai ! qu'il ne soit plus là pour lui taper sur les nerfs ce n'était pas une heure pour le laisser dehors et ces petits agités de jumeaux non plus. Elle détourna son regard au loin sur la mer. C'était comme les peintures que cet homme faisait sur le trottoir avec des craies de toutes les couleurs et qu'il était désolant du reste de laisser là vouées à être aussitôt effacées, le jour et les nuages qui paraissent et le phare de Bailey sur la pointe de Howth et les échos de la musique comme ça et le parfum de cet encens que l'on brûlait dans l'église comme une espèce de fragrance. Et tandis qu'elle se perdait dans cette contemplation son cœur se mit à palpiter. Oui, c'était bien elle qu'il regardait et son regard en disait long. Ses yeux brûlants fixés sur elle semblaient chercher avec obstination à la pénétrer et lire au plus profond de son âme. Magnifiques, ces yeux, merveilleusement expressifs, mais convenait-il de s'y fier ? Il y avait des gens tellement bizarres. Elle pouvait voir du premier coup à ses yeux noirs et à son pâle visage d'intellectuel qu'il était quelqu'un d'à part[31] à l'image de la photo qu'elle possédait de Martin Harvey[32], l'idole des jeunes, hormis la moustache ce qu'elle préférait parce qu'elle n'était pas fanatique de théâtre comme Winny Rippingham qui aurait voulu que toutes deux s'habillent toujours de la même façon à l'instar des héroïnes d'une certaine pièce[33] mais elle n'avait pu distinguer s'il avait le nez aquilin ou légèrement *retroussé* vu l'endroit où il se tenait. Il était en grand deuil, ça elle pouvait le constater, et une histoire douloureuse qui le hantait s'imprimait sur son visage. Elle aurait tout donné pour la connaître. Il regardait avec une telle intensité, une telle fixité, et il l'avait vue shooter dans le ballon et peut-être apercevrait-il les brillantes boucles d'acier de son soulier si elle les faisait osciller comme ça l'air de rien la pointe en bas. Elle se réjouissait d'avoir eu l'inspiration de mettre des bas transparents à la pensée que Reggy Wylie pourrait sortir mais elle n'en était plus là. Voici que se réalisait ce dont elle avait si souvent rêvé. Voici celui qui lui importait désormais et elle laissait la joie illuminer son visage parce que c'était lui qu'elle voulait parce que l'instinct le lui signalait comme unique au monde. C'est de tout son cœur que la femmenfant se livrait à lui, son maridéal, parce que d'emblée elle avait su que c'était lui. S'il avait souffert, plus victime que pécheur[34], et même, même s'il avait été effectivement à blâmer, méchant homme, elle ne voulait pas en tenir compte. Même s'il était protestant ou méthodiste elle pourrait le convertir aisément, il n'y mettrait aucun obstacle si vraiment il l'aimait. Il est des plaies qui demandent à être pansées avec le baume de l'amour. Elle était une femme vraiment femme, non comme toutes ces greluches, garçonnes, qu'il avait connues, ces créatures qui vont à bicyclette pour montrer ce qu'elles n'ont pas[35] et elle s'impatientait de tout savoir pour tout pardonner, si elle parvenait à le faire tomber amoureux d'elle, elle lui ferait oublier la mémoire du passé[36]. Alors sans doute la prendrait-il doucement dans ses bras, à la façon d'un vrai mâle, presserait-il son souple corps contre le sien et l'aimerait-il, sa petite fille toute à lui, parce qu'elle-même serait pour lui unique au monde.

Refuge des pêcheurs. Consolatrice des affligés. *Ora pro nobis*[37]. N'a-t-il pas été assez dit que qui que ce soit qui la prie avec foi et constance ne sera jamais abandonné et rejeté[38] : et en vérité n'est-elle pas aussi un port de refuge pour les affligés à cause des sept douleurs qui ont transpercé son propre cœur[39] ? Gerty pouvait se représenter toute la scène dans l'église, les vitraux illuminés, les cierges, les fleurs, et les bannières bleues de la Congrégation des enfants de Marie et le Père Conroy[40] qui assistait le Chanoine O'Hanlon à l'autel, transférant des objets çà et là, les yeux baissés. Il était près d'avoir une figure de saint et son confessionnal était si calme, propre et sombre, et ses mains avaient la blancheur de la cire et au cas où jamais elle se ferait dominicaine prendrait leur habit blanc peut-être viendrait-il au couvent pour la neuvaine de saint Dominique[41]. Il lui avait dit cette fois où elle lui avait parlé en confession de ça, rougissant jusqu'à la racine des cheveux dans la crainte qu'il ne la voie, qu'elle ne devait pas s'en inquiéter car ce n'était que la voix de la nature et nous étions tous soumis à ses lois, disait-il, ici-bas, et il n'y avait là aucun péché parce qu'il en était de la nature féminine telle que Dieu l'avait instituée, disait-il, et Notre Très Sainte Mère elle-même avait dit à l'archange Gabriel : qu'il en soit fait selon Votre Parole[42]. Il était tellement bon et saint et souvent et souvent elle se disait et se redisait qu'elle pourrait lui confectionner un couvre-théière en ruché brodé d'un motif floral à lui offrir en cadeau ou bien une pendule mais une pendule ils en avaient une elle l'avait remarquée sur la cheminée blanche et or avec un canari qui sortait de sa petite maison pour dire l'heure[43] c'était le jour où elle s'y était rendue à propos des fleurs de l'Adoration perpétuelle[44] parce que c'était difficile de savoir quel genre de cadeau faire ou peut-être un album de vues en couleurs de Dublin ou de quelque autre endroit.

Les exaspérants petits braillards de jumeaux recommençaient à se chamailler et Jacky envoya le ballon vers la mer et tous deux se mirent à courir après lui. De petits singes élevés à la va-comme-je-te-pousse dans le ruisseau. Il faudrait les attraper et leur donner une bonne correction pour leur apprendre à se tenir comme il faut, à tous les deux. Et Cissy et Edy criaient après eux pour les faire revenir dans la crainte que la marée ne les surprenne et qu'ils ne se retrouvent sous l'eau.

— Jacky ! Tommy !

Aucune réaction ! Ah ils se croyaient malins ! Aussi Cissy disait-elle que c'était bien la dernière fois qu'elle les sortait. D'un bond elle fut debout et les appela et se précipitant à leur poursuite elle passa près de lui, rejetant ses cheveux en arrière qui auraient eu une assez jolie teinte s'ils avaient été plus fournis mais en dépit de tout le fourbi qu'elle y fourrait elle ne parvenait pas à les faire pousser davantage parce que ce n'était pas dans leur nature il ne lui restait plus qu'à les laisser tels quels et à en faire son deuil. Elle courait à longues enjambées d'autruche et il s'en fallait de peu que sa robe ne se déchirât sur le côté qui était trop étroite pour elle parce que c'était une sorte de garçon manqué que Cissy Caffrey et elle la ramenait toutes les fois qu'elle voyait se présenter une bonne occasion de se faire valoir et du moment qu'elle avait une bonne foulée la voilà qui courait comme ça comme pour qu'il puisse bien voir le bord de son jupon et ses guibolles maigrichonnes aussi haut que possible. Elle aurait eu ce qu'elle méritait si elle avait buté en plein élan contre un obstacle en travers de son chemin avec ses hauts talons tordus à la française qu'elle mettait pour paraître plus grande et s'était ramassé une belle pelle. *Le tableau*[45] ! C'eût été là vraiment charmante démonstration pour un monsieur comme celui qui en eût été témoin.

Reine des anges, reine des patriarches, reine des prophètes, de tous les saints, suppliaient-ils, reine du très saint rosaire, et alors le Père Conroy tendit l'encensoir au Chanoine O'Hanlon et il y mit de l'encens et il encensa le Saint Sacrement et Cissy Caffrey attrapa les deux jumeaux et elle fut à deux doigts de leur flanquer une retentissante torgnole sur les oreilles mais elle ne le fit pas parce qu'elle se disait qu'il devait l'observer mais elle commettait la plus grande erreur de sa vie parce que Gerty pouvait voir sans en avoir l'air que c'était elle-même qu'il ne quittait pas des yeux, et alors le Chanoine O'Hanlon rendit l'encensoir au Père Conroy et s'agenouilla en levant les yeux vers le Saint Sacrement et le chœur entonna le *Tantum ergo* et elle fit juste aller son pied dans un sens dans l'autre en mesure avec la musique qui montait et descendait sur le *Tantumer gosa cramen tum*[46]. Trois shillings onze elle avait payé ces bas chez Sparrow de George street le mardi, non le lundi d'avant Pâques et ils n'avaient encore aucun accroc et c'était bien ça qu'il regardait, sous leur transparence, et non pas les siennes à elle insignifiantes qui n'avaient ni mollets ni galbes (pour qui se prenait-elle !) parce qu'il avait assez d'yeux dans la tête pour voir par lui-même la différence.

Cissy revenait le long de la grève avec les deux jumeaux et leur ballon et son chapeau n'importe comment sur le côté après son sprint et elle avait l'air d'une souillon à remorquer ainsi les deux mioches avec la blouse de pacotille qu'elle avait achetée il y avait à peine quinze jours pareille à une guenille sur son dos et un bout de jupon qui pendouillait pour achever le tableau. Gerty enleva son chapeau juste un court instant pour démêler ses cheveux et les plus exquises, les plus profuses volutes de boucles châtaines se déroulèrent telles qu'on n'en avait jamais vu s'épandre sur épaules de jeune fille — une petite apparition rayonnante en vérité, bouleversante presque dans sa douceur. Il eût fallu faire bien du pays pour rencontrer une chevelure comme celle-là. Elle pouvait presque voir le vif éclat d'admiration qu'elle avait provoqué en retour dans ses yeux et elle en ressentit un frisson qui la saisit jusqu'au plus profond de son être. Elle remit son chapeau ainsi pourrait-elle observer de dessous le rebord et elle balança son soulier à boucle plus vite sous l'émotion qui la prit d'avoir surpris cette expression dans ses yeux. Il la fascinait comme un serpent sa proie. Son instinct de femme lui signalait qu'elle avait éveillé le démon en lui et à cette idée une onde de chaleur brûlante se répandit de sa poitrine jusqu'à la racine de ses cheveux au point que le teint délicat de son visage toucha au plus flamboyant des roses.

Edy Boardman ne fut pas sans le noter elle-même parce qu'elle louchait du côté de Gerty, souriant jaune, avec ses carreaux sur le nez comme une vieille fille, faisant semblant de s'occuper du bébé. Une petite peste grincheuse, voilà ce qu'elle était et qu'elle serait toujours et voilà pourquoi jamais personne ne pouvait s'entendre avec elle, elle mettait toujours son nez là où ça ne la regardait pas. Et elle dit à Gerty :

— À quoi tu penses ?

— Comment ? répliqua Gerty avec un sourire éclatant des dents les plus blanches. Je me demandais seulement s'il était tard.

Parce qu'elle priait le ciel pour qu'elles remballent leurs morveux de jumeaux et leur mioche et à la niche, hors de là, ainsi avait-elle eu la subtilité de suggérer qu'il se faisait tard. Et quand Cissy revint Edy lui demanda l'heure et Miss Cissy, ayant toujours le mot pour rire, lui répondit qu'il était l'heure de faire parler les mouches. Mais Edy insista parce qu'on leur avait recommandé de rentrer tôt.

— Attends, dit Cissy, je vais demander au père Frappard là-bas quelle heure il est à sa breloque.

Aussitôt elle y alla et, quand il la vit venir, Gerty put le voir retirer sa main de sa poche, se déconcentrer, commencer à jouer avec sa chaîne de montre, regarder l'église. Bien qu'il fût d'une nature passionnée, Gerty pouvait constater quelle faculté il avait de rester maître de soi. D'un instant à l'autre il était passé de l'état d'adoration en lequel le jetait la vision d'une beauté qui le tenait en extase au sang-froid de l'impassible gentleman, apte à contrôler chacun des traits de sa physionomie distinguée.

Cissy le pria de l'excuser aurait-il l'amabilité de lui donner l'heure exacte et Gerty put le voir qui tirait sa montre, en approchait son oreille et relevait la tête et s'éclaircissait la voix et il dit qu'il était vraiment désolé sa montre s'était arrêtée mais il pensait qu'il devait être plus de huit heures puisque le soleil était couché[47]. Sa voix possédait un timbre d'homme cultivé et bien qu'il se fût exprimé d'un ton égal il y avait eu un soupçon de tremblement dans la suavité de son phrasé. Cissy dit merci et revint en tirant la langue et elle dit que le père Frappard avait dit que son engin était hors service.

Alors ils entonnèrent la seconde strophe du *Tantum ergo* et le Chanoine O'Hanlon se leva de nouveau et encensa le Saint Sacrement et s'agenouilla et il signala au Père Conroy qu'un des cierges était sur le point de cramer les fleurs et le Père Conroy se leva et il remit tout en ordre et elle put voir le gentleman remonter sa montre et écouter le mouvement et elle fit aller et venir sa jambe un peu plus vite, en mesure. Il faisait plus sombre mais il pouvait voir et il avait regardé tout le temps qu'il avait remonté sa montre ou quoi que ce fût qu'il avait fait avec et puis il la remit et il remit ses mains dans ses poches. Elle éprouva une sorte de sensation qui l'envahissait toute et elle comprit à la sensibilité de son cuir chevelu et à cette irritation contre les baleines de son corset que cette chose devait être sur le point d'arriver parce que la dernière fois ç'avait été aussi quand elle avait effilé ses cheveux à cause de la nouvelle lune. Ses yeux pénétrants étaient de nouveau fixés sur elle, buvant toutes les lignes de son corps, littéralement en dévotion au pied de son autel. Si jamais une admiration sans voile avait paru dans le regard passionné d'un homme, c'était bien dans l'expression de cet homme-là, où elle était flagrante. Ceci est pour vous, Gertrude MacDowell, et vous le savez.

Edy commença à se préparer à partir et il était grand temps pour elle et Gerty se fit la remarque que la fine allusion qu'elle avait glissée avait porté parce qu'il était assez long de retrouver sur la grève l'endroit où l'on pouvait passer avec la poussette et Cissy ôta leurs casquettes aux jumeaux et arrangea leurs cheveux bien sûr pour attirer l'attention sur elle et le Chanoine O'Hanlon se mit debout et la chape faisait une poche au niveau du cou[48] et le Père Conroy lui tendit le carton pour lire et il lut *Panem de cœlo praestitisti eis*[49] et Edy et Cissy passaient tout leur temps à parler du temps et elles l'interpellaient mais Gerty pouvait leur rendre la monnaie de leur pièce et elle leur répondait tout juste avec une politesse glacée de sorte qu'Edy en vint à lui demander si elle avait du chagrin à cause de son amoureux qui l'avait laissée tomber. Gerty se braqua sous la pique. Un éclair cinglant fulgura de ses yeux qui exprimèrent des tonnes d'un incommensurable mépris. Touchée. Oh oui, atteinte au plus profond parce que Edy avec sa façon de dire les choses comme ça l'air de rien visait où elle savait que ça ferait mal en vraie petite tigresse qu'elle était. Les lèvres de Gerty s'entr'ouvrirent pour lancer une leste réplique mais elle dut ravaler le sanglot qui montait de sa gorge si mince, si délicate, si parfaitement moulée que seul un artiste semblait en mesure de l'avoir conçue. Elle l'avait aimé plus qu'il ne le saurait jamais. Trompeur au cœur léger et volage comme tout son sexe il ne comprendrait jamais ce qu'il avait représenté pour elle et, un bref instant, il y eut dans les yeux bleus un bref picotement de larmes. Leurs yeux à elles la scrutaient sans merci mais d'un vaillant sursaut elle leur répliqua avec affabilité tout en orientant son regard vers sa nouvelle conquête pour bien la leur faire voir.

— Oh, rétorqua-t-elle, rapide comme l'éclair, riant, d'un air dégagé, la tête haute. J'ai le droit de jeter mon dévolu sur qui me plaît puisque c'est une année bissextile.

Ses paroles retentirent cristallines, plus musicales que le roucoulement de la tourterelle mais elles jetèrent un froid glacial. Il y avait en effet ceci dans sa juvénile voix qui affirmait qu'elle n'était pas de celles dont on peut se payer ouvertement la tête. Pour ce qui était de M. Reggy avec ses flaflas et ses sousous elle pouvait d'un petit coup de pied le balayer de son chemin aussi aisément qu'une épluchure et elle n'aurait même pas une dernière pensée pour lui et sa carte postale débile elle allait la réduire en confetti. Et si jamais il avait encore le culot de faire le coq, elle te lui décocherait un regard au vitriol qu'il en resterait sur le carreau. La chafouine petite Mlle Edy ne perdit pas peu contenance et Gerty sut à sa mine aussi noire qu'un ciel d'orage qu'elle fulminait bien qu'elle le dissimulât, la petite harpie, parce que la flèche avait atteint en elle sa mesquine jalousie et toutes les deux elles le savaient qu'elle n'était pas comme les autres, qu'elle relevait d'une autre sphère, qu'elle n'était pas de leur espèce et ne le serait jamais et il y avait là quelqu'un d'autre qui le savait aussi et le voyait qu'elles se mettent bien ça dans la tête et le chapeau par-dessus.

Edy s'affaira à arranger bébé Boardman pour s'en aller et Cissy fourra dans la poussette le ballon et les pelles et les seaux et il était grand temps aussi parce que le marchand de sable était sur le point de passer pour Maître Boardman junior et Cissy lui dit aussi que Nounours viendrait aussi et que bébé devait faire dodo et que bébé était un vrai petit canard, qui faisait risette de ses yeux coquins, et Cissy lui picotait comme ça pour rire son dodu petit bedon et bébé, sans s'encombrer de demander si vous permettez messieurs dames, envoya à tous et à toutes à la ronde ses compliments qui s'étalèrent sur sa bavette flambant neuve.

— Mon Dieu ! Le vilain petit cochon ! s'exclama Cissy. Il a tout laissé partir sur sa bavette.

Le léger *contretemps* réclama son attention mais en cinq sec le fâcheux incident fut réparé.

Gerty poussa une exclamation étouffée et émit un toussotement de nervosité et Edy lui demanda ce qu'elle avait et elle fut sur le point de lui répliquer qu'elle s'occupât de ses oignons mais elle avait toujours été distinguée dans ses manières aussi passa-t-elle outre avec un tact consommé en faisant remarquer que ça c'était la bénédiction parce que au moment même la cloche arrosa depuis le clocher la paisible plage de ses tintements parce que le Chanoine O'Hanlon était monté à l'autel revêtu du voile que le Père Conroy avait disposé autour de ses épaules et donnait la bénédiction à l'aide du Saint Sacrement entre ses mains.

Quelle émotion dans ce tableau : l'emprise du crépuscule, l'éclat ultime de la verte Erin[50], les poignantes sonnailles de ces cloches vespérales et au même moment cette chauve-souris qui s'envolait du beffroi enlierré pour parcourir le crépuscule de-ci, de-là, semant ses petits cris éperdus. Et elle pouvait voir au loin les signaux des phares tellement pittoresques qu'elle eût aimé les reproduire avec une boîte de couleurs parce que c'était tout de même plus facile que de faire un homme et bientôt l'allumeur de réverbères allait faire sa tournée passant devant les pelouses de l'église presbytérienne et sous les ombrages de Tritonville avenue où les couples se promenaient et allumer le bec près de la fenêtre où Reggy Wylie avait l'habitude de virer à vélo comme elle l'avait lu dans ce roman *L'allumeur de réverbères* de Miss Cummins, l'auteur de *Mabel Vaughan* et autres nouvelles. Car Gertie avait ses rêves et personne n'y avait accès. Elle aimait à lire de la poésie et quand elle avait reçu en cadeau de la part de Bertha Supple cet adorable journal intime à couverture couleur corail pour recueillir ses pensées elle l'avait glissé dans le tiroir de sa table de toilette[51] qui, bien qu'elle ne tombât point dans un luxe excessif, était scrupuleusement nette et propre. C'était là qu'elle serrait ses trésors de jeune fille, des peignes d'écaille, sa médaille d'enfant de Marie[52], l'extrait de rose blanche, la Sourciléine, sa boîte à parfums en albâtre et les rubans de rechange pour ses affaires quand elles revenaient de la blanchisserie et il y avait quelques belles pensées dans ce journal intime écrites à l'encre violette qu'elle avait achetée chez Hely's Dame street car elle sentait qu'elle aussi pourrait écrire de la poésie si seulement elle pouvait s'exprimer comme dans ce poème qui l'avait touchée si profondément qu'elle l'avait recopié après l'avoir remarqué un soir sur le journal qui emballait les légumes. *Es-tu réel, mon idéal ?* s'intitulait-il, de Louis J. Walsh, Magherafelt[53], et ensuite il y avait quelque chose comme *Crépuscule, voudras-tu jamais ?* et maintes fois la beauté de la poésie, si triste dans son évanescent éclat, avait embué ses yeux de larmes muettes elle sentait bien que les années s'éloignaient d'elle l'une après l'autre, et sans cette unique imperfection elle savait qu'elle n'eût eu à redouter aucune rivalité et ç'avait été l'accident en descendant Dalkey Hill[54] et elle tâchait toujours de la dissimuler. Mais il y aurait une fin à cela, elle le sentait. Si elle percevait cette magique attirance dans ses yeux il n'y aurait rien pour la retenir. L'amour se rit des verrous[55]. Elle était prête au grand sacrifice. Elle tendrait toute à se lier à lui par la pensée. Plus chère que tout au monde serait-elle pour lui et elle illuminerait ses jours de bonheur. C'était là the question et elle mourait de l'envie de savoir s'il était un homme marié ou un veuf qui avait perdu sa femme ou connu quelque tragédie tel ce noble au nom étranger venu du pays des chansons[56] il avait dû mettre la sienne à l'asile, contraint à la cruauté par bonté[57]. Même même si — alors quoi ? Cela ferait-il une grande différence ? C'est contre tout ce qui a le moindre soupçon d'indélicatesse que sa nature raffinée se rebiffait d'instinct. Elle vomissait ce genre de créatures, ces femmes déchues qui faisaient le trottoir le long de la Dodder[58] et allaient avec les soldats et les hommes les plus grossiers, sans respect pour leur dignité de femme, déshonorant leur sexe et finissant au poste. Non, non : pas ça ! Ils seraient seulement bons amis comme un grand frère et sa petite sœur sans qu'il se passe rien d'autre entre eux en dépit des conventions de la Société avec un grand S. Peut-être était-ce d'une vieille passion qu'il portait le deuil depuis ces jours d'antan qui ne reviendront plus[59]. Elle pensait qu'elle comprenait. Elle s'efforcerait de le comprendre parce que les hommes sont tellement différents. Son vieil amour l'attendait, l'attendait, lui tendait ses petites mains blanches, l'implorait de ses yeux bleus. Oh mon cœur ! Elle suivrait son rêve d'amour, les raisons de son cœur qui lui indiquait qu'ils ne faisaient qu'un en tout et pour tout, que de tout l'univers il était le seul homme qui lui fût destiné car l'amour était le maître guide. Rien d'autre n'importait. Advienne que pourrait elle oserait, désentravée, libre.

Le Chanoine O'Hanlon remit le Saint Sacrement dans le tabernacle et le chœur chanta *Laudate Dominum omnes gentes*[60] et puis il ferma la porte du tabernacle parce que la bénédiction était terminée et le Père Conroy lui tendit sa barrette pour se couvrir et la chipie d'Edy lui demanda si elle venait mais Jacky Caffrey s'écria :

— Oh, regarde, Cissy !

Et tous regardèrent était-ce un éclair de chaleur mais Tommy en vit aussi au-dessus des arbres à côté de l'église, un bleu et puis un vert et un pourpre.

— C'est un feu d'artifice, dit Cissy Caffrey.

Et ils redescendirent tous la grève en courant afin de voir par-dessus les maisons et l'église, à la débandade, Edy avec la poussette et bébé Boardman dedans et Cissy tenant Tommy et Jacky par la main pour qu'ils ne tombent pas en courant.

— Viens, Gerty, cria Cissy. C'est le feu d'artifice de la vente de charité[61].

Mais Gerty resta de marbre. Elle n'entendait pas être à leurs basques. Elles pouvaient bien courir comme des traînées, elle pouvait, elle, rester assise, aussi leur dit-elle qu'elle pouvait très bien voir d'où elle était. Les yeux qui restaient fixés sur elle faisaient battre son cœur de plus en plus vite. Elle le regarda un instant, rencontrant son regard, et ce fut un éclair en elle. Une incandescente passion marquait ce visage, passion muette comme la tombe et qui l'avait faite sienne. Enfin ils étaient laissés à eux-mêmes, sans les autres pour épier ou faire des remarques, et elle sut qu'elle pouvait se fier à lui jusqu'à la mort, inébranlable, un homme d'airain, un homme imprégné du sens de l'honneur jusqu'au bout des doigts. Ses mains et son visage le révélaient en pleine excitation et un tressaillement la parcourut. Elle se pencha loin en arrière pour voir l'endroit du feu d'artifice et elle prit un de ses genoux dans ses mains afin de ne pas tomber à la renverse en regardant et il n'y avait personne pour voir sinon elle et lui quand elle dévoila sur toute leur longueur ses belles jambes si bellement tournées comme ça, d'une douce souplesse et d'un modelé délicat, et il lui sembla qu'elle entendait le tambourinement affolé de son cœur, son souffle rauque, parce qu'elle n'était pas sans connaissances sur ce qu'éprouvait ce genre d'hommes, ceux qui ont le sang chaud, parce que Bertha Supple lui avait raconté un jour dans le plus grand secret et elle lui avait fait jurer de ne jamais que le monsieur qui logeait chez eux et qui travaillait au Bureau des Zones Sensibles[62] avait découpé des images dans ces revues de danseuses de cabaret et de cancan et elle disait qu'il faisait quelque chose de pas très joli que tu pouvais imaginer, parfois dans son lit. Mais ce que lui faisait était absolument différent d'une chose comme ça parce que là était toute la différence parce qu'elle pouvait presque sentir qu'il attirait son visage contre le sien et pour la première fois vite le chaud contact de ses belles lèvres. D'ailleurs il y avait absolution aussi longtemps qu'on ne faisait pas l'autre chose avant d'être marié et il devrait y avoir des femmes prêtres qui comprendraient sans mot dire et Cissy Caffrey elle aussi quelquefois avait cette vague sorte d'air vague dans les yeux oui elle aussi, ma chère, et Winny Rippingham si folle des photos d'acteurs et d'ailleurs c'était à cause de cette autre chose qui était en train de venir de cette façon.

Et Jacky Caffrey hurla regardez, il y en avait une autre et elle se pencha en arrière et ses jarretières étaient bleues assorties à cause de la transparence et tous ils voyaient et hurlaient regardez, regardez là, et elle se pencha encore plus pour voir le feu d'artifice et quelque chose d'étrange voletait dans l'air autour d'elle, une douce chose qui allait de-ci de-là, sombre. Et elle vit une longue chandelle romaine qui montait au-dessus des arbres haut, haut, et, dans le silence tendu, ils avaient le souffle coupé d'excitation à mesure que ça montait plus haut, toujours plus haut, et il lui fallait se laisser aller à la renverse encore et encore pour la suivre, haut, haut, presque hors de vue, et son visage se teintait d'une divine, d'une enchanteresse rougeur à force de se cambrer et lui pouvait voir d'autres choses d'elle, les culottes de batiste, la matière qui caresse la peau, c'était beaucoup mieux que l'autre parure, la verte, à quatre shillings onze, parce qu'elles étaient blanches et elle le laissait et elle voyait qu'il voyait et puis cela monta si haut qu'on le perdit de vue un instant et elle tremblait de tous ses membres à force de rester renversée à ce point qu'il avait vue bien au-dessus du genou là où personne n'avait jamais pas même à la balançoire ou quand on fait trempette et elle n'avait pas honte et lui non plus de regarder de cette façon inconvenante comme ça parce qu'il ne pouvait pas résister au spectacle de cette merveilleuse révélation à demi offerte comme ces danseuses de cabaret qui se comportent de façon si inconvenante devant les messieurs qui les regardent et il ne cessait de regarder, regarder. Elle aurait aimé lancer vers lui un cri étouffé, lui tendre ses fragiles bras de neige pour qu'il se précipite, sentir ses lèvres se poser sur son front pâle, pousser le cri d'amour de la jeune fille, un petit cri étranglé, surgi du fond de ses entrailles, ce cri qui a retenti à travers les âges. Et alors une fusée pulsa et splasha en spasmes de blancs flashes et Oh ! elle éclata la chandelle romaine et ce fut comme si elle soupirait : Oh ! et tout le monde cria Oh ! Oh ! de ravissement et il en jaillit en gerbe un flot de cheveux d'or qui filaient et ils ruisselaient et ah ! ils devenaient un arrosement d'étoiles verluisantes tombant avec des dorées, Oh ! si exquis ! Oh si doux, si bien, si doux !

Puis tout fondit comme rosée dans l'air gris : tout fut silence. Ah ! Elle lui lança un regard tout en se redressant vivement, un pathétique petit regard de piteuse protestation, de timide reproche, sous lequel il rougit comme une jeune fille. Il se laissait aller en arrière le dos au rocher. Leopold Bloom (puisqu'il s'agit de lui) reste figé dans le silence, l'oreille basse face à ces jeunes yeux ingénus. Quelle brute il a été ! Il a remis ça ? Une âme candide, vierge, a fait appel à lui, et, misérable qu'il était, voilà comme il a répondu ? C'est en parfait salaud qu'il s'est conduit. Lui entre tous ! Et pourtant quelle infinie provision de miséricorde n'y avait-il pas dans ces yeux-là, pour lui aussi un mot d'absolution même s'il s'était égaré et avait fauté et s'était perdu. Une jeune fille vendrait-elle la mèche ? Non, mille fois non. C'était leur secret, entre eux, seuls dans le soir complice et il n'y avait personne pour le connaître ni le révéler sauf la petite chauve-souris qui de ses froufrous si feutrés parcourait le crépuscule de-ci, de-là, et les petites chauves-souris ne vendent pas la mèche.

Cissy Caffrey sifflait, imitant les garçons sur les terrains de foot pour montrer combien elle était émancipée : après quoi elle cria :

— Gerty ! Gerty ! Nous partons. Viens. Nous pourrons voir d'un peu plus haut.

Gerty eut une idée, une de ces petites ruses inspirées par l'amour. Elle glissa sa main dans la pochette de sa blouse et en sortit le petit mouchoir et l'agita en réponse bien sûr sans attendre qu'il et puis le remit en place. Me demande s'il n'est pas trop loin pour. Elle se leva. Était-ce un adieu ? Non. Il lui fallait s'en aller mais ils étaient appelés à se retrouver, ici même[63], elle allait en rêver jusqu'à la prochaine fois, pas plus tard que demain, à son rêve d'hier soir. Elle se redressa de toute sa taille. Leurs âmes s'unirent en un ultime et langoureux regard et les yeux qui touchaient son cœur, emplis d'une étrange lueur, étaient retenus captifs par la fleur délicate de son visage. Elle lui sourit à demi avec mélancolie, et ce fut un doux sourire de pardon, un sourire qui frisait les larmes, et puis ce fut la séparation.

Lentement sans se retourner elle alla sur la grève malaisée vers Cissy, vers Edy, vers Jacky et Tommy Caffrey, vers le petit bébé Boardman. Il faisait plus sombre maintenant et il y avait plein de cailloux et de bouts de bois sur la grève, des algues traîtresses. Elle marchait avec cette sereine dignité qui la distinguait mais avec précaution et très lentement parce que, parce que Gerty MacDowell était…

Trop étroits ses souliers ? Non. Elle est boiteuse ! Oh !

Les yeux de M. Bloom restaient fixés sur ce boitillement avec lequel elle s'éloignait. Pauvre fille ! Voilà pourquoi elle est restée en panne tandis que les autres piquaient un sprint. Avais bien deviné que quelque chose ne tournait pas rond dans son allure. Plaquée la beauté. Une infirmité c'est dix fois pire pour une femme. Encore que ça les rende affables. Heureux que je n'aie pas su ça quand elle m'en mettait plein la vue. Vraie petite diablesse tout de même. Je ne serais pas contre. De l'insolite comme avec une nonne ou une négresse ou une fille à lunettes. Celle qui louche affaire délicate. Proche de ses règles, j'imagine, ça leur met les sens à vif. J'ai tellement mal à la tête aujourd'hui. Où ai-je mis la lettre ? Ah oui, parfait. Toutes sortes d'envies bizarres. Certaines lèchent des pièces de monnaie. Cette fille du couvent de Tranquilla dont me parlait la sœur elle, elle aimait renifler le pétrole. À rester vierges elles finissent par verser dans la folie je suppose. Sœur ? Combien de femmes à Dublin qui les ont aujourd'hui ? Martha, elle. Quelque chose qui passe dans l'air. C'est la lune. Mais pourquoi toutes les femmes n'ont-elles pas leurs règles en même temps à la même lune je veux dire ? Tout dépend de leur date de naissance, je suppose. Ou bien toutes partent pile en même temps puis chacune va à son rythme. Quelquefois Molly et Milly en même temps. Quoi qu'il en soit j'en ai bien profité. Vachement content de n'avoir pas fait ça au bain ce matin en lisant son idiote de lettre Je vous punirai. Voilà qui compense pour ce conducteur de tram de ce matin.

Ce filou de M'Coy qui m'arrête pour m'abreuver de balivernes. Et sa femme sa tournée dans le pays sa valise, sa voix comme une vrille. Rendons grâces pour la petite grâce. Même que c'est donné. Suffit de demander. Parce qu'elles-mêmes le désirent. Aspiration de leur nature. Par flopées tous les soirs en déversent les bureaux. Mieux vaut jouer l'indifférence. Moins vous songez à elles plus leur désir s'accroît. Et hop, vous tombent dans les bras[64]. Dommage qu'elles ne puissent pas se voir. C'est le rêve des bas bien remplis. Où était-ce ? Ah, oui. Des vues de mutoscope dans Capel street[65] : pour hommes seulement. Tom le voyeur. Le chapeau de Willy et ce que les filles faisaient avec ça. Photographies véritables ou est-ce tout du truquage. C'est la *lingerie* qui excite. Tâter les courbes sous son *déshabillé*[66]. Ça les excite aussi quand elles sont. Je suis toute propre viens souille-moi. Et elles aiment s'attifer l'une l'autre pour le sacrifice. Milly réjouie par la blouse neuve de Molly. Pour commencer. Se mettent tout ça sur le dos pour prendre leur pied à s'effeuiller. Molly. Voilà pourquoi je lui ai acheté des jarretières violettes. Nous itou : la cravate qu'il portait, ses adorables chaussettes et son pantalon à revers. Il portait des guêtres le soir où nous nous sommes rencontrés pour la première fois. Son adorable chemise chatoyait par-dessus son quoi ? de jais[67]. On dit qu'une femme perd un charme à chaque épingle de sa qu'elle enlève. Tiennent par des épingles. C'est Marie qu'a perdu l'épingle de sa. Tirée à quatre épingles pour quelqu'un. La mode c'est une part de leur charme. Elle change juste au moment où on commence à dénicher le secret. Excepté en Orient : Marie, Marthe[68] : maintenant tout comme alors. Toute offre sérieuse acceptée. Elle n'était pas pressée non plus. C'est toujours pour aller rejoindre un type qu'elles le sont. Elles n'oublient jamais un rendez-vous. Dehors pour tenter leur chance probablement. Elles croient au hasard parce qu'il est comme elles. Et les autres qui essayaient de lui lancer des piques. Bonnes amies à l'école, les bras autour du cou les unes des autres ou leurs dix doigts entrelacés, s'embrassant et se susurrant des secrets de rien du tout dans le jardin du couvent. Les religieuses avec leur visage passé au blanc, leur coiffe fraîche et leur rosaire, allant et venant, revêches elles aussi à cause de ce qu'elles ne peuvent pas avoir. Le fil de fer barbelé[69]. N'oublie pas de m'écrire. Et je t'écrirai. Tu ne m'oublieras pas ? Molly et Josie Powell. Jusqu'à ce qu'arrive le prince charmant, alors on ne se voit plus qu'aux calendes grecques. *Le tableau !* Oh, devinez qui vient nous voir pour l'amour de Dieu ! Comment vas-tu depuis tout ce temps ? Mais qu'es-tu donc devenue ? S'embrassent et si heureuse de, s'embrassent, de te revoir. L'une et l'autre se passant au crible dans les moindres détails. Tu as une mine superbe. Âmes sœurs qui se montrent les dents. Combien t'en reste-t-il ? Ne bougeraient pas d'un pouce l'une pour l'autre.

Ah !

Des diablesses quand ça les prend. Sombre et démoniaque alors leur expression. Molly m'a souvent dit qu'on se sent peser des tonnes. Gratte-moi la plante des pieds. Oh ! comme ça ! Oh, c'est exquis ! Ai éprouvé ça moi aussi. Bien agréable de se laisser aller une fois de temps en temps. Me demande si c'est mauvais d'aller avec elles alors[70]. Sans risque en un sens. Ça fait tourner le lait, claquer les cordes de violon. Quelque chose au sujet des plantes que ça asphyxierait ai-je lu dans un jardin. Et puis dit-on encore si la fleur fane qu'elle porte c'est une aguicheuse. Toutes les mêmes. On peut dire qu'elle a senti que je. Quand on se trouve dans ces dispositions-là c'est souvent qu'on tombe pile. Je lui plaisais ou quoi ? L'habillement c'est ce qu'elles regardent. Repèrent toujours le compère qui fait sa cour : cols et manchettes. D'ailleurs les coqs et les lions font de même et les cerfs. En même temps pourraient préférer une cravate dénouée ou autre chose. Les pantalons ? Et si je m'étais quand je me ? Non. Tout dans le doigté. Elles n'aiment pas le cru ni le brutal. S'embrasser dans le noir et n'en rien dire[71]. Elle m'a trouvé quelque chose. Me demande quoi. Me prendre tel que je suis plutôt qu'un freluquet de poète avec de la graisse d'ours pommadant ses cheveux et accroche-cœur au-dessus du globe oculaire droit. Pour assister monsieur dans travaux litt. Devrais travailler mon look à mon âge. Ai évité qu'elle ne me voie de profil. Après tout, on ne sait jamais. Jolies filles et laids bonshommes qui s'accouplent. La belle et la bête. D'ailleurs il faut bien que je n'en sois pas si Molly. Elle a ôté son chapeau pour faire voir ses cheveux. À large bord elle l'a acheté pour cacher son visage, au cas où elle rencontrerait quelqu'un qui pourrait la reconnaître, baisser la tête ou porter un bouquet de fleurs pour y plonger le nez. Les cheveux ça sent fort pendant le rut. Dix balles qu'on m'avait balancées contre les mèches de Molly quand nous étions sur la paille Holles street. Pourquoi pas ? Imaginons qu'il lui ait donné de l'argent. Pourquoi pas ? Rien que des préjugés. Elle en vaut bien dix, quinze shillings, plus, une livre[72]. Tant que ça ? Parfaitement. Tout ça pour rien. Main de flam. Mme Marion. Ai-je oublié d'écrire l'adresse sur cette lettre comme sur la carte postale que j'avais envoyée à Flynn[73]. Et le jour où je me suis présenté chez Drimmie[74] sans cravate. Après une prise de bec avec Molly ça m'avait mis hors de moi. Non, je me rappelle. Richie Goulding. C'en est un autre. Il ne l'a pas encaissé. Drôle que ma montre se soit arrêtée à quatre heures et demie. Une poussière. De l'huile de foie de requin c'est ce qu'on emploie pour les nettoyer pourrais le faire moi-même. Économies. Était-ce juste quand il, elle ?

Oh, il a. En elle. Elle a. C'est fait.

Ah !

M. Bloom d'une main précautionneuse redisposa sa chemise humide. Ah ! Bon Dieu, quelle diablesse de petite boiteuse. Ça commence à devenir froid et gluant. Suite pas très agréable. Encore qu'il faille bien évacuer ça quelque part. Elles ça ne les dérange pas. En sont flattées peut-être. Rentrent à la maison pour donner le painpain et le lolo et faire réciter la prière du soir aux fanfans. Et elles, est-ce qu'elles ne sont pas. La voir telle qu'elle est ça gâche tout. Lui faut le podium, le fard, le costume, la posture, la musique. Le nom aussi. *Amours* d'actrices. Nell Gouine, Mme Branlebourgeois, Maud Bandafon. Le rideau se lève. Clair de lune diffusant une splendeur argentée. Jeune fille en déshabillé avec un sein pensif. Mon petit cœur viens baise-moi. Je sens encore. La force que cela donne à un homme. C'est là le mystère. Du pot que je me sois vidangé là-bas derrière le mur en sortant de chez Dignam. Le cidre bien sûr[75]. Autrement je n'aurais pas pu. Ça vous donne envie de chanter après. *Lacaus esant tsoin tsoin*[76]. Et si je lui avais parlé. Pour lui dire quoi ? Jamais un bon plan que de commencer la conversation sans savoir comment la finir. Posez-leur une question elles vous en posent une autre. Bon truc quand on est à court. Ça gagne du temps. Mais alors on peut se trouver bête. Merveilleux bien sûr si on dit : bonsoir, et vous voyez qu'elle marche : bonsoir. Mais oh ! ce soir si noir Via Appia[77] j'étais sur le point de draguer Mme Clinch oh ! croyant que c'était une. Ouille ! Et la fille dans Meath street[78] une nuit. Toutes les choses cochonnes que je lui faisais dire et elle les disait de travers bien sûr. Mes cules qu'elle appelait ça. C'est si difficile d'en trouver une qui. Ben quoi ! Si vous ne leur répondez pas quand elles vous racolent ce doit être affreux pour elles tant qu'elles ne sont pas aguerries. Et elle m'avait baisé la main quand je lui avais donné le petit cadeau de deux shillings. Des perroquets. Pressez sur le bouton et l'oiseau fera cui-cui. Aurais préféré qu'elle ne me dise pas monsieur. Ah ! sa bouche dans l'obscurité ! Vous un homme marié avec une mademoiselle seule ! C'est ça qui les excite. Prendre un homme à une autre femme. Ou rien que se l'entendre dire. Pas pareil pour moi. Content de me débarrasser de la femme d'un autre. Du réchauffé très peu pour moi. Le type au Burton aujourd'hui qui recrachait les cartilages après les avoir mastiqués. La capote encore dans mon portefeuille. Cause pour moitié de notre dispute. Mais que ça puisse arriver à l'occasion, non je ne crois pas. Entrez. Je suis prête. Je rêve ou quoi ? C'est le début le plus difficile. Voir la façon dont elles bottent en touche quand ce n'est pas ce qui leur convient. Vous demande si vous aimez les champignons parce qu'une fois elle connaissait un monsieur qui. Ou bien vous demande ce que telle personne était sur le point de dire quand elle a changé d'avis et s'est tue. Encore que j'aurais pu jouer mon va-tout, lui dire : je vous veux, quelque chose comme ça. Parce que je voulais la. Elle aussi. La choquer. Pour réparer ensuite. Manifester un désir fou de, puis y renoncer en gémissant que c'est pour son bien. Ça les flatte. Elle devait avoir quelqu'un en tête pendant tout ce temps. Et alors ? Elle doit en avoir un en tête depuis qu'elle a l'âge de raison, lui, lui, et lui. Le premier baiser met le feu aux poudres. L'heure H. Dans leur profond ça fait tilt. Tout amollies qu'elles sont, on le voit à leur œil, en douce. Premiers béguins sont les plus beaux. S'en souviennent jusqu'au jour de leur mort. Molly, c'est le lieutenant Mulvey, qui l'avait embrassée sous le mur des Maures le long des jardins[79]. À quinze ans m'a-t-elle dit. Mais elle avait déjà des seins. S'est endormie ensuite. Et après le dîner à Glencree[80] quand nous rentrions en voiture, le mont featherbed. Elle grinçait des dents dans son sommeil. Le Lord-Maire ne la quittait pas des yeux non plus. Val Dillon[81]. Congestionné.

Elle les a rejoints là-bas où ils sont redescendus pour voir le feu d'artifice. Mon feu d'artifice. Monté comme une fusée, retombé comme un fétu. Et les enfants, des jumeaux ce doit être, dans l'attente que quelque chose arrive. Voudraient être déjà grandes. Mettre les robes de maman. Encore un peu, et elles comprendront ainsi va la vie. Et la noiraude avec sa tignasse et sa bouche de négresse. Avais deviné qu'elle savait siffler. Une bouche faite pour. Comme Molly. Raison pour laquelle aussi cette demi-mondaine chez Jammet[82] ne faisait pas descendre sa voilette au-dessous de son nez. Auriez-vous l'obligeance, s'il vous plaît, de me donner l'heure ? Je vous donnerai l'heure dans une sombre ruelle. Dites prunes et prismes quarante fois tous les matins, c'est le traitement pour les lèvres lippues[83]. Bien câline avec le petit, aussi. Les spectateurs en savent plus que les acteurs. Bien sûr elles comprennent les oiseaux, les animaux, les bébés. C'est leur rayon.

Ne s'est pas retournée en descendant la grève. N'a pas voulu m'accorder cette satisfaction. Ces jeunes filles, ces jeunes filles, ces belles filles du bord de mer[84]. Elle avait de beaux yeux, limpides. C'est le blanc de l'œil qui fait ressortir cela beaucoup plus que la pupille. A-t-elle compris que je ? Bien sûr. Telle la colombe que n'atteint pas la bave du crapaud. Les femmes ne tombent jamais sur un individu comme ce

Wilkins[85] en terminale qui dessinait une Vénus avec tous ses bijoux de famille à lui en sus. Appeler ça de l'innocence ? Pauvre bougre ! Sa femme a de quoi faire. On ne les voit jamais s'asseoir sur un banc marqué *Peinture fraîche*. Des yeux derrière la tête. Regardent sous leur lit pour s'il y avait quelque chose. Aspirant à la frayeur de leur vie. Finaudes comme le renard. Quand je disais à Molly que l'homme au coin de Cuffe street[86] avait bonne façon, je pensais qu'il pouvait lui plaire, mais elle avait pigé aussitôt qu'il avait un bras artificiel. Et en plus, c'était vrai. D'où tiennent-elles ça ? La dactylo de chez Roger Greene[87] montant les marches deux à deux pour montrer ses sous-entendus. Hérité du père à la mère à la fille, je veux dire. Inscrit dans les gènes. Milly par exemple qui fait sécher son mouchoir sur le miroir pour ne pas avoir à le repasser. Le meilleur emplacement pour qu'une annonce accroche l'œil d'une femme, le miroir. Et quand je l'avais envoyée chercher le châle Paisley de Molly chez Presscott, au fait cette annonce il faut que je, qu'elle avait rapporté la monnaie dans son bas. La petite futée ! Je ne le lui avais pas dit. Sa charmante façon de porter les paquets aussi. Ça aguiche les hommes, les petites choses comme ça. Levant les mains en l'air, les secouant, pour faire descendre le sang quand elles étaient rouges. Qui t'a appris ça ? Personne. C'est un geste que la nurse m'a montré. Oh ! que ne savent-elles pas ? À trois ans elle se tenait devant la coiffeuse de Molly juste avant que nous quittions Lombard street west. Moi zavoir zoli zisage. Mullingar. Qui sait ? Ainsi va la vie. Jeune étudiant. Droite sur ses gambettes en tout cas, pas comme l'autre[88]. Quoique ça ne l'empêchait pas d'entrer dans la danse. Dieu, je suis tout poisseux. Vilain petit diable. Galbe de son mollet. Ses bas transparents, tirés à craquer. Pas comme ce vieux tableau aujourd'hui. A. E. Bas tire-bouchonnés. Ou celle dans Grafton street. Bas blancs. Waou ! Les poteaux de bouseuse[89] !

Un serpenteau éclata, crachotant ses crépitants éclairs. Crac et crac, crac, crac. Et Cissy et Tommy s'élancèrent pour voir et Edy à leur suite avec la poussette et puis Gerty en contournant les rochers. Est-ce qu'elle va ? Attention ! Attention ! Vue ! A regardé autour. Elle a flairé un os. Chérie j'ai vu ton. J'ai tout vu.

Dieu !

M'a fait du bien quand même. N'en pouvais plus après Kiernan, après Dignam. Pour ce service grand merci. C'est dans *Hamlet*[90]. Dieu ! C'étaient toutes ces choses accumulées. L'excitation. Quand elle s'est laissée aller en arrière j'ai ressenti une douleur au bout de la langue. Elles vous font tourner la tête[91]. Il a raison. J'aurais pu me rendre encore plus ridicule, toutefois. C'est mieux que de parler pour ne rien dire. Bon je vais tout vous dire. Encore était-ce une sorte de langage entre nous. Ça n'était pas possible ? Non, Gerty elles l'ont appelée. Pouvait être un pseudo cependant comme mon et l'adresse de Dolphin's Barn en paravent.

Son nom de jeune fille était Jemima Brown
Et ell' vivait avec sa mère à Irishtown.

C'est l'endroit qui m'y fait penser sans doute. Elles sont bien toutes pareilles. À essuyer leurs plumes sur leurs bas. Mais le ballon a roulé jusqu'à elle comme s'il comprenait. Toute balle a son billet de logement[92]. Bien sûr, je n'ai jamais rien pu tirer droit à l'école. Ça chassait dans tous les coins. Triste que ça dure seulement quelques années avant qu'elles ne se mettent à faire la bonniche et à juger que les pantalons de papa iront bientôt à Willy[93] et de saupoudrer de talc les fesses de bébé après qu'elles l'ont retiré de faire. Rien de ragoûtant dans ces tâches. Ça les sauve. Leur évite de tourner mal. Leur nature. Laver les enfants, laver les cadavres. Dignam. Plein de menottes toujours autour d'elles. Crânes de noix de coco, petits singes, non encore soudés au début, du lait aigre dans leurs langes et du caillé jauni. Elle n'aurait pas dû donner à cet enfant une tétine vide à sucer. Bonne à le remplir de vent. Mme Beaufoy, Purefoy. Dois passer à l'hôpital. Me demande si l'infirmière Callan y est encore. Elle venait y faire un tour certaines nuits quand Molly jouait au Café Palace. Ce jeune docteur O'Hare dont j'avais remarqué qu'elle brossait le manteau. Et Mme Breen et Mme Dignam en leur temps ont été comme ça, jeunes filles à marier. Le pire de tout c'est la nuit me disait Mme Duggan au City Arms. Le mari qui tangue complètement bourré, puant le boui-boui comme un putois. Avoir ça dans le nez toute la nuit, ces relents de bière éventée. Puis qui demande le matin : étais-je cuité hier soir ? Mauvaise tactique cependant de culpabiliser son mari. Tant qu'il rentre au bercail. Collés ensemble. Peut-être la responsabilité des femmes aussi. C'est là où Molly les enfonce toutes. C'est qu'elle a du sang méridional. Maure. Même ses formes, sa silhouette[94]. Mains cherchant à tâtons les opulentes[95]. Suffit de comparer par exemple avec les autres. Femme cloîtrée à la maison, squelette dans le placard. Permettez-moi de vous présenter ma. Et ils vous sortent quelque chose d'indescriptible, vous ne sauriez comment appeler ça. On perçoit aussitôt le point faible d'un type en voyant sa femme. Encore qu'il y ait de la fatalité en cela, le coup de foudre. Sont unis par des choses secrètes entre eux. Certains gonzes tomberaient plus bas que terre si une femme ne les prenait pas en main. Et ces petits bouts de bonnes femmes, hautes comme trois pommes, avec leur petit pou d'époux. Qui se ressemble s'assemble[96]. Quelquefois enfants plutôt réussis. Deux fois zéro font un. Ou bien un vieux richard de soixante-dix ans et une jouvencelle d'épouse. Marie-toi en mai, repens-toi en décembre. Ce gluant est vraiment désagréable. Ça a collé. Et ma bite qui est toujours décalottée. Mieux vaut la dégager.

Ouah !

D'autre part un type de six pieds avec une bonne femme pas plus haute que sa chaîne de montre. Verbe haut et voix basse. Lui grand elle petite. Très bizarre pour ma montre. Les montres-bracelets se détraquent toujours. Me demande s'il n'y aurait pas une influence magnétique entre la personne parce que c'était à peu près le moment où il. Oui, tout de suite je suppose. Le chat parti les souris dansent. Je me rappelle avoir jeté un œil dans Pill lane. Cela aussi c'est donc du magnétisme. À la base de tout, le magnétisme. La Terre par exemple qui attire ça et qui est attirée. C'est ce qui cause le mouvement. Et le temps ? Eh bien c'est le temps que le mouvement met. Alors si une seule chose s'arrêtait tout le cirque s'arrêterait morceau par morceau. Parce que tout ça est arrangé. L'aiguille magnétique nous dit ce qui se passe dans le soleil, les étoiles[97]. Un tout petit bout d'acier. Quand on présente la fourche de l'aimant. Viens. Viens. Et hop. La femme et l'homme c'est-à-dire. L'aimant et l'acier. Molly, lui. Ça s'habille et ça fait de l'œil et ça aguiche et ça vous laisse voir et voir un peu plus et ça vous met au défi si vous êtes un homme, de voir ça c'est comme une envie d'éternuer qui monte, les jambes, regardez, regardez si vous avez quelque chose dans le ventre. Et hop. Obligé de tout laisser partir.

Me demande comment ça la titille dans ces zones-là. La honte toutes l'affectent en présence d'un tiers.

Se sentent plus vexées par un trou dans leurs bas. Molly, bouche bée, la tête renversée, devant le fermier avec des bottes et des éperons au concours hippique[98]. Et quand nous avions les peintres Lombard street west. Avait une belle voix ce type. Comme ça que Giuglini[99] a commencé. Je l'avais bien senti, comme des fleurs. C'était bien ça. Des violettes. Ça venait probablement de la térébenthine dans la peinture. Tirent parti de tout. En même temps qu'elle faisait ça elle raclait du talon sur le parquet pour qu'ils n'entendent pas. Mais des tas d'entre elles n'arrivent pas au septième ciel, je crois. Gardent ça en suspens durant des heures. Pour moi c'est une sorte de fourmillement qui me gagne et m'envahit jusqu'au milieu du dos.

Tiens. Hm. Hm. Oui. C'est son parfum. Voilà pourquoi elle agitait la main. Je vous laisse ceci pour que vous pensiez à moi quand je serai au loin dans mon petit lit. Qu'est-ce que c'est ? De l'héliotrope ? Non. Jacinthe ? Hm. Essence de roses, je crois. Elle doit aimer les senteurs de ce genre. Suaves et bon marché : vite tournées. Pourquoi Molly aime l'opoponax[100]. Lui convient avec un soupçon de jessemin. Ses notes hautes et ses notes basses. C'est la nuit du bal qu'elle l'a rencontré, la danse des heures[101]. Chaleur qui faisait ressortir ça. Elle avait mis sa robe noire qui sentait encore de sa sortie précédente. Bon conducteur, le noir ? Ou pas bon ? La lumière aussi. Suppose qu'il y a un rapport. Par exemple quand on va dans une cave où il fait noir. Phénomène mystérieux quand même. Pourquoi ai-je senti celui-ci seulement à présent ? Il a pris son temps pour m'arriver comme elle, lentement mais sûrement. J'imagine que c'est une infinité de minuscules particules diffusées alentour. Oui, c'est ça. Parce que ces îles à épices, ou les Cinghalais ce matin, on les sent de loin. Je vous explique.

C'est comme une gaze ou une résille très très fine qui recouvre leur peau, fine comme comment appelle-t-on ça les fils de la Vierge[102] et elles n'en finissent pas de l'élaborer, fine comme tout, comme les couleurs de l'arc-en-ciel sans qu'on la perçoive. Ça reste accroché à tout ce qu'elle quitte. Le pied de ses bas. Ses souliers encore chauds. Son corset. Ses culottes : son petit coup de pied quand elle les fait valser. Bye-bye jusqu'à la prochaine fois. Le chat aime flairer dans ses fringues sur le lit. Reconnais son odeur entre mille. L'eau de son bain aussi. Ça me rappelle des fraises à la crème. Me demande où cela se tient précisément. Là ou bien sous les aisselles ou encore sous le cou. Parce que ça vous assaille de tous trous et recoins. Le parfum de jacinthe obtenu à partir d'une huile d'éther ou de quelque chose comme ça. Le rat musqué. Une poche sous leur queue un simple grain dégage de l'odeur pendant des années. Chiens chacun au derrière l'un de l'autre. Bonsoir. Soir. Comment sentez-vous ? Hm. Hm. Très bien, merci. Les animaux s'en remettent à ça. Et au fond, à bien y regarder. Nous faisons de même. Certaines femmes par exemple vous écartent quand elles ont leurs époques. Viens par ici. Alors elles te jettent un de ces relents tu peux y accrocher ton chapeau. Comme quoi ? Comme du hareng saur périmé ou. Beurk ! Gazon interdit.

Peut-être perçoivent-elles une odeur de mâle sur nous. Mais quoi donc ? Les gants au cigare que Long John avait sur son bureau l'autre. L'haleine ? C'est ce que nous mangeons et buvons qui nous la donne. Non. L'odeur du mâle, j'entends. Doit avoir un rapport avec ça puisque les prêtres qui sont censés être sont différents. Les femmes vrombissent autour comme les mouches autour de la mélasse. Retenues à l'écart de l'autel elles s'étirent jusqu'à un doigt de lui. L'arbre du prêtre défendu. Ô mon père, voudriez-vous ? Laissez-moi être la première à. Ça se diffuse à travers tout le corps, ça sort par les pores. Source de vie et c'est extrêmement curieux l'odeur. De la sauce au céleri. Laissez-moi.

M. Bloom introduisit son nez. Hm. Dans l'é. Hm. Chancrure de son gilet. Amande ou. Non. Citron c'est. Ah non, c'est le savon.

Ah c'est vrai cette lotion. Je sentais bien que quelque chose me tracassait. N'y suis pas retourné et le savon pas payé. Déteste transporter des bouteilles comme cette vioque ce matin. Hynes aurait pu me rembourser ces trois shillings. Je pourrais mentionner chez Meagher juste pour le lui rappeler. Pourtant s'il rédige ces quelques lignes. Deux shillings neuf. Il va avoir une bien mauvaise opinion de moi. Y retourner demain. Combien vous dois-je ? Trois shillings neuf ? Deux shillings neuf, monsieur. Ah. Pourrait l'incliner à ne pas faire crédit la prochaine fois. On perd des clients de cette façon. Voir les pubs. Des types laissent s'allonger leur ardoise dans l'un pour ensuite avec un détour par les rues basses se faufiler dans un autre.

Voici la noble figure qui repasse. Surgi de la baie. N'a fait qu'un aller-retour. Toujours à la maison à l'heure du dîner. Semble plus que repu : s'en est mis un bon stock dans la panse. Profite de la nature à présent. L'action de grâces après l'action de chère. Après le souper marcher un kilomètre. C'est sûr il a un joli petit compte en banque quelque part, fonction publique. À marcher derrière lui maintenant je le mettrais mal à l'aise comme moi les petits crieurs de journaux aujourd'hui. Encore qu'il y ait quelque chose à en apprendre. Se voir soi-même comme les autres nous voient. Pour peu que ce ne soit pas des femmes qui se moquent quelle importance ? C'est le seul moyen de trouver la réponse. Alors se demander qui il est maintenant. *L'Inconnu de la plage* prix titbit de la nouvelle par M. Leopold Bloom. Payé à raison d'une guinée par colonne. Et ce type aujourd'hui au bord de la tombe en macintosh brun. Des cors dans son kismet[103] pourtant. En bonne santé on résorbe peut-être tout le. Siffler fait tomber la pluie dit-on. Doit y en avoir quelque part. Le sel à l'Ormond tout humide. Le corps réagit aux changements de temps. De la vieille Betty les os se font atroces[104]. La prophétie de la mère Shipton[105] c'est à propos de bateaux ils volent alentour en un clin. Pas ça. C'est des signes de pluie. Le Livre de lecture. Et les collines au loin semblent voisines.

Howth. Le phare de Bailey. Deux, quatre, six, huit, neuf. Voyez. Doit varier ou on pourrait le prendre pour une maison. Les naufrageurs. Grace darling[106]. On a peur du noir. Idem les vers luisants, les cyclistes : c'est le moment de s'allumer. Bijoux diamants étincellent davantage. La lumière est une sorte de rassurante. Pas l'intention de vous rentrer dedans. Plus encore le cas aujourd'hui bien sûr que jadis. Les grand'routes. On vous étripait pour un rien. Encore qu'il y ait deux types de zigotos qu'on y rencontre nez à nez. Le grincheux ou le souriant. Pardon ! Mais de rien. C'est le meilleur moment pour arroser les plantes, aussi, à l'ombre après le coucher du soleil. Encore un peu de lumière. Les rayons rouges sont les plus longs. Vance nous faisait retenir Rorajauverblinvi : rouge, orange, jaune, vert, bleu, indigo, violet. Tiens, une étoile. Vénus ? Peux pas dire encore. Deux, quand il y en a trois c'est la nuit[107]. Ces nuages étaient-ils là depuis tout ce temps ? On dirait un vaisseau fantôme[108]. Non. Voyons. Des arbres plutôt ? Illusion d'optique. Mirage. Pays du soleil couchant, ici. Soleil du homerule se couchant au sudest. Ma terre natale, bonne nuit[109].

La fraîcheur arrive. Pas bon pour vous, très chère, de rester assise sur cette pierre. Provoque des pertes blanches. Alors jamais n'aurez petit bébé à moins qu'il ne soit assez gros assez fort pour faire son chemin à travers. Pourrais attraper des hémorroïdes quant à moi. Persiste autant qu'un rhume des foins, un bobo au bord des lèvres. Coupure avec brin d'herbe ou feuille de papier c'est ce qu'il y a de pire. Le frottement qui tient à la position. Aurais aimé être le rocher sur lequel elle était assise. Oh douce petite, vous ne savez comme charmante vous m'apparûtes. Je commence à les aimer à cet âge. Pommes vertes. Accrocher tout ce qui se présente. Je crois que c'est la seule circonstance où nous croisons les jambes, quand on est assis. Déjà à la bibliothèque aujourd'hui : ces jeunes diplômées. Heureuses les chaises sous elles. Mais c'est l'influence du soir. Toutes sont sensibles à cela. S'ouvrent comme des fleurs, savent leur moment arriver, tournesols, topinambours, dans les salles de bal, sous les lustres, dans les avenues sous les réverbères. Les belles de nuit dans le jardin de Mat Dillon quand je lui ai embrassé l'épaule. Comme j'aimerais avoir un portrait en pied d'elle à cette époque. En juin c'était aussi que je roucoulais après elle. Retour des saisons. L'histoire se répète. Ô rocs et pics me voici parmi vous une fois encore[110]. Vie, amour, voyage autour de votre petit monde à vous. Et maintenant ? Triste qu'elle boite bien sûr mais prends garde à ne pas trop t'attendrir. Elles en profitent.

Calme complet sur Howth à présent. Et les collines au loin semblent. C'est là où nous. Les rhododendrons[111]. Suis peut-être le dindon de la farce. Il a les prunes et moi les noyaux. C'est là que je viens. Ah tout ce que cette vieille colline a vu. Il n'y a que les noms qui changent, c'est tout. Les amoureux : miam-miam.

La fatigue je ressens maintenant. Vais-je me lever ? Oh ! minute. M'a ôté tous mes moyens, la petite garce. Elle m'embrassait. Ma jeunesse. C'est bien fini. On ne l'a qu'une fois. Elle aussi. Prendre le train là demain. Non. Revenir c'est pas la même chose. Comme quand on est enfant la seconde fois qu'on va dans une maison. C'est du nouveau que je voudrais. Rien de neuf sous le soleil[112]. Poste restante Dolphin's barn. N'es-tu donc pas heureux dans ton ? Vilain chéri[113]. À Dolphin's barn les charades chez Luke Doyle. Mat Dillon et sa ribambelle de filles : Tiny, Atty, Floey, Maimy, Louy, Hetty. Et Molly aussi. En quatre vingt sept c'était. L'année avant que nous. Et le vieux major qui ne transigeait pas sur son petit verre de gnôle. Étonnant qu'elle soit fille unique, et moi fils unique. Ainsi ça revient. Vous pensez vous échapper et vous vous retrouvez nez à nez avec vous-même. Le plus long soit-il tout chemin est le plus court pour revenir chez soi. Et juste au moment où lui et elle. Cheval de cirque qui tourne en rond. Nous jouions Rip van Winkle[114]. Rip : fripes le pardessus de Henny Doyle. Van : la voiture du boulanger. Winkle : coquillage et vin quelconque. Puis je faisais Rip van Winkle de retour. Elle s'appuyait à la desserte pour m'observer. Ses yeux de mauresque. Après vingt ans endormi dans la Combe du Sommeil[115]. Tout a changé. Est oublié. Les jeunes sont vieux. Son fusil est rouillé par la rosée.

Chch. Qu'est-ce qui vole là autour ? Une hirondelle ? Une chauve-souris sans doute. Me prend pour un arbre, c'est tellement miraud. Les oiseaux n'ont-ils pas d'odorat ? La métempsycose. Ils croyaient que le chagrin pouvait vous transformer en arbre. Saule pleureur[116]. Chch. C'est ici qu'elle vient. Drôle de petite bestiole. Me demande où elle niche. Le clocher là-haut. Très probablement. Suspendue par les pattes dans l'odeur de sainteté[117]. La cloche l'en a chassée, j'imagine. La messe semble être dite[118]. Pouvais les entendre tous en train de. Priez pour nous. Et priez pour nous. Et priez pour nous. Bonne idée le rabâchage. Comme la pub. Achetez chez nous. Et achetez chez nous. D'ailleurs, il y a de la lumière au presbytère. Leurs frugales agapes. Me souviens de l'erreur d'estimation quand j'étais chez Thom. C'est vingt-huit. C'est deux maisons qu'ils ont, en fait. Le frère de Gabriel Conroy est vicaire. Chch. La revoici. Me demande pourquoi elles sortent la nuit comme les souris. Ce sont des animaux hybrides. Oiseaux pareils à des souris sauteuses. Qu'est-ce qui les effraie, la lumière ou le bruit[119] ? Mieux vaut ne pas bouger. Toute instinct comme cet oiseau assoiffé qui avait fini par faire déborder l'eau d'une cruche en jetant des cailloux dedans. Comme un homoncule vêtu d'une cape avec des mains miniatures. De tout petits os. On les voit presque luire d'une sorte de blanc bleuâtre. Les couleurs dépendent de la luminosité que vous voyez. Fixez le soleil par exemple comme l'aigle puis regardez un soulier et vous verrez une grosse patate jaunâtre. Veut imprimer partout sa marque. Exemple, ce chat ce matin sur le palier. Couleur tourbe. On dit qu'on n'en voit jamais de trois couleurs. C'est faux. Ce matou écaille de tortue mi-moucheté de blanc au City Arms avec la lettre M sur le front. Corps de trente-six nuances. Howth tout à l'heure améthyste. Les vitres qui flamboient. C'est comme ce savant comment s'appelait-il ses miroirs qui mettaient le feu. Et la lande qui prend feu. Ce ne peut pas être les allumettes des promeneurs. C'est quoi ? Peut-être les tiges sèches qui frottent l'une contre l'autre sous le vent et les rayons. Ou des éclats de bouteilles dans la broussaille qui font miroir ardent au soleil. Archimède. J'y suis[120] ! Ma mémoire n'est pas si mauvaise.

Chch. Qui sait après quoi elles sont toujours en

train de voleter. Des insectes ? Cette abeille la semaine dernière entrée dans la chambre et qui jouait avec son ombre au plafond. Peut-être celle qui m'avait piqué, revenue pour me voir. Les oiseaux non plus on ne peut jamais comprendre ce qu'ils racontent. Comme nos papotages. Et elle dit et il dit. Quel courage ils ont pour traverser l'océan dans un sens puis dans l'autre. Doit en tomber des tas dans les tempêtes, contre les fils télégraphiques. Terrible aussi la vie pour les marins. Ces gros monstres de paquebots transocéaniques cafouillant dans la nuit, beuglant comme des veaux marins. *Faugh a ballagh*[121]. Dégagez, ou gare à vos fesses. D'autres dans des esquifs, un bout de mouchoir de poche pour toute voile, secoués comme les branches de buis qu'on se passe autour du cercueil quand les vents de tempête se mettent à souffler[122]. Mariés en plus. Quelquefois pendant des années quelque part au bout du monde. Pas au bout vraiment puisque la Terre est ronde. Une femme dans chaque port dit-on. Elle a de quoi faire pour tenir la maison jusqu'au retour de Malbrough au bercail[123]. S'il revient jamais. À flairer tous les coins merdeux des ports. Comment peuvent-ils aimer la mer ? Et pourtant ils l'aiment. L'ancre est levée[124]. Le voilà parti à naviguer avec un scapulaire ou une médaille pour lui porter bonheur. Pourquoi pas ? Et le tiphilim non comment appelle-t-on ce que le père de mon pauvre papa avait au-dessus de sa porte pour qu'on le touche[125]. Qui nous a chassés de la terre d'Égypte pour nous conduire en esclavage sous un autre maître dans la maison de servitude[126]. Une part de vrai dans toutes ces superstitions parce que quand on sort on ne sait jamais quels dangers. Agrippé à une planche[127] ou à califourchon sur un mât avec la rage de vivre, ceinture de sauvetage à double tour autour de lui, engloutissant des paquets d'eau salée, et c'est le dernier verre pour sézigue avant que les requins n'en fassent qu'une bouchée. Est-ce que les poissons n'ont jamais le mal de mer ?

Ensuite c'est un calme magnifique sans un nuage, une mer amène, sereine, équipage et cargo en miettes, allant remplir les caisses de Maître Océan. La lune qui regarde ça. Eh, pas ma faute, petit con.

Attardée une longue chandelle romaine grimpa dans le ciel depuis la vente de charité Mirus au bénéfice de l'hôpital Mercer et éclata, s'inclinant, et se diffracta en une gerbe d'étoiles violettes hormis une blanche. Elles flottèrent, tombèrent : elles s'effacèrent. L'heure du berger : l'heure de rentrer : l'heure des serments. De maison en maison, faisant retentir les portes de son toc-toc toujours bienvenu, passait le facteur de neuf heures, sa lampe de ver luisant à la ceinture lançant son éclat çà et là parmi les haies de lauriers. Et au milieu des cinq jeunes arbres une perche brandie portait sa flamme au réverbère de Leahy's terrace. Le long des stores éclairés des fenêtres, le long des jardins tous égaux, une voix aiguë allait en criant, en se déchirant : *Evening Telegraph, dernière édition ! Résultat de la Coupe d'or !* et de la maison de Dignam un petit garçon sortit en courant et appela. Criaillante la chauve-souris voletait de-ci, voletait de-là. Au loin sur le sable le jusant moussait, blanchâtre. Howth s'apprêtait pour le sommeil fatigué par les jours longs, par les rhododendrons miammiam (il se faisait vieux) et sentait avec soulagement se lever la brise nocturne, ébouriffant sa fourrure de fougères. Il gisait mais ouvrait un œil rouge aux aguets, le souffle profond et lent, somnolent mais sur ses gardes. Et au loin vers le récif de Kish le bateau-phare à l'ancre clignotait, mignotait vers M. Bloom.

La vie que ces types à l'écart doivent avoir, collés à

la même place. Compagnie des Phares d'Irlande. En pénitence pour leurs péchés. Les gardes-côtes aussi. Fusées et canons lance-amarres et bateaux de sauvetage. Le jour où nous sommes sortis pour cette excursion sur le Erin's King, comme on leur balançait les sacs de vieux journaux. Des ours au zoo. Abject ce genre de sortie. Des soûlards au grand air pour se réveiller la bile. Gerbant par-dessus bord pour nourrir les harengs. Haut-le-cœur. Et les femmes, la frousse de l'enfer dans les yeux. Milly, aucun signe de trouille. Son foulard bleu au vent, elle riait. Ne savent pas ce qu'est la mort à cet âge. Et puis leur estomac est tout neuf. C'est d'être abandonnés qu'ils ont peur. Quand nous nous cachions derrière l'arbre à Crumbin[128]. Moi je ne le voulais pas. Maman ! Maman ! Les frères du Petit Poucet dans les bois. Et puis les effrayer avec des masques. Quand on les projette en l'air avant de les rattraper. Je vais te manger. Est-ce vraiment pour rire ? Ou les enfants qui jouent à la guerre. Ils s'y donnent à fond. Quel plaisir peut-on trouver à se mettre en joue ? Quelquefois ils claquent. Pauvres gosses. Comme maladies elle n'a eu que l'érysipèle et l'urticaire. C'est un purgatif au calomel[129] que je lui avais pris pour ça. Après comme elle allait mieux elle avait dormi avec Molly. Exactement les mêmes dents elle a. Qu'est-ce qu'elles aiment ? Une autre elles-mêmes ? Mais au matin elle lui faisait la chasse avec le parapluie. Sans doute sans intention de la frapper. Je prenais son pouls. Tictaquant. La petite menotte qu'elle avait : à présent une main de femme. Papli chéri[130]. Tout ce que la main dit quand on la tient. Elle aimait compter les boutons de mon gilet. Son premier corset je le vois encore. Ce qu'il m'a fait rire. Avec ses petits nénés pour commencer. Le gauche est plus sensible, je crois. Le mien aussi. Plus près du cœur. Se les rembourrent si c'est la mode de les avoir opulents. Ses douleurs de croissance la nuit, m'appelant, me réveillant. Terrorisée quand ses règles lui sont venues la première fois. Pauvre môme ! Moment étrange pour la mère aussi. La ramène à son enfance. Gibraltar. La vue depuis Buena Vista. La tour O'Hara[131]. Les oiseaux de mer piaulant. Le vieux singe de Barbarie qui a boulotté toute sa famille. Au coucher du soleil, le coup de canon qui signalait la retraite[132]. C'est en regardant la mer qu'elle m'a dit oui. Un soir comme celui-ci, mais plus clair, sans nuages. J'avais toujours pensé que j'épouserais un lord ou un gentleman propriétaire d'un yacht. *Buenas noches, señorita. El hombre ama la muchacha hermosa*. Pourquoi moi ? Tu étais tellement à part des autres.

Mieux vaut ne pas rester collé ici toute la nuit comme une arapède. Ce temps vous rend tout flapi. Doit être près de neuf heures à en juger à la luminosité. Rentrer. Trop tard pour *Leah, Le Lys de Killarney*. Non. Elle pourrait être encore debout. Passer à l'hôpital pour voir. Espère qu'elle est délivrée. Quelle journée j'ai eue. Martha, le bain, l'enterrement, la maison Descley, le musée avec ces déesses, le grand air de Dedalus. Et puis cet olibrius chez Barney Kiernan. L'ai bien remis à sa place. Traîneurs de rapière bourrés. Ce que je lui ai dit de son Dieu l'a piqué au vif. On ne devrait pas se rebiffer. Mais alors ? Non. Devraient rentrer chez eux et se moquer d'eux d'abord. Toujours ce besoin de se soûler en compagnie. Peur de se retrouver seul comme un môme de deux ans. Supposons qu'il m'ait atteint. Envisageons la chose d'un autre point de vue. Pas si odieux dans ce cas. Ce n'est peut-être pas de me frapper qu'il avait l'intention. Un ban pour Israël. Un ban pour la belle-sœur qu'il traînait avec lui, trois chicots dans le bec. Même genre de beauté. Vieille peau particulièrement chic d'avoir avec soi pour prendre le thé. La sœur de la femme de l'homme des bois de Bornéo vient d'arriver en ville en canot[133]. Imaginer ça au petit matin tout serré contre soi. Tous les goûts sont dans la nature, comme dit Morris en embrassant la vache[134]. Mais c'est chez Dignam que ça m'a mis sur les genoux. Les maisons en deuil sont tellement déprimantes parce qu'on ne sait jamais. N'importe comment elle a besoin d'argent. Faut que j'aille voir ces Scottish Widows comme j'ai promis[135]. Drôle de raison sociale. A l'air de tenir pour acquis que nous passons l'arme à gauche les premiers. Cette veuve était-ce lundi devant chez Cramer[136] qui me regardait. Enterré son pauvre mari mais tout va pour le mieux grâce à l'assurance. Son denier de veuve[137]. Et alors ? À quoi voulez-vous qu'elle s'occupe ? Faut bien qu'elle refasse sa vie en cajolant le monde. Un veuf j'ai horreur de voir ça. A l'air tellement paumé. Le pauvre O'Connor sa femme et ses cinq enfants empoisonnés par des moules d'ici[138]. Les égouts. Désespéré. Une bonne grosse matrone en chapeau fourme pour le materner. Le prendre en remorque, face de lune et grand tablier. Ces culottes bouffantes en flanelette grise, trois shillings la paire, affaire exceptionnelle. Moche et aimée, est aimée pour toujours, dit-on. Laide : aucune femme ne pense qu'elle l'est. Aimons, trompons et soyons belles car demain nous mourrons[139]. Le vois quelquefois marcher aux aguets en essayant de découvrir celui qui lui a fait le coup. H.S. : hors service. La fatalité. Lui, pas moi. Comme les commerces, je l'ai souvent remarqué. Semblent poursuivis par la poisse. Ai-je rêvé la nuit dernière ? Voyons. Quelque chose de confus. Elle avait des mules rouges. Turque. Elle portait les culottes. Et suppose qu'elle le fasse. Est-ce que je l'aimerais en pyjama ? Bien difficile à dire. Nannetti est parti. Par le bateau-poste. Près de Holyhead en ce moment[140]. Me faut arracher cette annonce chez Descley. Travailler Hynes et Crawford. Jupons pour Molly[141]. Elle a ce qu'il faut pour les remplir. Qu'est-ce que c'est que ça ? Pourrait être de l'argent.

M. Bloom s'inclina et retourna un morceau de papier dans le sable. Il le porta près de ses yeux et tenta de le déchiffrer. Une lettre[142] ? Non. Impossible de lire. Mieux vaut partir. Vaut mieux. Suis trop fatigué pour bouger. Page d'un vieux cahier. Tous ces trous et galets. Qui pourrait les compter ? On ne sait jamais ce qu'on peut trouver. Une bouteille avec une histoire de trésor dedans lancée d'un navire en perdition. Colis postaux. Les enfants toujours à vouloir jeter des choses à la mer. Foi ? Pain répandu sur les eaux[143]. Et ça ? Un morceau de baguette.

Oh ! Elle m'a vidé la femelle. Plus si jeune maintenant. Reviendra-t-elle ici demain ? L'attendre son amour pour toujours. Ne pourra que revenir. Comme les criminels. Et moi ?

M. Bloom du bout de sa baguette patouillait dans l'épaisseur de sable à ses pieds. Lui laisser un message. Ça pourrait tenir. Mais quoi ?

JE[144].

Quelque pied plat va le piétiner dans la matinée. Inutile. L'eau va effacer. La marée monte jusque là cette flaque près de son pied. Me pencher, y voir mon visage, sombre miroir, souffler dessus, s'éparpille. Tous ces rochers avec des traits des entailles des lettres. Oh ! la transparence de ses. D'ailleurs elles ne se rendent pas compte. Quel est le vrai sens de ce mot. Je vous ai traité de méchant garçon parce que je n'aime pas[145].

SUIS. UN.

Pas de place. Au diable.

M. Bloom effaça les lettres d'une bottine rêveuse.

Matière désespérante le sable. Rien n'y pousse. Tout s'y efface. Pas à craindre que de gros bateaux viennent jusqu'ici. Excepté les chalands de Guinness. Le tour de Kish en quatre-vingts jours[146]. En bonne partie le destin.

Il se délesta au loin de sa plume de bois. La baguette atterrit dans du sable mou, d'aplomb. Eh bien on pourrait essayer de faire ce coup pendant une semaine on n'y arriverait pas. Le hasard. Jamais nous ne nous rencontrerons de nouveau. Mais ce fut délicieux. Adieu, chérie. Merci. Tu m'as donné de me sentir si jeune.

Un roupillon si maintenant j'en piquais un petit. Doit être près de neuf heures. Le bateau de Liverpool déjà parti depuis longtemps. Pas même la fumée. Et elle peut faire l'autre. L'a fait aussi. Et Belfast. Je n'irai pas[147]. Filer en vitesse là-bas, idem retour jusqu'à Ennis. À lui de jouer. Juste fermer les yeux un moment. Ne dormirai pas pourtant. Rêve éveillé. Ne revient jamais pareil. La chauve-souris encore. Avec elle c'est sans danger. Juste quelques.

Ô ma douce tout ton petit toiblanche à l'air je l'ai vu sale branlebourgeois m'a fait faire l'amour collant nous deux vilains Grace darling[148] elle lui à la demie passée au lit mets ton p'tit chose falbalas pour Raoul pour parfumer les volutes noires de la chevelure de votre femme sous opulentes *señorita* jeunes yeux Mulvey nichons rebondis moi van du boulanger Winkle mules rouges elle sommeil rouillé errer années rêves reviennent en fin de queue Agendath ma petite pomme d'amour m'a montré son l'an prochain[149] à dans ses culottes retour prochain dans son prochain son prochain.

Une chauve-souris voletait. De-ci. De-là. De-ci. Au loin dans la grisaille une cloche carillonnait. M. Bloom la bouche ouverte, sa bottine gauche ensablée de côté, se laissait aller, soufflait. Juste le temps de quelques

Coucou
Coucou
Coucou

La pendule sur la cheminée du presbytère roucoula pendant que le Chanoine O'Hanlon et le Père Conroy et le révérend John Hughes S.J. prenaient le thé et du pain de mie et du beurre et des côtelettes de mouton grillées avec de la sauce aux champignons et s'entretenaient de

Coucou
Coucou
Coucou

Parce qu'il y avait un petit canari riri qui sortait de sa petite maison pour donner l'heure lequel Gerty MacDowell l'avait remarqué la fois qu'elle se trouvait là parce qu'elle était rapide comme l'éclair pour ce genre de chose, Gerty MacDowell, et qu'elle avait remarqué tout de suite que ce ce monsieur à part qui était assis sur les rochers à regarder était

Coucou
Coucou
Coucou.

Deshil[1] Holles Eamus, Deshil Holles Eamus, Deshil Holles Eamus.

Donne-nous, dieu du jour, dieu-vautour, Horhorn, fécondation et fruit du ventre. Donne-nous, dieu du jour, dieu-vautour, Horhorn[2], fécondation et fruit du ventre. Donne-nous, dieu du jour, dieu-vautour, Horhorn, fécondation et fruit du ventre.

Houplà, c'est un garsungars ! Houplà, c'est un garsungars ! Houplà, c'est un garsungars !

On estime[3] universellement obtus l'intellect de l'individu touchant quelqu'une de ces matières tenues comme les plus profitables à étudier parmi les mortels de sapience doués qui reste ignorant de ce que les plus érudits dans la doctrine et à coup sûr en raison de cet ornement intrinsèque de leur esprit élevé dignes de vénération ont constamment maintenu quand à l'unanimité ils affirment que toutes choses égales d'ailleurs par aucune splendeur extérieure la prospérité d'une nation ne s'affirme plus efficacement que dans la mesure de l'amplitude de la progression du tribut de sa sollicitude pour cette proliférante continuité qui de tous les mots origine quand elle vient à faire défaut constitue quand par bonheur présente le sûr signe de la bienfaisance impollue de la toute-puissante nature.

Car quel est celui qui ayant acquis quelque notion de la connaissance ne soit conscient que cette splendeur extérieure puisse recouvrir une réalité lutulente[4] et qui tend à déchoir ou au contraire qui peut être assez enténébré pour ne pas percevoir que de même qu'aucune bénédiction de la nature ne peut lutter contre le bienfait de la multiplication de même il convient que tout citoyen conscient de ses devoirs exhorte et admoneste ses semblables et qu'il frémisse de l'effroi de ce que ce qui fut dans le passé si excellemment commencé par la nation ne soit dans l'avenir accompli sans une similaire excellence si d'immodestes pratiques pervertissent graduellement les respectables coutumes transmises par les ancêtres à tel degré de bassesse qu'excessive serait l'audace de celui qui aurait la témérité de se lever pour affirmer qu'il ne peut être de la part de quiconque de crime plus odieux que de condamner à l'oubliance cet évangile à la fois prescription et promesse qui à tous les mortels prédisant l'abondance ou les menaçant de déchéance a toujours irrévocablement enjoint cette fonction magnifiante d'itérative procréation[5] ?

C'est pourquoi ce n'est pas sur ce point que nous nous étonnerons qu'ainsi que le rapportent les meilleurs historiens, parmi les Celtes qui n'admiraient rien qui ne fût de sa nature admirable, l'art de la médecine ait été tenu en haut honneur. Sans parler des hôtels-Dieu, des léproseries, chambres de sudation, fosses des temps d'épidémies, leurs plus grandes sommités médicales, les O'Shiel, les O'Hickey, les O'Lee[6] ont soigneusement établi les diverses méthodes par lesquelles la maladie et ses rechutes faisaient place à la santé que cette affection fût la danse de Saint-Guy, la consomption ou la courante jaune. Il est certain que dans toute œuvre sociale qui porte en elle un caractère de gravité la préparation doit être proportionnée à l'importance et c'est pourquoi ils adoptèrent un plan (fût-ce par l'effet de la prévision ou par maturation de l'expérience il est malaisé de le dire car pour élucider ce point les opinions divergentes des chercheurs ultérieurs ne se sont pas mises suffisamment d'accord jusqu'à ce jour) suivant lequel la maternité fût sauvegardée de toute éventualité accidentelle à tel point que quelques soins que réclamât la patiente en cette heure critique entre toutes pour la femme non seulement pour celle copieusement pourvue de ressources mais aussi pour celle qui dépourvue de moyens suffisants pouvait à peine souvent pas même à peine subsister ils lui fussent avec un noble dévouement en échange d'appointements parcimonieux accordés[7].

Pour elle rien dès lors et par la suite n'était en aucune façon susceptible de la molester car ceci était sur toutes choses senti par tous les citoyens qu'à l'exclusion de mères fécondes aucune espèce de prospérité ne pouvait être et comme ils avaient reçu dieux l'éternité mortels la génération pour leur convenance elle considérant, quand le cas venait à se produire, la parturiente en véhicule transportant là un désir immense au cœur chez tous l'une l'autre incitant elle à se faire recevoir en ce domicile. Ô fait de nation prudente non seulement pour le voir mais même aussi pour l'entendre digne de louanges en ce que eux en elle par anticipation voyaient la mère en ce qu'elle se sentait soudain sur le point de commencer à devenir l'objet de leur sollicitude.

Bébé non né eut félicité. Fœtus il fut fêté[8]. Tout ce qui dans ce cas particulier était expédient fut fait. Un lit par les sages-femmes entouré avec saine nourriture reposant langes les plus propres comme si la délivrance était déjà faite par sage précaution disposés, sans compter tous médicaments nécessaires en suffisance et les instruments chirurgicaux appropriés à son cas sans oublier la vue de tous spectacles infiniment distrayants sous des latitudes variées par notre globe offert ainsi qu'images divines et humaines la contemplation desquelles par les femmes hospitalisées la dilatation favorise et facilite l'expulsion au grand soleil de la maison des mères belle et bien bâtie quand, visiblement sur le point d'être reproductrice[9], il lui convient ici s'aliter au bout de son terme.

L'étranger qui cheminait s'arrêta devant le seuil à l'anuitier. Au peuple d'Israël appartenait cet homme qui longtemps sur la terre avait erré. Pure charité humaine que celle qui le portait solitaire vers cette demeure[10].

De cette demeure A. Horne est le seigneur. Soixante et dix lits il y entretient où les mères fécondes viennent gésir en leur gésine et au monde mettre vigoureux rejetons comme ainsi l'ange du Seigneur en fit l'annonce à Marie. Gardes sont dui qui circulent illec, sœurs blanches qui passent nuits blanches en vigiles. Elles doucissent douleurs et délivrent des fièvres ; en XII lunes ont pris soin de trois fois cent. Très nobles servantes du lit sont elles ambedui, car pour Horne en ces lieux font bonne garde.

En son guet vigilant ouït la gardienne venir ce benoît étranger incontinent dressant son col embéguiné s'en fut elle ouvrir à il la porte grande. Et voici que jaillissait l'éclair soudain embrassant en son ponant le ciel d'Erin ! Grande était sa crainte que le Dieu de Vengeance toute l'humaine espèce submergeât en l'eau pour ses griêves offenses[11]. La croix du Christ elle traça sur sa poitrine et en grande hâte le fit entrer afin qu'il fût sous son toit de chaume[12] abrité. Cet homme qui savait son vouloir être excellent entra dans la maison de Horne.

Redoutant de quelque gêne être cause le chapeau

en sa main dans la grand'salle de Horne restait debout le quêteur. En même demeure qu'icelle gardienne avait il vécu en compagnie de femme très chère et de fille accorte[13] lui qui depuis sur terre et sur mer neuf longues années avait erré[14]. Une fois l'avait il rencontrée au petit port en la ville et à son salut n'avait il découvert son chef. Maintenant de pardonner l'implorait il, elle, avec bonnes raisons par elle reconnues pour ce que ce visage par lui si vite entrevu, le sien à elle, si jeune alors lui était apparu. D'une rapide lumière ses yeux brillèrent, et à ces propos les roses fleurirent ses joues.

Et donc ayant de ses yeux perçu ses habits de deuil appréhenda elle un malheur. Puis confortée fut celle qui venait d'avoir frayeur. À elle il demanda s'il était quelque nouvelle d'O'Hare le Docteur sur son rivage lointain et elle avec très dolent soupir répondit à li qu'O'Hare le Docteur était ès cieux. Mérencolieux fut l'homme d'ouïr cette nouvelle qui lourdissait à lui de miséricorde les entrailles. Et lors lui fit-elle le récit de tout, lamentant le trépas d'un ami si vert encore, mais pour si grande que fût sa peine n'entendait elle la toute puissante sagesse de Dieu mettre en cause. Et elle disait que il avait eu une belle et douce mort de par l'effet de la Divine Bonté avec prêtre pour ouïr sa confession, la très sainte Eucharistie et sur ses membres les saintes huiles de l'Extrême-Onction. Et alors l'homme plein du désir de savoir demanda à la nonne de quelle mort était le défunt trépassé et lui répondit la nonne disant que il était mort dans l'île de Mona d'un cancre au ventre il y aurait trois ans à la Noël[15], et qu'elle priait Dieu tout compatissant qu'il eût son âme chère en éternelle survivance. Et il ouït ses tristes paroles, le chapeau en sa main, et triste était son regard. Et là restèrent ils tous deux un temps en grand déconfort, à se douloir l'un avec l'autre.

C'est pourquoi, qui que tu sois, ô homme, considère ta fin qui est la mort[16], laquelle a prise sur tout homme né de femme[17], car de même qu'il sort nu du ventre de sa mère ainsi s'en retournera-t-il nu[18] à son heure dernière afin de partir comme il est venu.

Lors cet homme-là qui était entré en la maison adressa son parler à la garde-malade et lui demanda que il advenait d'icelle femme qui là gisait en mal d'enfant. La dite garde lui répondit et dit à li que cette femme était jà de trois jours pleins ès affres et que seraient couches périlleuses dures à passer mais que dans peu tout serait finé. Ore dit elle que elle avait vu mainte et mainte femme en couches mais nulles si laborieuses comme d'icelle. Puis elle conta toute l'histoire à li qui jadis avait logé jouxte cette maison. L'homme prêtait l'oreille à ses paroles pour ce qu'il s'étonnait en son for de ces grieves douleurs qui échoient aux femmes qui travaillent d'enfant et s'émerveillait de la vue de ce visage qui jeune visage était aux yeux d'homme qui fût et que nonobstant elle restât après longues années une fille servante. Neuf fois XII flux de sang[19] la gourmandant d'être bréhaigne.

Et dans le temps qu'ils devisaient[20] l'huis du chatel fut ouvert et en vint jusques à eux haute rumeur comme d'un grand nombre de gens attablés là. Et parut au lieu où ils se tenaient un jeune apprenti chevalier qui avait nom Dixon. Et le voyageur Léopold lui était ami depuis qu'advint qu'eurent ensemble affaire en la maison la miséricorde où tenait état le savant jouvencel pource que illec était venu le voyageur Léopold quêtant guérison tant grièvement navré se trouvait il en son sein du fait le dard d'un horrible et très épouvantable dragon qui percé l'avait, pour quoi l'oignit il de sel volatil et d'un chrême[21] pour autant que fut métier. Et maintenant disait il que il lui conviendrait d'entrer dans ce chatel pour s'ébaudir en la compagnie de ceux qui là étaient. Et le voyageur Léopold de dire que il allait un autre chemin car il était homme plein de ruse et cautèle[22]. Aussi fut la dame de même avis et reprit elle le chevalier apprenti encore que elle eût pour certain que le voyageur avait tenu propos de tromperie. Mais onques ne voulut le chevalier apprenti recevoir son nanin ne à la dame obéir ne reconnaître chose contraire à son désir et lors leur dit il quel merveilleux chatel ce était là. Et entra le voyageur Léopold ens le chatel pour soi reposer un petit car las se trouvait il en ses membres d'avoir tant battu pays à l'environ et parcouru terres diverses et aucunes fois pratiqué l'art de vénerie[23].

Et en ce chatel était dressée une table faite de bois de bouleau de la Finlandie et que supportaient quatre nains d'icelui pays lesquels ne se osaient mouvoir pour enchantés qu'ils se trouvaient être. Et dessus la dite table étaient épées et coutelas à faire peur, lesquels sont façonnés dedans un antre profond par démons durement besognant emmi blanches flammes, et que ils enfoncent dans les cornes des buffles et cerfs dont il y a là merveilleuse abondance. Et là étaient vaisseaux qui par magie de Mahom[24] sont faits de l'arène la mer et de l'air par un sorcier à son souffle que il darde dedans iceux comme seraient bulles. Et chère tant riche et à plenté était dessus la table que se ne pouvait imaginer plus riche ne plus abondante. Et y avait cuveau d'argent lequel ne se pouvait ouvrir fors que par sortilège et dedans quoi étaient gisant étranges poissons sans la tête cependant que gens de peu de foi disent la chose être impossible tant qu'ils ne l'ont vue et nonobstant ainsi sont. Et gisent ces poissons en eau huileuse tirée du pays de Portugal à cause de la nature grasse qui est en elle comme jus aux pressoirs de l'olive. Et aussi était merveille voir en ce chatel comme par sortilège ils tirent une mixture de grains de froment de Chaldée qui avecque l'aide de certains esprits malins qu'ils boutent parmi se enfle à miracle aussi haut comme cime montagneuse[25]. Et là enseignent ils les serpents soi enrouler autour verges hautaines dès le sortir de la terre, et des écailles de ces serpents-là brassent un breuvage à semblance de hydromel.

Et le chevalier apprenti versa pour Childe Léopold un plein hanap et fit raison à il aussi comme tout un chacun qui là était buvait le sien. Et Childe Léopold releva sa visière pour à lui complaire, et prit il sans déguiser partie du breuvage en amitié de lui car onques ne buvait il ulle sorte de hydromel que pour lors il mit de côté et tantôt tant secrètement vida la plus grande part au verre son voisin et point ne marqua son voisin icelle ruse. Et il seoit en ce chatel avecque eux pour soi prendre là son repos un temps. Loué soit le Seigneur Tout Puissant.

Ce pendant[26] se tenait sur le seuil cette benoîte sœur laquelle priait à eux en révérence de Jésus notre Suzerain Seigneur cesser leur frairie pource que dessus eux était qui travaillait d'enfant gente dame, que son terme voyait proche. Sire Léopold ouït à l'étage là-sus cri hautain et se demandait il quel cri ce était là ou d'enfançon ou de femme et je me merveille, dit il, tout n'être à fin or maintenant. M'est avis que trop long dure. Et avisa un franc homme qui avait nom Lenehan ce côté ci de la table qui plus d'âge avait qu'aucun autre et pource que tous deux étaient vertueux chevaliers et de même entreprise et aussi pource qu'il était plus ancien d'âge lui parla il moult aimablement. Ains, dit-il, avant que soit longtemps sera elle délivrée par grand bonté de Dieu et joie aura de son enfantement car si long délai fut à elle. Et le franc homme qui venait tout juste de boire dit : Elle cuide chaque minute être sa prochaine[27]. Aussi prit il la coupe qui devant lui était car onques n'attendait il être demandé ou sollicité de boivre, et Adonc boivons, dit il, et nous délectons notre saoul, et entonna de tout son pouvoir à la santé de l'un et l'autre car passait il tout un chacun en ses appétits. Et sire Léopold qui était le plus digne compaing qui jamais se assit à la table des escholiers et le plus doux homme et benoît qui onques mit main ménagère sous géline, et du monde le plus féal chevalier qui onques servit gente dame, lui fit courtoisement raison de sa coupe. Ébahi en la méditation les males fortunes de la femme.

Nous convient maintenant parler de cette compagnie qui là se tenait à l'intention de s'ivrogner tant que faire le pouvait. Là y avait chacun côté la table file de escholiers, savoir Dixon par le nom, junior de sainte Marie la Miséricorde[28], ensemble siens compaings Lynch et Madden, clercs en médecine, et le franc homme qui a nom Lenehan et un certain de Alba Longa[29], dit Crotthers, et le jeune Stephen qui mine avait de novice et était au haut bout d'icelle table et Costello que en surnom Punch Costello ils le appellent pour une bravoure de lui paravant rapportée (et de eux tous, Stephen le discret, il le plus aviné était qui toujours plus de hydromel demandait) et au sien côté sire Léopold le débonnaire. Ainçois le jeune Malachie attendaient ils qui promesse avait baillé eux joindre et d'aucuns qui ne étaient mie à lui charitable disaient que failli avait à sa parole. Et sire Léopold demeurait à eux car il avait en grande amitié sire Simon et cettui Stephen le fils de li et pour ce en langueur était il à requoi illec après très longues errances d'autant que pour le présent il était d'eux moult honorablement festoyé. Pitié le point, passion le pousse à périgriner non obstant petit propos au partir.

Car ils étaient escholiers de docte esprit. Et oyait il leurs pensements l'un adverse l'autre quant à ce qui est de naissance et droiture, le jeune Madden soutenant que le cas étant posé, grand pitié était la femme devoir mourir (car ainsi était il advenu en cas semblable, voici quelque année, d'une femme de Eblana[30] en la maison de Horne, laquelle trépassé avait de cestui monde et la nuit devant sa mort avaient tenu mires et apothicaires conseil de son cas). Et encore ils dirent que elle devrait vivre pource que disaient ils au commencement fut dit la femme enfantera ès douleurs[31], pourquoi ceux qui étaient en cette imagination affermèrent que le jeune Madden avait dit vérité car il avait remords de laisser mourir icelle. Et non le petit nombre, et d'iceux était le jeune Lynch, se doutait si le monde à présent ne se gouvernait plus maléfiquement que onques mais combien que le menu peuple en estime autrement ains ne loi ne juges nul remède apporte à ce. Redressement Dieu nous octroie. Ce qu'à peine fut dit tous crièrent de même voix que non, par Notre Sainte Mère, que devait l'épouse vivre et l'enfançon périr. En humeur de quoi menaient ils grand train dessus la chose, qui par argument, qui parce que il était pris de boisson, mais le franc homme Lenehan se montrait diligent un chacun abreuver de cervoise à telle fin que à tout le pire liesse ne faillit. Lors leur montra le jeune Madden tout l'affaire et lors dit il comme quoi elle avait trépassé et comme quoi par amour de sainte religion et par conseil de pèlerin et de moine et pour un vœu que il avait fait à saint Ultan[32] de Arbraccan son prudhomme de mari ne pouvait souffrir qu'elle rendît l'esprit ce qui les tenait tous en grande affliction. Sur quoi le jeune Stephen prononça les paroles suivantes, Murmure, sires, est mêmement coutumier aux hommes lais. Enfançon ensemble parente à présent disent la gloire de leur Créateur, l'un ès ténèbres les limbes, l'autre ès feu de purgatoire. Mais, grammerci, que dire de ces âmes que Dieu possibilise lesquelles chacune nuit nous impossibilisons, qui est le péché contre le Saint Esprit[33], Dieu Vrai, Seigneur et Créateur de la Vie ? Car, sires, dit-il, brève est notre jouissance. Instruments sommes nous à ces petites créatures qui dedans nous gîtent et nature a d'autres fins que nous. Lors dit Dixon, plus jeune d'âge que Punch Costello, qu'il savait quelles fins. Ains il avait pris de vin plus que la mesure et le meilleur qu'il put tirer de lui fut que il larronnerait l'honneur d'une femme laquelle ce fût, ou épouse ou pucelle ou maîtresse, pour peu que chance lui en advînt de donner libre cours à sa rage de concupiscence. Sur quoi Crotthers de Alba Longa chanta la louange que fit le jeune Malachie de cet animal la licorne comment une fois tous les mille ans il tire jouissance de son dard[34] l'autre tout ce temps éperonné par les quolibets desquels ils le moquaient, prenant à témoin tout un chacun par les engins de Saint Foutinus qu'il était habile à toute chose faire qu'il est en nature d'homme de faire. À quoi ils se rirent moult liement hors mis le jeune Stephen et sire Léopold qui rire se soulait trop ouvertement par raison d'une humeur singulière laquelle n'aurait il voulu trahir et aussi pource que il avait grand pitié d'icelle qui portait fruit, qui fût elle ou en quelque lieu elle fût. Alors fièrement parla le jeune Stephen de Mère Église qui le voulait bouter hors de son sein, et aussi de droit canon, de Lilith[35], patronne des avortements, de grossesse convoyée par vent de semences de clarté[36], ou par pouvoir de vampires bouche contre bouche[37], ou comme Virgilius dit, par influence d'Occident[38], ou par vapeur de œil de bouc[39], ou se elle s'accouche avecque femme qui sort d'avec son mari, *effectu secuto*, ou par aventure dedans son bain selon la créance de Averroes et Moïse Maimonide. Aussi dit il comme en fin le second mois âme humaine était boutée ens et comme en tous notre Sainte Mère toujours enclôt les âmes pour la plus grande gloire de Dieu alors que cette mère charnelle qui était ne plus que femelle à mettre bas comme bêtes devait mourir par canons, car ainsi dit cil qui tient le scel du pêcheur, ce saint Pierre même sur pierre de qui fut Sainte Église à toujours fondée. Lors demandèrent tous ces bacheliers de sire Léopold se il voudrait en semblable cas tant hasarder la personne d'icelle comme de risquer la vie pour la vie sauver. Une sage parole il souhaitait répondre qui bonne fût à tout et tous, et, le menton en sa paume, il dit par feintise, comme il soulait faire, que pour autant qu'il était à sa connaissance, lui qui toujours avait chéri l'art de physique comme peut homme lai, et de l'avis aussi de son expérience d'un accident qui n'est mie de commune observance, c'était chose bonne pource que apparent, Mère Église tirait ensemble de mort et de naissance deniers comptants, et, de telle sorte échappa il leurs demandes dextrement. Ce est vérité, voire, dit Dixon, et, se je ne vague, une parole prégnante. Ce que voyant se sentit le jeune Stephen homme merveilleusement gai et il affirma que qui robe le pauvre il prête à Dieu[40] car il était d'humeur hardie lors que il était pris de boisson et qu'il fût présentement en telle disturbance incontinent se montra.

Mais sire Léopold était moult grave maugré ses paroles pource qu'il était piteux des hauts cris très épouvantables des femmes qui braient en leur labeur et si se ramentait sa bonne dame Marion qui lui avait porté un seul enfant mâle lequel avait expiré en le onzième jour de sa vie et nul homme de l'art qui le pût sauver, tant sévère est loi de nature. Et avait elle senti en son cœur douleur singulière à ce coup de male chance et pour son enterrement lui passa corselet de fine laine, du plus bel agneau du troupeau, dans la crainte qu'il vînt à périr tout et gésir tout froidi (car c'était lors le fin cœur de l'hiver) et à présent sire Léopold qui n'avait nul héritier mâle né de ses œuvres considérait celui qui était de son ami le fils et menait grand deuil de son hoir défunt et combien que il se doulût que un fils lui manquât de si gentil courage (car le tenait on pour doué de solides vertus) encore se lamentait non moins grandement pour le jeune Stephen de ce qu'il vécût en débauche avec ces mécréants et mît son bien à perte avec putains.

Environ le même temps Stephen le bachelier emplit à ras bords les coupes qui étaient vides si bien que ne fût demeuré du breuvage qu'un petit si n'avaient les plus prudents défendu leurs approches contre lui qui les pressait avec tant de feu et qui, priant en intentions du souverain pontife, il leur demanda qu'on portât la santé du vicaire du Christ, lequel comme il dit encore est semblablement vicaire de Bray[41]. Ci prenons ce hanap, proféra il, et le vidons de cet hydromel qui n'est point, à dire vrai, partie de mon corps, ains mon âme corporée. Laissons le pain rompre iceux qui ne vivent que de pain. Ne soyez en crainte de ce qui vous faudra car ceci vous sera plus grand confort que cela déconfort. Voyez ci. Et il leur montra les pièces reluisantes du tribut et billets d'orfèvre la valeur de deux livres dix et neuf schellings qu'il avait à ce qu'il dit reçus pour prix d'un lai de sa façon. Tous ils admirèrent de voir les dites richesses là où fut paravant grande impécune. Ses paroles furent lors telles comme suit : Sachez hommes, dit-il, que ruines du temps bâtissent demeures de éternité[42]. De quel sens est ceci ? Le vent du désir flétrit l'aubépine ains advient ensuivant que au lieu de la ronce une rose fleurit dessus l'arbre de croix du temps[43]. Or m'écoutez ceci. Ès ventre la femme le verbe s'est fait chair mais en l'esprit du créateur toute chair qui passe devient le mot qui onques ne passera[44]. Ceci est l'après-création. *Omnis caro ad te veniet*. Nul doute que le nom soit puissant d'icelle qui en ventre eut le précieux corps de notre Racheteur, Guérisseur et Pasteur, notre puissante mère et mère très vénérable et Bernardus dit justement qu'elle a une *omnipotentiam deiparæ supplicem*[45], c'est assavoir, une toute puissance d'intercession pource qu'elle est la seconde Ève et nous sauva, dit pareillement Augustin[46], alors que celle autre, notre mère-grand, à qui nous sommes liés par successive anastomose de cordons ombilicaux[47], elle nous a tous vendus, semence, germe et génération, pour un pépin de pomme. Mais ci gît pour l'heure la question. Ou elle le connaissait comme Dieu, celle seconde j'entends, et ne fut pas davantage que créature de sa créature, *vergine madre figlia di tuo figlio*[48], ou elle ne le connut pas pour tel, et lors reste elle sur le même pied de négation et ignorance comme le Pêcheur Pierre qui hante la maison que Pierre a bâtie[49] et comme Joseph le Charpentier patron des heureuses dissolutions de tous les mariages malheureux parce que M. Léo Taxil nous a dit que *qui l'avait mise dans cette fichue position c'était le sacré pigeon, ventre de Dieu ! Entweder* transsubstantialité *oder* consubstantialité mais en nul cas subsubstantialité. Et tous se exclamèrent que c'était là orde parole. Une fécondation sans joie, dit-il, une naissance sans affres, un corps sans flétrissure, un ventre sans enflure. Que débauchés avec ferveur et foi la révèrent. De fermes propos nous opposerons par Plutus.

Là-dessus Punch Costello fit sonner la table dessous son poing et voulut chanter un refrain déshonnête, *Staboo Stabella*, sur une truande qui fut engrossée par un fier à bras en Allémanie, lequel il attaqua incontinent : *Les trois premiers mois elle avait mal au cœur, Staboo*, quand soudain garde-malade Quigley sur le seuil, pleine d'ire, les somma d'une paix là et vergogne à vous et il était séant qu'elle les reprît car son veuil était l'ordre maintenir jusques à là que vînt le Seigneur Andrew pource que jalouse elle était que nul tempétueux vacarme ne vînt à gâter l'honneur de sa garde. Elle était matrone d'âge et mélancolieuse, l'air rassis et la démarche pie, en vêture terne à la semblance de son visage migraineux et flétri, et ne manqua de faire effet sa remontrance car sur-le-champ fut Punch Costello par tous embrocardé et du manant voulaient ils chevir, d'aucuns par rudesse bien apprise et d'aucuns par âpres blandices, tous qui plus plus qui mieux mieux le gourmandant, la fièvre quartaine serre l'animal, quel maudit est-ce là, tu vilain, tu avorton, tu male engeance, tu truand, tu tripes d'enfer, tu graine de gibet, tu égout de sentine, tu fieffé fausse couche tu, pour mettre baillon à ses bavouseries avinées, comme maudisson de fol à tous carats, le bon sire Léopold qui tenait pour sienne accointance la fleur de tranquillité, la marjolaine gente, considérant cette heure être sacrée entre toutes et la plus digne entre toutes d'être sacrée. Sous le toit de Horne doit le repos régner.

De bref[50] était celle passe d'armes à peine close que maître Dixon de Marie en Eccles, se gaussant en patelin, demanda au bachelier Stephen la raison pourquoi point n'avait prononcé vœux de moine et repartit cettui-ci, obédience à la chair, chasteté en la bière, mais pauvreté involontaire[51] tout au long de ses jours. À ceci repartit maître Lenehan qu'il avait ouï parler de ses méchants déportements et comme il s'était laissé dire que Stephen ici présent avait mis à mal le lis de vertu d'une femme qui lui avait baillé fiance, ce qu'on dénomme corruption de mineures, et lors tous d'intervenir, s'ébaudissant et buvant à sa future paternité. Mais il déclara péremptoirement que vérité était proprement à l'encontre de ce qu'ils avançaient car il se trouvait être de toute éternité le fils à jamais vierge. À quoi leur liesse augmenta d'autant et ils lui remirent en mémoire ce qu'il leur avait conté touchant le singulier rite nuptial de dévêture et défloration des épousées tels que les prêtres en usent en l'île de Madagascar, la mariée en guise de couleur blanche et safranée, le marié de blanche et de cramoisie, avec brûlement de cires et de nard, dessus le lit nuptial, ce pendant que chantent les clercs force *kyries* et l'antienne *Ut novetur sexus omnis corporis mysterium*[52] jusques à ce que soit le dépucelage consommé. Lors il leur fit part d'un très admirable et bref chant d'hyménée de ces mignards poètes Maître John Fletcher et Maître Francis Beaumont, lequel figure en leur *Tragédie d'une vierge*[53], qui fut écrite pour semblable conjonction amoureuse : *Au lit, au lit*, en était le refrain qui se jouait en harmonies appropriées sur le virginale. Délicieux et délicat épithalame de la plus mollifiante efficace pour amoureux jeunets que les odoriférants flambeaux des paranymphes escortèrent jusques au théâtre quadrupédé de la communion conjugale. La jolie paire, fit Maître Dixon, éjoui, mais oyez bien, mon petit sire, que mieux se fussent ils nommés Beau Mont et Lécheur, car, sur ma foi, de telle conjonction quoi ne pouvait issir ? Le bachelier Stephen dit que voire, si bien se ramentait, ils avaient à commun usage une même gaupe hors du sien bordeau et s'en accommodaient ils en leurs amoureux délices pource que lors brûlait on la chandelle par les deux bouts et que la coutume du pays le consentait. N'est en homme amour plus grande, dit-il, que celle qui pousse l'homme à faire don de sa femme à son ami[54]. Allez, vous, et faites de même[55]. Ainsi, ou paroles de même sens, proféra Zarathoustra, jadis régent ès lettres françaises près l'université d'Osporc[56] et léans onques ne vécut homme au regard de qui l'humaine engeance fût tant débitrice. Fais entrer un étranger en dedans ta tour et ce me serait merveille se tu ne couchais point en le lit numéro deux[57]. *Orate, fratres, pro memetipso*[58]. Et un chacun doit dire *Amen*. Te souvienne, Erin, tes générations et tes anciens jours[59], et comment tu as fait fi de moi et de ma parole et ouvris mon huis à l'étranger pour qu'il forniquât à ma vue[60], et pour grasse devenir et folâtre à l'instar de Jeshurum[61]. C'est pourquoi tu as péché contre la lumière et moi ton seigneur, tu m'as fait l'esclave des serviteurs. Retourne, retourne, clan Milly: point ne m'oublie, ô Mélisienne[62] ! Pourquoi as-tu commis à ma vue cette abomination de me préférer un marchand de jalap et pourquoi m'as-tu renoncé devant le Romain et l'Indien au parler de ténèbres avec lesquels tes filles ont partagé leur couche luxurieuse ? Maintenant regarde devant toi ô mon peuple la terre de la promesse ; de l'Horeb et du Nébo et du Pisgah et des Cornes de Hatten[63] regarde vers une terre où coulent à flots le lait et le miel[64]. Mais tu m'as allaité d'un lait amer ; mon soleil et ma lune, tu les as éteints à toujours ! Et tu m'as laissé seul pour jamais dans mes voies d'amertume ; et n'as-tu point d'un baiser de cendres baisé ma bouche[65] ? Cet hermétisme de fond, poursuivit-il, n'a point été illuminé par l'esprit des Septante, ni même mentionné, car cet Orient qui vient d'en haut et brisa les portes de l'enfer visita des ténèbres qui étaient préétablies. Accoutumance appétisse atrocités[66] (comme dit Cicero de ses Stoïques bien-aimés), et d'Hamlet le père ne montre au prince son fils nulle ampoule de brûlure. L'adiaphane au midi de la vie est une plaie d'Égypte qui dans les nuits prénatale et postmortelle est leur très véritable *ubi* et *quomodo*. Et de même que les fins et aboutissants de toutes choses s'accordent en quelque manière et mesure avec leur commencement et origine, cette même concordance multiple qui fait partir de la naissance l'accroissement successif, accomplit par une métamorphose régressive cette diminution et ablation tendant au terme final selon le désir de la nature, ainsi en est-il de notre être sublunaire. Les trois sœurs nous poussent dans la vie ; nous gémissons, grossissons, jouons, embrassons, étreignons, lâchons, rabougrissons, mourons ; sur nous, morts, elles se penchent. D'abord sauvé des eaux du père Nil, parmi les roseaux, une corbeille d'osier fascié ; pour finir, un creux dans la montagne, un sépulcre secret parmi les clameurs du chatpard et de l'orfraie. Et de même qu'aucun homme ne sait l'ubicité de son tumulus ni dans quelle suite de transformations nous serons par là introduits, que soit à Tophet[67] ou à Édenville, en semblable manière, tout nous est caché lorsque nous voudrions apercevoir derrière nous de quelle région la quiddité de notre égoticité a pris son undéité[68].

Sur quoi Punch Costello attaqua à pleine voix la chanson Étienne, et toujours tonnant leur dit voyez, la sagesse a bâti elle-même sa maison[69], cette vaste voûte et majestueusement séculaire, c'est le palais de cristal[70] du Créateur où sont toutes choses en rang d'oignons et deux sols à celui qui trouve la fève.

Vois le palais bâti par le malin Micmac.
Vois l'orge et le houblon qui débordent le sac,
En ce cirque qui sert à Pierrot de bivouac.

Un noir fracas, rumeur dans la rue, éclata, quel trac, hurla, retomba. De sa senestre sinistrement Thor tonna : en grande fureur le dieu marteleur. Et voici la tempête qui fait cogner son cœur. Et Maître Lynch lui signifia de prendre garde à ne point gaber et dire sacrilèges car le dieu même était en courroux contre son caquet d'enfer et ses dires de payen. Et celui qui si hautainement avait jeté son défi devint pâle en sa face ainsi comme à tous il pouvait apparoir, et se recroquevilla, et sa superbe paravant à son comble chut d'un seul coup, et son cœur sautait entre ses côtes cependant qu'il goûtait à la rumeur de cette tempête. Alors entendit-on maint brocard et mainte risée et Punch Costello revint de plus belle à sa cervoise et Maître Lenehan de jurer qu'il en userait pareillement et si tôt dit si tôt fait sans se faire du tout prier. Mais le vantard rodomont s'écria que peu lui chaillait qu'un vieux Papapersonne fût un peu pompette et qu'il ne se laisserait damer le pion. Mais ce n'était que pour donner le change sur son émoi tandis que tout en transe il se tenait tapi dans la grand'salle de Horne. Et il but d'une seule haleine pour se remettre cœur au ventre car par tout le ciel roulaient tonnerres grondants tant que Maître Madden, dévot par occasion, battit sa coulpe à ce fracassement de dernier jugement, et pour Maître Bloom qui était aux côtés du bravache, il lui dit paroles assurantes aux fins d'accoiser sa grande paour, lui remontrant que ce n'était que tintamarre qu'il oyait là, et la décharge du fluide hors le nuage éclairant, voyez-ci, ayant eu lieu, le tout n'étant que phénomène d'ordre naturel.

Mais la frayeur de Grand-Vantard fut elle apaisée par les propos de Bonace[71] ? Non, car il portait en son sein un dard nommé Amertume qui n'en pouvait par des paroles être arraché. Était-ce donc qu'il n'avait ni le calme de l'un ni la dévotion de l'autre ? Il n'avait l'un ni l'autre au point qu'il eût aimé avoir l'un ou l'autre. Mais n'eût-il pu tenter de retrouver comme en sa jeunesse la bouteille Sainteté dans le commerce de laquelle il avait alors vécu ? Non, en vérité, parce que Grâce n'était plus là pour cette bouteille découvrir. Entendait-il donc en ces éclats la voix du dieu Mettrebas, ou bien ce que Bonace appelait un tintamarre de Phénomène ? Entendait-il ? Eh quoi, que pouvait-il faire qu'entendre à moins qu'il eût bouché le canal Entendement (ce qui n'était point) ? Car par ce canal il savait qu'il était dans le pays de Phénomène qu'il devait indubitablement quitter un jour puisqu'il n'y était comme tout le reste qu'une apparence éphémère. Et n'acceptait-il point de mourir comme tout le reste et de disparaître ? En aucune façon ne l'entendait-il, ni faire encore de ces apparences éphémères que les hommes ont accoutumé de faire avec leurs épouses, et que Phénomène leur prescrit par le truchement du livre Loi. N'avait-il nulle connaissance de cet autre pays qui est appelé Croyez-en-Moi, qui est la terre promise qui sied au roi Délicieux et sera éternellement là où ne sont plus ni mort ni naissance, épousailles ni maternité[72] et où tous tant qu'ils sont entreront qui ont cru en elle ? Oui, Pieux lui avait parlé de cette terre et Chaste lui en avait indiqué la route mais le fait est que sur cette route il était tombé sur une certaine courtisane fort plaisante à l'œil et qui lui dit se nommer Un-Bon-Tiens et le détourna par ruse de la bonne voie avec des flatteries qu'elle lui prodiguait comme : Oh mon joli cœur, viens t'en un peu par ici et je te ferai voir un endroit charmant, et elle le flatta de tant d'expertes façons qu'elle l'attira en sa grotte qui a nom Deux-Tu-l'Auras, ou selon quelques doctes personnes, Concupiscence Charnelle.

Ceci était ce que tous les membres de cette compagnie attablée là dans le Manoir des Mères convoitaient le plus chaudement et s'ils avaient fait rencontre de cette courtisane Un-Bon-Tiens (qui était dedans soi toutes les ordes infections, tous les monstres, et possédée d'un malin esprit), ils eussent fait feu de tout bois pour lui donner assaut et la posséder. Touchant Croyez-en-Moi, ils dirent que ce n'était chose autre qu'une imagination et qu'ils ne s'en pouvaient faire représentation aucune, que premier, Deux-Tu-l'Auras où elle les entraînait était par excellence une bienheureuse grotte et s'y voyaient quatre oreillers portant quatre pancartes dessus lesquelles étaient ces mots écrits, En Levrette et Tête-Bêche et Langue-Fourrée et Flanc-à-Flanc, et second, que de cette orde infection, Omnivérole, et des monstres, ils n'avaient souci car Préservatif leur avait fait don d'un puissant bouclier de boyau de bœuf, et en troisième lieu, qu'ils n'avaient non plus à craindre Progéniture qui était cet esprit malin, par la vertu de ce même bouclier qui s'appelait Mortogosse. Ainsi tous s'ébattaient en leur aveuglement, M. Lergoteur et M. Dévot-par-Occasion, M. Chimpanzé-de-la-Chope, M. Faux-Franc-Homme, M. Disert-Dixon, le jeune Grand-Vantard et M. Prudent-Bonace. En quoi, ô misérables humains, vous vous abusiez là, alors que c'était la voix du dieu qui retentissait en sa male rage et que son bras était près de se lever pour réduire en poudre vos âmes à cause de tant de blasphèmes et de ce que vous avez jeté hors à mépris de sa parole qui d'engendrer grandement vous enjoint.

Donc le jeudi seizième jour de juin[73] Pat. Dignam ayant été mis en terre par suite d'une attaque apoplectique et après grande sécheresse, grâces à Dieu, la pluie, un batelier venu par eau d'une distance de environ cinquante milles avec chargement de tourbe allait disant que la graine ne levait point, la terre ayant soif, présentant mauvaise couleur et odeur, marais comme landes. Air étouffant et les jeunes pousses toutes sèches en désir de pluie un si longtemps que personne n'avait mémoire de tel manque. Les bourgeons tournés du rose au brun et brouis, et rien sur les collines qu'ajoncs et brindilles prêts à flamber au premier feu. Pour un chacun, selon les dires, le grand vent de février de l'an passé qui fit un si piteux ravage par tout le pays[74], était petite chose auprès de cette sécheresse. Mais peu à peu, comme il a été dit, ce soir-là après le coucher du soleil, le vent demeurant à l'ouest, de gros nuages enflés parurent comme la nuit se faisait obscure et que ceux qui prédisent le temps les scrutaient et d'abord des épars et en suite, passé dix heures d'horloge, un maître coup de tonnerre qui dura longuement et en un instant tous de décamper pêle-mêle jusques au logis sous l'averse fumante, les hommes protégeant leurs chapeaux de paille avec morceau d'étoffe ou mouchoir, les femmes sautelant avec leurs cotillons troussés dès aussitôt le début de l'averse. À Ely place, Baggot street, Duke's lawn, de là à travers Merrion Green jusques à Holles street, courait un torrent d'eau sur la place paravant sèche comme l'os et nulle chaise ni coche ni fiacre[75] en vue mais point d'autre décharge après ce premier coup. Jouxte la porte du Très Honorable Juge Fitzgibbon (qui doit siéger avec M. Healy le juriste au sujet des terrains du collège) Mal. Mulligan, fine fleur de courtoisie, qui sortait tout juste de chez M. Moore l'écrivain (pour lors papiste mais devenu du depuis, à ce qu'on dit, bon Orangiste), tomba sur Alec. Bannon qui portait perruque à marteaux (qui est de mode à présent avec les capes de Kendal Green pour le soir), frais débarqué dans la ville par le coche de Mullingar où un sien cousin et le frère de Mal. Mull. sont dans l'intention de séjourner un mois encore juqu'à la Saint-Médard, et lui demande que diable il fait là, l'un rentrant chez soi et l'autre allant chez Andrew Horne dans le dessein d'y vider une coupe de vin à ce qu'il dit, mais il voulait l'entretenir d'une capricieuse génisse, grande pour son âge, à pattes d'éléphant, et cependant que l'averse tombait dru, et tous deux de conserve vers le logis de Horne. Là Léop. Bloom, de la gazette de Crawford, siégeait confortablement en la compagnie d'une portée de boute-en-train, des gaillards de bonne mine qui menaient grand bruit, Dixon jun., écolier de Notre Dame de Merci, Vin. Lynch, un gars d'Écosse, Will. Madden, T. Lenehan qui était de triste humeur à cause d'un pur sang en lequel il avait eu foi et Stephen D. Léop. Bloom qui se trouvait là pour certaine langueur qui lui était venue mais déjà dissipée, de ce qu'il avait eu le soir d'avant un songe singulier de sa dame Mme Moll laquelle lui était apparue portant babouches rouges et pantalons à la turque ce qui dans l'esprit des clairvoyants est signe de mutation, et dame Purefoy qui avait obtenu l'entrée là de par l'état de son ventre, et présentement sur son lit de misère, pauvre créature, son terme étant passé de deux jours, et les matrones au désespoir de ne la pouvoir délivrer, elle qui avait la nausée pour un bol d'eau de riz qui est subtil asséchant des humeurs intestines, et son souffle plus embarrassé qu'il eût été désirable, et ce devait être un gros brise-tout de garçon, à ce qu'elles disaient, à en juger par ses trépignements, mais que Dieu lui envoie prompte délivrance. C'est à venir son neuvième chérubin, à ce qu'il paraît, et le jour de l'Annonciation elle rogna les ongles de son dernier qui avait lors douze mois[76], et qui est, comme trois autres tous nourris de son lait, défunt, dont fut écrit en belle bâtarde dans la bible de famille.

Son ép., bien dix lustres et méthodiste, mais communie, et on le peut voir tous les beaux dimanches avec une couple de ses garçons hors la rade de Bullock faisant la pêche au lancer dans le chenal avec sa canne à moulinet, ou en une flette qu'il a, pêchant à la traîne carrelets et merlans et en rapporte pleins paniers m'a-t-on dit. En bref il tomba prodigieuse quantité d'eau et tout en fut rafraîchi et la récolte s'en trouvera bien d'autant, jacoit que les clairvoyants prétendent qu'après vent et eau vient le feu, selon une pronostication de l'almanach Malachie[77] (et je me suis laissé dire que M. Russell a écrit un oracle prophétique du même tonneau tiré de l'hindoustani pour sa Gazette du Fermier[78]) qui avance que jamais deux sans trois mais ceci est hasardeux et sans fond de raison et bon pour mères-grands et enfançons encore qu'ils soient quelquefois tombés juste avec leurs singularités on ne s'explique comment.

Ce fut alors que se poussa Lenehan[79] au bout de la table, qui conta comment avait paru cette lettre dans la gazette du soir et il fit semblant de la chercher sur lui (car il jura ses grands dieux qu'il avait pris la chose fort à cœur) mais sur le conseil de Stephen il abandonna cette recherche, et invité de prendre place tout à côté, il le fit très allégrement. C'était une sorte de gentilhomme badin qui passait pour franc godenot ou galant vaurien et s'il s'agissait de femmes, de chevaux ou d'un bon scandale il était toujours au fait. À ne rien celer, il était de pauvre état et la plupart du temps il hantait les cafés et cabarets borgnes en compagnie de recruteurs marrons, de palefreniers et de parieurs, de tire-laine, de pousse-cul d'apprentifs, de souillardes, de dames de bordel et autres gibiers de potence, ou encore s'attablait du soir jusqu'au petit jour avec quelque sergent ou quelque huissier de hasard dont il tirait mainte grasse histoire entre deux possets. Il avait accoutumé de prendre ses repas à une rotisserie et s'il arrivait seulement de faire bombance avec force rogatons ou platées de tripes lorsqu'il n'avait qu'un teston en sa bourse, toujours il s'en tirait grâces à sa langue, et par un mot bien salé qu'il tenait d'une guenipe, ou autre tour de bâton qui les faisait tous tant qu'ils étaient se tenir les côtes. L'autre, c'est-à-dire Costello, entendant ce propos, demanda si c'était un conte ou bien de la poésie. Ma foi non, Frank (c'était son nom), lui répondit-il, il ne s'agit que des vaches de Kerry qui de nécessité seront abattues en raison de l'épidémie. Mais qu'elles voisent à tous les diables, fit-il en clignant de l'œil, quant est de moi, avec leur barbaque de cambuse. Cette boîte contient aussi d'excellent poisson qu'on y en pêcha jamais, et très obligeamment il leur offrit de goûter de quelques éperlans salés qui se trouvaient là et qu'il avait tout ce temps considérés avec convoitise, et il atteignit ainsi son but après avoir tourné autour du pot, car il avait les dents longues. *Mort aux Vaches*, dit alors Frank en langue française, de ce qu'il avait été en apprentissage chez un brandevinier qui fait le cabotage et a un entrepôt à Bordeaux et pour son compte il parlait un français de gentilhomme. Dès l'âge le plus tendre Frank s'était montré un mauvais sujet que son père, maire d'un borough, qui pouvait mal aisément le tenir à l'école pour lui faire apprendre le rudiment et la lecture des cartes[80], avait fait inscrire à l'université pour y étudier la mécanique, mais il avait pris le mors aux dents comme un poulain non dressé et il était devenu plus familier avec la justice civile et paroissiale qu'avec ses livres. Parfois il rêvait d'être acteur, puis vivandier, ou parieur marron, et alors rien ne pouvait l'arracher au parterre et aux combats de coqs, puis c'était la mer océane qu'il lui fallait ou déambuler sur les routes avec les bohémiens, ravissant l'héritier du seigneur de l'endroit à la faveur du clair de lune ou dérobant le linge des lavandières ou étranglant quelque volaille à l'abri d'une haie. Il avait fait autant d'escapades qu'il avait de cheveux sur la tête, et, le gousset vide, revenait chaque fois à son père, le maire du borough, qui chaque fois qu'il le revoyait versait une pinte de larmes. Quoi ! dit M. Léopold, les mains croisées, et qui était anxieux de savoir où cela tendait, vont-ils les égorger toutes ? J'atteste que je les ai vues ce matin même qu'on dirigeait vers les bateaux de Liverpool, dit-il. J'ai peine à croire que ce soit si grave, dit-il. Et il avait l'expérience de semblables bêtes de race et de bouvarts, de brebis d'un an aux grasses toisons et de moutons de fine laine, pour avoir occupé quelques années auparavant l'emploi de commis aux écritures chez M. Joseph Cuffe, un riche courtier qui faisait commerce de bétail sur pied et de ventes de pâturages tout à côté de la cour de M. Gavin dans Prussia Street. Je ne partage point votre sentiment, dit-il. C'est plus probablement le hoquet de la glossite bovine. M. Stephen, quoiqu'un peu ému, lui dit avec beaucoup de grâce qu'il n'était pas question de cela et qu'il avait reçu un courrier du Grand Asticoteur de Queues de l'Empereur le remerciant pour son hospitalité[81] et qui lui dépêchait le Docteur Piétin, le bousilleur de bétail bien connu de toute la Moscovie, avec un ou deux bols de médecine pour prendre le taureau par les cornes. Allons, allons, dit M. Vincent, cartes sur table. Il se trouvera de soi-même sur les cornes d'un dilemme s'il s'en prend à un taureau irlandais, du nom de Pataquès, dit-il. Irlandais de nom et irlandais de nature, dit M. Stephen, cependant qu'il faisait tourner son verre. Un taureau irlandais dans une boutique anglaise de porcelaines. Je vous entends, fit M. Dixon. C'est le même taureau qui fut dépêché dans notre île par le fermier Nicolas[82], le plus honnête éleveur de toute la chrétienté, avec un anneau d'émeraude dans le nez. Vous dites vrai, fit M. Vincent de l'autre côté de la table, voilà qui s'appelle une estocade et jamais taur plus replet et plus majestueux, dit-il, n'a conchié le trèfle. Il avait cornes d'abondance, un pelage d'or, et une suave haleine sortait en fumant de ses naseaux, si bien que les femmes de notre île, laissant là boules de pâte et rouleaux à pâtisserie, lui firent escorte en suspendant à sa pro-Éminence des chapelets de marguerites. Qu'est-ce à dire ? fit M. Dixon, mais avant qu'il ne se mît en route, le fermier Nicolas qui était eunuque l'avait fait proprement châtrer par un collège de docteurs dont les membres n'étaient pas logés à meilleure enseigne que lui-même. Et maintenant prenez vos jambes à votre cou, dit-il, et faites tout ce que mon cousin germain Henry-le-Diable[83] vous dira de faire, et acceptez la bénédiction d'un fermier, et ce disant il lui envoya sur les fesses de fameuses claques. Mais claques et bénédiction portèrent leur récompense, dit M. Vincent, car pour compenser il lui enseigna un tour qui en valait deux, si bien qu'il n'est fille, épouse, abbesse ou veuve qui n'affirme à présent qu'elle ne préférerait en quelque moment du mois que ce fût lui soupirer à l'oreille dans l'obscurité d'une étable ou se faire lécher la nuque par sa grande langue sacro-sainte que de coucher avec le mieux fait et le plus jeune séducteur des quatre cantons de toute l'Irlande[84]. Un autre, alors, dit son mot : Et ils l'habillèrent, dit-il, d'une chemise à dentelles et d'un jupon, ajustement qui se rehaussait d'une palatine, d'une ceinture et de manchettes, et tondirent son toupet et le frottèrent sur tout le corps avec du blanc de baleine et lui bâtirent des étables à tous les tournants de route et mirent dans chacune d'elles une mangeoire d'or pleine du foin le meilleur qui fût au marché afin qu'il pût pioncer et bouser son cœur content. Entre-temps, le père des fidèles (car ainsi l'appelait-on) était devenu si pesant que c'est à peine s'il pouvait aller au pâturage. Pour y porter remède nos rusées dames et demoiselles lui apportaient son fourrage dans leurs devantiers et sitôt que son ventre était plein il se cabrait sur ses quartiers de derrière pour montrer à leurs seigneuries un beau mystère, et mugissait et beuglait en langage de taureau, et toutes se mettaient après lui. Oui da, fit un autre, et il était si dorloté qu'il ne pouvait souffrir que rien poussât par le pays qu'herbe verte à son usage (car c'était la seule couleur qui fût de son goût) et il y avait un écriteau placé sur un monticule en plein milieu de l'île et qui portait cette inscription en caractères d'imprimerie : Par Henry-le-Diable, grâces au raygrass qui gratis nous engraisse[85]. Et, dit M. Dixon, si d'aventure il avait vent d'un larron de bêtes aumailles de Roscommon ou des Landes de Connemara ou d'un métayer de Sligo qui semait la valeur d'une pincée de moutarde ou de une once de graine de navette, il se ruait dans un accès de folle rage sur la moitié du pays, déracinant de ses cornes tout ce qui se trouvait de plantations et tout cela sur l'ordre d'Henry-le-Diable. Ils se prirent d'abord de querelle, dit M. Vincent, et Henry-le-Diable envoya le fermier Nicolas à tous les diables et le traita de vieux bordelier qui a sept putains dans sa maison, et j'aurai l'œil sur lui, disait-il. Je lui mettrai le nez dans son ordure à cet animal, avec le secours de ce fameux nerf que me légua mon père. Mais, dit M. Dixon, certain soir qu'Henry-le-Diable s'occupait de brosser son pelage royal pour s'en aller dîner après avoir gagné une course nautique (il disposait quant à lui de pelles en guise d'avirons mais la règle première de la course portait que les autres devaient ramer avec des fourches à foin) il se trouva une merveilleuse ressemblance avec un taureau et étant venu à ramasser un livre de chevet marqué de traces de pouce crasseux qu'il serrait dans la dépense, il découvrit en effet qu'il était un authentique descendant par la main gauche du fameux taureau champion des Romains, *Bos Bovum*, qui signifie en bon latin de latrine le patron de la boîte[86]. Après quoi, dit M. Vincent, Henry-le-Diable plongea la tête dans une auge à faire boire les vaches en la présence de tous ses courtisans, et la retirant, apprit à tous son nouveau nom[87]. Puis, tout ruisselant d'eau, il passa une vieille chemise et une jupe qui avait appartenu à sa mère-grand et s'acheta une grammaire de la langue taureau pour se familiariser avec elle, mais il ne put jamais en apprendre un traître mot à l'exception de la première personne du pronom personnel qu'il transcrivit en lettres majuscules et finit par savoir sur le bout du doigt, et quand il lui arrivait de sortir pour faire un bout de promenade, il bourrait ses poches de craie à seule fin de l'écrire où bon lui semblait, que ce fût sur la paroi d'un rocher, ou sur une table de maison de thé, ou sur une balle de coton, ou encore sur le bouchon de liège d'une ligne[88]. Bref lui et le taureau irlandais devinrent bientôt aussi compères et compagnons que le cul et la chemise. C'est pure vérité, dit M. Stephen, et le fin de l'histoire, c'est que les hommes de cette île, voyant qu'il n'y avait pas de secours à espérer, puisque toutes ces ingrates femelles étaient d'un même sentiment à cet égard, construisirent un radeau de passage, y embarquèrent eux et leurs biens meubles, dressèrent les mâts, parèrent les vergues, vinrent au lof, prirent la panne, amenèrent du vent dans les voiles, mirent le nez entre vent et marée[89], hissèrent l'ancre, mirent la barre à bâbord, arborèrent le pavillon tête de mort, poussèrent trois fois trois hourras, larguèrent la bouline, poussèrent sur leur gabare et prirent la mer pour redécouvrir l'Amérique[90]. Ce qui fut l'occasion, dit M. Vincent, pour un contremaître de composer cette gaillarde chanson de matelots :

Le pape Pierre il n'est qu'un pisse-au-lit.
Un homme est un homme malgré ça.

Notre digne connaissance, M. Malachie Mulligan, faisait maintenant son apparition sur le seuil[91], tandis que les écoliers terminaient leur apologue, en compagnie d'un familier qu'il venait justement de rencontrer, Alec Bannon était son nom, qui venait d'arriver en ville, avec l'intention d'y acheter une charge d'enseigne ou de cornette dans le corps de la milice et de s'enrôler pour faire campagne. M. Mulligan fut assez honnête pour y donner quelque approbation d'autant qu'il se trouvait que cela concordait avec un sien projet pour la guérison du mal même dont il avait été question. Sur quoi il fit passer entre les mains de la compagnie un lot de cartons qu'il avait eus le jour même de l'imprimerie de M. Quinnell et qui portaient cette suscription imprimée en beaux caractères italiques : *M. Malachie Mulligan, Fertiliseur et Incubateur, Île Lambay*[92]. Son projet, ainsi qu'il entreprit de s'en expliquer, était de se retirer du cercle des plaisirs oiseux tels que ceux qui constituent la plus sérieuse occupation en ville de sir Paon Papegai et de sir Pâtemolle Lecurieux, et de se consacrer à la plus noble tâche pour laquelle notre machine ait été créée. Eh bien, parlez-nous de cela, mon brave ami, dit M. Dixon. Je gage que cela fleure le putanisme. Allons, asseyez-vous tous les deux. Il n'en coûte pas plus de s'asseoir que de rester debout. M. Mulligan agréa l'offre, et, s'étendant sur son dessein, confia à ses auditeurs qu'il avait été amené à cette conception par un examen des causes de la stérilité, inhibitoires et prohibitoires, soit que l'inhibition découle de persécutions conjugales ou tout aussi bien d'une mauvaise balance, soit que la prohibition provienne de vices congénitaux ou d'habitudes acquises. Il était profondément affligé, disait-il, de voir la couche nuptiale frustrée de ses gages les plus chers ; et de méditer sur le sort de tant d'aimables créatures nanties de riches douaires, proie désignée pour la prêtraille la plus vile, qui ont mis leur flambeau sous le boisseau dans un cloître qui leur est contraire ou gaspillent la fleur de leur âge dans les bras d'un impertinent quand-pour-Phillis alors qu'il leur serait loisible d'ouvrir sans cesse à la félicité de nouvelles perspectives, et qui font bon marché de l'inestimable joyau de leur sexe quand tant et tant de gentils compagnons s'offrent à leur prodiguer les caresses, voilà, ils en pouvaient être assurés, qui lui fendait le cœur. Pour mettre ordre à ce funeste état de choses (qui selon ses conclusions était dû à une retraite de la chaleur latente) et après avoir pris l'avis de conseillers émérites et fait de cette matière un examen approfondi, il avait décidé d'acquérir par bail perpétuel le fief de l'île Lambay de son détenteur lord Talbot de Malahide, un gentilhomme Tory, des plus distingués et qui jouissait d'un grand crédit auprès de notre parti tout-puissant[93]. Il proposait d'établir en ce lieu une ferme nationale de fécondation qui serait nommée *Omphalos,* avec un obélisque taillé et érigé à la mode d'Égypte, et d'offrir ses respectueux offices de féal fécondateur à toute femme, quel que fût son rang dans la société, qui viendrait lui confier le désir de faire remplir ses fonctions à son quoniam bonus[94].

Ce n'était nullement là une entreprise d'argent, disait-il, pas plus qu'il n'eût toléré qu'on le payât en rien de ses peines. La plus humble fille de cuisine aussi bien que la plus authentique grande dame, pour peu que leurs formes et leurs tempéraments plaidassent chaudement leur cause, trouveraient en lui leur homme. Quant à ce qui est de son alimentation, il exposa comment il entendait se contenter pour son ordinaire de savoureux tubercules, de poisson et de lapereaux, la chair de ces prolifiques rongeurs étant particulièrement recommandable pour le dessein qu'il poursuivait, grillée ou bouillie avec une pointe de macis et une capsule ou deux de poivre de Guinée. Après cette homélie qu'il prononça sur le ton de la plus grande conviction, M. Mulligan en un tournemain enleva de dessus son chapeau un mouchoir avec lequel il l'avait garanti. Tous deux, à ce qu'il semblait, avaient été surpris par la pluie et nonobstant leur allure accélérée s'étaient vus percés par ce déluge, ainsi qu'on pouvait l'observer par les culottes de droguet de M. Mulligan qui pour lors avaient tourné au pie. Entre-temps son projet s'était vu favorablement accueillir de son auditoire et avait conquis les chaleureux suffrages de tous, encore que M. Dixon de Sainte-Marie en prît le contre-pied, demandant d'un air vétilleux s'il se proposait aussi de porter de l'eau à la fontaine. Toutefois M. Mulligan fit sa cour aux lettrés de la compagnie par le truchement d'une heureuse citation empruntée des classiques, et qui, comme il se la remémorait, lui paraissait fournir au débat un argument solide et savoureux : *Talis ac tanta depravatio hujus seculi, Ô Quirites, ut matres familiarum nostrae lascivas cujuslibet semivir libici titillationes testibus ponderosis atque excelsis erectionibus centurionum Romanorum magnopere anteponunt*[95], tandis que pour ceux d'esprit plus grossier il fit valoir son point de vue par des comparaisons tirées du règne animal, nourriture mieux adaptée à leur palais, le cerf et la biche des essarts, le canard et la cane des basses-cours.

Ce beau parleur qui n'avait pas une petite idée de son élégance, étant à vrai dire bien de sa personne, s'attachait maintenant à l'état de son propre ajustement, avec des remarques quelque peu véhémentes sur les caprices soudains de l'atmosphère, tandis que la compagnie prodiguait ses louanges au projet qu'il avait mis en avant. Le jeune gentilhomme son ami, tout réjoui qu'il était d'une aventure qui venait de lui échoir, ne put se tenir de la raconter à son voisin le plus proche. M. Mulligan, qui maintenant apercevait la table, demanda à qui étaient destinés ces pains et ces poissons et, voyant l'étranger, il lui fit un salut fort civil et dit : S'il vous plaît, monsieur, seriez-vous dans le besoin d'une aide professionnelle que nous serions à même de vous donner ? Lequel, à cette offre, le remercia de bon cœur, tout en gardant ses distances, et repartit qu'il était venu là s'enquérir d'une dame qui présentement logeait en la maison de Horne, et qui était, la pauvre dame, dans une situation intéressante, par males fortunes de la femme (et là-dessus il poussa un profond soupir), pour savoir si elle était heureusement délivrée. M. Dixon, pour rompre les chiens, se prit à demander à M. Mulligan si sa naissante ventripotence sur laquelle il le railla était la marque d'une gestation ovulaire dans l'utricule de la prostate ou utérus mâle, ou si elle était la conséquence, comme chez le distingué praticien, M. Austin Meldon[96], d'un loup dans l'estomac. En manière de réponse M. Mulligan, qui s'était mis à rire de ses culottes, se frappa bravement au-dessous du diaphragme en s'exclamant avec une mimique bouffonne qui rappelait à miracle la Mère Grogan (la meilleure des femmes mais quelle pitié qu'elle soit pute[97]) : Ce ventre-ci jamais n'abrita bâtard. Ce trait d'esprit était si heureux qu'il renouvela les éclats de la plus franche gaieté et fit se pâmer d'aise et de ravissement toute la chambrée. Le joyeux bavard eût continué avec la même mimique si quelque chose dans l'antichambre n'avait donné l'alarme.

À ce moment, l'auditeur qui n'était autre que l'étudiant écossais[98], une tête chaude, d'un blond de filasse, complimenta le jeune gentilhomme avec la plus vive animation, et interrompant le récit à l'endroit le plus attachant, non sans avoir prié son vis-à-vis, avec un signe poli, d'avoir l'obligeance de lui passer un flacon de cordial, demanda en même temps au conteur par un mouvement de tête interrogateur aussi clair que jamais mots ne l'exprimèrent (tout un siècle d'éducation raffinée n'eût pas suffi à parfaire un geste aussi gracieux) que compléta un mouvement équivalent mais contraire du chef, s'il pouvait le régaler d'une coupe de ce breuvage. *Mais bien sûr*, noble étranger, dit-il avec enjouement, *et mille compliments*. Il vous est loisible et fort à propos. Il ne manquait que cette coupe pour mettre le comble à ma félicité. Mais justes dieux, quand il ne me serait laissé en partage qu'une croûte dans ma besace et un gobelet d'eau claire, mon Dieu, je m'en contenterais et j'aurais assez d'humilité dans mon cœur pour me prosterner à deux genoux et remercier les puissances célestes pour le bonheur qu'eût daigné m'accorder le Dispensateur de tout bien. Ce disant il porta le gobelet à ses lèvres, avala une délectable gorgée du cordial, lustra sa chevelure et, portant la main à son sein, en sortit soudain un médaillon retenu par un ruban de soie, cette miniature même qu'il chérissait depuis que la main aimée y avait tracé quelques mots. Contemplant ces appas d'un regard où se lisait un monde de tendresses, Ah, Milord, fit-il, si seulement vous aviez pu la voir comme moi avec ces yeux à cet instant émouvant, avec son exquise chemisette et son béret de jeune coquette (un présent de son jour de fête à ce qu'elle me dit) dans un désordre si dénué d'artifice, d'un abandon si attendrissant, sur mon honneur, vous-même, Milord, vous fussiez trouvé contraint par votre tempérament généreux de vous remettre entièrement entre les mains d'un tel ennemi ou d'abandonner pour jamais la lice. Je le proclame, de toute ma vie je ne fus si féru. Mon Dieu, je te remercie de m'avoir donné le jour ! Trois fois heureux celui qu'une si aimable créature distinguera de ses faveurs. Un soupir de tendresse donna à ces mots toute leur éloquence, et ayant remis le médaillon dans son sein il se sécha les yeux et soupira encore. Bienfaisant Dispensateur de bonheur à toutes tes créatures, que grande et universelle doit être la plus douce de tes tyrannies qui peut tenir dans les fers l'homme libre et l'esclave, le simple berger et le muguet des salons, l'amant dans tout le feu de la jeunesse et l'époux le plus rassis. Mais sur ma foi, monsieur, je m'écarte du sujet. Qu'imparfaites et mêlées de peines sont nos joies terrestres ! Malédicité ! Plût à Dieu que cette prescience m'eût fait songer à prendre ma cape ! j'en pleurerais, rien que d'y penser. Alors, malgré tous les jets d'eau du ciel, nous nous en fussions tirés sains et saufs. Mais misère de moi, s'exclama-t-il, en se frappant le front, demain il fera jour, et mille tonnerres, je sais un certain marchand de capotes, Master Poyntz, chez qui je pourrai me fournir pour une livre de la plus seyante cape à la mode anglaise qui ait jamais gardé dame d'être mouillée ! Ta, ta ! s'écrie Le Fécondateur, entrant en scène, mon ami Master Moore, ce voyageur des plus distingués (nous venons justement de vider tous les deux un flacon en compagnie des plus beaux esprits de la ville), m'a juré qu'au Cap Horn, ventre de biche, règne une pluie qui percerait toutes les capes, sans en excepter la plus résistante. Un arrosage de cette violence, me dit-il, sans blague, a dépêché grand train plus d'un infortuné dans un monde meilleur. Peuh ! Une livre ! se récria Master Lynch. Ces petits maladroits-là ne valent pas un sol. Un parapluie ne fût-il pas plus grand qu'un Tom Pouce de champignon vaudrait cent fois de tels bouche-trous. Il n'est pas une femme de sens qui consentirait à s'en affubler. Ma chère Kitty[99] me disait aujourd'hui qu'elle préférerait de beaucoup danser dans un déluge que de mourir d'inanition dans pareille arche de salut, car, comme elle me le rappela (avec une piquante rougeur et susurrant à mon oreille bien qu'il n'y eût personne pour saisir au vol ses propos si ce n'est quelques étourdis de papillons), dame Nature, par une grâce divine, l'a gravé dans notre cœur, et il est passé en proverbe qu'il y a deux choses pour lesquelles l'innocence de notre accoutrement originel, qui en d'autres circonstances choquerait la bienséance, est le plus convenable, et même le seul. La première, dit-elle (et ici mon charmant philosophe, comme je l'aidais à monter dans son cabriolet, pour attirer mon attention, chatouilla du bout de sa langue le creux de mon oreille), la première est un bain... mais à cet instant[100] une cloche qui tintait dans le vestibule coupa court à ce propos qui promettait de concourir si généreusement à l'enrichissement du trésor de nos connaissances.

Au milieu de la franche hilarité de toute l'assemblée[101] une cloche sonna et, tandis qu'on se demandait à la ronde quelle en pouvait être la raison, Miss Callan fit son entrée, et après avoir glissé quelques mots à l'oreille du jeune M. Dixon, se retira avec un profond salut à la compagnie. La présence, toute passagère qu'elle fût, parmi ces libertins d'une femme ornée de toutes les grâces de la modestie et non moins prude que belle refréna les plaisantes saillies des plus licencieux mêmes, mais sa retraite fut le signal d'une explosion d'obscénités. Pristolette, dit Costello, un vil personnage qui avait trop levé le coude. Quel sacré beau brin de fille ! Je parierais qu'elle vous a donné rendez-vous. Quoi, mon gaillard ? Sauriez-vous vous y prendre ? Palsambleu ! Vous ne croyez pas si bien dire, dit M. Lynch. À l'hospice de la Mater les docteurs connaissent les manières de ruelle. Diantre ! est-ce que le Docteur O'Gargarisme n'y tapote pas le menton des nonnes ? Sur mon salut, je le tiens de ma Kitty qui fut garde-malade en ce lieu durant ces sept derniers mois. Miséricorde ! docteur, s'écria le benjamin au gilet primevère, affectant des minauderies de femme et d'immodestes contorsions de sa personne, comme vous savez taquiner votre monde ! Peste ! Bon dieu, je tremble comme la feuille du tremble. Ma foi, vous ne valez pas mieux que ce cher vieux Père Combiendefois ? Que cette chope m'étouffe, s'écria Costello, si elle n'est pas dans une situation intéressante. J'connais qu'une madame elle t'a un député dans l'urne aussi vite comme je la zieute. Cependant le jeune chirurgien se leva et pria la compagnie de vouloir bien excuser son départ, la garde venant tout juste de lui apprendre qu'on avait besoin de lui dans la salle. La miséricordieuse Providence daignait mettre un terme aux souffrances de la dame qui était enceinte, souffrances qu'elle avait endurées avec une force d'âme digne de louanges, et elle était accouchée d'un bon gros bonhomme rond comme une pomme. J'ai peine à supporter, dit-il, ceux qui sans esprit pour récréer ou sans savoir pour enseigner rabaissent une profession qui ennoblit et qui, sauf le respect dû à la Divinité, est la plus grande génératrice de bonheur qui soit au monde. Je n'exagère pas quand je dis que, s'il en était besoin, je pourrais produire une nuée de témoins[102] pour prouver l'excellence de ces nobles fonctions qui, loin d'être un objet de dérision, devraient remplir le cœur humain d'une digne émulation. Je ne saurais les souffrir eux et leurs sarcasmes. Médire d'une telle créature, l'aimable Miss Callan, qui est l'ornement de son sexe et l'émerveillement du nôtre et dans l'instant le plus décisif que puisse vivre une chétive créature d'argile ? Le diable soit d'une telle malignité ! Je frémis quand je pense à l'avenir d'une race dans laquelle on a semé les germes d'une telle malveillance et qui n'entoure ni la mère ni la vierge des respects qui leur sont dus dans la maison de Horne. S'étant soulagé de cette mercuriale, il salua en passant les personnes présentes et battit en retraite vers la porte. Un murmure d'approbation s'éleva à la ronde et quelques-uns étaient d'avis qu'on poussât dehors ce misérable pot à vin sans plus de cérémonie, dessein qui eût été mis à exécution, et il eût ainsi reçu la récompense de ses mérites, s'il n'avait coupé court à ses offenses en affirmant avec une horrible imprécation (car il jurait à bouche que veux-tu) qu'il n'y avait jamais eu sous le soleil meilleur chrétien que lui. Que mon sang se glace dans mes veines, dit-il, si ce ne fut pas toujours le sentiment de l'honnête Frank Costello qui vous parle, élevé dans les bonnes manières pour honorer tes père et mère qui n'avait pas sa pareille pour vous fabriquer un roulé à la mélasse ou un poudingue à la minute que je me la rappelle toujours avec un cœur tout plein d'une tendre vénération.

Pour en revenir à M. Bloom[103] qui à son entrée avait perçu quelques impudentes railleries qu'il avait cependant endurées comme étant les fruits de cet âge qu'on accuse communément de ne connaître aucune pitié. Ces jeunes mirliflores, à la vérité, étaient aussi farcis d'extravagances que le sont de grands enfants; les termes qu'ils employaient dans leurs discussions tumultueuses n'étaient pas aisés à comprendre et rarement de bon aloi; leur humeur bourrue et leurs mots malsonnants étaient de ceux qui répugnaient à son esprit; ils n'avaient pas non plus la superstition des convenances encore que l'exubérance de leur folle jeunesse parlât en leur faveur. Mais le propos de M. Costello sonna désagréablement à son oreille car il avait du dégoût pour ce misérable qui lui apparaissait comme un être essorillé, mal formé, gibbeux, de naissance clandestine, et venu au monde comme un bossu, tout denté et les pieds devant, hypothèse que la marque des fers du chirurgien sur son crâne rendait en effet plausible, à ce point que cela lui remettait en mémoire le chaînon manquant de la chaîne des êtres souhaité par feu l'ingénieux M. Darwin. Il avait maintenant parcouru plus de la moitié de cette brève carrière qui nous est dévolue et qui s'était écoulée au milieu des mille vicissitudes de l'existence et, étant de race prudente et lui-même homme d'une rare prévoyance, il avait prescrit à son cœur de refréner tous mouvements de colère naissante, et y coupant court avec le soin le plus diligent, de nourrir en secret cette tolérance pleine et entière que raillent les esprits mesquins, que les juges mal avisés méprisent et que le commun des mortels trouve supportable mais tout au plus supportable. À ceux qui se donnent du bel esprit en outrageant la délicatesse féminine (tournure d'esprit qui lui répugnait), à ceux-là il ne concéderait point le nom d'honnête homme ni le droit de prétendre à l'héritage d'une bonne lignée; tandis qu'à l'égard de tels qui ayant perdu toute tolérance ne peuvent pas perdre davantage, il restait l'énergique contrepoison de l'expérience pour forcer leur superbe à une retraite aussi précipitée que honteuse. Non qu'il ne pût sympathiser avec les sentiments d'une fougueuse jeunesse à qui, se souciant fort peu des grimaces des barbons ou des récriminations des censeurs, il est toujours d'avis (comme l'exprime la chaste imagination de l'Écrivain Sacré[104]) de manger à l'arbre défendu, cela sans aller toutefois aussi avant que d'excuser un manque d'égards complet, quelles que fussent les circonstances, envers la personne d'une dame qui vaque aux devoirs de sa charge. Pour conclure, bien qu'il eût, d'après les paroles de la sœur, espéré une prompte délivrance, il faut reconnaître pourtant qu'il n'était pas peu soulagé d'apprendre que l'issue ainsi présagée témoignait une fois de plus, après une épreuve d'une telle durée, de la miséricorde autant que de la magnanimité de l'Être Suprême.

En conséquence il s'en ouvrit à son voisin[105], disant que pour exprimer ses vues sur le sujet, son opinion (à lui qui peut-être n'eût pas dû s'aventurer à en exprimer une) était qu'il faut avoir un sang de glace et une tête bien froide pour ne pas se réjouir à ces nouvelles toutes fraîches de couches qui comblaient tous ses désirs puisqu'elle avait tant enduré sans qu'il y eût de sa faute. Le jeune et élégant compère dit que c'était celle de son mari qui l'avait mise dans cette expectative ou tout au moins que ce devait être ainsi à moins qu'elle ne fût une autre matrone d'Éphèse[106]. Je dois porter à votre connaissance, dit M. Crotthers, en tapant sur la table au point d'y éveiller un commentaire sonore et emphatique, que le vieux Glorieux Allélujérôme est encore revenu aujourd'hui, un homme d'âge avec des côtelettes, qui sollicita d'une voix nasillarde qu'on le renseignât sur Wilhelmine, ma vie, comme il l'appelle. Je lui ai conseillé de se tenir prêt car l'événement allait éclater en bombe. Vertuchou, je vous le dirai sans fard. Je ne puis que m'extasier sur la puissance virile de ce vieux matou qui est encore capable de lui faire pisser un gosse. Tous se trouvèrent d'accord pour louer ladite puissance, chacun à sa manière, bien que le même jeune compère en tînt pour sa première opinion qui était qu'un autre que le conjoint avait été l'homme de la situation[107], un homme d'Église, un porte-flambeau (vertueux), ou bien un colporteur d'articles nécessaires dans un ménage. Singulier, se disait à part soi l'invité[108], cette prodigieuse faculté de métempsycose qu'ils possèdent, au point que le dortoir des accouchées et l'amphithéâtre de dissection puissent être le gymnase de telles frivolités, que le simple octroi de titres académiques puisse suffire à transformer en moins de rien ces zélateurs de plaisirs oiseux en praticiens exemplaires d'un art que tant d'hommes en tous points éminents ont considéré comme le plus noble. Mais, se dit-il encore, il se peut que ce soit pour donner libre cours aux sentiments refoulés qui les oppressent communément, car j'ai plus d'une fois observé qu'oiseaux de même plumage font ensemble ramage.

Mais avec quel à-propos, demandons-le au noble seigneur son protecteur[109], cet étranger, qui tient de la faveur de notre gracieux prince les privilèges du citoyen[110], s'est-il institué de son propre chef le seigneur dominant de nos affaires intérieures ? Où est à présent cette gratitude que la loyauté aurait dû dicter ? Au cours de la récente guerre, alors que l'ennemi marquait un avantage temporaire grâce à ses granados, ce traître à sa race n'a-t-il pas profité de ce moment pour tirer à boulets rouges sur l'empire dont il n'est qu'un sujet toléré cependant qu'il tremblait pour la sécurité de ses rentes ? A-t-il oublié cela comme il oublie tous les bienfaits reçus ? Ou bien serait-ce qu'à force de faire des autres ses dupes il soit devenu à la longue sa propre dupe, comme il est, si la rumeur ne le calomnie, son propre et seul instrument de plaisir ? Ce serait manquer gravement à la délicatesse que de violer les secrets d'alcôve d'une dame respectable, la fille d'un valeureux major, et de jeter le plus léger discrédit sur sa vertu, mais s'il attire l'attention sur ce point (quand ce serait vraiment son intérêt de ne pas agir ainsi), alors, à dieu vat ! Femme infortunée, on lui a dénié trop longtemps et avec trop de persistance ses droits légitimes pour qu'elle écoute les remontrances de cet homme avec un autre sentiment que la dérision du désespoir. Voilà ce qu'il dit, ce moraliste, ce parfait pélican pour son prochain qui, oublieux des liens naturels, ne s'était pas fait scrupule de rechercher un commerce illégitime avec une servante[111] sortie des couches les plus basses de la société ! Il y a plus, si la brosse à laver de la donzelle n'avait pas été pour elle un ange gardien, elle en eût vu d'aussi dures qu'Hagar l'Égyptienne ! Sur la question des pâturages son humeur atrabilaire est notoire et en présence de M. Cuffe lui attira d'un éleveur indigné une réplique cinglante formulée en termes aussi francs que bucoliques. Il lui sied mal de prêcher cet évangile. N'a-t-il pas à portée de la main une terre arable qui reste en jachère faute d'un coutre ? Une habitude condamnable au temps de la puberté devient une seconde nature et l'opprobre de l'âge mûr. S'il lui faut répandre son baume de Judée[112] sous forme de panacées et d'apophtegmes de goût douteux pour ramener à la santé une génération de jeunes éhontés, que ses pratiques s'accordent mieux avec les doctrines qui l'occupent à présent. Son cœur d'époux est le réceptacle de secrets que la bienséance répugne à mettre en lumière. Les propositions déshonnêtes de quelque beauté flétrie[113] le peuvent bien consoler d'une compagne dédaignée et pervertie, mais ce nouveau champion des bonnes mœurs et guérisseur des plaies sociales n'est tout au plus qu'un arbre exotique qui, lorsque ses racines plongeaient dans son Orient natal, prospérait et florissait, et regorgeait de baume, mais qui, transplanté sous un climat plus tempéré, a vu ses racines perdre leur vigueur passée tandis que la matière qui en découle est dormante, aigre et sans effet.

Avec une circonspection qui rappelait le cérémonial en usage à la Sublime Porte[114], la nouvelle fut communiquée par l'infirmière en second au cadet des chirurgiens de service qui à son tour annonça à la délégation qu'un enfant mâle venait de naître. Quand il se fut transporté dans les appartements des femmes pour assister par devoir à la cérémonie de l'arrière-faix en présence du secrétaire d'État pour l'intérieur et des membres du Conseil privé, silencieux dans leur lassitude et leur approbation unanime, les délégués, échauffés par la durée et la solennité de leur veille et espérant que le joyeux événement excuserait une licence que l'absence à la fois de suivante[115] et d'officier facilitait, se lancèrent soudain dans un furieux débat[116]. En vain se faisait entendre la voix de M. le Courtier Bloom qui tentait d'exhorter, d'adoucir, de mettre un frein. Le moment était trop favorable au débordement d'une argumentation qui semblait être le seul trait d'union entre des natures si diverses. Tous les aspects de la question passèrent successivement sous leur scalpel : l'aversion prénatale des frères utérins, l'opération césarienne, les cas de naissance posthume du côté paternel, et cette forme plus rare du côté maternel, le fratricide connu sous le nom d'affaire Childs et rendu célèbre par la plaidoirie émouvante de Me Bushe qui obtint l'acquittement de l'innocent accusé, les droits de primogéniture et les allocations en ce qui concerne les jumeaux et les triplets, avortements et infanticides, simulés et dissimulés, *fœtus* acardiaque *in fœtu*, aprosopie résultant d'une congestion, agnathie de certains Chinois nés sans menton (cités par M. le Candidat Mulligan) en raison d'une insertion vicieuse des protubérances maxillaires le long de la ligne médiane, au point que (disait-il) ce qui sortait par une oreille entrait dans l'autre, bienfait de l'anesthésie ou sommeil crépusculaire, prolongation des douleurs dans la grossesse avancée par suite de la pression sur la veine, la perte prématurée du liquide amniotique (dont le cas actuel offrait un exemple) ayant pour conséquence une menace d'infection de la matrice, la fécondation artificielle à l'aide de seringues, l'involution de la matrice consécutive à la ménopause, le problème de la perpétuation des espèces dans les cas de fécondation par viol, ce terrible procédé de délivrance nommé par les Brandebourgeois *Sturzgeburt*, les exemples de monstres multigéminaux, bispermatiques, dus à des conceptions pendant la période cataméniale, ou à des unions consanguines, en un mot toutes les anomalies de la naissance dans la race humaine qu'Aristote a cataloguées en son chef-d'œuvre illustré de planches en chromolithographie[117]. Les plus graves problèmes d'obstétrique et de médecine légale furent passés en revue avec autant d'entrain que les croyances populaires sur la grossesse, telles que l'interdiction à une femme enceinte d'escalader un échalier de peur que ses mouvements ne causent la strangulation du fœtus par le cordon ombilical, et cette recommandation, dans le cas d'une envie nourrie avec ardeur et non satisfaite, d'appliquer la main sur cette partie de sa personne qu'un usage immémorial a consacrée comme siège des châtiments corporels. Les anomalies du bec de lièvre, taches de naissance, polydactylie, maladie bleue, fraises et taches de vin furent invoquées par quelqu'un comme étant de prime abord une explication hypothétique et naturelle d'enfants à tête porcine (le cas de Grissel Steevens était encore dans toutes les mémoires[118]) ou à poils canins qui naissent de temps en temps. L'hypothèse d'une mémoire plasmique[119] mise en avant par l'employé calédonien, et digne des traditions métaphysiques du pays qu'il représentait[120], envisageait en de tels cas un arrêt du développement de l'embryon à un stade antérieur à l'humain. Un délégué aussi étrange qu'étranger soutint contre l'une et l'autre de ces théories, avec une telle chaleur qu'elle faillit convaincre, celle de la copulation entre femmes et animaux mâles, puisant le crédit de ses assertions dans des fables telles que celle du Minotaure que le génie de l'élégant poète latin nous a transmise dans les pages de ses *Métamorphoses*[121]. L'impression causée par ces paroles fut soudaine mais éphémère. Elle fut aussi vite effacée que produite, par une allocution de M. le Candidat Mulligan empreinte de ce génie du badinage que nul ne pouvait manier avec autant de maîtrise, qui affirmait que pour la satisfaction de ses plus chères convoitises rien n'était au-dessus d'un petit vieux bien propre. Dans le même temps une chaude discussion ayant éclaté entre M. le Délégué Madden et M. l'Assesseur Lynch au sujet du dilemme juridique et théologique que pose le décès d'un frère siamois avant l'autre, d'un commun accord le débat fut porté devant M. le Courtier Bloom pour être immédiatement soumis à M. le Sous-Diacre Dedalus. Jusque-là silencieux, que ce fût pour mieux montrer par une extraordinaire gravité cette singulière dignité de l'habit dont il était revêtu ou pour obéir à une voix intérieure, il énonça brièvement, et sembla-t-il à quelques-uns avec désinvolture, le précepte évangélique qui enjoint à l'homme de ne pas séparer ce que Dieu a uni.

Mais la relation de Malachias commençait de les

pénétrer d'horreur[122]. Il fit apparaître la scène à leurs yeux. Le panneau secret à côté de la cheminée s'ouvrit en glissant et dans le retrait apparut… Haines ! Qui de nous ne sentit son poil se hérisser ! Il tenait d'une main un portefeuille bourré de littérature celtique, de l'autre un flacon avec le mot *Poison*. La surprise, l'horreur, le dégoût étaient peints sur tous les visages cependant qu'il les observait avec un rictus macabre. Je m'attendais à quelque réception de ce genre, débuta-t-il avec un rire démoniaque, dont la faute est sans doute à l'histoire. Oui, c'est la vérité. Je suis le meurtrier de Samuel Childs. Et quel châtiment est le mien ! Les enfers ne me font pas peur. Voici ce qui se lit sur mon visage. *Permanenda !* quand connaîtrai-je enfin quelque répit ? marmottait-il d'une voix sourde, moi qui durant le temps que je retraversais Dublin avec ma collection poétique le sentais attaché à mes pas comme s'il eût été un succube ou un bisclavaret[123]. Mon enfer et celui de l'Irlande, c'est cette vie. Voilà ce que j'ai tenté pour effacer mon crime. Les plaisirs, la chasse aux corneilles, la langue erse[124] (il en déclame quelques phrases), le laudanum (il porte le flacon à ses lèvres), les nuits à la belle étoile. En vain ! Son spectre me pourchasse. La coco, voilà mon lot… Ah ! L'anéantissement ! La panthère noire ! En poussant un cri il disparut soudain et le panneau se referma. Un instant plus tard sa tête apparut à la porte opposée et il dit : Venez me retrouver à la station de Westland row à onze heures et dix minutes. Il avait disparu ! Les larmes jaillissaient des yeux de tous ces libertins. Le voyant leva la main vers le ciel et murmura : La vendetta de Mananaan ! Le sage répéta *Lex talionis*. Le sentimental est celui qui voudrait le profit sans assumer la dette accablante de la reconnaissance. Malachias, vaincu par l'émotion, s'interrompit. Le mystère était dévoilé. Haines était le troisième frère. Son vrai nom était Childs. La panthère noire était elle-même le spectre de son propre père[125]. Il prenait des stupéfiants pour effacer. Pour ce bon office, grand merci. La solitaire maison près du cimetière[126] est inhabitée. Pas une créature humaine ne voudrait vivre là. L'araignée file sa toile dans la solitude. Le rat nocturne montre son museau au bord de son trou. Elle est maudite. Elle est hantée. Propriété du meurtrier.

Quel est l'âge de l'âme humaine[127] ? De même qu'elle a la vertu du caméléon de changer de couleur à chaque voisinage nouveau, d'être gaie avec ceux qui se réjouissent et triste avec ceux qui sont abattus, de même son âge varie avec son humeur. Le Léopold qui est assis-là à ruminer, à remâcher ses souvenirs, n'est plus cet agent de publicité rassis qui est porteur de modestes rentes sur l'État[128]. Il est le jeune Léopold, comme dans un arrangement rétrospectif[129], miroir dans un miroir (hé, hop !) il se contemple. Cette jeune silhouette d'alors, mâle avant l'âge, il la voit qui par un matin de gel va de la vieille maison de Clanbrassil Street au collège, son cartable en bandoulière, et dedans un bon quignon de pain blanc taillé à la miche, attention maternelle. Ou bien c'est la même silhouette, un an ou deux plus tard, avec son premier castor (ah, quelle date dans sa vie !) qui fait déjà sa tournée en qualité de voyageur en pied pour la maison de commerce paternelle, muni d'un carnet de commandes, d'un mouchoir parfumé (pas seulement pour la montre), d'un écrin de brillants brimborions (choses, hélas, du passé !) et d'un plein carquois de sourires complaisants pour telle ou telle ménagère à moitié convaincue qui calcule le prix en comptant sur ses doigts, ou pour une vierge fraîche éclose qui accepte timidement (mais le cœur y était-il ?) ses savants baisemains[130]. Le parfum, les sourires mais plus encore les yeux noirs, les manières onctueuses lui faisaient rapporter au soir de nombreuses commandes au chef de la maison de commerce qui après d'analogues besognes fumait sa pipe Jacob au coin du feu traditionnel (un plat de nouilles, tenez-le pour assuré, y est au chaud) et lisait avec des lunettes de corne[131] quelque feuille venue d'Europe et vieille d'un mois. Mais hop ! le miroir s'embue et le jeune chevalier errant recule, se réduit jusqu'à ne plus être qu'un point imperceptible dans le brouillard. Le voilà paternel à son tour et ceux qui sont à ses côtés pourraient être ses fils. Qui sait ? Malin le père qui connaît son propre fils[132]. Il se rappelle une nuit de bruine dans Hatch Street, là, tout près des entrepôts, la première. Ensemble (elle, une pauvre épave, une fille perdue, à vous, à moi, à tout venant pour un misérable shilling et deux sols de denier à dieu), ensemble ils entendent les pas pesants du guet tandis que deux ombres encapuchonnées dépassent la Nouvelle Université Royale. Bridie ! Bridie Kelly ! Jamais il n'oubliera ce nom, toujours il se souviendra de cette nuit, cette première nuit, la nuit nuptiale[133]. Ils sont enlacés dans l'abîme de l'ombre, le sacrificateur et sa victime, et dans un instant (*fiat !*) la lumière inondera le monde. Les cœurs palpitaient-ils à l'unisson ? Non, aimable lectrice. Dans un souffle tout fut consommé, mais arrête ! Arrière ! Cela ne se peut ! De terreur elle fuit, la pauvre enfant, dans l'ombre. Elle est l'épouse des ténèbres, une fille de la nuit. Elle ne saurait porter l'enfant vermeil du jour. Non, Léopold ! Ni le nom ni le souvenir ne t'apaisent. Elle t'a quitté, cette illusion de sa jeune force, et sans fruit. Tu n'as à ton côté nul fils né de toi. Personne qui maintenant soit pour Léopold ce que Léopold fut pour Rodolphe.

Les voix se marient et se fondent[134] en un silence nébuleux : un silence qui est l'infini de l'espace[135] ; et vite, en silence, l'âme aspirée plane au-dessus de régions de cycles des cycles de générations qui furent. Une région où le gris crépuscule descend toujours sans jamais tomber sur de vastes pâturages vert amande, versant sa cendre, éparpillant sa perpétuelle rosée d'étoiles. Elle suit sa mère à pas empruntés, une jument qui guide sa pouliche. Fantômes crépusculaires cependant pétris d'une grâce prophétique, svelte, croupe en amphore, col souple et tendineux, douce tête craintive. Ils s'évanouissent, tristes fantômes : plus rien[136]. Agendath est une terre inculte, la demeure de l'orfraie[137] et du myope upupa. Netaïm la splendide n'est plus. Et sur la route des nuées ils s'en viennent, tonnerre grondant de la rébellion, les fantômes de bêtes. Houhou ! Hélà ! Houhou ! Parallaxe[138] piaffe par derrière et les aiguillonne, les éclairs lancinants de son front sont des scorpions. L'élan et le yak, les taureaux de Bashan et de Babylone[139], le mammouth et le mastodonte en rangs serrés s'avancent vers la mer affaissée, *Lacus Mortis*. Troupe zodiacale de mauvais augure et qui crie vengeance ! Ils gémissent en foulant les nuages, cornes et capricornes, trompes et défenses, crinières léonines, andouillers géants, mufles et groins, ceux qui rampent, rongent, ruminent, et les pachydermes, multitude mouvante et mugissante, meurtriers du soleil.

Tout droit vers la mer morte leurs pas les mènent boire, inassouvis et en d'horribles goulées, le flot dormant, salé, inépuisable. Et le prodige équestre de nouveau croît et se hausse dans le désert des cieux à la taille même des cieux jusqu'à recouvrir, démesuré, la maison de la Vierge. Et voici que, prodige de métempsycose, c'est elle, l'épouse éternelle, avant-courrière de l'étoile du matin, l'épouse, toujours vierge. C'est elle, Martha, douceur perdue, Millicent, la jeune, la très chère, la radieuse. Comme elle est à présent sereine à son lever, reine au milieu des Pléiades, à l'avant-dernière heure antélucienne, chaussée de sandales d'or pur, coiffée d'un voile de machinchose fils de la vierge ! Il flotte, il coule autour de sa chair stellaire et ondoie et ruisselle d'émeraude, de saphir, de mauve et d'héliotrope, suspendu dans des courants glacés de vent interstellaire, sinuant, se lovant, tournant nos têtes, tordant dans le ciel de mystérieux caractères au point qu'après des myriades de métamorphoses il flamboie, Alpha, rubis, signe triangulé sur le front du Taureau[140].

Francis rappelait à Stephen ces jours lointains[141] où ils fréquentaient ensemble au collège, du temps de Conmee. Il l'interrogeait sur Glaucon, Alcibiade, Pisistrate. Où étaient-ils maintenant ? Nul ne le savait. Vous avez parlé du passé et de ses fantômes, disait Stephen. Pourquoi penser à eux ? Si je les rappelle à la vie à travers les eaux du Léthé, est-ce que les pauvres fantômes ne se rassembleront pas à mon appel ? Qui pense cela ? Moi, Bous Stephanoumenos, barde bienfaiteurdubœuf qui suis leur seigneur et leur donne la vie. Il ceignit ses cheveux ébouriffés d'une couronne de feuilles de vigne en souriant à Vincent. Cette réponse et ces feuilles, lui dit Vincent, vous feront une parure plus convenable quand quelque chose de plus, de beaucoup plus qu'une poignée de poésies fugitives pourra se réclamer de votre génie comme d'un père[142]. Tous ceux qui vous veulent du bien en forment le vœu. Tous désirent vous voir réaliser l'œuvre que vous méditez. Je souhaite de tout mon cœur que vous ne veniez pas à leur manquer. Oh non, Vincent, dit Lenehan, en posant une main sur cette épaule qui était près de lui, ne craignez rien. Il ne pourrait pas laisser sa mère orpheline. Le visage du jeune homme s'assombrit. Tous purent voir combien lui était pénible qu'on lui rappelât sa promesse et son deuil récent. Il aurait quitté la fête si le vacarme des voix n'avait amorti sa douleur cuisante. Madden avait perdu cinq drachmes sur Sceptre par caprice, à cause du nom du jockey ; et Lenehan autant. Il leur narra la course. Le drapeau s'abaissa et, ouste, hop ! à fond de train, la jument fraîche et dispose prit son élan montée par Madden. Elle menait le peloton. Tous les cœurs battaient. Phillis elle-même ne se contenait plus. Elle agitait son écharpe et criait : Vivat ! Sceptre gagne ! Mais dans la ligne d'arrivée, alors qu'ils se suivaient tous de près, Jetsam, l'outsider, arrive à sa hauteur, l'atteint, la dépasse. Maintenant tout était perdu[143]. Phillis gardait le silence ; ses yeux, de tristes anémones. Ô Junon ! cria-t-elle, je suis ruinée. Mais son amant la consola et lui porta un beau coffret doré garni de quelques confits oblongs auxquels elle goûta. Elle laissa tomber une larme : une seule. W. Lane, c'est une cravache numéro un, dit Lenehan. Quatre gagnants hier et trois aujourd'hui. Quel jockey pourrait se mesurer avec lui ? Faites-le monter un chameau ou un bougillon de buffle, il gagnera toujours au trot de promenade. Mais supportons-le à l'antique. Pitié aux malchanceux ! Pauvre Sceptre ! s'exclama-t-il avec un léger soupir. Une pouliche qui n'est plus ce qu'elle était. Jamais, sur ma tête, nous ne verrons sa pareille. Mordieu, monsieur, c'était une reine. Vous la rappelez-vous, Vincent ? J'eusse voulu ce jour que vous vissiez ma reine, dit Vincent, qu'elle était jeune et radieuse (Lalagé[144] auprès d'elle eût vu sa beauté pâlir) avec ses souliers jaunes et sa robe de mousseline, je n'en sais pas au juste le nom. Les marronniers qui nous ombrageaient étaient en fleur ; l'air était surchargé de leurs parfums persuasifs et du pollen qui voltigeait autour de nous. Dans les taches du soleil on aurait pu facilement faire cuire sur une pierre quantité de ces brioches aux raisins de Corinthe que Périplépoménos vend dans sa baraque près du pont. Mais elle n'avait rien à croquer si ce n'est le bras que j'avais passé autour d'elle et qu'elle mordillait malicieusement quand je la serrais un peu trop fort. Il y a une semaine elle était malade, quatre jours allongée sur son lit de repos, mais aujourd'hui libérée, leste, elle bravait le danger. C'est alors qu'elle est le plus prenante. Et ses bouquets donc ! Quelle petite folle, ce qu'elle en a cueilli tandis que nous étions étendus côte à côte ! Et ceci entre nous mon bon ami, vous ne devinerez jamais qui nous avons rencontré comme nous sortions du champ. Conmee en personne ! Il longeait la haie en lisant son bréviaire j'imagine, qui contenait sûrement pour marquer la page quelque spirituel billet de Glycère[145] ou de Chloé. La douce créature toute confuse piqua un soleil, affectant de s'en prendre à un léger désordre en sa toilette[146] : une brindille s'était accrochée là, car les arbres même l'adorent. Quand Conmee fut passé, elle jeta un regard à son délicieux double dans le petit miroir qu'elle porte sur elle. Mais Conmee s'était montré plein de bonté. En passant il nous avait bénis. Les dieux aussi sont toujours pleins de bontés, dit Lenehan. Si j'ai eu de la malchance avec la jument de Bass peut-être que ce sien breuvage me sera plus propice[147]. Malachie le vit et retint son geste, lui désignant l'étranger et l'étiquette rouge. Discrètement Malachie murmura : Gardez un silence de druide. Son âme est loin d'ici. Il est peut-être moins douloureux d'être tiré du ventre maternel que d'être tiré d'un rêve. Tout objet considéré avec intensité est une porte d'accès possible à l'incorruptible éon des dieux. N'est-ce pas votre avis, Stephen ? Théosophos[148] me l'a appris, répondit Stephen, lui que dans une existence antérieure les prêtres égyptiens ont initié aux mystères de la loi Karmique. Les seigneurs de la lune, m'a dit Théosophos, toute une cargaison vif orange venue de la planète Alpha de la chaîne lunaire, n'ont pas voulu faire corps avec les doubles éthériques et c'est pourquoi les egos écarlates de la seconde constellation les ont incarnés.

Pourtant, sûr et certain que la supposition absurde à son sujet[149] qu'il était dans une espèce de marasme ou d'hypnose, et qui était entièrement due à une conception aussi erronée que superficielle, ne répondait pas du tout à la réalité. L'individu dont les organes visuels, pendant que se passait tout ceci, commençaient à manifester en cette conjoncture quelques symptômes d'animation, était aussi astucieux sinon plus que nul au monde et celui qui se serait imaginé le contraire se serait mis complètement dedans. Depuis quatre ou cinq minutes il était en arrêt devant un stock de bouteilles de bière extra manufacturées par MM. Bass et Cie à Burton-sur-Trent, qui se trouvaient par hasard parmi d'autres bouteilles juste en face de lui et qui certainement avaient tout ce qu'il fallait pour attirer l'attention grâce à leur étiquette rouge sang. Il était purement et simplement, ainsi que cela transpira par la suite, et pour des raisons connues de lui seul qui donnaient aux actes une tout autre couleur, après les observations précédentes sur les années d'adolescence et sur le turf, en train de se rappeler deux ou trois de ses transactions privées dont les deux autres étaient mutuellement aussi innocents que l'enfant qui vient de naître. Il arriva cependant que leurs quatre yeux se rencontrèrent et dès qu'il eut l'intuition que l'autre essayait d'atteindre l'objet pour se servir il décida malgré lui de le servir lui-même et se saisit donc du récipient de verre de dimensions moyennes qui contenait le liquide convoité et y fit un grand vide en versant une bonne partie de son contenu en même temps que cependant toutefois il déployait une attention considérable afin de ne rien verser à terre de la bière qui était dedans.

La discussion qui suivit fut par son objet et son développement un épitomé du cours de l'existence. Ni le lieu ni l'assemblée ne manquaient de dignité. Les controversistes étaient les plus subtils du pays, le thème qu'ils traitaient le plus noble et le plus important. La grand'salle, au toit élevé, de la maison de Horne n'avait jamais vu assemblée si représentative et si variée et les vieilles poutres de cet établissement n'avaient jamais entendu langage aussi encyclopédique. En vérité cela faisait un superbe tableau. Crotthers était là, au bout de la table, dans son pittoresque costume de highlander, le visage coloré par l'air marin du Mull de Galloway[150]. Là aussi, en face de lui, se tenait Lynch dont les traits portaient déjà les stigmates d'une dépravation précoce et d'une sagesse prématurée. Près de l'Écossais était la place assignée à Costello l'excentrique tandis qu'à côté de celui-ci se carraient lourdement les formes trapues de Madden. À la vérité le siège du maître de maison restait vacant devant la cheminée mais, à droite et à gauche, la silhouette de Bannon en tenue d'explorateur, culottes de croisé et brodequins de cuir de vache tanné, contrastait vivement avec l'élégance primevère et les façons citadines de Malachie Roland St Jean Mulligan[151]. Enfin à l'autre bout de la table était le jeune poète qui venait se délasser de ses travaux pédagogiques et de ses investigations métaphysiques dans l'atmosphère accueillante d'un entretien socratique, tandis qu'à ses côtés avaient trouvé place le pronostiqueur inconsidéré qui venait en droite ligne de l'hippodrome et ce vigilant voyageur souillé par la poussière de la route et du combat et taché de la boue d'un déshonneur indélébile, mais dans le cœur ferme et constant duquel nul appât, nul péril, nulle menace, nulle dégradation ne put jamais effacer l'image de cette beauté voluptueuse que le crayon inspiré de Lafayette enlumina pour des âges à venir[152].

Il est bon de mentionner ici dès le début que le transcendantalisme[153] perverti dans lequel les controverses de M. S. Dedalus (Théo. Scep.) paraissaient prouver qu'il versait plus que de raison, va directement contre les méthodes scientifiques reconnues. La science, on ne saurait trop le répéter, est tributaire des phénomènes naturels. L'homme de science doit comme le commun des mortels affronter les faits prosaïques avec lesquels il est impossible de tricher, et les expliquer du mieux qu'il peut. À vrai dire, il y a certaines questions auxquelles la science ne peut répondre — quant à présent — telles que le premier problème proposé par M. L. Bloom (Ag. De Pub.) concernant la future détermination du sexe. Devons-nous accepter l'opinion d'Empédocle de Trinacria qu'à l'ovaire droit (à la période post-menstruelle affirment d'autres) est dû l'engendrement des enfants mâles ? ou bien les spermatozoïdes ou némaspermes trop longtemps négligés seraient-ils les facteurs de différenciation, ou encore faudrait-il l'attribuer, comme un grand nombre d'embryologistes parmi lesquels Culpepper, Spallanzani, Blumenbach, Lusk, Hertwig, Léopold et Valenti[154] inclinent à le croire, à une combinaison des deux ? Ceci équivaudrait à une coopération (un des procédés chers à la nature) entre le *nisus formativus* du némasperme d'une part, et une position favorable, *succubitus felix*, de l'élément passif, de l'autre. L'autre problème posé par le même investigateur est à peine moins vital : la mortalité infantile. Sujet intéressant parce que, comme il le fait justement remarquer, si nous naissons tous de la même manière, nous mourrons tous de façon différente. M. M. Mulligan (Hygiéniste et Eugéniste) s'élève contre les conditions sanitaires dans lesquelles les citadins aux poumons grisâtres contractent des adénoïdites, des affections de l'appareil respiratoire, etc., par l'inhalation des bactéries embusquées dans les poussières. Ces facteurs, déclare-t-il, et les spectacles révoltants qu'offrent nos rues, hideuses affiches de publicité, ministres de tous cultes et de toutes confessions, soldats et marins mutilés, conducteurs de tram qui étalent leur scorbut, carcasses d'animaux morts qui pendent aux étalages, célibataires paranoïaques et duègnes infécondées, — ces facteurs, disait-il, étaient les seuls responsables de la décadence des qualités intrinsèques de la race. La callipédie, prophétisa-t-il, serait bientôt d'un usage courant, et tous les agréments de la vie, la bonne musique authentique, une littérature récréative, une aimable philosophie, des tableaux instructifs, des moulages d'après l'antique tels que Vénus et Apollon, des photographies artistiques en couleurs de bébés primés, toutes ces petites attentions permettraient aux dames qui se trouveraient dans une situation intéressante de passer les mois intermédiaires de la façon la plus agréable. M. J. Crotthers (Disc. Bacc.) attribue certains de ces décès au traumatisme abdominal chez les femmes laborieuses soumises à des travaux de force dans les ateliers et assujetties en outre à la discipline conjugale, mais surtout, pour la grande majorité, à la négligence privée ou officielle dont le comble est l'abandon des enfants nouveau-nés, la pratique criminelle de l'avortement et le crime atroce de l'infanticide. Quoique la première (nous voulons dire la négligence) ne soit évidemment que trop réelle, le cas qu'il cite d'infirmières oubliant de compter les éponges dans la cavité péritonéale est trop rare pour servir de norme. En somme, quand on y réfléchit, l'étonnant est que tant de grossesses et d'accouchements se passent aussi bien, tout compte fait, et en dépit de notre imperfection qui va souvent contre les intentions de la nature. Une suggestion ingénieuse est celle que met en avant M. Lynch (Bacc. Math.), qu'à la fois la natalité et la mortalité, aussi bien que tous les autres phénomènes d'évolution, mouvements des marées, phases lunaires, températures sanguines, maladies en général, tout, en un mot, dans l'immense atelier de la nature, depuis l'extinction de quelques soleils lointains jusqu'à la floraison de l'une des innombrables fleurs qui embellissent nos jardins publics, est soumis à une loi du nombre non encore déterminée. Néanmoins la brutalité de cette simple question : pourquoi l'enfant né de parents bien portants, lui-même d'apparence vigoureuse, et convenablement soigné, succombe-t-il inexplicablement dans sa première enfance (alors que d'autres enfants du même lit survivent), doit certainement, selon les paroles du poète, nous donner à penser[155]. La nature, il n'en faut pas douter, a, pour tout ce qu'elle fait, de bonnes et puissantes raisons, et, selon toutes probabilités, de tels décès sont imputables à quelque loi d'anticipation suivant laquelle des organismes, où des germes morbides se sont fixés (la science moderne a montré d'une façon concluante que seule la substance plasmique peut être considérée comme immortelle), tendent à disparaître à un degré de développement de plus en plus précoce, disposition qui bien qu'elle blesse certains de nos sentiments (notamment le sentiment maternel) est néanmoins, selon quelques-uns d'entre nous, bienfaisante à la longue pour l'ensemble de la race en ce qu'elle assure par ce moyen la survivance des plus aptes[156]. La remarque de M. S. Dedalus (Theo. Scep.) — ou faut-il l'appeler une interruption ?

— qu'un être omnivore qui peut mastiquer, déglutir, digérer et faire apparemment passer par le canal ordinaire avec une imperturbabilité plusqueparfaite [157] des éléments aussi divers que les femmes cancéreuses dévastées par les accouchements, les gros messieurs des professions libérales, sans parler des politiciens bilieux et des religieuses chlorotiques, pourrait peut-être trouver quelque soulagement gastrique à une innocente collation de flanchet de meuglard, révèle mieux que n'importe quoi et sous un jour répugnant la tendance mentionnée plus haut. Pour éclairer la religion de ceux qui n'ont pas une connaissance aussi approfondie des minutieux rouages de l'abattoir municipal que celle que cet esthète morbide et philosophe dans l'œuf qui, malgré sa vanité présomptueuse pour les choses de la science, peut à peine distinguer un acide d'un alcali, s'enorgueillit d'avoir, il faut sans doute préciser que flanchet de meuglard, dans le parler grossier de nos gargotiers de dernière catégorie, signifie la chair comestible et accommodable d'un veau qui sort du ventre de sa mère. Au cours d'une récente controverse publique avec M. L. Bloom (Ag. De Pub.) qui avait lieu dans le grand parloir de la Maternité, 29, 30 et 31 Holles Street, dont, comme chacun sait, le Dr A. Horne (Médecin-accoucheur, Membre de la Faculté de Médecine d'Irlande) est le savant et sympathique directeur, il aurait dit, d'après des témoins oculaires, qu'une femme, du moment qu'elle a laissé entrer le diable dans le bénitier (sans doute une allusion esthétique à l'un des procédés les plus compliqués et les plus merveilleux de la nature, l'acte du congrès sexuel), est forcée de le laisser ressortir c'est-à-dire de lui donner la vie, ainsi qu'il l'exprima, pour sauvegarder la sienne. Au péril de la sienne, fut la réplique lapidaire de son interlocuteur, réplique non moins opérante par le ton plein de modération sur lequel elle avait été formulée.

Sur ces entrefaites l'adresse et la patience du médecin avaient amené un heureux *accouchement*[158]. Ç'avait été un long labeur et pour la patiente et pour le praticien. Tout ce que l'habileté de l'homme de l'art pouvait faire fut fait, et la vaillante femme y avait aidé avec un courage viril. Ce qui s'appelle aider. Elle avait combattu le bon combat[159] et maintenant elle était très, très heureuse. Ceux qui ont quitté cette vie, qui sont partis les premiers, sont heureux eux aussi quand ils contemplent en souriant la scène touchante. Regardez-la avec respect tandis qu'elle repose là, les yeux pleins de la flamme maternelle, cette ardente nostalgie des petits doigts du poupon (n'est-ce pas adorable à voir ?) dans la fleur de sa toute nouvelle maternité, pendant qu'elle exhale une silencieuse action de grâces à Celui qui est là-haut, l'Universel Époux. Et tandis que ses yeux pleins de tendresse contemplent son enfant, elle ne désire plus qu'une autre bénédiction, celle d'avoir là avec elle son cher Doady[160] pour partager sa joie, celle de déposer dans ses bras cet atome de la divine argile, ce fruit de leurs légitimes étreintes. Il a vieilli (nous pouvons bien vous et moi vous le confier tout bas) et ses épaules se sont légèrement courbées, mais au cours de la sarabande des années[161] une grave dignité lui est venue à ce consciencieux aide-comptable de la Ulster Bank, agence de College Green. Oh ! Doady, bien aimé de jadis, fidèle compagnon d'aujourd'hui, il ne sera plus jamais, ce temps lointain des roses ! Avec ce mouvement familier de sa jolie tête[162] qu'elle a gardé elle se rappelle ces anciens jours. Mon Dieu, qu'ils sont beaux aujourd'hui, à travers la brume des ans ! Mais leurs enfants, son imagination les voit groupés autour de son lit, les siens à elle, les siens à lui,

Charles, Marie-Alice, Frédéric-Albert (s'il avait vécu), Manou, Baba (Victoria-Françoise), Tom, Violette-Constance-Louise, le petit Bobsy chéri (à qui on avait donné le nom de notre fameux héros de la guerre Sud-Africaine, lord Bobs de Waterford et Candahar), et ce dernier gage que voilà de leur union, un Purefoy s'il s'en fut, avec le vrai nez des Purefoy. Ce jeune espoir sera baptisé Mortimer Édouard comme le cousin au troisième degré de M. Purefoy, un homme influent qui est dans les bureaux de la Trésorerie, au Gouvernement[163]. Et c'est ainsi que le temps va son petit bonhomme de chemin : mais ici le vieux Chronos a eu la main légère. Non, qu'aucun soupir ne s'échappe de ton sein, douce Mina. Et vous, Doady, secouez les cendres de votre pipe, cette pipe de bruyère si bien culottée que vous chérirez encore quand le couvre-feu tintera pour vous (le plus tard possible espérons-le !), et maintenant soufflez la lumière avec laquelle vous lisiez dans le Saint Livre, car voilà que l'huile a baissé dans la lampe, et d'un cœur paisible il faut aller vers votre couche, le lieu de votre repos. Il sait et Il vous appellera à l'heure de Son choix. Vous aussi vous avez mené le bon combat et tenu loyalement votre rôle d'homme. Touchez-là, monsieur. Voilà qui est bien, ô bon et fidèle serviteur[164] !

Il est des péchés[165] ou (appelons-les comme le monde les appelle) de coupables souvenirs qui sont cachés par l'homme dans les recoins les plus sombres de son cœur mais qui demeurent là et attendent. Il peut laisser s'estomper ces souvenirs, faire qu'ils soient comme s'ils n'avaient jamais été, se persuader presque qu'ils ne furent point ou tout au moins qu'ils furent autres. Mais le hasard d'un mot les évoquera soudain et ils se dresseront en face de lui dans les circonstances les plus diverses, vision ou rêve, ou pendant que le tambour de basque et la harpe charment ses sens ou dans la paix fraîche et argentée du soir ou au milieu du banquet, à minuit, alors qu'il est alourdi de vin. Non qu'elle vienne pour le couvrir d'opprobre, cette vision, comme s'il avait encouru sa colère, non pour se venger en le retranchant du nombre des vivants, mais sous le linceul du passé, vêtement pitoyable, en silence, lointaine, vivant reproche.

L'étranger regardait encore sur ce visage en face de lui[166] disparaître ce faux calme imposé, semblait-il, par l'habitude ou quelque manœuvre étudiée, à des paroles si amères qu'elles dénonçaient chez leur auteur un penchant morbide, une prédilection[167] pour les choses crues de la vie. Et voilà que dans la mémoire de l'auditeur se dessine une scène évoquée dirait-on par un mot d'une aussi simple familiarité que si ces jours eussent été réellement là présents (comme le pensaient certains) avec leurs plaisirs offerts. Un coin de pelouse bien tondue, une suave soirée de mai, le massif de lilas qu'il ne saurait oublier, à Roundtown[168], pourpres et blancs, spectateurs élancés et odorants de la partie, qui suivent cependant avec un intérêt soutenu les petites boules tandis qu'elles roulent lentement sur la pelouse ou se heurtent et s'arrêtent, côte à côte, dans un choc prompt et bref. Et plus loin autour de cette vasque grise où l'eau bouge parfois dans sa moiteur songeuse voici une autre et non moins suave théorie, réunion de sœurs, Floey, Adine, Toinette[169], et leur plus brune compagne avec je ne sais quoi dans sa pose qui retient, Notre Dame des Cerises, avec deux gracieuses cerises en pendant d'oreille, et dont le teint chaudement exotique ressort à merveille contre le fruit frais et ardent. Un petit garçon de quatre ou cinq ans vêtu de basin (c'est la saison des fleurs, mais il fera bon près de l'âtre lorsqu'avant longtemps on ramassera et rentrera les boules) est debout sur les bords de la vasque, maintenu par la chaîne de ces tendres mains d'adolescentes. Il fronce un peu le sourcil, exactement comme le fait ce jeune homme en ce moment[170], peut-être avec un dégoût trop déclaré du danger, mais il éprouve le besoin de regarder de temps en temps vers le lieu d'où sa mère le surveille, une *piazetta* qui donne sur l'enclos fleuri, avec une faible lueur de mécontentement ou de reproche (*alles Vergängliche*[171]) dans ses yeux d'heureuse mère.

Remarquez encore ceci et souvenez-vous[172]. La fin vient brusquement. Entrez dans cette antichambre de la naissance où sont rassemblés ces hommes studieux et examinez leurs visages. Rien là, semble-t-il, d'aventuré ni de violent. Plutôt la quiétude protectrice qui convient à leur charge dans cette maison, la garde vigilante des bergers et des anges autour d'une crèche à Bethléem de Judée, au temps jadis. Mais de même qu'avant l'éclair les nuages amoncelés de l'orage, lourds de leur excessive surcharge d'humidité, de leurs masses enflées, distendues, turgescentes, englobent ciel et terre dans une torpeur une et totale, suspendues sur les champs desséchés, les bœufs somnolents, la végétation brûlée des buissons et les frondaisons vertes jusqu'à ce qu'en un instant l'éclair crève leur centre et qu'avec les roulements répercutés du tonnerre l'averse tombe à torrents, ainsi et non autre fut la transformation violente, instantanée, aussitôt que fut prononcé le Mot[173].

Chez Burke[174] ! En tête file monseigneur Stephen, donnant de la voix, et après lui les quatre pelés et le tondu, le jeune coq, le chimpanzé, le parieur, le diafoirus, et le ponctuel Bloom sur leurs talons, et l'assaut furieux vers les chapeaux, cannes de frêne, rapières, panamas et fourreaux, alpenstock de Zermatt et quoi encore. Jeunesse dédalienne et gaillarde, un torrent de sang bleu. L'infirmière Callan prise de court dans le corridor ne peut les arrêter ni le souriant accoucheur qui descend l'escalier avec la nouvelle de l'expulsion du délivre qui pèse sa bonne livre, pas un milligramme de moins. Hare ! lui crient-ils. La porte ! C'est ouvert ? Ah ! Ils sortent dans un grand hourvari, piquent un pas de course à toutes jambes, chez Burke au coin des rues Denzille et Holles leur but ultérieur. Dixon suit, les sermonnant vertement, mais lâche un jurement, lui aussi, et en avant ! Bloom s'arrête une seconde avec l'infirmière pour lui confier quelque bonne parole à l'adresse de la mère et du nourrisson là-haut. Docteur Repos et Docteur Régime. Est-ce qu'elle aussi ne paraît pas tout autre à présent ? L'histoire des nuits blanches dans la maison de Horne se lit dans cette pâleur de papier mâché. Alors tous étant partis, inspiré par son esprit d'à-propos, il lui murmure de tout près en s'en allant : Madame, quand viendra-t-elle vous visiter la cigogne ?

L'air au dehors est imprégné de moite rosée pluviale, céleste essence de vie, qui brille là sur le pavé de Dublin sous le *cœlum* clairstellé. L'air sacré, l'air du Père Universel, l'air scintillant, circumambiant, cessile. Aspire-le jusqu'en tes profondeurs. Par Dieu, Théodore Purefoy, tu as fait de la belle besogne, et pas de bousillage ! Tu es, sur ma foi, le plus remarquable géniteur sans en excepter un de cette barguigneuse encyclopédique et chaotique chronique. Effarant ! En elle gisait, don de Dieu, une possibilité à l'image de Dieu, que tu as fait fructifier avec une parcelle de tes œuvres viriles. Colle à elle ! Sers-la ! Besogne, travaille comme un vrai mâtin et envoie promener savantins et malthusiastes. Leur pluriel papa, tu l'es, Théodore. Tu fléchis sous le fardeau, lapidé par les notes du boucher à domicile et les lingots d'or (pas les tiens !) à la banque ? Tête haute !

Pour chaque nouvel engendré tu récolteras ton gomor de blé mûr[175]. Vois, ta toison est trempée[176]. Envierais-tu ce Philémon Durand et sa Baucis ? Un geai hypocrite et un roquet chassieux, voilà toute leur progéniture. Pouah, te dis-je ! C'est un âne bâté, une moule achevée, sans vigueur et sans vie, qui ne vaut pas les quatre fers d'un chien. Copulation sans repopulation ! Non et non ! Un massacre des innocents à la Hérode, voilà comme je l'appelle. Des légumes, en vérité, et une cohabitation inféconde ! Donne-lui des biftecks rouges, crus, saignants ! Elle n'est qu'un vénérable pandémonium de maux, glandes hypertrophiées, oreillons, esquinancie, oignons, fièvre des foins, escarres, impétigo, rein flottant, goitre, verrues, crises hépatiques, lithiase biliaire, pieds froids, varices. Trêve de lamentations, de *de profundis*, de jérémiades, de toute cette congénitale et funèbre musique[177]. Tu as eu vingt ans de ça, ne le regrette pas. Avec toi ce n'est pas comme avec ce tas de gens qui veulent, qui voudraient, qui attendent et ne font jamais rien. Tu as trouvé ton Amérique[178], ton programme de vie, et tu t'es rué pour la saillir comme le bison transatlantique. Que dit donc Zarathoustra ? *Deine Kuh Truebsal melkest Du. Nun trinkst Du die suesse Milch des Euters*[179]. Regarde ! Il fuse pour toi en abondance. Bois-en, mon brave, à plein pis ! Le lait maternel, Purefoy, le lait de l'espèce humaine[180], le lait aussi de ce bourgeonnement d'étoiles au-dessus de nos têtes, qui rutile dans la fine vapeur d'eau, un lait de poule analogue à celui que ces débauchés avaleront dans leur bousingot, le lait de la folie, le miel-lait du pays de Chanaan. Le trayon de ta vache était dur, qu'importe ! Son lait n'est-il pas chaud et sucré et engraissant ? Ce n'est pas de la petite bière ceci, mais de l'épais, du riche babeurre.

Allons, vieux patriarche ! Tette ! *Per deam Partulam et Pertundam*[181] *nunc est bibendum !*

Tous partis en bombe bras dessus bras dessous ils dévalent la rue en vociférant. Voyageurs de bonne foi[182]. Où qu'vsavez couch' l'aut' nuit ? Timothée de la moque ébréchée[183]. À la tant que ça peut. Avez-vous des vieux pépins, des bottes de caoutchouc à vendre ? Oùs qu'est foutu le calouquet et le chand d'habits ? Macache, moi rien savoir. Hourra là, Dixon ! Voyez rubans ! Où qu'c'est qu'est Punch ? Beau fixe. Garche, zieutez-moi le pasteur brindezingue qui sort de l'hosto. *Benedicat vos omnipotens Deus Pater et Filius.* Un petit sou, m'sieur. Les gas de Denzille lane[184]. Je vous emmerde ! Foutez le camp ! Ça colle, Anatole, envoyez-les promener hors des sacrés feux de la rampe. Vous v'nez t'y avec nous aut', cher Mossieu ? Pas d'intromission dans la vie privée. Li boucoup bon moussié. Tout ça li même tas là. *En avant mes enfants !* Au canon numéro un, feu ! Chez Burke ! De là ils avancèrent de cinq parasanges[185]. L'air est pur la route est large[186], où est ce bougre d'officemar ? Le pasteur Steve, credo d'apostats ? Non, non. Mulligan ? Oh ! de l'arrière ? Poussez de l'avant ! Perdez pas le cadran de vue. L'heure du bouclage[187]. Mullee ? Qu'est-ce que tu prends ? *Ma mère m'a mariée.* Béatitudes Britanniques[188]. *Rataplan Digidi Boum Boum.* Les oui l'emportent. Le faire imprimer et relier à la Druiddrum Press par deux femelles pleines d'astuce. Les plats en veau vert pisseux. Dernier cri ès coloris artistiques Le plus bath bouquin paru de mon temps en Irlande. *Silentium !* Core un coup de reins. Tten-tion. Direction, la première cantoche et une fois dedans, réquisition des alcools. Avant, arche ! Marchons, marchons, qu'un vin impur (à droite, alignement !) abreuve nos gaviots[189]. Bière, bœuf, bazars, bibles, bouledogues, bateaux de guerre, bourriques, bondieuseries. Fût-ce sur l'échafaud, cette cime. Bièrebœuf marchefoulant les bibles. Quand pour l'Irlandouce[190]. Marchant sur les marchands. Foutreration ! Au pas, nom de dieu ! Nous tombons. Le bistro des Bichots. Section, halte ! Mettez en panne ! Rugby. La mêlée. Pas botter dehors. Aïho, mes petons ! Fait mal ? Épouvantablement désolé !

Disez-moi. Qui c'est qui rince ? Orgueilleux possesseur de peau de balle. Je passe la main. Dans les cordes. Ye n'ai pas oune rotin. Pâ un rond de la semaine. Et pour vous ? La bière de nos pères pour l'*Uebermensch*. Idem dito. Cinq Bass extra. Et vous monsieur ? Un cordialgingembre. Pige-moi ça, de la tisane de collignon. Ça vous réchauffe le dedans. Remonte sa tocante. S'arrêta tout court une fois pour toutes, quand le vieux[191]. De la verte pour moi, t'sais ? *Caramba !* Prends un œuf à l'alcool ou un prairie oyster. Combien de plombes ? Mon oignon est chez Ma Tante. Moins dix. Mille grâces. De rien. Traumatisme pectoral, pas, Dixon ? Patent. Edé biqué bar un pourdon guand il édait en drain de roupiller tans son pout te chartin. Il perche près de la Mater. Est de la confrérie de St Pris. Tu connais sa gonzesse ? Gy. J't'écoute. Passe pas par la porte. L'ai vue en dizabillet. Un déballage je ne te dis que ça. Une chouette chouchoute. Rien d'une vache maigre, fouchtra. Descends le store mon amour. Deux Guinness. Moi z'aussi. Maniez-vous. Si vous prenez une pelle prenez pas le temps de vous ramasser. Cinq, sept, neuf. Chic ! Elle vous a une de ces paires de mirettes, blague dans le coin. Elle d'offrir ses trains antéropostérieurs. Faut le voir pour le croire. Vos yeux désastres et votre cou albaplâtré m'ont ravi le cœur, ô mon petit Dardant. Monsieur ? Patate contre rhumatisse ? Turlutaines, sauf vot'respect. Pour le vulgum pecus. J'ons ben peur qu'tétions foncé tourte. Eh bien, docteur ? Retour ed Lapevinie ?

Votre flairosité merdicale à la hauteur ? Comment vont les squaws et leurs loupions ? Y en a-t-il une en train de mômir ? Avance à l'ordre. Mot de passe. Ça gaze. À nous la pâle mort et la rouge naissance. Hi ! Crachez en l'air ça vous retombe, patron. La dépêche du baladin. Chipé ça dans Meredith. Jesufiant testicouillard polypucique jésuite ! Ma tantine elle a écrit au Papa d'Kinch. Vilainvilain Stephen qui détourne le toutbon Malachie.

Harrou ! Attrape le ballon, mon petit. Passez la moussante. Véci, Jack l'brave Highlander, ta tisane d'avouene. Que longtemps feume ton touêt et beuille ton piot ! Ma lavasse. *Thank you*. À la nôtre. Faute ? Jambe devant le guichet. Gare de ne pas tacher mes culbutants batifs. Une pincée de poivre par ici, vous là-bas. Crochez dessus. Du cumin qui fait du chemin. Tu piges ? Silence au camp. Chaque gonze à sa gonzesse gironde. Venus Pandemos. Les petites femmes. La chtiote de Mullingar qui la connaît dans les coins. Dis-y que j'demandions après elle. T'nant Sarah par son encas, sus l'quemin ed Malahide. Moi ? Si celle qui a eu mon m'avait laissé que son nom. Qu'est-ce que vous voulez avoir pour neuf pence ? Machree, Macruiskeen. Une Gothon à passions pour la danse du sommier. Et un bon coup de nage ensemble. *Ex !*

Vous attendez, patron ? Sans l'ombrage d'un doute. Pouvez parier n'importe quoi. Vous v'la-t-il pas là comme un zabruti pour ça que les jaunets vous tombent pas dans le gousset. Perdu la comprenaise ? Il avons le pognon *ad lib.* N'a pas longtemps que j'y ai vu dans les trois sigues et qu'il m'a dit qu'c'était à sézigue. Voyez qu'on s'a amené toute site à vot'invite. À ton tour mon pote. Sors ton péze. Deux roues de devant et une crotte de pie. T'a z'appris c'truc là avec ceux filous d'Français d'là-bas. Ici c'est midi sonné. Ti zenfant-là l'est facé même. Bibi l'est l'plus malin moco de par zici ! La varité vraie, mon colon. Sommes point saou. Au réservoir, moussié. À s'rincervoir.

Pour sûr. Quoi vous dire ? Dans la buvette. Plein. Che fou fois, monchieu. Bantam, deux jours au ratafia de grenouille. Il pictonne éq du bordeaux. Chéqui ? Vise-le j'te dis. Outre, ça m'en mastique une fissure. Et il s'est fait gratter la couenne. Trop plein pour parler. Avec un mec du rub de rif. Comment qu't'as fait pour être si mûr ? Pour quel opéra qu'il en tient ? Étoile du Nord. Les toiles du. Au voleur, à l'assassin ! Un peu d'H2O pour çui qu'est dans les pommes. Reluque-moi les fleurs à Bantam. Jean-cul parent de Jean-fesse, il va se mettre à goualer. Ô ma blonde, ma toute blonde. Oh, la ferme ! Fous-y un bouchon à son égout collecteur. Il tenait le gagnant tantôt mais j'y ai refilé le fin tuyau. Que le rabouin il travaille la tronche à Stephen Hand qui m'a donné cette rossinante de goguenot. Il est tombé sur p'tit télégraphiste qui portait dépêche de la pelouse au dépôt pour la grosse légume d'Bass. Lui a lancé la pièce et vaporisé la dépêche. Jument forme épatante. Une guinée contre un pet de lapin. Des pêches ! Parole d'évangile. Manœuvre criminelle ? J'cré ben qu'oui. Plus que sûr. Ça pourrait bien le mener au bloc si le quart d'œil il flairait la combine. Madden n'a pas ri de son pari sur Madden. Luxure, notre refuge et notre force. Je me carapate. Obligé de filer ? M'en vais chez maman. Attention ! Quelqu'un pour cacher ma rougeur. Foutu si il me repère. À la niche, not'Bantam. Arvoir, mon ieux. Va pas zoublier les coucous pour la dame. Disez-moi. Qui c'est qui vous a donnai chti poulain-là ? Entre quat-z-yeux. Le vrai du vrai. À Jaime de la Pine, son époux. Pas de chiqué, mon vieux Léo. Je le jure, foi d'animal. Le diable m'emporte si j'ai eu. Voici un beau grand gros saint moine. Pourqvoi toi l'as pas dire moi ? Pen, j'tis, si c'est bas in tric de youtre, pen, ji feux pian ètre misha mishinnah. Par la sainte verge. *Amen.*

Motion acceptée ? Steve, mon pote, te v'là parti pour faire les quat'cents coups. Core des bondieu de liquides ? Le très munificentissime régaleur voudrait-il permettre à un régalé dont la plus extrême indigence n'a d'égale que sa colossale et incommensurable soif de terminer une libation chèrement commencée ? Laissez-nous le temps de souffler. Hôtelier, hôtelier, avez-vous du bon vin, tara-bara ? Pia, compère, eune ptiotine goutte pour veir. Revenez-y. Ça va Boniface ! Absinthe pour tous. *Nos omnes biberimus viridum toxicum diabolus capiat posteriora nostra*. Messieurs, on ferme. Hein ? Donnez du jus de la grand vergne à ce rupin de Bloom. Je vous entends parler d'oignons. Bloo ? Arcasine les annonces ? L'papa d'la p'tite Photo, rien que ça de chic. Joue tout doux, camarade. Filer à l'anglaise. Bonsoir la compagnie. Et les pièges de Lazzi-lof. *Lasses love !* Où c'est qu'est le buck et Ambroisien ? Filé sans payer ? Nous ont roulés. Ma foué, à c't'heure faut aller dret vot' ch'min. Échec et mat. Roi contre Tour. Bones hâmes aillez pitié d'un povre jeune homme privé de la clé de son cotage par son ami et donnai lui un coing pour déposer sa tette 7 nuit. Pristolette, j'suis un peu cuit. Que j'aille rôtir en enfer si ça n'est pas de toute ma vie la série la plus épatamment épastrouillante. Item, garçon, deux petits gâteaux pour ce petit nenfant. Fentre-Saint-Keut, nib de ça ! pas une pouchée de vromchi ? Aux chiottes la syphilis et tous ces salauds d'empoisonneurs patentés. On ferme. Qui circulent de par le monde.

Santé à tous. À la vôtre ! Cric-croc ! *Chin-chin !* Mince alors, par le riffaudeur à perpète, qui c'est-il que le malfoutu au machintoc ? Un bibi-la-purée. Pige-moi ses fringues. Bon sang de sort ! Qu'est-ce qu'il est en train de bouffer ? Ta bouche, bébé. C'est du Bovril, vertudienne. En a bougrement besoin. Tu connais-t-y Chaussettes-russes ? Le vieux miteux du Richmond ? J'te crois Benoît ! Il se figurait qu'il avait un dépôt de plomb dans le pénis. Insanité trompéraire. C'est nous qu'on l'appelle le Père-la-croûte. Ça, m'sieur, fut un temps qu'c'était un citoyen à la hausse. Voilà le pauvre haillonneux qu'épousa la belle aux grands yeux. Du coup elle en a avalé sa gaffe. Voyez, bonnes gens, le délaissé. Macintosh, Chevalier Errant de la Sierra. À la soupe et au pieu. L'heure réglementaire. Vingt-deux, v'là les flics. Siou-plaît ? C'est-il lui que j'lai vu ojord'hui au fumeterre ? C'est-il un pote à vous qu'a déposé son mandat ? Recscat ! Poves tits loupiots ! Toi va pas nous conter c'te là, Janik Bihan ! Vi fait ine zizique à tout casser à cose not' Padney à nous il a pati comme ça dans ine gande boîte noie ? Ensemble li nois Massa Pat l'été l'pli bon. Mi n'a zamé vi ça dipis qu'moin l'a né. Aoh, ce été bocow thriste, oh yes. Ouste, un rétro, pas mêche sur une pente pareille. Les essieus de la machine sont bons pour la ferraille. Deux contre un que Jenatzy le rosse à plates coutures. Les Yaps ? Tir plongeant, ah ouat ! Coulé par le communiqué. Pire pour lui, qu'il dit que pour pas un Cosaque. On ferme ! Onze plombes. Veuillez tirer au large. Caletez, poivrots de malheur ! Bsoir. Bsoir. Puisse Allah, l'Excellent, ton âme ti convertir tès manifiquement citte nuit et jisqu'à la fin d'elle.

Minute ! Sommes point saou. Ces chasseurs sachant chasser. Sacheur chachant. Gare les gars pour le mec qui jette du cœur sur le carreau. Ça va mal dans son abdominable. Eueua. Bsoir. Mona mon tendre amour. Eueua. Mona mon seul amour. Eua.

Hop ! Fermez vos boîtes à musique. Pin-pon ! Pin-pon ! Ça flambe. Les v'là qu'amènent. Les pompiers ! Virons de bord. Par Mount Street. Au plus court. Pin-pon ! Taïaut. Vous venez pas ? Courons, au trot, au galop. Pinpon-pinpon !

Lynch ! Hé ? Embarque à mon bord. Par ici Denzille Lane. Changement pour Boxonville. Tous les deux, disait-elle, irons de claque en claque, chercher Marie la vaque. Ça biche, à ton aise, Blaise. *Lætabuntur in cubilibus suis*. Vous v'nez-t-y pas ? Tuyau s.v.p., qui c'est le bougre de cucul qu'est là-bas avec son fringue ramoneur ? Chut ! Péché contre la lumière et maintenant le jour est proche où il viendra juger le monde par le feu. Pin-pon ! *Ut implerentur scripturæ*. Poussez-nous un vieux refrain. Ainsi parla carabin Dick au compaing carabin Davy. Vérole de dieu ! qu'est-ce qui m'a foutu ce choléra de prédicant sur le mur du Merrion Hall ? Élie arrive. Lavés dans le sang de l'Agneau. Entrez sacs à vin, suçards, soiffards de naissance ! Ici, clochards, entripaillés, têtes plates, trompes de cochons, crânes de pistache, nez de fouine, pontes vernis, malabars et excédents de bagage ! Ici, pur jus d'infamie ! C'est moi, Alexander J. Christ Dowie que j'ai biplané bienheureux la moitié de cette planète de Frisco à Vladivostock. La Divinité c'est pas un piège à cons à deux ronds l'entrée. Je vous promets qu'Il est un peu là et que c'est un bisenesse de première. On n'a encore rien fait de mieux, entrez-vous ça dans le caberlot. Gueulez-moi le salut dans le Roi Jésus. Faudrait te lever matin, toi le pêcheur là-bas, si tu avais comme ça une idée de couillonner le Très Haut. Pin-inpon ! Tu peux toujours les mettre. Qu'est-ce tu prendras pour ta toux, qu'est-ce qu'il te garde comme purge, mon bonhomme, dans sa profonde ! Espère un peu.

(L'entrée du quartiernuit par Mabbot street, devant laquelle s'étend une voie de garage pour trams nonpavée avec des squelettes de rails, feuxfollets rouges et verts et signaux d'alarme. Rangées de maisons crasseuses aux portes béantes. Rares réverbères avec de vagues impostes en arc-en-ciel. Autour de la gondole arrêtée du marchand de glaces Rabaiotti se chamaillent des hommes et des femmes chétifs. Ils saisissent des gaufrettes entre lesquelles sont comprimés des morceaux de neige corail et cuivre. Suçant, ils se dispersent lentement, des enfants. La crête de cygne de la gondole, hauraidie, se fraye un chemin dans les ténèbres, blanche et bleue sous un phare. Des sifflets appellent et répondent.)

L'APPEL

Attends, mon chéri, j'arrive tout de suite.

LA RÉPONSE

Là-bas derrière l'écurie.

(*Un idiot sourmuet aux yeux exorbités, bouche informe qui bave, passe d'un pas saccadé, secoué par la danse de Saint-Guy. Une chaîne de mains d'enfants l'emprisonne.*)

LES ENFANTS

Maulaidroi ! Salut !

L'IDIOT

(*Soulève un bras gauche secoué et gargouille.*) Gagahut !

LES ENFANTS

Où est la grande lumière.

L'IDIOT

(*Glougoutant.*) Gagaest ?

(*Ils le relâchent. Il repart en trébuchant. Une pygmée se balance sur une corde tendue entre deux grilles tout en comptant. Une forme affalée contre une poubelle et assourdie par son bras et son chapeau ronfle, grogne, grince des dents grommelantes et se remet à ronfler. Sur une marche un gnome qui fouille un tas d'ordures se baisse pour se charger d'un sac de bricàbrac. Une vieillarde debout près de lui avec une lampàhuile fumeuse fourre sa dernière bouteille dans la gueule du sac. Il hisse son butin sur son épaule, incline la visière de sa casquette et s'en va en boitant sans rien dire. La vieillarde retourne dans sa tanière en balançant sa lampe. Un enfant cagneux, accroupi en haut des marches avec un volant en papier, la suit en rampant de côté par bonds, s'agrippe à sa jupe, se relève péniblement. Un terrassier ivre se tient des deux mains à la grille d'une courette, titubant pesamment. À un coin de rue, deux veilleurs de la rondenuit en pèlerine, mains sur leur étuimatraque, surgissent immenses. Une assiette se brise : une femme hurle : un enfant geint. Jurons d'un homme rugissent, bredouillent, cessent. Des silhouettes traînent, tapies, épient depuis leurs clapiers. Dans une pièce éclairée par une bougie enfoncée dans un goulot de bouteille une souillon défait avec un peigne les nœuds dans les cheveux d'un enfant scrofuleux. La voix de Cissy Caffrey, encore jeune, chante d'un ton strident dans une allée.)*

CISSY CAFFREY[1]

L'ai donné à Molly
Car elle était jolie,
La patte du canard,
La patte du canard.

(*Soldat Carr et soldat Compton, badine serrée sous l'aisselle, marchent d'un pas chancelant, demitourdroitent et leurs bouches lâchent de concert une salve de pets. Rires d'hommes depuis l'allée. Une virago enrouée réplique.)*

LA VIRAGO

Guigne soit sur toi, cul poilu. Que vive la fille de Cavan.

CISSY CAFFREY

À moi la chance. Cavan, Cootehill et Belturbet[2]. *(Elle chante.)*

L'ai donné à Nelly
Le corps du délit,
La patte du canard,
La patte du canard.

(Soldat Carr et soldat Compton se retournent et contrerépliquent, leurs tuniques rougevif dans une lueur de lampe, douille noire des casquettes sur leur chef blond coupécourt. Stephen Dedalus et Lynch traversent la foule tout près des tuniquesrouges.)

SOLDAT COMPTON

(Secoue son doigt.) Place au pasteur.

SOLDAT CARR

(Se retourne et appelle.) Ohé, pasteur !

CISSY CAFFREY

(Sa voix s'élevant plus haut.)

Elle l'a eu, elle l'a bien
Faut dire que c'est pas rien,
La patte du canard.

*(Stephen, brandissant la frênecanne dans sa main gauche, psalmodie joyeusement l'*in-troït *pour le temps pascal. Lynch, casquette-jockey bien enfoncée sur le front, l'assiste, une grimace de mécontentement plissant son visage.)*

STEPHEN

Vidi aquam egredientem de templo a latere dextro. Alleluia[3].

(Les crocsaillants affamés d'une vieille maquerelle dépassent sur le seuil d'une entrée.)

LA MAQUERELLE

(Chuchotant d'une voix enrouée.) Pst ! Venez donc que je vous cause. Pucelage à l'intérieur. Pst !

STEPHEN

(Altius aliquantulum.) Et omnes ad quos pervenit aqua ista[4].

LA MAQUERELLE

(Crache sur leurs traces son jet de venin.) Carabins de Trinity. Trompe de Fallope. Gros bouts mais pas de sous.

(Edy Boardman renifle, accroupie avec Bertha Supple, fait passer son châle sous ses narines.)

EDY BOARDMAN

(Querelleuse.) Et dit l'une : T'ai vue à Faithful place avec ton chevalierservant, le graisseur du chemindfer, avec son chapeau suivezmoijeunefille. Eh ben, que je dis. C'est pas à toi de le dire, que je dis. Tu m'as jamais vu dans le piège-à-homme avec un highlander marié, que je dis. Non mais des comme elle ! Culottée qu'elle est ! Têtue comme une mule ! Et elle qui marche avec deux types à la fois, Kilbride, le mécanicien, et Oliphant le caporaldemesdeux.

STEPHEN

(Triumphaliter.) Salvi facti i sunt[5].

(Il brandit sa frênecanne, fracassant l'image du réverbère, brisant la lumière sur le monde[6]*. Un épagneul foie et blanc qui maraude le suit furtivement en grondant*[7]*. Lynch l'éloigne d'un coup de pied.)*

LYNCH

De sorte que ?

STEPHEN

(Regarde derrière lui.) De sorte que le geste, pas la musique pas l'odeur, serait une langue universelle, le don des langues rendant visible non pas le sens laïc mais la première entéléchie, le rythme structural.

LYNCH

Philothéologie pornosophique. Métaphysique de Mecklenburgh street[8] !

STEPHEN

Nous avons Shakespeare mégérisé et Socrate quenouillisé. Même le toutgrandsage stagirite fut embouché, bridé et monté par sa gourgandine belle de nuit.

LYNCH

Bah !

STEPHEN

De toute façon, qui a besoin de deux gestes pour illustrer une miche et une cruche ? Ce mouvement illustre la miche et la cruche de pain ou de vin dans Omar Khayam[9]. Tiens ma canne.

LYNCH

Que le diable emporte ton safrané bâton. Où allons-nous ?

STEPHEN

Lynx lubrique, chez *la belle dame sans merci*, Georgina Johnson, *ad deam qui laetificat iuventutem meam*[10].

(Stephen le force à prendre la frênecanne et soulève lentement les mains, sa tête reculant jusqu'à ce que les deux mains soient à un empan de sa poitrine, tournées vers le bas, en plans s'intersectant, les doigts prêts à s'écarter, la gauche plus haute.)

LYNCH

Laquelle est la cruche de pain ? Peu nous chaut. Ça ou l'hôtel des douanes. Illustre-le toi[11]. Tiens, prends ta béquille et marche.

(Ils passent. Tommy Caffrey se précipite sur un bec de gaz et, le serrant, grimpe par spasmes. Depuis l'étrier supérieur il se laisse glisser à terre. Jacky Caffrey s'agrippe pour grimper. Le terrassier se cogne au réverbère. Les jumeaux décampent dans les ténèbres. Le terrassier, vacillant, appuie un index contre une des ailes de son nez et son autre narine éjecte un long jet de morve liquide. Réverbère sur l'épaule il s'en va en titubant dans la foule en portant son fanal enflammé.

Des serpents de brume montent lentement de la rivière. Des égouts, des fissures, des fosses d'aisance, des fumiers des exhalaisons stagnantes s'élèvent de tous côtés. Une lueur jaillit au sud au-delà des courbes maritimes de la rivière. Le terrassier, dans sa marche titubante, fend la foule et vacille en direction de la voie de garage pour trams. De l'autre côté sous le pont de chemin de fer Bloom apparaît, rouge, haletant, enfonçant pain et chocolat dans une poche latérale. Dans la devanture du coiffeur Gillen un portrait composite lui montre l'image du valeureux Nelson. Un miroir concave sur le côté lui présente délaisséperdu lugubro Booloohoom. Le grave Gladstone le voit face à face, Bloom pour Bloom. Il passe, frappé par le regard fixe du terrible Wellington, mais dans le miroir convexe ricanent défrappés les yeux porcins et les grasdoubles grossesjoues de pétulantpopold le rixdix dopold.

À la porte d'Antonio Rabaiotti Bloom s'arrête, transpiré sous l'éclat de la lampe-à-arc. Il disparaît. Un moment plus tard il réapparaît et se dépêche.)

BLOOM

Poisson patates. Ah ça non ! Ah !

(Il disparaît chez Olhausen's, le charcutier, sous le rideau-de-fer qui s'abat. Quelques instants plus tard il émerge de sous le rideau, Popold qui souffle, Bloohoom qui halète. Dans chaque main il tient un paquet, l'un contenant un piedporc tiédasse, l'autre un piedmouton froid, saupoudré de grains de

poivre. Il suffoque, se redresse. Puis se courbant d'un côté il presse un des paquets contre ses côtes et grogne.)

BLOOM

Point de côté. Pourquoi ai-je couru ?

(Il respire précautionneusement et avance lentement vers la voie de garage et ses lampadaires. La lueur jaillit de nouveau.)

BLOOM

Qu'est-ce que c'est ? Un éclipseur ? Un projecteur.

(Il s'arrête au coin de chez Cormack et regarde.)

BLOOM

Aurora borealis ou une fonderie d'acier ? Ah, les pompiers, naturellement. Rive sud en tout cas. Grand incendie blazonnant. Peut-être sa maison. Buisson flamboylant. Nous sommes hors de danger. *(Il fredonne gaiement.)* Londres brûle ! Londres brûle ! Au feu, au feu ! *(Il voit tout à coup le terrassier qui titube dans la foule au bout de Talbot street.)* Je vais le rater. Courons. Vite. Mieux vaut traverser ici.

(Il traverse la rue en courant. Des galopins crient.)

LES GALOPINS

Faites gaffe, m'sieur !

(Deux cyclistes, lampions allumés qui se balancent, glissent près de lui, le frôlent, leurs sonnettes cliquetant.)

LES SONNETTES

Attenttentionvoutous.

BLOOM

(Stoppe tout droit, saisi par un spasme.) Aïe !

(Il regarde à droite et à gauche, soudain fonce en avant. Dans la brume qui se lève un dragon sablière, avançant précautionneusement, vire lourdement vers lui, son énorme phare rouge clignotant, son trolley sifflant sur le fil. Le conducteur frappe son gongàpied.)

LE GONG

Bang Bang Bla Bak Blud Bugg Bloo.

(Le frein craque violemment. Bloom, levant une main blancgantée de policier, traverse maladroitement raide la voie. Le conducteur, projeté en avant, nezpaté, sur le volantdecommande, hurle en glissant près de lui sur chaînes et tringles.)

LE CONDUCTEUR

Eh, culmerdeux, tu nous fais les trois coups du chapeau ?

(Bloom bondileste d'un coup sur le garde-pavé et s'arrête de nouveau. Il enlève une tachedeboue de sa joue d'une main paquetée.)

BLOOM

Passage interdit. Moins cinq mais plus de point de côté. Faut que je reprenne les exercices de Sandow. Et on descend sur les mains. Assurance contre les accidents de la circulation en plus. La Providential. *(Il tâte sa poche de pantalon.)* Talisman de maman. Talon pris vite fait dans le rail ou lacet dans un rouage. Jour où la roue du panier à salade m'a éraflé une chaussure à Leonard's corner. Le troisième coup c'est bon. Le coup de la chaussure. L'insolence du chauffeur. Je devrais porter plainte. Tension les rend nerveux. C'était peut-être le type qui m'a gêné ce matin avec la cavale. Même genre de beauté. Plutôt rapide de sa part quand même. La démarche raide. Vérité annoncée par plaisanterie. Cette horrible colique dans Lad lane. J'ai dû manger quelque chose d'avarié. Emblème de la chance. Pourquoi ? Sans doute bétail perdu. Marque de la bête. *(Il ferme un instant les yeux.)* La tête un peu légère. Périodes ou l'effet de l'autre. Cervoflicfloc. Cette sensation de fatigue. C'en est trop pour moi maintenant. Aïe !

(Une sinistre silhouette est adossée sur des jambes tressées contre le mur de O'Beirne[12]*, un visage inconnu, injecté de sombre mercure. De sous un sombrero à large bord la silhouette le regarde d'un œil méchant.)*

BLOOM

Buenas noches, señorita Blanca, que calle es esta[13] ?

LA SILHOUETTE

(Impassible, lève un bras signalétique.) Motdepasse. *Sraid Mabbot*[14].

BLOOM

Haha. *Merci*. Espéranto. *Slan leath*. *(Marmonne.)* Espion de la ligue gaélique, envoyé par ce mangeurdefeu[15].

(Il fait un pas en avant. Un chiffonnier sacàl'épaule bloque son passage. Un pas à gauche, hommeausacàbricàbrac à gauche.)

BLOOM

Pardon.

(Il bondit à droite, chiffonnierausac à droite.)

BLOOM

Pardon.

(Il louvoie, un pas de guingois, un pas de côté, se glisse sur le côté et passe.)

BLOOM

Restez bien à droite, droite, droite. S'il y a un panneau planté à Stepaside[16] par le Touring Club à qui doit-on ce bienfait public ? À moi qui avais perdu ma route et contribué aux colonnes du *Irish Cyclist* en envoyant une lettre intitulée *Au plus sombre de Stepaside*. Restez bien, bien, bien à droite. Bricàbrac à minuit. Plutôt un fourgue. Premier endroit où se rend un assassin. Se lave de ses péchés du monde[17].

(Jacky Caffrey, poursuivi par Tommy Caffrey, se jette en plein dans Bloom.)

BLOOM

O.

(Choqué, pattes molles, il s'arrête. Tommy et Jacky disparaissent là, là. Bloom tapote avec mains paquetées montre, goussetàmontre, pocheportefeuille, pochettebourse, douceurs du péché, savonpatate.)

BLOOM

Attention aux pickpockets. Vieux truc de voleurs. Bousculade. Puis piquent la bourse.

(Le retriever approche en reniflant, nez au sol. Une forme étalée éternue. Une silhouette voûtée et barbue apparaît vêtue du long caftan d'un sage de Sion et calotte grecque avec des glands magenta. Des lunettes à monture de corne pendent sur les ailes de son nez. Taches jaunes de poison sur le visage tiré.)

RUDOLPH

Seconde demi-couronne d'argent gaspille aujourd'hui. Je t'ai dit ne pas aller avec goy ivre jamais. Alors. T'attrapes pas argent.

BLOOM

(Cache le piedporc et le piedmouton derrière son dos et, penaud, froisse la chairdepied tiède et froide.) Ja, ich weiss, papachi[18].

RUDOLPH

Que toi faire ici en ce lieu ? N'as-tu point d'âme ? *(Avec de faibles serres de vautour il tâte le visage silencieux de Bloom.)* N'es-tu pas mon fils Leopold, le petit-fils de Leopold ? N'es-tu pas mon cher fils Leopold qui a quitté la maison de son père et a quitté le dieu de ses pères Abraham et Jacob ?

BLOOM

(Avec précaution.) Je le suppose, père. Mosenthal. Tout ce qui reste de lui.

RUDOLPH

(Sévèrement.) Une nuit qu'ils te ramènent à la maison ivre comme un chien après que tu dépenses tout ton bon argent. Comment appelles-tu ces gens qui courent ?

BLOOM

(En élégant complet Oxford bleu avec gilet blanc, carrure étroite, coiffé d'un chapeau brun d'alpiniste, porteur d'une montre sans clé de gentilhomme en argent pur Waterbury et chaîne Albert à double torsade ornée d'un sceau, un de ses flancs couvert de boue en train de sécher.) Veneurs, père. Seulement cette fois-là.

RUDOLPH

Une seule fois ! De la boue de la tête aux pieds. Tu t'étais coupé la main. Tétanos. Ils te font kaputt, Leopoldleben. Fais attention à ces gens-là.

BLOOM

(Faiblement.) Ils m'ont défié dans un sprint. C'était boueux. J'ai glissé.

RUDOLPH

(Avec mépris.) Goim nachez[19] *!* Jolis spectacles pour ta pauvre maman !

BLOOM

Mamma !

ELLEN BLOOM

(En toquet noué de dame de pantomime, en crinoline et tournure de la veuve Twankey[20]*, chemisier avec*

manches gigot boutonné derrière, mitaines grises et brochecamée, cheveux tressés dans un filet crépiné, apparaît derrière la rampe de l'escalier, un bougeoir incliné à la main et s'écrie, alarmée et stridente.) Ô saint Rédempteur, que lui ont-ils fait ! Mes sels ! *(Elle prend un ris dans sa jupe et fouille la bourse de son jupon écru et rayé. Une fiole, un Agnus Dei, une pomme de terre ratatinée et une poupée en celluloïd en tombent.)* Sacré Cœur de Marie, où étais-tu donc alors alors ?

(Bloom, marmonnant, regard baissé, entreprend de répartir ses paquets dans ses poches pleines mais y renonce en grommelant.)

UNE VOIX

(D'un ton acerbe.) Popold !

BLOOM

Qui ? *(Il se baisse et esquive maladroitement une gifle.)* À votre service.

(Il lève les yeux. Près de son mirage de palmedattiers une belle femme en costume turc se tient devant lui. Des courbes opulentes remplissent son pantalon et sa veste écarlates, à crevés d'or. Une large écharpe la sangle. Un litham blanc, violet dans la nuit, couvre son visage, ne laissant visibles que ses grands yeux sombres et ses cheveux noir de corbeau.)

BLOOM

Molly !

MARION

Welly ? Madame Marion[21] dorénavant, mon cher monsieur, quand vous me parlerez. *(Ironiquement.)* Pauvre petit mari a-t-il eu les foies et s'est-il gelé les petons à attendre si longtemps ?

BLOOM

(Sautille d'un pied sur l'autre.) Non, non. Pas le moins du monde.

(Il respire, profondément agité, avalant de grandes bouffées d'air, des questions, des espoirs, des pieds de porc pour son souper, des choses à lui dire, des excuses, désir, magnétisé. Elle, une pièce de monnaie miroitant sur le front. Ses orteils sont bagués de pierres précieuses. Ses chevilles sont liées par une mince chaînentrave. Près d'elle un chameau, chaperonné par un immense turban, attend. Une échelle de soie aux innombrables barreaux grimpe jusqu'à son baldaquin oscillant. Il traquenarde tout près d'une croupe maussade. Violemment elle lui frappe la hanche, ses grasd'or braceletpoignets colèrent, elle le tance en mauresque.)

MARION

Nebrakada ! Feminimum !

(Le chameau, soulevant une patte antérieure, cueille une grosse mangue à un arbre, l'offre à sa maîtresse avec un clin d'œil, de son pied fourchu, puis incline la tête et, en geignant, le cou dressé, s'agenouille gauchement. Bloom courbe son dos pour saute-moutonner.)

BLOOM

Je peux vous donner... Je veux dire en tant que ménagereur de vos affaires... madame Marion... si vous...

MARION

Ainsi tu as remarqué une différence ? *(Sa main passant lentement sur sa pièce d'estomac colifichetée, une lente moquerie amicale dans les yeux.)* Ô Popold, Popold, tu n'es qu'une pauvre vieille godiche ! Va voir la vie. Va dans le vaste monde.

BLOOM

J'allais justement retourner chercher cette lotion cireblanche, eau de fleurd'oranger. La boutique ferme de bonne heure le jeudi. Mais la première chose demain matin. *(Il tâte diverses poches.)* Ce rognon flottant. Ah !

(Il indique le sud, puis l'est. Un pain de savon au citron neuf et propre s'élève, répandant lumière et parfum.)

LE SAVON

Bloom et moi, nous sommes un couple fabuleux.
Lui fait briller la terre. Moi j'astique les cieux.

(Le visage tacheté de rousseur de Sweny, le pharmacien, apparaît dans le disque du soleil-savon.)

SWENY

Trois shillings et un penny, s'il vous plaît.

BLOOM

Oui. Pour ma femme, Mme Marion. Recette spéciale.

MARION

(Doucement.) Popold !

BLOOM

Oui, m'dame ?

MARION

Ti trema un poco il cuore[22] ?

(Avec dédain elle s'en va lentement, fredonnant le duo de Don Giovanni, *potelée comme un pigeon boulant bichonné.)*

BLOOM

Es-tu sûre de ce *Voglio*[23] ? Je veux dire la prononciati…

(Il la suit, suivi par le terrier renifleur. La vieille maquerelle agrippe sa manche, les soies de sa verrue de menton brillent.)

LA MAQUERELLE

Un pucelage, dix shillings. Une petite chose toute fraîche, jamais touchée. Quinze ans. Personne là-bas sinon son vieux père qu'est ivre mort.

(Elle montre du doigt. Dans l'ouverture de son antre sombre se tient Bridie Kelly, furtive, pluietrempée.)

BRIDIE

Hatch street. T'as une petite envie ?

(En couinant elle agite son châle de chauve-souris et s'enfuit. Un gros costaud chaussé de croquenots la poursuit à grands pas. Il bute sur les marches, se redresse et plonge dans les ténèbres. On entend de faibles couinements rieurs, plus faibles.)

LA MAQUERELLE

(Ses yeuxloups brillent.) Il prend son plaisir. Vous ne trouverez pas de vierge dans les maisons rupins. Dix shillings. Hésitez pas toute la nuit sinon les flics en civil vont nous voir. Le soixante-sept est un salaud.

(Gerty MacDowell approche en boitant et lui fait de l'œil. De derrière son dos, en guignant, elle montre timidement son linge ensanglanté.)

GERTY

Avec tous mes biens terrestres je suis à tu et à toi[24]. *(Elle murmure.)* C'est vous qui avez fait ça. Je vous hais.

BLOOM

Moi ? Quand ? Vous rêvez. Je ne vous ai jamais vue.

LA MAQUERELLE

Laisse le monsieur tranquille, tricheuse. On écrit au monsieur de fausses lettres. On fait le trottoir et on racole. Vaudrait mieux que ta mère te donne de la ceinture contre le pied du lit, une traînée comme toi.

GERTY

(À Bloom.) Alors que vous avez vu tous les secrets de mon fond de tiroir. *(Elle tripote sa manche, pleurniche.)* Salopard d'homme marié. Je vous aime pour m'avoir fait ça.

(Elle s'en va en se glissant de côté. Mme Breen en manteau de ratine avec de grandes poches à soufflet, debout sur la chaussée, ses yeux fripons grandouverts, souriant de toutes ses grandes dents d'herbivore.)

MME BREEN

Monsieur…

BLOOM

(Tousse avec gravité.) Madame, lorsque nous avons eu pour la dernière fois ce plaisir, par votre honorée datée du seize courant…

MME BREEN

Monsieur Bloom ! Vous ici dans ce lieu de perdition ! Eh bien, je vous ai pris sur le fait ! Garnement !

BLOOM

(Rapidement.) Pas si fort mon nom. Mais pour qui me prenez-vous ? Ne me trahissez pas. Les murs ont des oreilles. Comment allez-vous ? Ça fait tellement longtemps que je. Vous êtes magnifique. La perfection même. Vraiment un temps de saison pour cette époque de l'année. Le noir réfracte la chaleur. Un raccourci pour rentrer chez moi. Quartier intéressant. Sauver les filles perdues. Refuge Marie-Madeleine. Je suis le secrétaire…

MME BREEN

(Lève un doigt.) Oh, mais n'allez pas raconter un gros mensonge ! Je connais quelqu'un qui n'apprécierait pas. Oh attendez donc que j'en parle à Molly ! *(Cauteleusement.)* Expliquez-vous immédiatement et sans rapport, sinon malheur à vous !

BLOOM

(Regarde derrière lui.) Elle a souvent dit qu'elle aimerait visiter. Charité dans les bas quartiers. L'exotisme, vous comprenez. Des larbins nègres en livrée aussi si elle en avait les moyens. Othello brute noire. Eugene Stratton. Même cliquettes et banjo chez des christies minstrels de Livermore. Les frères Bohee[25]. Y compris un ramoneur, d'ailleurs.

(Tom et Sam Bohee, négros peints en complet de toile blanc, chaussettes écarlates, col haut-amidonné de Bamboula et grands asters écarlates à la boutonnière, arrivent d'un bond. Chacun a son banjo autour du cou. Leurs mains négroïdes plus petites plus pâles font sonner les cordes bingbang. Yeux et crocs de cafre d'un blanc étincelant ils trémoussent un cakewalk en gros sabots, drelinant, chantant, dos à dos, pointe talon, talon pointe, avec claquemaclaquemolle de négrelippes.)

TOM ET SAM

Y'a quelqu'un chez moi avec Dina,
Y'a quelqu'un chez moi, je le sais,
Y'a quelqu'un chez moi avec Dina,
Qui joue du bon vieux banjo.

(Ils arrachent les masques noirs de leur visage de marmot vieilli : puis, pouffant, gloussant, grattant, pinçant, ils s'esquivent en dansant poum patapoum cakewalk.)

BLOOM

(Avec un sourire tendrelet amer.) Que penseriez-vous d'un petit frivolin, si cela vous tente ? Aimeriez-vous peut-être que je vous embrasse juste une fraction de seconde ?

MME BREEN

(Hurle gaiement.) Oh, petit coquin ! Si seulement vous vous voyiez !

BLOOM

En souvenir du bon vieux temps. Je ne pensais qu'à une partie carrée, un mariage mixte mêlant nos différents petits conjugaux. Vous savez que j'avais un penchant pour vous. *(Lugubrement.)* C'est moi qui vous ai envoyé cette valentine de la chère gazelle.

MME BREEN

Zest ma mère, vous faites un sacré zig ! Parfaitement tordant. *(Elle tend une main inquisitrice.)* Que dissimulez-vous donc derrière votre dos ? Dites-moi, soyez gentil.

BLOOM

(Saisit son poignet de sa main libre.) C'était Josie Powell alors, la plus jolie débutante de Dublin. Comme le temps passe ! Vous souvenez-vous, pour revenir à un arrangement rétrospectif, la nuit de la

Tiphaine, la pendaison de crémaillère chez Georgina Simpson tandis qu'ils jouaient au jeu d'Irving Bishop, trouver l'aiguille yeuxbandés et lirepensées ? Sujet, qu'y a-t-il dans cette tabatière ?

MME BREEN

Vous étiez le lion de la soirée avec votre récitation héroïcomique et vous étiez parfait dans ce rôle. Les femmes vous ont toujours apprécié.

BLOOM

(Chevalier servant, smoking à revers de soie moirée, insigne maçonnique bleu à la boutonnière, nœudpapillon noir et boutons de manchette en nacre, verre de champagne prismatique incliné à la main.) Mesdames et Messieurs, je lève mon verre à l'Irlande, à la famille et à la beauté.

MME BREEN

Ces chers jours d'antan disparus qui ne reviendront plus. L'Ancien Chant des doux amants[26].

BLOOM

(Baissant la voix d'un ton entendu.) J'avoue tipoter de curiosité pour savoir si quelque chose de quelqu'un n'est pas un peu tipoté en ce moment.

MME BREEN

(Avec exubérance.) Terriblement tipoté ! Londres est tipotée et je suis tout simplement tipotée un peu partout ! *(Elle frotte son flanc contre lui.)* Après les devinettes mystère de salon et les confiseries prises dans l'arbre nous nous sommes assis dans

l'ottomane de l'escalier. Sous le gui. On n'est bien qu'à deux.

BLOOM

(Coiffé d'un chapeau Napoléon pourpre avec une demilune d'ambre, ses doigts et son pouce glissant lentement jusqu'à la paume douce charnue humide de Mme Breen qu'elle lui abandonne sans résister.) L'heure ensorcelante de la nuit. J'ai retiré l'écharde de cette main, précautionneusement, lentement. *(Tendrement, tandis qu'il fait glisser une bague en rubis sur son doigt.) Là ci darem la mano.*

MME BREEN

(En robe de bal d'une seule pièce réalisée en bleu clairdelune, diadème clinquant de sylphe sur le front avec son carnetbal tombé près de sa mule en satin bleulune, recourbe doucement sa paume, respire plus vite.) voglio e non... Vous êtes brûlant ! Vous êtes bouillant ! La main gauche la plus proche du cœur.

BLOOM

Lorsque vous avez fait votre choix actuel on a parlé de la belle et la bête. Je ne vous le pardonnerai jamais. *(Poing crispé sur le front.)* Songez à ce que cela signifie. Tout ce que vous signifiiez pour moi alors. *(La voix rauque.)* Femme, vous me brisez !

(Denis Breen, hautchapeauté de blanc, placards de Wisdom Hely sur le dos, passe près d'eux d'un pas lourd chaussé de pantoufles de feutre, sa triste barbe pointée en avant, grommelant à droite et à gauche. Le petit Alf Bergan, vêtu de la cape de l'as de pique, le

poursuit de droite à gauche, plié en deux par le rire.)

ALF BERGAN

(Pointe en se raillant vers le placard.) H.S. : Hors service.

MME BREEN

(À Bloom.) Grands ébats au sous-sol. *(Elle lui lance un coup d'œil ravageur.)* Pourquoi n'avez-vous pas embrassé l'endroit pour le guérir ? Vous vouliez le faire.

BLOOM

(Choqué.) La meilleure amie de Molly ! Vous auriez pu ?

MME BREEN

(La langue pulpeuse entre ses lèvres, offre un baiser de pigeon.) Hmhm. Pour la réponse, il faut se creuser le citron. Ce ne serait pas un petit cadeau pour moi que vous avez là ?

BLOOM

(Avec désinvolture.) Kascher. Un petit quelque chose pour le dîner. Une maison sans conserve de viande est incomplète. J'ai assisté à *Leah*, Mme Bandmann Palmer. Mordante interprète[27] de Shakespeare. Ai malheureusement jeté le programme. Il y a là-bas un formidable endroit pour les pieds de cochon. Touchez donc.

(Richie Goulding, trois chapeaux de femme épinglés sur la tête, apparaît courbé d'un côté

sous le poids du porte-documents juridiques noir de Collis et Ward sur lequel une tête de mort et des tibias croisés ont été badigeonnés en blanc[28]. Il l'ouvre et montre qu'il est rempli de cervelas, de harengs saurs, de haddocks de Findon et de pilules entassées[29].)

RICHIE

Meilleure qualité à Dub[30].

(Pat déplumé, bécasse sourdingue, au bord du trottoir, pliant sa serviette, attendant de servir.)

PAT

(S'avance en inclinant un plat de sauce coullecoullante.) Tourte bœuf et rognons. Bouteille de blonde. Hi hi hi. Attendez que je serve.

RICHIE

Bondieu. Jenéja mémangé detoute…

(Tête basse il poursuit obstinément sa route vers l'avant. Le terrassier passe en chancelant et l'éventre avec son fourchoncornu enflammé.)

RICHIE

(Avec un cri de douleur, une main dans son dos.) Ah ! Bright ! Mes reins ! Crétin !

BLOOM

(Désigne le terrassier.) Un espion. N'attirez pas l'attention. Je déteste les foules imbéciles. Je ne cherche pas le plaisir. Je suis en très fâcheuse situation.

MME BREEN

Embobelinant et dindogeonnant comme à l'habitude avec des coquecigrues.

BLOOM

Je voudrais vous confier un petit secret sur ce qui m'a amené ici. Mais vous ne devez pas le raconter. Même pas à Molly. J'ai une raison bien précise.

MME BREEN

(Toute en émoi.) Oh, pour rien au monde.

BLOOM

Marchons un peu. Voulez-nous ?

MME BREEN

Allons-y.

(La maquerelle fait un signe que personne ne remarque. Bloom s'en va avec Mme Breen. Le terrier les suit, gémissant pitoyablement, frétillant de la queue.)

LA MAQUERELLE

Foutre de youpin !

BLOOM

(Un costume sport couleur avoine, un brin de chèvrefeuille au revers, chemise isabelle foncée, foulard noir et blanc à croix de Saint-André, guêtres blanches, cache-poussière fauve sur le bras, brodequins rouge tanné, jumelles en bandoulière et chapeau melon gris.) Vous souvenez-vous d'il y a très très longtemps, il y a des

années et des années de ça, juste après que Milly, que nous appelions Marionette, a été sevrée, quand nous sommes allés tous ensemble aux courses de Fairyhouse, je crois bien ?

MME BREEN

(Un tailleur sur mesure de Saxe, chapeau de velours blanc et fine voilette.) De Leopardstown.

BLOOM

Je veux dire Leopardstown. Et Molly a gagné sept shillings sur un trois-ans du nom de Motus et en revenant de Foxrock dans ce vieux berlingot à cinq places décapotable vous étiez alors en pleine jeunesse et vous aviez ce nouveau chapeau en velours blanc avec une bordure en taupe que Mme Hayes vous avait conseillé d'acheter parce qu'il était démarqué à dix-neuf shillings onze, un bout de fil de fer et un vieux morceau de velventine, et je vous parie ce que vous voulez qu'elle l'avait fait exprès...

MME BREEN

Mais, oui, naturellement, quelle chipie ! Ne m'en parlez pas ! Que voilà une jolie courtisane !

BLOOM

Parce qu'il ne vous allait pas de loin aussi bien que la chouette petite toque d'étamine avec l'aile d'oiseau de paradis que j'ai admirée sur vous et vous aviez honnêtement l'air très séduisante coiffée comme ça bien que ç'ait été dommage de le tuer, créature méchante et cruelle, une pauvre petite chose minuscule avec un cœur pas plus gros qu'une virgule.

MME BREEN

(Lui serre le bras en minaudant.) Méchante et cruelle que j'étais !

BLOOM

(Bas, secrètement, toujours plus rapidement.) Et Molly mangeait un sandwich de bœuf épicé pris dans le panier de pique-nique de Mme Joe Gallaher. À dire vrai, elle avait beau avoir ses courtisans ou courtiers[31], son style ne m'a jamais beaucoup passionné. Elle était…

MME BREEN

Trop…

BLOOM

Oui. Et Molly riait parce que Rogers et Maggot O'Reilly imitaient le coq quand nous sommes passés devant une ferme et Marcus Tertius Moses, le négociant en thé, est passé devant nous en cabriolet avec sa fille, elle s'appelait Dancer Moses, et le caniche dans son giron s'est énervé et vous m'avez demandé si j'avais jamais entendu ou lu ou su ou rencontré…

MME BREEN

(Passionnément.) Oui, oui, oui, oui, oui, oui, oui.

> *(Elle s'éteint à ses côtés. Suivi par le chien qui gémit il poursuit sa route vers les portes de l'enfer. Sous un porche une femme debout, penchée en avant, jambes écartées, pisse àlavache. Devant un pub aux volets clos une troupe de badauds écoute une histoire que le*

contremaître autarincassé grince avec un humour rauque. Deux d'entre eux sans bras s'affalent et luttent en grognant, jeu estropié abruti.)

LE PATRON

(S'accroupit, la voix tordue dans son tarin.) Et quand Cairns est descendu de l'échafaudage dans Beaver street qu'est-ce qu'il allait pas faire sinon le faire dans le seau de bière brune des plâtriers de Derwan qu'attendait là parmi les copeaux.

LES BADAUDS

(S'espouffent avec becs de lièvre.) Oh jayzu !

(Leurs chapeaux peinturlutachés s'agitent. Éclaboussés par la glu et la chaux de leurs huttes ils fringuent démembrés autour de lui.)

BLOOM

Coïncidence également. Ils trouvent ça drôle. Tout sauf drôle. En plein jour. En essayant de marcher. Heureusement pas de femme.

LES BADAUDS

Jayzu, elle est sacrément bonne. Sels de Glauber. Oh jayzu, dans la bière des types.

(Bloom passe. Des prostituées de bas étage, seules, par deux, avec châle, échevelées, appellent depuis des allées, des portes, des recoins.)

LES PROSTITUÉES

Tu vas loin, drôle de bonhomme ?
Comment va ta jambe du milieu ?
T'as pas du feu ?
Eh, viens là que je te la durcisse un peu.

(Il avance en pataugeant dans leur cloaque pour gagner la rue éclairée plus loin. Derrière un ballonnement de rideaux dans une fenêtre un gramophone dresse sa trompe de bronze cabossée. Dans l'ombre une tenancière chicote avec le terrassier et les deux tuniques-rouges.)

LE TERRASSIER

(Rotant.) Où est cette putain de maison ?

LA TENANCIÈRE

Purdon street. Un shilling la bouteille de stout. Femme respectable.

LE TERRASSIER

(S'agrippant aux deux tuniquesrouges, avance avec eux en titubant.) Venez donc, eh l'armée britannique !

SOLDAT CARR

(Derrière son dos.) Il est pas qu'un peu taré.

SOLDAT COMPTON

(Il rit.) À qui le dis-tu !

SOLDAT CARR

(Au terrassier.) La cantine de la caserne Portobello. Tu demandes Carr. Simplement Carr.

LE TERRASSIER

(Hurle.)

Nous sommes les gars. Du Wexford.

SOLDAT COMPTON

Dis donc ! Qu'est-ce qu'il vaut le sergentmajor ?

SOLDAT CARR

Bennett ? C'est mon pote. J'adore le vieux Bennett.

LE TERRASSIER

(Hurle.)

Les atroces chaînes.
Et libérons notre patrie[32].

(Il avance en vacillant, les tire à sa suite. Bloom s'arrête, pris en défaut. Le chien s'approche, langue longpendue, haletant.)

BLOOM

Une vraie course à la lune. Maisons de colérance. Dieu sait où ils sont allés. Les poivrots vont deux fois plus vite. Quelle pagaille. La scène à Westland row. Et ensuite sauter en première classe avec un billet de troisième. Et ensuite trop loin. Train avec la locomotive en queue. Aurait pu m'emmener à Malahide ou sur une voie de garage pour la nuit ou une collision.

C'est le second verre qui fait ça. Un seul c'est un remède. Et pourquoi le suivre comme ça ? Quand même, il est le meilleur de tous ceux-là. Si je n'avais pas entendu parler de Mme Beaufoy Purefoy je n'y serais pas allé et je n'aurais pas rencontré. Kismet. Il va perdre cet argent. Bureau de soulagement ici. Bonnes affaires pour les bonimenteurs, orgues de barbarie. Que manque-t-il au visiteur ? Vite acquis, vite perdu. Aurais pu perdre la vie aussi avec ce jaggernautpharetrolleyvoiegonghomme sans présence d'esprit. Pourtant, ne suffit pas toujours. Si j'étais passé devant la vitrine de Truelock ce jour-là deux minutes plus tard on m'aurait tiré dessus. Absence de corps. Cependant si la balle ne traversait que ma veste j'obtiens des dommagintérêts du fait du choc nerveux, cinq cents livres. Qui était-ce ? Un beau du club de Kildare street. Que Dieu protège son garde-chasse.

(Il regarde devant lui, lit sur le mur à côté d'un dessin phallique une légende gribouillée à la craie Décharge nocturne.*)*

Bizarre ! Molly dessinant sur la vitre gelée du compartiment à Kingstown. À quoi ça ressemble, ça ?

(Des femmespoupées criardes traînent sur les seuils éclairés, dans les embrasures des fenêtres, fumant des cigarettes bonmarché. L'odeur douceâtre du tabac flotte vers lui en lentes ovalantes guirlandes rondes.)

LES GUIRLANDES

Douces sont les douceurs. Douceurs du péché.

BLOOM

J'ai l'échine un peu molle. Partir ou tourner ? Et cette nourriture ? Le manger et finir tout cochonpoisseux. Ridicule que je suis. Gaspillage. Un shilling huit de trop. *(Le chien d'arrêt pousse un museau froid enchifrené contre sa main en frétillant de la queue.)* Bizarre comme ils m'aiment bien. Même cette brute aujourd'hui. Mieux vaut lui parler d'abord. Comme les femmes ils aiment les *rencontres*. Pue comme un putois. *Chacun son goût*[33]. Il a peut-être la rage. Canicule. Pas sûr de ses mouvements celui-là. Bon chien ! Médor ! Bon chien ! Garryowen[34] ! *(Le chien-loup se couche sur le dos, frétille des pattes de façon obscène en mendiant, sa longue langue noire pendante.)* Influence de son milieu. Donne et qu'on en finisse. Pourvu que personne. *(Avec des paroles encourageantes il s'en retourne d'un pas traînant et furtif de braconnier, suivi de près par le chien d'arrêt jusque dans un coin sombre pissepuant. Il défait un paquet et s'apprête à doucement laisser tomber le piedporc mais se retient et le tâte.)* Bon morceau pour trois pence. Mais il y a que je le tiens dans ma main gauche. Ça demande plus d'efforts. Pourquoi ? Plus petite parce que moins utilisée. Allez, je le lâche. Deux shillings six.

(À regret il laisse tomber le piedporc et le piedmouton défaits. Le mâtin malmène maladroitement le paquet et se gave avec une rapacité râpeuse, broyant les os. Deux veilleurs pluiepélerinés s'approchent, silencieux, vigilants. Ensemble ils murmurent.)

LES VEILLEURS

Bloom. De Bloom. Pour Bloom. Bloom.

(Chacun d'eux pose une main sur l'épaule de Bloom.)

PREMIER VEILLEUR

Pris sur le fait. Atteinte à la morale.

BLOOM

(Bégaie.) Je fais du bien aux autres.

(Un vol de mouettes, de pétrels des tempêtes, s'élève affamé de la vase de la Liffey avec des petits sablés dans le bec.)

LES MOUETTES

Got gate gablés gato.

BLOOM

L'ami de l'homme. Dressage par la douceur.

(Il désigne. Bob Doran, dégringolant d'un haut tabouret de bar, vacille au-dessus de l'épagneul qui mâche.)

BOB DORAN

Tueur. Donne la patte. Donne la papatte.

(Le bouledogue grogne, ses poils se hérissent, un gros morceau de jointure de cochon entre les molaires d'où dégouline une bavécumeuse rabique. Bob Doran tombe en silence dans une courette.)

SECOND VEILLEUR

Protection des animaux.

BLOOM

(Avec enthousiasme.) Une œuvre noble ! J'ai tancé ce chauffeurdetram sur le pont d'Harold's cross qui maltraitait son pauvre cheval avec une escarre sous le harnais. Pour ma peine il m'a chanté goguettes. Naturellement il y avait du gel et c'était le dernier tram. Tous les récits de cirque sont des plus démoralisants.

(Signor Maffei, pâlepassionné, en costume dompteurlion avec des boutons en diamant sur son plastron, s'avance, tenant un cerceau de cirque en papier, un fouet de palefrenier et un revolver avec lequel il tient en respect le vautre qui se gorge.)

SIGNOR MAFFEI

(Avec un sinistre sourire.) Mesdames et messieurs, mon lévrier dressé. Ce fut moi qui matai Ajax l'étalon rebelle avec ma selle à pointes patentée pour carnivores. Coup de fouet sous le ventre avec une longe à nœuds. Palan et poulie étrangleuse mettront votre lion à genoux, aussi rétif soit-il, même ce *Leo ferox* là-bas, le mangeurd'hommes de Libye. Un pied-de-biche chauffé-au-rouge et un peu de liniment sur la partie brûlée produisirent Fritz d'Amsterdam, la hyène pensante. *(Les yeux étincellent.)* Je possède le signe indien. L'éclair dans mon regard y suffit ainsi que ces brillantsdepoitrine. *(Avec un sourire ensorceleur.)* J'ai le plaisir de vous présenter Mademoiselle Ruby, la perle du cirque.

PREMIER VEILLEUR

Allez. Nom et adresse.

BLOOM

J'ai oublié pour le moment. Ah, oui ! *(Il enlève son meilleur chapeau, salue.)* Dr Bloom, Leopold, chirurgien-dentiste. Vous avez entendu parler de von Blum Pasha. Des millions et des millions. *Donnerwetter !* Propriétaire de la moitié de l'Autriche. De l'Égypte. Un cousin.

PREMIER VEILLEUR

Preuve.

(Une carte tombe de l'intérieur de la bande en cuir du chapeau de Bloom[35]*.)*

BLOOM

(Un fez rouge, frac de cadi avec large ceinture verte, portant un faux insigne de la Légion d'Honneur, ramasse la carte en toute hâte et la tend.) Permettez-moi. Mon club est le Junior Army and Navy. Mes avocats : Messrs John Henry Menton, 27 Bachelor's Walk.

PREMIER VEILLEUR

(Lit.) Henry Flower. Sans domicile fixe. Harcèlement et surveillance illégale.

SECOND VEILLEUR

Un alibi. Vous êtes averti.

BLOOM

(Sort de sa pochette côté cœur une fleur jaune froissée.) Voici la fleur en question. Elle m'a été donnée par un homme je ne connais pas son nom. *(Spécieusement.)* Vous connaissez la vieille plaisanterie,

enlèvement des laines. Bloom. Le changement de nom. Virag. *(Il murmure tout bas et de manière confidentielle.)* Nous sommes fiancés, vous comprenez, sergent. Une dame dans l'affaire. Complications sentimentales. *(Il donne un léger coup d'épaule au second veilleur.)* Mais bon Dieu. C'est ainsi que nous procédons, nous les galants de la marine. Ça tient à l'uniforme. *(Il se tourne avec gravité vers le premier veilleur.)* Et pourtant, c'est vrai, on trouve parfois son Waterloo. Venez donc un soir prendre un verre de vieux bourgogne. *(Au second veilleur avec gaieté.)* Je vous présenterai, inspecteur. Elle est d'accord. Cela se fera raide comme balle.

(Un visage sombre mercurialisé apparaît, entraînant derrière lui une silhouette voilée.)

LE SOMBRE MERCURE

Le Château le cherche. Il a été expulsé honteusement de l'armée.

MARTHA

(Pesamment voilée, un licol cramoisi autour du cou, un exemplaire du Irish Times *à la main, avec un ton de reproche, le désignant.)* Henry ! Leopold ! Leopold ! Lionel, ange perdu ! Innocente mon nom[36].

PREMIER VEILLEUR

(Sévèrement.) Suivez-moi au poste.

BLOOM

(Effrayé, remet son chapeau, recule, puis, main sur le cœur tout en soulevant son avant-bras droit perpendiculaire, il fait le signe de défense de la confraternité.)

Non, non, vénérable maître, lumière d'amour. Erreur d'identité. Le courrier de Lyon. Lesurques et Dubosc. Vous vous souvenez du procès de Childs pour fratricide[37]. Nous, hommes de médecine. En le frappant à mort avec une hachette. Je suis accusé à tort. Mieux vaut qu'un coupable échappe que de voir quatre-vingt-dix-neuf innocents condamnés à tort.

MARTHA

(Sanglotant sous son voile.) Rupture de promesse de mariage. Mon vrai nom est Peggy Griffin. Il m'a écrit qu'il était malheureux. Je vous dénoncerai à mon frère, l'arrière de rugby de Bective, séducteur sans cœur.

BLOOM

(Derrière sa main.) Elle est ivre. Cette femme est prise de boisson. *(Il murmure vaguement le mot de passe d'Ephraïm.)* Chieborlette[38].

SECOND VEILLEUR

(Les larmes aux yeux, à Bloom.) Vous devriez être dévoré par la honte.

BLOOM

Messieurs les jurés, permettez-moi de vous expliquer. Ce n'est qu'un miroir aux alouettes. Je suis un homme incompris. On fait de moi un bouc émissaire. Je suis un homme marié respectable, à la réputation sans tache. J'habite Eccles street. Mon épouse, je suis la fille d'un commandant des plus distingués, un gentilhomme droit et courageux, comment l'appelle-t-on, Major-général Brian Tweedy, un des hommes qui se sont battus pour la Grande-Bretagne et nous ont permis de vaincre[39]. A obtenu le grade de major pour sa défense héroïque de Rorke's Drift.

PREMIER VEILLEUR

Régiment.

BLOOM

(Se tourne vers la galerie.) Les Royal Dublin, les gars, le sel de la terre, connu dans le monde entier. J'ai l'impression de voir là-haut parmi vous quelques compagnons d'armes. Les R. D. F. Avec la police Métropolitaine, gardienne de nos foyers, les garçons les plus crânes et le meilleur corps, par leur physique, au service de notre souverain.

UNE VOIX

Renégat ! Vivent les Boers ! Qui a conspué Joe Chamberlain ?

BLOOM

(Une main sur l'épaule du premier veilleur.) Mon vieux père était lui aussi juge de paix. Je suis un Britannique tout aussi loyal que vous, monsieur. J'ai combattu sous les couleurs pour mon roi et mon pays pendant la guerre distraite[40] qu'a dirigée le général Gough dans le parc et j'ai été mis hors service à Spion Kop et à Bloemfontein et cité à l'ordre du jour. J'ai fait tout ce que pouvait faire un homme blanc. *(Avec un calme bien senti.)* Jim Bludso[41]. Maintiens la proue contre la berge.

PREMIER VEILLEUR

Emploi ou métier.

BLOOM

Eh bien, j'occupe une profession littéraire, auteur-journaliste. En fait nous nous apprêtons à publier un recueil de nouvelles primées dont je suis l'inventeur, quelque chose qui emprunte une toute nouvelle direction. Je suis lié avec la presse britannique et irlandaise. Il vous suffit d'appeler…

(Myles Crawford arrive à grandes enjambées saccadées, une plume d'oie entre les dents. Son bec écarlate flamboie sous l'auréole de son chapeau de paille. D'une main il balance un chapelet d'oignons espagnols et de l'autre main il tient un récepteur téléphonique contre son oreille.)

MYLES CRAWFORD

(Ses fanons de coq frétillent.) Allô, soixantedixsept huitquatre. Allô. Ici le *Freeman's Urinal* et le *Torche-cul Hebdomadaire*. Paralysons l'Europe. Vous quoi ? Bousebleue ? Qui écrit ? C'est Bloom ?

(M. Philip Beaufoy, visagepâle, debout à la barre des témoins, en tenue de ville d'une perfection absolue, une pointe de mouchoir dépasse de la poche de sa veste, pantalon lavande à pli impeccable et souliers vernis. Il porte une grande serviette marquée Coupsdemaître de Matcham.*)*

BEAUFOY

(Voix traînante.) Absolument pas. Je m'inscris en faux contre ce que vous dites. Non, je ne puis l'admettre. Un gentilhomme né, un gentilhomme ayant les réactions les plus élémentaires d'un gentilhomme

ne s'abaisserait pas à se conduire de façon aussi spécifiquement écœurante. Une de ces personnes-là, monsieur le juge. Un plagiaire. Un pleutre visqueux ayant pris le masque d'un *littérateur*. Il est tout à fait évident qu'avec sa vilenie congénitale il a copié quelques-uns de mes livres les plus vendeurs, une écriture vraiment splendide, une gemme exquise, dont les passages amoureux sont au-dessous de tout soupçon. Les livres de Beaufoy sur l'amour et les grandes possessions, qui vous sont certainement familiers, votre honneur, sont connus de tous les foyers du royaume.

BLOOM

(Murmure avec une morne soumission de chien battu.) Si vous me le permettez, j'objecte au passage sur la rieuse magicienne main dans la main…

BEAUFOY

(Lèvres retroussées en un sourire hautain adressé à la cour.) Vous êtes vraiment une drôle de cruche, vous ! Mais quel crétin de célestin vous faites, ma foi ! Je ne pense pas qu'il vous faille par trop vous désincommoder à ce sujet. Mon agent littéraire M. J. B. Pinker se trouve dans l'assistance. Je suppose, votre honneur, que nous toucherons l'indemnité habituelle des témoins, n'est-ce pas ? Nous en sommes considérablement de notre poche par la faute de ce morveux de la presse, de cette corneille de Reims[42], qui n'est même pas allé à l'université.

BLOOM

(Indistinctement.) L'université de la vie. Mauvaise littérature.

BEAUFOY

(Hurle.) C'est un mensonge éhonté et infect, qui prouve la pourriture morale de cet individu ! *(Il montre sa serviette.)* Nous avons ici une preuve irréfutable, le *corpus delicti*, votre honneur, un exemple choisi parmi les plus matures de mes œuvres défiguré par l'empreinte de cette brute[43].

UNE VOIX DANS LA GALERIE

Moïse, Moïse, le roi des youpins,
S'est torché le cul dans le *Matin*.

BLOOM

(Courageusement.) Trop chargé.

BEAUFOY

Voyou de bas étage ! Il faudrait vous jeter dans la mare aux canards, teigneux ! *(À la cour.)* Mais il suffit de se pencher sur la vie privée de ce type ! Il mène une quadruple existence ! Ange des rues et démon domestique. Son nom ne devrait même pas être prononcé devant les dames ! L'archiconspirateur de notre époque !

BLOOM

(À la cour.) Et lui, un célibataire, comment…

PREMIER VEILLEUR

Le Roi contre Bloom. Faites entrer la femme Driscoll.

L'HUISSIER AUDIENCIER

Mary Driscoll, souillon !

(Mary Driscoll, une jeune domestique négligée, s'approche. Elle porte un seau à son bras et un balaibrosse à la main.)

SECOND VEILLEUR

Une autre ! Faites-vous partie de cette classe infortunée ?

MARY DRISCOLL

(Indignée.) Je ne suis pas une fille perdue. J'ai de bonnes recommandations et je suis restée quatre mois dans mon dernier emploi. J'étais en condition, six livres par an et la possibilité de me marier avec mon vendredi libre et j'ai dû partir du fait de ses agissements.

PREMIER VEILLEUR

De quoi le taxez-vous ?

MARY DRISCOLL

Il m'a fait une certaine proposition mais pauvre comme je suis j'avais une autre idée de moi-même.

BLOOM

(Veste d'intérieur en ondulé de laine, pantalon de flanelle, pantoufles sans talon, non rasé, cheveux ébouriffés : doucement.) Je vous ai traitée gentiment, je vous ai donné des petits souvenirs, des jarretières émeraude chics bien au-dessus de votre condition. Imprudemment j'ai pris votre défense quand on vous a accusée de chapardage. Il y a une voie moyenne en tout. Jouez le jeu.

MARY DRISCOLL

(Avec excitation.) Tout comme Dieu me regarde ce soir si jamais j'ai mis la main sur ces huiltres !

PREMIER VEILLEUR

L'infraction dont vous vous plaignez ? S'est-il passé quelque chose ?

MARY DRISCOLL

Il m'a surprise à l'arrière des lieux, Votre honneur, quand la dame était sortie faire des courses avec la requête d'une épingle de nourrice. Il m'a tenue et le résultat a été que j'ai été décolorée en quatre endroits. Et s'en est pris par deux fois à mes vêtements.

BLOOM

Elle m'a contrassailli.

MARY DRISCOLL

(Méprisante.) J'avais plus de respect pour le balai-brosse, ça c'est vrai. Je lui ai fait des remontrances, Votre honneur, et il m'a déclaré : n'en dites rien.

(Hilarité générale.)

GEORGE FOTTRELL

(Greffier de la couronne et de la paix, d'une voix tonitruante.) Silence dans la salle ! L'accusé va maintenant faire une déclaration bidon.

(Bloom, plaidant non coupable avec un nénuphar en fleur à la main, se lance dans un long discours inintelligible. On allait entendre ce que l'avocat avait à dire dans son émouvante

plaidoirie au jury. Il était au plus bas mais, bien que stigmatisé, pour ainsi dire, comme brebis galeuse, il désirait s'amender, faire revivre les souvenirs du passé de manière purement sororale et retourner à la nature comme un animal purement domestique. Enfant du septième mois, il avait été élevé avec soin et nourri par un parent âgé et cloué au lit. Peut-être avait-il eu des défaillances de père égaré mais il voulait tourner la page et à présent, alors qu'il était enfin en vue du pilori[44]*, mener une vie popote au soir de sa vie, réconforté par toute l'affection d'un environnement situé dans le palpitant sein familial. Britannique acclimaté, il avait vu ce soir d'été depuis la plate-forme d'une locomotive de la Loop Line Railway Company tandis que la pluie se retenait, pour ainsi dire, de tomber par intermittence à travers les vitres de merveilleux intérieurs dans la cité de Dublin et dans son district urbain des scènes véritablement rurales de bonheur du meilleur des pays avec des papiers peints de Dockrell à un shilling neuf les douze rouleaux, d'innocents bambins nésbritanniques bredouillant des prières au Saint Enfant, de jeunes écoliers s'attelant à leurs pensums ou des jeunes filles modèles jouant du pianoforte ou plus tard tous récitant avec ferveur le rosaire familial devant la bûchedeNoël crépitante tandis que dans les ruelles et les vertes allées les jouvencelles et leurs soupirants se promenaient court le temps les accents du mélodion organison cerclédemétal Britannia avec quatre registres en fonction et soufflets douzeplis, un sacrifice, meilleur achat du moment...)*

(Les rires reprennent. Il bredouille de manière incohérente. Les reporters se plaignent de ne pas entendre.)

CALLIGRAPHE ET STÉNOGRAPHE

(Sans lever le nez de leurs carnets.) Défaites ses lacets de chaussures.

PROFESSEUR MACHUGH

(Depuis le banc de la presse, tousse et appelle.) À table, mon bonhomme. Crache le morceau.

(L'interrogatoirecontradictoire se poursuit au sujet de Bloom et du seau. Un grand seau. Bloom lui-même. Troubles intestinaux. Dans Beaver street. Colique, oui. Assez terrible. Un seau de plâtrier. En marchant sans plier les genoux. Souffrances absolument indicibles. Véritable agonie. Vers midi. Amour ou bourgogne. Oui, un peu d'épinards. Moment crucial. Il n'avait pas regardé dans le seau. Personne. Plutôt répugnant. Pas complètement. Un ancien numéro de Titbits.*)*

(Rugissements et huées. Bloom en queuedepie déchirée tachée de badigeon, chapeau-claque cabossé de travers sur le crâne, un morceau de sparadrap en travers du nez, parle de manière inaudible.)

J. J. O'MOLLOY

(En perruque grise d'avocat et robe d'avocat, parlant d'un ton de protestation chagrinée.) Ce n'est pas ici le lieu d'une légèreté indécente aux dépens d'un mortel égaré épris de boisson. Nous ne sommes ni dans une

pétaudière ni à un bizutage d'Oxford et ceci n'est pas non plus une parodie de justice. Mon client est un nouveau-né, un pauvre immigrant étranger qui a commencé au plus bas comme passager clandestin et tente aujourd'hui de gagner honnêtement sa vie. Le délit forgé a été causé par une aberration temporaire de l'hérédité, due à une hallucination, des familiarités telles que l'événement dont il est apparemment coupable étant généralement autorisées dans le pays natal de mon client, la terre des Pharaons. *Prima facie*, j'attire votre attention sur le fait qu'il n'y a pas eu tentative de connaissance charnelle. Il n'y a pas eu intimité et l'agression dont se plaint Driscoll, à savoir que sa vertu aurait été sollicitée, n'a pas été répétée. J'insisterai tout particulièrement sur l'atavisme. Il y a eu des cas de naufrages et de somnambulisme dans la famille de mon client. Si l'accusé était capable de parler il aurait tout loisir de narrer une histoire[45] — une des plus étranges qui aient jamais été racontées dans les pages d'un livre. Lui-même, votre honneur, est physiquement une épave du fait de la faiblesse de poitrine que connaissent les savetiers. Sa défense se fonde sur son origine mongolienne et sur l'irresponsabilité de ses actes. Un peu débile, en réalité.

BLOOM

(Pieds nus, pigeonbrécheté, en gilet et pantalon de lascar, orteils tournés en dedans en signe d'excuse, ouvre ses minuscules yeux de taupe et regarde autour de lui d'un air hébété, passe lentement une main sur son front. Puis il remonte sa ceinture à la manière des marins et avec un haussement d'épaules de déférence orientale salue la cour en dirigeant un pouce vers le ciel.) Lui y fait une nuit tlé magnifique. *(Il se met à chantonner gaiement et simplement.)*

Li pauv' pétit galçon
Polte piécosson tous les soils
Li paye deux shilly…

(Les huées l'obligent à se taire.)

J. J. O'MOLLOY

(S'adresse avec chaleur à la populace.) C'est un combat solitaire. Par le Styx, je ne permettrai pas qu'un de mes clients soit de cette manière bâillonné et harcelé par une meute de roquets et de hyènes ricanantes. Le code mosaïque a détrôné la loi de la jungle. Je le dis et le répète avec vigueur, sans vouloir un seul instant entraver les desseins de la justice, l'accusé n'a pas été complice par instigation et la demanderesse n'a pas été molestée. La jeune personne a été traitée par le défendeur comme si elle avait été sa propre fille. *(Bloom saisit la main de J. J. O'Molloy et la porte à ses lèvres.)* Je ferai appel à une preuve réfutatoire afin de démontrer jusqu'à plus soif que la main secrète pratique toujours son jeu habituel. En cas de doute persécutons Bloom. Mon client, un homme foncièrement timide, serait le dernier homme à commettre une action indigne d'un gentilhomme que la pudeur blessée pourrait condamner ou à jeter la pierre à une jeune fille qui a mal tourné quand quelque ignoble personnage, responsable de l'état dans lequel elle se trouve, est parvenu à lui faire accepter tout son bon plaisir. Il veut marcher droit. Je le considère comme l'homme le plus blanc que je connaisse. Il est pour le moment dans la débine à cause de l'hypothèque qui grève ses immenses domaines d'Agendath Netaïm dans la lointaine Asie Mineure, dont nous allons à présent vous projeter quelques vues. *(À Bloom.)* Je

suggère que vous agissiez maintenant en galant homme.

BLOOM

Un demi pour cent[46].

(L'image du lac de Kinnereth avec le bétail indistinct qui paît dans la brume argentée est projetée sur le mur. Moses Dlugacz, albinos fouineyeux, en salopette bleue, se lève dans la galerie, avec dans chaque main un cédrat orange et un rognon de porc.)

DLUGACZ

(D'une voix rauque.) Bleibtreustrasse, Berlin, W.13.

(J. J. O'Molloy grimpe sur une plinthe basse et tient avec solennité le revers de sa veste. Son visage s'allonge, devient pâle et barbu, avec les yeux creux, les taches phtisiques et les pommettes hectiques de John F. Taylor. Il applique son mouchoir sur sa bouche et examine le flux galopant de sang rosâtre.)

J. J. O'MOLLOY

(Presque sans voix.) Excusez-moi, je souffre d'un sévère coup de froid, je quitte à peine mon lit de malade. Quelques mots bien sentis. *(Il emprunte la tête avienne, la moustache de renard et l'éloquence proboscidienne de Seymour Bushe.)* Lorsqu'aura été ouvert le livre de l'ange si quelque chose de l'âmetransfigurée et de l'âmetransfigurante inauguré par ce sein pensif mérite d'exister alors je déclarerais accordez au prisonnier à la barre le bénéfice sacré du doute[47].

(Un morceau de papier couvert de texte est passé au juge.)

BLOOM

(En habit de cour.) Peux fournir les meilleures références. Messrs Callan, Coleman, M. Wisdom Hely Juge de Paix. Mon vieux patron Joe Cuffe. M. V. B. Dillon, ex-lord-maire de Dublin[48]. J'ai évolué dans le cercle enchanteur des plus hautes... Reines de la société dublinoise. *(D'un ton nonchalant.)* Justement je bavardais cet après-midi au palais viceroyal avec mes vieux copains, sir Robert et lady Ball, astronome royal, au lever. Sir Bob, ai-je dit......

MME YELVERTON BARRY

(En robe de bal décolletée opale avec longs gants ivoire, portant une pelisse matelassée brique garnie de zibeline, un peigne de brillants et une aigrette de plumes dans les cheveux.) Arrêtez-le, monsieur l'agent. Il m'a écrit une lettre anonyme en lettres maladroitement renversées alors que mon époux était dans le District Nord de Tipperary pour la session de Munster, signée Aimé Laverge. Il disait que du poulailler il avait vu mes globes hors pair alors que j'étais assise dans une loge du *Theatre Royal* lors d'une représentation de gala de *La Cigale*. Je l'avais profondément enflammé, disait-il. Il m'a fait des propositions inconvenantes, me demandant de commettre l'adultère à quatre heures et demie de l'après-midi le jeudi suivant, heure de Dunsink. Il me proposait de m'envoyer par la poste une œuvre de fiction de Monsieur Paul de Kock, intitulée *La Demoiselle aux trois corsets*.

MME BELLINGHAM

(En toque et pèlerine de lapin imitationphoque, emmitouflée jusqu'au nez, descend de son brougham et scrute à travers un face-à-main cerclé d'écaille qu'elle sort de son immense manchon d'opossum.) À moi également. Oui, je crois qu'il s'agit de la même personne détestable. Parce qu'il a refermé la portière de ma voiture devant la porte de sir Thornley Stoker un jour de neige mouillée pendant la période de froid de février quatrevingttreize quand même la grille du tuyau de décharge et la soupape à flotteur de la citerne de ma salle de bains étaient gelées. Subséquemment il m'a adressé sous enveloppe une fleur d'edelweiss cueillie dans les hauteurs, comme il disait, pour me rendre hommage. Je l'ai fait examiner par un expert en botanique et on m'a informé que c'était une fleur de pomme de terre indigène soustraite dans une des forceries de la ferme modèle.

MME YELVERTON BARRY

Honte à lui !

(Une foule de traînées et de vanupieds se précipite en avant.)

LES TRAÎNÉES ET LES VANUPIEDS

(Hurlant.) Au voleur ! Hourra, Barbebleue ! Un ban pour Moïse le Youpin !

SECOND VEILLEUR

(Brandit des menottes.) Voilà les poucettes.

MME BELLINGHAM

Il m'a adressé sous divers styles d'écriture des compliments exagérés où il me donnait le nom de Vénus à la fourrure[49] et a feint une profonde pitié pour mon cocher gelé Palmer tandis que dans le même souffle il se disait envieux de ses oreillettes et de ses peaux de mouton laineuses et de son heureuse proximité avec ma personne lorsqu'il se tient derrière mon cabriolet revêtu de ma livrée aux armoiries des Bellingham écusson garni de sable, une tête de cerf coupée d'or. Il louait presque avec extravagance mes extrémités inférieures, mes mollets galbés dans des bas de soie tendus à la limite, et faisait le panégyrique enthousiaste de mes autres trésors dissimulés sous de la dentelle sans prix que, disait-il, il parvenait à évoquer. Il m'exhortait (déclarant que m'exhorter était, selon lui, sa mission dans la vie) à souiller le lit conjugal, à commettre l'adultère à la première occasion.

L'HONORABLE MME MERVYN TALBOYS

(En costume d'amazone, bombe, bottes de cavalier éperonnéesd'ergots, gilet vermillon, gantelets de mousquetaire fauves avec baguettes à galons, longue traîne sur le bras et stick de chasse avec lequel elle ne cesse de cingler son empeigne.) Moi également. Parce qu'il m'avait vue sur le terrain de polo de Phoenix park lors du match Toute l'Irlande contre le Reste de l'Irlande. Mes yeux, je le sais, brillaient divinement tandis que j'observais le Capitaine Uppercut Dennehy des Inniskillings remporter le dernier chukkar sur son cher cob *Centaur*. Ce Don Juan plébéien m'observait de derrière un fiacre et m'a envoyé sous double enveloppe une photographie obscène, comme on en vend la nuit sur les grands boulevards parisiens, une insulte pour toute dame comme il faut. Je l'ai encore. Elle représente une señorita partiellement dénudée, frêle et jolie (sa femme, comme il me l'assurait solennellement, prise par lui d'après nature), pratiquant la

fornication illicite avec un torero musculeux, évidemment une gouape. Il m'exhortait à faire de même, à mal me conduire, à pécher avec les officiers de la garnison. Il m'implorait de souiller cette lettre de manière inqualifiable, de le châtier comme il le mérite amplement, de l'enfourcher et de le faire courir, de le fouetter de la manière la plus vicieuse.

MME BELLINGHAM

Moi aussi.

MME YELVERTON BARRY

Moi aussi.

(Plusieurs dames dublinoises extrêmement respectables apportent des lettres inconvenantes reçues de Bloom.)

L'HONORABLE MME MERVYN TALBOYS

(Fait sonner ses éperons cliquetants dans un soudain paroxysme de fureur.) Je le ferai, par le Dieu qui nous voit. Je fouaillerai ce sale roquet, ce capon aussi longtemps que je serai capable de me tenir au-dessus de lui. Je l'écorcherai vif.

BLOOM

(Ses yeux se ferment, il défaille, plein d'espoir.) Ici ? *(Il se tortille.)* Encore ! *(Il halète et s'aplatit.)* J'aime ce danger.

L'HONORABLE MME MERVYN TALBOYS

Tout à fait ! Je vais vous faire chauffer. Vous allez savoir sur quel pied danser.

MME BELLINGHAM

Tannez-lui bien le cuir, à ce parvenu ! Marquez-le de la bannière étoilée !

MME YELVERTON BARRY

Infâme ! Il n'a aucune excuse ! Un homme marié !

BLOOM

Tous ces gens. Je n'avais pensé qu'à l'idée de la fessée. Une sensation de douce chaleur picotante sans effusion de sang. Des coups de fouet raffinés pour stimuler la circulation.

L'HONORABLE MME MERVYN TALBOYS

(Rit avec dérision.) Oh, vraiment, mon beau monsieur ? Eh bien, par le Dieu vivant, vous allez à présent avoir droit à la surprise de votre vie, croyez-moi, la plus impitoyable raclée qu'un homme ait jamais demandée. Vous avez cinglé la tigresse qui sommeillait dans ma nature et l'avez rendue furieuse.

MME BELLINGHAM

(Agite son manchon et son face-à-main, vindicative.) Faites-le souffrir, ma chère Hanna. Faites-le chauffer. Rossez-moi ce bâtard jusqu'à deux doigts de la mort. Le chat à neuf queues. Castrez-le. Vivisectez-le.

BLOOM

(Frissonnant, s'aplatissant, il joint les mains : un air de chien battu.) Ô froideur ! Ô frisson ! C'était votre beauté ambrosiaque. Oubliez, pardonnez. Kismet. Faites-moi grâce pour cette fois-ci. *(Il tend l'autre joue.)*

MME YELVERTON BARRY

(Avec sévérité.) Ne le faites sous aucun prétexte, madame Talboys ! Il devrait être étrillé sévèrement !

L'HONORABLE MME MERVYN TALBOYS

(Déboutonnant violemment son gantelet.) Je n'en ferai rien. Chienporc il est et a été depuis qu'il a été mis bas ! Oser s'adresser à moi ! Je le fouetterai à blanc et à bleu dans les rues en public. J'enfoncerai toute la molette de mes éperons dans sa chair. C'est un cocu coté. *(Elle cingle sauvagement l'air de sa cravache.)* Ôtez-moi son pantalon sans perdre une minute. Venez ici, monsieur ! Vite ! Prêt ?

BLOOM

(Tremblant, commençant à obéir.) Le temps a été d'une telle douceur.

(Davy Stephens, boucleté, passe avec une bande de petits crieurs de journaux pieds nus.)

DAVY STEPHENS

Le Messager du Sacré-Cœur et *Le Télégramme du Soir* avec le supplément de la Saint-Patrick. On y trouve les nouvelles adresses de tous les cocus de Dublin.

(Le très révérend Chanoine O'Hanlon, enveloppé de sa chape de drap d'or, soulève et présente une pendule en marbre. Devant lui le Père Conroy et le révérend John Hughes S. J. s'inclinent très bas.)

LA PENDULE

(Se déportillonnant.)

Coucu.
Coucu.
Coucu.

(On entend cliqueter les anneaux de cuivre d'un lit.)

LES ANNEAUX

Jigjag. Jigajiga. Jigjag.

(Un panneau de brouillard se relève rapidement, dévoilant rapidement sur les bancs du jury les visages de Martin Cunningham, premier juré, claquechapeauté, Jack Power, Simon Dedalus, Tom Kernan, Ned Lambert, John Henry Menton, Myles Crawford, Lenehan, Paddy Leonard, Naze Flynn, M'Coy et le visage sans traits d'un Être Sans Nom[50]*.)*

L'ÊTRE SANS NOM

Chevaucher à cru. Poids suivant l'âge. Morbleu, il l'a organisée, elle.

LES JURÉS

(Toutes leurs têtes tournées en direction de sa voix.) Vraiment ?

L'ÊTRE SANS NOM

(Grogne.) Cul par-dessus pieds. Cent shillings pour cinq.

LES JURÉS

(Toutes leurs têtes baissées en signe d'acquiescement.) C'est ce que la plupart d'entre nous pensions.

PREMIER VEILLEUR

C'est un homme marqué. Une autre tresse coupée à une petite fille. On recherche : Jack l'Éventreur. Mille livres de récompense.

SECOND VEILLEUR

(Impressionné, murmure.) Et en noir. Un mormon. Anarchiste.

L'HUISSIER AUDIENCIER

(D'une voix forte.) Attendu que Leopold Bloom sans domicile fixe est un dynamitard, faussaire, bigame, proxénète et cocu avéré ainsi qu'une nuisance publique pour les citoyens de Dublin, et attendu qu'à cette commission d'assises le très honorable…

(Son Honneur, sir Frederick Falkiner, président du tribunalcorrectionnel de Dublin, en robe de pierre grise se lève du banc, pierrebarbu. Il tient dans ses bras un sceptre parapluie. De son front jaillissent raides les cornes de bélier mosaïques[51]*.)*

LE PRÉSIDENT

Je vais mettre fin à cette traite des blanches et débarrasser Dublin de cet odieux fléau. C'est scandaleux ! *(Il coiffe la toque noire.)* Qu'on l'emmène, Monsieur le Sous-shérif, du banc des accusés où il se trouve à présent et qu'on l'enferme dans la prison de Mountjoy aussi longtemps qu'il plaira à Sa Majesté et qu'il y soit pendu par le cou jusqu'à ce que mort s'ensuive et en conséquence ne manquez point à votre devoir, sinon à vos risques et périls, que le Seigneur ait pitié de votre âme. Emmenez-le.

(Une calotte noire descend sur sa tête. Le sous-shérif Long John Fanning apparaît, fumant un Henry Clay à l'odeur âcre.)

LONG JOHN FANNING

(Sourcils froncés, demande d'une voix retentissante.) Qui va pendre Judas Iscariote ?

(H. Rumbold, maître barbier, en justaucorps sangdebœuf et tablier de tanneur, une corde lovée sur son épaule, installe le billot. Une matraque plombée et un gourdin clouté sont attachés à sa ceinture. Il frotte sinistrement ses mains d'empoigneur, bosselées de coups-de-poing américains.)

RUMBOLD

(Au président avec une sinistre familiarité.) Harry le Pendeur, votre Majesté, la terreur de Liverpool. Cinq guinées la jugulaire. La cravate et à la trappe.

(Les cloches de George's church sonnent lentement le glas, fer lourd et sombre.)

LES CLOCHES

Hé-las ! Hé-las !

BLOOM

(Au désespoir.) Attendez. Arrêtez. Mouettes. Bon cœur. J'ai vu. Innocence. Petite fille dans le pavillon-

des-singes. Zoo. Chimpanzé lubrique. *(Hors d'haleine.)* Bassin pelvien. Sa rougeur sans fard m'a ébranlé. *(Saisi par l'émotion.)* J'ai quitté les lieux. *(Il se tourne vers une personne dans l'assistance, suppliant.)* Hynes, puis-je vous parler ? Vous me connaissez. Ces trois shillings vous pouvez les garder. Si vous avez besoin d'un peu plus…

HYNES

(Avec froideur.) Vous m'êtes totalement inconnu.

SECOND VEILLEUR

(Désigne le coin.) La bombe est là.

PREMIER VEILLEUR

Machine infernale à retardement.

BLOOM

Non, non. Pied de cochon. J'étais à un enterrement.

PREMIER VEILLEUR

(Sort sa matraque.) Menteur !

(Le chien bigle lève le museau, montrant le visage gris scorbutique de Paddy Dignam. Il a tout ingurgité. Il exhale une haleine putride charognarde. Il grandit et prend taille et forme humaine. Son pelage dachshund devient un vêtement mortuaire brun. Son œil vert lance un éclair injecté de sang. La moitié d'une oreille, tout le nez et les deux pouces ont été goulavalés.)

PADDY DIGNAM

(D'une voix caverneuse.) C'est vrai. C'était mon enterrement. Le docteur Finucane a prononcé l'extinction de la vie lorsque j'ai succombé à la maladie du fait de causes naturelles.

(Il lève son visage mutilé gris cendre vers la lune et son aboiement est lugubre.)

BLOOM

(Triomphant.) Vous entendez ?

PADDY DIGNAM

Bloom, je suis l'esprit de Paddy Dignam. Écoute, écoute, ô écoute[52] !

BLOOM

La voix est celle d'Esaü.

SECOND VEILLEUR

(Se signe.) Comment est-ce possible ?

PREMIER VEILLEUR

Ce n'est pas dans le catéchisme pour tous.

PADDY DIGNAM

Par la métempsycose. Revenants.

UNE VOIX

Ô mes bonbons.

PADDY DIGNAM

(Avec sérieux.) J'étais autrefois employé par M. J. H. Menton, avoué, déclarations sous serments et affidavits, au 27 Bachelor's Walk. À présent je suis décédé, la paroi du cœur hypertrophiée. Pas de chance. Ma pauvre femme en a été terriblement affectée. Comment s'en sort-elle ? Éloignez-la de cette bouteille de sherry. *(Il regarde autour de lui.)* Une lampe. Je dois satisfaire un besoin animal. Ce babeurre ne m'a pas réussi.

(La silhouette imposante de John O'Connell, conservateur, s'avance, tenant un trousseau de clés attachées par un crêpe. À ses côtés se trouve le Père Corbyatt, chapelain, ventre-crapaud, coutordu, en surplis et bonnet de nuit-foulard, ensommeillé, tenant un bâton de pavots tressés.)

PÈRE CORBYATT

(Bâille, puis psalmodie d'une voix enrouée.) Namine. Jacobs. Vobiscuits[53]. Amen.

JOHN O'CONNELL

(Trompedebrume tempétueusement dans son mégaphone.) Feu Dignam, Patrick T.

PADDY DIGNAM

(Oreilles dressées, en frémissant.) Harmoniques. *(Il avance en se trémoussant et plaque une oreille contre le sol.)* La voix de mon maître !

JOHN O'CONNELL

Bordereau d'autorisation d'inhumation numéro H.S. Quatre-vingt-cinq mille. Division dix-sept. Maison des Clés. Concession, cent un.

(Paddy Dignam écoute en faisant visiblement un effort, réfléchissant, queue pointéedroite, oreilles dressées.)

PADDY DIGNAM

Priez pour le repos de son âme.

(Il descend en rampant par un soupirail, son vêtement brun traînant sa laisse sur les cailloux qui s'entrechoquent. À sa suite un rat grandpaternel obèse trotte sur des pattes de tortue spongieuses sous une carapace grise. On entend la voix de Dignam, étouffée, qui aboie sous terre : Dignam est mort et enterré. *Tom Rochford, rougegorgé, casquette et chausses, saute de sa machine à deux colonnes.)*

TOM ROCHFORD

(Une main sur son bréchet, s'incline.) Reuben J. Un florin que je le trouve. *(Il fixe sur le trou d'homme un regard résolu.)* C'est maintenant mon tour. Suivez-moi donc à Carlow.

(Il exécute en l'air un bond cassecou de saumon et s'engouffre dans le jour de cave. Deux disques sur la colonne vacillent, yeux de zéro. Tout s'efface. Bloom avance de nouveau en pataugeant dans le cloaque. Des baisers pépient parmi les lambeaux de brouillard. Un piano résonne. Il est devant une maison éclairée, écoute. Les baisers, quittant leurs

demeures sur l'aile, volettent autour de lui, babillant, gazouillant, roucoulant.)

LES BAISERS

(Gazouillant.) Leo ! *(Babillant.)* Aqueux piqueux hochequeue visqueux pour Leo ! *(Roucoulant.)* Rou rourou ! Miammiam, Famfam ! *(Gazouillant.)* Gros jouigros ! Pirouette ! Leopopaul ! *(Babillant.)* Leoli ! *(Gazouillant.)* Ô Leo !

(Ils froufroutent, volettent sur ses vêtements, se posent, vives mouchetures folâtres, sequins argentés.)

BLOOM

Une touche masculine[54]. Musique triste. Musique d'église. Peut-être ici.

(Zoe Higgins, une jeune prostituée en combinaison saphir, fermée par trois boucles de bronze, un mince collier de chien de velours noir autour du cou, fait un signe de tête, dégringole l'escalier et l'accoste.)

ZOE

Vous cherchez quelqu'un ? Il est à l'intérieur avec son ami.

BLOOM

C'est chez Mme Mack, ici ?

ZOE

Non, au quatre-vingt-un. Mme Cohen. Vous pourriez aller plus loin et trouver pire. Mère Savatisavate.

(Avec familiarité.) Elle s'est mise elle-même au boulot ce soir avec le véto son tuyauteur qui lui donne tous les gagnants et paye pour son fils à Oxford. Fait des heures supplémentaires mais la chance est avec elle aujourd'hui. *(Soupçonneuse.)* Vous n'êtes pas son père, hein ?

BLOOM

Pas moi !

ZOE

Vous, tous les deux en noir. La petite souris n'aurait pas quelques démangeaisons ce soir ?

(Sa peau, éveillée, sent l'extrémité des doigts approcher. Une main glisse sur sa cuisse gauche.)

ZOE

Comment vont les noisettes ?

BLOOM

De l'autre côté. Étrangement elles sont à droite. Plus lourdes, je suppose. Un sur un million me dit Mesias, mon tailleur.

ZOE

(Tout à coup inquiète.) Vous avez un chancre induré.

BLOOM

Peu de chance.

ZOE

Je le sens.

(Sa main s'introduit dans la poche gauche du pantalon de Bloom et en sort une pomme de terre ratatinée dure et noire. Elle l'observe, ainsi que Bloom, les lèvres silencieuses et humides.)

BLOOM

Un talisman. Héritage.

ZOE

Pour Zoe ? Pour toujours ? Pour avoir été aussi gentille, hein ?

(Elle met avidement la pomme de terre dans une poche puis lui prend le bras, le câline de sa chaleur souple. Il sourit, mal à l'aise. Lentement, note après note, quelqu'un joue de la musique orientale. Il plonge dans le cristal brun sombre des yeux de Zoe, cerclés de khôl. Son sourire s'adoucit.)

ZOE

Tu me reconnaîtras la prochaine fois.

BLOOM

(D'un air morne.) Jamais je n'ai aimé une chère gazelle sans qu'aussitôt elle[55]...

(Des gazelles bondissent et paissent dans les montagnes. Lacs à proximité. Près des rives s'alignent les ombres noires de bosquets de cèdres. Un arôme s'élève, une puissante che-

velure de résine. Il brûle, l'orient, un ciel de saphir, fendu par le vol bronze des aigles. En dessous s'étend la citédesfemmes, nue, blanche, immobile, fraîche, luxueuse. Une fontaine murmure parmi les roses de damas. D'immenses roses murmurent de raisins écarlates. Suinte un vin de honte, de lubricité, de sang à l'étrange murmure.)

ZOE

(Murmurant une mélopée avec la musique, ses lèvres d'odalisque délicieusement enduites d'onguent de graissedeporc et d'eauderose.) Schorach ani wenowach, benoith Hierushaloim[56].

BLOOM

(Fasciné.) Je pensais bien à votre accent que vous étiez de bonne lignée.

ZOE

Ne crois-tu pas que mieux vaut penser que tenir ?

(Elle lui mordille doucement l'oreille avec de petites dents touchées d'or, lui envoie une haleine fade d'ail rance. Les roses s'écartent, dévoilent un sépulcre de l'or des rois ainsi que leurs ossements en poussière.)

BLOOM

(Recule, tout en caressant mécaniquement son téton droit d'une main raide et maladroite.) Vous êtes une fille de Dublin ?

ZOE

(Rattrape habilement un cheveu indiscipliné et l'intègre à sa torsade.) Manquerait plus que ça. Je suis anglaise. T'aurais pas un crapulos ?

BLOOM

(Comme précédemment.) Je ne fume pas souvent, ma chérie. Un cigare de temps en temps. Un truc d'enfant. *(Avec lubricité.)* La bouche a mieux à faire qu'à sucer un cylindre d'herbe pestilentielle.

ZOE

Vas-y. Monte donc sur l'estrade et fais-nous un discours.

BLOOM

(En salopette d'ouvrier en velours côtelé, jersey noir avec foulard rouge et casquette d'apache.) L'espèce humaine est incorrigible. Sir Walter Raleigh rapporta du nouveau monde cette pomme de terre et cette herbe, l'une, ingérée, assassine la pestilence, l'autre empoisonne l'oreille, l'œil, le cœur, la mémoire, la volonté, la compréhension, tout. C'est-à-dire qu'il introduisit le poison cent ans avant qu'une autre personne dont j'ai oublié le nom introduisît l'aliment. Suicide. Mensonges. Toutes nos habitudes. Mais, il n'y a qu'à observer notre vie publique !

(Carillons de minuit à des clochers lointains)

LES CARILLONS

Retourne, Leopold ! Lord maire de Dublin[57] !

BLOOM

(En robe et chaîne d'adjoint.) Électeurs d'Arran quay, d'Inn's quay, de Rotunda, de Mountjoy et de North Dock, il faudrait, je pense, faire passer une ligne de tram du marché aux bestiaux jusqu'à la rivière. Voilà la musique de l'avenir. Voilà mon programme. *Cui bono ?* Mais nos boucaniers de Vanderdecken dans leur vaisseau fantôme de la finance[58]...

UN ÉLECTEUR

Triple ban pour notre futur premier magistrat !

(L'aurore boréale de la procession aux flambeaux surgit.)

LES PORTEFLAMBEAUX

Hourra !

(Quelques bourgeois très en vue, magnats de la cité et francs-bourgeois serrent la main de Bloom et le félicitent. Timothy Harrington, par le passé trois fois lord-maire de Dublin, fort imposant en écarlate de maire, chaîne d'or et cravate de soie blanche, s'entretient avec le conseiller Lorcan Sherlock, locum tenens. *Ils hochent vigoureusement la tête en signe d'acquiescement.)*

EX LORD-MAIRE HARRINGTON

(En robe écarlate avec masse, chaîne d'or de maire et large cravate de soie blanche.) Que le discours de l'officier municipal sir Leo Bloom soit imprimé aux frais des contribuables. Que la maison qui l'a vu naître soit ornée d'une plaque commémorative et que l'artère qui donne dans Cork street jusqu'ici dénommée Cow Parlour soit désormais appelée Boulevard Bloom.

CONSEILLER LORCAN SHERLOCK

Approuvé à l'unanimité.

BLOOM

(Avec passion.) Ces Hollandais volants ou Hollandais voleurs, pourvu qu'ils se reposent sur leur dunette capitonnée à jeter les dés, que leur chaut ? Les machines sont leur seul cri, leur chimère, leur panacée. Appareils sansmaind'œuvre, supplanteurs, bêtesnoires, monstres manufacturés pour l'assassinat mutuel, hideux gobelins produits par une horde de concupiscences capitalistes sur notre main-d'œuvre prostituée. Le pauvre homme meurt de faim tandis qu'ils font paître leurs cerfs royaux de montagne ou tirent sur les paysans et les ferdrix, pris dans la pompe aveugle du lucre et du pouvoir. Mais leur règne est rini pour les riècles des siècles et des…

(Applaudissements prolongés. Surgissent des mâts vénitiens, des arbres de mai et des arcs de fête. Une banderole portant l'inscription Cead Mile Failte[59] *et* Mah Ttob Melek Israel[60] *chevauche la rue. Toutes les fenêtres sont occupées par des spectateurs, surtout des dames. Tout le long du parcours les régiments des Royal Dublin Fusiliers, des King's Own Borderers, des Cameron Highlanders et des Welsh Fusiliers, au garde-à-vous, contiennent la foule. Les garçons des Lycées, perchés sur les réverbères, les poteaux télégraphiques, les rebords de fenêtres, les corniches, les gouttières, les cheminées, les grilles, les tuyaux de descente, sifflent et acclament. La colonne de la nuée apparaît. On entend au loin une clique de fifres et de tambours jouer le Kol Nidre[61]. Les rabatteurs*

approchent, arborant les aigles impériales, laissant flotter les bannières et agitant des palmes orientales. L'étendard papal chryséléphantin est dressé haut, entouré par les fanions du drapeaumunicipal. L'avant-garde du cortège apparaît, menée par John Howard Parnell, premier prévôt de la cité, en tabard d'échiquier, le Poursuivant d'Athlone et le Roi d'Armes d'Ulster. Ils sont suivis par le Très Honorable Joseph Hutchinson, lord-maire de Dublin, sa seigneurie le lord-maire de Cork, leurs honneurs maires de Limerick, de Galway, de Sligo et de Waterford, vingt-huit pairs, représentants de l'Irlande, des sirdars, des grandespagne et des maharadjahs portant le baldaquin d'État, la Brigade de Sapeurs Pompiers de Dublin, le chapitre des saints de la finance selon l'ordre plutocratique de préséance, l'évêque de Down et Connor, Son Éminence Michael cardinal Logue, archevêque d'Armagh, primat de toute l'Irlande, Sa Grâce, le très révérend Dr William Alexander, archevêque d'Armagh, primat de toute l'Irlande, le grand rabbin, le modérateur presbytérien, les chef des chapelles baptiste, anabaptiste, méthodiste et morave et le secrétaire honoraire de la société des amis. Après eux défilent les guildes et les corporations et les arrièrebancs enseignes déployées : tonneliers, amateurs d'oiseaux, constructeurs de moulins, placiers en espace, copistes juridiques, masseurs, négociants en vin, bandagistes, ramoneurs, raffineurs de lard, tisserands de popeline et de papeline, maréchaux-ferrants, magasiniers italiens, décorateurs d'églises, fabricants de tirepieds, entrepreneurs de pompes funèbres, marchands de soieries, lapidaires, adjudicateurs, bouchonniers, assesseurs de dégâts d'incendie, teinturiers et dégraisseurs, embouteilleurs exportateurs, peaussiers, étiqueteurs, graveurs de sceaux héraldiques, employés dans le commerce des chevaux, courtiers en lingots, confectionneurs pour le cricket et le tir à l'arc, fabricants de cribles, agents en œufs et pommes de terre, bonnetiers et gantiers, plombiers. À leur suite défilent les gentilshommes de la chambre, de la Verge Noire, de la Vice-Jarretière, du Bâton Doré, le grand écuyer, le lord grand chambellan, le grand maréchal, le grand connétable portant l'épée d'État, la couronne de fer de saint Étienne, le calice et la bible. Quatre clairons à pied jouent une fanfare. Des hallebardiers répondent en claironnant la bienvenue. Bloom apparaît sous un arc de triomphe, tête nue, en manteau de velours cramoisi garni d'hermine, portant le bâton de saint Edward, le globe et le sceptre avec la colombe, le cortain. Il monte un cheval d'une blancheur de lait à la longue queue écarlate flottante, richement caparaçonné, avec une têtière en or. Immense excitation. Depuis leurs balcons les dames lancent des pétales de roses. L'air est parfumé d'essences. Les hommes acclament. Les pages de Bloom courent au milieu des spectateurs avec des branches d'aubépine et des buissons de saint Étienne.)

PAGES DE BLOOM [62]

Roitelet, roitelet,
Roi de tous les oiseaux,

Saint Étienne ce jour-là
Fut pris dans les ajoncs.

UN FORGERON

(Murmure.) Pour l'honneur de Dieu ! Voilà donc Bloom ? Il ne paraît pas avoir plus de trente et un ans.

UN PAVEUR ET DALLEUR

Voilà donc le fameux Bloom, le plus grand réformateur du monde. Chapeaux bas !

(Tous se découvrent. Les femmes chuchotent avec animation.)

UNE MILLIONNAIRE

(Richement.) N'est-il pas tout simplement merveilleux !

UNE NOBLE

(Noblement.) Tout ce que cet homme a vu !

UNE FÉMINISTE

(Masculinement.) Et fait !

UN POSEUR DE SONNETTES

Un visage classique ! Il a le front d'un penseur.

(Temps bloomeux. Une gloire de soleil apparaît au nord-ouest[63].)

L'ÉVÊQUE DE DOWN ET CONNOR

Je vous présente céans votre indubitable président-empereur et président-roi, le sérénissime, très actif et très puissant souverain de ce royaume. Dieu garde Leopold Premier !

TOUS

Dieu garde Leopold Premier !

BLOOM

(En dalmatique et manteau pourpre, avec dignité, à l'évêque de Down et Connor.) Merci, passablement éminent seigneur.

WILLIAM, ARCHEVÊQUE D'ARMAGH

(Avec plastron en soie pourpre et chapeau romain.) Chercherez-vous de tout votre pouvoir à appliquer la loi et la miséricorde dans tous vos jugements en Irlande et territoires attenants ?

BLOOM

(Pose sa main droite sur ses testicules, prête serment.) Ainsi pourra me traiter le Créateur. Tout cela je promets de le faire.

MICHAEL, ARCHEVÊQUE D'ARMAGH

(Verse une burette de brillantine sur le crâne de Bloom.) Gaudium magnum annuntio vobis. Habemus carneficem[64]. Leopold, Patrick, Andrew, David, George, soyez oint !

(Bloom revêt un manteau de drap d'or et passe un rubis à son doigt. Il gravit les marches et prend place sur la pierre du destin. Les pairs représentants ceignent au même instant leurs vingthuit couronnes. Les cloches sonnent la joie à Christ church, Saint Patrick, Saint

George et gaie Malahide. Des feux d'artifice de la vente de charité Mirus s'élèvent de tous côtés avec des dessins phallopyrotechniques. Les pairs rendent hommage, l'un après l'autre, s'approchent et fléchissent le genou.)

LES PAIRS

En devenant votre homme lige je vous dois et ma vie et mes membres en guise d'adoration terrestre.

(Bloom lève la main droite sur laquelle étincelle le diamant Koh-i-Noor. Son palefroi hennit. Silence immédiat. Les transmetteurs intercontinentaux et interplanétaires sont prêts à recevoir un message.)

BLOOM

Mes sujets ! Par le présent acte nous nommons notre fidèle destrier Copula Felix Grand Vizir héréditaire et déclarons que nous avons ce jour répudié notre ancienne épouse et accordé notre main royale à la princesse Séléné, splendeur de la nuit.

(L'ancienne épouse morganatique de Bloom est rapidement emmenée dans le panier à salade. La princesse Séléné, en robe bleulune, croissant d'argent sur la tête, descend d'une chaise à porteurs, portée par deux géants. Les acclamations retentissent.)

JOHN HOWARD PARNELL

(Brandit l'étendard royal.) Illustre Bloom ! Successeur de mon célèbre frère !

BLOOM

(Étreint John Howard Parnell.) Nous vous remercions du fond du cœur, John, pour ce très royal accueil dans la verte Erin, la terre promise de nos ancêtres communs.

(Le droit de cité lui est présenté sous la forme d'une charte. Les clés de Dublin, croisées sur un coussin cramoisi, lui sont remises. Il montre à tous qu'il porte des chaussettes vertes.)

TOM KERNAN

Vous le méritez, votre honneur.

BLOOM

Ce même jour il y a vingt ans nous défîmes l'ennemi héréditaire à Ladysmith[65]. Nos obusiers et nos pierriers à chameaux arrosèrent ses lignes avec un succès impressionnant. Une demi-lieue en avant[66] ! Ils chargent ! Tout est perdu maintenant ! Cédons-nous ? Non ! Tête baissée, nous les repoussons ! Et voilà que nous chargeons ! Se déployant sur la gauche notre cavalerie légère balaya les hauteurs de Plevna et, poussant son crideguerre *Bonafide Sabaoth*, sabra jusqu'au dernier les canonniers sarrasins.

LE CHAPITRE DES MAÎTRES COMPOSITEURS

Très bien ! Très bien !

JOHN WYSE NOLAN

Voici l'homme qui a permis à James Stephens de fuir.

UN ÉCOLIER EN UNIFORMEBLEU

Bravo !

UN VIEUX RÉSIDENT

Vous faites honneur à votre pays, monsieur, voilà ce qu'il faut savoir.

UNE POMMARCHANDE[67]

C'est l'homme que l'Irlande a besoin.

BLOOM

Mes bienaimés sujets, une nouvelle ère va voir le jour. Moi, Bloom, je vous dis en vérité qu'elle est à portée de main. Oui, parole de Bloom, vous entrerez d'ici peu dans la cité dorée qui va naître, la nouvelle Bloomusalem dans la Nova Hibernia de l'avenir.

(Trente-deux ouvriers, portant rosettes, venus de tous les comtés d'Irlande construisent, sous la direction de Derwan l'entrepreneur, la nouvelle Bloomusalem. C'est un édifice colossal au toit de cristal, ayant la forme d'un énorme rognon de porc et contenant quarante mille pièces. À mesure que sa construction avance, plusieurs immeubles et monuments sont démolis. Les bureaux de l'administration sont temporairement transférés dans les remises du chemin de fer. De nombreuses maisons sont entièrement rasées. Les habitants sont logés dans des tonneaux et des caisses, tous marqués des lettres rouges : L. B. Plusieurs indigents tombent d'une échelle. Une partie des murs de Dublin, chargés de loyaux spectateurs, s'écroule.)

LES SPECTATEURS

(En mourant.) Morituri te salutant. (Ils meurent.)

(Un homme en macintosh brun jaillit d'une trappe. Il pointe un doigt étiré vers Bloom.)

L'HOMME AU MACINTOSH

Ne croyez pas un seul mot de ce qu'il dit. Cet homme est Leopold M'Intosh, l'incendiaire notoire. Son véritable nom est Higgins.

BLOOM

Tirez dessus ! Chien de chrétien ! Bien fait pour M'Intosh !

(Un coup de canon. L'homme au macintosh disparaît. Bloom fauche des pavots avec son sceptre. On annonce la mort instantanée de nombreux ennemis puissants, chepteliers, membres du parlement, membres de commissions permanentes. Les gardesducorps de Bloom distribuent les largesses du jeudi saint, médailles commémoratives, pains et poissons, badges antialcooliques, cigares Henry Clay de luxe, os de vache gratuits pour la soupe, préservatifs en caoutchouc dans des enveloppes scellées entourées d'un fil d'or, butterscotch, bonbons à l'ananas, billets doux *pliés en forme de bicorne, costumes surmesure, jattes de hachis parmentier, bouteilles de Désinfectant Jeyes, bons d'achat, indulgences de 40 jours, pièces douteuses, saucisses de cochons nourris au lait, billets de faveur, cartes d'abonnement valables sur toutes les lignes de tram, billets de la Loterie Royale et Privilégiée de Hongrie, coupons de repas à un*

penny, éditions bon marché des Douze Pires Romans du Monde : Marianne et Gretchen (politique), Soins de bébé (infantilique), 50 Repas pour 7 shillings 6 (culinique), Jésus était-il un mythe solaire (historique), Éliminez cette douleur (médique), Compendium de l'univers pour les tout-petits (cosmique), Gloussons tous en cœur (hilarique), Vademecum du placier (journalique), Lettres d'amour de la Mère Assistante (érotique), Who's Who de l'espace (astrique), Chansons qui ont touché notre cœur (mélodique), La Richesse facile par Basdelaine (parsimonique). Bousculade et mêlée générale. Les femmes se pressent afin de toucher le bord du vêtement de Bloom. La dame Gwendolen Wimafoy se fraye un chemin dans la foule, saute sur son cheval et l'embrasse sur les deux joues au milieu de grandes exclamations de joie. Flash au magnésium pour une photographie. On tend vers lui bébés et nourrissons.)

LES FEMMES

Petit père ! Petit père !

LES BÉBÉS ET LES NOURRISSONS

Tape tape des mains que Popold revienne tôt
Pour Leo tout seul poche pleine de gâteaux.

(Bloom, penché en avant, tapote doucement le ventre de Bébé Boardman.)

BÉBÉ BOARDMAN

(Hoquets, du lait sur coule de sa bouche.) Hajajaja.

BLOOM

(Serrant la main d'un jouvenceau aveugle.) Mon plus que frère ! *(Entourant de ses bras les épaules d'un vieux couple.)* Chers vieux amis ! *(Il joue aux quatre coins avec des garçons et des filles en haillons.)* Coucou ! C'estmoi ! *(Il pousse des jumeaux dans une voiture d'enfants.)* Amstramgram c'esttoiladame. *(Il accomplit des tours de jongleur, sort de sa bouche des mouchoirs en soie rouge, orange, jaune, verte, bleue, indigo et violette.)* Rorajauverblinvi. 32 pieds par seconde. *(Il console une veuve.)* Loin des yeux, cœur plus jeune. *(Il danse un pas seul écossais en faisant le bouffon.)* Haut la jambe, les démons ! *(Il baise les escarres d'un vieil invalide.)* Honorables blessures ! *(Il fait trébucher un gros policier.)* H.S. : horservice. H.S. : horservice. *(Il chuchote à l'oreille d'une serveuse rougissante et rit avec gentillesse.)* Ah, coquine, coquine ! *(Il mange un navet cru que lui offre Maurice Lamermoort, fermier.)* Parfait ! Splendide ! *(Il refuse d'accepter trois shillings que lui offre Joseph Hynes, journaliste.)* Mon cher ami, mais jamais de la vie ! *(Il donne son manteau à un mendiant.)* Je vous en prie, prenez-le. *(Il participe à une course sur le ventre avec des vieillards estropiés des deux sexes.)* Allons, les gars ! Tortillez-moi ça, les filles !

LE CITOYEN

(Étranglé par l'émotion, essuie une larme avec son écharpe émeraude.) Que le bon Dieu le bénisse !

(Les cornes de bélier sonnent pour demander le silence. L'étendard de Sion est envoyé.)

BLOOM

(Défait son manteau avec superbe, dévoilant son obésité, déroule un papier et lit d'une voix solennelle.)

Aleph Beth Gimel Daleth Haggadah Tephilim Kasher Yom Kippour Hanukah Roschaschana Beni Brith Bar Mitzvah Mazoth Ashkenazim Meshuggah Talith.

(Jimmy Henry, second greffier municipal, lit une traduction officielle.)

JIMMY HENRY

La séance du Tribunal de la Conscience est à présent ouverte. Sa Très Catholique Majesté va maintenant administrer la justice en plein air. Consultation médicale et juridique gratuite, solution des dédoublements et autres problèmes. Tous cordialement invités. Donné en notre loyale cité de Dublin l'an 1 de l'Ère Paradisiaque.

PADDY LEONARD

Que dois-je faire pour mes impôts et contributions ?

BLOOM

Payez-les, mon ami.

PADDY LEONARD

Merci.

NAZE FLYNN

Puis-je prendre une hypothèque sur mon assurance incendie ?

BLOOM

(Opiniâtrement.) Messieurs, prenez connaissance qu'en vertu de la loi des torts et dommages vous êtes

sommés d'observer une bonne conduite pendant six mois sous caution de la somme de cinq livres.

J. J. O'MOLLOY

Ai-je dit un Daniel ? Que nenni ! Un Peter O'Brien[68] !

NAZE FLYNN

Où puis-je toucher les cinq livres ?

PISSEUR BURKE

Pour des problèmes de vessie ?

BLOOM

Acid. nit. hydrochlor. dil., 20 gouttes
Tinct. nux vom., 5 gouttes
Extr. taraxel. liq., 30 gouttes.
Aq. dis. ter in die.

CHRIS CALLINAN

Quelle est la parallaxe[69] de l'écliptique subsolaire d'Aldébaran ?

BLOOM

Content de vous revoir, Chris. K. 11[70].

JOE HYNES

Pourquoi pas en uniforme ?

BLOOM

Quand mon ancêtre dont le souvenir est sacré portait l'uniforme du despote autrichien dans une prison humide où était le vôtre ?

BEN DOLLARD

Les pensées ?

BLOOM

Embellissent (enjolivent) les jardins de banlieue.

BEN DOLLARD

Quand des jumeaux arrivent ?

BLOOM

Père (Paternel, papa) se met à réfléchir.

LARRY O'ROURKE

Une patente de huit jours pour mon nouveau local. Vous vous souvenez de moi, sir Leo, quand vous étiez au numéro sept. Je vais faire envoyer une douzaine de bouteilles de stout à votre dame.

BLOOM

(Froidement.) Je n'ai pas l'honneur. Lady Bloom n'accepte pas les présents.

CROFTON

C'est assurément une festivité.

BLOOM

(Solennellement.) Vous parlez de festivité. Je parle de sacrement.

ALEXANDER DESCLEY

Quand aurons-nous notre propre maison des clés ?

BLOOM

Je soutiens la réforme de la morale municipale et les dix commandements purs et simples. De nouveaux mondes contre des vieux. L'union de tous, juifs, musulmans et gentils. Trois acres et une vache pour tous les enfants de la nature. Des corbillards automobiles à conduite intérieure. Le travail manuel obligatoire pour tous. Tous les parcs ouverts au public jour et nuit. Lavevaisselles électriques. La tuberculose, l'aliénation mentale, la guerre et la mendicité doivent maintenant cesser. Amnistie générale, carnaval hebdomadaire avec licence masquée, bonus pour tous, l'espéranto langue universelle avec la fraternité universelle. Fini le patriotisme d'éponges de bar et d'imposteurs hydropiques. Argent libre, loyer libre, amour libre et une église laïque libre dans un état libre et laïque.

O'MADDEN BURKE

Un renard libre dans un poulailler libre.

DAVY BYRNE

(Bâillant.) Iiiiiiiiaaaaaach !

BLOOM

Races mixtes et mariages mixtes.

LENEHAN

Qu'en est-il des bains mixtes ?

(Bloom explique à ceux qui sont près de lui son programme de régénération sociale. Tous sont d'accord avec lui. Le conservateur du musée de Kildare street apparaît, tirant un camion sur lequel se trouvent les statues bran-

lantes de plusieurs déesses nues, Vénus Callipyge, Vénus Pandemos, Vénus Métempsycose et des figures en plâtre, également nues, représentant les neuf nouvelles muses, Commerce, Musique d'Opéra, Amor, Publicité, Manufacture, Liberté de Parole, Vote Plural, Gastronomie, Hygiène Individuelle, Spectacles Musicaux de stations balnéaires, Obstétrique Sans douleur et Astronomie pour le Peuple.)

PÈRE FARLEY

C'est un épiscopalien, un agnostique, un nimportequoyen qui cherche à renverser notre foi sacrée.

MME RIORDAN

(Déchire son testament.) Vous m'avez déçue ! Mauvais homme !

MÈRE GROGAN

(Quitte sa chaussure pour la lancer sur Bloom.) Sale brute ! Abominable individu !

NAZE FLYNN

Une petite chanson, Bloom. Un chant doux et ancien.

BLOOM

(Avec un humour tapageur.)

J'avais juré de ne jamais la quitter,
Mais elle manquait par trop d'équité.
Avec mon tra-lalala, avec mon tra-lalala,
Avec mon traderidera et tralala.

HOPPY HOLOHAN

Ce bon vieux Bloom ! En fin de compte, il est le meilleur.

PADDY LEONARD

Irlandais d'opérette !

BLOOM

Quel opéra tramatique fait penser à la tonte des moutons chez les anciens Grecs ? L'Enlèvement des laines.

(Rires.)

LENEHAN

Plagiaire ! À bas Bloom !

LA SIBYLLE VOILÉE

(Avec enthousiasme.) Je suis une Bloomite et je m'en glorifie. Je crois en lui en dépit de tout. Je donnerais ma vie pour lui, l'homme le plus drôle au monde.

BLOOM

(Avec un clin d'œil aux personnes présentes.) Je parie que c'est un beau tendron.

THEODORE PUREFOY

(En casquette de marin et ciré.) Il use d'un moyen mécanique pour frustrer les desseins sacrés de la nature.

LA SIBYLLE VOILÉE

(Se poignarde.) Mon divin héros ! *(Elle meurt.)*

(Des femmes, très nombreuses, séduisantes et enthousiastes se suicident elles aussi en se poignardant, en se noyant, en buvant de l'acide prussique, de l'aconit, de l'arsenic, en s'ouvrant les veines, en refusant de manger, en se jetant sous un rouleau compresseur, du haut de la colonne Nelson, dans la grande cuve de la brasserie Guinness, en s'asphyxiant en se mettant la tête dans un fouragaz, en se pendant à l'aide de jarretières de grand luxe, en sautant par les fenêtres de différents étages.)

ALEXANDER J. DOWIE

(Avec violence.) Coreligionnaires en Christ et anti-Bloomites, l'homme qui porte le nom de Bloom sort des profondeurs de l'enfer, il est une honte pour tous les chrétiens. Libertin démoniaque dès sa plus tendre enfance ce bouc puant de Mendès donna des signes précoces de débauche infantile, qui rappelait les villes de la plaine, avec une grande-aïeule dépravée. Ce dévergondé hypocrite, endurci par l'infamie, est le taureau blanc dont parle l'Apocalypse. Adorateur de la Femme Écarlate, le souffle même de ses narines respire l'intrigue. Les fagots du bûcher et le chaudron d'huile bouillante lui sont destinés. Caliban !

LA POPULACE

Lynchons-le ! Rôtissons-le ! Il ne vaut pas mieux que Parnell. M. Fox[71] !

(La mère Grogan jette son soulier sur Bloom. Plusieurs boutiquiers du haut et du bas de

Dorset street lui jettent des objets de peu ou pas de valeur, osdejambon, boîtes de lait condensé, choux invendables, pain rassis, queues de mouton, morceaux de gras.)

BLOOM

(Avec excitation.) C'est la folie d'une nuit d'été, encore une horrible plaisanterie. Par le ciel, je suis aussi peu coupable que la neige qui n'a pas connu le soleil ! C'était mon frère Henry. Il est mon double. Il habite au numéro 2 Dolphin's Barn. La calomnie, cette vipère, m'a accusé à tort. Chers concitoyens, *sgeul im barr bata coisde gan capall*[72]. J'en appelle à mon vieil ami, le Dr Malachie Mulligan, sexologiste, afin qu'il apporte son témoignage médical.

LE DR MULLIGAN

(En veste d'automobiliste, lunettes vertes de motoriste sur le front.) Le Dr Bloom est bisexuellement anormal. Il s'est échappé il y a peu de l'asile privé du Dr Eustace pour gentlemen en démence. Né hors des draps du mariage il présente une épilepsie héréditaire, conséquence d'une lubricité sans frein. Des traces d'éléphantiasis ont été décelées parmi ses ascendants. On trouve des symptômes très nets d'exhibitionnisme chronique. L'ambidextérité est également latente. Sa calvitie précoce est le fait d'attouchements solitaires, il est devenu en conséquence perversement idéaliste, un roué repenti, et il possède des dents métalliques. Par suite d'un complexe familial il a temporairement perdu la mémoire et je pense qu'il est plus à plaindre qu'à blâmer[73]. J'ai procédé à un examen pervaginal et, après application du test acide sur 5 427 poils anaux, axillaires, pectoraux et pubiens, je le déclare *virgo intacta*.

(Bloom couvre ses organes génitaux de son meilleur chapeau.)

LE DR MADDEN

Hypsospadia également très nette. Dans l'intérêt des générations futures je suggère que les parties affectées soient conservées dans l'esprit de vin au musée tératologique national.

LE DR CROTTHERS

J'ai analysé l'urine du patient. Elle est albumineuse. La salivation est insuffisante, le réflexe rotulien est intermittent.

DR PUNCH COSTELLO

La *fetor judaicus*[74] est extrêmement perceptible.

LE DR DIXON

(Lit un bulletin de santé.) Le professeur Bloom est un exemple achevé du nouvel homme féminin. Sa nature morale est simple et aimable. Nombreux sont ceux qui ont trouvé que c'est un homme très cher, une personne très chère. C'est un bonhomme assez bizarre dans l'ensemble, timide mais pas faible d'esprit au sens médical du terme. Il a écrit une lettre vraiment très belle, un véritable poème, au missionnaire du tribunal de la Société pour la Protection des Prêtres Réformés qui clarifie tout. Il est pratiquement un abstème complet et je peux affirmer qu'il dort sur une paillasse et mange une nourriture des plus spartiates, des pois secs d'épicier froids. Il porte une haire de pure fabrication irlandaise hiver comme été et se flagelle tous les samedis. Je crois savoir qu'autrefois il a été un délinquant de première classe dans la maison

de correction de Glencree. Un autre rapport déclare qu'il était un enfant très posthume. Je demande la clémence au nom du mot le plus sacré que nos cordes vocales aient jamais été appelées à prononcer. Il attend un bébé.

(Commotion et compassion générales. Des femmes s'évanouissent. Un riche Américain fait une collecte au bénéfice de Bloom. Il recueille rapidement pièces d'or et d'argent, chèques en blanc, billets de banque, bijoux, bons du trésor, lettres de change à échéance, reconnaissances de dettes, alliances, chaînes de montre, médaillons, colliers et bracelets.)

BLOOM

Oh, je voudrais tant être mère !

MME THORNTON

(En blouse de gardemalade.) Serre-moi fort, mon chou. Ce sera bientôt fini. Très fort, mon chou.

(Bloom la serre très fort et accouche de huit enfants mâles jaunes et blancs. Ils apparaissent dans un escalier à tapis rouge orné de plantes de grand prix. Tous les octuplets sont beaux, avec des visages métalliques de valeur, bienfichus, respectablement habillés et bienélevés, ils parlent couramment cinq langues modernes et s'intéressent à des arts et des sciences variés. Chacun d'eux porte son nom imprimé lisiblement sur le plastron de sa chemise : Nasodoro, Goldfinger, Chrysostomos, Maindorée, Silversmile, Silberselber, Vifargent, Panargyros. Ils sont immédiatement nommés à des postes publics de grande

confiance dans plusieurs pays différents comme directeurs de banques, chargés de la circulation aux chemins de fer, présidents de sociétés à responsabilité limitée, viceprésidents de syndicats hôteliers.)

UNE VOIX

Bloom, êtes-vous le Messie ben Joseph ou ben David[75] ?

BLOOM

(Sombrement.) Tu l'as dit.

FRÈRE MARTIN

Alors faites un miracle comme le Père Charles.

BANTAM LYONS

Prophétisez le gagnant du Saint Leger.

(Bloom marche sur un filet, couvre son œil gauche avec son oreille gauche, traverse plusieurs murs, escalade la colonne Nelson, s'accroche à la corniche supérieure par les paupières, avale douze douzaines d'huîtres (y compris les coquilles), guérit plusieurs personnes souffrant de la maladie royale, déforme son visage afin de ressembler à de nombreux personnages historiques, Lord Beaconsfield, Lord Byron, Wat Tyler, Moïse d'Égypte, Moïse Maïmonide, Moïse Mendelssohn, Henry Irving, Rip van Winkle, Kossuth, Jean-Jacques Rousseau, le Baron Leopold Rothschild, Robinson Crusoé, Sherlock Holmes, Pasteur, tourne chaque pied

simultanément dans différentes directions, ordonne à la marée de changer de direction, éclipse le soleil en tendant un petit doigt.)

BRINI, NONCE DU PAPE

(En uniforme de zouave pontifical, cuirasses d'acier formant plastron, brassard, cuissard, jambières, grandes moustaches profanes et mitre en papier d'emballage.)

Leopoldi autem generatio. Moïse engendra Noé et Noé engendra Eunuc et Eunuc engendra O'Halloran et O'Halloran engendra Guggenheim et Guggenheim engendra Agendath et Agendath engendra Netaïm et Netaïm engendra Le Hirsch et Le Hirsch engendra Jesurum et Jesurum engendra MacKay et MacKay engendra Ostrolopsky et Ostrolopsky engendra Smerdoz et Smerdoz engendra Weiss et Weiss engendra Schwarz et Schwarz engendra Adrianopoli et Adrianopoli engendra Aranjuez et Aranjuez engendra Lewy Lawson et Lewy Lawson engendra Ichabudonosor et Ichabudonosor engendra O'Donnell Magnus et O'Donnell Magnus engendra Christbaum et Christbaum engendra ben Maimun et ben Maimun engendra Dusty Rhodes et Dusty Rhodes engendra Benamor et Benamor engendra Jones-Smith et Jones-Smith engendra Savorgnanovich et Savorgnanovich engendra Jasperstone et Jasperstone engendra Vingtetunième et Vingtetunième engendra Szombathely et Szombathely engendra Virag[76] et Virag engendra Bloom *et vocabitur nomen eius Emmanuel.*

UNE MAINMORTE

(Écrit sur le mur.) Bloom est une morue.

MORPION

(En tenue de batteur de buissons.) Que faisiez-vous dans le passage à bestiaux derrière Kilbarracks ?

UN NOURRISSON DE SEXE FÉMININ

(Secoue un hochet.) Et sous le pont de Ballybough ?

UN BUISSONDEHOUX

Et dans la combe du diable ?

BLOOM

(Rougit furieusement partout de frons à nates, trois larmes tombent de son œil gauche.) Laissez mon passé tranquille.

LES TENANTS IRLANDAIS EXPULSÉS

(En corselet et culottes avec des grosgourdins du marché de Donnybrook.) Knoutez-le !

(Bloom avec des oreilles d'âne s'installe dans le pilori, les bras croisés, ses pieds dépassent. Il sifflote a cenar teco *de* Don Giovanni. *Des orphelins d'Artane, se tenant par la main, gambadent autour de lui. Les petites filles de l'Œuvre de la Porte de Prison, se tenant par la main, gambadent autour de lui dans l'autre sens.)*

LES ORPHELINS D'ARTANE

Sale porc, sale pourceau, sale pourcelet !
Tu crois vraiment être aimé des dames !

LES FILLES DE LA PORTE DE PRISON

C'est haut Itai
Mais si tu m'aimes
C'est Owen
Qui descendra.

HORNBLOWER-SOUFFLECORNE

(En éphod et chapeau de chasse, annonce.) Et il portera les péchés du peuple à Azazel, l'esprit qui vit dans le désert, et à Lilith, le démon de minuit. Et ils le lapideront et ils le souilleront, oui, tous, ceux d'Agendath Netaïm et de Mitsraïm, le pays de Cham.

(Tout le monde jette des pierres molles de pantomime sur Bloom. De nombreux voyageurs de bonne foi et des chiens sans propriétaire s'approchent de lui et le souillent. Mastiansky et Citron approchent en gabardine, portant de longues papillotes. Ils agitent leur barbe en direction de Bloom.)

MASTIANSKY ET CITRON

Bélial ! Lamlein d'Istrie, le faux Messie ! Abulafia ! Abjure !

(George R. Mesias, le tailleur de Bloom, apparaît, carreau de tailleur sous le bras, présentant une facture.)

MESIAS

Pour la retouche d'une paire de pantalons onze shillings.

BLOOM

(Se frotte les mains avec joie.) Comme au bon vieux temps. Pauvre Bloom !

(Reuben J. Dodd, Iscariote à barbenoire, mauvais berger, portant sur ses épaules le corps noyé de son fils, s'approche du pilori.)

REUBEN J.

(Murmure d'une voix rauque.) La mèche est vendue. La balance est chez les piedsplats. Attrapez le premier fiacre.

LA BRIGADE DE POMPIERS

Pfaap !

FRÈRE MARTIN

(Investit Bloom d'un habit jaune avec broderies de flammes peintes et haut chapeau pointu. Il lui met un sac de poudre à canon autour du cou et le livre au pouvoir civil en disant.) Pardonnez-lui ses offenses.

(À la demande générale le lieutenant Myers de la Brigade des Pompiers de Dublin met le feu à Bloom. Lamentations.)

LE CITOYEN

Dieu soit loué !

BLOOM

(Dans un vêtement sans couture marqué I.H.S. se tient debout bien droit au milieu de flammes de phénix.) Ne pleurez pas sur moi, ô filles d'Erin. *(Il montre les traces de brûlures à des reporters dublinois.)*

LES FILLES D'ERIN

(Les filles d'Erin, en vêtements noirs, avec de grands livres de prières et de longs cierges allumés à la main, s'agenouillent et prient.)

Rognon de Bloom, priez pour nous
Fleur du Bain, priez pour nous
Mentor de Menton, priez pour nous
Placier du Freeman, priez pour nous
Charitable Maçon, priez pour nous
Savon Errant, priez pour nous
Douceurs du Péché, priez pour nous
Musique sans Paroles, priez pour nous
Censeur du Citoyen, priez pour nous
Amis des Falbalas, priez pour nous
Sagefemme Très Miséricordieuse, priez pour nous
Pommedeterre Préservative contre Peste et Pestilence, priez pour nous

(Une chorale de six cents voix, sous la direction de Vincent O'Brien, chante le chœur du Messie de Haendel, Alléluia, car le Seigneur omnipotent règne, *accompagnée à l'orgue par Joseph Glynn. Bloom devient muet, ratatiné, carbonisé.)*

ZOE

Égosille-toi donc, à force tu deviendras tout noir.

BLOOM

(En caloquet avec pipe en terre coincée dans le ruban, croquenots poussiéreux, le mouchoir rouge d'un baluchon d'émigrant à la main, conduit un porc noir de

tourbière à l'aide d'une larderasse, un sourire à l'œil.) Me voilà donc sur le départ, femme de la maison, car par toutes les chèvres du Connemara je suis à point pour une migouflée d'huile de côteret. *(Avec la larme à l'œil.)* Tout ça n'est que folie. Patriotisme, chagrin pour les morts, musique, avenir de la race. Être ou ne pas être. Le rêve de la vie est révolu. L'achever paisiblement. Ils continueront à vivre. *(Son regard se perd tristement dans le lointain.)* Je suis ruiné. Quelques pastilles d'aconit. Tirer les rideaux. Une lettre. Et puis s'étendre et se reposer. *(Il respire doucement.)* Jamais plus. J'ai vécu. A. Adieu[77].

ZOE

(Avec raideur, un doigt dans son collier de chien.) Sans blague ? Jusqu'à la prochaine fois. *(Elle ricane.)* On dirait que tu t'es levé du mauvais pied ou que t'as joui trop vite avec ta bonne amie. Oh, je peux lire tes pensées !

BLOOM

(Amèrement.) L'homme et la femme, l'amour, qu'est-ce donc ? Un bouchon et une bouteille. J'en ai assez. Après moi le déluge.

ZOE

(Se met immédiatement à bouder.) Je déteste les pignoufs faux jetons. Les putes, faut bien qu'elles vivent.

BLOOM

(Pénitentiellement.) Je suis fort désagréable. Tu es un mal nécessaire. D'où viens-tu ? De Londres ?

ZOE

(Avec volubilité.) De Hog's Norton où les porcs jouent les orgues. Une fille du Yorkshire. *(Elle retient la main de Bloom qui cherche son téton.)* Dis donc, Tommy Tibout. Arrête-moi ça, tu peux faire pire. T'as pas un peu d'oseille pour un petit coup ? Dix shillings ?

BLOOM

(Sourit, acquiesce lentement.) Davantage, houri, davantage.

ZOE

Davantage avantage ? *(Elle le papouille cavalièrement avec des pattes de velours.)* Tu viendrais pas dans notre salle de musique voir notre pianola tout neuf ? Si tu viens je me dénippe.

BLOOM

(Tâtant son occiput avec un air dubitatif et l'incomparable embarrassement d'un colporteur harassé jaugeant la symétrie de ses poires pelées[78].) J'en connais une qui serait terriblement jalouse si elle savait. Le monstre aux yeuxverts[79]. *(Avec sérieux.)* Tu sais comme c'est difficile. Pas besoin de te le dire.

ZOE

(Flattée.) Ce que l'on ne voit pas ne peut pas chagriner le cœur. *(Elle le papouille.)* Viens.

BLOOM

Caustique magicienne ! La main qui balance le berceau[80].

ZOE

Bébé !

BLOOM

(En langes et pelisse, grossetête, avec une coiffe de cheveux noirs, fixe de gros yeux sur le fluide fourreau et en compte les boucles de bronze d'un doigt boudiné, sa langue humide pendante et bredouillante.) Un deux tloi : tloi tleux tlun.

LES BOUCLES

T'aime. Passionnément. Pas du tout.

ZOE

Qui ne dit mot consent. *(Ses petites serres ouvertes agrippent sa main, son index traçant sur la paume le mot de touche de l'envoyé secret, l'entraînant vers son triste sort.)* Mains chaudes battant froid.

(Il hésite au milieu de senteurs, de musique, de tentations. Elle l'entraîne vers les marches, l'attirant par l'odeur de ses aisselles, le vice de ses yeux peints, le froufrou de sa combinaison dans les plis sinueux duquel est tapie la fétidité léonine de toutes les brutes mâles qui l'ont possédée.)

LES BRUTES MÂLES

(Émettant des exhalaisons sulfureuses de rut et de crotte et rampant dans leur stalle, rugissant légèrement, leurs têtes droguées oscillant de gauche à droite.) Bien !

(Zoe et Bloom atteignent l'entrée où deux consœurs putes sont assises. Elles l'examinent

avec curiosité de sous leurs sourcils dessinés et sourient à sa révérence rapide. Il trébuche maladroitement.)

ZOE

(Sa main heureuse le rattrapant.) Hopla ! Faut pas tomber là-haut.

BLOOM

Le juste tombe sept fois. *(Il s'écarte sur le seuil.)* Après toi, les bonnes manières.

ZOE

Les dames d'abord, puis les messieurs.

(Elle franchit le seuil. Il hésite. Elle se retourne et, tendant les mains, le tire à elle. Il saute. Un chapeau et un imperméable d'homme sont accrochés au portemanteau cornu de l'entrée. Bloom se découvre mais, en les voyant, fronce les sourcils, puis sourit, soucieux. Une porte à mi-étage s'ouvre brusquement. Un homme vêtu d'une chemise violette et d'un pantalon gris, chausseté de marron, traverse d'un pas de singe, son crâne chauve et son bouc bien droits, serrant contre lui une pleine cruchebroc d'eau, ses bretelles noires à deuxqueues traînant sur ses talons. Détournant rapidement le visage Bloom se penche pour examiner sur la table de l'entrée les yeux d'épagneul d'un renard courant : puis la tête levée pour renifler, il suit Zoe dans la salle de musique. Un abatjour de papiercrépon mauve atténue la lumière du lustre. Une phalène tourne encore et encore,

se cogne, échappe. Le sol est recouvert d'un linoléum mosaïque de rhomboïdes jade et azur et cinabre. Des traces de pas y sont imprimées dans tous les sens, talon contre talon, talon contre cambrure, pointe contre pointe, pieds joints, une moresque de pieds glissés sans corps fantômes, une mêlée sens-dessusdessous. Les murs sont tapissés d'un papier de feuillage d'if et de lumineuses clairières. Dans l'âtre est ouvert un parefeu de plumes de paon. Lynch est assis jambes croisées sur les poils emmêlés de la carpette de foyer, sa casquette à l'envers. Il bat la mesure lentement avec une baguette. Kitty Ricketts, une prostituée osseuse et blême en costume marin, gants de daim retroussés pour montrer un petit bracelet de corail, une aumônière en mailles métalliques à la main, assise sur le bord de la table, balance une jambe et s'observe dans le miroir doré sur le manteau de la cheminée. Une attache de la dentelle de son corset dépasse un peu sous sa veste. Lynch montre d'un air moqueur le couple au piano.)

KITTY

(Tousse derrière sa main.) Elle est un peu débile. *(Elle fait un signe en agitant l'index.)* Blabblab. *(Lynch retrousse sa jupe et son jupon blanc avec sa baguette. Elle les rabat rapidement.)* Un peu de respect. *(Elle a un hoquet, puis courbe rapidement son béret de marin sous lequel luisent ses cheveux, rouges de henné.)* Oh, millexcuses !

ZOE

Plus de lumière, Charley. *(Elle s'approche du lustre et tourne le gaz plein jet.)*

KITTY

(Observe le brûleur.) De quoi souffre-t-il ce soir ?

LYNCH

(Avec profondeur.) Entrent un spectre et des gobelins.

ZOE

Tape sur le dos de Zoe.

(La baguette brille dans la main de Lynch : un tisonnier en cuivre. Stephen est debout devant le pianola sur lequel sont étalés son chapeau et sa frênecanne. Avec deux doigts il reprend une fois de plus la série de quintes sans but[81]. *Florry Talbot, une blonde prostituée molle oieblanche en robe déguenillée de fraise moisie, étalée de toutsonlong dans le coin du canapé, son bras mou pendant par-dessus le coussin, écoute. Un gros orgelet traîne sur une paupière endormie.)*

KITTY

(Hoquette une fois de plus avec une ruade de son pied posé.) Oh, millexcuses !

ZOE

(Immédiatement.) Ton gars pense à toi. Fais un nœud à ta chemise.

(Kitty Ricketts baisse la tête. Son boa se déroule, glisse, file sur épaule, dos, bras, chaise jusqu'au sol. Lynch soulève de sa baguette la chenille entortillée. Kitty s'encouleuvre le cou, se niche. Stephen jette un coup d'œil en arrière vers la silhouette accroupie avec sa casquette à l'envers.)

STEPHEN

En fait, peu importe que Benedetto Marcello l'ait trouvé ou inventé. Le rite est le repos du poète. Ce pourrait être un hymne ancien à Déméter ou bien illustrer également *Coela enarrant gloriam Domini*[82]. Il est susceptible de faire usage de nodes ou de modes aussi disparates que l'hyperphrygien et le mixolydien[83] et de textes aussi divergents que des prêtres hauchahutant l'autel de David c'est-à-dire de Circé ou qu'est-ce que je raconte Cérès et le tuyau de palefrenier de David à son premier basson[84] au sujet de la bienséance de son omnipotence. *Mais nom de nom, mais c'est une autre paire de pantalons. Jetez la gourme. Faut que jeunesse se passe*[85]. *(Il s'arrête, indique la casquette de Lynch, sourit, rit.)* De quel côté est votre bosse du savoir ?

LA CASQUETTE

(Dans un spleen saturnien.) Bah ! C'est parce que c'est comme ça. Raison de femme. Grecjuif c'est juifgrec. Les extrêmes se touchent. La mort est la plus haute forme de vie. Bah !

STEPHEN

Vous vous souvenez assez précisément de toutes mes erreurs, vantardises, fautes. Combien de temps vais-je encore fermer les yeux devant la déloyauté ? Affiloir !

LA CASQUETTE

Bah !

STEPHEN

Tenez, en voilà une autre pour vous. *(Il plisse le front.)* La raison en est que la fondamentale et la dominante sont séparées par le plus grand intervalle possible qui…

LA CASQUETTE

Qui ? Terminez. Vous ne pouvez pas.

STEPHEN

(Avec un effort.) Intervalle possible qui. Est la plus grande ellipse possible. Compatible avec. Le retour ultime. L'octave. Qui.

LA CASQUETTE

Qui ?

(Dehors le gramophone se met à trompetter La Cité Sainte[86]*.)*

STEPHEN

(Abrupt.) Ce qui est parti aux extrémités du monde pour ne pas se traverser, Dieu, le soleil, Shakespeare, un commis-voyageur, s'étant soi-même traversé devient en réalité ce soi. Attends un peu. Attends une seconde. Que le diable emporte ce type et son bruit dans la rue. Soi que lui-même était inéluctablement préconditionné à devenir. *Ecco*[87] *!*

LYNCH

(Avec un hennissement de rire moqueur sourit à Bloom et à Zoe Higgins.) Quel discours érudit, hein ?

ZOE

(Vivement.) Que Dieu vous vienne en aide, il en sait plus que vous n'en avez oublié.

(Florry Talbot regarde Stephen avec une obèse stupidité.)

FLORRY

On dit que le dernier jour est pour cet été.

KITTY

Non !

ZOE

(Éclate de rire.) Injuste ciel !

FLORRY

(Offensée.) C'est que c'était dans les journaux sur l'Antéchrist. Oh, mon pied me chatouille.

(Des crieurs de journaux pieds nus et en haillons, tirant sur un cervolant hochequeue, passent à petits pas, glapissant.)

LES CRIEURS DE JOURNAUX

Dernière édition. Résultat des courses de chevaux à bascule. Serpent de mer dans le canal royal. Antéchrist arrivé sain et sauf.

(Stephen se retourne et aperçoit Bloom.)

STEPHEN

Un temps, des temps, et la moitié d'un temps.

(Reuben J. Antéchrist[88], juif errant, une serre ouverte dans son dos, avance en trébuchant. À ses reins est suspendu un bissac de pèlerin d'où émergent des billets à ordre et des traites déshonorées. Haut sur son épaule il porte une grande perche de barque au crochet de laquelle la masse trempée tassée de son fils unique, sauvé des eaux de la Liffey, est suspendue par le fond de sa culotte. Un gobelin ressemblant à Punch Costello, éhanché, bossu, hydrocéphale, prognathe au front fuyant avec un gros nez à la Ally Sloper[89], capote en galipettes dans les ténèbres qui s'épaississent.)

TOUS

Quoi ?

LE GOBELIN

(Mâchoires claquantes, cabriole ici et là, roule des yeux, avec des cris aigus, des bondskangourous bras écartés pour saisir, puis tout d'un coup fait jaillir sa face sans lèvres dans la fourche de ses cuisses.) Il vient ! C'est moi ! L'homme qui rit ! L'homme primigène ! (Il tourne et tournoie sur lui-même avec des hurlements de derviche.) Sieurs et dames, faites vos jeux ! (Il s'accroupit en jonglant. De minuscules planètes de roulette s'échappent de ses mains.) Les jeux sont faits ! (Les planètes foncent toutes ensemble, avec des craquements crépitants.) Rien ne va plus[90] ! (Les planètes, légers ballons, se gonflent et s'envolent au loin. Il bondit dans le vide.)

FLORRY

(S'enfonçant dans la torpeur, se signe en secret.) La fin du monde !

(De tièdes effluves féminines suintent d'elle. Une obscurité nébuleuse occupe l'espace. Dans le brouillard qui passe dehors le gramophone trompette et couvre toux et pas traînants.)

LE GRAMOPHONE

Jérusalem !
Ouvre tes portes et chante
Hosanna[91]...

(Une fusée file dans le ciel et explose. Une étoile blanche en tombe, proclamant la consommation de toutes choses et le second avènement d'Élie. Le long d'une corderaide infinie invisible tendue du zénith au nadir la Fin du Monde, pieuvre à deux têtes en kilt de clan[92], colback et jupontartan, tournoie dans l'épaisse obscurité, cul par-dessus tête, dans la forme des Trois Jambes de l'Homme de Man.)

LA FIN DU MONDE

(Avec l'accent écossais.) Qui vient danser le cap aux cygnes ; le cap aux cygnes, le cap aux cygnes ?

(Dominant les dunumides et étouffant les soufletoux, la voix d'Élie, aussi rauque qu'un râle des genêts, criaille dans les hauteurs. Transpirant dans un large surplis de linon à manches entonnoir on aperçoit sa face de bedeau par-

dessus les rostres autour desquels est drapée la bannière étoilée[93]*. Il frappe le parapet.)*

ÉLIE

On cesse de dégoiser, je vous en prie, dans cette baraque. Jake Crane, Creole Sue, Dove Campbell, Abe Kirschner, toussez la bouche fermée. Dites donc, c'est moi qui dirige sur toute la ligne. Allez, les gars, tout de suite. L'heure de Dieu c'est 12.25. Dites à maman que vous serez là. Placez votre commande tout de suite et vous aurez un sacré atout. Inscrivez-vous de suite ! Un aller simple pour le triage de l'éternité, parcours sans arrêts. Encore un mot. Êtes-vous un dieu ou un rustaud, un âne bâté ? Si le second avènement visitait Coney Island sommes-nous prêts ? Florry Christ, Stephen Christ, Zoe Christ, Bloom Christ, Kitty Christ, Lynch Christ, c'est à vous de sentir cette force cosmique. On aurait froid aux yeux devant le cosmos ? Non. Mettez-vous du côté des anges. Soyez prismatiques. En vous se trouve quelque chose, le moi suprême. Vous pouvez frayer avec un Jésus, un Gautama, un Ingersoll. Êtes-vous tous un dans cette vibration ? Je dirais que oui, vous l'êtes. Si vous avalez ça, paroissiens, un tour à dix sous jusqu'au paradis devient du passé. Vous pigez ? C'est un pharedevie, pour sûr. Ça, je vous le dis, le nec plus ultra. C'est du nanan, avec du miel dessus en plus. Vous êtes bons sur toute la ligne, bons pour le départ. C'est immense, supersomptueux. Ça restaure. Ça vibre. Je le sais, et je suis un sacré vibrateur. Blague à part et, parlons peu parlons bien, A. J. Christ Dowie et la philosophie harmoniale, vous pigez ? O. K. Soixantedixsept soixanteneuvième rue ouest. Vous y êtes ? C'est ça. Un coup de fil solaire quand vous voulez. Carambouilleurs, gardez vos jetons. *(Il braille.)* Et maintenant notre chant de gloire. Tout le monde s'y met de tout son cœur. Encore ! *(Il chante.)* Jéru...

LE GRAMOPHONE

(Couvrant sa voix.) Chérisalaminleftonhhohhhh... *(Le disque gratte et racle contre l'aiguille.)*

LES TROIS PUTES

(Se bouchant les oreilles, glapissent.) Ahhkkk !

ÉLIE

(En manches de chemise, le visage noirci[94]*, hurle de tous ses poumons, les bras au ciel.)* Grand Frère là-haut, Mister President, vous entendez vrai pour sûr ce que je viens de dire à vous. Certainement, je me dis que je vous fais pas mal confiance, Mister President. Pour sûr que je pense maintenant que Mlle Higgins et Mlle Ricketts elles ont la religion bien fichée en elles. Pour sûr moi bien croire jamais zyeuté gonzesse qu'avait plus peur que vous, mademoiselle Florry, pas plus tard que tout à l'heure. Mister President, ramenez-vous et aidez-moi à sauver nos sœurs chéries. *(Clin d'œil aux spectateurs.)* Notre Mister President, il pige tout ça et y dit pas que dalle.

KITTY-KATE

Je me suis oubliée. Dans un moment de faiblesse je me suis égarée et j'ai fait ce que j'ai fait à Constitution hill. J'ai été confirmée par l'évêque et je me suis inscrite aux scapulaires bruns. La sœur de ma mère a épousé un Montmorency. C'est que c'était un plombier qu'a été ma perte quand j'étais pure.

ZOE-FANNY

Je l'ai laissé me filer un coup de tromblon pour le plaisir du truc.

FLORRY-TERESA

C'était la conséquence d'à peine un doigt de porto en plus du Hennessy trois étoiles. J'ai péché avec Whelan quand il s'est glissé dans le lit.

STEPHEN

Au commencement était le verbe, pour les siècles des siècles. Bénies soient les huit béatitudes.

(Les huit béatitudes, Dixon, Madden, Crotthers, Costello, Lenehan, Bannon, Mulligan et Lynch en blouses blanches d'internes, quatre de front, au pas de l'oie, défilent en marquant un rythme bruyant.)

LES BÉATITUDES

(De manière incohérente.) Bière bœuf bêtailleguerre bibless businum barnum bougrerum baptisme[95].

LYSTER

(En culottes grisquaker et chapeau à largebord, dit discrètement.) C'est notre ami. Point besoin de mentionner de nom. Ô toi, cherche la lumière.

(Il sort sur un pas de courante. Best entre en costume de coiffeur, blanchi à en briller, ses boucles en papillotes. Il conduit John Eglinton qui est vêtu d'un kimono de mandarin jaune nankin, lettrélizzard, coiffé d'un haut chapeau pagode.)

BEST

(Souriant, soulève le chapeau et dévoile un crâne chauve au sommet duquel se hérisse une faussetresse avec un nœud orange[96] *au bout.)* Je ne faisais que l'embellir, vous comprenez. Un objet de beauté[97], vous comprenez, dit Yeats, ou pardon, dit Keats.

JOHN EGLINTON

(Sort une lanterne sourde couronnée de vert dont il éclaire un angle : d'un ton pointilleux.) L'esthétique et les cosmétiques sont pour le boudoir. Je suis pour la vérité. La simple vérité pour un homme simple. Tanderagee veut les faits et est décidé à les obtenir.

(Dans le cône du projecteur derrière le seau à charbon, un ollave, regard inspiré, silhouette barbue, Mananaan Mac Lir est assis sombrement, menton sur les genoux. Il se lève lentement. Un vent maritime glacé s'échappe de sa bouche de druide. Sur sa tête se tordent anguilles et civelles. Il est incrusté d'algues et de coquillages. Dans sa main droite il tient une pompe à bicyclette. Sa main gauche serre les deux pinces d'une énorme écrevisse.)

MANANAAN MAC LIR

(D'une voix de vagues.) Aum ! Hek ! Wal ! Ak ! Lub ! Mor ! Ma[98] ! Yogin blanc des dieux. Pimandre occulte d'Hermès Trismégiste. *(D'une voix sifflante de vent maritime.)* Punarjanam patsypunjaub ! Je ne veux pas qu'on me fasse marcher. Il a été dit par quelqu'un : attention à la gauche, au culte de Shakti. *(Avec un cri d'oiseau de tempête.)* Shakti, Shiva ! Père sombrecaché ! *(Il frappe de sa pompe à bicyclette l'écrevisse dans sa main gauche. Sur son cadran coopératif luisent les*

douze signes du zodiaque. Il gémit avec la véhémence de l'océan.) Aum ! Baum ! Pyjaum ! Je suis la lampe du foyer ! Je suis le beurre rêveur crêmeur.

(Une mainjudas squelettique étrangle la lumière. La lumière verte décroît jusqu'au mauve. Le brûleur gémit en sifflant.)

LE BRÛLEUR

Pouah ! Pfuiiiiiii !

(Zoe court vers le lustre et, pliant une jambe, règle le manchon.)

ZOE

Qui a une clope pour mézigue ?

LYNCH

(Jetant une cigarette sur la table.) Voilà.

ZOE

(Tête penchée de côté avec un air faussement orgueilleux.) Est-ce une façon de passer le *pot* à une dame ? *(Elle s'étire pour allumer la cigarette à la flamme, la faisant lentement tourner, dévoilant les touffes brunes de ses aisselles. Lynch avec son tisonnier soulève hardiment sa combinaison d'un côté. Nue au-dessus de ses jarretières sa chair semble sous le saphir d'un vert ondine. Elle tire tranquillement sur sa cigarette.)* Tu vois le grain de beauté sur mon derrière ?

LYNCH

Je ne regarde pas.

ZOE

(Lance un coup d'œil en tirelire.) Non ? On n'en ferait pas moins ? On se presserait pas un peu le citron ?

(Les yeux plissés de fausse honte elle pose un regard appuyé et entendu à Bloom, puis se tortille pour se tourner vers lui, libérant sa combinaison du tisonnier. Un fluide bleu recouvre à nouveau sa chair. Bloom, debout, avec un sourire de désir, se tourne les pouces. Kitty Ricketts se lèche le médius et, s'observant dans le miroir, lisse avec sa salive ses deux sourcils. Lipoti Virag, basilicogrammate[99]*, dégringole rapidement par le tuyau de la cheminée et fait deux effets de jambes balourds vers la gauche sur des échasses roses. Il est saucissonné dans plusieurs pardessus et porte un macintosh brun sous lequel il tient un parchemin roulé. Dans son œil gauche étincelle le monocle de Cashel Boyle O'Connor Fitzmaurice Tisdall Farrell. Sur sa tête est perché un pshent égyptien. Deux plumes dépassent sur ses oreilles.)*

VIRAG

(S'incline, talons joints.) Mon nom est Virag Lipoti, de Szombathely. *(Il tousse pensivement, avec sécheresse.)* La nudité entre les sexes me paraît assez courante dans ces parages, hein ? Par inadvertance la vision de son postérieur a révélé qu'elle ne porte pas ces articles plutôt intimes auxquels tu portes tant de dévotion. La trace d'injection sur la cuisse ne t'a pas échappé je l'espère ? Bien.

BLOOM

Granpapachi. Mais…

VIRAG

Numéro deux, d'autre part, celle en rouge cerise et blanc coiffeuse, dont la chevelure ne doit pas qu'un peu à notre élixir tribal de bois de gopher est en tenue de marcheuse et, d'après son assise, est corsetée serré, j'opinerais. Bien droite et raide devant, pourrais-je dire. Détrompe-moi mais j'ai toujours compris que l'acte ainsi accompli par de folâtres humains avec aperçus de lingerie te séduisait en vertu de son exhibitionnististicité. En un mot. Hippogriffe. Ai-je raison ?

BLOOM

Elle est un peu mince.

VIRAG

(Pas désagréablement.) Absolument ! Bien observé et ces poches paniers de la jupe avec ce petit effet à la hussarde contribuent à donner l'impression de larges hanches. Achat récent dans quelques soldes monstres après avoir enganté une poire. Fanfreluches maquerelleuses pour tromper le regard. Remarque l'attention au détail des poussières. Ne jamais mettre le lendemain ce que l'on peut porter le jour même. Parallaxe ! *(Avec une crispation nerveuse de la tête.)* As-tu entendu mon cerveau cliquer ? Pollysyllabax !

BLOOM

(Un coude dans le creux d'une main, un index contre sa joue.) Elle a l'air triste.

VIRAG

(Cyniquement, ses dents de fouine découvertes, jaunes, tire son œil droit vers le bas avec un doigt et aboie d'une voix rauque.) Mystification ! Prends garde à la minette et à la tristesse feinte. Lis dans l'allée. Toutes possèdent le bouton de célibataire découvert par Rualdus Columbus[100]. Culbute-la. Colombute-la. Caméléon. *(Un peu plus affable.)* Eh bien, permets-moi d'attirer ton attention vers la troisième personne. Une grande partie d'elle est visible à l'œil nu. Remarque la masse de matière végétale oxygénée sur son crâne. Diantre, elle saute ! Le vilain petit canard de la couvée, un peu longue et lourde de quille.

BLOOM

(Avec regret.) Quand on sort sans son arme[101].

VIRAG

On peut vous faire toutes les qualités, doux, moyen et fort. Passez la monnaie, faites votre choix. Comme tu pourrais être heureux avec l'une ou l'autre…

BLOOM

Avec ?

VIRAG

(La langue bouclant vers le haut.) Lyum ! Regarde. Elle a de larges baux. Elle est recouverte d'une considérable couche de graisse. De toute évidence mammaire d'après le poids de la poitrine tu remarqueras qu'elle porte à l'avant habilement exposées deux protubérances de dimensions respectables, ayant tendance à tremper dans la soupe du déjeuner, tandis

qu'à sa poupe un peu plus bas se trouvent deux protubérances supplémentaires, suggérant un puissant rectum, et tumescentes pour la palpation, qui ne laissent rien à désirer sinon la fermeté. Des parties aussi charnues sont le produit d'une alimentation bien choisie. Quand on les engraisse en cageot leur foie atteint une taille éléphantesque. Des boulettes de pain frais avec du fenugrec et de la gommebenjoin bien rincées de potions de thé vert les dotent pendant leur brève existence de pelotes naturelles au lard colossal. Ça te va comme un gant, hein ? Les marmites de chairchaude débordant d'Égypte à convoiter. Vautre-toi là-dedans. Lycopode. *(Sa gorge frémit.)* Et pof ! Le revoilà.

BLOOM

C'est l'orgelet que n'aime pas.

VIRAG

(Hausse les sourcils.) Contact avec une bague d'or, dit-on. *Argumentum ad feminam*[102], comme nous disions dans la Rome antique et l'ancienne Grèce sous le consulat de Diplodocus et Ichtyosauros. Quant au reste le remède souverain d'Ève. Pas à vendre. Uniquement en location. Quichenotte-huguenotte. *(Il tressaute.)* Ça fait un drôle de bruit. *(Il tousse de façon encourageante.)* Mais peut-être n'est-ce qu'une verrue. Je suppose que tu te seras souvenu de ce que je t'aurai appris à ce sujet ? Farine de froment avec du miel et de la muscade.

BLOOM

(Réfléchissant.) Farine de froment avec du lycopode et du syllabax. Cette rigoureuse épreuve. La journée a été exceptionnellement fatigante, un chapitre d'acci-

dents. Attends. Je veux dire, sang de verrue répand verrues, tu as dit…

VIRAG

(Avec sévérité, nezbossu, fait de l'œil en coin.) Arrête de te tourner les pouces et fais travailler ton cerveau. Tu vois, tu as oublié. Fais travailler ta mnémotechnie. *La causa è santa*. Tsointsoin. Tsointsoin. *(À part.)* Il va certainement s'en souvenir.

BLOOM

Romarin également ai-je cru t'entendre dire ou pouvoir de la volonté sur les tissus parasites. Ensuite non nenni j'ai une idée. Le toucher d'une mainmorte guérit. Mnémo ?

VIRAG

(Avec excitation.) Je dirais ça. Je dirais ça. Et pourtant. Technique. *(Il tape énergiquement sur son parcheminroulé.)* Ce livre explique comment agir avec tous les détails décrits. Consulter l'index pour la phobie délirante de l'aconit, mélancolie de pulsatille muriatique, priapique. Virag va parler de l'amputation. Notre vieil ami le caustique. Il faut les affamer. Sectionner avec crindecheval sous la base dégagée. Mais, pour renvoyer l'affaire aux Bulgares et aux Basques, as-tu décidé si tu aimes ou pas les femmes habillées en homme ? *(Avec un ricanement sec.)* Tu avais l'intention de vouer toute une année à l'étude du problème religieux et les mois de l'été 1886 à la quadrature du cercle afin de gagner ce million. Grenade ! Du sublime au ridicule il n'y a qu'un pas. Disons, pyjama ? Ou culottes en jersey à soufflets, fermées ? Ou encore, formulons-nous le point, ces engins

compliqués, les combinaisons-culottes ? *(Il chante avec dérision.)* Kokeriko !

(Bloom examine les trois prostituées avec incertitude puis observe la lumière mauve voilée, écoute la phalène qui vole interminablement.)

BLOOM

Je voulais alors avoir maintenant conclu. Chemise de nuit c'était jamais. Donc ceci. Mais demain est un nouveau jour sera. Le passé était est aujourd'hui. Ce qui est tenant sera alors main comme tenant était être passé hier.

VIRAG

(Lui confie dans le tuyau de l'oreille.) Les insectes du jour passent leur brève existence en coïts réitérés, attirés par l'odeur de la femelle inférieurement pulchritudineuse possédant un nerf pudendaire déployifié dans la région dorsale. Joli jacquot ! *(Son becperroquet jaune jacasse nasalement.)* Il y avait un proverbe dans les Carpates autour de l'année cinq mille cinq cent cinquante de notre ère. Une cuillerée de miel attirera l'ami Martin davantage qu'une demi-douzaine de tonneaux de vinaigre de malt de premier choix. Le tintouin de Martin abêtit l'abeille bourdonnante. Mais laissons ça. Nous reprendrons à un autre moment. Nous étions très contents, nous autres. *(Il tousse et, baissant son front, se frotte le nez pensivement d'une main en conque.)* Tu observeras que ces insectes nocturnes suivent la lumière. Une illusion car rappelle-toi leur œil complexe incapable d'accommodation. Concernant tous ces sujets problématiques lis le dix-septième livre de mes Fondamentaux de Sexologie ou la Passion amoureuse qui d'après le Doc-

teur L. B. est le livre sensation de l'année. D'aucuns, à titre d'exemple, il y en a encore dont les mouvements sont automatiques. Remarque. C'est là son soleil approprié. Oiseaudenuit soleildenuit belledenuit. Suivez-moi, jeune homme ! (*Il souffle dans l'oreille de Bloom.*) Bourdonne !

BLOOM

Abeille ou mouchàviande aussi l'autre jour ombre butant le mur soi étourdi puis moi errant étourdi sous la chemise quelle chance que je…

VIRAG

(Son visage impassible, rit sur un ton féminin d'une grande richesse.) Splendide ! Sa compagne la mouche d'Espagne ou emplâtre de moutarde sur son plantoir. *(Il glousse glouton avec des fanons de dindon.)* Indar ! Un dard ! Où sommes-nous ? Sésame ouvre-toi ! Il surgit ! *(Il déroule rapidement son parchemin et lit, son nez de lampyre courant à l'envers sur les lettres qu'il égratigne.)* Restez, mon bon ami. Je vous apporte la réponse. Les huîtres de Red Bank ne vont pas tarder à être de saison. Je suis le meilleur maître coq. Ces succulents bivalves pourraient nous aider ainsi que les truffes du Périgord, tubercules délogés par les soins de monsieur goret omnivore, étaient insurpassables dans les cas de débilité nerveuse ou viragitis. Bien qu'elles puent elles ruent. *(Il secoue la tête avec une raillerie caquetante.)* Joculatoire. Avec mon monocle dans l'oculoir. *(Il éternue.)* Amen !

BLOOM

(Distraitement.) Oculairement le cas du bivalve de la femme est pire. Sésame toujours ouvert. Le sexe

fourchu. Ce pourquoi elles craignent la vermine, tout ce qui rampe. Contredit pourtant par Ève et le serpent. Pas un fait historique. Analogie évidente avec mon idée. Les serpents aussi sont avides de lait de femme. Se fraient un chemin sur des kilomètres dans les forêts omnivores pour suceculenter et dessécher son sein. Comme ces matrones romaines ébullitoires dont on peut lire dans Éléphantuliasis.

VIRAG

(Sa bouche projetée en rides profondes, yeux fermés froidement tristement, psaumes en monotone barbare.) Que les vaches avec leurs ces tétines distendues qu'elles ont été le le connu…

BLOOM

Je vais me mettre à hurler. Je vous demande pardon. Ah ? Bon. *(Il répète.)* Spontanément chercher l'antre du saurien afin de confier leurs pis à sa succion avide. La fourmi traie les aphidiens. *(Avec profondeur.)* L'instinct gouverne le monde. Dans la vie. Dans la mort.

VIRAG

(Tête de travers, arque son dos et épaulailes courbées, examine la phalène de ses yeux globuleux larmoyants, tend une griffe cornue et s'écrie.) Qui est phalène phalène ? Qui est ce cher Gerald ? Cher Ger, c'est toi ? Mon Dieu, il est Gerald. Oh, j'en ai bien peur, il sera extrêmement brûlé. Une perschonne pourrait-elle sch'il vous plaische pas maintenant impédiments tellement catastrophique mit agitation de serviette de tomble de premièreclasse ? *(Il miaule.)* Minou minou minou minou ! *(Il soupire, recule et observe le plancher en oblique, mâchoire pendante.)* Eh bien, eh bien. Il

repose incognuto. *(Il fait claquer tout d'un coup sa mâchoire dans l'air.)*

LA PHALÈNE

Je suis une bien petite chose
Au printemps une fois éclose
Autour autour de la rose.
Un roi je fus je suppose
Maintenant je fais aut' chose
Voler mon apothéose !
J'explose !

(Elle se précipite contre l'abatjour mauve, battant bruyamment des ailes.)

Jolis jolis jolis jolis jolis jolis jupons.

(Henry Flower entre par le fond à gauche et fait deux pas glissés en direction du centre, à l'avant et à gauche. Il porte une cape sombre et un sombrero à plumes au bord tombant. Il tient un dulcimer marqueté à cordes d'argent et une pipe Jacob à long tuyau en bambou, dont le fourneau en terre représente une tête de femme. Il porte des chausses en velours sombre et des escarpins à boucles d'argent. Il a le visage d'un Sauveur romantique à longue chevelure, à barbe clairsemée et moustache. Ses molletscoq et ses pieds de moineau sont ceux du ténor Mario, prince de Candie. Il remet en place sa fraise gaufrée et humecte ses lèvres en y passant sa langue amoureuse.)

HENRY

(D'une voix basse et suave, effleurant les cordes de sa guitare.) Il est un bluet qui florit.

(Virag, truculent, mâchoires crispées, fixe la lampe. Bloom, grave, regarde le cou de Zoe. Henry, galant, double menton pendouillant, se tourne vers le piano.)

STEPHEN

(À part soi.) Joue les yeux fermés. Imite papa. Me remplir le ventre des cosses des pourceaux[103]. Tout ça c'est trop. Je vais me lever et aller à mon. Je suppose que ceci est le. Steve, tu es sur une voie périlleuse. Dois aller voir le vieux Deasy ou lui télégraphier. Notre entrevue de ce matin m'a fait une profonde impression. Bien que nos âges. Écrirai plus longuement demain. Entre nous, je suis partialement pompette. *(Il effleure de nouveau les touches.)* Vient maintenant un accord mineur. Oui. Pas beaucoup cependant.

(Almidano Artifoni tend une baguetterouleau de musique en jouant énergiquement de la moustache.)

ARTIFONI

Ci rifletta. Lei rovina tutto[104].

FLORRY

Chantez-nous quelque chose. L'Ancien Chant des doux amants.

STEPHEN

Pas de voix. Je suis un artiste très achevé. Lynch, t'ai-je montré la lettre à propos du luth ?

FLORRY

(Minaudant.) L'oiseau qui peut chanter et refuse de chanter.

(Les frères siamois, Philip Soûl et Philip Sobre[105]*, deux professeurs d'Oxford avec des tondeuses à gazon, se montrent dans l'embrasure de la fenêtre. Ils portent tous les deux le masque du visage de Matthew Arnold.)*

PHILIP SOBRE

Écoute l'avis d'un imbécile. Tout ne va pas bien. Prends un bout de crayon, comme le bon et jeune idiot que tu es, et fais tes calculs. Tu as trois livres douze, deux billets, un souverain, deux couronnes, si jeunesse savait. Mooney en ville, Mooney sur mer, le Moira, Larchet's[106], l'hôpital de Holles street, Burke's. Eh ? Je t'ai à l'œil.

PHILIP SOÛL

(Impatiemment.) Ah, fariboles, bonhomme. Va te faire voir ! J'ai payé mon dû[107]. Si seulement je trouvais ce truc des octaves. Redoublement de la personnalité. Qui était ce type qui m'a dit son nom ? *(Sa tondeuse commence à ronronner.)* Aha, oui. *Zoe mou sas agapo*[108]. Comme une idée que je suis déjà venu ici. Quand était-ce pas Atkinson sa carte je l'ai quelque part. Mac Machintruc. Démaqué c'est ça. Il m'a parlé de, attends, Swinburne, c'était ça, non ?

FLORRY

Et la chanson ?

STEPHEN

Esprit est prompt mais la chair est faible.

FLORRY

Vous sortez pas du séminaire de Maynooth ? Vous ressemblez à quelqu'un que j'ai connu autrefois.

STEPHEN

En suis sorti. *(À part soi.)* Dégourdi.

PHILIP SOÛL ET PHILIP SOBRE

(Leurs tondeuses ronronnent dans un rigaudon d'herbachée.) Bravoure toujours. En suis sorti. En suis sorti. À propos as-tu le livre, la chose, la frênecanne ? Oui, le voilà, oui. Dégourdtoujours ensuissorti. Garde la forme. Fais comme nous.

ZOE

Il y avait un prêtre ici il y a deux nuits venu faire sa petite affaire avec son manteau boutonné jusqu'en haut. Vous n'avez pas besoin de vous cacher, je lui ai dit. Je sais que vous avez un col romain.

VIRAG

Parfaitement logique de son point de vue. La chute de l'homme. *(Durement, ses pupilles de plus en plus grandes.)* Que le pape aille se faire voir ! Rien de nouveau sous le soleil. Je suis le Virag qui a dévoilé les Secrets du Sexe des Moines et Moinillonnes. Pourquoi j'ai quitté l'église romaine. Lisez le Prêtre, la Femme et le Confessionnal. Penrose. Diavoli Diavolo. *(Il se trémousse.)* Femme, défaisant avec douce pudeur sa ceinture de jonc, offre yoni toutmoite au lingam d'homme. Peu de temps après homme apporte à femme des morceaux de viande de jungle. Femme exprime sa joie et se couvre de peaudeplumes. Homme aime violemment son yoni avec gros lingam, le grand dur. *(Il crie.) Coactus volui*[109]. Alors femme follette ne peut s'empêcher d'aller ici et là. Homme fort saisit femme par le poignet. Femme glapit, mord, crajouille. Homme, maintenant fou de colère, frappe le gros yadgana de femme. *(Il court après sa queue.)* Piffpaff ! Popo ! *(Il s'arrête, éternue.)* Pchp ! *(Il taquine son arrièretrain.)* Prrrrrht !

LYNCH

J'espère que vous avez soumis le bon père à la pénitence. Neuf glorias pour avoir joué des orgues.

ZOE

(Crache de la fumée de morse par les narines.) Il ne parvenait pas à trouver la connexion. Seulement, vous savez, la sensation. Une course à sec.

BLOOM

Pauvre homme.

ZOE

(Primesautière.) Seulement pour ce qui lui est arrivé.

BLOOM

Comment ?

VIRAG

(Visage contracté par un rictus diabolique de noire luminescence, tend son cou décharné vers l'avant. Il lève une buse d'avorton et hurle.) Verfluchte goim[110] *!* Il avait un père, quarante pères. Il n'a jamais existé. Porc Dieu ! Il avait deux pieds gauches. C'était Judas Iacchia, un eunuque libyen, le bâtard du pape. *(Il se penche en avant sur des pattes torturées, coudes pliés raide, ses yeux pleins d'agonie dans son crânecou plat et glapit devant le monde muet.)* Un fils de pute. Apocalypse.

KITTY

Et Mary Shortall qu'était à l'hosto because vérole que lui a filée Jimmy Pidgeon qu'était mataf a eu un gosse de lui qui pouvait pas avaler et il s'est étouffé dans le matelas avec les convulsions et nous avons toutes cotisé pour l'enterrement.

PHILIP SOÛL

(Avec gravité.) Qui vous a mis dans cette fichue position, Philippe ?

PHILIP SOBRE

(Avec gaieté.) C'était le sacré pigeon, Philippe[111].

(Kitty défait ses épingles et pose calmement son chapeau, tapotant sa chevelure teinte au henné. Et jamais plus mignonne frimousse séduisante de bouclettes n'a été admirée sur des épaules de putain. Lynch se coiffe du chapeau de Kitty. Elle le lui arrache.)

LYNCH

(Rit.) Et c'est pour de semblables délices que Metchnikoff a inoculé des singes anthropoïdes[112].

FLORRY

(Acquiesce.) Ataxie locomotrice[113].

ZOE

(Gaiement.) Ô, mon dictionnaire.

LYNCH

Trois vierges sages.

VIRAG

(Grelottant de fièvre, un frai jaune profus écume sur ses lèvres osseuses d'épileptique.) Elle vendait des philtramours, de la cireblanche, de la fleurd'oranger[114]. Panthère, le centurion romain, la pollua avec ses génitoires. *(Il darde une langue de scorpion tressaillante et phosphorescente, sa main sur son entrejambe.)* Messie ! Il lui creva le tympan[115]. *(Avec des cris inarticulés de babouin il secoue ses hanches dans le spasme cynique.)* Hik ! Hek ! Hak ! Hok ! Huk ! Kok ! Kuk !

(Ben Jumbo Dollard, cramoisi, musculeux, narinespoilues, énormebarbe, oreilleschouxfleurs, épaissetignasse, seinsgras, s'avance, ses reins et ses parties génitales enserrés dans un informe costume de bain noir.)

BEN DOLLARD

(Claclaquant des osselets castagnettes dans ses immenses battoirs à coussinets, ioule jovialement avec

une basse bariltonnante.) Quand l'amour prend mon âme ardente.

(Les vierges, l'Infirmière Callan et l'Infirmière Quigley bousculent les gardiens du ring, passent sous les cordes et l'étreignent à bras ouverts.)

LES VIERGES

(Avec effusion.) Big Ben ! Ben mon cœur !

UNE VOIX

Attrapez ce type à la culotte dégueulasse.

BEN DOLLARD

(Se frappe la cuisse avec un rire opulent.) Attrapez-le.

HENRY

(Caressant sur sa poitrine une tête de femme décapitée, murmure.) Cœur mien, passion mienne. *(Il pince les cordes de son luth.)* Quand la première fois il la vit…

VIRAG

(Se dépouillant de sa peau, dans une mue de son plumage multitudineux.) Rats ! *(Il bâille, découvrant un gosier charbonoir, et referme ses mâchoires d'un coup de son parcheminroulé vers le haut.)* Ayant dit cela je pris congé. Adieu. Adieu à vous. *Dreck !*

(Henry Flower peigne rapidement sa moustache et sa barbe avec un peigne de poche et redonne tournure à un accrochecœur. Sous gouverne de sa rapière, il glisse vers la porte, sa harpe

sauvage accrochée dans son dos. Virag atteint la porte en deux échassées maladroites, sa queue à la redresse, et colle habilement sur le mur à côté une feuillevolante jaunepus qu'il pousse de la tête.)

LA FEUILLEVOLANTE

K. 11. Défense d'afficher. Absolument confidentiel. Dr Hy Franks.

HENRY

Tout est perdu maintenant.

(Virag dévisse sa tête en un clin d'œil et la tient sous son bras.)

LA TÊTE DE VIRAG

Arnaque.

(Sortent l'un après l'autre.)

STEPHEN

(Par-dessus son épaule à Zoe.) Tu aurais préféré le pasteur de choc qui fonda l'erreur protestante. Mais prends garde à Antisthène, le sage canin, et l'ultime fin d'Arius Heresiarchus. L'agonie dans les toilettes.

LYNCH

Un seul et le même Dieu pour elle.

STEPHEN

(Avec dévotion.) Et Seigneur souverain de toute chose.

FLORRY

(À Stephen.) Je suis sûre que tu es un prêtre défroqué. Ou un moine.

LYNCH

C'est le cas. Un fils de cardinal.

STEPHEN

Un péché cardinal[116]. Les moines du goupillon.

(Son Éminence Simon Stephen cardinal Dedalus, primat de toute l'Irlande, apparaît sur le seuil, en soutane, sandales et chaussettes rouges. Sept acolytes nains simiens, également en rouge, péchés cardinaux, tiennent sa traîne en guignant par en dessous. Il est coiffé d'un haut-de-forme cabossé posé de guingois sur son crâne. Il a coincé ses pouces sous ses aisselles et ses paumes sont grandes ouvertes. Autour de son cou est suspendu un collier de bouchons[117] qui se termine sur sa poitrine par une croix-tirebouchon. Retirant ses pouces, il invoque la grâce d'en haut avec de vastes gestes-vagues et proclame avec une pompeuse exagération :)

LE CARDINAL

Conservio prisonnier est étendu
Étendu dans la plus profonde oubliette
Les fers qui enserrent ses membres
Pèsent plus de trois tonnes.

(Il les observe tous un moment, son œil droit bien fermé, sa joue gauche gonflée. Puis, incapable de retenir son hilarité, il se balance

d'avant en arrière, mains sur les hanches, et chante avec un humour gras et jovial :)

Oh, le pauvre petit bonhomme
Seseseses jambes étaient jaune pomme
L'était dodu, gras, lourd et vif comme un serpent
Mais un foutu sauvage
Pour à ses choux trouver pacage
Le malart, amant des canes de Nell Flaherty, il le pend.

(Une multitude de moucherons pullulent blanc sur sa robe. Les bras croisés il se gratte les côtes en grimaçant et s'exclame :)

Je souffre toutes les agonies des damnés. Par le tour du bâton, que Dieu soit loué tous ces petits bonshommes ne sont pas unanimes. S'ils l'étaient ils me chasseraient de la surface du satané globe.

(La tête de côté il bénit rapidement de l'index et du médius, accorde le baiser pascal et sort avec drôlerie en un pas de danse doublé-traînant, faisant osciller son chapeau d'un côté à l'autre, rétrécissant rapidement jusqu'à atteindre la taille de ses porteurs de traîne. Les acolytes nains rigolent, guignent, se poussent du coude, lorgnent, pâquebaisent et zigzaguent derrière lui. On entend sa voix moelleuse de loin, miséricordieuse masculine, mélodieuse :)

Emportera mon cœur vers toi,
Emportera mon cœur vers toi,
Et le souffle de la nuit embaumée
Emportera mon cœur vers toi !

(La poignée de porte truquée tourne.)

LA POIGNÉE DE PORTE

Touaaaa !

ZOE

Cette porte a le diable au corps.

(Une silhouette masculine descend l'escalier qui craque et on l'entend prendre imperméable et chapeau au portemanteau. Bloom fait machinalement un pas en avant et, fermant la porte à moitié en passant, sort le chocolat de sa poche et l'offre timidement à Zoe.)

ZOE

(Renifle vivement les cheveux de Bloom.) Hmmm ! Remerciez bien votre mère pour les lapins. J'apprécie fort ce que j'aime.

BLOOM

(Entendant une voix masculine en conversation avec les putains sur les marches de l'entrée, tend l'oreille.) Si c'était lui ? Après ? Ou parce que non ? Ou le double événement ?

ZOE

(Déchire le papier d'argent.) Les doigts ont précédé les fourchettes. *(Elle rompt un morceau et le mordille, en donne un morceau à Kitty Ricketts puis se tourne, aguichatte, vers Lynch.)* Tu n'as rien contre une friandise française ? *(Il accepte. Elle le provoque.)* Tout de suite ou tu attends ton tour ? *(Il ouvre la bouche en penchant la tête. Elle fait tourner le présent en un cercle gauche. Sa tête suit. Elle le fait tourner en un cercle droit. Il l'observe.)* Attrape !

(Elle lance un morceau. D'un mouvement de tête adroit il l'attrape et le casse d'un coup de dent.)

KITTY

(Mâchant.) L'ingénieur avec qui je suis allée à la vente de charité en a de très jolis. Pleins des meilleures liqueurs. Et le vice-roi était là avec sa dame. La rigolade qu'on s'est payée sur les chevaux de bois de Toft. J'en suis encore toute chamboulée.

BLOOM

(En manteau de fourrure à la Svengali[118]*, bras croisés mèche napoléonienne, fronce les sourcils en un exorcisme ventriloque en lançant un regard perçant d'aigle sur la porte. Puis raide, pied gauche en avant, il fait un geste rapide de ses doigts impérieux et dessine le signe du maître élu en abaissant son bras droit à partir de son épaule gauche.)* Va, va, va, je t'en conjure, qui que tu sois !

(On entend une toux et un pas masculins qui disparaissent dans le brouillard au-dehors. Les traits de Bloom se détendent. Il met une main dans son gilet, adopte une pose tranquille. Zoe lui offre du chocolat.)

BLOOM

(Solennellement.) Merci.

ZOE

Faites ce qu'on vous demande. Tenez !

(On entend un pas ferme talonclaquant dans l'escalier.)

BLOOM

(Prend le chocolat.) Aphrodisiaque ? Tanaisie et pouliot. Mais c'est moi qui l'ai acheté. La vanille calme ou ? Mnémo. Lumière trouble trouble la mémoire. Le rouge influe sur le lupus. Les couleurs affectent les mœurs des femmes, le peu qu'elles en ont. Ce noir me rend triste. Mange et fais bonne chère car demain. *(Il mange.)* Influe sur le goût également, mauve. Mais ça fait si longtemps que. Neuf on dirait. Aphro. Ce prêtre. Doit venir. Mieux vaut tard que jamais. Essayer les truffes chez Andrews.

(La porte s'ouvre et Bella Cohen, massive maîtresse de bordel, entre. Elle est vêtue d'une robe ivoire trois quarts à l'ourlet frangé de ganse à pompons, et s'évente avec un éventail de corne noire comme Minnie Hauck dans Carmen. *À sa main gauche elle porte une alliance et un jonc. Ses yeux sont profondément charbonneux. Elle a des poils de moustache. Son visage olivâtre est lourd, transpire un peu, avec un grosnez et des narines colorées orange. Elle porte de longs pendants d'oreilles en béryl.)*

BELLA

Ma parole ! Je suis toute collante de sueur.

(Elle jette un coup d'œil aux couples autour d'elle. Puis son regard se pose sur Bloom, dur, insistant. Son grand éventail vanne l'air près de son couvisage et de son embonpoint échauffés. Ses yeux de faucon étincellent.)

L'ÉVENTAIL

(Flirtant rapidement, puis lentement.) Marié, je vois.

BLOOM

Oui… En partie, j'ai égaré…

L'ÉVENTAIL

(S'ouvrant à moitié, puis se refermant.) Et la patronne est maître. Gouvernement de jupon.

BLOOM

(Baisse les yeux avec une grimace penaude.) C'est bien ça.

L'ÉVENTAIL

(Se refermant, posé contre son pendant d'oreille gauche.) M'avez-vous oubliée ?

BLOOM

Noui. Yon.

L'ÉVENTAIL

(Fermé, une pointe contre sa hanche.) Est-ce moi elle étiez-vous rêvé auparavant ? Était-ce alors elle lui que vous nous connaître depuis ? Suis tous eux et la même maintenant moi ?

(Bella approche, donnant de légères tapes avec l'éventail.)

BLOOM

(Tressaillant.) Puissante créature. Dans mes yeux lisez cette langueur qu'adorent les femmes.

L'ÉVENTAIL

(Tapotant.) Nous nous sommes rencontrés. Tu es mien. C'est le destin.

BLOOM

(Dompté.) Femelle exubérante. Immensément je désidère votre domination. Je suis épuisé, abandonné, plus jeune du tout. Je me tiens, pour ainsi dire, avec une lettre non postée portant la surtaxe réglementaire devant la boîte aux lettres trop tard de la grande poste-centrale de la vie humaine. La porte et la fenêtre ouvertes à angle droit provoquent un courant d'air de trente-deux pieds par seconde selon la loi de la chute des corps. J'ai senti à l'instant un élancement du sciatique dans mon muscle ferssier gauche. C'est de famille. Ce pauvre cher papa, veuf, en était devenu un véritable baromètre. Il croyait à la chaleur animale. Une peau de grossechatte doublait son gilet d'hiver. Près de la fin, se souvenant du roi David et de la Sunamite, il partageait son lit avec Athos, fidèle par-delà la mort. La salive de chien comme vous le savez… *(Il tressaille.)* Ah !

RICHIE GOULDING

(Portant un saclourd, franchit la porte.) Trop moquer est conta. Meilleure qualité à Dub. Digne d'un prince foie et rognons.

L'ÉVENTAIL

(Tapotant.) Tout a une fin. Sois mien. Maintenant.

BLOOM

(Indécis.) Tout maintenant ? Je n'aurais pas dû me séparer de mon talisman. Pluie, exposition au serein

sur les rochers de la plage, une peccadille à cet âge de ma vie. Tout phénomène a une cause naturelle.

L'ÉVENTAIL

(Pointe lentement vers le sol.) Tu peux.

BLOOM

(Baisse le regard et remarque les lacets de bottine défaits.) On nous observe.

L'ÉVENTAIL

(Pointe rapidement vers le sol.) Tu dois.

BLOOM

(Avec désir, avec peu d'empressement.) Je sais faire un nœud croisé. Appris quand j'étais employé et que je m'occupais de la vente par correspondance pour Kellet's. Main pleine d'expérience. Tout nœud est un aveu. Permettez-moi. Par courtoisie. Je me suis agenouillé une fois avant aujourd'hui. Ah !

(Bella soulève un peu sa robe et, assurant son équilibre, pose sur le bord d'une chaise un sabot dodu cothurné et un solide pâturon, gainé de soie. Bloom, jambesraides, vieillissant, se penche sur son sabot et de ses doigts habiles fait entrer et sortir les lacets.)

BLOOM

(Murmure amoureusement.) Être essayeur de chaussures chez Mansfield's était le rêve de jeunesse de mon amour, les joies chéries des doux crochets-boutons, lacer entrecroisé jusqu'au genou la bottine habillée en chevreau satindoublé, incroyablement

impossiblement menue, des dames de Clyde Road. Même Raymonde, leur modèle en cire, j'allais voir quotidiennement afin d'admirer son bas arachnéen et son orteil tige de rhubarbe, comme on les porte à Paris.

LE SABOT

Renifle ma peau de bouc brûlante. Sens mon poids royal.

BLOOM

(Entrecroisant.) Pas trop serré ?

LE SABOT

Si tu me sabotes, Handy Andy, tu auras droit à un coup dans le ballon.

BLOOM

Ne pas lacer le mauvais œillet comme je l'ai fait le soir du bal de la vente de charité. Ça porte malheur. Enfiler le crochet dans le mauvais œillet de son… personne que vous avez mentionnée. Ce soir-là elle a rencontré… Voilà !

(Il noue le lacet. Bella pose son pied sur le sol. Bloom lève la tête. Le visage lourd de Bella, ses yeux le frappent au milieu du front. Les siens deviennent ternes, sombres et gonflés, son nez s'épaissit.)

BLOOM

(Bredouille.) Dans l'attente de vos prochains ordres, agréez, messieurs…

BELLO

(Le fixant d'un regard dur de basilic, d'une voix de baryton.) Chien sans honneur !

BLOOM

(Infatuée.) Impératrice !

BELLO

(Ses lourdes joues-steak pendantes.) Adorateur de la croupe adultère !

BLOOM

(Plaintivement.) Énormité !

BELLO

Bouffeurdecrotte !

BLOOM

(Avec tendons semifléchis.) Magmagnificence !

BELLO

Couché ! *(Il la frappe à l'épaule de son éventail.)* Incline-toi pieds vers l'avant ! Glisse le pied gauche un pas en arrière ! Tu vas tomber. Tu tombes. Sur les mains, plus bas !

BLOOM

(Les yeux, levés vers le haut en signe d'admiration, se ferment, elle jappe.) Des truffes !

(Avec un cri épileptique perçant elle tombe à quatre pattes, grognant, flairant, fouillant de

son groin aux pieds de Bello, puis se couche, contrefaisant une morte, les yeux bien fermés, paupières tremblantes, prosternée sur le sol dans l'attitude très excellent maître.)

BELLO

(Cheveux à la Ninon, bajoues pourpres, cercles gras de moustache autour de sa bouche rasée, molletières de montagnard, veste verte à boutons d'argent, jupe sport et chapeau alpin avec plume de coq de bruyère, mains plongées dans les poches de son pantalon, pose son talon sur le cou de Bloom et appuie.) Reposepieds ! Tout mon poids pèse sur toi. Courbe-toi, servesclave, devant le trône des glorieux talons de ton despote, étincelants dans leur fière érectilité.

BLOOM

(Subjuguée, bêle.) Je promets de ne jamais désobéir.

BELLO

(Rit très fort.) Crénom de nom ! Tu ne te doutes pas de ce qui t'attend. S'il existe une Carne pour s'occuper de ton cas et te dompter ce sera moi ! Je parie une tournée de cocktails Kentucky à toute la compagnie que j'y mettrai fin par la honte, mon petit gars. Essaye donc de m'avoir au culot. Si tu le fais tremble par anticipation à cause de la discipline du talon qui te sera infligée en costume de gym.

(Bloom part se cacher en rampant sous le canapé et risque un œil à travers la crépine.)

ZOE

(Étalant sa combinaison pour la dissimuler.) Elle n'est pas là.

BLOOM

(Fermant les yeux.) Elle n'est pas là.

FLORRY

(La cachant derrière sa robe.) Elle ne l'a pas fait exprès, monsieur Bello. Elle ne le fera plus, monsieur.

KITTY

Ne soyez pas trop dur avec elle, monsieur Bello. Oh je vous en prie, madamonsieur.

BELLO

(Enjôleur.) Viens mon canard, je veux te dire deux mots, ma chérie, simplement pour t'administrer une correction. Un petit échange cœur à cœur, ma douce. *(Bloom avance une tête timide.)* Eh bien voilà une bonne petite fille. *(Bello la tire violemment par la chevelure et la fait sortir.)* Tout ce que je veux c'est te corriger pour ton propre bien là où c'est doux et ne fera pas mal. Comment est ce tendre derrière ? Oh, mais tout doucement, ma poule. Commence à te préparer.

BLOOM

(Défaillante.) Ne déchirez pas mon…

BELLO

(Sauvagement.) La nasière, les pinces, la bastonnade, le crochet de boucher, le knout tu finiras bien

par les embrasser tandis que joueront les flûtes tel l'esclave nubien d'antan. Cette fois-ci tu vas y passer ! Tu te souviendras de moi pour le restant de ta vie naturelle. *(Les veines de son front gonflées, le visage congestionné.)* Je prendrai place tous les matins sur ton ensellement ottoman après un merveilleusement bon petit déjeuner de tranches de jambon bien grasses de chez Matterson avec une bouteille de porter Guinness. *(Il rote.)* Et je sucerai mon sacrément fameux cigare Stock Exchange tout en lisant la *Licensed Victualler's Gazette*. Il est fort possible que je te fasse abattre et embrocher dans mes écuries afin de savourer une tranche de toi accompagnée des cretons du plat au four et rôtie comme un cochon de lait avec du riz et de la sauce au citron ou à la groseille. Ça te fera mal. *(Il lui tord le bras. Bloom glapit, se couche sur le dos.)*

BLOOM

Ne soyez pas cruelle, nounou ! S'il vous plaît !

BELLO

(Sans cesser de tordre.) Un autre !

BLOOM

(Hurle.) Oh, mais c'est l'enfer ! Chaque nerf de mon corps me fait horriblement souffrir !

BELLO

(Crie.) Bien, nom d'un petit général à croupières ! La meilleure nouvelle de ces six dernières semaines. Eh, ne me fais pas attendre, bon Dieu ! *(Il la gifle.)*

BLOOM

(Pleurniche.) Voilà que vous me frappez, je le dirai…

BELLO

Tenez-le, les filles, que je m'assoie sur lui.

ZOE

Oui. Lui marcher dessus ! Je vais le faire.

FLORRY

Je vais le faire. Laisses-en pour les autres.

KITTY

Non, moi. Prêtez-le moi.

(La cuisinière du bordel, Mme Keogh, ridée, barbegrise, en tablier graisseux, brodequins et chaussettes d'homme gris et vert, couverte de farine, un rouleau à pâtisserie plein de pâte crue dans sa main et contre son bras rouge et nu, apparaît à la porte.)

MME KEOGH

(Féroce.) Je peux aider ?

(Elles saisissent et immobilisent Bloom.)

BELLO

(S'accroupit en grognant sur le visage tourné vers le haut de Bloom, tirant des bouffées de son cigare, caressant une jambe dodue.) Je vois que Keating Clay a été élu vice-président de l'asile de Richmond et à propos les actions privilégiées de Guinness sont à seize trois

quarts. Mais quel idiot je suis de ne pas avoir acheté ce lot dont Craig et Gardner m'avaient parlé. Toujours cette malchance infernale, malédiction. Et ce Bon-Dieu d'outsider *Jetsam* à vingt contre un. *(Avec colère il écrase son cigare sur l'oreille de Bloom.)* Où est ce BonDieu de foutu cendrier ?

BLOOM

(Aiguillonné, fessétouffé.) Oh ! Oh ! Monstres ! Impitoyable !

BELLO

Redemandes-en toutes les dix minutes. Supplie. Prie donc comme tu n'as encore jamais prié. *(Il pousse un poing figué et cigare puant.)* Tiens, embrasse ça. Tous les deux. Embrasse. *(Il lance une jambe, se met à califourchon et, serrant ses genoux de cavalier, ordonne d'une voix méchante.)* Hue ! À cheval sur Grandpapa. Je le monterai pour le prix de l'Éclipse. *(Il se penche sur le côté et comprime brutalement les testicules de sa monture en criant.)* Ho ! On y va ! Je te soignerai de la belle manière. *(Il chevauche à dada, sautant sur la, sur la selle.)* La dame va au pas au pas et le cocher va au trot au trot et le monsieur va au galop au galop au galop au galop.

FLORRY

(Tire Bello par la manche.) Laissez-moi le monter maintenant. Vous l'avez eu assez longtemps. J'ai demandé avant vous.

ZOE

(Tirant Florry par la manche.) Moi. Moi. Vous n'en avez pas encore fini avec lui, pipeuse ?

BLOOM

(Suffoquant.) Peux plus.

BELLO

Eh bien, moi pas. Attendez. *(Il retient son souffle.)* Malédiction. Là. Cette bonde est prête à péter. *(Il se débouche par derrière : puis, contractant les traits de son visage, pète bruyamment.)* Attrape ça ! *(Il se rebouche.)* Oui, par la malDieu, seize trois quarts.

BLOOM

(Il commence à être trempé de sueur.) Pas homme. *(Il renifle.)* Femme.

BELLO

(Se lève.) Fini de souffler le chaud et le froid. Ce que tu désirais tant est sur le point d'advenir. Désormais tu es émasculé et tu m'appartiens en plein, une chose sous le joug. Et maintenant ta robe de punition. Tu iras ôter tes vêtements masculins, tu m'entends, Ruby Cohen ? et tu revêtiras la soie moirée bruissant voluptueusement par la tête et les épaules. Et plus vite que ça !

BLOOM

(Avec un mouvement de recul.) De la soie, a dit maîtresse ! Ô frou-frou ! froissé ! Dois-je la boutoucher de mes ongles ?

BELLO

(Montrant ses prostituées.) Telles elles sont maintenant telle tu seras, perruquée, roussie, parfumérisée, poudrerisée, avec des aisselles rasées de près. Mesurée au mètreruban à même la peau. Tu seras lacée avec

force cruelle dans un corsétau de doux coutil gorge-de-pigeon avec busc de baleine jusqu'au pelvis paré en diamant, du vraiment jamais vu, tandis que tes formes, plus dodues qu'en liberté, seront contraintes dans le laciétroit des robes, jolis jupons légers et franges et le tout marqué, naturellement, des armes de la maison, création de belles lingeries pour Alice et beau parfum pour Alice. Alice se sentira jarretellée. Marthe et Marie auront un peu froid au début avec des cuisses gainées aussi délicatement mais le vaporeux ruché de dentelle autour de tes genoux dénudés te rappellera...

BLOOM

(Charmante soubrette aux joues peinturlurées, cheveux moutarde, grand nez et grandes mains masculines, bouche paillarde.) J'ai essayé ses vêtements deux fois seulement, par plaisanterie, à Holles street. Quand nous étions sans un j'ai fait la lessive pour économiser l'argent de la blanchisserie. J'ai retourné mes propres chemises. De l'économie pure et simple.

BELLO

(Ironise.) Petits boulots pour faire plaisir à maman, hein ? et montrer avec coquetterie en domino devant le miroir après avoir bientiré les rideaux tes cuisses sans jupe et tétines de bouc dans diverses poses abandonnées, hein ? Oh ! oh ! Ne me fais pas rire ! Ce corsageopéra noir d'occasion et ces dessous salaces sans jambes tout décousus aux coutures après son dernier viol que Mme Miriam Dandrade du Shelbourne hotel t'a vendus, hein ?

BLOOM

Miriam. Noir. Demimondaine.

BELLO

(S'esclaffe.) Dieu Tout-puissant c'est trop tordant, ça ! Tu faisais une jolie Miriam quand tu t'es coupé les poils de l'entrée de service et que tu étais couchée en pâmoison sur le lit portant la chose jouant à Mme Dandrade sur le point d'être violée par le lieutenant Smythe-Smythe, M. Philip Augustus Blockwell M. P., signor Laci Daremo[119], le robuste ténor, Bert auxyeuxbleus, le liftier, Henry Flower célèbre depuis la course Gordon Bennett[120], Sheridan, le Crésus quarteron, l'équipe universitaire de huit avirons de ce vieux Trinity, Ponto, son splendide terre-neuve et Bobs, duchesse douairière de Manorhamilton. *(S'esclaffe de nouveau.)* Bon Dieu, ça ferait même rire un chat siamois.

BLOOM

(Ses mains et ses traits s'activant.) C'est Gerald qui m'a converti au véritable culte du corset lorsque je jouais un rôle féminin au collège, dans la pièce *Vice Versa*. C'est ce cher Gerald. Il avait cette lubie, fasciné qu'il était par les corsets de sa sœur. À présent le très cher Gerald se maquille au crayon gras et se dore les paupières. Le culte du beau.

BELLO

(Avec une jubilation méchante.) Le beau ! Tu nous les lâches un peu ! Quand tu as pris place sur la lunette avec des précautions toutes féminines, soulevant tes volants mousseux, sur le trône lissusé.

BLOOM

La Science. Afin de comparer les diverses joies que chacun de nous éprouve. *(Avec sérieux.)* Et vraiment c'est mieux la posture... Parce que souvent il m'est arrivé de mouiller...

BELLO

(Durement.) Pas d'insubordination ! Il y a de la sciure dans le coin pour toi. Je crois bien t'avoir donné des instructions strictes, non ? Faites-le debout, monsieur ! Je t'apprendrai à te comporter comme un gicleman ! Ah, si je trouve une seule tache dans tes couches. Aha ! Par l'âne des Dorans tu sauras le martinet que je suis. Les péchés de ton passé s'élèvent contre toi. Nombreux. Par centaines.

LES PÉCHÉS DU PASSÉ

(Dans une confusion de voix.) Il a contracté une sorte de mariage clandestin avec au moins une femme à l'ombre de l'église Noire. Il a mentalement téléphoné des messages inqualifiables à Mlle Dunn quelque part dans D'Olier street tandis qu'il se montrait de manière indécente à l'instrument dans la cabine. Par la parole et par les gestes il a franchement encouragé une catin nocturne à déposer des matières fécales et autres dans un appentis peu hygiénique collé à un bâtiment vide. Dans cinq édicules publics il a laissé des messages au crayon offrant sa partenaire nuptiale à tous les hommes bienmembrés. Et n'a-t-il pas longé la manufacture de vitriol aux odeurs dégoûtantes un soir après l'autre devant les couples amoureux pour voir si et quoi et combien il pourrait voir ? Ne s'est-il pas couché, le gros pourceau, pour exulter devant un fragment nauséabond de papier hygiénique bienusé que lui avait donné une horrible fille de joie, intéressée par le pain d'épice et un mandat-poste ?

BELLO

(Avec un puissant sifflement.) Dis donc ! Quel a été l'acte obscène le plus révoltant de toute ta carrière criminelle ? Allez, cochon qui s'en dédit. Crache-moi ça ! Pour une fois dis la véritable vérité.

(Des visages inhumains muets se pressent en avant, guignant, disparaissant, grognant, Booloohoom, Popold Kock, un penny les Lacets de chaussures, la sorcière de chez Cassidy, jouvenceau aveugle, Larry Rhinocéros[121]*, la jeune fille, la femme, la putain, l'autre la allée la.)*

BLOOM

Ne me la demandez pas : Notre confession commune[122]. Pleasants street[123]. Je n'ai pensé que la moitié de… Je jure par mon serment sacré…

BELLO

(Péremptoire.) Réponds. Répugnante saleté ! Je tiens à savoir. Dis-moi quelque chose pour m'amuser, des cochonneries ou une sacrément bonne histoire de revenants ou un vers de poésie, vite, vite, vite ! Où ? Comment ? À quelle heure ? Avec combien de personnes ? Je te donne tout juste trois secondes. Un ! Deux ! Tr…

BLOOM

(Docile, glougoute.) J'ai rererenezpaté en rererepugnante…

BELLO

(Impérieux.) Oh, tire-toi, sale putois ! Tiens ta langue ! Parle quand on t'adresse la parole.

BLOOM

(S'incline.) Maître ! Maîtresse ! Dompteurd'hommes !

(Il lève les bras. Ses bracelets portebonheur tombent.)

BELLO

(Satirique.) Le jour tu feras tremper et frotteras nos sous-vêtements malodorants également quand nous, les dames, sommes indisposées, et fauberderas nos latrines avec jupes retroussées et torchon attaché à la queue. Comme ce sera bien, non ? *(Il lui passe au doigt une bague en rubis.)* Et voilà maintenant ! Par cet anneau je te possède. Dis, *merci, maîtresse*.

BLOOM

Merci, maîtresse.

BELLO

Tu feras les lits, prépareras mon bain, videras les podchambres dans les diverses chambres, y compris celui de la vieille Mme Keogh la cuisinière, plutôt sableux. C'est ça, et attention, rince-les très bien tous les sept, ou bien avale-moi ça comme du champagne. Bois-moi toute bouillante. Hop ! Tu feras le pied de grue, sinon je te sermonnerai sur tes méfaits, mademoiselle Ruby, et te fesserai le popotin sans faute, miss, avec la brosse à cheveux. Tu reconnaîtras à quel point tes manières sont fautives. La nuit tes mains bracelétées bien enduites de crème seront protégées par des gants à quarantetrois boutons frais poudrés de talc, le bout des doigts délicieusement parfumé. Pour de telles faveurs les chevaliers d'antan sacrifiaient leur vie. *(Il rit sous cape.)* Mes gars seront assurément charmés de te voir ainsi pareille à une dame, et surtout le colonel. Quand ils viendront ici pour enterrer leur vie de garçon et caresser ma nouvelle attraction en hauts talons dorés. Je commencerai d'abord moi-même par prendre soin de toi. Un homme du métier que je connais nommé Charles Alberta Marsh (j'étais couchée avec lui à l'instant et avec un autre monsieur du Bureau de la Chancellerie de la Haute Cour de Justice) est à la recherche urgente d'une bonne à tout faire. Gonfle la poitrine. Souris. Fais-moi tomber ces épaules. Quelles sont les offres ? *(Il montre du doigt.)* Pour ce lot. Dressé par le propriétaire pour chercher et rapporter, panier dans la gueule. *(Il retrousse une manche et plonge le bras jusqu'au coude dans la vulve de Bloom.)* Pour ceux qui cherchent la profondeur ! Eh quoi, les gars ? Ça vous fait bander ? *(Il pousse son bras tout contre le visage d'un enchérisseur.)* Tiens, mouille le pont et passe le faubert !

UN ENCHÉRISSEUR

Un florin.

(Le crieur de chez Dillon's agite sa cloche.)

LE CRIEUR

Barang !

UNE VOIX

Un shilling huit de trop.

CHARLES ALBERTA MARSH

Certainement vierge. Bonne haleine. Propre.

BELLO

(Frappe un coup sec avec son marteau.) Deux shillings. On ne peut pas descendre plus bas et c'est pas cher payé. Quatorze paumes de haut. Touchez et examinez ses extrémités. Manipulez-lela. Cette peau duveteuse, ces muscles souples, cette chair tendre. Si seulement j'avais emporté mon poinçon en or ! Et vraiment facile à traire. Treize litres de lait fraipondus par jour. Une pure tête de lignée, prête à pondre dans l'heure. Le record de lait de son aïeul était de quatre mille cinq cents litres de lait entier en quarante semaines. Ho, ma perle ! Donne la patte ! Ho ! *(Il marque au fer son initiale C sur la croupe de Bloom.)* Voilà ! Garantie Cohen ! Qui met davantage que deux shillings, messieurs ?

UN HOMME AU VISAGE SOMBRE

(Avec un accent contrefait.) Houndert lifres schterlink.

VOIX

(Subjuguées.) Pour le Calife. Haroun Al Rashid.

BELLO

(Gaiement.) Parfait. Il y en aura pour tout le monde. Le petit bout de jupe, courte et osée, remontant sur le genou afin de dévoiler un aperçu de pantalons blancs, est une arme puissante et les bas transparents, jarretémeraude, avec la longue couture bien droite s'avançant au-delà du genou, en appellent aux meilleurs instincts du *blasé* mondain. Apprends à marcher sans heurts à petits pas sur des talons Louis Quinze de douze centimètres, la cambrure grecque avec croupe provocante, cuisses fluescentes, genoux s'embrassant

modestement. Fais jouer sur eux tous tes pouvoirs de fascination. Encourage leurs vices gomorrhéens.

BLOOM

(Penche son visage rougissant contre son aisselle et minaude, un index dans la bouche.) Oh, maintenant je comprends ce que vous suggérez.

BELLO

À quoi donc pourrais-tu servir, une chose impuissante comme toi ? *(Il plie les genoux et, guignant, triture avec son éventail sous les plis gras et blafards des hanches de Bloom.)* Debout ! Debout ! Chat manxois[124] ! Qu'est-ce que nous avons là ? Où est donc cette petite théière frisée, mais elle a peut-être été coupée, oisillon ? Chante, petit oiseau, chante. C'est aussi flasque qu'un gamin de six ans qui fait sa flaquette derrière une charrette. Achète un piston ou vends la pompe. *(À voix haute.)* Es-tu capable d'être un homme ?

BLOOM

Eccles street…

BELLO

(Sarcastique.) Je n'ai pas la moindre envie de froisser ta susceptibilité mais un homme solide est en jouissance là-bas. Les rôles ont été renversés, mon petit bonhomme jovial ! Il est plutôt dans le genre homme des bois massif. Ce serait bien mieux pour toi, mauviette, si tu possédais cette arme avec des nœuds et des bosses et des verrues partout. Il a tiré son coup, ça je peux te le dire ! Pied contre pied, genou contre genou, ventre contre ventre, tétons

contre poitrine ! Rien d'un eunuque. Une touffe de poils roux qu'il a qui lui sortent du derrière comme un buissondajoncs ! Attends seulement neuf mois, mon gars ! Par la sainte carotte, ça tape et ça tousse déjà d'un bout à l'autre de ses entrailles ! Ça te rend fou, pas vrai ? Ça touche le point sensible ? *(Il crache avec mépris.)* Crachoir !

BLOOM

J'ai été traité de manière indécente, je… informe la police. Cent livres. Inqualifiable. Je…

BELLO

Le ferais si tu pouvais, poulemouillée. C'est une averse que nous voulons, pas ta petite bruine.

BLOOM

À me rendre fou ! Moll ! J'ai oublié ! Pardonne ! Moll… Nous… Encore…

BELLO

(Impitoyable.) Non, Leopold Bloom, tout a changé par la volonté de la femme depuis qu'horizontal tu as dormi dans la Combe du Sommeil pour ta nuit de vingt ans. Retourne et regarde.

(La vieille Combe du Sommeil appelle dans la selve.)

COMBE ENDORMIE

Rip van Wink ! Rip van Winkle[125] !

BLOOM

(En mocassins déchirés avec un tromblon rouillé, sur la pointe des pieds, la pointe des doigts, collant son visage hagard osseux et barbu sur les losanges des vitres, s'écrie.) Je la vois ! C'est elle ! Le premier soir chez Mat Dillon ! Mais cette robe, la verte ! Et ses cheveux ont été teints en or et il…

BELLO

(Rit d'un ton moqueur.) C'est ta fille, vieille chouette, avec un étudiant de Mullingar.

(Milly Bloom, chevelure blonde, vestée de vert, légèrement sandalée, son foulard bleu tournoyant simplement dans le vent de mer, s'arrache aux bras de son amoureux et appelle, ses jeunes yeux émerveillouverts.)

MILLY

Mais ! C'est Papli ! Mais, ô Papli, comme tu as vieilli !

BELLO

Changé, hein ? Notre bidule, notre bureau où nous n'avons jamais rien écrit, le fauteuil de tante Hegarty, nos reproductions classiques des maîtres anciens. Un homme et ses bonsamis vivent là comme des coqs en pâte. Le *Repos du Coucou !* Pourquoi pas ? Combien de femmes as-tu eues, hein ? En les suivant dans les rues sombres, piedplat, en les excitant avec tes grognements étouffés. Quoi, espèce de prostitué mâle ? D'honnêtes dames avec des provisions de l'épicerie. Vice versa. Ce qui est bon pour l'oie, mon jars[126] Oh.

BLOOM

Elles… Je…

BELLO

(D'un ton coupant.) Leurs talons marqueront la moquette de Bruxelles que tu as achetée à la salle des ventes de Wren. Au cours de leur jeudemains avec la turbulente Moll pour trouver la puce endiablée dans ses culottes ils défigureront la petite statue que tu as rapportée chez toi sous la pluie pour l'art pour l'art. Ils violeront les secrets de ton fond de tiroir. Ils déchireront des pages de ton manuel d'astronomie pour en faire des allumefeu pour leurs pipes. Et ils cracheront dans ton parefeu en cuivre qui t'a coûté dix shillings chez Hampton Leedom.

BLOOM

Dix shillings six. Un acte de vauriens de basétage. Laissez-moi partir. Je reviendrai. Je démontrerai…

UNE VOIX

Jure !

(Bloom serre les poings et avance en rampant, un poignard entre les dents.)

BELLO

Tu seras pensionnaire ou entretenu ? Trop tard. Tu as fait ton lit, le moinsbon, et d'autres doivent s'y coucher. Ton épitaphe a été écrite. Tu es sur la paille et tu ne dois pas l'oublier, mon pote.

BLOOM

Justice ! L'Irlande tout entière contre un seul ! Personne n'a donc… ? *(Il se mord le pouce.)*

BELLO

Meurs et va te faire fiche s'il te reste encore un minimum de décence ou de grâce. Je peux te donner un vin vieux fort rare qui te fera bouler en enfer et retour ici[127]. Signe un testament et laisse-nous toute la monnaie que tu possèdes ! Si tu n'en as pas tu aurais sacrément intérêt à en trouver, vole, escroque ! Nous t'enterrerons dans nos latrines au milieu des buissons, où tu seras mort et sale avec le vieux Cuck Cohen, le beau-neveu que j'avais épousé, le foutu vieux procurateur et sodomite perclus de goutte avec son torticolis, et mes dix ou onze autres maris, quels que soient les noms de ces salopards, suffoquant dans la même fosse d'aisance. *(Il éclate d'un rire bruyant plein de flegme.)* On te réduira en compost, monsieur Flower ! *(Il chantonne en dérision.)* Adieu, Popold ! Adieu, Papli !

BLOOM

(Se tient la tête.) Ma volonté ! Mémoire ! Ici horribles supplices ! Ici homme supp[128]… *(Il pleure sans verser de larmes.)*

BELLO

(Se moque.) Pleurnicheur ! Larmes de crocodile !

(Bloom, brisé, couvert de voiles pour le sacrifice, sanglote, face contre terre. On entend sonner le glas. Des silhouettes de circoncis en châle-sombre sous le sac et la cendre, se tiennent

devant le mur des lamentations, M. Shulomowitz, Joseph Goldwater, Moïse Herzog, Harris Rosenberg, M. Moisel, J. Citron, Minnie Watchman, P. Mastiansky, le révérend Leopold Abramovitz, Chazen. Ils se lamentent en neume et en agitant les bras devant Bloom le renégat.)

LES CIRCONCIS

(En une sombre psalmodie gutturale tout en jetant sur lui des fruits de la mer Morte, pas de fleurs.) Shema Israël Adonaï Elohenu Adonaï Echad[129].

DES VOIX

(En soupirant.) Ainsi il n'est plus là. Ah oui. Oui, vraiment. Bloom ? Jamais entendu parler de lui. Non ? Drôle de bonhomme. Voilà sa veuve. Ah bon ? Mais oui.

(Du bûcher de la suttee[130] s'élève la flamme de la gomme camphre. Le linceul de fumée d'encens le masque puis se disperse. Une nymphe aux cheveux dénoués, légèrement vêtue de couleurs artistiques brunthé, sortant de son cadre en chêne, descend de sa grotte et passant sous les ifs entrelacés se tient au-dessus de Bloom[131].)

LES IFS

(Leurs feuilles chuchotent.) Sœur. Notre sœur. Chut !

LA NYMPHE

(Tout doucement.) Mortel ! *(Gentiment.)* Nenni, point ne faut s'emplorer.

BLOOM

(Se traîne gélatineusement sous les branches, tigré de soleil, avec dignité.) Cette posture. Je croyais qu'on attendait ça de moi. La force de l'habitude.

LA NYMPHE

Mortel ! Vous m'avez trouvé en mauvaise compagnie, danseusescancan, marchands ambulants de pique-niques, pugilistes, généraux populaires, gamins immoraux de pantomime en maillot rosechair et les coquettes danseuses de shimmy, La Aurora et Karini, numéro musical, le succès du siècle. J'étais dissimulée dans un papier rose bon marché qui sentait l'huile de naphte. J'étais entourée par les grivoiseries éculées des clubmen, des histoires pour troubler la verte jeunesse, des réclames pour des transparents, des dés rectifiés et des coussinets de buste, des spécialités médicales et pourquoi porter un bandage avec témoignage d'un monsieur hernieux. Conseils utiles aux mariés.

BLOOM

(Lève une tête de tortue vers son giron.) Nous nous sommes déjà rencontrés. Sur une autre étoile.

LA NYMPHE

(Tristement.) Articles d'hygiène en caoutchouc. L'Indéchirable, Fournisseur de l'aristocratie. Corsets pour hommes. Guérison des convulsions ou remboursement intégral. Témoignages spontanés en faveur de l'extraordinaire exuber de poitrine du Professeur Waldmann. Mon tour de poitrine a augmenté de quatre pouces en trois semaines, rapporte Mme Gus Rublin avec photo à l'appui.

BLOOM

Vous voulez dire *Photo Mag* ?

LA NYMPHE

C'est ça. Vous m'avez emportée, encadrée de chêne et de ferblanc, installée au-dessus de votre couche conjugale. À la dérobée, un soir d'été, vous m'avez embrassée à quatre endroits. Et d'un crayon amoureux, vous avez ombré mes yeux, mes seins et ma honte.

BLOOM

(Baise humblement sa longue chevelure.) Vos courbes classiques, belle immortelle, j'étais heureux de vous regarder, de vous célébrer, un objet de beauté, presque de prier.

LA NYMPHE

Par les nuits ténébreuses, j'ai entendu vos louanges.

BLOOM

(Rapidement.) Oui, oui. Vous voulez dire que je... Le sommeil révèle le pire aspect de nous tous, à l'exception peut-être des enfants. Je sais que je suis tombé du lit ou plutôt qu'on m'a poussé. On dit que le vin chalybé empêche de ronfler. Pour le reste, il y a cette invention anglaise, dont j'ai reçu la brochure il y a quelques jours, incorrectement adressée. Elle prétend procurer un passage inoffensif, silencieux. *(Il soupire.)* Ce fut toujours ainsi. Fragilité, ton nom est mariage.

LA NYMPHE

(Un doigt dans chaque oreille.) Et des mots. Ils ne sont pas dans mon dictionnaire.

BLOOM

Vous les avez compris ?

LES IFS

Chut !

LA NYMPHE

(Couvre son visage de ses deux mains.) Que n'ai-je pas vu dans cette chambre ? Sur quoi mes yeux doivent-ils se poser ?

BLOOM

(Pour s'excuser.) Je sais. Linge de corps sale, soigneusement remis à l'envers. Les anneaux sont desserrés. Depuis Gibraltar il y a longtemps, long voyage en mer.

LA NYMPE

(Baisse la tête.) Pire, pire !

BLOOM

(Réfléchit précautionneusement.) Cette chaisepercée d'un autre âge. Ce n'était pas son poids. Elle pesait exactement soixante-quinze kilos. Elle a pris quatre kilos et demi après le sevrage. C'était une fente et le manque de colle. Dites ? Et cet absurde ustensile à grecorange qui n'a qu'une seule anse.

(On entend le bruit de la claire cascade d'une chute d'eau.)

Poulaphouca Poulaphouca
Poulaphouca Poulaphouca.

LES IFS

(Entrelaçant leurs branches.) Écoutez. Chuchotons. Elle a raison, notre sœur. Nous avons grandi près de la chute d'eau de Poulaphouca[132]. Nous donnions de l'ombre les jours langoureux d'été.

JOHN WYSE NOLAN

(À l'arrière-plan, en uniforme des Forêts Nationales Irlandaises, soulève son chapeau à plumes.) Prospérez ! Donnez de l'ombre les jours langoureux, arbres d'Irlande !

LES IFS

(Murmurant.) Qui s'est rendu à Poulaphouca lors de la sortie du lycée ? Qui a abandonné ses camarades d'école enquêtedenoix pour rechercher notre ombre ?

BLOOM

(Effrayé.) Lycée de Poula ? Mnémo ? Pas en pleine possession des facultés. Concussion. Renversé par tramway.

L'ÉCHO

Ouais, ouais !

BLOOM

(Pigeonbrécheté, épaulesbouteilles, rembourré, en complet juvénile hétéroclite rayé gris et noir, trop petit

pour lui, chaussures de tennis blanches, chaussettes à liseré proprement rabattues et casquette de collégien avec badge.) J'étais adolescent, en pleine croissance. Je me suffisais de peu à l'époque, une voiture qui secoue, les odeurs mêlées du vestiaire et des toilettes pour dames, la foule contenue, serrée, sur les marches du vieux Royal (car on aime la cohue, l'instinct grégaire, et le théâtre sombre qui sent le sexe donne libre cours au vice), même un tarif de leur bonneterie. Et puis la chaleur. Il y avait des taches de soleil cet été-là. La fin des classes. Et baba aux amandes. Jours alcyoniens.

(Jours Alcyoniens, écoliers du lycée, en jersey bleu et blanc et short de football, le jeune Donald Turnbull, le jeune Abraham Chatterton, le jeune Owen Goldberg, le jeune Jack Meredith, le jeune Percy Apjohn, sont dans une clairière entre les arbres et appellent le jeune Leopold Bloom.)

LES JOURS ALCYONIENS

Maquereau ! Revis-nous. Hourra ! *(Ils poussent des vivats.)*

BLOOM

(Grandadais, gantschauds, cachenezmaman, étoilé de boules de neige fondantes, s'efforce de se relever.) Encore ! J'ai seize ans ! Comme c'est drôle ! Allons tirer toutes les sonnettes de Montague street ! *(Il pousse un faible vivat.)* Hourra pour le lycée !

L'ÉCHO

Assez !

LES IFS

(Bruissant.) Elle a raison, notre sœur. Chuchotons. *(On entend des baisers chuchotés dans tout le bois. Des visages d'hamadryades*[133] *observent de derrière les fûts et au milieu des feuilles, se brisent, fleurs fleurissantes.)* Qui a profané notre ombre silencieuse ?

LA NYMPHE

(Timidement, à travers ses doigts écartés.) Là ? En plein air ?

LES IFS

(Se penchant vers le bas.) Oui, sœur, oui. Et sur notre tapis vierge.

LA CHUTE D'EAU

Poulaphouca Poulaphouca
Phoucaphouca Phoucaphouca.

LA NYMPHE

(Doigts largement écartés.) Oh, infamie !

BLOOM

J'étais précoce. La jeunesse. La faune. J'ai sacrifié au dieu de la forêt. Les fleurs qui fleurissent au printemps. C'était la saison des amours. L'attraction capillaire est un phénomène naturel[134]. Lotty Clarke, cheveuxdelin, je l'ai regardée à sa toilette nocturne grâce à des rideaux mal tirés avec la lorgnette d'opéra de pauvre papa. L'impudique mangeait sauvagement de l'herbe. Elle roula dans la pente au pont du Rialto afin de me tenter avec son flot d'esprits animaux. Elle grimpa sur leur arbre tordu et moi. Un saint n'y aurait pas résisté. Le démon me possédait. D'ailleurs, qui m'a vu ?

(Flanchet de Meuglard, un veau à tête blanche, passe un museau ruminant aux naseaux humides à travers le feuillage.)

FLANCHET DE MEUGLARD

(De grosses larmes coulent de ses yeux globuleux, il pleurniche.) Moi. Moi voir.

BLOOM

Simplement pour satisfaire un besoin je... *(Avec pathos.)* Aucune fille ne voulait quand je courais les filles. Trop laid. Elles ne voulaient pas jouer...

(Très haut sur Ben Howth au milieu des rhododendrons une bique passe, mamelliflue, queue aucul, semant des raisins de Corinthe.)

LA BIQUE

(Bêle.) Megeggaggegg ! Biquabiquabique !

BLOOM

(Sans chapeau, tout rouge, couvert de capsules de chardon et d'genépineux.) Officiellement fiancés. Les circonstances rendent les choses différentes. *(Il observe intensément l'eau en contrebas.)* Trente-deux coups de foudre par seconde. Cauchemar de la presse. Vertigineux Élie. Chute d'une falaise. Triste fin d'un employé de l'imprimerie du gouvernement.

(Dans l'air estival de silenceargent le mannequin de Bloom, roulé en momie, roule rotativement depuis la falaise de Lion's Head jusque dans les eaux pourpres qui l'attendent.)

LE MANNEQUINMOMIE

Pppppllllplplplplopschp !

(Au loin dans la baie entre les phares de Bailey et de Kish avance le Erin's King, *lançant un panache de fumée de charbon qui se déploie de sa cheminée vers la terre.)*

LE CONSEILLER NANNETTI

(Seul sur le pont, en alpaga sombre, visage jaune de milan, une main dans l'échancrure de son gilet, déclame.) Quand mon pays prendra sa place parmi les nations de la terre, alors, et alors seulement, on pourra écrire mon épitaphe. J'en ai…

BLOOM

Fini[135]. Pruiiff !

LA NYMPHE

(Avec hauteur.) Nous les immortelles, comme vous l'avez remarqué aujourd'hui, ne possédons pas cet endroit, et pas de poils non plus. Nous sommes d'une froideur de pierre et pures. Nous mangeons la lumière électrique. *(Elle arque son corps en une contorsion lascive, l'index dans la bouche.)* M'avez parlé. Entendu parderrière. Comment alors avez-vous pu… ?

BLOOM

(Tripotant abjectement la bruyère.) Oh, j'ai été un vrai porc. Des lavements j'en ai également administré. Un tiers de pinte de quassia auquel il faut ajouter une cuillerée à soupe de selgemme. Dans le fondement. Avec la seringue Hamilton Long, l'amie des dames.

LA NYMPHE

En ma présence. La houpettàpoudre. *(Elle rougit et plie un genou.)* Et le reste !

BLOOM

(Abattu.) Oui. *Peccavi*[136] *!* J'ai rendu hommage sur cet autel vivant où le dos change de nom. *(Avec une ferveur soudaine.)* Car pourquoi la délicate main parfumée chargée de bagues, la main qui gouverne… ?

(Des silhouettes serpentent sinueusement en un lent parcours boisé autour des fûtsd'arbres, roucoulantes.)

LA VOIX DE KITTY

(Dans le bosquet.) Envoie-nous un de ces coussins.

LA VOIX DE FLORRY

Tiens.

(Un tétra s'envole lourdement entre les arbres.)

LA VOIX DE LYNCH

(Dans le bosquet.) Eh ben ! Tout bouillant !

LA VOIX DE ZOE

(Dans le bosquet.) Ça vient d'un endroit bouillant.

LA VOIX DE VIRAG

(En chefoiseau, bleustrié et emplumé en panoplie de guerre avec sa sagaie, piétine à grandspas des faînes et des glands dans un bosquet de roseaux crépitant.) Bouillant ! Bouillant ! Gaffe à Sitting Bull !

BLOOM

Cela me subjugue. La tiède impression de sa forme tiède. Même s'asseoir là où une femme s'est assise, particulièrement avec les cuisses divariquées, comme pour accorder les ultimes faveurs, tout particulièrement en ayant d'abord relevé les basques de satin blanc. Tellement féminin, plein. Cela me remplit plein.

LA CHUTE D'EAU

Pliplinphouca Poulaphouca
Poulaphouca Poulaphouca.

LES IFS

Chut ! Sœur, parle !

LA NYMPHE

(Sans yeux, en habit blanc de nonne, cornette et guimpe grandailes, doucement, yeux absents.) Couvent de Tranquilla. Sœur Agatha. Mont Carmel[137]. Les apparitions de Knock et de Lourdes[138]. Plus de désir. *(Elle incline la tête en soupirant.)* Seul l'éthéré. Où rêveuse crêmeuse mouette ondule nébuleuse sur les mornes flots.

(Bloom se relève à moitié. Son boutonpantalon arrière saute.)

LE BOUTON

Bip !

(Deux catins de la Coombe passent en dansant pluvieusement, châlées, hurlant d'une voix plate.)

LES CATINS

C'est Leopold qu'a perdu
L'épingle de sa culotte
Et la sotte, et la sotte,
Il sait pas, il sait plus,
Quoi faire pour pas montrer son cul.

BLOOM

(Froidement.) Vous avez rompu le charme. La dernière goutte d'eau. S'il n'y avait que des éthérés où seriez-vous toutes, postulantes et novices ? Timides mais empressés comme âne qui pisse.

LES IFS

(Le papier d'argent de leur feuillage se précipite, leurs bras décharnés vieillissent et oscillent.) Déciduellement !

LA NYMPHE

(Ses traits se durcissent et elle fouille dans les plis de son vêtement.) Sacrilège ! Attenter à ma vertu ! *(Une large tache humide apparaît sur sa robe.)* Souiller mon innocence ! Vous n'êtes pas digne de toucher l'ourlet d'une femme pure. *(Elle tâtonne de nouveau dans sa robe.)* Attends, Satan, finis les chants d'amour. Amen. Amen. Amen. Amen. *(Elle sort un poyniard et, vêtue de la côtemaille d'un chevalier élu des neuf*[139]*, le frappe aux reins.)* Nekum !

BLOOM

(Se redresse vivement, lui saisit la main.) Eh là ! Nebrakada ! Chat à neuf vies ! À la loyale, madame. Pas d'émondoir. Le renard et les raisins, c'est ça ?

Que vous manque-t-il avec votre fil de fer barbelé [140] ? Le crucifix n'est-il pas assez épais ? *(Il agrippe son voile.)* Un saint abbé, c'est ce que vous voulez, ou Brophy, le jardinier boiteux, ou la statue sans becverseur du porteurd'eau, ou la bonne mère Alphonsus, hein Regnard ?

LA NYMPHE

(S'enfuit dévoilée en poussant un cri, son moulage se craquelle et un nuage de puanteur s'échappe des craquelures du plâtre.) Poli... !

BLOOM

(Crie après elle.) Comme si vous n'en obteniez pas le double vous-même. Pas de secousse et multiples mucosités partout. Je l'ai essayé. Votre force notre faiblesse. À combien la saillie ? Que voulez-vous payer rubis sur l'ongle ? Vous payez des danseurhommes sur la Riviera, ai-je lu. *(La nymphe en fuite pousse une lamentation funèbre.)* Hein ? J'ai seize années d'esclavage noir derrière moi. Et un jury accepterait-il de m'accorder cinq shillings de pension alimentaire demain, hein ? Dupez quelqu'un d'autre, pas moi. *(Il renifle.)* Rut. Oignons. Rassis. Soufre. Graisse.

(La silhouette de Bella Cohen se dresse devant lui.)

BELLA

Vous me reconnaîtrez la prochaine fois.

BLOOM

(L'examine avec calme.) *Passée*. Mouton déguisé en agneau. Dents un peu longues et poils superflus. Un

oignon cru juste avant le coucher améliorerait votre teint. Et faites donc quelques exercices pour le double menton. Vos yeux sont aussi inexpressifs que les yeux de verre de votre renard empaillé. Ils sont proportionnés au reste de vos traits, c'est tout. Je ne suis pas un propulseur à trois hélices.

BELLA

(Avec mépris.) C'est en fait que vous ne vous sentez pas à la hauteur. *(Son condetruie aboie.)* Fbhracht !

BLOOM

(Avec mépris.) Commencez par nettoyer votre index sans ongle, le foutre froid de votre barbeau dégouline de votre carafon. Prenez une poignée de foin et essuyez-vous.

BELLA

Je vous connais bien, placier ! Crevure de morue !

BLOOM

Je l'ai vu, gérant de clac ! Marchand de vérole et de pus !

BELLA

(Se tourne vers le piano.) Qui jouait la marche funèbre de *Saül* ?

ZOE

Moi. Bougez vos arpions. *(Elle se précipite vers le piano et, bras croisés, y plaque des accords.)* La partie de balayette dans le mâchefer. *(Elle jette un coup d'œil derrière elle.)* Eh ? Qui fait risette à mes petits chéris ?

(Elle retourne précipitamment à la table.) Ce qui est à vous est mien et ce qui est mien m'appartient.

(Kitty, déconcertée, couvre ses dents avec le papier argenté. Bloom s'approche de Zoe.)

BLOOM

(Doucement.) Voudriez-vous me rendre cette pomme de terre ?

ZOE

Donné c'est donné, c'est du joli et du superjoli.

BLOOM

(Avec sentiment.) Ce n'est rien, mais quand même, une relique de ma pauvre maman.

ZOE

Donne quelque chose et reprends-le
Dieu cherchera à savoir où
Tu diras que tu ne le sais pas
Dieu t'enverra en bas, tout en bas.

BLOOM

Un souvenir y est attaché. J'aimerais l'avoir.

STEPHEN

Avoir ou ne pas avoir, voilà la question.

ZOE

Tenez. *(Elle prend un ris dans sa combinaison, dévoilant une cuisse nue, et déroule la pomme de terre du haut de son bas.)* Les ceusses qui cachent ils savent où trouver.

BELLA

(Fronce les sourcils.) Dis donc. Ce n'est pas un numéro de rince-l'œil musical. Et puis ne tape pas comme ça sur le piano. Qui est-ce qui paie ici ?

(Elle va au pianola. Stephen fouille dans sa poche et, sortant un billet de banque par un coin, le lui tend.)

STEPHEN

(Avec une politesse exagérée.) Cette bourse de soie, je l'ai faite à partir de l'oreille de truie du public. Madame, excusez-moi. Si vous me permettez. *(Il indique Lynch et Bloom d'un geste vague.)* Nous faisons tous partie du même lot, Kinch et Lynch. *Dans ce bordel où tenons nostre état*[141].

LYNCH

(Lance depuis la cheminée.) Dedalus ! Donne-lui ta bénédiction de ma part.

STEPHEN

(Tend une pièce de monnaie à Bella.) De l'or. Il est entre ses mains.

BELLA

(Regarde l'argent, puis Stephen, puis Zoe, Florry et Kitty.) Vous voulez trois filles ? Ici, c'est dix shillings.

STEPHEN

(Ravi.) Cent mille excuses. *(Il fouille une fois de plus dans sa poche et en sort deux couronnes qu'il lui tend.)* Permettez, *brevi manu* [142], ma vue est légèrement troublée.

(Bella va à la table pour compter l'argent tandis que Stephen monologue en monosyllabes. Zoe se penche sur la table. Kitty tend le cou par-dessus l'épaule de Zoe. Lynch se lève, remet sa casquette dans le bon sens et, saisissant la taille de Kitty, ajoute sa tête au groupe.)

FLORRY

(Fait de grands efforts pour se lever.) Aille ! Mon pied s'est endormi. *(Elle boite jusqu'à la table. Bloom s'approche.)*

BELLA, ZOE, KITTY, LYNCH, BLOOM

(Jacassant et se disputant.) Le monsieur… dix shillings… Payer pour les trois… attendez, un instant… ce monsieur paie séparément… Qui y touche ?… Aille !… attention à qui vous pincez… vous restez la nuit ou un petit moment ?… qui a ?… vous êtes un menteur, pardonnez-moi… le monsieur a payé comme un vrai monsieur… boissons… il est bien plus de onze heures.

STEPHEN

(Au pianola, avec un geste d'abhorration.) Pas de bouteilles ! Quoi, onze heures ? Une devinette !

ZOE

(Soulevant son jupon et enroulant une demi-couronne dans le haut de son bas.) Durement gagné à plat sur le dos.

LYNCH

(Soulevant Kitty de la table.) Viens !

KITTY

Attends. *(Elle happe les deux couronnes.)*

FLORRY

Et moi ?

LYNCH

Hopla !

(Il la soulève, l'emporte et la laisse tomber sur le canapé.)

STEPHEN

Le renard chantait, les coqs volaient,
Les cloches dans les cieux
Les onze coups sonnaient.
L'heure pour sa pauvre âme
De quitter les cieux.

BLOOM

(Pose calmement un demi-souverain sur la table entre Bella et Florry.) Donc. Permettez-moi. *(Il prend le billet d'une livre.)* Trois fois dix. Nous sommes quittes.

BELLA

(Avec admiration.) T'es un sacré petit futé, vieux singe. Je pourrais t'embrasser.

ZOE

(Le montre du doigt.) Lui ? Profond comme un puits.

(Lynch maintient Kitty renversée sur le canapé et l'embrasse. Bloom se dirige vers Stephen avec le billet d'une livre.)

BLOOM

Ceci est à vous.

STEPHEN

Comment ça ? *The absentminded* ou le mendiant distrait[143]. *(Il fouille de nouveau dans sa poche et en sort une poignée de monnaie. Un objet tombe.)* C'est tombé.

BLOOM

(Se penche, ramasse et tend une boîte d'allumettes.) Ceci.

STEPHEN

Soufrées. Merci.

BLOOM

(Calmement.) Mieux vaudrait que vous me donniez la garde de cet argent. Pourquoi payer davantage ?

STEPHEN

(Lui donne toute sa monnaie.) Soyez juste avant que généreux.

BLOOM

Sans doute mais est-ce bien sage ? *(Il compte.)* Un, sept, onze, et cinq. Six. Onze. Je ne répondrai pas de ce que vous avez peut-être déjà perdu.

STEPHEN

Pourquoi les onze coups ? Proparoxyton. Moment qui précède le suivant comme dit Lessing. Renard assoiffé. *(Il rit très fort.)* Enterrant sa grand-mère. Sans doute l'avait-il tuée.

BLOOM

C'est donc une livre six shillings onze. Disons une livre sept.

STEPHEN

Ça n'a trou du qu'une importance.

BLOOM

Non, mais…

STEPHEN

(Se rend près de la table.) Cigarette, s'il vous plaît. *(Du canapé Lynch lance une cigarette sur la table.)* Ainsi Georgina Johnson est morte et mariée. *(Une cigarette apparaît sur la table. Stephen la regarde.)* Étrange. Magie de salon. Mariée. Hum. *(Il frotte une allumette et allume alors la cigarette avec une mélancolie énigmatique.)*

LYNCH

(En l'observant.) Tu arriverais bien mieux à l'allumer si tu mettais l'allumette un peu plus près.

STEPHEN

(Approche l'allumette de son œil.) Œil de lynx. Je dois me faire faire des lunettes. Les ai cassées hier. Il y a seize ans[144]. Distance. L'œil voit tout plat. *(Il éloigne l'allumette. Elle s'éteint.)* Le cerveau pense. Près : loin. Inéluctable modalité du visible[145]. *(Il fronce mystérieusement les sourcils.)* Hum. Sphinx. La bête qui a deux dos à minuit. Mariée.

ZOE

C'est un représentant de commerce qui l'a épousée et l'a emmenée.

FLORRY

(Acquiesce.) M. Agnew de Londres.

STEPHEN

Agneau de Londres, qui effacez les péchés de notre monde.

LYNCH

(Enlaçant Kitty sur le canapé, psalmodie d'une voix profonde.) Dona nobis pacem.

(La cigarette glisse des doigts de Stephen. Bloom la ramasse et la jette dans le foyer de la cheminée.)

BLOOM

Ne fumez pas. Vous devriez manger. Que Dieu maudisse le chien que j'ai rencontré. *(À Zoe.)* Vous n'auriez pas quelque chose ?

ZOE

Il a faim ?

STEPHEN

(Tend une main vers elle en souriant et chante sur l'air du serment dans le sang du Crépuscule des dieux.*)*

Hangende Hunger,
Fragende Frau,
Macht uns alle kaputt[146].

ZOE

(Tragiquement.) Hamlet, je suis le gibelet de ton père. *(Elle lui prend la main.)* Beauté aux yeux bleus je vais lire dans ta main. *(Elle indique son front.)* Pas d'esprit, pas de rides. *(Elle compte.)* Deux, trois, Mars, c'est le courage. *(Stephen fait non de la tête.)* Je mens pas.

LYNCH

Courage d'une nuit d'été. L'enfant qui ne pouvait ni frissonner ni trembler. *(À Zoe.)* Qui vous a appris la chiromancie ?

ZOE

(Se tourne.) Demande aux couilles que je n'ai pas. *(À Stephen.)* Je le vois à ton visage. À ton œil, comme ça. *(Elle fronce les sourcils en baissant la tête.)*

LYNCH

(En riant, frappe deux fois les fesses de Kitty.) Comme ça. Férule[147].

(Deux fois avec force claque une férule, le cercueil du pianola s'ouvre brutalement, la petite tête ronde et chauve de diablotin du Père Dolan en jaillit.)

LE PÈRE DOLAN

Un gamin ici aurait-il besoin du fouet ? A cassé ses lunettes ? Sale petit paresseux sournois. Je vois ça dans tes yeux.

(Douce, bénigne, rectorale, réprobatrice, la tête de Don John Conmee s'élève du cercueil du pianola.)

DON JOHN CONMEE

Mais enfin, Père Dolan ! Mais enfin. Je suis certain que Stephen est un petit garçon bien sage !

ZOE

(Examinant la paume de Stephen.) Main de femme.

STEPHEN

(Murmure.) Continue. Mens. Serre-moi. Caresse. Jamais je n'ai pu lire Son écriture sinon la marque de Son pouce criminel sur le haddock.

ZOE

Quel jour es-tu né ?

STEPHEN

Jeudi. Aujourd'hui.

ZOE

L'enfant du jeudi a une bonne trotte devant lui. *(Elle suit les lignes sur sa main.)* Ligne du destin. Amis influents.

FLORRY

(Montrant du doigt.) Imagination.

ZOE

Mont de la lune. Tu rencontreras un… *(Elle examine brusquement ses mains.)* Je ne te dirai pas ce qui n'est pas bon pour toi. Mais peut-être aimerais-tu savoir ?

BLOOM

(Écarte les doigts de Zoe et lui offre sa paume.) Plus de mal que de bien. Tenez. Lisez la mienne.

BELLA

Faites voir. *(Elle retourne la main de Bloom.)* Comme je le pensais. Jointures bosselées pour les femmes.

ZOE

(Examinant attentivement la paume de Bloom.) Gril. Voyages au-delà des mers et mariage d'argent.

BLOOM

Faux.

ZOE

(Rapidement.) Oh, je vois. Petit doigt un peu court. Coq que mène sa poule. C'est faux, ça ?

(Liz la Noire, énorme coq couvant à l'intérieur d'un cercle de craie, se lève, étire ses ailes et glousse.)

LIZ LA NOIRE

Gara. Klouk. Klouk. Klouk. *(Elle s'écarte de l'œuf qu'elle vient de pondre et s'en va en se dandinant.)*

BLOOM

(Montre sa main.) Cette marque ici est un accident. Suis tombé et me suis coupé il y a vingtdeux ans. J'avais seize ans.

ZOE

Je vois, comme dit l'aveugle. Donnez-nous des nouvelles.

STEPHEN

Voir ? S'avance vers un seul et unique but. J'ai vingtdeux ans. Il y a seize ans il avait également vingtdeux ans. Il y a seize ans moi vingtdeux ans ai fait la culbute, il y a vingtdeux ans lui seize ans est tombé de son chevaldebois. *(Il grimace.)* Me suis fait mal à la main. Dois voir un dentiste. De l'argent ?

(Zoe chuchote à l'oreille de Florry. Elles pouffent de rire. Bloom dégage sa main et griffonne sans y penser sur la table, dessinant les lentes courbes d'une écriture renversée.)

FLORRY

Quoi ?

(Un fiacre, numéro trois cent vingtquatre, avec une jument à galantecroupe, conduite par James Barton, Harmony avenue, Donnybrook, passe au trot[148]*. Flam Boylan et Lenehan tanguent, vautrés sur la banquette. Le garçond'étage de l'Ormond est accroupi à l'arrière sur l'essieu. Tristement par-dessus le brise-bise Lydia Douce et Mina Kennedy observent.)*

LE GARÇOND'ÉTAGE

(Secoué, se moque d'elles avec son pouce et des doigtsticots frétillants.) Vite vite avez-vous le vit ?

(Bronze et or elles chuchotent.)

ZOE

(À Florry.) Chuchote. *(Elle chuchote de nouveau.)*

(Par-dessus les sièges de la voiture Flam Boylan se penche, son canotier en paille sur l'oreille, fleur rouge entre les lèvres. Lenehan, en casquette de yachtman et souliers blancs, enlève avec zèle un long cheveu sur l'épaulette de la veste de Boylan.)

LENEHAN

Ho ! Que vois-je donc ici ? As-tu donc nettoyé les toiles d'araignée de quelques millefeuilles ?

BOYLAN

(Rassasié, sourit.) Plumé une dinde.

LENEHAN

Une bonne nuit de travail.

BOYLAN

(Levant haut quatre doigts épais ongulémoussés, cligne de l'œil.) La Chatte de Flamme ! Mieux que l'échantillon ou remboursement immédiat. *(Il tend un index.)* Sens-moi ça.

LENEHAN

(Renifle allégrement.) Ah ! Homard mayonnaise. Ah !

ZOE ET FLORRY

(Rient ensemble.) Ha ha ha ha.

BOYLAN

(Saute de la voiture avec assurance et crie d'une voix forte pour que tous entendent.) Hello, Bloom ! Mme Bloom déjà habillée ?

BLOOM

(En veste de panne prune et culottes de larbin, bas chamois et perruque poudrée.) Je crains que non, monsieur. Les derniers vêtements…

BOYLAN

(Lui lance six pence.) Tenez, achetez-vous un gin soda. *(Il accroche avec habileté son chapeau aux épois de la tête ramurée de Bloom.)* Faites-moi entrer. J'ai une petite affaire privée à régler avec votre femme, vous me suivez ?

BLOOM

Merci monsieur. Oui monsieur. Madame Tweedy est dans son bain, monsieur.

MARION

Il devrait se sentir extrêmement honoré. *(Elle bondit hors de l'eau en éclaboussant.)* Raoul, mon chéri, viens me sécher. Je suis à poil. Seulement mon chapeau neuf et une éponge de voiture.

BOYLAN

(Une étincelle joyeuse dans le regard.) Astap !

BELLA

Quoi ? Qu'est-ce donc ?

(Zoe lui chuchote quelque chose.)

MARION

Qu'il regarde, le quimboiseur ! Le marlou ! Qu'il se fustige ! J'écrirai à une robuste prostituée ou à Bartholomona, la femme à barbe, pour qu'elle lui laisse des cicatrices d'un pouce d'épaisseur et il devra me rapporter un reçu signé et timbré.

BOYLAN

(S'empoigne.) Eh, je ne peux plus retenir ce petit truc encore longtemps. *(Il s'en va à grands pas raides de cavalier.)*

BELLA

(Riant.) Ho ho ho ho.

BOYLAN

(À Bloom, par-dessus son épaule.) Vous pouvez mettre votre œil au trou de la serrure et faire joujou pendant que je la traverse deux ou trois fois.

BLOOM

Je vous en remercie, monsieur. Je le ferai, monsieur. Puis-je faire venir deux copains afin qu'ils puissent être témoins de l'acte et prennent un instantané ? *(Il tend un bocal d'onguent.)* Vaseline, monsieur ? Fleur d'oranger… ? Eau tiède… ?

KITTY

(Depuis le canapé.) Dis-nous, Florry. Dis-nous. Que…

(Florry lui chuchote quelque chose. Chuchotant en murmure des motsd'amour, lèvrelapant bruyamment, plopslop poppysmiques.)

MINA KENNEDY

(Les yeux révulsés.) Oh, ce doit être pareil au parfum des géraniums et des magnifiques pêches ! Ah, ce qu'il adore le moindre de ses petits coins charmants ! Collés ensemble ! Couverts de baisers !

LYDIA DOUCE

(Ses lèvres s'entrouvrant.) Miammiam. Oh, il la porte d'un bout à l'autre de la chambre en le faisant ! À dada, à dada sur grand-papa. On pourrait les entendre à Paris et à New York. Comme des bouchées de fraises à la crème.

KITTY

(Riant.) Hii hii hii.

LA VOIX DE BOYLAN

(Doucement, rauque, du creux de l'estomac.) Ah ! Dieuflammegrukbrukarchkhrasht !

LA VOIX DE MARION

(Rauque, doucement, montant dans sa gorge.) Oh ! Ouiishouashtbaisinapouisthnapouhuck ?

BLOOM

(Les yeux exorbités, s'empoigne.) Montre ! Cache ! Montre ! Laboure-la ! Plus ! Tire !

BELLA, ZOE, FLORRY, KITTY

Ho ho ! Ha ha ! Hii hii !

LYNCH

(Montre du doigt.) Le miroir tendu à la nature[149]. *(Il rit.)* Hu hu hu hu hu !

(Stephen et Bloom regardent le miroir. Le visage de William Shakespeare, sans barbe, y apparaît, traits rigides de paralytique, couronné par le reflet du portechapeaux à andouiller de renne dans le vestibule.)

SHAKESPEARE

(Dignement ventriloque.) Le rire sonore annonce un esprit vide. *(À Bloom.)* Tu pensais oncques despérir ainsi invisible. Observe. *(Il chante avec un rire de chapon noir.)* Iagogo ! Comment mon Hôtetélo estrangla sa Dessertedesmoines. Iagogogo !

BLOOM

(Sourit jaune en regardant les trois prostituées.) Quand pourrai-je entendre la plaisanterie ?

ZOE

Avant d'être deux fois marié et une fois veuf.

BLOOM

Les défaillances sont pardonnées. Même le grand Napoléon quand des mesures furent prises à fleur de peau après sa mort…

(Mme Dignam, femme veuve, nezcamus et joues enfiévrées par le bavardage funèbre, les larmes et le sherry ambré de chez Tunney, passe précipitamment en vêtements de deuil, bonnet de travers, se carminant et se poudrant les joues, les lèvres et le nez, mère cygne houssepillant sa couvée. Sous sa jupe apparaît le pantalon de tous les jours de feu son mari et ses souliers à bouts relevés, quarante-trois fillette. Elle tient à la main une police d'assurance de Scottish Widow et un immense parapluitente sous lequel sa couvée l'accompagne, Patsy à cloche-pied sur un seul pied chaussé, col défait, balançant un chapelet de grillades de porc, Freddy pleurnichant, Susy avec une bouche de morue en pleurs, Alice, se débattant avec le bébé. Elle les frappe pour qu'ils avancent, tous ses drapeaux déployés haut.)

FREDDY

Ah, ma, tu me tires trop vite !

SUSY

Mamma, le bouillon de bœuf déborde !

SHAKESPEARE

(Avec une fureur de paralytique.) Népousa séga quentua pramier !

(Le visage de Martin Cunningham [150]*, barbu, redessine les traits du visage sans barbe de Shakespeare. L'immense parapluie oscille en ivrogne, les enfants s'éparpillent sur les côtés. Sous le parapluitente apparaît Mme Cunningham avec chapeau de Veuve Joyeuse et robe kimono. Elle se coule de guingois en s'inclinant, pirouettant japonaisement.)*

MME CUNNINGHAM

(Chante.)

On m'appelle la perle de l'Asie !

MARTIN CUNNINGHAM

(L'observe, impassible.) Immense ! La plus horrible des foutues demi-vierges !

STEPHEN

Et exaltabuntur cornua iusti [151]. Les reines couchaient avec les taureaux primés. Souvenez-vous de Pasiphaé pour la lubricité de laquelle mon grand-vieuxgrosspère fabriqua le premier confessionnal. N'oubliez pas Madame Grissel Stevens ni les rejetons lardonneux de la maison Lambert. Et Noé s'était enivré de vin. Et son arche était ouverte.

BELLA

On ne veut pas de ça ici. Vous vous êtes trompé d'endroit.

LYNCH

Fichez-lui la paix. Il revient de Paris.

ZOE

(Court vers Stephen et lui prend le bras.) Oh s'il vous plaît. Donnez-nous un peu de parleyvoo.

(Stephen colle son chapeau sur sa tête et bondit jusqu'à la cheminée où il se campe, épaules remontées, mains nageoires ouvertes, un sourire peint sur le visage.)

LYNCH

(Frappant sur le canapé.) Rmm Rmm Rmm Rrrrrrmmmm.

STEPHEN

(Débite avec des gestes de marionnette.) Mille lieux de divertissement pour dépenser vos soirées avec belles dames vandant gants et autres choses peut-être siennes cœur brasseries parfaite maison en vogue très excentrique où nombreuses cocottes magnifiques vêtues beaucoup au sujet de princesses comme qui danseraient cancan et se promener là clowneries parisiennes particulièrement folichonnes pour célibataires étrangers pareil si parlent un mauvais anglais combien malins sur choses amour et sensations voluptueuses. Messieurs très select car est plaisir obligatoire de visiter spectacle paradis et enfer avec bougies funèbres et ils larmes argent

qui se déroule chaque soir. Parfaitement choquant terrible des choses religion moquerie vue dans monde universel. Toutes femmes chics qui arrivent pleines de modestie puis se déshabillent et hurlent fort pour voir homme vampire débaucher nonne très fraîche jeune avec *dessous troublants. (Il fait bruyamment claquer sa langue.) Ho, là là ! Ce pif qu'il a !*

LYNCH

Vive le vampire !

LES PROSTITUÉES

Bravo ! Parleyvoo !

STEPHEN

(Tête rejetée en arrière, rit bruyamment, se tape sur les cuisses en grimaçant.) Grand succès de rire. Anges très comme prostituées et saints apôtres gros satanés ruffians. *Demimondaines* joliment belles étincelantes de diamants très aimables costumées. Ou bien préférez-vous êtes-vous mieux ce qui appartient ils modernes plaisir turpitude de vieilles hommes ? *(Il désigne autour de lui avec des gestes grotesques auxquels Lynch et les putains répondent.)* Caoutchouc statue femme réversible ou bien tompipitom de nudités vierges très lesbiques le baiser cinq dix fois. Entrez, monsieur, pour voir dans miroir toutes positions trapèzes tout ce que machine là en outre aussi si désire acte terriblement bestial garçon boucher pollue dans foie de veau tiède ou omlet sur le ventre *pièce de Shakespeare.*

BELLA

(Se tape sur le ventre et s'enfonce dans le canapé en riant aux éclats.) Une omelette sur le… Ho ! ho ! ho ! ho !… omelette sur le…

STEPHEN

(Avec minauderie.) Je vous aime, monsieur darling. Speak à vous langue anglaise pour *double entente cordiale*. Oh yes, *mon loup*. Howmuch coûte ? Waterloo. Watercloset. *(Il s'arrête brutalement et lève un doigt en l'air.)*

BELLA

(En riant.) Omelette…

LES PROSTITUÉES

(En riant.) Bis ! Bis !

STEPHEN

Écoutez-moi bien. J'ai rêvé d'une pastèque.

ZOE

Voyage à l'étranger et aime une dame d'un autre pays.

LYNCH

Le tour du monde pour trouver une épouse.

FLORRY

Les rêves vont par contraires.

STEPHEN

(Tend les bras.) C'était ici. Rue des catins. Dans Serpentine avenue Belzébuth me l'a montrée, une veuve fessue. Le tapis rouge n'a pas été déroulé ?

BLOOM

(S'approchant de Stephen.) Écoutez...

STEPHEN

Non, prenais mon envol. Mes ennemis sous moi. Et ainsi à jamais dans tous les siècles des siècles. *(Il crie.) Pater !* Libre !

BLOOM

Dites, écoutez...

STEPHEN

Briser mon esprit, c'est ça qu'il veut ? *Ô merde alors ! (Il crie, ses serres de vautour aiguisées.)* Holà ! Houlaho !

(La voix de Simon Dedalus holahèle en réponse, un peu endormie mais disponible.)

SIMON

C'est très bien. *(Il pique, mal assuré, dans l'air, tournoyant, poussant des cris d'encouragement, sur ses lourdes et puissantes ailes de buse.)* Ho, mon gars ! Vas-tu gagner ? Oup ! Pschatt ! Créché avec ces caféaulait. Ne les voudrais pas à moins d'un braillement d'âne. Tête haute ! Que vole notre drapeau ! Un aigle gueules volant sur champ argent éployé[152]. Le roi d'armes d'Ulster ! Héoup ! *(Il pousse le cri du bigle, donnant de la voix.)* Bulbul ! Burblblburblbl ! Hé, mon gars !

(Le feuillage et les espaces de la tapisserie défilent rapidement à travers la campagne. Un gros renard[153]*, tiré de son couvert, queue dressée, ayant enterré sa grand-mère, débouche rapidement en terrain dégagé, yeux brillants, cherchant la tanière du blaireau, sous les feuilles. La meute de chiens courant suit, nez au sol, reniflant leur proie, biglaboyant, burblblant vers la curée. Les chasseurs et chasseuses de la Ward Union ne les lâchent pas, acharnés à la tuerie. De Six Mile Point, de Flathouse, de Nine Mile Stone, viennent les gens à pied avec des gourdins noueux, des fourchàfoin, des gaffàsaumon, des lassos, maîtres de troupeau munis de fouets à moutons, meneurs d'ours avec des tamtams, toréadors avec des espadas, nègres blêmes agitant des flambeaux. Les hurlements de la foule de joueurs de dés, de joueurs de couronne et ancre, de joueurs de gobelets, de tricheurs aux cartes. Racoleurs et bonisseurs, bookmakers rauques coiffés de chapeaux pointus de magiciens hurlent à vous rendre sourd.)*

LA FOULE

Bulletin des courses. Programme des courses !
À dix contre un les autres !
Tommy sur argile ici ! Tommy sur argile !
Dix contre un sauf un ! Dix contre un sauf un !
Tentez votre chance avec Jenny Roulette !
Dix contre un sauf un !

Vendez votre mise, les gars ! Vendez votre mise !
Je prends à dix contre un !
Dix contre un sauf un !

(Un cheval inconnu, sans cavalier, galope comme un spectre et brûle le poteau, sa crinière écumedelune, ses pupilles des étoiles[154]*. Le reste suit, groupe de montures cabrées. Chevaux squelettes : Sceptre, Maximum le Second, Zinfandel, Shotover, du duc de Westminster, Repulse, Ceylon, du duc de Beaufort, prix de Paris*[155]*. Ils sont montés par des nains, armurouillées, bondissant, bondissant sur leur, sur leur selle. Dernier dans une bruine de pluie sur un bourrin isabelle asthmatique, Cock of the North, le favori, Garrett Deasy, casquette miel, casaque verte, manches orange, serrant les rênes, une crosse de hockey à la main. Son bourrin trotte sur la route caillouteuse sur des pieds boiteux blancguêtrés.)*

LES LOGES ORANGISTES

(Avec ironie.) Descends donc et pousse, mon bonhomme. Dernier tour ! Tu seras rendu avant la nuit !

GARRETT DEASY

(Tout droit sur sa selle, son visage griffé cataplasmé de timbresposte, brandit sa crosse de hockey, ses yeux bleus étincellent dans le prisme du lustre tandis que sa monture passe au pas de course en un galop d'école.)

Per vias rectas !

(Une palanche de seaux léopardent sur tout son corps et sur celui de son bourrin cabré un

torrent de potage de mouton avec des écus virevoltants de carottes, d'orge, d'oignons, de navets, de pommes de terre.)

LES LOGES VERTES

Pas trop humide, sir John ! Une journée pas trop humide, votre honneur !

(Soldat Carr, soldat Compton et Cissy Caffrey passent sous les fenêtres, chantant en discorde.)

STEPHEN

Écoutez ! Notre ami bruit dans la rue.

ZOE

(Lève une main.) Arrêtez !

SOLDAT CARR, SOLDAT COMPTON ET CISSY CAFFREY

J'aime pourtant une sorte de
Saveur Yorkshire pour…

ZOE

Ça c'est moi. *(Elle frappe dans ses mains.)* Dansez ! Dansez ! *(Elle court au pianola.)* Qui a une pièce de deux pence ?

BLOOM

Qui va… ?

LYNCH

(Lui tendant des pièces.) Voilà.

STEPHEN

(Faisant craquer ses doigts d'impatience.) Vite ! Vite ! Où est ma baguette d'augure[156] ? *(Il se précipite vers le piano et prend sa frênecanne, tapant la mesure d'un tripudium*[157] *sur son pied.)*

ZOE

(Tourne la manivelle.) Voilà.

(Elle fait glisser deux pennies dans la fente. Des lumières dorées, roses et violettes jaillissent. Le cylindre tourne en ronronnant une lente valse hésitation. Le Professeur Goodwin, en perruque à catogan, en habits de cour, sous une cape d'Inverness tachée, plié en deux par une incroyable vieillesse, titube dans la pièce en agitant les mains. Il s'assied diminutivement sur le tabouret et soulève puis frappe les bâtons sans mains de ses bras sur le clavier, hochant la tête avec des grâces de damoiselle, secouant son catogan.)

ZOE

(Virevolte sur elle-même, frappant du talon.) Dansez ! Quelqu'un là-bas veut-il venir ici ? Qui vient danser ? Poussez la table.

(Le pianola avec éclairage changeant joue sur un temps de valse les premières mesures de Ma môme est une fille du Yorkshire. *Stephen jette sa frênecanne sur la table et saisit Zoe par la taille. Florry et Bella poussent la table vers la cheminée. Stephen, enlaçant Zoe avec une grâce exagérée, commence à la faire valser dans la pièce. Bloom reste à l'écart.*

La manche de Zoe retombant de ses bras gracieusement levés révèle la fleur de chair blanche d'une vaccination. Entre les rideaux Professeur Maginni introduit une jambe sur la pointe du pied de laquelle toupie un haut-de-forme. D'un coup de pied habile il l'envoie virevolter sur son crâne et cavalièrement-coiffé entre d'un pas de patineur. Il porte une redingote ardoise à revers en soie bordeaux, une gorgerette de tulle crème, un gilet vert coupé bas, un col officier avec cravate blanche, pantalon moulant lavande, escarpins vernis et gants jaune canari. À sa boutonnière il a mis un immense dahlia. Il fait tournoyer dans les deux sens une canne ondée, puis l'enfonce fermement sous son aisselle. Il pose une main légère sur son bréchet, s'incline, et flatte sa fleur et ses boutons.)

MAGINNI

La poésie du mouvement, art de la callisthénie. Rien de commun avec celle de Legget Byrne ou de Levenston. Organisation de bals costumés. Leçons de maintien. Le pas de Katty Lanner. Donc. Observez-moi ! Mes dons terpsichoréens. *(Il minuette trois pas en avant sur de vives pattes d'abeille.) Tout le monde en avant ! Révérence ! Tout le monde en place !*

(Le prélude se termine. Le Professeur Goodwin, battant vaguement des bras, se ratatine, coule, sa cape encore vivante recouvre le tabouret. L'air en une mesure de valse plus ferme retentit. Stephen et Zoe tournoient sans entraves. Les lumières changent, luisent, s'éteignent rosées dorées violettes.)

LE PIANOLA

Deux jeunes gens parlaient de leurs amies, amies, amies,
Leurs bien-aimées restées au pays……

(Les heures matinales [158] *accourent depuis un coin de la pièce, sandalégères, en bleu layette, tailledeguêpe, avec des mains innocentes. Lestement elles dansent, faisant tourner leurs cordes à sauter. Les heures méridiennes les suivent en or ambré. Riant, se tenant par la main, grands peignes étincelants, elles captent le soleil dans des miroirs moqueurs, levant les bras.)*

MAGINNI

(Clipclappe ses mains gantsilencieuses.) Carré ! Avant deux ! Respirations régulières ! *Balancé !*

(Les heures matinales et méridiennes valsent sur place, tournant, avançant les unes vers les autres, dessinant leurs courbes, s'inclinant visàvis. Des cavaliers derrière elles se cambrent et suspendent leurs bras, mains descendant jusqu'à leurs épaules, les touchant, s'en élevant.)

HEURES

Vous pouvez toucher mon.

CAVALIERS

Puis-je toucher votre ?

HEURES

Oh, mais légèrement !

CAVALIERS

Oh, si légèrement !

LE PIANOLA

Ma petite timide petite amie a une taille.

(Zoe et Stephen tournoient hardiment selon un rythme plus lâche. Les heures crépusculaires s'avancent depuis les longues ombresdeterre, dispersées, traînant, œilanguide, leurs joues délicates de cipria et d'une légère pruine artificielle. Elles sont vêtues de gaze grise avec de larges manches chauvesouris qui volettent dans la brise de terre.)

MAGINNI

Avant huit ! Traversé ! Salut ! Cours de mains ! Croisé !

(Les heures nocturnes, l'une après l'autre, se glissent à la dernière place. Les heures matinales, méridiennes et crépusculaires battent en retraite devant elles. Elles sont masquées, la chevelure daguée et portent des bracelets de grelots assourdis. Lasses elles chassécroisent sous leurs voiles.)

LES BRACELETS

Hé-las ! Hé-las !

ZOE

(Pirouettant, une main sur son front.) Oh !

MAGINNI

Les tiroirs ! Chaîne de dames ! La corbeille ! Dos à dos !

(Arabesquant avec lassitude elles tissent un dessin sur le sol, nouant, dénouant, s'inclinant, pirouettant, tournoyant simplement.)

ZOE

J'ai le vertige !

(Elle se dégage, se laisse tomber sur une chaise. Stephen saisit Florry et tourne avec elle.)

MAGINNI

Boulangère ! Les ronds ! Les ponts ! Chevaux de bois ! Escargots !

(S'entrelaçant, reculant, mains alternantes, les heures nocturnes relient chaque à chacune bras cambrés en une mosaïque de mouvements. Stephen et Florry tournent lourdement.)

MAGINNI

Dansez avec vos dames ! Changez de dames ! Donnez le petit bouquet à votre dame ! Remerciez !

LE PIANOLA

Meilleure, meilleure de toutes,
Baraaboum !

KITTY

(Se lève d'un bond.) Oh, c'est ce qu'ils jouaient sur les chevaux de bois à la vente de charité *Mirus*.

(Elle court vers Stephen. Il abandonne brusquement Florry et saisit Kitty. Les stridents sifflements d'un butor hurlant retentissent. Le maladroit manège de Toft grognongriveglou-

gloutant tourne lentement la pièce à droite tout autour de la pièce.)

LE PIANOLA

Ma môme est une fille du Yorkshire.

ZOE

Yorkshire jusqu'au bout des ongles.

Venez, vous tous !

(Elle saisit Florry et la fait valser.)

STEPHEN

Pas seul !

(Il fait tournoyer Kitty dans les bras de Lynch, s'empare de sa frênecanne sur la table et s'engage dans la danse. Tous pivotent voltent valsent virevoltent Bloombella Kittylynch Florryzoe femmes jujubes. Stephen avec chapeau frênecanne grandécarte moutongrenouille au milieu jambejette avec bouche cousue cieljetée main agrippe partie sous cuisse, avec clang tintement boumarteau taïaut soufflecorne éclairs bleus verts jaunes le maladroit de Toft tourne avec cavaliers sur chevaux de bois suspendus par des serpents dorés, boyaux bondissant le fandango pied quitte le sol et retombe à nouveau.)

LE PIANOLA

Bien qu'elle turbine à l'usine
Et ne s'habille pas vraiment chic.

(Agrippéserrés vite plusvite en un galop clinquantpiquandboucan ils filentafilenttréfilent avec lourdeur. Baraaboum !)

TUTTI

Encore ! Bis ! Bravo ! Encore !

SIMON

Pense à la famille de ta mère [159] !

STEPHEN

Danse de mort.

(Bang nouveau barang bang de cloche de crieur, cheval, bourrin, bouvillon, cochonnets, Conmee sur Christâne, marin boiteux sur béquille et jambe brascroisés dans coquettirecorde saccadant l'estampie matelote jusqu'au bout des ongles. Baraaboum ! Sur des bourrins, des verrats des chevauxàgrelots des pourceaux gadaréniens Corny dans un cercueil d'acier de requin de pierre Unemanche Nelson deux truqueuses Frauenzimmer tachées de prunes de landau tombant hurlant. Corbleu c'est un champion. Pair bleufusible dans un tonneau rév. vêpres Love Flamme dans voiture cahotée aveugle cyclistes moruepliés Dilly avec gâteau de neige pas vraiment chic. Puis ultimes montagnes russes lente montée et descente bang brassin sorte de viceroi et reine saveur bacfatras bangshire rose. Baraaboum [160] !)

(Les couples s'écartent. Stephen pirouette vertigineusement. La pièce tournoie à l'envers.

Yeux fermés il titube. Des rails rouges filent dans l'espace. Étoiles tout autour soleils tournent giratoires. Des moucherons étincelants dansent sur les murs. Il s'arrête pile.)

STEPHEN

Ho !

(La mère de Stephen[161]*, émaciée, s'élève rigide directement du plancher, en gris lépreux avec une couronne de fleurs d'oranger fanées et un voile de mariée déchiré, son visage usé et sans nez, vert de moisissure tombale. Sa chevelure est rare et raide*[162]*. Elle pose ses orbites creuses cerclées de bleu sur Stephen et ouvre sa bouche édentée pour prononcer un mot silencieux. Un chœur de vierges et de confesseurs chante sans voix.)*

LE CHŒUR

Lliata rutilantium te confessorum…
Iubilantium te virginum…

(Du haut d'une tour Buck Mulligan, en habit bariolé de bouffon puce et jaune et un bonnet de clown avec boucle à clochette, se tient là immobile et la regarde bouche bée, un scone tranché beurré fumant dans une main.)

BUCK MULLIGAN

Elle est crevée comme une bête. Quel dommage ! Mulligan rencontre la mère affligée[163]. *(Il lève les yeux au ciel.)* Malachie le Mercuriel !

LA MÈRE

(Avec le subtil et dément sourire de la mort.) Je fus autrefois la belle May Goulding. Je suis morte.

STEPHEN

(Frappé d'horreur.) Lémure, qui êtes-vous ? Non. Quel tour de goule est-ce là ?

BUCK MULLIGAN

(Secoue la boucle de son bonnet à clochette.) Quelle dérision ! Kinch l'a tuée corniaud corniaude. Elle a cassé sa pipe. *(Des larmes de beurre fondu tombent de ses yeux sur le scone.)* Notre mère grande et douce ! *Epi oinopa ponton.*

LA MÈRE

(Approche un peu plus, soufflant doucement sur lui son haleine de cendres mouillées.) Tous doivent y passer, Stephen. Plus de femmes que d'hommes dans le monde. Toi aussi. Le temps viendra.

STEPHEN

(Étouffant de peur, de remords et d'horreur.) Ils prétendent que je t'ai tuée, mère. Il a offensé votre mémoire. C'était le cancer, pas moi. Destin.

LA MÈRE

(Un petit filet de bile verte suintant à la commissure de ses lèvres.) Tu m'as chanté cette chanson. *L'amer mystère de l'amour.*

STEPHEN

(Passionnément.) Donne-moi le mot, mère, si tu le connais maintenant. Le mot connu de tous les hommes.

LA MÈRE

Qui t'a sauvé la nuit où tu as sauté dans le train à Dalkey avec Paddy Lee ? Qui a eu pitié de toi quand tu étais triste parmi les étrangers ? La prière est toute-puissante. Prière pour les âmes en peine dans le manuel des Ursulines et quarante jours d'indulgences. Repens-toi, Stephen.

STEPHEN

La goule ! Hyène !

LA MÈRE

Je prie pour toi dans mon autre monde. Demande à Dilly de te préparer ce riz bouilli chaque soir après avoir fait travailler ton cerveau. Des années et des années je t'ai aimé, ô mon fils, mon premier-né, quand je te portais dans mon ventre.

ZOE

(S'éventant avec l'écran du foyer.) Je fonds !

FLORRY

(Désigne Stephen.) Regardez ! Il est tout blanc.

BLOOM

(Va jusqu'à la fenêtre pour l'ouvrir davantage.) Étourdissement.

LA MÈRE

(Avec des yeux de braise.) Repens-toi ! Oh, le feu de l'enfer !

STEPHEN

(Haletant.) Son sublimé noncorrosif ! La mâcheusedecadavre ! Têtedemort et vieuxtibias !

LA MÈRE

(Son visage s'approchant toujours davantage, projetant une haleine cendrée.) Prends garde ! *(Elle élève lentement son bras droit desséché et noirci en direction de la poitrine de Stephen et tend un doigt.)* Prends garde à la main de Dieu !

(Un crabe vert aux yeux rouges et méchants enfonce profondément ses pinces grimaçantes dans la poitrine de Stephen.)

STEPHEN

(S'étranglant de fureur, ses traits tirés, gris et âgés.) Merde !

BLOOM

(À la fenêtre.) Quoi ?

STEPHEN

Ah non, par exemple ! L'imagination intellectuelle ! Avec moi à prendre ou à laisser. *Non serviam*[164] *!*

FLORRY

Donnez-lui un peu d'eau froide. Attendez. *(Elle se précipite dehors.)*

LA MÈRE

(Se tord lentement les mains en gémissant, désespérée.) Ô Sacré-Cœur de Jésus, ayez pitié de lui ! Sauvez-le de l'enfer, ô Divin Sacré-Cœur !

STEPHEN

Non ! Non ! Non ! Brisez mon esprit, vous tous, si vous le pouvez ! Je vous materai tous !

LA MÈRE

(Dans l'agonie de son dernier râle.) Ayez pitié de Stephen, Seigneur, faites cela pour moi ! Inexprimable était mon angoisse en expirant d'amour, de chagrin et d'agonie sur le Mont Calvaire.

STEPHEN

Nothung[165] *!*

(Des deux mains il brandit haut sa frênecanne et fracasse le lustre. L'ultime flamboiement blafard du temps bondit et, dans les ténèbres qui suivent, verre fracassé et maçonnerie croulante[166]*.)*

LE BRÛLEUR

Piufungg !

BLOOM

Arrêtez !

LYNCH

(Se précipite en avant et saisit la main de Stephen.) Eh ! Attends ! Ne perds pas la boule !

BELLA

Police !

(Stephen, abandonnant sa frênecanne, sa tête et ses bras rejetés raides en arrière, trépigne et s'enfuit précipitamment, passant devant les putains qui se tiennent à la porte.)

BELLA

(Hurle.) Courez-lui après !

(Les deux putains courent à la porte du vestibule. Lynch et Kitty et Zoe sortent bruyamment. Ils parlent avec excitation. Bloom les suit, revient.)

LES PUTAINS

(Coincées à la porte, pointent du doigt.) Là en bas.

ZOE

(Pointant du doigt.) Là. Il se passe quelque chose.

BELLA

Qui paiera la lampe ? *(Elle attrape les basques de Bloom.)* Eh, vous étiez avec lui [167]. La lampe est cassée.

BLOOM

(Se précipite dans le vestibule, revient en courant.) Quelle lampe, femme ?

UNE PUTAIN

Il a déchiré sa veste.

BELLA

(Ses yeux durcis par la colère et la cupidité, pointe du doigt.) Qui va payer ça ? Dix shillings. Vous êtes témoin.

BLOOM

(S'empare de la frênecanne de Stephen.) Moi ? Dix shillings ? Ne lui en avez-vous pas assez pris ? N'a-t-il pas… ?

BELLA

(D'une voix forte.) Eh, pas de vos grandes phrases. Ce n'est pas un bordel, ici. Une maison à dix shillings.

BLOOM

(La tête sous la lampe, tire sur la chaîne. Vagissant, le brûleur éclaire un abat-jour froissé mauve pourpre. Il lève la frênecanne.) Seul le verre est brisé. C'est tout ce qu'il…

BELLA

(Recule vivement et hurle.) Jésus ! Faites pas ça !

BLOOM

(Esquivant un coup.) Pour vous montrer comment il a frappé le papier. Il n'y a pas six pence de dégâts. Dix shillings !

FLORRY

(Avec un verre d'eau, entre.) Où est-il ?

BELLA

Vous voulez que j'appelle la police ?

BLOOM

Oh, je sais. Les limiers dans ce local. Mais c'est un étudiant de Trinity. Clients de votre établissement. Des messieurs qui paient le loyer. *(Il fait un signe maçonnique.)* Vous voyez ce que je veux dire ? Neveu du président de l'université. Vous ne voudriez pas de scandale.

BELLA

(Avec colère.) Trinity. Viennent ici faire du tapage après les régates et ne paient rien. C'est vous qui commandez ici ou quoi ? Où est-il ? Je déposerai plainte ! Le déshonorerai, ça oui ! *(Elle hurle.)* Zoe ! Zoe !

BLOOM

(Avec précipitation.) Et si c'était votre propre fils à Oxford ? *(Menaçant.)* Je sais.

BELLA

(Presque incapable de parler.) Qui êtes. Incog.

ZOE

(Dans l'embrasure de la porte.) Il y a du grabuge.

BLOOM

Quoi ? Où ça ? *(Il lance un shilling sur la table et sort.)* Pour le verre. Où ? J'ai besoin d'un peu d'air des montagnes.

(Il traverse le vestibule à toute vitesse. Les putains montrent la direction. Florry le suit, répandant l'eau de son gobelet penché. Sur les marches toutes les putains groupées parlent

avec volubilité, indiquant un endroit à droite où la brume s'est levée. À gauche arrive un fiacre tintinnabulant. Il ralentit devant la maison. Bloom de la porte du vestibule aperçoit Corny Kelleher qui s'apprête à descendre de la voiture avec deux débauchés silencieux. Il dissimule son visage. De l'intérieur Bella stimule ses prostituées. Elles lancent des baisers toutcollantbaveux miammiam. Corny Kelleher répond avec un horrible sourire lubrique. Les débauchés silencieux se retournent pour payer le cocher. Zoe et Kitty indiquent toujours la droite. Bloom, les écartant rapidement, sort son capuchon et poncho de calife et dégringole les marches en détournant la tête. Haroun Al Rashid Incognito il se glisse derrière les débauchés et se hâte le long de la grille avec les pas lestes d'un lyepars [168] *répandant une piste artificielle derrière lui, enveloppes déchirées pleines de graines d'anis. La frênecanne rythme son avance. Une meute de chiens de chasse, conduite par Hornblower de Trinity brandissant une cravache avec une casquette taïaut et un vieux pantalon gris, suit de très loin, trouve la piste, s'approche, aboyant, haletant, en défaut, s'échappant, langues pendantes, mordant ses talons, bondissant vers sa queue. Il marche, court, zigzague, galope, esgourdes raplaties. Il est bombardé de gravier, de trognons de chou, de boîtes à biscuits, d'œufs, de pommes de terre, de morue morte, de savatisavates. À sa suite piste retrouvée la clameur de haro zigzague galope en poursuite acharnée et queueleuleu : veilleurs de nuit 65 C 66 C, John Henry Menton, Wisdom Hely,*

V.B. Dillon, le Conseiller Nannetti, Alexander Descley, Larry O'Rourke, Joe Cuffe, Mme O'Dowd, Pisseur Burke, l'Être Sans Nom, Mme Riordan, le Citoyen, Garryowen, Comment-s'appelle-t-il, Drôledetête, Typequiluiressemble, Laidéjàvu, Bonhommavec, Chris Callinan, sir Charles Cameron, Benjamin Dollard, Lenehan, Bartell d'Arcy, Joe Hynes, Red Murray, l'éditeur Brayden, T. M. Healy, le Juge Fitzgibbon, John Howard Parnell, le révérend Salmon'nCon Serve, le Professeur Joly, Mme Breen, Denis Breen, Theodore Purefoy, Mina Purefoy, la receveuse des postes de Westland row, C. P. Mc'Coy, ami de Lyons, Hoppy Holohan, hommedelarue, autrehommedelarue, chaussuresdefoot, le conducteur nezpaté, une riche dame protestante, Davy Byrne, Mme Ellen M'Guinness, Mme Joe Gallaher, George Lidwell, Jimmy Henry avec corzauxpieds, le commissaire Laracy, le Père Cowley, Crofton de la Recette-Générale, Dan Dawson, le chirurgien-dentiste Bloom et ses brucelles, Mme Bob Doran, Mme Kennefick, Mme Wyse Nolan, John Wyse Nolan, la bellefemmemariéequ'ils'estfrottécontresongrosderrièredansletramdeClonskea, le libraire des Douceurs du péché, *Mlle Wimafoyetouiellelafaitmafoi, Mesdames Gerald et Stanislaus Moran de Roebuck, le commis principal de chez Drimmie, Wetherup, colonel Hayes, Mastiansky, Citron, Penrose, Aaron Figatner, Moïse Herzog, Michael E. Geraghty, l'Inspecteur Troy, Mme Galbraith, l'agent au coin d'Eccles street, le vieux docteur Brady et son stéthoscope, l'inconnu de la plage, un retriever, Mme Miriam Dandrade et tous ses amants* [169]*.)*

LA CLAMEUR DE HARO

(Pêlemêleàlasixquatredeux.) C'est Bloom ! Arrêtez Bloom ! Arrêtezcebloom ! Arrêtezlevoleur ! Hi ! Hi ! Arrêtezle au coin !

(Au coin de Beaver street sous l'échafaudage Bloom haletant s'arrête à la frange du nœud chamailleur, un nœud de gueux qui sait peu quel hi ! hi ! raffut et dispute autour du quiquelle querelle maispasdutout.)

STEPHEN

(Avec des gestes minutieux, respirant profondément et lentement.) Faites comme chez vous. Sans invitation. En vertu du cinquième des Georges et du septième des Edwards. La faute en revient à l'histoire. Fabulation des mères de la mémoire [170].

SOLDAT CARR

(À Cissy Caffrey.) T'a-t-il insultée ?

STEPHEN

Me suis adressé à elle au vocatif féminin. Sans doute neutre. Nongénitif.

DES VOIX

Non, c'est pas vrai. L'ai vu. Cette fille-là. Il était chez Mme Cohen. Qu'est-ce qui se passe ? Soldat et civil.

CISSY CAFFREY

Je me trouvais en compagnie des soldats et ils m'ont quittée pour — vous savez, et le jeune homme est arrivé en courant derrière moi. Mais je suis fidèle à l'homme qui c'est qui me paie à boire même si je suis qu'une pute à un shilling.

VOIX

Lestfidèlalhomme.

STEPHEN

(Aperçoit les têtes de Lynch et de Kitty.) Salut à toi, Sisyphe. *(Il se montre du doigt et montre les autres.)* Poétique. Uropoétique.

CISSY CAFFREY

Oui, pour que j'aille avec lui. Et moi qu'étais avec un ami soldat.

SOLDAT COMPTON

C'est qu'il aurait ptêt besoin qu'on lui fasse sa fête, le crétin. File-lui en une, Harry.

SOLDAT CARR

(À Cissy.) Est-ce qu'il t'a insultée pendant qu'on était allés pisser ?

LORD TENNYSON

(Poète gentleman en blazer Union Jack et pantalon de flanelle blanche, têtenue, barbefleurie.) Ils n'ont pas à chercher pourquoi[171].

SOLDAT COMPTON

File-lui en une, Harry.

STEPHEN

(Au Soldat Compton.) Je ne connais pas votre nom mais vous avez tout à fait raison. Le Docteur Swift dit qu'un homme en armure battra dix hommes en chemise. Chemise est une synecdoque. La partie pour le tout.

CISSY

(À la foule.) Non, j'étais avec les soldats.

STEPHEN

(Aimablement.) Pourquoi pas ? Hardi petit soldat[172]. À mon avis toutes les dames par exemple…

SOLDAT CARR

(Casquette de travers, avance vers Stephen.) Dites donc, que diriez-vous, mon beau monsieur, si je vous cassais votre petite gueule ?

STEPHEN

(Lève les yeux au ciel.) Quoi ? Fort déplaisant. Le noble art de l'auto-prestance. Personnellement, je déteste l'action. *(Il agite la main.)* Une main un peu endolorie. *Enfin ce sont vos oignons. (À Cissy Caffrey.)* Il semble qu'il y ait un problème. De quoi s'agit-il exactement ?

DOLLY GRAY[173]

(Agite son mouchoir depuis son balcon, faisant le signe de l'héroïne de Jéricho[174].) Rahab. Fils de cuisi-

nier, adieu[175]. Reviens sain et sauf chez Dolly. Rêve de la fille que tu laisses derrière toi et elle rêvera de toi.

(Les soldats tournent leurs yeux qui nagent.)

BLOOM

(Se frayant un chemin dans la foule, tire vigoureusement sur la manche de Stephen.) Venez donc, professeur, ce cocher attend.

STEPHEN

(Se retourne.) Hein ? *(Il se libère.)* Pourquoi ne parlerais-je pas à cet homme ou à tout autre qui se tient debout sur cette orange oblongue ? *(Montre avec son doigt.)* Je n'ai pas peur de ce à quoi je peux parler si je vois son œil. Préserver la perpendiculaire.

(Il chancelle et fait un pas en arrière.)

BLOOM

(Le soutenant.) Préservez la vôtre.

STEPHEN

(Rit creux.) Mon centre de gravité s'est déplacé. J'ai oublié le truc. Asseyons-nous donc quelque part et causons. La lutte pour la vie est la loi de l'existence mais les philirénistes modernes, notamment le tsar et le roi d'Angleterre, ont inventé l'arbitrage. *(Il se frappe le front.)* Mais c'est là que je dois tuer le prêtre et le roi.

BIDDY LA GONO

Vous avez entendu ce qu'a dit le professeur ? Il est professeur à l'université.

KATE LA CHAGATTE

C'est vrai. Je l'ai entendu.

BIDDY LA GONO

Il s'exprime avec un tel raffinement de phraséologie.

KATE LA CHAGATTE

Mais oui, tout à fait. Et en même temps avec une pertinence si mordante.

SOLDAT CARR

(Se libère et approche.) Qu'est-ce que t'as dit sur mon roi ?

(Edward Sept apparaît sous une voûte. Il porte un jersey blanc sur lequel est cousue l'image du Sacré Cœur, accompagnée des insignes de la Jarretière et du Chardon, de la Toison d'Or, de l'Éléphant de Danemark, des cavaliers de Skinner et Probyn, du barreau de Lincoln's Inn et de l'ancienne et honorable compagnie d'artillerie de Massachusetts. Il suce une jujube rouge. Il porte la robe du grand élu parfait et maçon sublime avec la truelle et le tablier, marqués made in Germany[176]. *Dans sa main gauche il tient un seau de plâtrier sur lequel est inscrit* Défense d'uriner. *Des hurlements de rire accueillent son entrée.)*

EDWARD SEPT

(Lentement, solennellement mais indistinctement.) Paix, la paix parfaite. En guise d'identification, le seau dans ma main. Salut les gars. *(Il se tourne vers ses sujets.)* Nous sommes venus assister à un combat

juste et loyal et c'est de tout notre cœur que nous souhaitons bonne chance aux deux hommes. Mahak makar a bak. *(Il serre les mains du Soldat Carr, du Soldat Compton, de Stephen, de Bloom et de Lynch.)*

(Tout le monde applaudit. Edward Sept soulève son seau avec grâce pour remercier.)

SOLDAT CARR

(À Stephen.) Répète-le pour voir.

STEPHEN

(Nerveux, amical, se redresse.) Je comprends votre point de vue bien que je n'aie pas de roi pour l'instant. Nous sommes à l'âge des spécialités pharmaceutiques. Il serait difficile de discuter ici. Mais venons-en au fait. Vous mourez pour votre pays. Supposons. *(Il pose un bras sur la manche du Soldat Carr.)* Non que je vous le souhaite. Mais moi je dis : Que mon pays meure pour moi. Jusqu'à présent c'est ce qu'il a fait. Je ne désirais pas sa mort. Au diable la mort. Vive la vie !

EDWARD SEPT

(Lévite par-dessus des monceaux de cadavres, en costume et avec le halo du Joyeux Jésus, une jujube blanche sur son visage phosphorescent.)

Mes méthodes sont neuves et provoquent les cieux.
Pour que voient les aveugles, du sable dans les yeux.

STEPHEN

Rois et licornes ! *(Il fait un pas en arrière.)* Venez donc ailleurs et nous... Que disait donc cette fille... ?

SOLDAT COMPTON

Dis, Harry, donne-lui un coup de pied dans les roupettes. Un bon coup dans le derche.

BLOOM

(Aux soldats, doucement.) Il ne sait pas ce qu'il dit. Il a bu un peu plus qu'il n'aurait dû le faire. Absinthe. Monstre aux yeuxverts[177]. Je le connais. C'est un gentleman, un poète. Tout va bien.

STEPHEN

(Acquiesce, en riant et souriant.) Gentleman, patriote, érudit et juge d'imposteurs.

SOLDAT CARR

Je me fous complètement de qui il est.

SOLDAT COMPTON

On se fout complètement de qui il est.

STEPHEN

J'ai l'impression de les ennuyer. Chiffon vert devant le taureau John Bull.

(Kevin Egan de Paris en chemise noire espagnole à glands et chapeau de terroriste parpaillot fait signe à Stephen.)

KEVIN EGAN

'Lut! *Bonjour!* The *vieille ogresse* with the *dents jaunes*.

(Patrice Egan jette un coup d'œil par derrière, sa tronche de lapin grignotant une feuille de cognassier.)

PATRICE

Socialiste !

DON EMILE PATRIZIO FRANZ RUPERT POPE HENNESSY [178]

(En haubert médiéval, deux oies sauvages [179] *volant sur son heaume, plein d'une noble indignation dirige une main maillée en direction des soldats.)* Werf ces eykes à footboden, sacrés grands porcos de johnyellows todos couverts de sauce !

BLOOM

(À Stephen.) Il faut rentrer. Vous allez au-devant des problèmes.

STEPHEN

(Vacillant.) Je ne l'évite pas. Il provoque mon intelligence.

BIDDY LA GONO

On se rend compte sur-le-champ qu'il est de lignée patricienne.

LA VIRAGO

Vert au-dessus du rouge, qu'il a dit. Wolfe Tone.

LA MAQUERELLE

Le rouge vaut bien le vert. Et mieux encore. Vive les soldats ! Vive le roi Edward !

UN DUR

(Rit.) Eh ! Les mains en l'air pour De Wet.

LE CITOYEN

(Avec un énorme cachenez émeraude et un gros-gourdin, appelle.)

Que Dieu tout là-haut
Une colombe envoie
Aux dents coupantes comme des rasoirs
Pour couper la gorge
De ces chiens anglais
Qui ont pendu nos chefs irlandais.

LE PTIT TONDU

(Nœudcoulant autour du cou, tente de saisir ses entrailles débordantes avec ses deux mains.)

Je n'ai pas de haine pour ceux d'Albion,
Mais plus que le roi j'aime ma nation.

RUMBOLD, DÉMON BARBIER [180]

(Accompagné par deux assistants noirmasqués, avance avec un sac gladstone qu'il ouvre.) Mesdames et messieurs, couperet acheté par Mme Percy pour assassiner Mogg. Couteau avec lequel Voisin dépeça l'épouse d'un compatriote et dissimula ses restes dans un drap à la cave, la pauvre femme ayant la gorge tranchée d'une oreille à l'autre. Fiole contenant de l'arsenic retiré du cadavre de Mlle Barron lequel envoya Seddon au gibet.

(Il donne un coup sec à la corde, les assistants se jettent sur les jambes de la victime et le tirent vers le bas, grognant : la langue du ptit tondu jaillit violemment.)

LE PTIT TONDU

Ouhié heu hrié hou hepos heu mrhère[181].

(Il rend l'âme. Une violente érection de pendu lance des gouttes de sperme en jet à travers ses vêtementsmortuaires sur les pavés. Mme Yelverton Barry et l'honorable Mme Mervyn Talboys se précipitent avec leur mouchoir pour les éponger.)

RUMBOLD

Je n'en suis pas loin moi-même *(Il dénoue la corde.)* Corde qui a pendu l'horrible tondu. Dix shillings le coup. Tarif appliqué à Son Altesse Royale. *(Il plonge la tête dans le ventre grandouvert et ressort sa tête couverte d'entrailles nouées et fumantes.)* Mon pénible devoir est à présent accompli. Vive le roi !

EDWARD SEPT

(Danse lentement, solennellement, secouant son seau et chante avec un doux contentement.)

Pour le couronnement, pour le couronnement,
Ah, c'qu'on va s'marrer, non ?
À s'enfiler whisky, bière et canons[182] !

SOLDAT CARR

Dis donc. Qu'est-ce que t'as dit sur mon roi ?

STEPHEN

(Lève les bras au ciel.) Oh, c'est par trop monotone ! Rien. Il veut mon argent et ma vie, bien que le besoin soit sans doute son maître, pour un quelconque empire brutalnique. De l'argent, je n'en ai pas. *(Il fouille distraitement ses poches.)* L'ai donné à quelqu'un.

SOLDAT CARR

Qui veut ton putain d'argent ?

STEPHEN

(Cherche à s'éloigner.) Quelqu'un pourrait-il me dire où je risque le moins de retrouver ces maux nécessaires ? *Ça se voit aussi à Paris.* Pas que je… Mais, par saint Patrick… !

(Les têtes des femmes se fondent en une seule. La vieille Grand-mère Édentée avec chapeau pain de sucre apparaît assise sur un champignon vénéneux, la fleurmortelle du mildiou de la pomme de terre [183] *sur sa poitrine.)*

STEPHEN

Aha ! Je te reconnais, gandmère ! Hamlet, vengetoi ! La vieille truie qui dévore sa portée !

VIEILLE GRAND-MÈRE ÉDENTÉE

(Se balançant d'avant en arrière.) Bien-aimée de l'Irlande, fille du roi d'Espagne, alanna, ma fille. Des étrangers dans ma maison [184], que mal leur advienne ! *(Elle se lamente en une mélopée de banshee* [185]*.)* Ochone ! Ochone [186] ! Fleur du troupeau ! *(Elle gémit.)* Vous avez rencontré la pauvre vieille Irlande et comment se porte-t-elle [187] ?

STEPHEN

Comment je te supporte ? Le coup du chapeau ! Où est la troisième personne de la Sainte Trinité ? Soggarth Aroon [188] ? Le révérend Charognard.

CISSY CAFFREY

(D'une voix stridente.) Empêchez-les de se battre !

UN DUR

Nos hommes ont battu en retraite.

SOLDAT CARR

(Tirant sur sa ceinture.) Je tordrai le cou à tout enculé qui dit quelque chose contre mon putain de roi.

BLOOM

(Terrifié.) Il n'a rien dit. Rien du tout. Pur et simple malentendu.

SOLDAT COMPTON

Vas-y, Harry. Crève-lui l'œil. Il est proBoer.

STEPHEN

Moi ? Quand ?

BLOOM

(Aux tuniquesrouges.) Nous avons combattu pour vous en Afrique du Sud, les troupes de choc irlandaises. Ce n'est pas historique, ça ? Les Royal Dublin Fusiliers. Distingués par notre monarque.

LE TERRASSIER

(Passe en titubant.) Oh, oui ! Oh, bon Dieu, oui ! Oh, que la grguoyrre soit une proguoèrre ! Oh ! Bo !

(Des hallebardiers casqués en armure poussent en avant un auvent de fers de lance étripés. Le

Major Tweedy, aussi moustachu que Turco le terrible[189]*, coiffé d'un bonnet à poils avec plumet et accoutrements, avec épaulettes, chevrons dorés et sabretaches, sa poitrine étincelante de médailles, s'aligne. Il fait le signe du guerrier pèlerin des templiers*[190]*.)*

MAJOR TWEEDY

(Grogne graillonnant.) Rorke's Drift ! Allez, gardes, courez sus[191] ! Mahar shalal hashbaz[192].

LE CITOYEN

Erin go bragh[193] *!*

(Le Major Tweedy et le Citoyen se montrent mutuellement médailles, décorations, trophées de guerre, blessures. Tous deux se saluent avec une hostilité féroce.)

SOLDAT CARR

Je vais l'écrabouiller.

SOLDAT COMPTON

(Fait reculer la foule.) Franc jeu, ici. Fais-en de la boucherie, de cet enculé.

(Des fanfares massées beuglent Garryowen *et* God save the king.*)*

CISSY CAFFREY

Ils vont se battre. Pour moi !

KATE LA CHAGATTE

Les braves et les justes.

BIDDY LA GONO

Me semble voir le sable chevalier jouster avec le meillor.

KATE LA CHAGATTE

(Rougissant profondément.) Que nenni, madame. À moi le doublet de gueules et joyeux saint George !

STEPHEN

De ruelle en ruelle, de l'Irlande et l'Ulster
Le cri de la catin tissera le suaire[194].

SOLDAT CARR

(Hurle, en défaisant sa ceinture.) Je tordrai le cou à tout putain de connard qui dit un mot contre mon putain de satané roi.

BLOOM

(Secoue les épaules de Cissy Caffrey.) Mais parlez ! Êtes-vous devenue muette ? Vous êtes le lien entre nations et générations. Parlez, femme, porteusedevie sacrée !

CISSY CAFFREY

(Effrayée, agrippe la manche du Soldat Carr.) Ne suis-je avec toi ? Ne suis-je pas ta bonne amie ? Cissy est ta bonne amie. *(Elle crie.)* Police !

STEPHEN

(Extatique, à Cissy Caffrey.)

Blanches tes mimines, rouge ta poire
Et t'es bien balancée encor[195].

VOIX

Police !

VOIX DISTANTES

Dublin brûle ! Dublin brûle ! Au feu, au feu !

(Flammes de soufre jaillissent. D'épais nuages déferlent. Lourdes détonations des mitrailleuses Gatling. Pandémonium. Troupes se déploient. Galop des sabots. Artillerie. Ordres rauques. Cloches sonnent. Partisans crient. Ivrognes beuglent. Putains glapissent. Cornes-brume mugissent. Cris de bravoure. Hurlements des mourants. Piques et cuirasses s'entrechoquent. Pillards détroussent les morts. Oiseaux de proie, venus de la mer, s'élevant des marais, fondent de leur aire, crient dans les airs, fous de Bassan, cormorans, vautours, autours, bécasses grimpantes, pèlerins, émerillons, tétras lyre, aigles de mer, mouettes, albatros, bernaches. Le soleil de minuit s'assombrit. La terre tremble. Les morts de Dublin s'élèvent de Prospect et de Mont-Jérôme en manteau blanc de peau de mouton et cape noire de peau de chèvre et apparaissent à un grand nombre de personnes. Un abîme s'ouvre dans un bâillement silencieux. Tom Rochford, vainqueur, en maillot et culotte d'athlète, arrive en tête de la course d'obstacles nationale et saute dans le vide. Il est suivi par un peloton de coureurs et de sauteurs. Avec des mouvements sauvages ils sautent du bord. Leurs corps plongent. Des filles d'usine en habits de fête jettent des Baraabombes de Yorkshire brûlantes. Les dames de la bonne

société soulèvent leurs jupes plus haut que leur tête pour se protéger. Des caustiques sorcières en chemises rouges courtes volent dans les airs sur des manches à balai[196]*. Quakerlyster altère des clystères. Il pleut des dents de dragon. Des héros armés surgissent des sillons*[197]*. Ils échangent amicalement le mot de passe des chevaliers de la croix rouge et se battent en duel avec des sabres de cavalerie : Wolfe Tone contre Henry Grattan, Smith O'Brien contre Daniel O'Connell, Michael Davitt contre Isaac Butt, Justin M'Carthy contre Parnell, Arthur Griffith contre John Redmond, John O'Leary*[198] *contre Lear O'Johnny, Lord Edward Fitzgerald contre Lord Gerald Fitzedward, les O'Donoghue des Glens contre les Glens des O'Donoghue. Sur une éminence, le centre de la terre, s'élève l'autel de campagne de sainte Barbe. Des bougies noires se dressent aux deux cornes évangile et épître. Des hautes barbacanes de la tour deux traits de lumière tombent sur la pierre d'autel voilée de fumée. Sur la pierre d'autel Mme Mina Purefoy, déesse de la déraison, gît, nue, enchaînée, un calice posé sur son ventre gonflé. Le Père Malachie O'Flynn*[199] *en jupon de dentelles et chasuble inversée, ses deux pieds gauches talon en avant, célèbre une messe de campagne. Le révérend M. Hugh C. Haines Love M. A*[200]*. en soutane toute simple et mortier, tête et col devant derrière, tient un parapluie ouvert audessus de la tête du célébrant.)*

PÈRE MALACHIE O'FLYNN

Introibo ad altare diaboli[201]*.*

LE RÉVÉREND M. HUGH C. HAINES LOVE

Au démon qui a donné joie à mes jeunes années.

PÈRE MALACHIE O'FLYNN

(Prend dans le calice une hostie sanguinolente et l'élève.) Corpus meum.

LE RÉVÉREND M. HUGH C. HAINES LOVE

(Soulève très haut par derrière le jupon du célébrant, dévoilant ses fesses nues, grises et poilues entre lesquelles est plantée une carotte.) Mon corps.

LA VOIX DE TOUS LES DAMNÉS

Engèr nos snad értne tse tnassiup-tuot Ueid erton Ruengies el rac. Aiulèlla !

(De très haut clame la voix d'Adonaï.)

ADONAÏ

Uuuuueeeeeiiiiid[202] !

LA VOIX DE TOUS LES SANCTIFIÉS

Alléluia ! Car le Seigneur notre Dieu tout-puissant est entré dans son règne.

(De très haut clame la voix d'Adonaï.)

ADONAÏ

Diiiiieeeeeuuuuu !

(Dans une stridente discorde les paysans et les citadins des factions Orange et Verte chantent Mort au pape *et* À tes pieds, tendre Marie.*)*

SOLDAT CARR

(En articulant avec férocité.) Je vais me le payer, avec l'aide de ce putain de Christ ! Je lui écraserai sa putain de satanée foutue gueule à ce salopard de connard !

(Le retriever, reniflant à la limite de la foule, aboie bruyamment.)

BLOOM

(Court vers Lynch.) Vous ne pourriez pas l'éloigner ?

LYNCH

Il aime la dialectique, le langage universel. Kitty ! *(À Bloom.)* Éloignez-le donc, vous. Il ne veut pas m'écouter.

(Il entraîne Kitty.)

STEPHEN

(Le montre du doigt.) Exit Judas. Et laqueo se suspendit[203].

BLOOM

(Court vers Stephen.) Venez donc avec moi avant que ça ne tourne mal. Tenez, votre canne.

STEPHEN

Canne, non. Raison. Cette fête de la raison pure.

VIEILLE GRAND-MÈRE ÉDENTÉE

(Pousse un poignard vers la main de Stephen.) Éloignez-le, acushla, mon cœur. À 8 : 35 du matin vous serez au paradis et l'Irlande sera libre. *(Elle prie.)* Ô, Dieu bon, emmenez-le !

CISSY CAFFREY

(Tirant le Soldat Carr.) Viens, t'es pété. Il m'a insultée mais je lui pardonne. *(Lui criant à l'oreille.)* Je lui pardonne de m'avoir insultée.

BLOOM

(Par-dessus l'épaule de Stephen.) Oui, partez. Vous voyez bien qu'il n'est pas en état.

SOLDAT CARR

(Se dégage.) Je vais l'insulter.

(Il s'élance vers Stephen, poing tendu, et le frappe au visage. Stephen titube, s'effondre et tombe, sonné. Il reste sur le dos, son visage vers le ciel, son chapeau roule jusqu'au mur. Bloom le suit et le ramasse.)

MAJOR TWEEDY

(D'une voix forte.) Carabine dans la botte ! Cessez le feu ! Saluez !

LE RETRIEVER

(Aboyant furieusement.) Uez uez uez uez uez uez uez uez.

LA FOULE

Remettez-le debout ! Ne le frappez pas quand il est au sol ! De l'air ! Qui ? Le soldat l'a frappé. C'est un professeur. L'est blessé ? Ne le maltraitez pas ! Il s'est évanoui !

UNE HARPIE

De quel droit la tuniquerouge elle a frappé le monsieur et lui qu'était pris de boisson. Qu'ils aillent se battre contre les Boers !

LA MAQUERELLE

Et regardez-moi qui cause ! Le soldat, alors, il aurait pas le droit de se promener avec sa petite amie ? C'est une baffe à un trouillard.

(Elles se saisissent par les cheveux, se griffent et se crachent dessus.)

LE RETRIEVER

(Aboyant.) Ar ar ar.

BLOOM

(Les repousse brutalement, d'une voix forte.) Reculez, faites de la place !

SOLDAT COMPTON

(Tirant son camarade par la manche.) Eh. Tire-toi, Harry. V'là les flics !

(Deux veilleurs en pluiepèlerinés, immenses, se dressent dans le groupe.)

PREMIER VEILLEUR

Qu'est-ce qui ne va pas ?

SOLDAT COMPTON

Nous étions avec cette dame. Et il nous a insultés. Et attaqué mon copain. *(Le retriever aboie.)* À qui est ce sale clébard ?

CISSY CAFFREY

(Avec espoir.) Est-ce qu'il saigne ?

UN HOMME

(À genoux, se remet debout.) Non. Dans les pommes. Il va se réveiller.

BLOOM

(Observe attentivement l'homme.) Je m'en occupe. Je peux aisément…

SECOND VEILLEUR

Qui êtes-vous ? Vous le connaissez ?

SOLDAT CARR

(Avance en titubant vers le veilleur.) Il a insulté mon amie.

BLOOM

(Avec colère.) Vous l'avez frappé sans provocation. J'en suis témoin. Officier, notez son matricule.

SECOND VEILLEUR

Je n'ai pas besoin de vos conseils dans l'exercice de mes fonctions.

SOLDAT COMPTON

(Tirant son camarade.) Eh, tire-toi, Harry. Ou Bennett te flanquera au trou.

SOLDAT CARR

(Chancelant pendant qu'on l'emmène.) Que Dieu encule le vieux Bennett ! C'est un enculé de culblanc. Lui, j'en ai rien à foutre.

PREMIER VEILLEUR

(Sortant son carnet.) Comment s'appelle-t-il ?

BLOOM

(Regardant par-dessus la foule.) Je vois un fiacre là-bas. Si vous me donnez un coup de main, sergent…

PREMIER VEILLEUR

Nom et adresse.

(Corny Kelleher, crêpe autour du chapeau, couronne mortuaire à la main, apparaît au milieu des badauds.)

BLOOM

(Rapidement.) Oh, l'homme qu'il fallait ! *(Il murmure.)* Le fils de Simon Dedalus. Un peu éméché. Demandez à ces policiers d'écarter ces bons à rien.

SECOND VEILLEUR

'Soir, monsieur Kelleher.

CORNY KELLEHER

(Aux veilleurs, un œil à la traîne.) C'est bon. Je le connais. Un joli gain aux courses. La Gold Cup. Jetsam. *(Il rit.)* À vingt contre un. Vous me suivez ?

PREMIER VEILLEUR

(Se tourne vers la foule.) Eh, qu'est-ce que vous faites là à regarder ? Allez, circulez.

(La foule se disperse lentement, en grommelant, dans l'allée.)

CORNY KELLEHER

Laissez-moi faire, sergent. Tout ira bien. *(Il rit en secouant la tête.)* Nous avons souvent fait la même chose, eh, ou même pire. Non ? Pas vrai ?

PREMIER VEILLEUR

(Rit.) Je suppose.

CORNY KELLEHER

(Pousse du coude le second veilleur.) On passe l'éponge. *(Il fredonne, en secouant la tête.)* Avec mon tra-lalala, avec mon tra-lalala, avec mon traderidera et tralala. Pas vrai, eh, vous me suivez ?

SECOND VEILLEUR

(Cordialement.) Ça, c'est sûr.

CORNY KELLEHER

(En clignant de l'œil.) Quand on est jeune, qu'est-ce que vous voulez. J'ai une voiture pas loin.

SECOND VEILLEUR

C'est bon, monsieur Kelleher. Bonsoir.

CORNY KELLEHER

Je m'en charge.

BLOOM

(Serre les mains des deux veilleurs l'une après l'autre.) Je vous remercie beaucoup, messieurs, je vous remercie. *(Il bredouille en confidence.)* Nous ne voulons pas de scandale, vous comprenez. Le père est un citoyen connu, fort respecté. Des frasques de jeune homme, vous comprenez.

PREMIER VEILLEUR

Oh, je comprends très bien, monsieur.

SECOND VEILLEUR

Ça ira très bien, monsieur.

PREMIER VEILLEUR

C'était seulement qu'en cas de blessures corporelles il m'aurait fallu faire un rapport au commissariat.

BLOOM

(Acquiesce rapidement.) Naturellement. Très juste. Votre devoir impérieux.

PREMIER VEILLEUR

Tel est notre devoir.

CORNY KELLEHER

Bonsoir les amis.

LES VEILLEURS

(Saluent ensemble.) 'Soir, messieurs. *(Ils s'éloignent à pas lourds et lents.)*

BLOOM

(Souffle.) Votre arrivée sur la scène est providentielle. Vous avez une voiture ?...

CORNY KELLEHER

(Rit, indique avec un pouce par-dessus son épaule la voiture qui attend devant l'échafaudage.) Deux représentants qui payaient le champagne chez Jammet. Comme des princes, croyez-moi. L'un d'eux avait perdu deux livres aux courses. Il noyait son chagrin et ils étaient partants pour une visite à ces charmantes demoiselles. Alors je les ai chargés dans la voiture de Behan et hop au quartiernuit.

BLOOM

Je rentrais chez moi par Gardiner street quand je suis tombé...

CORNY KELLEHER

(Rit.) Évidemment ils voulaient que je les accompagne dans leur recherche de petits lots. Non, pour sûr, je leur dis. Pas pour de vieux compères comme vous et moi. *(Il rit de nouveau, le regard paillard, l'œil terne.)* Grâce à Dieu nous avons ça chez nous, eh, vous me suivez ? Hah ! hah ! hah !

BLOOM

(Tente de rire.) Hi, hi, hi ! Oui. En fait j'étais allé rendre visite à un vieil ami qui habite par ici, Virag, vous ne le connaissez pas (pauvre bonhomme, il est alité depuis quelques semaines) et nous avons bu un verre ensemble et je rentrais chez moi...

(Le cheval hennit.)

LE CHEVAL

Hohohohohoho ! Hohohohohomoi !

CORNY KELLEHER

Et voilà que Behan, notre cocher là-bas, me dit après que nous ayons abandonné nos deux représentants chez Mme Cohen et je lui ai dit de s'arrêter et je suis descendu voir. *(Il rit.)* Spécialité, convoyeur de bières sobre. Est-ce que je le ramène chez lui ? Où crèche-t-il ? À Cabra quelque part, Non ?

BLOOM

Non, à Sandycove, je crois, d'après ce qu'il m'a fait comprendre.

(Stephen, sur le dos, respire aux étoiles. Corny Kelleher, regard de biais, fait glisser un œil vers le cheval. Bloom, blême, se blâme et se penche.)

CORNY KELLEHER

(Se gratte la nuque.) Sandycove ! *(Il se penche et appelle Stephen.)* Eh ! *(Il appelle encore une fois.)* Eh ! En tout cas, il est couvert de copeaux. Vérifiez qu'on ne lui ait rien volé.

BLOOM

Non, non, non. J'ai son argent et voilà son chapeau et sa canne.

CORNY KELLEHER

Ah, il s'en remettra. Rien de cassé. Bon, faut que j'y aille. *(Il rit.)* J'ai un rendez-vous ce matin. Enterrer les morts. Bon retour chez vous !

LE CHEVAL

(Hennit.) Houhouhouhouhouhou !

BLOOM

Bonsoir. Je vais attendre un peu et l'emmènerai dans quelques…

(Corny Kelleher retourne à la voiture et y monte. Le harnais du cheval cliquette.)

CORNY KELLEHER

(Depuis la voiture, debout.) 'Soir.

BLOOM

'Soir.

(Le cocher secoue les rênes et soulève un fouet encourageant. La voiture et le cheval font lentement marche arrière, maladroitement, et tournent. Corny Kelleher sur le siège latéral hoche la tête d'avant en arrière pour indiquer que les problèmes de Bloom le mettent en joie. Le cocher se joint à la gaieté silencieuse pantomimique par un hochement depuis son siège. Bloom réplique en secouant la tête en signe de gaieté silencieuse. Du pouce et de la paume Corny Kelleher le rassure en indiquant que les deux flics ne troubleront pas le sommeil car que faire d'autre. Bloom acquiesce lentement pour montrer sa gratitude car c'est exactement ce dont Stephen a besoin. La voiture cliquette tralala et tourne au coin de l'allée tralala. Corny Kelleher rassurelala de nouveau avec la main. Bloom avec sa main assurelala Corny Kelleher qu'il

est rassurélalalère. Le bruit des sabots tintants et du harnais cliquetant diminue avec leur tralalala avec leur traderidera. Bloom, tenant à la main le chapeau de Stephen festonné de copeaux et sa frênecanne, reste là, indécis. Puis il se penche sur lui et lui secoue l'épaule.)

BLOOM

Eh ! Ho ! *(Il n'y a pas de réponse ; il se penche à nouveau.)* Monsieur Dedalus ! *(Il n'y a pas de réponse.)* Le nom quand on l'appelle. Somnambule. *(Il se penche à nouveau et, hésitant, approche sa bouche du visage du corps étendu.)* Stephen ! *(Il n'y a pas de réponse. Il appelle une fois encore.)* Stephen !

STEPHEN

(Fronce les sourcils.) Qui ? Panthère noire. Vampire. *(Il soupire et s'étire, puis murmure d'une voix épaisse en prolongeant les voyelles.)*

Qui… ira… Fergus maintenant.
Et percera… l'ombre tissée du bois[204] ?…

(Il se tourne sur le côté gauche, soupirant, se courbant sur lui-même.)

BLOOM

Poésie. Bonne éducation. Dommage. *(Il se penche une fois de plus et défait les boutons du gilet de Stephen.)* Pour respirer. *(Il enlève les copeaux de bois des vêtements de Stephen avec mains et doigts légers.)* Une livre sept. Pas blessé en tout cas. *(Il écoute.)* Quoi !

STEPHEN

(Murmure.)

…ombres… sylvestres
…sein blanc… mer indécise…

(Il étire ses bras, soupire une fois de plus et se met en chien de fusil. Bloom, tenant le chapeau et la frênecanne se tient tout droit. Un chien aboie au loin. Bloom serre et desserre sa main sur la frênecanne. Il baisse les yeux sur le visage et le corps de Stephen.)

BLOOM

(Communie avec la nuit.) Visage me rappelle celui de sa pauvre mère. Dans l'ombre sylvestre. Le profond sein blanc. Ferguson, je crois que j'ai entendu. Une fille. Quelque jeune fille. Ce qui pourrait lui arriver de mieux… *(Il murmure.)*… jure de toujours reconnaître, de toujours garder, de ne jamais révéler, aucune part ou parts, aucun art ou arts[205]… *(Il murmure.)*… dans les sables rêches de la mer… à une encablure de la rive… où la marée reflue… et afflue…

(Silencieux, pensif, alerte, il assure la garde, les doigts sur les lèvres dans l'attitude du maître secret[206]. Devant le mur sombre apparaît lentement une silhouette, un garçon féerique de onze ans[207], enfantéchangé, kidnappé, en complet d'Eton, avec des chaussures de verre et un petit heaume en bronze, tenant un livre à la main. Il lit de droite à gauche[208], de manière inaudible, souriant, baisant la page.)

BLOOM

(Frappé d'émerveillement, appelle de manière inaudible.) Rudy !

RUDY

(Croise sans le voir le regard de Bloom et continue à lire, à baiser, à sourire. Il a un visage délicat et mauve[209]*. Sur son complet il a des boutons de diamant et de rubis. Dans sa main gauche libre il tient une mince canne d'ivoire avec un nœud de ruban violet. Un petit agneau blanc dépasse de la poche de son gilet.*

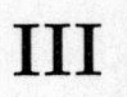

Avant toute autre chose M. Bloom essuya le plus gros des copeaux et tendit à Stephen chapeau et frêne-canne et d'une manière générale le remit d'aplomb selon la bonne orthodoxie samaritaine[1], ce dont il avait gravement besoin. Son (celui de Stephen) esprit ne méritait pas tout à fait la qualification d'égaré mais était quelque peu perturbé et lorsqu'il exprima le désir d'absorber un breuvage quelconque M. Bloom, observant l'heure qu'il était et l'absence de fontaine d'eau de la Vartry[2] disponible pour leurs ablutions, pour ne rien dire du dessein de boire, découvrant un expédient, suggéra, au débotté, l'intérêt qu'offrait l'abri du cocher, ainsi qu'il était nommé, à un jet de pierre à peine non loin de Butt Bridge où ils découvriraient peut-être quelque chose de buvable sous les espèces de lait allongé d'eau de Seltz ou d'eau minérale. Mais comment y aller là était le hic[3]. En la circonstance il se sentait plutôt dépassé mais dans la mesure où le sens du devoir lui ordonnait clairement de prendre les mesures s'imposant en la matière il réfléchit aux moyens appropriés cependant que Stephen bâillait sans relâche. Pour autant qu'il put en juger son visage était passablement pâle si bien qu'il lui apparut hautement recommandé de se procurer un moyen de locomotion de quelque nature susceptible de leur apporter une solution dans leur condition présente, tous deux étant à plat, particulièrement Stephen, bien sûr à supposer qu'il pût se trouver pareille chose. En conséquence, non sans quelques autres préliminaires de la sorte, tels que brossage, en dépit du fait qu'il avait oublié de ramasser son mouchoir tout empesé de savon après qu'il se fut acquitté de bons et loyaux services en matière de rasage, ils descendirent tous deux Beaver street, ou, plus exactement, Beaver lane, jusqu'à la hauteur du maréchal-ferrant et de l'atmosphère assurément fétide des écuries de louage à l'angle de Montgomery street où leurs pas les amenèrent sur la gauche de là débouchant sur Amiens street au coin de chez Dan Bergin. Mais, comme il l'avait bien parié, il n'y avait nulle part aucune trace d'aucun sapin à l'affût du client si ce n'est une victoria, sans doute réservée par quelques types faisant la bombe à l'intérieur, devant le North Star Hotel et il n'y eut pas le moindre symptôme de l'ébauche d'un mouvement lorsque Bloom, qui n'avait rien du siffleur professionnel, entreprit de le héler en produisant un son ressemblant vaguement à un sifflement, les bras arqués au-dessus de la tête, par deux fois.

C'était un véritable dilemme mais, à la lumière du bon sens, d'évidence il n'y avait rien d'autre à faire que bonne figure garder dans cette histoire et y aller *pedibus* ce qu'ils firent en conséquence. Lors donc, taillant la route en biseau en contournant chez Mullett et la Signal House, qu'ils eurent tôt fait d'atteindre, ils poursuivirent nécessité faisant loi en direction du terminus ferroviaire d'Amiens street, M. Bloom étant handicapé par la circonstance que l'un des boutons arrière de son pantalon était, pour paraphraser l'adage séculaire, allé là où finissent tous les boutons[4], encore que, voulant saisir à bras le corps l'esprit des circonstances, il relativisât héroïquement son infortune. Lors donc, comme ni l'un ni l'autre n'était particulièrement pressé par le temps, ainsi qu'il se trouvait, et la température fraîchissant étant donné l'éclaircie qui avait suivi la récente visite de Jupiter Pluvius, ils passèrent en pères peinards devant l'endroit où le véhicule vide stationnait sans client ni cocher. Il se trouva qu'une voiture à sable de la Dublin United Tramways Company se trouvant rentrer au dépôt l'aîné des deux hommes relata à son compagnon *à propos* de cet incident de quelle manière il l'avait lui-même échappé belle de façon véritablement miraculeuse peu de temps auparavant. Ils dépassèrent l'entrée principale de la gare Great Northern, point de départ pour Belfast, où bien sûr tout trafic avait cessé à cette heure tardive et, passant devant l'entrée de service de la morgue (un lieu pas vraiment engageant, pour ne pas dire sinistre au dernier degré, surtout la nuit), finirent par arriver à la Dock Tavern et le moment venu tournèrent dans Store street, rendue célèbre par le commissariat de la division C[5]. Entre cet endroit et, maintenant tous feux éteints, les entrepôts de Beresford place Stephen pensa à penser à Ibsen, associé à Baird, le tailleur de pierres dans son esprit de quelque façon à Talbot place, la première à droite, tandis que l'autre, qui tenait pour lui le rôle de *fidus Achates*, inhala pour sa plus grande satisfaction intérieure l'odeur s'exhalant de la boulangerie centrale de James Rourke, située à deux pas de là où ils se trouvaient, l'odeur certes alléchante de notre pain quotidien, de toutes les denrées offertes à tous la plus primordiale et la plus indispensable. Pain, soutien de la vie, tu gagneras ton pain, Ô dites-moi où dans quel pétrin naît le pain fantaisie Chez Rourke, le boulanger, tout le monde le dit.

En route, à l'usage de son compagnon taciturne et,

pour le dire tout net et sans ambages, bien imparfaitement dégrisé, M. Bloom qui, lui, en tout cas, était en pleine possession de ses facultés, plus que jamais, en vérité si parfaitement dégrisé que c'en était écœurant, M. Bloom eut un mot de mise en garde vis-à-vis des dangers des quartierschauds, des femmes de moralité douteuse et des pickpockets de haut vol, qui, si l'on peut tout juste en permettre la fréquentation occasionnelle, mais non habituelle, constituent par nature un véritable piège fatal pour les jeunes gens de son âge tout particulièrement s'ils ont adopté un comportement intempérant sous l'influence de l'alcool à moins de connaître quelques trucs de jiujitsu adaptés à toutes les circonstances car même un type étalé sur le dos peut encore envoyer un coup de pied vicelard si l'on ne garde pas un œil ouvert. Divine providence fut l'apparition sur le lieu de la scène de Corny Kelleher alors que Stephen était béatement inconscient du fait que, n'eût été le troisième larron s'enfilant dans l'ouverture à la onzième heure, le fin mot de l'histoire aurait pu être qu'il aurait pu être un excellent candidat pour la salle des urgences, ou, à défaut, pour les barreaux du commissariat et une comparution sans délai devant la cour présidée par M. Tobias, ou, celui-ci étant l'avoué, plutôt par le vieux Wall, avait-il voulu dire, ou encore Mahony ce qui tout bonnement vous coulait un type quand cela s'ébruitait. La raison pour laquelle il en parlait était que bon nombre de ces policiers, qu'il détestait cordialement, étaient comme chacun sait sans le moindre scrupule au service de la Couronne et, pour reprendre les termes de M. Bloom, rappelant quelques précédentes affaires passées par la Division A à Clanbrassil street, prêts à mentir comme des arracheurs de dents. Jamais là quand on a besoin d'eux sauf dans les quartiers tranquilles du centre, Pembroke road, par exemple, où les gardiens de la loi sont ostensiblement présents, la raison évidente étant qu'ils étaient payés pour protéger les gens de la haute. Un autre sujet qu'il ne manqua pas de commenter concernait le port d'armes à feu ou d'armes de poing de toutes sortes par les soldats, susceptibles de se déclencher à tout moment ce qui revenait à les lâcher sur les civils si d'aventure ils avaient un quelconque différend. Vous avez dilapidé votre temps, assurait-il avec beaucoup de sagesse, et votre santé, et votre réputation encore, à quoi s'ajoute la gaspillomanie de la chose, ces femmes légères du *demimonde* filant avec un maximum d'oseille pardessus le marché et le plus grand des périls c'était avec qui vous vous êtes saoulé, touchant à la question combien controversée des stimulants, il faisait son régal d'un verre de bon vin vieilli au moment opportun pour ses vertus tout à la fois énergétiques et roboratives et ses propriétés laxatives (au premier chef un bon bourgogne dont il se faisait l'ardent défenseur) tout de même jamais au-delà d'un certain point audelà duquel il plaçait invariablement la barre car cela attirait toute sorte d'ennuis pour ne rien dire du fait que l'on s'en remet aux bonnes grâces des autres en pratique. Surtout il exprima la plus sévère réprobation quant au lâchage de Stephen par tous ses *confrères* ès libations sauf un, magnifique morceau d'anthologie de la trahison de la part de ses frères carabins en de telles circ[6]

— Et celui-là était Judas, dit Stephen, qui jusque là n'avait pas dit un traître mot.

Tout en évoquant ces sujets et d'autres de la même veine ils prirent tout droit à vol d'oiseau derrière l'hôtel des Douanes et passèrent sous le pont de la Loop Line où un brasero bourré de coke qui brûlait devant une guérite, ou quelque chose y ressemblant, attira leurs pas passablement traînants. Stephen de lui-même s'arrêta sans raison particulière pour regarder l'amas de pavés stériles et à la lumière émanant du brasero il parvint tout juste à distinguer la silhouette encore plus sombre du vigile municipal à l'intérieur de la guérite obscure. Il commençait à se rappeler que ceci était déjà arrivé, ou que quelqu'un avait dit que c'était arrivé auparavant, mais il lui coûta une somme d'efforts considérables avant qu'il ne se rappelât qu'il avait reconnu dans la guérite un quidam ex-ami de son père, Gumley. Pour éviter une rencontre il se rapprocha des piliers du pont de chemin de fer.

— Quelqu'un vous a salué, dit M. Bloom.

Une silhouette de taille moyenne qui rôdait, bien évidemment, sous les arches salua à nouveau, lançant :

— B'nuit !

Stephen, bien sûr, sursauta mettant son équilibre en péril et s'arrêta pour retourner le compliment. M. Bloom, animé par des motifs inhérents à sa nature délicate, en ce sens qu'il croyait toujours que mieux valait pour chacun s'occuper de ses oignons, s'éloigna mais resta néanmoins sur le *qui vive* éprouvant juste une pointe d'anxiété sans que ce soit de la frousse le moins du monde. Bien qu'inhabituel dans la région de Dublin, il savait qu'il n'était pas du tout exclu que des desperados privés de presque toutes ressources rôdent aux fins de prendre en embuscade et d'une manière générale de terroriser de pacifiques piétons appuyant un pistolet sur leur tempe en un lieu reculé à l'écart du centre-ville lui-même, traîne-savates aux abois du genre à coucher sous les ponts de la Tamise ils pouvaient zoner par là ou simplement être des maraudeurs prêts à décamper avec tout le pèze qu'ils pourraient ramasser d'un seul coup d'un seul, en un éclair, la bourse ou la vie, vous plantant là en exemple édifiant, bâillonné et garrotté.

Stephen, c'est-à-dire au moment où la silhouette l'accostant fut toute proche, bien que n'étant pas outrageusement dégrisé lui-même, reconnut l'haleine de Corley qui fleurait bon le jus de grain fermenté. Lord John Corley, ainsi que certains l'appelaient, et sa généalogie se présentait de la façon suivante. C'était le fils aîné de l'Inspecteur Corley de la Division G, récemment décédé, qui avait épousé une certaine Katherine Brophy, la fille d'un fermier du comté de Louth. Son grand-père, Patrick Michael Corley, de New Ross, avait épousé la veuve d'un tenancier de pub du cru dont le nom de jeune fille était Katherine (également) Talbot. À en croire la rumeur (bien que le fait ne soit pas clairement établi) elle descendait de la maison des Lords Talbot de Malahide dans la résidence desquels, vraiment indiscutablement une belle demeure dans son genre et méritant le coup d'œil, sa mère ou tante ou une quelconque parente, femme, à ce que l'on racontait, d'une extrême beauté, avait joui du privilège insigne d'être affectée à la souillarde. Ceci, donc, était la raison pour laquelle cet homme relativement jeune bien que dissolu s'adressant à présent à Stephen était gratifié par d'aucuns d'un penchant facétieux du titre de Lord John Corley.

Prenant Stephen à l'écart il entama la complainte habituelle. Pas un traître sou pour se payer le gîte de la nuit. Ses amis l'avaient tous abandonné. Qui plus est, il s'était accroché avec Lenehan qu'il traita pour l'édification de Stephen de sale petite lopette agrémentant le tout d'une bordée de noms d'oiseaux injustifiables. Il était sans travail et implora Stephen de lui dire où grands dieux pouvait-il trouver quelque chose à faire, n'importe quoi. Non, c'était la fille de la mère de la souillarde qui était la sœur de lait de l'héritier des lieux ou alors ils étaient liés par la mère d'une façon ou l'autre, les deux choses étant concomitantes à moins que l'histoire n'ait été fabriquée de toutes pièces de a à z. Quoi qu'il en fût, il était bel et bien dans la dèche.

— Je ne vous demanderais rien normalement mais, poursuivit-il, je peux jurer et Dieu m'en est témoin que j'ai touché le fond.

— Il y aura un job demain ou après-demain, lui dit Stephen, dans une école de garçons de Dalkey comme surveillant répétiteur. M. Garrett Deasy. Essayez. Vous pouvez mentionner mon nom.

— Ah ça grands dieux, répliqua Corley, sûr que je pourrais pas faire le prof dans une école, mon vieux. J'ai jamais été une grosse tête, ajouta-t-il riant plus ou moins. Je me suis fait coller deux fois au certif chez les Frères.

— Je ne sais pas moi-même où dormir, l'informa Stephen.

Corley, de prime abord, fut enclin à soupçonner que cela avait à voir avec le fait que Stephen s'était fait virer de sa turne pour avoir ramené chez lui une petite pute levée au coin de la rue. Il y avait un hôtel borgne à Marlborough street, chez Mme Maloney, mais c'était vraiment cheap et rempli d'indésirables mais M'Conachie lui avait dit qu'il y avait un truc à peu près correct au Brazen Head[7] là-bas dans Winetavern street (ce qui fit vaguement penser son interlocuteur au frère Bacon) pour un shilling. Il mourait de faim aussi bien qu'il n'en eût pas soufflé mot.

Bien que ce genre de chose se reproduisît à peu près un soir sur deux ou presque malgré tout les bons sentiments l'emportèrent chez Stephen bien qu'il eût su pertinemment que le bateau flambantneuf de Corley, dans la droite ligne des précédents, ne méritait guère qu'on lui accordât grand crédit. Quoi qu'il en fût, *haud ignarus malorum miseris succurrere disco, etcetera*[8], comme l'observe le poète latin, d'autant plus que l'heureux sort avait voulu qu'il empochât son fric la première moitié du mois écoulée le seize la date du jour en fait bien qu'une portion non négligeable du quibus fût déjà croquée. Mais ce qui décrochait le pompon était que rien ne pouvait ôter de la tête de Corley qu'il vivait très largement et n'avait rien d'autre à faire qu'allonger la monnaie. Alors que. Il mit la main à la poche néanmoins, pas parce qu'il pensait y trouver de la nourriture, mais pensant qu'il pourrait lui prêter quelque chose qui pourrait aller jusqu'à un shilling ou à défaut de sorte qu'il puisse tenter en tout cas de se procurer suffisamment à manger. Mais le résultat fut négatif car, à son grand chagrin, il découvrit que son argent avait disparu. Quelques biscuits en miettes furent l'unique résultat de ses recherches. Il fit tous ses efforts pour se remémorer en cet instant s'il l'avait égaré, ce qui était plausible, ou laissé quelque part, parce qu'en ces circonstances-là cette perspective ne donnait pas de motif de se réjouir, bien au contraire, en effet. Il était l'un dans l'autre trop claqué pour mettre sur pied une fouille organisée bien qu'il tentât de rassembler ses souvenirs. Concernant les biscuits il se rappelait obscurément. Qui donc au juste les lui avait donnés se demanda-t-il, et où était, ou avait-il acheté ? Quoi qu'il en fût, dans une autre poche il mit la main sur ce qu'il présumait dans le noir être des pennies, à tort, quoi qu'il en fût, comme la suite le démontra.

— C'est des demi-couronnes, mon vieux, rectifia Corley.

Et telles dans les faits se révélèrent-ils. Stephen lui prêta l'une d'entre elles.

— Merci, répondit Corley. Vous êtes un vrai monsieur. Je vous rembourserai un de ces jours. C'est qui avec vous ? Je l'ai vu quelquefois au Bleeding Horse à Camden street avec Boylan le colleur d'affiches.

Vous pourriez placer un mot sympa pour moi pour qu'ils m'embauchent. Je ferais bien l'hommesandwich seulement la nana du bureau m'a dit qu'ils affichaient complet pour les trois prochaines semaines, mon vieux. Bon dieu, c'est qu'il faut réserver à l'avance, vieux, on croirait que c'est pour l'opéra. Je m'en contrefous toute façon pourvu que je trouve du boulot même comme balayeur de rue.

Subséquemment, retrouvant un peu de sa faconde après avoir récupéré la monnaie, il renseigna Stephen sur un type du nom de Bags Comisky dont il affirma que Stephen le connaissait bien de chez Fullam, l'accastilleur, comptable qu'il faisait, qui avant traînait souvent dans l'arrière salle de chez Nagle avec O'Mara et un petit bonhomme qui bégayait du nom de Tighe. En tout cas, il s'était fait ramasser tard deux nuits avant et avait pris une amende de dix shillings pour ivresse et tapage et rébellion à agent de la force publique.

M. Bloom dans l'intervalle allait et venait dans le voisinage immédiat des pavés proches du brasero de coke devant la guérite du vigile municipal, qui, d'évidence une bête de travail, le fait était frappant, piquait tranquillement un petit roupillon en pratique et à toutes fins utiles tandis que sommeillait Dublin. Il jetait un regard à l'occasion durant tout cela de temps à autre en direction de l'interlocuteur de Stephen qui était tout sauf impeccablement mis tout comme s'il avait aperçu ce noble personnage ici ou là bien que où précisément il ne fût pas exactement en mesure de l'affirmer sous serment pas plus qu'il n'avait la moindre idée de quand. Étant un individu bien d'aplomb qui aurait pu rendre des points en bien des points à maint observateur avisé, il ne manqua point de relever l'état lamentable de son chapeau et le manque de tenue de ses vêtements d'une façon générale, témoignant d'une impécuniosité chronique. Il était facile de voir que c'était un membre de sa bande habituelle mais à ce moment-là ça revenait au fait simple que chacun exploite le voisin d'à côté, dans toutes les profondeurs, si l'on peut dire, encore plus profondément et à ce moment-là si un quelconque *vulgum pecus* échoue un jour dans le box des accusés les travaux forcés, agrémentés ou non d'une amende, seraient réellement un *rara avis*[9]. Dans tous les cas il était doté d'un sacré fier culot pour intercepter les gens à cette heure de la nuit ou du matin. Un peu raide assurément.

La paire se sépara et Stephen rejoignit M. Bloom, qui, de son regard aiguisé, n'était pas sans percevoir qu'il avait succombé à l'enjôliloquence du susdit parasite. Faisant allusion à cette rencontre il dit, en riant, Stephen, c'est-à-dire :

— Il passe un cap difficile. Il m'a demandé de vous demander de demander à un certain Boylan, un colleur d'affiches, de lui donner un boulot d'homme-sandwich.

À cette information, à laquelle il n'accordait apparemment qu'un intérêt limité, M. Bloom regarda dans le vague l'espace d'une demi-seconde environ en direction d'une drague à godets, qui jouissait du nom illustre d'Eblana, amarrée Customhouse quay et très vraisemblablement hors d'usage, sur quoi il fit évasivement observer :

— Chacun reçoit son lot de bonne fortune, dit-on. Maintenant que vous le dites son visage ne m'était pas inconnu. Mais oublions cela un instant, de combien vous êtes-vous séparé, s'enquit-il, sans être trop indiscret ?

— Une demi-couronne, répondit Stephen. À mon avis il en a besoin pour dormir quelque part.

— Besoin ! s'exclama M. Bloom, ne montrant pas

le moindre signe de surprise à cette information, je n'ai aucun mal à avérer cette assertion et je me porte garant de ce qu'il est invariablement dans le besoin. À chacun selon ses besoins ou à chacun selon ses mérites. Mais puisque nous parlons de choses en général, où, ajouta-t-il avec un sourire, allez-vous dormir vous-même ? Marcher jusqu'à Sandycove est hors de question et, à supposer que vous y parveniez, on ne vous laissera pas entrer après ce qui s'est passé à la gare de Westland row. Ce serait se crever pour rien. Loin de moi la présomption de vous dicter d'aucune façon votre comportement mais pourquoi avoir quitté le domicile paternel ?

— Pour chercher infortune, fut la réponse de Stephen.

— J'ai récemment eu l'occasion de rencontrer monsieur votre père, répliqua M. Bloom diplomatiquement. Aujourd'hui même, ou, pour être tout à fait précis, hier. Où réside-t-il à présent ? J'ai cru comprendre au fil de la conversation qu'il avait déménagé.

— Je crois qu'il est quelque part à Dublin, répondit Stephen sans paraître concerné. Pourquoi ?

— Un homme de talent, déclara M. Bloom parlant de M. Dedalus père, à plus d'un titre et un *conteur*-né s'il en fut. Il retire une grande fierté, tout à fait légitime, de vous. Vous pourriez peut-être y retourner, hasarda-t-il, ayant toujours à l'esprit la scène très déplaisante du terminus de Westland row quand il devint tout à fait évident que les deux autres, c'est-à-dire Mulligan et son touriste anglais d'ami, qui au bout du compte s'étaient bien entendus aux dépens de la tierce personne leur servant de partenaire, s'employaient de façon éhontée, comme si la satanée gare leur avait appartenu, à semer Stephen dans la confusion générale, ce qu'ils parvinrent à faire.

Nulle réponse ne semblait devoir s'ébaucher à cette

suggestion, quoi qu'il en fût, ainsi formulée, Stephen étant trop occupé en pensées à se représenter le foyer familial tel qu'il l'avait vu la dernière fois, avec sa sœur Dilly assise au coin du feu, ses longs cheveux retombant, attendant qu'une lavasse au mauvais cacao de Trinidad finisse de chauffer dans la bouilloire noire de suie afin qu'elle et lui puissent le boire avec de l'eau d'avoine en guise de lait à la suite des harengs du vendredi qu'ils avaient mangés à un penny les deux, un œuf chacun pour Maggy, Boody et Katey, le chat pendant ce temps sous l'essoreuse engloutissant un mélange infâme de coquilles d'œufs et de têtes de poisson brûlées et d'os posé sur une feuille de papier d'emballage dans l'observance du troisième précepte de l'église de jeûner et faire abstinence aux jours ordonnés, car c'était quatre-temps ou, sinon, les cendres ou quelque chose comme ça.

— Non, reprit encore M. Bloom, je n'accorderais personnellement pas une confiance illimitée à celui de vos joyeux lurons qui apporte la touche humoristique, le Dr Mulligan, en tant que guide, philosophe et ami, si j'étais à votre place. Il s'y entend pour ne pas mettre tout son beurre sur la même tartine même s'il y a fort à parier qu'il n'a jamais eu l'occasion de connaître un jour sans pain. Bien sûr vous ne remarquiez pas tout ce que je voyais mais cela ne me surprendrait pas du tout d'apprendre qu'une pincée de tabac ou de quelque autre narcotique avait été versée dans votre verre avec une idée derrière la tête.

Il devait conclure, quoi qu'il en fût, de tout ce qu'il entendait dire, que le Dr Mulligan était un homme complet avec plus d'une corde à son arc, loin de se limiter à la médecine seulement, qui allait très vite venir au tout premier plan dans sa partie, et, si la rumeur se confirmait, avait toutes les chances de jouir d'une clientèle florissante dans un futur pas si lointain, médecin super renommé recevant de coquets honoraires en échange de ses services avec en outre côté statut professionnel le sauvetage de cet homme d'une noyade certaine avec recours à la respiration artificielle et comme on dit premiers soins à Skerries, ou était-ce Malahide ? qui fut, il lui fallait bien le reconnaître, un retentissant coup d'audace pour lequel il ne saurait avoir de mots suffisamment forts, si bien que très franchement il se sentait complètement démuni pour sonder les faits et en déduire quelles raisons au monde pouvaient les expliquer sauf à tout mettre au compte de la simple volonté de nuire ou à celui de la jalousie, pure et simple.

— Sauf que tout se ramène simplement à une seule chose et que comme on dit il vous pique vos idées, se permit-il de lancer.

Le regard circonspect mi-sollicitude, mi-curiosité, empreint de bienveillance, qu'il eut en direction de la maintenant morose mine de Stephen n'éclaira pas de son flot de lumière, loin s'en faut vraiment, la question de savoir s'il s'était laissé rouler dans la farine, à en juger par deux ou trois expressions de découragement qu'il avait lâchées, ou si, à l'inverse, il avait parfaitement vu son jeu, et, pour quelque raison connue de lui seul, avait permis à toute l'affaire de plus ou moins… Une pauvreté accablante a certes cet effet et c'était plus qu'hypothèse d'école de penser que, malgré toutes ses qualifications universitaires, il rencontrait d'immenses difficultés à joindre les deux bouts.

Tout contre la pissotière ils aperçurent une voiture de marchand de glaces autour de laquelle un groupe présumément d'Italiens en pleine altercation houleuse se jetaient dans leur vif langage de volubiles expressions formulées de manière particulièrement animée, en raison de quelques petits différends entre les parties impliquées.

— *Puttana madonna, che ci dia i quattrini ! Ho ragione ? Culo rotto !*

— *Intendiamoci. Mezzo sovrano più...*

— *Dice lui, però !*

— *Mezzo.*

— *Farabutto ! Mortacci sui !*

— *Ma ascolta ! Cinque la testa più*[10]...

M. Bloom et Stephen entrèrent dans l'abri du cocher, petite construction de bois sans prétention, où, avant cet instant, il était rarement, sinon jamais, venu ; le premier ayant auparavant chuchoté à l'oreille du second quelques indications concernant son tenancier, prétendument l'autrefois célèbre Écorchèvre, Fitzharris[11], l'invincible, bien qu'il ne fût pas en mesure de garantir la vérité des faits, dont il était très possible qu'ils ne recelaient pas un grain de vérité. La suite vit nos deux noctambules en toute tranquillité installés dans un coin discret, où ils furent gratifiés des regards insistants de toute une collection assurément variée d'enfants perdus ou abandonnés et autres spécimens indéfinissables du genre *homo sapiens*, déjà présentement occupés à boire et manger, diversifiés par leur conversation, pour lesquels apparemment ils constituaient un objet de très haute curiosité.

— Maintenant en ce qui concerne une tasse de café, avança M. Bloom pour offrir une suggestion susceptible de rompre la glace, il m'est d'avis que vous devriez prendre quelque échantillon de nourriture consistante, pourquoi pas un petit pain ou autre.

En conséquence de quoi son premier acte fut avec le *sangfroid* qui le caractérisait de passer commande de ces marchandises. Ces *cives populi*[12] de cochers ou dockers, ou autres, après un rapide examen, détournèrent leurs regards, apparemment déçus, quoique un individu à la barberousse porté sur la dive, cheveux en partie grisonnants, un marin, sans doute, les fixât encore un temps non négligeable avant de reporter son attention extatique sur le plancher. M. Bloom, s'autorisant du droit à la liberté d'expression, lui n'ayant qu'une connaissance superficielle de la langue des disputeurs bien que, assurément, en délicatesse avec *voglio*, fit remarquer à son *protégé* d'une voix pleinement audible, *à propos* de la mêlée ouverte dans la rue qui faisait encore rage impitoyable :

— Une langue magnifique. Je veux dire pour le chant. Pourquoi ne pas écrire vos poèmes dans cette langue ? *Bella Poetria*[13] ! Si mélodieuse et riche. *Belladonna. Voglio.*

Stephen, qui se crevait à essayer de bâiller, si c'était possible, alors qu'il était crevé dans l'ensemble, répliqua :

— De quoi casser les oreilles d'une éléphante. Ils se chamaillaient pour de l'argent.

— Ah bon ? demanda M. Bloom. Bien sûr, ajouta-t-il pensivement, pensant par-devers lui qu'il y avait bien plus de langues d'abord que strictement nécessaire, peut-être est-ce simplement l'aura de son charme méridional.

Le tenancier de cet abri dans le cours de ce *tête-à-tête* posa un bol fumant empli à ras bord d'une décoction de choix baptisée café sur la table et un spécimen quasi antédiluvien de bun, à ce qu'il semblait, après quoi il battit en retraite vers son comptoir. M. Bloom décidant de bien le regarder à loisir un peu plus tard de façon à ne pas sembler… raison pour laquelle il encouragea Stephen à commencer du regard tandis qu'il lui faisait les honneurs en poussant subrepticement le bol de ce qu'il était temporairement convenu d'appeler café en sa direction.

— Les sons, une imposture, dit Stephen après une

pause de quelques instants. Comme les noms, Cicéron, Podmore. Napoléon, M. Bonhomme. Jésus, M. Doyle. Les Shakespeares étaient aussi communs que les Murphies[14]. Qu'y a-t-il dans un nom ?

— Oui, ça c'est vrai, M. Bloom sans chichis en convint. Bien sûr. Notre nom a été changé aussi, ajouta-t-il, poussant le prétendu petit pain de l'autre côté.

Le marin barberousse, les nouveaux venus n'échappant pas à sa vigie, aborda Stephen, qu'il avait distingué tout particulièrement, carrément lui demandant :

— Dites-moi, quel est votre nom ?

Juste à point nommé M. Bloom fit signe du pied à son compagnon mais Stephen, apparemment insensible à cette amicale pression, venant d'un horizon inattendu, répondit :

— Dedalus.

Le marin le fixait du regard lourd de ses yeux ensommeillés aux lourdes poches, passablement déchirés par un usage excessif de la picole, de préférence du schnaps un peu mouillé.

— Vous connaissez Simon Dedalus ? finit-il par interroger.

— J'en ai entendu parler, dit Stephen.

M. Bloom resta déboussolé un bon moment, remarquant que les autres évidemment laissaient traîner leurs oreilles.

— C'est un Irlandais, affirma le hardi marin, le fixant toujours de la même manière et opinant du chef. Cent pour cent irlandais.

— Irlandais, trop irlandais, lâcha Stephen.

Quant à M. Bloom il ne comprenait pas un traître mot de ce qui se tramait et il en était juste à se demander quelle relation pouvait bien quand le marin, tout à trac, se tourna vers les autres occupants de l'abri avec cette remarque :

— L'ai vu dégommer deux œufs posés sur des bouteilles à cinquante mètres en tirant par-dessus l'épaule. De la main gauche dans le mille.

Bien que légèrement gêné à l'occasion par son bégaiement et malgré des gestes très approximatifs toujours est-il qu'il faisait de son mieux pour s'expliquer.

— Les bouteilles là-bas, admettons. Cinquante mètres qu'on mesure. Les œufs sur les bouteilles. Arme son pétard au-dessus de l'épaule. Vise.

Il tourna son corps d'un demi-tour, ferma l'œil droit complètement, puis grimaça pour ainsi dire de biais et fusilla l'obscurité du regard les traits figés dans une attitude inquiétante.

— Boum ! cria-t-il une première fois.

Le public tout entier attendait, suspendu à une détonation supplémentaire, étant donné qu'il subsistait un œuf.

— Boum ! cria-t-il par deux fois.

L'œuf numéro deux évidemment réduit à rien, il hocha la tête et fit un clin d'œil, ajoutant comme assoiffé de sang :

— *Buffalo Bill tire pour tuer,*
Rate jamais, évacuez !

Un silence s'ensuivit rompu par M. Bloom qui, histoire de se montrer agréable, eut envie de lui demander si c'était pour un concours de tir comme le Bisley[15].

— Pardon, fit le marin.

— Y'a longtemps ? poursuivit M. Bloom sans broncher d'un poil.

— Eh ben, répondit le marin, rasséréné jusqu'à un certain point par la magique rencontre d'un des *alter ego*, il y a peut-être dix ans de ça. Il a fait une tournée mondiale avec le Cirque Royal de Hengler. L'ai vu faire ça à Stockholm.

— Curieuse coïncidence, confia M. Bloom à Stephen subrepticement.

— Murphy est mon nom, poursuivit le marin, D. B. Murphy, de Carrigaloe. Savez où c'est ?

— Queenstown Harbour, répondit Stephen.

— Exact, dit le marin. Le Fort Camden et le Fort Carlisle[16]. C'est là que j'ai pris mon sac. J'y sont chez moi. Ma petite femme elle est là-bas. Elle m'y attend, je le sais bien. *Pour l'Angleterre, la famille et les belles*. C'est ma légitime à moi que j'ai pas vue depuis sept ans maintenant, toujours à bourlinguer.

M. Bloom n'eut aucun mal à se représenter son entrée en scène — le retour au bercail du marin vers sa cahute au bord du chemin qui a fait la nique au père Océan — une nuit pluvieuse de lune absente. Traversé le monde pour une épouse. Un tas d'histoires qu'il y a eu sur ce thème-ci d'Alice Ben Bolt, Enoch Arden et Rip van Winkle et qui par ici se souvient de Caoch O'Leary et son biniou, morceau à déclamer très populaire et très émouvant, soit dit en passant, du pauvre John Casey[17] et un pur moment de poésie à sa manière modeste. Jamais rien sur la femme qui s'était enfuie du domicile conjugal et y revient, quel que soit son attachement à l'absent. Visage collé à la fenêtre ! Jugez de sa stupeur quand ayant touché le fil d'arrivée l'horrible vérité se fait jour concernant sa moitié, naufragé de ses plus tendres sentiments. Tu ne t'attendais guère à me voir mais me voici et à jamais pour un nouveau départ. Regardez-la assise, veuve joyeuse, se chauffant à la même cheminée. Me croit mort. Doucement bercé au fond des mers[18]. Et là s'est installé l'oncle Chubb ou Tomkin, c'est selon, le patron du Crown and Anchor, en bras de chemise, avalant du rumsteak aux oignons. Pas de chaise pour papa. Ouhhhh ! Le vent ! Son rejeton tout frais arrivé est sur ses genoux, enfant *post mortem*. Oh, hisse, à l'ouvrage, de la dunette au gaillard d'avant, oh ! S'incliner devant l'inévitable. Contre mauvaise fortune. Je reste le même avec tout mon amour le cœur brisé ton mari, D. B. Murphy.

Le marin, qui ne semblait guère être un résident de Dublin, se tourna vers l'un des cochers pour formuler cette demande :

— Par hasard vous n'auriez pas quelque chose qui ressemble à une chique en rab ?

Le cocher ainsi interpellé, ainsi qu'il se trouva, n'en avait pas mais le tenancier sortit un bout de carotte de sa veste des dimanches pendue à un clou et l'objet désiré passa de main en main.

— Merci, dit le marin.

Il se bourra la chique dans le gosier et, tout en mâchouillant, non sans quelques bégaiements prolongés, attaqua :

— On accoste ce matin onze heures. Le trois-mâts *Rosevean* de Bridgewater chargé de briques. J'ai embarqué pour revenir. Payé dans l'après-midi. Tenez, mon congé. Voyez ? D. B. Murphy, Matelot breveté.

Pour appuyer la susdite déclaration il extirpa d'une poche intérieure et tendit à ses voisins un document plié d'une netteté douteuse.

— Vous avez dû voir un sacré morceau du monde, observa le tenancier, appuyé au comptoir.

— Eh ben, répondit le marin, à la réflexion à la oui, j'ai circumnavigué un brin depuis la première fois que je suis monté à bord. J'ai été dans la mer Rouge. J'ai été en Chine, en Amérique du Nord et en Amérique du Sud. Même qu'on a été pourchassés par les pirates une fois. Des icebergs j'en avons vu des tas, à la dérive. J'ai été à Stockholm et sur la mer Noire, les Dardanelles, sous les ordres du Capitaine Dalton le plus génial des enfoirés qu'a jamais sabordé un navire. J'avons vu la Russie. *Gospodi pomilyou*[19]. C'est comme ça que les Russes y prient.

— Zavez vu de drôles de choses, y'a pas à dire, lança un cocher.

— Eh ben, dit le marin, en faisant passer sa chique partiellement mâchée d'un bord à l'autre, j'ont vu des trucs drôlement bizarres, des hauts et des bas. J'avons vu un crocodile mordre une patte d'ancre comme moi je mords dans cette chique.

Il sortit de sa bouche le morceau de tabac en pulpe et, se le collant entre les dents, le mordit sauvagement.

— Et han ! Comme ça. Et j'avons vu des cannibales au Pérou qui se tapent les cadavres et le foie des chevaux. Tenez voir. Les voilà. Un pote qui me l'a envoyé.

Il fouilla et sortit une carte postale couleur de sa poche intérieure, qui semblait être à sa manière une sorte d'entrepôt, et la fit glisser sur la table. Les caractères imprimés indiquaient : *Choza de Indios. Beni, Bolivia*[20].

Tous firent porter leur attention sur la scène exhibée, un groupe de sauvages, des femmes en pagnes rayés, accroupies, clignant des yeux, allaitant, fronçant les sourcils, endormies, au milieu d'un grouillement d'enfants (il devait y en avoir des dizaines) devant des huttes primitives en osier.

— Mastiquent de la coca à longueur de journée, ajouta le décidément très en verve loup de mer. Des estomacs comme des râpes à fromage. Se coupent les nichons quand elles peuvent plus avoir d'enfants. Matez-les un peu là assis les balloches à l'air en train de boulotter cru le foie d'un cheval crevé.

Sa carte postale demeura le centre d'attraction de

ces Messires les gogos pendant quelques minutes, sinon plus.

— Savez pas comment les tenir à distance? demanda-t-il à la cantonade.

Personne n'osant avancer une hypothèse, il fit un clin d'œil et dit:

— Le verre. Ça les embrouille. Le verre.

M. Bloom, sans trahir davantage de surprise, sans ostentation retourna la carte pour examiner adresse et cachet de la poste partiellement effacés. On pouvait lire comme suit: *Tarjeta Postal. Seño A. Boudin, Galeria Becche, Santiago, Chile*. Il n'y avait aucun message comme de bien entendu, ainsi qu'il le nota tout particulièrement.

Quoique n'ayant pas une foi implicite dans l'histoire haute en couleur juste narrée (pas plus que dans le canardage en règle des œufs d'ailleurs en dépit de Guillaume Tell et de l'incident Lazarillo-Don César de Bazan dépeint dans *Maritana* au cours duquel la balle du premier traverse le chapeau du second[21]), ayant détecté une discordance entre son nom (en admettant qu'il était bien la personne qu'il prétendait être et ne naviguait pas sous un pavillon d'emprunt après avoir appris l'aire des vents dans un coin tranquillos) et le destinataire fictif de la missive qui lui fit nourrir quelques soupçons quant à la *bona fides*[22] de notre ami, néanmoins ceci lui ramena à l'esprit un projet longtemps caressé qu'il avait bien l'intention de mettre en œuvre un beau mercredi ou samedi de faire un voyage à Londres *via* le long de la côte ce qui ne signifie pas qu'il ait jamais été un grand voyageur sur une grande échelle mais il était au fond un aventurier-né quoique par un caprice du destin il eût été cloué pour de bon au plancher des vaches sauf vous diriez le trajet de Holyhead[23] qui était son record. Martin Cunningham disait fréquemment qu'il lui dégoterait un laissez-passer par Egan mais quelque fichu accroc toujours éternellement surgissait et bilan des courses toute l'affaire tombait à l'eau. Mais même à supposer qu'il faille en venir à abouler le fric et filer une apoplexie à Boyd[24] de la chambre des faillites ça ne coûtait pas si cher que ça, si les finances étaient à flots, quelques guinées tout au plus, considérant que le trajet pour Mullingar où il comptait aller s'élevait à cinq shillings six aller et retour. Le trajet serait du plus grand profit pour la santé en raison des vertus tonifiantes de l'ozone et offrirait à tous égards un plaisir sans réserve, tout spécialement pour un gars dont le foie est dérangé, voir les différents endroits jalonnant le trajet, Plymouth, Falmouth, Southampton *et cætera*, et pour couronner le tout la visite guidée si instructive de tous les lieux remarquables de la grande métropole, le spectacle de notre Babylone des temps modernes où sans nul doute il pourrait observer les plus grandes améliorations, tour, abbaye, l'opulence de Park Lane[25] avec lesquelles renouer connaissance. Quelque chose d'autre le frappa soudain comme n'étant pas du tout une si mauvaise idée et si une fois sur place il regarderait un peu autour pour voir s'il y avait moyen d'arranger une tournée de concerts de musique estivale embrassant les stations balnéaires les plus en vue, Margate ses bains mixtes thalassos cinq étoiles et les villes d'eau, Eastbourne, Scarborough, Margate *et cætera*, Bournemouth la splendide, les îles anglo-normandes et autres bijoux de la côte, ce qui pourrait se révéler hautement rémunérateur. Pas, bien sûr, avec une compagnie de bric et de broc peu fiable ni avec des gloires locales, voyez un peu le genre de Mme C.P. M'Coy — prêtez-moi votre malle et je vous enverrai le ticket. Non, quelque chose de classe, à l'affiche que des stars irlandaises, la grande troupe d'opéra Tweedy-Flower avec sa propre épouse légitime pour *prima donna* sorte de contre-feu aux Elster Grimes et autres Moody-Manners[26], chose parfaitement simple et il ne doutait pas un instant des chances de succès, pour peu qu'on s'arrange pour faire mousser ça dans la presse locale avec un type qui a de la ressource sachant tirer les ficelles indispensables et ainsi allier affaires et plaisir. Mais qui ? Là était le hic.

De même sans vraiment pouvoir l'affirmer, il lui semblait indéniable que d'immenses perspectives s'offraient dans la perspective d'ouvrir de nouvelles lignes pour rester dans la course *à propos* de la ligne Fishguard-Rosslare[27] qui, déjà en discussion, figurait une fois encore sur l'*agenda* des services de Circonlocution avec toute la paperasse habituelle et les tergiversations de vieux bonzes ramollis et de l'idiotie ambiante. Il y avait là certainement une occasion unique pour que l'esprit d'initiative et d'entreprise réponde aux besoins du grand public pour ses voyages, l'homme moyen, c'est-à-dire Brown, Robinson & Co.

Ce qui donnait matière à regrets et absurde en plus selon toute apparence et pas un mince reproche adressé à notre édifice social tant vanté c'était que l'homme de la rue, à l'heure où le système avait un besoin urgent d'être dynamisé, pour une affaire de quelques malheureuses livres sterling, soit empêché de voir davantage du monde où il vit au lieu d'être toujours et à jamais encabané comme les poules depuis que mon vieux peine-à-jouir m'a pris pour épouse. Après tout, que diable, ils ont tiré leurs onze mois et plus de train-train et méritent bien un changement radical de cadre après la vie citadine accablante en été, de préférence, quand Dame Nature est parée de tous ses atours, constituant rien de moins qu'un nouveau départ. Il existait de tout aussi excellentes possibilités ouvertes aux vacanciers sur leur île natale, de délicieux coins sylvestres pour se refaire une jeunesse, offrant pléthore d'attractions tout en étant un tonique requinquant pour l'organisme à Dublin et alentour et dans ses environs pittoresques, même, Poulaphouca, desservie par un tram à vapeur, mais également en s'éloignant plus loin de la foule déchaînée[28], à Wicklow, si justement nommé le jardin de l'Irlande, environnement idéal pour personnes âgées dans leur fauteuil roulant, tant que ça ne se met pas à dégringoler, et dans les étendues sauvages du Donegal, à en croire l'avis général, la *vista* était des plus grandioses, bien que la susnommée localité soit difficile d'accès de sorte que le flux de visiteurs n'était pas encore ce qu'il pourrait être si l'on tient compte des signalés bienfaits qu'on peut en escompter, tandis que Howth avec son héritage historique et autre, Silken Thomas, Grace O'Malley, George IV[29], rhododendrons poussant plusieurs centaines de pieds au-dessus du niveau de la mer demeurait la destination favorite de gens de toutes sortes et de toutes conditions, particulièrement au printemps lorsque les jeunes gens portés par une humeur folâtre[30], bien que l'on ait dû déplorer son lot de victimes par chute du haut des falaises intentionnelle ou par accident, d'ordinaire, soit dit en passant, sur le pied gauche, du fait que c'est à seulement trois quarts d'heure en courant au départ de la colonne[31]. Parce que bien sûr le tourisme augoûdujour n'en était qu'à ses tout premiers balbutiements, si l'on peut dire, et l'hébergement laissait beaucoup à désirer. Intéressante à explorer, lui semblait-il, animé par une curiosité pure et simple, était la question de savoir si c'est le trafic qui crée l'itinéraire ou vice versa ou les deux côtés en fait. Il retourna la carte, côté illustration, et la passa à Stephen.

— J'avons vu un Chinois une fois, relata le valeureux narrateur, qu'avait de petites pilules comme du mastic, les plongeait dans l'eau et ça s'ouvrait et chacune des pilules faisait un truc différent. L'une c'était un bateau, une maison, une autre c'était une fleur. Des rats dans la soupe, ajouta-t-il sur un ton gourmand, que les Chinetoques y vous font cuire.

Peut-être percevant des signes d'incrédulité sur leurs visages, le globetrotter ne démordit pas du récit de ses aventures.

— Et j'avons vu un type se faire buter à Trieste par un Rital. Coup de lame dans le dos. Un couteau comme ça.

Tout en parlant il exhiba un cran d'arrêt menaçant, tout à fait dans le style du personnage, et le tint comme prêt à frapper.

— Dans un boxon cause d'un contrebandier qu'avait essayé d'en emballer un autre. Le gonze planqué derrière une porte, arrive par derrière. Comme ça. *Fais tes prières*, qu'y dit. Paf ! C'est rentré dans le dos jusqu'à la garde.

Son regard embrumé se promena lourdement tout autour, l'air de les mettre au défi de poser leurs questions restantes si par hasard ils en avaient l'envie.

— C'est un mignon petit bijou pur acier, répétait-il, examinant son formidable *stiletto*.

Après ce *suspense* insoutenable suffisant à refroidir les plus gaillards il replia la lame clac et remisa l'arme en question comme précédemment dans sa chambre des horreurs, autrement dit sa poche.

— Y sont forts pour les lames, lança quelqu'un n'en sachant évidemment que dalle pour leur plus grand profit. C'est pour ça qu'ils ont cru que les meurtres du parc des invincibles avaient été commis par des étrangers comme ils avaient utilisé des couteaux[32].

À cette remarque, lâchée évidemment dans cet

état d'esprit *où l'ignorance est bénie*[33], M. B. et Stephen, chacun à sa manière propre, tous deux d'instinct échangèrent des regards entendus, dans un silence religieux de la variété strictement *private* néanmoins en direction de l'endroit où Échorchèvre *alias* le tenancier, tirait des jets de liquide de son espèce de percolateur. Son visage impénétrable, qui était une véritable œuvre d'art, une parfaite étude en soi, défiant toute description, donnait l'impression qu'il ne comprenait goutte à ce qui se tramait. Amusant, très.

Il s'ensuivit une pause un peu longuette. Un pékin lisait de façon décousue un journal du soir taché de café ; un autre la carte avec les indigènes *choza de* ; un autre la lettre de congé du marin. M. Bloom, en ce qui le concernait personnellement, méditait l'air pensif. Il se rappelait de façon très vive lorsque l'événement auquel il avait été fait allusion s'était produit comme si c'était hier, en gros quelque vingt ans auparavant, à l'époque des événements agraires[34] quand le monde civilisé fut secoué par un tremblement de terre, pour employer cette image, au début des années quatre-vingt, quatre-vingt-un pour être précis, alors qu'il venait juste d'avoir quinze ans.

— Ouais, patron, coupa le marin. Donne-moi voir ceux papiers.

La demande satisfaite, il referma ses griffes dessus bruyamment.

— Avez-vous vu le Rocher de Gibraltar[35] ? s'enquit M. Bloom.

Le marin grimaça, mâchonnant, d'une manière pouvant signifier oui, mouais, non.

— Ah, vous avez touché là aussi, dit M. Bloom, la pointe de l'Europe, pensant que oui, avec l'espoir que peut-être cet écumeur des mers pourrait avoir quelques réminiscences de mais il en fut incapable, laissant simplement jaillir un glaviot s'écrasant dans la sciure, et il secoua la tête avec une sorte de mépris nonchalant.

— À quelle année à peu près ça pourrait remonter ? interrogea M. B. Vous vous rappelez des bateaux ?

Notre *soi-disant* marin mastiqua avec application pendant un moment, comme affamé, avant de répondre.

— J'en suis fatigué de tous ces rochers de la mer, dit-il, et des bateaux et des navires. Et de cette pourriture salée à tous les repas.

Fatigué, apparemment, il s'interrompit. Son questionneur, percevant qu'il avait peu de chances de récupérer sa monnaie avec un vieux client aussi retors, se laissa aller à rêvasser sur la proportion énorme d'eau à la surface du globe. Il suffit de dire que, comme le montre un rapide coup d'œil sur la carte, elle en couvre bien les trois quarts et il se rendait pleinement compte en conséquence du sens de l'expression, régner sur les mers. En plus d'une occasion — une douzaine au moins — non loin du North Bull à Dollymount[36] il avait remarqué un vieux loup de mer sans âge, d'évidence une épave, assis habituellement près de la mer où ça ne hume pas précisément bon le long de la digue, contemplant égaré la mer et elle lui, rêvant de frais ombrages et de verts pâturages ainsi que le chante quelqu'un quelque part[37]. Et cela le laissait se demander pourquoi. Peut-être avait-il essayé de trouver le secret pour son compte, se débattant d'un antipode à l'autre et tout ça et remontant et redescendant — enfin, pas tout à fait jusqu'au fond — tentant le sort. Et à vingt contre un il n'y avait réellement là aucun secret. Néanmoins, sans entrer dans les menus détails de la chose, la réalité éloquente demeurait que la mer s'étalait dans toute sa gloire et dans le cours naturel des choses quelqu'un ou un autre devait y naviguer et lancer un défi à la providence bien que ceci ne fît que démontrer de quelle manière les gens se débrouillent en général pour reporter la charge sur les épaules d'un autre tout comme l'idée de l'enfer et la loterie et les assurances, qui étaient *grosso modo* exploitées selon les mêmes lignes de sorte que pour cette raison précise, sinon une autre, le dimanche des sauveteurs en mer[38] était une institution hautement louable à laquelle le grand public, peu importe l'origine, de l'intérieur ou du bord de mer, selon les cas, la chose une fois ainsi bien comprise, devrait exprimer sa gratitude également envers les capitaines de port et les garde-côtes qui doivent gréer et se lancer en mer bravant les éléments, par toutes saisons, quand le devoir nous appelle *l'Irlande compte sur chacun d'entre vous et cætera*[39], et parfois en voyaient des vertes et des pas mûres en hiver sans oublier les bateaux-phares irlandais, Kish et les autres, susceptibles de sombrer à chaque instant en doublant lequel un jour avec sa fille il avait essuyé un fameux grain, pour ne pas dire une tempête.

— Y'avait un type qui naviguait avec moi sur *L'Écumeur*, poursuivit le vieux loup de mer, lui-même un écumeur des mers. L'a débarqué et trouvé un job pépère comme valet de chambre à six putains de livres par mois. Ça c'est son futal que j'ai sur moi et il m'a filé un ciré et ce cran d'arrêt. Je suis partant pour ce boulot, raser et brosser. Je déteste courir les océans. Et puis il y a mon fils, Danny, barré en mer et sa mère qu'avait trouvé une place pour lui chez un drapier de Cork, où il pourrait se faire de l'argent facile.

— Quel âge a-t-il ? s'enquit un auditeur qui, en passant, vu de profil, avait une vague ressemblance avec Henry Campbell, le greffier municipal, bien loin des tracas accablants des ronds de cuir, pas lavé, bien sûr, en habits douteux et avec de fortes suspicions de barbouillenez sur l'appendice nasal.

— Eh ben, répondit le marin lentement dans une élocution interloquée. Mon fils Danny ? Devrait avoir dans les dix-huit ans, m'est avis.

Ce père issu de Skibbereen[40] là-dessus ouvrit sa chemise grise ou pas propre en tout cas en la tirant des deux mains et gratta comme un dément sa poitrine sur laquelle on voyait un dessin tatoué à l'encre de Chine bleue, censé représenter une ancre.

— Y'avait des poux dans cette couchette à Bridgewater, fit-il. Sûr comme je vous parle. Faut que je me décrasse demain ou après-demain. C'est les noirs que je peux pas voir. Je les hais ces enfoirés. Vous sucent jusqu'à l'os, pour sûr.

Voyant que tous regardaient sa poitrine, il ouvrit complaisamment sa chemise en grand si bien que, au-dessus du vénérable symbole de l'espoir et du repos du vieux marin, ils purent admirer à loisir le chiffre 16[41] et le profil d'un jeune gars d'humeur passablement maussade.

— Tatouage, expliqua l'exposant. On l'a fait quand nous étions en panne au large d'Odessa dans la mer Noire avec le Capitaine Dalton. Un gars du nom d'Antonio l'a fait. Là c'est lui en personne, un Grec.

— Ça a fait très mal pour faire ça ? demanda quelqu'un au marin.

Cet inestimable personnage, quoi qu'il en soit, était bien occupé à cueillir les. Quelque part dans sa. Écrasant ou…

— Regardez voir, dit-il, montrant Antonio. Le voilà, engueulant le second. Et le voilà maintenant, ajouta-t-il. Le même keum, tirant la peau de ses doigts, un truc spécial évidemment, et lui qui rigole d'une bonne histoire de matelot.

Et de fait le jeune homme nommé Antonio au

visage livide avait effectivement l'air d'arborer un sourire forcé et cet effet curieux suscita l'admiration sans réserve de tout un chacun, y compris d'Écorchèvre qui cette fois se pencha.

— Ouais monsieur, soupira le marin, baissant les yeux sur son buste viril. Parti lui aussi. Bouffé par les requins après. Ouais monsieur.

Il relâcha la peau et le profil retrouva son expression normale d'avant.

— Chouette boulot, déclara un docker.

— Et le numéro c'est quoi ? interrogea le glandeur numéro deux.

— Dévoré vivant ? demanda un troisième au marin.

— Oui monsieur, soupira encore ce dernier personnage, avec plus d'entrain cette fois, avec une sorte de demi-sourire, un bref instant seulement, en direction de celui posant la question du numéro. Bouffé. Grec qu'il était.

Et puis il ajouta, avec un humour assez gibier de potence, vu la fin alléguée :

— Antonio quel beau salaud,
O, m'a laissé tout solo.

Le visage d'une frangine du trottoir, emplâtré et hagard sous un chapeau de paille noir, lança un regard oblique depuis la porte de l'abri, visiblement en phase de reconnaissance *solo* dans le dessein d'engranger du grain à moudre. M. Bloom, ne sachant plus où regarder, se détourna à l'instant même, chamboulé mais semblant garder son calme, et ramassant sur la table la feuille rose de l'organe sis Abbey street[42] dont le cocher, si tel il était, s'était défait, il la ramassa et regarda le rose du papier quoique pourquoi rose ? Sa raison d'agir ainsi était qu'il reconnaissait en cet instant même près de la porte le même visage que celui dont il avait eu une vision fugitive cet après-midi sur Ormond quay, cette femme un peu demeurée, à savoir celle de la ruelle, qui connaissait la dame portant un tailleur marron l'est avec vous (Mme B.), et demandait la faveur de laver son linge. Mais au fait pourquoi linge, terme qui semblait plutôt vague que le contraire ?

Votre linge. Quand même, la vérité le forçait à reconnaître qu'il avait lavé les sous-vêtements de sa femme quand elle s'était salie à Holles street et les femmes de même l'acceptaient et le faisaient pour un homme aux vêtements analogues aux initiales marquées à l'encre indélébile de Bewley et Draper (c'est-à-dire, son linge à elle l'était) si elles l'aimaient vraiment, c'est-à-dire. Aime-moi, et ma chemise sale avec. Tout de même, pour l'heure, étant au supplice, il avait envie de la chambre de la femme davantage que de sa compagnie alors quel véritable soulagement ce fut quand le tenancier lui fit grossièrement signe de déguerpir. Au coin de l'*Evening Telegraph* il eut une brève vision fugitive de son visage tout à côté de la porte avec une sorte de sourire dément et vitreux prouvant qu'elle n'avait pas exactement tous ses esprits, observant avec un amusement évident le groupe des reluqueurs attroupés autour de la poitrine nautique du Skipper Murphy et un instant après elle n'était plus là.

— La canonnière, dit le tenancier.

— Ça me dépasse, confia M. Bloom à Stephen, médicalement parlant, comment une pauvre loque comme celle-ci sortie du Lock Hospital, infectée jusqu'au trognon, peut avoir l'audace de racoler ou comment un homme ayant toute sa tête, s'il attache un tant soit peu de valeur à sa santé. Infortunée créature ! Bien sûr, je suppose que c'est un homme qui en définitive est responsable de son état. Tout de même peu importe où est la cause de…

Stephen ne l'avait point remarquée et il haussa les épaules, observant seulement :

— Dans cette contrée les gens vendent bien plus qu'elle n'a jamais eu et font des affaires du tonnerre. Ne crains pas ceux qui vendent le corps mais qui n'ont pas le pouvoir d'acheter l'âme[43]. Elle est mauvaise commerçante. Elle achète cher et cède bon marché.

L'aîné, quoique en aucune espèce de manière vieille fille ni bégueule, dit que ce n'était rien de moins qu'un criant scandale auquel on devait mettre un terme *illico presto* de dire que des femmes de cette farine (laissant de côté toute pudibonderie de vieille fille sur le sujet), un mal nécessaire, n'étaient ni encartées ni soumises à des contrôles médicaux par les autorités compétentes, chose dont il pouvait assurer en vérité que lui, en tant que *paterfamilias*, avait ardemment défendue depuis le tout début. Quiconque s'engagerait dans une telle politique, dit-il, et soumettrait la question à une discussion approfondie conférerait des bienfaits durables à toutes les parties concernées.

— Vous-même, en bon catholique, observa-t-il, qui parlez de corps et d'âme, croyez en l'âme. Ou voulez-vous dire l'intelligence, les fonctions cérébrales en tant que telles, comme étant distincte de tout objet extérieur, la table, disons, cette tasse ? Je le crois moi-même parce que cela a été expliqué par des gens compétents comme étant les convolutions de la matière grise. Autrement jamais nous n'aurions d'inventions telles que les rayons X par exemple. C'est cela ?

Ainsi acculé, Stephen dut faire un effort surhumain de mémoire pour parvenir à se concentrer et se souvenir avant d'être capable de dire :

— On m'affirme qu'à en croire les autorités les mieux établies c'est une substance simple et par conséquent incorruptible. Elle serait immortelle, si je comprends bien, n'était la possibilité de son annihilation par sa Cause Première, Qui, d'après tout ce que j'en entends, est tout à fait capable de l'ajouter au nombre de Ses autres bonnes blagues, *corruptio per se* et *corruptio per accidens*[44] étant toutes deux exclues par l'étiquette de la cour.

M. Bloom était profondément en accord avec la teneur générale de tout ceci quoique la *finesse* mystique ici à l'œuvre laissât quelque peu patauger ses capacités sublunaires néanmoins il se sentait tenu de soulever une objection quant au mot simple, répliquant promptement :

— Simple ? Je ne suis pas d'avis que ce soit le mot qui convienne. Bien sûr, je vous l'accorde, pour vous concéder un point, il arrive que l'on tombe sur une âme simple tous les trente-six du mois. Mais ce à quoi je veux absolument arriver est que c'est une chose par exemple d'inventer ces rayons comme Röntgen, ou le télescope comme Edison, bien que je croie que c'était avant lui, Galilée c'était lui, je veux dire, la même chose s'applique aux lois, par exemple, d'un phénomène naturel aux implications lourdes de conséquences tel que l'électricité mais c'est une tout autre paire de manches de déclarer croire en l'existence d'un Dieu surnaturel.

— Oh, mais cela, remontra Stephen, a été démontré de façon décisive en plusieurs des passages les plus fameux des Écritures Saintes, pour ne rien dire des preuves secondaires.

Sur cet épineux sujet, quoi qu'il en fût, les vues du couple, à des pôles opposés l'un de l'autre, autant par l'éducation que par tout le reste, compte tenu de la différence prononcée de leurs âges respectifs, se heurtèrent.

— Démontré ? objecta le plus expérimenté des deux, accroché à son objection de départ. Je n'en suis pas si sûr. C'est une affaire où chacun a son opinion personnelle et, sans faire intervenir ici le côté sectaire de la question, permettez-moi d'être d'un avis différent *in toto* là-dessus. Ce que je crois, pour dire la vérité sans fard aucun, c'est que ces passages sont des faux authentiques tous ajoutés par les moines très vraisemblablement ou c'est encore la grande question de notre poète national, qui précisément les a écrites, comme *Hamlet* et Bacon, ainsi que vous qui connaissez votre Shakespeare infiniment mieux que moi, bien sûr je n'ai pas besoin de vous le dire. Il ne passe pas ce café, au fait ? Laissez-moi le remuer. Et prenez un morceau de ce bun. On dirait une des briques de notre skipper sous un déguisement. Reste pas moins que personne ne peut donner ce qu'il n'a pas. Tenez voir.

— Impossible, parvint à sortir Stephen, ses organes mentaux pour l'instant se refusant à dicter davantage.

La critique faisant proverbialement mauvais genre, M. Bloom jugea tout indiqué de remuer, ou de tenter de le faire, le sucre collé au fond et réfléchit avec un sentiment proche de l'acrimonie au Café Palace et à sa campagne pour la tempérance (de surcroît lucrative). À n'en pas douter c'était un objectif légitime et au-delà des accords ou désaccords c'était hautement bénéfique. Des abris tels que celui où ils se trouvaient à présent fonctionnaient sans servir d'alcool à l'usage de ceux qui traînent la nuit, avec concerts, soirées théâtrales et conférences instructives (entrée libre) données par gens qualifiés pour les classes inférieures. D'un autre côté, il avait gardé très présent à l'esprit le cuisant souvenir qu'ils avaient rémunéré sa femme, Madame Marion Tweedy dont l'engagement à leurs côtés avait été au premier plan, de façon très modeste vraiment pour jouer du piano. L'idée générale, était-il fortement enclin à penser, revenait à faire le bien et à engranger des profits, sans concurrence à proprement parler. Sulfate de cuivre toxique, SO_4[45] ou quelque chose dans des petits pois déshydratés se rappelait-il avoir lu dans une gargote quelque part mais impossible de se rappeler quand ni où. Quoi qu'il en soit, l'inspection, l'inspection sanitaire, de tous les comestibles, lui semblait plus que jamais nécessaire ce qui peut-être expliquait la vogue du Vi-Cacao du Dr Tibble en raison des analyses sanitaires impliquées.

— Allez lancez-vous, se risqua-t-il à dire du café une fois remué.

Ainsi convaincu d'au moins le goûter, Stephen souleva la lourde moque de la mare brune d'où elle clopa en se décollant par l'anse et avala une gorgée du répugnant breuvage.

— N'empêche, c'est de la nourriture solide, le pressa son bon génie, je suis très à cheval sur la nourriture solide, sa seule et unique raison n'étant en rien la goinfrerie mais des repas réguliers sont la condition *sine qua non* pour bien travailler, travaux intellectuels comme manuels. Vous devriez manger davantage de nourriture solide. Vous vous sentiriez un autre homme.

— Les liquides ça je peux manger, dit Stephen. Mais oh, faites-moi l'obligeance de ranger ce couteau. Je n'en supporte pas la pointe. Ça me fait penser à l'histoire romaine[46].

M. Bloom fut prompt à s'exécuter et mit l'article incriminé hors de vue, couteau ordinaire émoussé à manche de corne avec rien de très romain ni antique pour le regard du novice, à observer que la pointe en était le point le moins remarquable.

— Les histoires de notre ami commun sont à son image, remarqua, *à propos* de couteaux, M. Bloom à son *confidante sotto voce*. Vous croyez qu'elles sont véridiques ? Il est capable de débiter ses histoires sans jamais s'arrêter durant toute la nuit et de mentir comme il respire. Regardez-le.

Pourtant encore, bien que ses yeux fussent gonflés par le sommeil et l'air du large, la vie était emplie d'une multitude de choses et de coïncidences d'une nature effroyable et c'était tout à fait dans les bornes du possible que l'ensemble ne soit pas fabriqué de toutes pièces quoique de prime abord paraissent minces les probabilités intrinsèques que toutes les salades qu'il déballait soient strictement paroles d'évangile.

Il avait entre temps jaugé l'individu se dressant devant lui et l'avait Sherlockholmisé de pied en cap, dès l'instant où ses yeux s'étaient fixés sur lui. Quoique homme bienconservé à l'énergie peu commune, même si un poil chauve, il y avait quelque chose de douteux dans sa dégaine qui fleurait bon la sortie de taule et il ne fallait pas faire violence à l'imagination pour ranger ce spécimen au look si étrange au sein de la confrérie des menottes et du mitard. Il pourrait même bien avoir buté son homme, à supposer que ce soit de son cas qu'il ait parlé, comme on le fait souvent en prêtant aux autres, à savoir qu'il l'avait lui-même tué et avait tiré ses quatre ou cinq années à la fleur de l'âge dans un sombre cachot pour ne rien dire du personnage d'Antonio (sans aucune relation avec le personnage dramatique de nom identique sorti de la plume de notre poète national) qui expia ses crimes de la manière mélodramatique décrite plus haut[47]. D'un autre côté, ça n'était peut-être que du flan, faiblesse toute pardonnable, parce que tomber sur de parfaits badauds, des citoyens de Dublin, tels ces cochers à l'affût des nouvelles du monde, tenterait n'importe quel vieux marin ayant bourlingué sur les océans de broder tout son saoul à propos du schooner *Hesperus*[48] et *etcœtera*. Et on dira tout ce qu'on voudra, les mensonges qu'un type pouvait raconter à son propos ne viendraient pas à la cheville, comme dit l'autre, des énormités en série que d'autres types forgeaient sur lui.

— Remarquez, je ne suis pas en train de dire que tout n'est que pure invention, reprit-il. Des scènes analogues peuvent à l'occasion, sinon très fréquemment, se rencontrer. Les géants, cependant, il faut se pousser pour en voir une fois de temps en temps. Marcella, reine des lilliputiens. Parmi les figures de cire à Henry street j'ai moi-même vu des Aztèques, ainsi qu'on les nomme, assis en tailleur[49]. Pas moyen d'allonger les jambes même contre espèces sonnantes parce que ces muscles-là, voyez-vous, poursuivit-il, suivant du doigt une courte ligne, les tendons ou ce que vous voulez, derrière le genou droit, sont absolument vidés de toute force à rester assis comme ça contractés tout ce temps, adorés comme des dieux. Voilà un exemple supplémentaire d'âme simple.

Cependant, pour en revenir à notre compère Sinbad et à ses horrifiques aventures (qui évoquaient pour lui quelque peu Ludwig, *alias* Ledwige[50], lorsqu'il tenait l'affiche du Gaiety lorsque Michael Gunn se distingua à la production du *Vaisseau fantôme*, succès stupéfiant, et que ses hordes d'admirateurs se déversaient en masse, tout un chacun affluant pour l'entendre bien que les bateaux quels qu'ils soient, fantômes ou l'inverse, sur scène généralement tombent à plat tout comme les trains), il n'y avait là rien de foncièrement incompatible, concéda-t-il. Tout au contraire, la touche du coup de poignard dans le dos était tout à fait dans le style des Ritals, quoique en vérité il n'en eût que plus de latitude pour reconnaître que ces vendeurs de glaces ou de fritures genre poissons, sans oublier la variété frites *e tutti quanti*, là-bas du côté de little Italy, vers la Coombe, étaient des types frugaux économes travailleurs sauf peut-être à s'adonner un peu trop volontiers à la chasse alimentaire de ces inoffensifs autant qu'utiles membres de la gent féline appartenant à d'autres en nocturne de façon à se procurer de la très bonne bouffe agrémentée de l'ail *de rigueur* sans distinction du sexe de la bête pour le lendemain en douce et, ajouta-t-il, à l'œil.

— Les Espagnols, par exemple, continua-t-il, des tempéraments de feu de ce genre, chauds comme la braise de l'enfer, sont prompts à se faire justice eux-mêmes et à vous filer votre quitus tranquille vite fait avec un de ces poignards qui ne les quittent pas dans l'abdomen. Ça vient de la très grande chaleur, le climat généralement parlant. Ma femme est, si l'on veut, espagnole, pour moitié c'est-à-dire. Le fait est qu'elle pourrait demander la nationalité espagnole si elle le souhaitait, étant née en (techniquement) Espagne, précisément Gibraltar. Elle a le type espagnol. Très mate, la vraie brune, jais. Moi, pour ma part, je crois sans le moindre doute que le climat rend compte du caractère. C'est pour ça que je vous ai demandé si vous écriviez vos poèmes en italien.

— Les tempéraments rencontrés à l'entrée, interjeta Stephen, se montraient très passionnés pour dix shillings. *Roberto ruba roba sua*[51].

— Absolument, fit M. Bloom en écho.

— Et puis, dit Stephen, l'œil fixe et se lançant à part lui ou à l'intention d'un auditeur inconnu quelque part, nous avons l'impétuosité de Dante et le triangle isocèle, Miss Portinari, dont il est tombé amoureux, Leonardo et san Tommaso Mastino[52].

— C'est dans le sang, concéda immédiatement M. Bloom. Tous sont lavés dans le sang du soleil. Coïncidence, j'étais justement au Musée de Kildare street ce jour, peu de temps avant notre rencontre, si je peux m'exprimer ainsi, et je regardais juste les statues antiques. Les proportions remarquables des hanches, de la poitrine. On ne peut pas dire qu'on tombe tous les jours ici sur des femmes comme ça. Une exception par-ci par-là. Pas mal, oui, jolies dans leur genre on peut l'accorder, mais ce dont je parle c'est de la forme féminine. En plus, elles montrent tellement peu de goût dans leur toilette, la plupart, ce qui met considérablement en valeur la beauté naturelle d'une femme, quoi qu'on en dise. Des bas qui grimacent — c'est peut-être, nul doute, un petit faible chez moi, mais bon c'est une chose que je déteste cordialement.

L'intérêt, cependant, commençait à fléchir un peu alentour et les autres se mirent à discuter d'accidents en mer, de bateaux perdus dans le brouillard, de collisions avec des icebergs, tout le bazar. Voilàtribord, bien sûr, avait son mot à dire. Il avait doublé le cap un bon paquet de fois et essuyé la mousson, une sorte de vent, dans les mers de Chine et tout au long de ces périls de la grande bleue il y avait une chose, déclara-t-il, qui l'avait soutenu toujours, ou quelque chose comme ça, une pieuse médaille qu'il avait sur lui l'avait sauvé.

Alors ensuite après la conversation dériva sur l'épave de Daunt's rock, épave de cet infortuné trois-mâts barque norvégien — personne ne pouvait plus se rappeler du nom et puis le cocher qui avait vraiment un air de Henry Campbell s'en souvint, *Palme*, sur Booterstown Strand, tout le monde en parlait cette année-là (Albert Williams Quill a écrit une très belle pièce originale en vers aux qualités remarquables sur le sujet pour l'*Irish Times*[53]) déferlantes la balayant et des foules incroyables sur le rivage sous le choc pétrifiées d'horreur. Puis quelqu'un dit quelque chose concernant l'affaire du vapeur le *Lady Cairns* de Swansea, éperonné par la *Mona*, qui tirait un bord opposé, par un temps plutôt lourd et perdu corps et biens. Aucun secours ne fut apporté. Son capitaine, celui de la *Mona*, déclara qu'il avait craint que ses caissons de sécurité ne cèdent. Il n'y avait pas d'eau, selon toute apparence, dans la cale.

À ce stade un incident se produisit. Comme c'était devenu nécessaire pour lui d'écoper la cale, le marin libéra sa chaise.

— Laisse-moi passer par bâbord devant, mon pote, dit-il à son voisin, qui était juste en train de piquer du nez tranquillement.

Il se bougea lourdement, lentement, dans son allure de petit râblé jusqu'à la porte, descendit lourdement la seule marche conduisant hors de l'abri et tira sur la gauche. Tandis qu'il était occupé à prendre le cap, M. Bloom, qui avait remarqué lorsqu'il s'était levé qu'il avait deux flasques de tafia vraisemblablement sortant de chacune de ses poches pour l'alimentation personnelle de sa chaudière privée, le vit dégainer une bouteille et en ôter le bouchon, de liège ou à vis, et, appliquant le goulot entre ses lèvres, s'envoyer une bonne rasade kiravit dans un glouglou. L'incorrigible Bloom, qui soupçonnait fort sagacement que le vieux filou s'était lancé dans une manœuvre suivant la contrattraction de forme féminine, qui, cependant, s'était volatilisée à toutes fins utiles, était à peu près à même, en plissant les yeux, de l'apercevoir, dûment rafraîchi par son exploit du punch-rhum, regardant bouche bée les piles et le tablier de la Loop Line, un peu déboussolé, étant donné que bien sûr tout avait radicalement changé depuis sa dernière venue et en bien. Un ou plusieurs individus invisibles l'orientèrent vers l'urinoir hommes érigé par le comité de salubrité publique comme un peu partout à cet usage mais, au bout d'un bref laps de temps durant lequel le silence régna sans partage, le marin, selon toute évidence passant trop au large, se soulagea dans une crique plus proche, l'évacuation des eaux de cale quelque temps subséquemment éclaboussa le sol et peut-on croire réveilla un cheval de la station. Un sabot écopa quoi qu'il en soit pour retrouver la terre ferme au réveil et un harnais tinta. Légèrement dérangé dans sa guérite près du brasero de coke qui ronflait, le gardien des pierres de la municipalité, qui quoique bien cassé et à la ramasse, n'était nul autre dans la triste réalité que le susdit Gumley, maintenant presque à la soupe populaire, à qui avait été donné ce boulot temporaire par Tobin[54] selon toute humaine vraisemblance, mû par la voix de l'humanité, le connaissant d'avant — se retourna et s'agita dans sa guérite avant de disposer ses membres à nouveau dans les bras de Morphée. Vraiment un exemple ahurissant de déveine dans sa forme la plus virulente pour un type issu d'une famille des plus respectables et accoutumé à tout le confort domestique sa vie durant qui pointait à un revenu sympa de £100 par an passé un temps que bien sûr cet âne bâté s'arrangea pour balancer par les fenêtres. Et le voici arrivé au bout du rouleau après avoir en maintes circonstances vu des éléphants passablement roses, sans un traître sou en poche. Il buvait, inutile de le préciser, et cela donnait de l'eau au moulin de la morale alors qu'il aurait pu très facilement être dans une situation financière très saine si — un énorme si, toutefois — il était parvenu à se guérir de son penchant particulier.

Tous, pendant ce temps, déploraient bruyamment le déclin de la flotte irlandaise, cabotage et au long cours tout autant, ce qui faisait partie intégrante du même problème. Un navire Palgrave Murphy avait été mis à l'eau au bassin Alexandra, le seul lancement cette année. Bien sûr les ports étaient là seulement aucun bateau ne s'y présentait jamais.

Il y a naufrage et naufrage, dit le tenancier, qui était évidemment *au fait*.

Ce qu'il voulait tirer au clair c'était pourquoi ce bateau était allé se flanquer en plein sur le seul rocher de la baie de Galway alors que le projet de port pour Galway avait été soumis à discussion par un certain M. Worthington ou un nom comme ça, hein ? Demandez un peu au capitaine d'alors, les engagea-t-il, combien il s'en est mis dans les fouilles de l'argent des Anglais pour son petit boulot ce jour-là. Capitaine John Lever de la ligne Lever[55].

— Pas vrai, skipper ? s'enquit-il auprès du marin maintenant de retour après sa libation privée et ses autres exercices.

Cet estimable personnage, flairant quelque chose dans le sillage de la chanson ou plutôt des paroles, beugla avec un brio discutable mais avec furia une chanson à virer en secondes ou en tierces. L'oreille exercée de M. Bloom l'entendit alors recracher la chique très probablement (c'était bien ça), de sorte qu'il avait dû la coller un moment dans le creux de la main tandis qu'il buvait un coup et en pissait un autre et l'avait trouvée un peu amère après l'eau de feu en cause. Quoi qu'il en fût le voilà débaroulant après sa libation-biberonnade couronnée de succès, amenant avec lui une atmosphère de beuverie dans cette *party*, chantant à tue-tête, en digne héritier d'un maître-queue :

— *Les biscuits c'était de la camelote,*
Et le bœuf bien plus salé
Qu'le cul d'la femme de Lot.
Oh Johnny Lever !
Johnny Lever, oh[56] *!*

Épanchement après lequel le redoutable spécimen dûment entré en scène, regagnant son siège, s'effondra plus qu'il ne s'assit sur le banc à disposition. Écorchèvre, en admettant que ce soit lui, évidemment prêchant pour sa paroisse, exprimait ses doléances dans une philippique aussi véhémente que faiblarde concernant les ressources naturelles de l'Irlande, ou quelque chose de la sorte, qu'il décrivait dans son long exposé comme le pays le plus riche sans exception aucune de la création divine, de bien loin supérieure à l'Angleterre, du charbon en abondance, pour six millions de livres en exportations de porc chaque année, dix millions entre le beurre et les œufs, et toutes ces richesses pompées par l'Angleterre levant des impôts sur le pauvre peuple qui se saignait toujours, et s'empiffrant la meilleure viande sur le marché, et encore beaucoup de bavasseries de la même veine. Leur conversation en conséquence prit un tour plus général et tous s'accordaient que tels étaient les faits. On pouvait faire pousser n'importe quoi bon dieu sur le sol irlandais, déclara-t-il, et même que le Colonel Everard là-bas vers Navan faisait pousser du tabac[57]. Où pourrions-nous trouver quelque chose de comparable au bacon irlandais ? Mais le jour des règlements de comptes, déclara-t-il *crescendo* sans que sa voix fléchisse jamais — monopolisant complètement la conversation — allait venir pour la puissante Angleterre, en dépit du pouvoir de son fric en raison de ses crimes. Chute il y aurait et la plus retentissante de toute l'histoire. Les Allemands et les Japs allaient avoir leur petit mot à dire, affirma-t-il. Les Boers annonçaient le début de la fin. L'empire des pires menteurs vacillait déjà et l'Irlande signerait sa ruine, son talon d'Achille, ce qu'il leur expliqua à propos du point vulnérable d'Achille, le héros grec — un point dont son auditoire immédiatement s'empara vu qu'il les tint en haleine en montrant ledit tendon sur sa chaussure. Son conseil à l'usage de chaque Irlandais était : restez sur votre terre natale et travaillez pour l'Irlande et vivez pour l'Irlande. L'Irlande, disait Parnell, ne saurait se passer d'un seul de ses fils[58].

Un silence général marqua la conclusion de son *finale grandioso*. L'imperturbable navigateur avait entendu ces nouvelles sinistres sans s'émouvoir.

— C'est pas gagné, *boss*, riposta la brute au grand cœur visiblement un peu piquée en réponse au truisme précédent.

À cette douche froide, faisant référence à la chute *et cætera*, le tenancier acquiesça mais néanmoins campa sur ses positions.

— C'est qui les meilleurs soldats dans l'armée ? interrogea, courroucé, le vieux vétéran grisonnant. Et les meilleurs sauteurs et coureurs ? Et les meilleurs amiraux et généraux que nous ayons ? Dites-moi un peu.

— Les Irlandais ma foi, rétorqua le cocher de fiacre qui ressemblait à Campbell, les marques sur le visage mises à part.

— Tout juste, corrobora le vieux corsaire. Le paysan catholique irlandais. La colonne vertébrale de notre empire. Connaissez Jem Mullins[59] ?

Tout en le laissant libre de ses opinions personnelles, comme pour tout un chacun, le tenancier ajouta qu'il s'en fichait de l'empire, nôtre ou sien, et tenait un Irlandais pour indigne de son nom s'il le servait. Puis ils commencèrent à échanger quelques mots irascibles, quand ça se mit à chauffer, les deux, ça va sans dire, en appelant aux auditeurs qui suivaient les passes d'armes avec intérêt pour autant qu'ils ne se répandaient pas en récriminations et n'en venaient pas aux mains.

Se basant sur des informations de première main recueillies pendant un certain nombre d'années

M. Bloom était plutôt enclin à faire fi de tout ce laïus pures balivernes car, en attendant la consommation de toutes choses que l'on peut sincèrement vouloir être ou ne pas être, il était pleinement conscient du fait que leurs voisins de l'autre côté de la mer, à moins d'être de plus grands idiots que ce qu'il ne pensait, avaient plutôt tendance à dissimuler leur force que l'inverse. C'était tout à fait dans la même logique de cette pensée digne de Don Quichotte entretenue dans certains milieux selon laquelle dans cent millions d'années la veine charbonnière de l'île sœur serait épuisée et si, avec le temps, il se révélait que c'était le sens où le vent soufflait tout ce qu'il avait personnellement à dire sur la question était qu'une foule d'événements liés aux contingences, tous également déterminants, pouvaient se produire auparavant alors il était hautement conseillé dans l'*interim* de tenter de tirer le meilleur parti des deux pays, bien qu'aux pôles opposés. Autre petit point intéressant, les amours des putains et des bidasses, pour le dire en termes communs, lui remirent à l'esprit que les soldats irlandais avaient aussi fréquemment combattu pour l'Angleterre que contre elle, plus, en fait. Et maintenant, pourquoi ? Ainsi la scène entre les deux hommes, le tenancier des lieux, réputé être ou avoir été Fitzharris, le célèbre invincible, et l'autre, de toute évidence bidon, marchait tranquillement dans l'arnaque, à supposer, c'est-à-dire, que tout était truqué d'avance, lui l'observateur sondant l'âme humaine, s'il en fut, les autres aveuglés par le jeu. Et quant au titulaire du bail ou gérant, qui probablement n'était nullement l'autre personne, il (B.) ne pouvait s'empêcher de penser, et de la meilleure manière, qu'il valait mieux jouer avec ces gens la fille de l'air à moins d'être un parfait couillon et refuser d'avoir quoi que ce soit à faire avec eux pour règle d'or de son existence ainsi qu'à leurs trahisons-coups-montés, pouvant toujours exister la possibilité que débarque Dannyman l'indic apportant la preuve à charge sur le plateau du procureur de la reine — ou du roi, maintenant — comme Denis ou Peter Carey, une idée qui lui répugnait absolument. Tout à fait à part ça, il détestait les professionnels des mauvais coups et du crime par principe. Quoique son cœur n'eût jamais abrité de telles propensions criminelles sous quelque forme ou aspect, il ressentait bel et bien sans l'ombre d'un doute, inutile de nier (tout en demeurant au fond ce qu'il était), une certaine espèce d'admiration pour un homme qui avait véritablement brandi un couteau, acier froid, avec le courage de ses convictions politiques (quoique, personnellement, il n'adhérerait jamais à un tel projet), même ressort que les vendettas amoureuses du sud — l'avoir elle ou mourir sur le gibet pour elle — quand le mari fréquemment, après quelques mots échangés entre les deux concernant ses relations avec l'autre heureux élu (lui ayant fait surveiller le couple), infligeait de fatales blessures à son adorée en conséquence d'une *liaison* postnuptiale secondaire en lui plongeant son couteau dans le corps et puis justement ça le frappa que Fitz, surnommé Écorch, n'avait fait que conduire la voiture pour ceux qui avaient réellement perpétré l'attentat et donc n'était pas, s'il était convenablement informé, réellement partie prenante de l'embuscade ce qui, d'ailleurs, fut l'argument avancé par une lumière du barreau pour sauver sa peau. De toute façon c'était de l'histoire très ancienne maintenant et pour ce qui est de notre ami, le pseudo-Écorch-etcetera, il avait clairement dépassé son bail. Il aurait dû soit mourir naturellement soit finir haut et court. Comme les actrices, toujours les adieux — vraiment la toute dernière représentation et puis elles se radinent la bouche en cœur. Généreuses à l'excès, bien sûr, fantasques, pas d'économies ou autre idée de ce genre, toujours à lâcher la proie pour l'ombre. Ainsi de la même façon son petit doigt lui disait que M. Johnny Lever s'était délesté de quelques £. s. d. au cours de ses déambulations vers les docks dans l'ambiance conviviale de la taverne *Old Ireland*, reviens à Erin et patati. Et puis quant aux autres, il avait ouï pas très longtemps avant le même jargon tout craché, ainsi qu'il raconta à Stephen la manière très simple mais imparable dont il avait mouché le malotru.

— Il prit ombrage pour une raison ou une autre, déclara cette personne objetdetantdoutrages mais au demeurant dhumeurégale, j'ai laissé glisser. Il m'a traité de juif, et d'une manière très virulente, insultante. Alors moi, sans perdre de vue les faits d'un *iota*, je lui ai dit que son Dieu, je veux dire le Christ, était juif lui aussi, et toute sa famille, comme moi, bien qu'en réalité je ne le sois pas. Ça l'a séché. La parole douce détourne la colère[60]. Ça lui a coupé le sifflet, ça tout le monde l'a vu. J'ai pas raison ?

Il dirigea un long vous avez tort regard sur Stephen de sombre orgueil craintif à la douce accusation, avec une pointe aussi de supplication car il lui sembla saisir d'une certaine manière que ce n'était pas complètement…

— *Ex quibus*, marmonna Stephen sur un ton détaché, leurs deux, ou quatre yeux en pleine conversation, *Christus* ou Bloom de son nom, ou, après tout, n'importe qui d'autre, *secundum carnem*[61].

— Bien sûr, voulut faire remarquer M. B., on doit considérer les deux côtés de la question. Il est difficile de poser des règles strictes pour distinguer ce qui est juste de ce qui ne l'est point mais des possibilités d'amélioration des choses en tout il y en a certainement quoique toute nation, dit-on, la nôtre, affligeante[62], incluse, ait le gouvernement qu'elle mérite. Mais avec un peu de bonne volonté en toutes choses. C'est bien beau de vanter sa supériorité mutuelle mais que diriez-vous d'une égalité mutuelle ? Je déteste la violence et l'intolérance sous toutes leurs formes. Ça ne mène à rien et ça n'empêche rien. Une révolution doit arriver par mensualités. C'est une absurdité patente au premier coup d'œil de haïr des gens parce qu'ils habitent la porte à côté et parlent une autre langue indigène, façon de parler.

— Mémorable bataille du pont sanglant et guerre de sept minutes, acquiesça Stephen, entre Skinner's alley et Ormond market.

Oui, approuvait M. Bloom sans réserve, souscrivant complètement à cette remarque, c'était absolument juste et le monde était plein de ce genre de chose.

— Vous m'avez ôté les mots de la bouche, dit-il. Un attrapenigauds de faits contradictoires qu'en toute bonne foi on ne saurait même de loin…

Toutes ces misérables querelles, à son humble avis, réveillant de mauvais instincts — la bosse de l'agressivité ou quelque autre glande, à tort supposée se rapporter à de minuscules points d'honneur et à un drapeau — étaient très largement une question d'argent question qui est le nerf de la guerre, cupidité et jalousie, les gens qui ne savent pas s'arrêter.

— On accuse, fit-il remarquer audiblement.

Il se détourna des autres, qui probablement… et parla de plus près, pour que les autres… au cas où ils…

— Les juifs, glissa-t-il doucement en aparté à l'oreille de Stephen, sont accusés d'être source de ruine. Pas une ombre de vérité là-dedans, je peux l'assurer. L'histoire — seriez-vous surpris de l'apprendre ? — prouve jusqu'à plus soif que l'Espagne a décliné du moment où l'Inquisition a pourchassé les juifs hors du pays et que l'Angleterre a prospéré quand Cromwell, canaille d'une habileté peu commune, qui, à bien des égards, doit répondre de beaucoup de choses, les a importés[63]. Pourquoi ? Parce qu'ils sont doués d'un esprit bien tourné. Ils ont le sens pratique et c'est prouvé. Je ne veux pas me livrer à un quelconque... parce que vous connaissez les ouvrages de référence sur la question, et puis, orthodoxe comme vous l'êtes[64]... Mais dans le domaine économique, laissons de côté la religion, le prêtre ça signifie la pauvreté. L'Espagne, vous l'avez vue pendant la guerre, comparée à l'Amérique qui fonce droit devant[65]. Les Turcs, eux c'est dans le dogme. Parce que s'ils ne croyaient pas qu'ils vont droit au ciel quand ils meurent ils essaieraient d'avoir une vie meilleure — en tout cas, c'est ce que je pense. C'est le tour de passepasse avec lequel les curetons ramassent le fric sous des prétextes bidon. Je suis moi, reprit-il, avec une force dramatique, un aussi bon Irlandais que ce malotru dont je vous ai parlé au début et je veux voir chacun, conclut-il, toutes confessions et toutes classes confondues au *pro rata* jouissant d'un revenu gentiment confortable, sans mesquinerie non plus, quelque part dans les environs de £300 par an. C'est la question d'importance vitale qui est en jeu et c'est faisable et susciterait des rapports plus amicaux entre l'homme et l'homme. Du moins c'est mon idée qui vaut ce qu'elle vaut. C'est cela que j'appelle le patriotisme. *Ubi patria*, comme nous en avons appris quelques bribes du temps de nos classiques à l'*Alma Mater, vita bene*[66]. Là où vous pouvez vivre bien, le sens en est, si l'on travaille.

Penché sur son ersatz inavalable de café, écoutant ce synopsis des choses en général, Stephen ne regardait rien en particulier. Il pouvait entendre, certes, toutes sortes de mots changeant de couleurs comme les crabes vers Ringsend le matin, s'enfouissant rapidement dans toutes les couleurs des différentes variétés d'un même sable où ils avaient un gîte quelque part là-dessous ou le paraissaient. Puis il leva la tête et vit les yeux qui disaient ou ne disaient pas les mots que la voix qu'il entendait disait — si l'on travaille.

— Comptez pas sur moi, parvint-il à dire, voulant parler du travail.

Les yeux furent surpris par cette observation, parce que comme lui, la personne qui en avait la propriété *pro tempore*[67] l'avait observé, ou plutôt, comme sa voix qui parlait l'avait fait : Tous doivent travailler, il le faut, ensemble.

J'entends, bien sûr, s'empressa d'affirmer l'autre, le travail au sens le plus large possible. Également le labeur littéraire, et pas seulement pour les lauriers qu'il procure. Écrire pour les journaux qui sont le canal le plus commode de nos jours. C'est du travail aussi. Un travail important. Après tout, du peu que je sais de vous, après tout l'argent dépensé pour vos études, vous avez bien le droit de vous refaire et d'exiger votre prix. Vous avez bien tout autant le droit de vivre de votre plume en quête de votre philosophie que le paysan. Et quoi ? Vous appartenez tous deux à l'Irlande, le cerveau et les biscotos. Chacun a une égale importance.

— Vous supposez, répliqua Stephen avec une sorte de demi-rire, que je pourrais bien être important parce que j'appartiens au *faubourg Saint-Patrice* aussi nommé Irlande pour faire bref[68].

— J'irais même plus loin, insinua M. Bloom.

— Mais moi je suppose, interrompit Stephen, que l'Irlande doit bien être importante puisqu'elle m'appartient.

— Qu'est-ce qui appartient ? s'enquit M. Bloom,

s'inclinant, imaginant qu'il était peut-être victime d'un malentendu. Excusez-moi. Malheureusement je n'ai pas saisi la dernière partie. Qu'est-ce que vous ?...

Stephen, clairement malviré, répéta et écarta sa moque de café, ou tout autre vocable que vous voudriez utiliser, pas très poliment, ajoutant :

— Nous ne pouvons pas changer le pays. Changeons de sujet.

À cette pertinente suggestion, M. Bloom, pour changer de sujet, baissa les yeux, mais en plein dilemme, étant donné qu'il ne savait pas exactement quoi penser de cet appartient qui semblait venir de loin. Cette sorte de rebuffade était plus claire que le reste. Ça va sans dire, les vapeurs de sa récente orgie parlaient alors non sans rugosité d'une manière curieuse amère, étrangère à ce qu'il était à jeun. Probablement, la vie de famille à laquelle M. B. attachait la plus haute importance, ne lui avait pas donné tout ce dont il avait besoin ou alors il n'avait pas fréquenté les bonnes personnes. Avec une pointe de peur pour le jeune homme à ses côtés, qu'il scrutait furtivement avec quelque consternation se souvenant qu'il rentrait juste de Paris, les yeux plus particulièrement évoquant fortement pour lui le père et la sœur, ne parvenant pas à faire beaucoup de lumière sur le sujet, cependant, il se rappela les exemples de types cultivés promis à un avenir brillant, tués dans l'œuf d'une déchéance prématurée et qui ne pouvaient s'en prendre qu'à eux-mêmes. Par exemple, il y avait le cas de O'Callaghan, entre autres, à moitié cinglé avec ses toquades, bonne famille, quoique désargentée, avec ses folles excentricités, parmi lesquelles joyeusetés quand complètement rond et se rendant insupportable à tout le monde il avait l'habitude d'ostensiblement arborer un costume en papier d'emballage (authentique). Et puis le *dénouement* usuel après s'en être donné tellement à cœur joie il s'est retrouvé dans de sales embrouilles et dut être évacué d'urgence par des amis, après un bon coup de semonce (mais il n'est pire sourd) de John Mallon de Lower Castle Yard, de façon à ne pas tomber sous le coup de la section II du Criminal Law Amendment Act[69], certains noms des assignés figurant dans la procédure mais n'étant pas divulgués, pour des raisons qui tomberont sous le sens de ceux qui ont un minimum de jugeote. En bref, si deux et deux font quatre, six seize, à quoi il fit la sourde oreille, Antonio et compagnie, jockeys esthètes tatouage ce qui faisait fureur dans les années soixante-dix ou par là, même à la Chambre des Lords, parce que de bonne heure l'occupant du trône, alors héritier désigné, les autres membres de la haute et autres personnages importants ne faisant que marcher sur les traces du chef de l'État[70], il médita sur les égarements des notables et des têtes couronnées allant à rebours de la moralité comme dans l'affaire Cornwall[71] un certain nombre d'années auparavant sous leur vernis d'une manière guère prévue par la nature, chose que la très respectable Mme Grundy[72], la loi étant ce qu'elle était, réprouvait sans réserve, quoique pas pour la raison qu'ils imaginaient probablement, quelle qu'elle fût, sauf les femmes surtout, qui passaient sans arrêt leur temps à se tripoter plus ou moins, étant donné que c'est largement une affaire de toilette et tout le tremblement. Les dames qui aiment des dessous personnalisés devraient, et tout homme d'élégance le doit, en essayant de creuser le fossé qui les sépare par quelques sous-entendus et en donnant un véritable coup de fouet aux actes d'indécence entre eux, elle lui a déboutonné son à lui et puis il lui a détaché son à elle, attention à l'épingle, tandis que les sauvages des îles cannibales, disons, à quarante à l'ombre ont d'autres chats à fouetter. Cependant, pour en revenir au point de départ, il y en avait par ailleurs d'autres qui étaient arrivés tout en haut de l'échelle en démarrant de tout en bas à la force du poignet. Ça, c'est la pure vertu du génie naturel. Avec la matière grise, monsieur.

Pour ces raisons et d'autres il pensait que c'était de son intérêt et de son devoir même que d'attendre pour saisir l'opportunité inattendue, quoique pourquoi, il ne saurait pas vraiment le dire, étant, dans ces circonstances, déjà de plusieurs shillings de sa poche, ayant, en fait, choisi de l'être. Quand même, cultiver l'amitié de quelqu'un d'un calibre hors normes susceptible de nourrir sa réflexion rembourserait amplement de toute modeste… La stimulation intellectuelle en tant que telle était, à son avis, un tonique de premier ordre pour l'esprit. À quoi s'ajoutait la coïncidence de leur rencontre, les discussion, danse, bagarre, vieux flibustier, du genre aujourd'hui ici demain ailleurs, les noctambules, la constellation entière des événements, tout cela contribuait à fabriquer une miniature du monde où nous vivons, d'autant plus que la vie du *lumpen proletariat*, à savoir, mineurs, scaphandriers, éboueurs, etc., étaient beaucoup sous le microscope dernièrement. Pour tirer le meilleur parti de cette heure d'exception il se demanda s'il pouvait avoir un bonheur approchant celui de M. Philip Beaufoy si c'était mis par écrit. Supposons qu'il écrive quelque chose sortant des sentiers battus (comme c'était bien son intention) à une guinée la colonne, *Mes nuits*, voyons, *dans un Abri de Cochers*.

L'édition rose, supplément sportif, du *Telegraph*, télégraphient leurs mensonges, était posée, par un caprice du hasard, près de son coude et comme justement il se creusait encore les méninges, loin de les satisfaire, sur un pays qui lui appartient et sur le rébus précédent le vaisseau arrivait de Bridgewater et la carte postale portait l'adresse A. Boudin, quel est l'âge du capitaine, ses yeux parcoururent distraitement les diverses légendes qui relevaient tout particulièrement de son domaine, lomniscient donne-nous aujourd'hui notre presse quotidienne. D'abord il éprouva un certain choc[73] mais finalement c'était simplement quelque chose concernant quelqu'un s'appelant H. du Boyes, représentant en machines à écrire ou un truc comme ça. Grande bataille Tokyo. Idylle en irlandais £200 de dommages et intérêts[74]. Gordon Bennett. Escroquerie à l'Émigration. Lettre de Monseigneur William ✣. Rencontre d'Ascot, Coupe d'Or. La victoire de l'outsider *Jetsam* ranime les souvenirs du Derby de 92 qui vit l'outsider du Capitaine Marshall, *Sir Hugo*, s'emparer du ruban bleu déjouant tous les pronostics. Désastre de New York, un millier de victimes. Fièvre Aphteuse. Obsèques du regretté M. Patrick Dignam.

Alors pour changer de sujet il lut ce qu'il y avait sur Dignam, R. I. P., ce qui, pensa-t-il, n'était pas vraiment un coup d'envoi très guilleret.

— *Ce matin* (C'est Hynes qui l'a fait passer, bien sûr), *la dépouille mortelle du regretté M. Patrick Dignam a quitté son domicile, 9 Newbridge Avenue, Sandymount, pour rejoindre sa dernière demeure à Glasnevin. Le défunt était une figure sympathique et appréciée sur la scène locale et sa disparition, à la suite d'une brève maladie, a profondément affecté les citoyens de toutes conditions à qui sa présence manque déjà cruellement. Les obsèques, où de nombreux amis du défunt étaient présents, étaient confiées aux soins de* (sûr que quand Hynes l'a écrit Corny l'a poussé du coude) *la maison H.J. O'Neill & Fils, 164 North Strand Road. Parmi les personnes présentes figuraient : Patk.*

Dignam (fils), Bernard Corrigan (beau-frère), Jno. Henry Menton, avoc., Martin Cunningham, John Power mangeondph 1/8 ador dorador douradora (c'est là qu'il a dû appeler Monks le titreur pour la pub de Keyes), *Thomas Kernan, Simon Dedalus, Stephen Dedalus, B.A., Edw. J. Lambert, Cornelius T. Kelleher, Joseph M'C. Hynes, L. Boom, C.P. M'Coy — M'Intosh et bien d'autres encore.*

Piqué et pas qu'un peu par *L. Boom* (pour reprendre cette inexactitude) et la ligne de caractères salopés, mais mort de rire simultanément à cause de C.P. M'Coy et Stephen Dedalus, B.A., qui avaient brillé, inutile de le dire, par leur totale absence (pour ne rien dire de M'Intosh), L. Boom le montra à son compagnon B.A., occupé à réprimer un autre bâillement, à demi nerveux, sans oublier la moisson habituelle de non-sens à hurler de rire des coquilles.

— Est-ce que la première épître aux Hébreux[75], demanda-t-il, dès que sa mâchoire inférieure le lui permit, y est ? Texte : ouvre ton museau et prends-toi les pieds dedans.

— Oui, tout à fait, dit M. Bloom (quoique d'abord il se fût imaginé qu'il faisait allusion à l'évêque avant qu'il n'ajoute le truc sur les pieds et le museau avec quoi il n'y avait aucun rapport possible) enchanté de pouvoir laisser son esprit au repos et un peu scié par Myles Crawford qui finalement s'était débrouillé pour. Voilà.

Pendant que l'autre en faisait la lecture page deux Boom (empruntons pour l'heure son nouveau sobriquet) passa quelques instants de ce temps libre par intermittence avec le compte rendu de la troisième course d'Ascot page trois, son dada. Valeur 1000 souvs., avec 3000 de supplément en espèces. Pour jeunes étalons et pouliches, *Jetsam* de M. F. Alexander, ch. b. par *Rightaway* — Thrale, 5 ans, 60 kg (W. Lane)

1. *Zinfandel* de lord Howard de Walden (M. Cannon) 2. *Sceptre* de M. W. Bass, 3. Cotes *Zinfandel* à 5 contre 4, *Jetsam* à 20 contre 1 (pris). *Jetsam* et *Zinfandel* étaient au coude à coude. La course était complètement ouverte et puis cet outsider que personne n'attendait là est venu se placer en tête irrésistible, battant le jeune alezan de lord Howard de Walden et *Sceptre*, la pouliche baie de M. W. Bass sur une course de 2 miles 1/2. Vainqueur entraîné par Braime alors la version de Lenehan de l'affaire c'était que du pipeau. S'est facilement adjugé la victoire par une longueur. 1000 souvs. et 3000 cash. Également en course *Maximum II* de J. de Bremond (le canasson français pour lequel Bantam Lyons s'affairait tant pas encore arrivé mais attendu d'une minute à l'autre). Différentes façons de réussir un gros coup. Idylle, dommages et intérêts. Quoique ce crétin de Lyons ait pris la tangente dans son impatience à se faire oublier. Certes, le jeu par excellence suscite ce genre de choses malgré tout, comme ça s'est fini, le pauvre bougre n'avait pas de quoi se féliciter de son choix, dernier espoir. Un jeu de devinette rien de plus en définitive.

— Il y avait tous les signes qu'ils en arriveraient là, dit-il, M. Bloom.

— Qui ça ? l'autre, dont la main incidemment était blessée, dit.

Un beau matin, on ouvrirait le journal, affirma le cocher, et on lirait, *Le Retour de Parnell*. Il pariait ce qu'ils voulaient. Un fusilier de Dublin était ici dans l'abri un soir et dit qu'il l'avait vu en Afrique du Sud. L'orgueil c'est ce qui l'a tué. Il aurait dû en finir lui-même ou se mettre au vert un moment après le Committee Room N° 15 jusqu'à ce qu'il se refasse une santé avec personne pour le montrer du doigt. Alors comme un seul homme ils l'auraient supplié à genoux en se flagellant pour qu'il revienne quand il aurait toute sa tête. Mort, ça non. Simplement caché quelque part. Le cercueil qu'ils ont ramené était rempli de pierres. Il avait pris un nouveau nom, De Wet, le général boer. Son erreur fut de s'attaquer aux prêtres. Et patati et patata.

Malgré tout Bloom (son vrai blase) était plutôt surpris par leurs souvenirs car dans neuf cas sur dix c'était les plumes et le goudron, et pas individuellement mais par milliers, et puis l'oubli complet puisque ça faisait vingt ans et des poussières. Hautement improbable, certes, il y avait quand même un semblant de vérité dans ces histoires de pierres et, même à le supposer, il pensait que le retour n'était pas du tout une bonne idée, tout bien considéré. Quelque chose évidemment les agaçait dans sa mort. Ou bien il s'était éteint trop paisiblement d'une pneumonie aiguë juste alors que ses arrangements politiques multiples et variés avaient presque abouti[76] ou alors avait-il transpiré que sa mort il la devait à ce qu'il avait négligé de changer de chaussures et de vêtements après une radée alors un froid s'ensuivit et négligeant de consulter un spécialiste lui étant confiné dans sa chambre avant de finalement en mourir entouré de regrets unanimes avant qu'une quinzaine ne se soit écoulée ou très possible ils étaient profondément ennuyés de constater qu'ils n'avaient pas eu le temps de faire le travail eux-mêmes. Bien sûr personne n'étant au fait de ses mouvements même avant cela, il n'y avait aucune piste pour le localiser et la situation relevait décidément du *Alice, y es-tu*[77] ? même avant qu'il ne commence à se déplacer sous différents pseudonymes tels que Fox et Stewart[78], ainsi la remarque qui émanait du compère cocher pourrait se situer dans le royaume du possible. Naturellement donc, ceci a dû lui tortiller les méninges lui un leader né, et il l'était sans l'ombre d'un doute, et une figure imposante, six pieds ou en tout cas cinq pieds dix ou onze pouces en chaussettes, tandis que ces MM. Tartempion, qui ne lui arrivaient pas à la cheville, ont joué les coqs dans le poulailler après même s'il fallait se lever tôt pour voir leurs bons côtés[79]. Il y avait là assurément une morale à tirer, le colosse aux pieds d'argile. Et puis soixante-douze de ses hommes liges pour la curée se traînant tous mutuellement dans la merde. Et du pareil au même avec les meurtriers. On doit revenir — cette espèce de hantise en quelque sorte vous pousse — pour montrer à la doublure tenant le rôle titre comment on. Il l'avait vu une fois en ces fastes circonstances où ils brisèrent les plombs à l'*Insuppressible* ou était-ce le *United Ireland*[80], un privilège qu'il savait apprécier à sa juste valeur, et, à vrai dire, il lui avait rendu son drapeau-claque quand celui-ci avait été jeté par terre et il avait dit *Merci*, remué comme il l'était sans doute sous son air glacial en dépit de la petite mésaventure en question entre la coupe et les lèvres — chassez le naturel. Quand même, pour ce qui est des retours, fallait une veine de pendu pour qu'ils ne lâchent pas leurs pit-bulls la minute où tu revenais. Puis suivaient d'ordinaire beaucoup d'atermoiements. Tom pour et Dick et Harry contre. Et puis, primo, on tombait sur le propriétaire en titre et il fallait sortir ses justificatifs, comme le demandeur dans l'affaire Tichborne[81], Roger Charles Tichborne. *Bella* était le nom du bateau pour autant qu'il s'en souvenait dans lequel il, l'héritier, avait coulé, comme les témoignages le montrèrent, et il y avait un tatouage aussi à l'encre de Chine, Lord Bellew, non ? Comme il aurait très bien pu glaner les détails par un gars sur le bateau et puis, une fois équipé pour bien coller avec la description donnée, se présenter en disant, *Excusez-moi, je m'appelle Duschmole* ou quelque autre remarque qui ne mange pas de pain. Une démarche plus prudente, comme le dit Bloom au pas très démonstratif, en fait comparable au personnage distingué objet de la discussion à côté de lui, aurait consisté à sonder le terrain d'abord.

— Cette salope, cette pute anglaise, l'a eu[82], commenta le patron de la buvette. C'est elle qui a planté le premier clou sur le couvercle du cercueil.

— Beau petit lot, tout de même, remarqua le *soi-disant* greffier municipal, Henry Campbell, et un peu là. Elle a mis les jambes en coton à plus d'un homme. J'ai vu son portrait chez un coiffeur. Le mari était capitaine ou officier.

— Ah ouais, ajouta plaisamment Écorchèvre. Il l'était, du genre opérette.

Cette contribution désintéressée à caractère humoristique souleva certains rires soutenus dans son *entourage*. En ce qui concerne Bloom, lui, n'esquissant pas le moindre sourire, se contentait de regarder en direction de la porte et méditait sur cet événement historique qui avait suscité un intérêt extraordinaire à l'époque où les faits, pour ne rien arranger, furent rendus publics accompagnés des lettres affectueuses habituelles qu'ils échangeaient, pleines de petits mots tendres. D'abord, ce fut strictement platonique jusqu'à ce que la nature s'en mêle et un attachement grandit entre eux, avant que petit à petit les choses atteignent leur paroxysme et que l'affaire défraie la chronique jusqu'à ce que le coup fatal ne soit accueilli comme une heureuse nouvelle par bon nombre de gens maldisposés néanmoins, bien résolus à hâter sa chute quoique l'affaire fût de notoriété publique depuis le début quoique rien à voir avec les proportions exceptionnelles qu'elle atteignit par la suite. Puisque leurs noms étaient accouplés, cependant, puisqu'il était son favori déclaré, où était la nécessité impérieuse de le crier à la foule sur tous les toits, le fait nommément, qu'il avait partagé sa chambre, ce qui fut révélé à la barre des témoins sous serment créant un frisson qui parcourut la cour bondée littéralement les électrisant tous avec les témoins jurant l'avoir vu à telle et telle date précise en train de décamper d'un appartement à l'étage à l'aide d'une échelle dans le plus simple appareil, ayant pénétré de la même façon, fait que les hebdos, portés quelque peu sur le scabreux, firent tout simplement fructifier à des sommets. Alors que simplement l'affaire était une affaire de mari pas à la hauteur avec rien en commun en dehors du nom et puis un homme un vrai entre en scène, fort au point d'en être faible, succombant à ses charmes de sirène et oubliant les liens le liant à son foyer. La suite habituelle, se réchauffer aux sourires de l'être aimé. L'éternelle question de la conjugale vie, inutile de le préciser, surgit. Est-ce qu'un véritable amour, à supposer que débarque un autre larron dans l'affaire, peut exister entre personnes mariées ? Question épineuse. Quoique ce ne fût pas leur préoccupation première s'il la regardait avec affection emporté dans un vent de folie. Quel magnifique spécimen de virilité il faisait en vérité, doué évidemment de talents d'un ordre supérieur comparé à l'autre figurant en uniforme, du moins (qui était simplement du genre bonjour bonsoir, genre mon vaillant capitaine[83] dans les dragons légers, le 18e de hussards pour être précis), et prompt à s'enflammer nul doute (le leader déchu, c'est-à-dire, pas l'autre) dans son style très particulier qu'elle bien sûr, femme, vit tout de suite plus que promis à marcher vers la gloire, ce qu'il parvint presque à accomplir avant que les prêtres et ministres du culte en bloc, ses farouches supporters d'antan et ses bien aimés métayers expulsés à qui il avait rendu de bons et loyaux services dans les régions rurales du pays en prenant fait et cause pour eux d'une manière qui surpassa leurs plus folles attentes, réussirent à gâter totalement la sauce matrimoniale, ainsi amassant des charbons ardents sur sa tête bien dans la veine du coup de pied de l'âne de la fable. Faisant le bilan aujourd'hui dans une sorte d'arrangement rétrospectif[84], tout cela semblait un rêve. Et le retour était bien la pire chose qu'on puisse imaginer parce qu'il va sans dire que l'on se sentirait déplacé tant les choses changent au fil du temps. Tenez, méditait-il, Irishtown Strand, localité dans laquelle il n'avait pas mis les pieds depuis des années, paraissait d'une certaine manière être différente depuis que, comme c'était le cas, il avait déménagé au nord du fleuve. Nord ou sud quoi qu'il arrive, c'était juste le cas de figure bien-connu où le feu de la passion, pure et simple, met tout cul par-dessus tête et confirmait ce que précisément il disait, vu qu'elle aussi était espagnole ou à moitié, des individus qui ne font pas les choses à moitié, abandon passionné du sud, jetant les derniers lambeaux de décence à tous les vents.

— Ça confirme ce que je disais, dit-il la poitrine enflammée à Stephen, au sujet du sang et du soleil. Et, si je ne m'égare pas complètement, elle était espagnole aussi.

— La fille du roi d'Espagne, répondit Stephen, ajoutant quelque chose de plutôt confus comme bon voyage et adieu chers oignons d'Espagne[85] et cette première terre nommée le Deadman et de Ramhead aux Sorlingues tant et tant…

— Vraiment ? s'exclama Bloom surpris, quoique pas si étonné loin de là. Je ne l'ai jamais entendu dire de cette rumeur. Possible, surtout que c'était là, comme elle y a vécu[86]. Ah ah, l'Espagne.

Contournant soigneusement un livre dans sa poche

Douceurs du, qui lui rappela incidemment ce livre en retard de la bibliothèque de Capel street, il sortit son portefeuille et, explorant les contenus qu'il contenait, *presto*, finalement il…

— Vous ne trouvez pas, à propos, dit-il, sélectionnant soigneusement une photo fanée qu'il posa sur la table, que c'est là un type espagnol ?

Stephen, manifestement interrogé, baissa les yeux sur la photo montrant une femme grand format, ses appas bien en évidence très ouvertement, puisqu'elle était dans toute la fleur de sa féminité, en robe de soirée très ostensiblement décolletée pour l'occasion afin d'offrir une vision généreuse de sa poitrine, avec plus qu'un aperçu des seins, ses lèvres charnues entrouvertes, et une dentition assez parfaite, debout à côté, avec une gravité ostensible, d'un piano sur le pupitre duquel reposait *Dans le vieux Madrid*, une ballade, jolie à sa manière, qui était alors très en vogue. Ses (ceux de la dame) yeux, sombres, immenses, regardaient Stephen, sur le point de sourire devant un objet digne d'admiration, Lafayette, de Westmoreland street[87], artiste photographe de référence à Dublin, étant responsable de cette composition esthétique.

— Mme Bloom, mon épouse la *prima donna*, Madame Marion Tweedy, précisa Bloom. Prise il y a quelques années. En 96 ou dans ces eaux-là. Tout à fait elle à l'époque.

À côté du jeune homme il regardait également la photo de la dame maintenant son épouse légitime qui, annonça-t-il, était la fille talentueuse du Major Brian Tweedy et qui montra très précocement des dispositions remarquables pour le chant ayant même fait ses débuts en public quand elle avait tout juste atteint ses *sweet sixteen*[88]. Quant au visage, c'était elle tout craché mais ça ne mettait pas pleinement en valeur sa silhouette, qui ne passait pas inaperçue d'ordinaire et qui ici n'était pas à son avantage dans cette toilette. Elle aurait sans difficulté, dit-il, pu poser pour l'ensemble, sans trop s'arrêter sur certaines courbes opulentes de… Il aimait à s'arrêter, étant quelque peu artiste à ses heures, sur la forme féminine en général évolutionnellement parlant parce que, coïncidence, pas plus tard que cet après-midi, il avait vu ces statues grecques, parfaitement abouties en tant qu'œuvres d'art, au National Museum. Le marbre pouvait restituer l'original, épaules, dos, toute la symétrie. Tout le reste. Oui, le puritanisme, ça y parvient cependant, la souveraine escroquerie de saint Joseph *alors (Bandez !). Figne toi trop*[89]. Alors qu'aucune photo ne pouvait, parce que ce n'est tout simplement pas de l'art, en un mot.

Dans le feu de la discussion, il aurait très volontiers suivi le bon exemple de Mathurin et laissé là la ressemblance quelques minutes pour la laisser plaider sa cause sous le prétexte qu'il… pour que l'autre puisse s'imprégner de la beauté par lui-même, sa présence en scène étant, franchement, un pur régal auquel l'objectif ne pouvait pas du tout rendre justice. Mais ce n'était guère conforme à la déontologie professionnelle alors, quoique ce fût plutôt une douce soirée tiède à présent et pourtant merveilleusement fraîche pour la saison, considération faite, car après la pluie le beau temps… Et il ressentait bien une espèce d'urgence dans le moment et de lui donner sa suite logique un peu comme une voix intérieure et de satisfaire un besoin présumé en soumettant une motion. Néanmoins, il tint bon, juste contemplant la photo légèrement souillée plissée par d'opulentes courbes, pas plus moche d'avoir été portée, pourtant, et prit soin de détourner les yeux dans le dessein de ne pas accroître davantage le possible embarras de l'autre en appréciant la symétrie de son *embonpoint* houleux.

En fait, cette légère souillure était simplement un charme supplémentaire, comme avec le linge légèrement souillé, aussi bien que le neuf, bien mieux, en fait, ayant perdu l'apprêt. Supposons qu'elle soit partie quand il ?... J'ai cherché cette lampe dont elle m'a parlé[90] lui revint à l'esprit mais juste comme une toquade passagère bien à lui car il se rappela alors le matin lit jonché et cætera et le livre sur Ruby avec mets ton ptit chose (*sic*) dedans qu'est dû tomber assez à propos à côté du pot de chambre domestique avec mille excuses à Lindley Murray[91].

La proximité du jeune homme il l'appréciait nul doute, instruit, *gentleman*, et impulsif par-dessus le marché, bien au-dessus du lot, quoique on ne crût jamais qu'il en avait l'étoffe... pourtant si. De plus il disait que la photo était belle ce qui, pensez ce que vous voulez, était vrai, quoique à ce moment-ci elle fût nettement plus ronde. Et pourquoi pas ? Beaucoup de simagrées étaient faites dans ce domaine entraînant à vie l'infamie avec l'étalage pleine page inévitable de la presse à scandales sur toujours les mêmes déboires conjugaux alléguant une conduite indigne avec un golfeur professionnel ou le dernier jeune premier en vogue au lieu d'être honnêtes et francs sur toute l'affaire. Comment ils étaient faits pour se rencontrer et un attachement réciproque grandit entre eux et donc leurs noms furent accouplés sous les projecteurs fut déclaré à la cour avec des lettres contenant leurs habituelles expressions fleur bleue et compromettantes, ne laissant aucune échappatoire, pour bien montrer qu'ils cohabitaient ouvertement deux ou trois fois par semaine dans quelque hôtel réputé en bord de mer et leurs relations, quand les choses eurent suivi leur cours normal, prirent un tour intime par la suite. Puis le jugement provisoire et le Procureur du Roi essaye de démontrer la raison pour laquelle et, lui échouant à le battre en brèche, le provisoire devint définitif. Mais quant à cela, les deux contrevenants, absorbés comme pour l'essentiel ils l'étaient l'un par l'autre, pouvaient sans tracas se permettre de l'ignorer ce qu'ils firent pour l'essentiel jusqu'à ce que l'affaire soit confiée à un avoué, qui engagea une action au nom de la partie lésée par la suite. Lui B, goûta le privilège d'approcher le roi sans couronne d'Erin en chair et en os quand l'événement se produisit dans le fracas historique lorsque derrière le leader déchu — qui de notoriété publique resta droit dans ses bottes jusqu'à la dernière goutte même après avoir été recouvert du manteau de l'adultère — des hommes liges (ceux du leader) dévoués au nombre de dix ou douze ou peut-être plus encore pénétrèrent dans les presses de l'*Insuppressible* ou non c'était le *United Ireland* (d'aucune façon, disons-le, une appellation appropriée) et brisèrent les plombs avec des masses ou quelque chose comme ça au prétexte du fiel répandu par les plumes faciles des scribes de O'Brien dans leur occupation habituelle de fouille-merdes[92], se rapportant à la moralité du tribun d'antan. Quoique visiblement radicalement changé, il demeurait une figure imposante, quoique vêtu négligemment comme à son habitude, avec cet air déterminé qui le porta très loin malgré les atermoiements des autres avant qu'ils ne découvrent très déconfits que le colosse avait des pieds d'argile, après l'avoir mis sur un piédestal, ce qu'elle, cependant, avait été la première à percevoir. Comme ça chauffait pas mal à l'époque dans la mêlée générale Bloom fut légèrement blessé par un vilain coup du coude d'un type au milieu de la foule qui bien sûr s'était amassée atterrissant quelque part au creux de l'estomac, fort heureusement sans gravité. Son chapeau (celui de Parnell) tomba malencontreusement par terre[93] et, fait rigoureusement historique, Bloom fut l'homme qui le ramassa dans la cohue après avoir été témoin des faits se promettant de lui rendre (et lui rendre c'est ce qu'il fit avec la plus grande célérité) lui qui, pantelant et décoiffé et dont les pensées étaient à des années lumière de son chapeau à ce moment-là n'en restant pas moins un gentleman né impliqué dans les affaires du pays, lui, de fait, s'étant davantage lancé dans cette histoire pour en récolter les lauriers que pour autre chose, chassez le naturel, instillé en lui depuis ses premiers balbutiements dans le giron de sa mère sous la forme du savoir-vivre ressortit immédiatement car il se retourna vers le donateur et le remercia avec un aplomb superbe, disant : *Thank you, sir* quoique avec une intonation bien différente de celle de cet ornement de la profession juridique dont Bloom avait restauré le couvrechef plus tôt dans la journée, l'histoire se répétant avec des différences, après l'enterrement d'un ami commun quand ils l'avaient laissé dans son splendide isolement après s'être acquitté du sinistre devoir de déposer sa dépouille dans la tombe.

D'un autre côté ce qui le mettait encore plus en rage au fond de lui c'était les lourdes plaisanteries du cocher & co, qui prenaient tout sous l'angle de la plaisanterie, riant sans retenue, prétendant tout comprendre, le pourquoi et le comment du pourquoi, et en réalité ne sachant même pas ce qu'ils en pensaient, cela n'étant l'affaire que des deux parties concernées sauf s'il s'avérait que le mari légitime se constituait partie sur la base d'une lettre anonyme de la taupe inévitablement infiltrée, qui comme par hasard passait par là au moment crucial dans une position amoureuse dans les bras l'un de l'autre attirant leur attention sur leur conduite illicite et amenant une prise de bec conjugale et la belle égarée implorant le pardon de son seigneur et maître à genoux et promettant de couper les liens et de ne plus accepter ses visites si seulement le mari outragé voulait bien fermer les yeux sur cette histoire et considérer que le passé était le passé, les yeux baignés de larmes, quoique peut-être bien dans sa belle petite tête elle n'en pensât pas moins en même temps, étant donné que peut-être bien il y en avait plusieurs autres. Lui personnellement, étant enclin au scepticisme, croyait, et ne mâchait pas ses mots pour le dire d'ailleurs, que l'homme ou les hommes au pluriel étaient toujours sur une liste d'attente à tourner autour d'une dame, même à supposer qu'elle soit la meilleure épouse du monde et que ça marche plutôt bien entre eux admettons, lorsque, négligeant ses devoirs, elle décidait d'être lasse de la vie maritale, et c'était parti pour le petit frisson de la débauche bon chic bon genre pour l'accabler de leurs attentions avec plein d'arrière-pensées indécentes, le bilan des courses étant que son affection à elle était reportée sur un autre, la cause de beaucoup de liaisons entre des femmes mariées encore attirantes se dirigeant vers une belle quarantaine et des hommes plus jeunes, indubitablement comme de nombreux exemples d'attachement féminin le démontrent jusqu'à la garde.

Il était mille et mille fois désolant qu'un jeune homme gratifié d'une telle réserve d'intelligence, comme c'était manifestement le cas de son voisin, gaspille son temps précieux avec des femmes faciles, qui risquaient de lui en coller une pour le reste de ses jours. Pour ce qui relevait de l'état de grâce du célibat il prendrait un jour femme lorsque sa Princesse viendrait en scène mais en attendant la société des dames était une *conditio sine qua non* quoiqu'il eût vraiment les plus grands doutes, non qu'il veuille le moins du monde tirer les vers du nez à Stephen à propos de Mlle Ferguson (qui c'était très possible était cette bonne étoile qui l'avait guidé vers Irishtown de si bon matin), quant à savoir si cela l'amuserait beaucoup de jouer les jeux de la romance amoureuse, en la compagnie de pimbêches sans le sou bi- ou tri-hebdomadairement, avec les préliminaires imposés du petit galop d'échauffement des compliments-dispensés et des promenades qui vous changent en tourtereaux, fleurs et chocolats fins. Et dire que lui sans toit et sans foyer, roulé par une logeuse pire que la pire belle-mère, c'était vraiment trop triste à son âge. Les choses étranges soudainement qu'il lançait attiraient le plus âgé qui était de quelques années son aîné ou comme un père. Mais c'est quelque chose de substantiel qu'il lui fallait certainement avaler, ne serait-ce qu'un lait de poule confectionné avec les nutriments maternels garantis sans additifs ou, à défaut, un coco bien de chez nous.

— À quelle heure avez-vous dîné ? demanda-t-il à la silhouette mince et fatiguée quoique sans rides.

— Hier, je ne sais plus trop quand, dit Stephen.

— Hier ! s'exclama Bloom avant de se rappeler qu'on était déjà demain, vendredi. Ah, vous voulez dire qu'il est minuit passé !

— Avant-hier, dit Stephen, faisant de plus en plus fort.

Littéralement confondu par ce renseignement Bloom réfléchit. Quoique pas absolument d'accord en tout, une certaine analogie existait en quelque sorte, comme si leurs deux esprits voyageaient par, façon de parler, le même train de pensées. À son âge quand il avait bricolé en politique en gros quelque vingt ans plus tôt lorsqu'il avait été un *quasi*-aspirant aux honneurs parlementaires aux beaux jours de Buckshot Foster[94] dont il se rappelait rétrospectivement (source de grande satisfaction en soi) il avait louché en direction des mêmes idées ultra. Par exemple, quand la question des métayers expulsés, alors à ses tout débuts, commença à prendre de l'ampleur dans les esprits[95] quoique, ça va sans dire, ne contribuant pas d'un penny ni n'accordant une foi aveugle à ses propositions, dont certaines ne tenaient pas vraiment la route, il avait été à l'origine en principe, à tout le moins, en complète sympathie avec le droit à la terre qui exprimait les aspirations de l'opinion moderne, parti pris, dont, voyant ses erreurs, il guérit ensuite partiellement, et fut même taquiné pour aller encore plus loin que Michael Davitt[96] dans les positions très frappantes qu'il prônait pour le retour à la terre, ce qui lui donnait une raison d'être très fortement remonté contre les insinuations faites à son encontre de façon si insolente par notre ami à la rencontre des clans chez Barney Kiernan de sorte que lui, quoique souvent profondément incompris et le moins querelleur des mortels, répétons-le, s'était départi de son comportement habituel pour lui en donner (métaphoriquement) une bonne dans la poire quoique pour autant que la politique *stricto sensu* ait quelque chose à y voir, il n'eût que trop conscience du cortège de victimes résultant invariablement de la propagande et des démonstrations d'animosité mutuelle et la peine et les souffrances qu'elle entraînait, conclusion écrite par avance pour la fine fleur de la jeunesse, pardessus tout, élimination des plus aptes, en un mot.

Cependant, après avoir pesé le pour et le contre, comme on approchait d'une heure, il était grand temps de se retirer pour la nuit. Le nœud du problème était qu'il y avait quelques risques à le ramener à la maison étant donné que certaines éventualités pourraient peut-être en découler (une certaine personne ayant un caractère bien à elle parfois) et faire un fameux gâchis parmentier comme le soir où peu inspiré il ramena un chien (race indéterminée) qui traînait la patte, non que les deux situations soient les mêmes ni l'inverse, quoiqu'il se fût fait mal à la main lui aussi, à Ontario Terrace, comme il se le rappelait fort bien, ayant été présent, pour ainsi dire. D'un autre côté c'était indiscutablement bien trop tard pour l'option Sandymount ou Sandycove et donc il était assez perplexe pour décider laquelle des deux branches de l'alternative[97]... Tout semblait indiquer qu'il lui appartenait de tirer le meilleur parti de la situation, tout bien pesé. Sa première impression avait été qu'il était un peu distant ou en tout cas pas très démonstratif mais ça avait fini par lui plaire en un sens. D'abord il était possible qu'il ne comme on dit se rue pas sur la proposition, une fois contacté, et ce qui le tracassait le plus était qu'il n'avait pas la moindre idée de comment l'avancer ou la formuler exactement, à supposer qu'il accueille ladite proposition, étant donné que ça lui ferait très plaisir qu'il lui permette pour le dépanner de lui glisser une pièce ou un vêtement, si ça lui allait. En tous les cas il finit par conclure, écartant pour lors la première idée mesquine, une tasse de chocolat Epps et un paddock pour la nuit plus une couverture ou deux et un pardessus plié en deux pour oreiller. Au moins il serait entre de bonnes mains et chaud comme une caille. Il ne voyait pas à cela très grand danger toujours à condition que ça ne vire pas au vinaigre. Il fallait agir parce que ce joyeux luron, le veuf en goguette en question, qui semblait avoir les fesses collées au siège, ne semblait pas pressé de se mettre en route pour regagner ses pénates dans le quartier cher à son cœur de Queenstown et il était hautement probable que le bordel d'une grippe-sous avec ses pensionnaires beautés à la réforme sur Sheriff street lower serait la meilleure piste pour localiser ce personnage équivoque dans les prochains jours, tantôt mettant au supplice leur sensibilité (celle des sirènes) avec quelques anecdotes de revolver à six coups quasi torrides calculées pour glacer le sang de tout un chacun et brutalisant leurs charmes groformat entre temps distribuant de bon cœur ses bourrades appuyées en s'accompagnant de larges rasades de potheen[98] et le baratin habituel sur son compte car quant à savoir qui il était en réalité posons que X est égal à mes vrais nom et adresse, comme M. Algèbre le remarque *passim*. En même temps il s'esclaffait intérieurement sur sa *repartie* au champion du sang et du sangdieu à propos de son Dieu qui était juif. Les gens pouvaient se faire à l'idée d'être mordus par un loup mais ce qui les agaçait profondément était la morsure de l'agneau. Le point hautement vulnérable aussi du tendre Achille, votre Dieu était juif, car pour la plupart ils semblaient s'imaginer qu'il venait de Carrick-on-Shannon ou de quelquepart dans le comté de Sligo.

— Je propose, suggéra finalement notre héros, après mûre réflexion tout en rempochant prudemment sa photo d'elle, comme ça manque un peu d'air ici, que vous veniez simplement chez moi pour discuter un brin. Je crèche à deux pas. Ne buvez pas ce machin. Attendez, je vais payer le tout.

Le meilleur plan qui se dégageait étant de dégager, le reste étant du gâteau, il fit signe, tout en rempochant prudemment la photo, au taulier du lieu, qui ne semblait pas…

— Oui, c'est ce qu'il y a de mieux, assura-t-il à Stephen, pour qui s'agissant de ce Brazen Head ou de lui ou de n'importe où c'était tout plus ou moins…

Toutes sortes de projets utopiques jaillissaient dans sa (de B) cervelle en ébullition. Éducation (garantie authentique), littérature, journalisme, récits primés, affichage au goût du jour, *spas* et tournées de concerts dans les stations thermales anglaises truffées de théâtres, de l'argent en veux-tu en voilà, duos en italien avec l'accent plus vrai que nature et quantité d'autres choses, pas indispensable certes de le crier au monde entier ni à sa femme sur les toits et puis un poil de chance. Une ouverture c'est tout ce qu'il fallait. Car il le soupçonnait fortement d'avoir la voix de son père sur laquelle miser ce qu'il y avait fort à parier alors autant, soit dit en passant pas de mal à ça, autant lancer la conversation en direction de cette queue de poisson-là juste pour…

Le cocher lut dans le journal dont il s'était saisi que l'ancien viceroi, le comte Cadogan[99], avait présidé le dîner de l'association des voituriers à Londres quelque part. Le silence et un bâillement ou deux ponctuèrent cette annonce passionnante. Puis le vieux spécimen dans le coin qui semblait avoir gardé encore quelque étincelle de vitalité lut à haute voix que Sir Anthony MacDonnell avait quitté Euston pour occuper le poste de secrétaire en chef ou quelque chose du genre. À laquelle captivante information l'écho répondit pas vrai.

— File voir un peu cette littérature, grandpère, fit le vieux marin, manifestant une impatience bien naturelle.

— Et de rien, répondit l'ancien ainsi apostrophé.

Le marin arracha d'un étui qu'il avait une paire de lunettes verdâtres qu'il accrocha très lentement sur le nez et les deux oreilles.

— Vous avez un problème aux yeux ? s'enquit le compatissant personnage ressemblant au greffier municipal.

— Ben, répondit l'écumeur des flots à la barbe tartan, qui apparemment était un peu un mec de lettres à sa modeste manière, ouvrant de grands yeux derrière des hublots vertmer, ainsi qu'on pourrait fort justement les décrire, j'ont des lunettes pour lire.

Sable de la mer Rouge m'a fait ça. Fut un temps que je pouvais lire un livre dans le noir, façon de parler. *Les Plaisirs des 1001 nuits* était mon favori et *Comme la rose rouge elle est* [100].

Là-dessus d'une paluche il ouvrit le journal et se plongea dans dieu sait quoi, découverte d'un noyé ou les exploits de l'As du cricket, Iremonger [101] qui a fait cent et quelques points deuxième wicket non sorti pour Notts, temps durant lequel (complètement indifférent à Ire) le tenancier était intensément occupé à desserrer un croquenot neuf ou d'occasion qui manifestement le blessait, tout en grommelant contre celui qui le lui avait vendu, quel qu'il fût, tous ceux d'entre eux qui étaient encore suffisamment éveillés pour être repérés par leurs expressions de visage, c'est-à-dire, simplement regardant dans le vide ou lançant une remarque insignifiante.

En un mot comme en mille Bloom, saisissant la situation, fut le premier à se lever de son siège de manière à ne pas avoir l'air de s'incruster ayant avant toutes choses, fidèle à sa promesse de régler l'addition à cette occasion, pris la sage précaution de mine de rien faire à notre hôte en guise de top chrono un signe à peine perceptible alors que les autres avaient l'œil tourné pour signifier que la somme due allait venir, pour un montant total de quatre pence (montant qu'il déposa sans ostentation sous la forme de quatre pièces d'un, littéralement les deniers du Mohican lui ayant au préalable repéré sur le menu imprimé afin qu'on le lise couramment en face de lui en chiffres imparables, café 2d., pâtisserie idem, et honnêtement valant bien deux fois son prix pour une fois, ainsi que Wetherup le faisait remarquer.

— Venez, dit-il, pour clore le *show*.

Voyant que la ruse prenait et que le champ était libre, ils laissèrent l'abri ou cabane ensemble avec sa société triée sur le volet de vieux requins et compagnie que rien sinon un tremblement de terre n'aurait tirés de leur *dolce far niente*. Stephen, qui confessait se sentir encore pas très bien et pompé, s'arrêta à la, un instant... la porte pour...

— Une chose que je n'ai jamais comprise, dit-il, pour faire son original sous l'inspiration du moment, pourquoi est-ce qu'ils mettent les tables à l'envers le soir, ou plutôt les chaises à l'envers, sur les tables dans les cafés.

Impromptu auquel l'inoxydable Bloom répondit sans sourciller, disant tout de go :

— Pour balayer le plancher le matin.

Ce disant il sautillait de-ci de-là, prestement ayant en vue, très franchement tout en s'excusant en même temps, de venir sur la droite de son compagnon, une manie à lui, soit dit en passant, le côté droit étant, pour parler comme les classiques, son tendre Achille. L'air de la nuit était sans nul doute à présent délicieux à respirer quoique Stephen tînt à peine sur ses quilles.

— Ça (l'air) vous fera du bien, dit Bloom, ayant également en tête la marche, d'ici un moment. Tout ce qu'il vous faut c'est marcher et puis vous vous sentirez un autre homme[102]. Ce n'est pas loin. Prenez appui sur moi.

En conséquence il passa son bras gauche sous le bras droit de Stephen et le dirigea en conséquence.

— Oui, dit Stephen sans trop savoir, parce qu'il avait l'impression qu'il sentait la drôle de chair d'un autre le frôlant, flasque et molle et tout.

Quoi qu'il en soit, ils passèrent devant la guérite et ses pierres, brasero, etc. où l'employé municipal, ex-Gumley, reposait toujours de fait dans les bras de Murphy[103], suivant l'adage, rêvant de fraîches prairies et de verts pâturages[104]. Et *à propos* de cercueils remplis de pierres, l'analogie n'était pas mal du tout, comme c'était en fait une lapidation[105] de la part des soixante-douze sur quatre-vingts et quelques circonscriptions qui le vendirent au moment de la scission et surtout la classe paysanne tant chantée, probablement les expulsés ceux-là même qu'il avait établis dans leurs droits.

Ainsi ils en vinrent à bavarder de musique, forme artistique à laquelle Bloom, en simple amateur, vouait la plus grande passion, comme ils faisaient route bras dessus bras dessous traversant Beresford place. La musique wagnérienne, quoique il faut l'avouer grandiose en son genre, était un peu indigeste selon Bloom et difficile à suivre du premier coup mais la musique des *Huguenots* de Mercadante, *Les Sept Dernières Paroles du Christ en croix* de Meyerbeer[106] et la *Douzième Messe* de Mozart, tout simplement il les adorait, le *Gloria* de celle-là étant pour lui le sommet de la musique de tout premier ordre en tant que telle, à côté de quoi littéralement tout le reste n'était que petite bière. Il préférait infiniment la musique sacrée de l'église catholique à tout ce que la boutique d'en face pouvait proposer dans ce rayon comme par exemple les hymnes de Moody et Sankey ou encore *Dis-moi de vivre et je serai ton protestant à jamais*[107]. Il ne le cédait non plus à personne dans son admiration du *Stabat Mater* de Rossini, œuvre qui tout simplement abonde en morceaux immortels, dans lesquels son épouse Madame Marion Tweedy faisait un tabac, vraiment sensation, pouvait-il assurer ajoutant encore au monceau de ses lauriers et reléguant complètement les autres dans l'ombre dans l'église des pères jésuites d'Upper Gardiner street, le saint édifice étant rempli à craquer pour l'écouter de virtuoses, ou de *virtuosi* plutôt. L'opinion était unanime que personne ne lui arrivait à la cheville et il suffira de dire qu'en ce lieu de culte de la musique à caractère sacré, s'élevèrent comme une seule voix les bis. Au total, quoique préférant nettement l'opéra-comique dans le genre de *Don Giovanni*, et *Martha* [108], un pur joyau dans sa catégorie, il avait un penchant quoique n'en ayant qu'une connaissance superficielle, pour l'austère école classique telle qu'incarnée par Mendelssohn. Et à ce propos, tenant pour évident qu'il connaissait tous les vieux airs célèbres, il mentionna *par excellence* l'air de Lionel dans *Martha*, *M'appari*, que, assez bizarrement, il avait entendu, ou surpris, pour être plus exact, hier, privilège qu'il appréciait à sa juste valeur, des lèvres du respecté père de Stephen, chanté à la perfection, interprétation du morceau, en fait, qui reléguait toutes les autres au second rang. Stephen, en réponse à une interrogation très poliment présentée, répondit que non mais se répandit en hommages aux chansons de Shakespeare, ou du moins de cette époque ou environs, le luthiste Dowland qui vivait à Fetter lane près de Gerard le botaniste, qui *anno ludendi hausi, Doulandus*, instrument qu'il méditait d'acheter auprès de M. Arnold Dolmetsch, dont B. ne se rappelait pas vraiment, quoique le nom lui fût nul doute familier, pour soixante-cinq guinées et Farnaby et fils avec leurs concetti *dux* et *comes* et Byrd (William), qui jouait de l'épinette, disait-il, dans la Chapelle de la Reine et partout où il pouvait en trouver une plus un certain Tomkins qui composait des divertissements et des airs et John Bull [109].

Sur la chaussée dont ils approchaient tout en continuant à deviser, au-delà des chaînes, un cheval, traînant une balayeuse, marchait sur les pavés, soulevant un long sillage de boue de sorte qu'avec le bruit Bloom n'était pas tout à fait sûr qu'il avait correctement interprété l'allusion aux soixante-cinq guinées et à John Bull. Il demanda s'il s'agissait de John Bull[110] le célèbre homme politique du même patronyme, car cela le frappait, ces deux noms identiques, coïncidence frappante.

Près des chaînes, le cheval tourna lentement pour prendre le virage, ce que voyant, Bloom, qui ouvrait l'œil et comme à son habitude le bon, tira la manche de l'autre doucement, observant enjoué :

— Nos vies sont en grand péril ce soir. Attention au rouleau compresseur.

Là-dessus ils firent halte. Bloom regarda la tête du cheval bien loin de valoir soixante-cinq guinées, soudainement en évidence dans l'obscurité si près, de sorte qu'il paraissait un autre, un autre assemblage d'os et même de chair, car visiblement c'était un quatrepatte, un déhancheur, un culnoir, un éventeur, un encenseur, avançant la jambe arrière cependant que le seigneur de sa création était perché perdu dans ses pensées. Mais une telle brave bête, il regrettait de ne pas avoir un morceau de sucre mais, comme il s'en fit la sage réflexion, on ne peut guère prévoir toutes les urgences qui peuvent surgir. C'était simplement une espèce de grand canasson peureux idiot bête, se souciant du monde comme d'une guigne. Mais même un chien, se fit-il la réflexion, prenez le corniaud de chez Barney Kiernan, de la même taille, ce serait une sainte horreur à affronter. Mais ce n'était la faute d'aucun animal en particulier s'il était fait de telle façon comme le chameau, vaisseau du désert, distillant du tord-boyaux avec les raisins dans sa bosse. Les neuf dixièmes d'entre eux pouvaient supporter la captivité ou le dressage, rien n'est hors de portée de l'art de l'homme à part les abeilles ; la baleine avec un harpon épingle, l'alligator, chatouillez-le dans le creux du dos et ça le fait rigoler ; pour le coq, un cercle à la craie ; le tigre, mon regard d'aigle. Ces réflexions de circonstances concernant les bêtes de la création occupaient son esprit, quelque peu oublieux des paroles de Stephen, tandis que le vaisseau urbain manœuvrait et que Stephen poursuivait à propos des très intéressantes anciennes…

— Qu'est-ce que je racontais ? Ah oui ! Ma femme, déclara-t-il, plongeant *in medias res*, aurait le plus grand plaisir à faire votre connaissance vu qu'elle est passionnément attirée par tous les genres de musique.

Il regarda de côté d'une manière amicale le profil de Stephen, le portrait de sa mère, qui n'était pas vraiment dans le genre des voyous habituels qui sans nul doute leur font indubitablement de l'effet car il n'était peut-être pas fait comme ça.

Tout de même, à supposer qu'il ait les dons de son père, comme il en avait plus que le soupçon, cela ouvrait à son esprit de nouveaux horizons, comme le concert de Lady Fingall pour les entreprises irlandaises [111] le lundi d'avant, et l'aristocratie en général.

C'étaient des variations exquises qu'il décrivait maintenant sur un air *La jeunesse ici finit* de Jans Pieter Sweelinck, Hollandais d'Amsterdam d'où viennent les petites bataves. Plus encore il aimait un vieux chant allemand de Johannes Jeep [112] sur la mer limpide et les chants des sirènes, douces meurtrières des hommes, devant lequel Bloom rechigna quelque peu :

Von den Sirenen Listigkeit
Tun die Poeten Dichten [113]

Ces premières mesures il les chanta et les traduisit *extempore*. Bloom, acquiesçant, dit qu'il comprenait parfaitement et le pria de poursuivre de grâce, ce qu'il fit.

Une voix de ténor phénoménalement belle comme celle-ci, la plus rare des aubaines, que Bloom aima dès la première note produite, pouvait aisément, si elle était correctement prise en main par quelque autorité reconnue de l'art vocal tel Barraclough et capable de déchiffrer la musique par-dessus le marché, fixer son prix là où les barytons étaient treize à se partager douze pence et procurer à son heureux possesseur dans un avenir proche ses entrées dans les maisons à la mode des beaux quartiers, de magnats de la finance brassant d'énormes affaires et de gens à particule, où, avec son diplôme de licencié de l'Université (un énorme argument publicitaire en soi) et son allure de gentleman pour faire encore mieux prendre la mayonnaise à tout coup il devait faire un tabac, étant aussi béni des dieux pour l'intelligence qui pourrait aussi être fort utile à cet effet et d'autres encore, si l'on veillait à sa garderobe, afin de mieux se faufiler dans leurs bonnes grâces vu que lui, jeune et novice quant aux subtilités sartoriales de la bonne société, avait peine à admettre à quel point un simple détail de cet ordre pouvait vous nuire. C'était assurément une simple question de mois et il le voyait sans peine participer à leurs *conversaziones* musicales et artistiques durant les festivités de la période de Noël, de préférence, causant un léger émoi dans les pigeonniers du beau sexe et devenant la coqueluche de maintes dames en quête de sensations fortes, des précédents de quoi, comme il le savait d'expérience, il en existait sur les tablettes, vraiment, sans trahir de secrets, lui-même il était une fois, s'il avait voulu, aurait facilement pu... À cela bien sûr s'ajouteraient les émoluments pécuniaires sur lesquels on aurait bien tort de cracher, allant de concert avec les appointements de ses cours privés. Non, se dit-il entre parenthèses, que pour l'amour répugnant du lucre il dût nécessairement embrasser les planches lyriques comme carrière pour une durée excessive. Mais c'était un pas dans la bonne direction, sans conteste aucun, et tout à la fois financièrement et psychiquement il n'y avait pas ici la moindre atteinte à sa dignité et bien souvent c'était incroyablement commode de toucher un chèque à un moment de dure nécessité lorsque tout est bon à prendre. De plus, quoique le goût se soit récemment dégradé gravement, une musique originale comme celle-ci, sortant de l'ornière des conventions, serait très rapidement en vogue, puisque ce serait résolument nouveau pour le monde musical de Dublin après la flopée de ténors aux effets faciles et rebattus refilés à un public crédule par les Ivan St Austell, Hilton St Just[114] *et consorts*. Oui, sans l'ombre d'un doute, c'était à sa portée, avec tous les atouts en main et il y avait là une ouverture majeure pour se faire un nom et gagner une très haute place dans l'estime de la cité et des cachets à plusieurs zéros et, en s'y prenant à l'avance, donner une soirée de gala pour les habitués de la salle de King street, avec un *sponsor* s'il s'en présentait un pour le catapulter en haut de l'affiche si l'on peut dire — un gros si tout de même — avec une bonne impulsion appliquée au bon endroit pour conjurer l'inévitable procrastination qui souvent faisait chuter un jeune talent pourri par ses fans. Et aucune raison que ça freine d'un iota l'autre chose puisque, étant son propre maître, il aurait tout le temps et plus de pratiquer la littérature sur son temps libre quand il le souhaiterait sans que cela n'entre en conflit avec sa carrière de chanteur ou que ça ne lui porte préjudice en quoi que ce soit puisque c'était son affaire à lui seul. En fait, la balle était dans son camp et c'était la raison précise pour laquelle l'autre, possédant un flair remarquablement développé pour sentir anguille sous roche, lui collait aux basques.

Le cheval était alors juste en train de… et un peu plus tard, à un moment propice il se proposait

(Bloom), sans d'aucune manière s'immiscer dans ses affaires suivant le principe *les imbéciles se précipitent là où les anges*[115] de lui conseiller de couper les liens avec tel praticien en herbe, qui, avait-il remarqué, était prompt à le débiner, et même, jusqu'à un certain point, sous prétexte de franche rigolade, lorsqu'il n'était pas présent, de le désavouer, ou tout autre vocable de votre choix, ce qui, de l'humble avis de Bloom, jetait un trait de lumière crue sur cet aspect peu reluisant du personnage — sans jeu de mots.

Le cheval, étant pour ainsi dire au bout du rouleau, s'immobilisa, et, levant haut une fière queue déployée, apporta sa contribution en laissant tomber par terre, que la brosse brosserait bientôt et ferait briller, trois boules fumantes de crotte. Lentement, en trois fois, l'une après l'autre, à pleine croupe, il chia. Et fort humainement son conducteur attendit qu'il (ou elle) en ait terminé, patientant sur son char hérissé de faux[116].

Côte à côte Bloom, profitant de ce *contretemps*, avec Stephen franchit l'espace séparant les chaînes, délimité par un poteau, et, enjambant une flaque de boue, traversa en direction de Gardiner street lower, Stephen chantant avec plus de force, mais non pas bruyamment, la fin de la ballade :

Und alle Schiffe brücken[117]

Le conducteur ne prononça pas une parole, bonne, mauvaise ou indifférente, mais se contenta de suivre des yeux les deux silhouettes, *de son petit char à bancs*, toutes deux noires — l'une corpulente, l'autre maigre — se dirigeant vers le pont de chemin de fer, *pour faire publier leurs bans*. Tout en marchant, ils s'arrêtaient parfois et reprenaient leur marche, poursuivant leur *tête-à-tête* (dont bien sûr il était totalement exclu), sur les sirènes, ennemies de l'homme et de sa raison, où se mêlaient nombre d'autres sujets de la même catégorie, usurpateurs, illustrations historiques du motif tandis que l'homme de la balayeuse ou celui qu'on aurait pu tout aussi bien désigner comme l'homme de la bâilleuse qui de toute manière ne pouvait les entendre parce qu'ils étaient tout simplement trop loin était assis sur son siège presque au bout de lower Gardiner street *et suivait du regard leur petit char à bancs*[118].

Quelles routes parallèles Bloom et Stephen suivirent-ils en rentrant ?

Partant tous deux unis d'un pas normal de Beresford place ils prirent dans l'ordre mentionné Lower street et Middle Gardiner street et Mountjoy square west : puis, d'un pas ralenti, chacun d'eux se déportant vers la gauche, Gardiner's place par inadvertance jusqu'au coin le plus éloigné de Temple street, north : puis, du même pas ralenti, interrompu par des arrêts, se déportant vers la droite, Temple street, north, jusqu'à Hardwicke place. Progressant, disparates, ils traversèrent tous deux d'un pas de marche tranquille la place circulaire devant George's church diamétralement, la corde de tout cercle étant inférieure à l'arc qu'elle sous-tend.

De quoi délibérait le duumvirat au cours de son itinéraire ?

De musique, littérature, Irlande, Dublin, Paris, amitié, femme, prostitution, régime alimentaire, influence de l'éclairage au gaz ou des lampes à arc et à filaments sur la croissance des arbres parahéliotropiques adjacents, poubelles d'urgence installées par la municipalité, Église catholique romaine, célibat des prêtres, nation irlandaise, éducation jésuite, professions, études de médecine, journée précédente, influence néfaste de la veille du sabbat, effondrement de Stephen.

Bloom découvrit-il des facteurs communs de similarité entre leurs réactions respectives semblables et dissemblables au regard de l'expérience ?

Tous deux étaient sensibles aux impressions artistiques musicales plutôt que plastiques ou picturales. Tous deux préféraient le genre de vie continental plutôt qu'insulaire, un lieu de résidence cisatlantique plutôt que transatlantique. Tous deux endurcis très jeunes par l'éducation familiale et par une ténacité héréditaire de résistance hétérodoxe professaient leur incrédulité concernant de nombreuses doctrines orthodoxes religieuses, nationales, sociales et éthiques. Tous deux admettaient l'influence alternativement stimulante et émoussante du magnétisme hétérosexuel[1].

Leurs opinions divergeaient-elles sur certains points ?

Stephen était ouvertement en désaccord avec l'opinion de Bloom au sujet de l'importance d'une autorégulation diététique et civique tandis que Bloom était en désaccord tacite avec l'opinion de Stephen portant sur l'éternelle affirmation de l'esprit humain en littérature[2]. Bloom était secrètement en accord avec la rectification par Stephen de l'anachronisme[3] qui fixait la date de la conversion au christianisme de la nation irlandaise druidique par Patrick fils de Calpornius, fils de Potitus, fils d'Odyssus, mandaté par le pape Célestin I[4] en l'an 432 sous le règne de Leary, à l'an 260 environ sous le règne de Cormac MacArt (✠ 266 ap. J.-C.), asphyxié du fait d'une mauvaise déglutition alimentaire à Sletty et enterré à Rossnaree. L'effondrement que Bloom imputait à une inanition gastrique et à certains composés chimiques à des degrés divers d'adultération et de force alcoolique, hâté par l'effort mental et par la vélocité d'un mouvement giratoire rapide dans une ambiance émolliente, Stephen l'attribuait à la réapparition d'un nuage matutinal (perçu par chacun d'eux depuis deux points d'observation différents, Sandycove et Dublin) tout d'abord pas plus grand qu'une main de femme[5].

Existait-il un point sur lequel ils avaient des opinions égales et négatives ?

L'influence de l'éclairage au gaz ou électrique sur la croissance des arbres parahéliotropiques avoisinants.

Bloom avait-il déjà débattu de sujets semblables au cours de pérambulations nocturnes par le passé ?

En 1884, de nuit, avec Owen Goldberg et Cecil Turnbull sur la voie publique entre Longwood avenue et Leonard's corner, entre Leonard's corner et Synge street et entre Synge street et Bloomfield avenue. En 1885, certains soirs, avec Percy Apjohn, appuyés contre le mur qui séparait Gibraltar villa de Bloomfield house à Crumlin, baronnie d'Uppercross. En 1886 parfois avec des rencontres de hasard et des clients potentiels sur le pas des portes, dans des salons, dans les compartiments de troisième classe des lignes de banlieue. En 1888 fréquemment avec le major Brian Tweedy et sa fille Mlle Marion Tweedy, ensemble et séparément sur le canapé de la maison de Matthew Dillon à Roundtown. Une fois en 1892 et une fois en 1893 avec Julius (Juda) Mastiansky, à chaque occasion dans le salon de sa maison (celle de Bloom) à Lombard street west.

Quelle réflexion au sujet de la séquence irrégulière des dates 1884, 1885, 1886, 1888, 1892, 1893, 1904 Bloom fit-il avant qu'ils n'arrivent à leur destination ?

Il observa que l'extension progressive du champ du développement et de l'expérience chez l'individu s'accompagnait régressivement d'une restriction du domaine converse des relations interindividuelles.

Par exemple de quelle façon ?

De l'inexistence à l'existence il alla vers le nombre et fut reçu comme un : existence avec existence il était avec quiconque comme quiconque avec quiconque : de l'existence en nonexistence disparu il serait perçu par tous comme non-un.

Quelle action Bloom accomplit-il au moment de leur arrivée à destination ?

Devant les marches du 4e des numéros équidifférents impairs, le numéro 7 d'Eccles street[6], il inséra machinalement sa main dans la poche revolver de son pantalon afin d'y prendre la clé de la maison.

Y était-elle ?

Elle était dans la poche correspondante du pantalon qu'il portait la veille du jour précédent.

Pourquoi fut-il doublement irrité ?

Parce qu'il avait oublié et parce qu'il se rappelait s'être par deux fois rappelé de ne pas oublier.

Quels étaient alors les choix offerts, par préméditation (respectivement) et par inadvertance, au couple sans clé ?

Entrer ou ne pas entrer. Frapper ou ne pas frapper.

La décision de Bloom ?

Un stratagème[7]. Posant ses pieds sur le petit muret, il escalada la grille de la courette, enfonça son chapeau sur sa tête, s'agrippa à deux points inférieurs d'intersection des traverses et des montants, fit graduellement descendre son corps de sa hauteur de cinq pieds neuf pouces et demi[8] jusqu'à deux pieds dix pouces du dallage de la courette, et laissa son corps se mouvoir librement dans l'espace en se détachant de la grille et en se ramassant sur lui-même pour se préparer à l'impact de la chute.

Tomba-t-il ?

De tout le poids connu de son corps soit cent cinquante-huit livres, mesure avoirdupoids, tel qu'il avait été certifié par la machine graduée pour pesées personnelles régulières située dans l'officine de Francis Froedman, pharmacien chimiste au 19 Frederick street, north, à la dernière fête de l'Ascension, à savoir le douzième jour de mai de l'année bissextile mille neuf cent quatre de l'ère chrétienne (cinq mille six cent soixante-quatre de l'ère juive, mille trois cent vingt-deux de l'ère mahométane), nombre d'or 5, épacte 13, cycle solaire 9, lettres dominicales C B, indiction romaine 2, période julienne 6617, MCMIV.

Se releva-t-il indemne du choc ?

Ayant retrouvé un nouvel équilibre stable, il se releva indemne quoique commotionné par l'impact, souleva le loquet de la porte de la courette en exerçant une pesée sur la clenche au jeu libre et par l'action d'un bras de levier du premier genre appliqué à son point d'appui, accéda tardivement à la cuisine en passant par la souillarde souterrainement contiguë, enflamma par frottement une allumette soufrée, libéra du gaz inflammable de charbon en tournant le robinet d'admission, produisit une grande flamme qu'il ramena, en la réglant, à une quiescente incandescence et alluma finalement une bougie portable.

Quelle succession d'images discrètes Stephen perçut-il pendant ce temps ?

Appuyé contre la grille de la courette il perçut à travers les vitres transparentes de la cuisine un homme réglant la flamme d'un bec de gaz de 14 bougies, un homme allumant une bougie d'1 bougie, un homme ôtant l'une après l'autre ses deux bottines, un homme quittant la cuisine muni d'une bougie.

L'homme réapparut-il ailleurs ?

Après un délai de quatre minutes la lueur de sa bougie devint perceptible à travers l'imposte en verre semicirculaire semitransparente située au-dessus de la porte d'entrée. La porte d'entrée tourna graduellement sur ses gonds. Dans l'encadrement vide l'homme réapparut sans son chapeau, avec sa bougie.

Stephen obéit-il à son signe ?

Oui, entrant sans bruit, il aida à fermer la porte et à mettre la chaîne et suivit sans bruit dans le vestibule le dos et les pieds en chaussons de lisière et la bougie allumée de l'homme, passa devant la fente éclairée d'une porte sur la gauche et descendit précautionneusement un escalier tournant de plus de cinq marches jusque dans la cuisine de la maison de Bloom.

Que fit Bloom ?

Il éteignit la bougie par une vive expiration sur sa flamme, tira deux chaises en bois blanc à siègincurvé devant l'âtre, l'une pour Stephen tournant le dos à la fenêtre de la courette, l'autre pour lui-même quand il en aurait besoin, mit un genou à terre, édifia sur la grille du foyer un bûcher de morceaux de bois enduits de résine et entrecroisés, de papiers diversement colorés et de polygones irréguliers du meilleur charbon Abram à vingt et un shillings la tonne de l'entrepôt de Messrs Flower et M'Donald au 14 D'Olier street, l'alluma à trois endroits où le papier saillait à l'aide d'une allumette soufrée enflammée, libérant de la sorte l'énergie potentielle contenue dans le combustible en permettant à ses éléments carbone et hydrogène de s'unir librement à l'oxygène de l'air.

À quelles apparitions semblables Stephen pensa-t-il ?

À d'autres ailleurs en d'autres temps[9] qui, s'agenouillant sur un ou deux genoux, avaient allumé des feux pour lui, au Frère Michael dans l'infirmerie du collège de la Société de Jésus de Clongowes Wood, Sallins, dans le comté de Kildare : à son père, Simon Dedalus, dans une chambre non meublée de son premier logement à Dublin, numéro treize Fitzgibbon street : à sa marraine Mlle Kate Morkan dans la maison de sa sœur mourante Mlle Julia Morkan au 15 Usher's Island : à sa tante Sara, épouse de Richie (Richard) Goulding, dans la cuisine de leur logement du 62 Clanbrassil street : à sa mère Mary, épouse de Simon Dedalus, dans la cuisine du numéro douze North Richmond street le matin de la fête de saint François-Xavier en 1898 : au préfet des études, le Père Butt, dans l'amphithéâtre de physique de university College, 16 Stephen's green, north : à sa sœur Dilly (Delia) dans la maison de son père à Cabra.

Que vit Stephen en levant le regard à une hauteur d'un mètre au-dessus du feu dans la direction du mur opposé ?

Sous une rangée de cinq sonnettes à ressort serpentin une corde curviligne, tendue entre deux crampons par le travers du renfoncement mitoyen de l'un des jambages de la cheminée, à laquelle étaient suspendus quatre mouchoirs carrés assezpetits pliés non attachés consécutivement en rectangles adjacents et une paire de bas de femme gris avec bords en dentelle de Lille et pieds dans la position habituelle fixés par trois fichoirs en bois verticaux deux sur leurs bords extérieurs et un troisième à leur point de jonction.

Que vit Bloom sur le fourneau ?

Sur la plaque de droite (la plus petite) une casserole émaillée bleue : sur la plaque de gauche (la plus grande) une bouilloire noire en fer.

Que fit Bloom sur le fourneau ?

Il fit passer la casserole sur la plaque de gauche, se redressa et porta la bouilloire en fer jusqu'à l'évier afin d'en capter le courant en tournant le robinet pour que l'eau coule.

Coula-t-elle ?

Oui. Du réservoir de Roundwood dans le comté de Wicklow d'une capacité cubique de 2 400 millions de gallons, percolant par un aqueduc souterrain de conduites filtrantes à tuyaux simples et doubles construit à un coût initial de £5 le mètre linéaire posé en passant par la Dargle, Rathdown, le Glen des Downs et Callowhill jusqu'au réservoir de 26 acres de Stillorgan, à une distance de 22 miles anglais, et de là, à travers un système de réservoirs de décharge, sur une pente de 250 pieds jusqu'à la limite de la ville à Eustace bridge, upper Leeson street, bien que, du fait d'une sécheresse estivale prolongée et d'une consommation journalière de 12 1/2 millions de gallons, le niveau d'eau fût passé sous le radier du trop-plein, raison pour laquelle le géomètre municipal et ingénieur hydraulique, M. Spencer Harty, C. E., sur instruction du comité hydraulicien avait interdit l'utilisation de l'eau municipale pour tout ce qui n'était pas la consommation (envisageant la possibilité d'avoir recours à l'eau non potable du Grand canal et du canal Royal comme en 1893) tout particulièrement parce que les administrateurs de l'hospice de Dublin Sud, nonobstant leur ration de 15 gallons par jour et par indigent approvisionnée par un compteur de 6 pouces[10], avaient été reconnus coupables d'avoir gâché 20 000 gallons par nuit selon ce que l'on lisait sur leur compteur et l'allégation de l'expert juridique de la municipalité, M. Ignatius Rice[11], avoué, agissant de la sorte au détriment d'une autre partie du public, les contribuables subvenant à leurs propres besoins, solvables, fiables.

Qu'est-ce que dans l'eau Bloom, amateurd'eau, puiseurd'eau, porteurd'eau, en revenant vers le fourneau, admira ?

Son universalité : son égalité démocratique et sa constance envers sa nature dans la recherche de son niveau propre : son immensité dans l'océan de la projection de Mercator[12] : sa profondeur insondée dans la fosse de Sundam du Pacifique qui dépasse 8 000 brasses : l'agitation de ses vagues et de ses particules en surface visitant tour à tour tous les points de ses côtes marines : l'indépendance de ses unités : la variabilité des états de la mer : sa quiescence hydrostatique dans le calme : sa turgidité hydrokinétique lors des marées de morte-eau et de vive-eau : sa subsidence après dévastation : sa stérilité dans les calottes glaciales circumpolaires, arctique et antarctique : son importance climatique et commerciale : sa prépondérance de 3 sur 1 par rapport aux terres émergées du globe : son hégémonie indiscutable s'étendant sur des lieues carrées dans toute la région subéquatoriale du tropique du Capricorne : la stabilité multiséculaire de son bassin primordial : son lit lutéofulveux : sa capacité à dissoudre et à incorporer en solution toutes les substances solubles y compris des millions de tonnes des métaux les plus précieux : ses lentes érosions de péninsules et d'îles, sa formation persistante d'îles et de péninsules homothétiques et de promontoires piquantdunez : ses sédiments alluviaux : son poids, son volume et sa densité : son imperturbabilité dans les lagons et les lacs de montagne : la gradation de ses couleurs dans les zones torrides, tempérées et frigides : ses ramifications véhiculaires dans les courants continentaux confinés dans les lacs et dans les rivières confluentes océanotropes avec leurs affluents et courants transocéaniques : le gulfstream, cours équatoriaux nord et sud : sa violence dans les tremblements de mer, les trombes d'eau, les puits artésiens, les éruptions, les torrents, les tourbillons, les ruisselets, les crues, les lames de fond, les lignes et les points de partage des eaux, les geysers, les cataractes, les remous, les maëlstroms, les inondations, les déluges, les averses : sa vaste courbe circumterrestre anhorizontale : sa discrétion dans les sources et dans l'humidité latente, révélée par les instruments rhabdomantiques[13] ou hygrométriques et exemplifiée par le puits près du trou dans le mur d'Ashtown gate, la saturation de l'air : la distillation de la rosée : la simplicité de sa composition, deux parties constituantes d'hydrogène avec une partie constituante d'oxygène : ses vertus curatives : sa flottabilité dans les eaux de la mer Morte : sa persévérance à pénétrer dans les rigoles, les caniveaux, les barrages inadaptés, les fuites dans les navires : ses propriétés pour le nettoyage, pour éteindre la soif et le feu, nourrir la végétation : son infaillibilité en tant que paradigme et parangon : ses métamorphoses en vapeur, brume, nuage, pluie, grésil, neige, grêle : sa force dans les prises d'eau rigides : sa variété de formes dans les loughs et baies et golfes et anses et goulets et lagunes et atolls et archipels et détroits et fjords et bouques et estuaires de marée et bras de mer : sa solidité dans les glaciers, icebergs, banquises : sa docilité à propulser moulins hydrauliques, turbines, dynamos, centrales électriques, blanchisseries, tanneries, sayetteries : son utilité dans les canaux, rivières, si navigables, les bassins flottants et de radoub : sa potentialité dérivable de l'exploitation des marées ou des cours d'eau tombant d'un niveau à un autre niveau : sa faune et sa flore sous-marines (anacoustiques, photophobes), numériquement, sinon littéralement, les habitants du globe : son ubiquité en tant que constituant 90 % du corps humain : la nocivité de ses effluves dans les marais lacustres, les marécages pestilentiels, l'eau de fleurs croupie, les mares stagnantes à la lune décroissante.

Ayant posé la bouilloire àmoitiépleine sur le charbon qui avait maintenant pris feu, pourquoi retourna-t-il au robinet toujourscoulant ?

Pour laver ses mains sales avec un pain de savon Barrington parfumécitron partiellement utilisé, auquel le papier adhérait encore (acheté treize heures auparavant pour quatre pences et toujours impayé), dans de l'eau douce froide jamaischangeante toujours-changeante et pour les essuyer, visage et mains, avec un long torchon en toile de Hollande à bordure rouge passé sur un rouleau rotatif en bois.

Quelle raison Stephen invoqua-t-il pour décliner l'offre de Bloom ?

Qu'il était hydrophobe, détestant le contact partiel par immersion ou total par submersion dans l'eau froide (son dernier bain remontant au mois d'octobre de l'année précédente), ayant de l'aversion pour les substances aqueuses du verre et du cristal, de la défiance envers les aquacités de pensée et de langage.

Qu'est-ce qui empêcha Bloom de donner à Stephen des conseils d'hygiène et de prophylaxie, auxquels il aurait fallu ajouter des suggestions concernant une humidification préalable de la tête et la contraction des muscles avec éclaboussures rapides sur le visage, le cou et la région thoracique et épigastrique dans les cas de bains de mer ou de rivière, les parties de l'anatomie humaine les plus sensibles au froid étant la nuque, l'estomac et le thénar, ou plante du pied ?

L'incompatibilité entre l'aquacité et l'originalité erratique du génie.

Quels conseils didactiques additionnels repoussa-t-il de même ?

Diététique : concernant le pourcentage respectif de protéines et d'énergie calorique dans le bacon, la julienne salée et le beurre, l'absence de ces premières dans le derniercité et l'abondance de cette dernière dans le premiercité.

Quelles semblaient être selon l'hôte les qualités prédominantes de son invité ?

Confiance en soi, une faculté égale et opposée de s'abandonner et de récupérer.

Quel phénomène concomitant se produisit dans le récipient de liquide sous l'effet du feu ?

Le phénomène de l'ébullition. Attisée par un constant courant de ventilation ascendante entre la cuisine et le conduit de la cheminée, l'ignition fut communiquée des fagotins de carburant précombustible aux amas polydriques de charbon bitumineux, contenant sous forme minérale comprimée les caducs foliés fossilisés des forêts primitives dont l'existence végétative découlait à son tour du soleil, source de chaleur primordiale (radiante), transmise à travers l'éther omniprésent, luminifère et diathermane. La chaleur (convectée), force motrice développée par une telle combustion, fut constamment et de plus en plus communiquée de la source de calorification au liquide contenu dans le récipient, étant irradiée à travers la surface inégale, rugueuse et sombre du métal ferreux, en partie réfléchie, en partie absorbée, en partie transmise[14], élevant graduellement la température de l'eau de normale jusqu'au point d'ébullition, une élévation de température exprimable comme étant le résultat de la dépense des 72 unités thermiques nécessaires pour porter une livre d'eau de 50° à 212° Fahrenheit.

Qu'est-ce qui annonça l'accomplissement de cette élévation de température ?

Une double éjection falciforme de vapeur d'eau de sous le couvercle de la bouilloire des deux côtés simultanément.

Dans quel but personnel Bloom aurait-il pu employer l'eau ainsi bouillie ?

Pour se raser.

Quels avantages accompagnaient un rasage nocturne ?

Une barbe plus douce : un blaireau plus doux si on le laissait intentionnellement dans son agglutination mousseuse de rasage en rasage : une peau plus douce en cas de rencontre inopinée de connaissances féminines dans des lieux éloignés à des heures inaccoutumées : des réflexions tranquilles sur le cours de la journée : une plus grande sensation de propreté en s'éveillant après un sommeil plus rafraîchissant étant donné que les prémonitions, les perturbations et les bruits matutinaux, une berthe entrechoquée, le double coup du facteur, un journal lu, relu en étalant la mousse, en la re-étalant au même endroit, un choc, un poc, en pensant pourtant sur l'instant qu'étant cependant peu présent[15] pourrait provoquer une vitesse de rasage un peu trop grande et une entaille sur laquelle incision un pansement découpé, humecté et appliqué avec précision collerait : ce qu'il fallait faire.

Pourquoi l'absence de lumière le gênait-elle moins que la présence de bruits ?

Du fait de la sûreté du sens du toucher de sa main ferme pleine masculine féminine passive active.

Quelle qualité possédait-elle (sa main) mais avec quelle influence neutralisante ?

La qualité chirurgicale opératoire si ce n'est qu'il était peu disposé à verser du sang humain même lorsque la fin justifiait les moyens, préférant, selon leur ordre naturel, l'héliothérapie, la psychophysicothérapeutique, la chirurgie ostéopathique.

Que pouvait-on voir exposé sur les étagères inférieure, intermédiaire et supérieure du buffet de la cuisine, ouvert par Bloom ?

Sur l'étagère inférieure cinq assiettes verticales de petit déjeuner, six soucoupes horizontales de petit déjeuner sur lesquelles étaient posées des tasses de petit déjeuner à l'envers, une tassamoustache, pasàlenvers, et une soucoupe en porcelaine Crown Derby, quatre coquetiers blancs à filet doré, un portemonnaie en peau de chamois ouvert exhibant des pièces, la plupart en cuivre, et un flacon de fruits confits (à la violette) aromatiques. Sur l'étagère intermédiaire un coquetier ébréché contenant du poivre, une petite salière de table, quatre olives noires agglomérées dans du papier oléagineux, une conserve vide de viande Plumtree, une corbeille ovale en osier tapissée de fibres et contenant une poire Jersey, une bouteille à moitié vide de porto blanc pour personnes alitées William Gilbey and Co, à moitié dévêtue de son maillot de papier crépon corail[16], un paquet de cacao soluble Epps's, cinq onces de thé premier choix Anne Lynch à 2 shillings la livre dans un sac froissé en papier métallisé, une boîte cylindrique contenant des morceaux de sucre cristallisé de premier choix, deux oignons, l'un, le plus gros, espagnol, entier, l'autre, plus petit, irlandais, bissecté, davantage de surface et plus parfumé, un pot de crème de l'Irish Model Dairy, une cruche en faïence brune contenant un peu plus d'une demi-chopine de lait tourné aigre, transformé par la chaleur en eau, sérum acidulé et caillé semi-solide, ce qui, ajouté à la quantité soustraite pour les petits déjeuners de M. Bloom et Mme Fleming, faisait une pinte impériale, la quantité totale originellement livrée, deux clous de girofle, un demi-penny et une petite assiette contenant une tranche d'entrecôte fraîche. Sur l'étagère supérieure une batterie de pots de confiture (vides) de tailles et de provenances diverses.

Qu'est-ce qui posé sur le tablier du buffet attira son attention ?

Quatre fragments polygonaux de deux tickets de paris lacérés et écarlates, numérotés 8 87, 88 6[17].

Quelles réminiscences plissèrent temporairement son front ?

Des réminiscences de coïncidences, la vérité plus

étrange que la fiction, préindicatives du résultat de handicap sur plat de la Gold Cup, dont il avait lu le résultat officiel et définitif dans l'*Evening Telegraph*, dernière édition rose, dans l'abri du cocher, à Butt bridge.

Où des indications préalables concernant le résultat, avéré ou projeté avaient-elles été acceptées par lui ?

Dans l'établissement de Bernard Kiernan au 8, 9 et 10 Little Britain street : dans l'établissement de David Byrne, 14 Duke street : dans O'Connell street lower, devant Graham Lemon's quand un homme sombre lui avait mis entre les mains un prospectus publicitaire (subséquemment jeté) annonçant la venue d'Élie, restaurateur de l'église à Sion : à Lincoln place devant le magasin de F. W. Sweny and Co (Limited), pharmaciens, quand, quand Frederick M. (Bantam) Lyons avait rapidement et successivement requis, parcouru et restitué l'exemplaire du dernier numéro du *Freeman's Journal and National Press* qu'il était sur le point de jeter (subséquemment jeté), il s'était dirigé vers l'édifice oriental des Turkish and Warm Baths, 11 Leinster street, la lumière de l'inspiration brillant sur son visage, portant dans ses bras le secret de la race, gravé dans le langage de la prédiction[18].

Quelles considérations modificatrices apaisèrent son trouble ?

Les difficultés d'interprétation puisque la portée de tout événement suivait son occurrence aussi diversement que la détonation acoustique suivait la décharge électrique et de celles de la contre-expertise afin de se prémunir contre une perte réelle par incapacité à interpréter la somme totale des pertes possibles provenant originellement d'une interprétation réussie.

Son humeur ?

Il n'avait pas pris de risque, il n'attendait rien, il n'avait pas été déçu, il était satisfait.

En quoi était-il satisfait ?

Ne pas avoir subi de perte positive. Avoir permis à d'autres de faire un gain positif. Lumière pour les gentils.

Comment Bloom prépara-t-il une collation pour un gentil ?

Il versa dans deux tasses à thé deux pleines cuillerées, quatre en tout, de cacao soluble Epps's et continua selon les instructions imprimées sur l'étiquette, ajoutant à chacune après un temps d'infusion suffisant les ingrédients prescrits afin qu'ils se diffusent en respectant la manière et la quantité prescrites.

Quelles marques surérogatoires spéciales d'hospitalité l'hôte montra-t-il à son invité ?

Cédant son droit symposiarque à la tassamoustache en imitation Crown Derby que lui avait offerte son unique fille, Millicent (Milly), il lui substitua une tasse identique à celle de son invité et servit extraordinairement à son invité et, dans une moindre mesure, à lui-même la crème visqueuse ordinairement réservée au petit déjeuner de sa femme Marion (Molly).

L'invité était-il conscient de ces marques d'hospitalité et s'en montra-t-il reconnaissant ?

Son attention fut jovialement dirigée vers elles par son hôte et il les accepta sérieusement tandis qu'ils buvaient dans un silence joviosérieux le produit de consommation de masse Epps's, le cacao de monsieur Toutlemonde.

Envisagea-t-il des signes d'hospitalité mais sans les manifester, les mettant de côté pour qu'un autre et lui-même puissent achever lors d'occasions futures l'acte ébauché ?

La réparation d'une fissure d'une longueur de 1 ½ pouce sur le côté droit de la veste de son invité. Le don à son invité de l'un des quatre mouchoirs de dame, si et après vérification, il était dans un état offrable.

Qui but le plus rapidement ?

Bloom, ayant l'avantage de dix secondes d'avance au départ et aspirant, à la surface convexe d'une cuiller le long du manche de laquelle était transmis un courant régulier de chaleur, trois gorgées pour chacune de son adversaire, six pour deux, neuf pour trois.

De quelle cérébration son acte fréquentatif fut-il accompagné ?

Ayant conclu après inspection mais fautivement que son compagnon silencieux était engagé dans une composition mentale il réfléchit aux plaisirs dérivés de la littérature d'instruction plutôt que de divertissement ce à quoi lui-même s'était adonné plus d'une fois sur les œuvres de William Shakespeare afin de trouver la solution de problèmes difficiles de la vie réelle ou imaginaire.

Avait-il trouvé leur solution ?

Malgré une lecture attentive et répétée de certains passages classiques, aidée par un glossaire, il n'avait tiré du texte qu'une conviction imparfaite, les réponses ne portant pas sur tous les points.

Quels vers concluaient la première œuvre originale de poésie qu'il ait écrite, poète potentiel, à l'âge de

11 ans en 1877 à l'occasion de sa participation à trois prix de 10 shillings, 5 shillings et 2 shillings 6 respectivement dans un concours du *Shamrock*, un hebdomadaire ?

L'ambition de lorgner
Sur mes vers imprimés
Me fait espérer que vous leur ferez place.
Si c'est votre désir
Vous me feriez plaisir
En mettant L. Bloom en bas de casse.

Trouva-t-il quatre forces séparatrices entre son invité temporaire et lui ?
Nom, âge, race, religion.

Quelles anagrammes de son nom avait-il composées dans sa jeunesse ?
Leopold Bloom
Ellpodbomool
Molldopeloob
Bollopedoom
Old Ollebo, M. P.

Quel acrostiche sur le diminutif de son prénom avait-il (poète cinétique[19]) envoyé à Mlle Marion (Molly) Tweedy le 14 février 1888 ?

Poètes souvent chantèrent en rimes
Odes de douce musique fort divines.
Pour faire des hymnes de strophes fines,
Ornements dans l'air qui pour toi s'anime.
Laisse-moi goûter ton vin et ton gin.
Devant ton monde, aimant, je m'incline.

Qu'est-ce qui l'avait détourné de terminer un air de chansonnier (musique par E. G. Johnston) portant sur les événements des années passées ou sur l'actualité, titré *Ah si Brian Boru revenait et voyait ce qu'est devenu le vieux Dublin,* une commande de Michael Gunn, gérant du Gaiety Theatre, 46, 47, 48, 49 South King street, lequel serait placé dans la sixième scène, la vallée des diamants, de la seconde édition (30 janvier 1893) de la grande revue annuelle de Noël *Sinbad le Marin* (mise en scène par R. Shelton, 26 décembre 1892, texte de Greenleaf Whittier[20], décor de George A. Jackson et Cecil Hicks, costumes de Mme et Mlle Whelan sous la direction personnelle de Mme Michael Gunn, ballets de Jessie Noir, harlequinade par Thomas Otto) et chanté par Nelly Bouverist, rôle principal ?

Premièrement, l'oscillation entre des événements intéressant l'Empire et la région, le jubilée de diamant anticipé de la reine Victoria[21] (naissance en 1820, accession au trône en 1837) et l'ouverture posticipée du nouveau marché aux poissons municipal[22] : deuxièmement, la crainte que les milieux extrémistes ne s'opposent aux visites respectives de leurs Altesses Royales le duc et la duchesse d'York[23] (réelles) et de sa Majesté le roi Brian Boru (imaginaire) : troisièmement, un conflit entre l'éthique professionnelle et l'émulation professionnelle concernant l'érection récente du Grand Lyric Hall dans Burgh quay et du Theatre Royal dans Hawkins street : quatrièmement, la distraction résultant de sa compassion pour l'expression non-intellectuelle, non-politique et non-topique du visage de Nelly Bouverist et la concupiscence causée par Nelly Bouverist en révélant des pièces non-intellectuelles, non-politiques et non-topiques de sous-vêtements blancs alors qu'elle (Nelly Bouverist) se trouvait dans ces sous-vêtements :

cinquièmement, les difficultés soulevées par la sélection d'une musique appropriée et d'allusions humoristiques empruntées au *Recueil de plaisanteries pour tous*[24] (1 000 pages et un rire à chacune d'elles) : sixièmement, les rimes, homophones et cacophones, associées aux noms du nouveau lord maire, Daniel Tallon, du nouveau haut shérif, Thomas Pil, et du nouveau procureurgénéral, Dunbar Plunket Barton.

Quel rapport existait-il entre leurs âges ?

16 ans plus tôt en 1888 quand Bloom avait l'âge actuel de Stephen Stephen avait 6 ans. 16 ans plus tard en 1920 quand Stephen aurait l'âge actuel de Bloom Bloom aurait 54 ans. En 1936 quand Bloom aurait 70 ans et Stephen 54 ans leurs âges initialement dans un rapport de 16 à 0 seraient comme 17 ½ à 13 ½, le rapport augmentant et la disparité diminuant selon que d'arbitraires années futures seraient ajoutées car, si le rapport existant en 1883 était resté immuable, si tant est que cela fût possible, jusqu'alors en 1904 quand Stephen avait 22 ans Bloom aurait 374 ans et en 1920 quand Stephen aurait 38 ans, l'âge que Bloom avait alors, Bloom aurait 646 ans tandis qu'en 1952 quand Stephen aurait atteint l'âge postdiluvien maximum de 70 ans Bloom, en vie depuis 1 190[25] ans car né en l'année 714, aurait dépassé de 221 ans l'âge antédiluvien maximum, celui de Mathusalem, 969 ans, alors que, si Stephen continuait à vivre jusqu'à atteindre cet âge en 3072 apr. J.-C., Bloom aurait dû vivre 83 300 ans ayant été obligé de naître en l'année 81396 av. J.-C[26].

Quels événements pourraient nullifier ces calculs ?

La cessation de l'existence des deux ou de l'un des deux, l'avènement d'une nouvelle ère ou d'un nouveau calendrier, l'annihilation du monde et l'extermination de l'espèce humaine qui en résulterait, inévitable mais imprévisible.

Combien de rencontres antérieures démontraient qu'ils se connaissaient antérieurement ?

Deux. La première dans le jardindelilas de la maison de Matthew Dillon, Medina Villa, Kimmage road, Roundtown, en 1887, en compagnie de la mère de Stephen, Stephen ayant alors 5 ans et étant peu disposé à tendre la main pour dire bonjour. La seconde dans la salle à manger du Breslin Hotel un dimanche pluvieux de janvier 1892, en compagnie du père de Stephen et du grand-oncle de Stephen, Stephen ayant alors 5 ans de plus.

Bloom accepta-t-il l'invitation à dîner alors lancée par le fils et ensuite appuyée par le père ?

Avec grande reconnaissance, avec une appréciation reconnaissante, avec une reconnaissance sincère pleine d'appréciation, montrant une sincérité appréciativement reconnaissante, il la déclina.

Leur conversation à propos de ces réminiscences révéla-t-elle un troisième lien entre eux ?

Mme Riordan (Dante), veuve ayant des rentes, avait habité dans la maison des parents de Stephen du 1er septembre 1888 au 29 décembre 1891 et avait également résidé au cours des années 1892, 1893 et 1894 au City Arms Hotel[27] appartenant à Elizabeth O'Dowd, 54 Prussia street, où pendant une partie des années 1893 et 1894, elle avait été une informatrice constante de Bloom, qui résidait également dans le même hôtel, étant à l'époque employé par Joseph Cuffe, 5 Smithfield, et chargé du contrôle des transactions sur le marché aux bestiaux adjacent sur la North Circular road.

Avait-il fait physiquement œuvre charitable pour elle ?

Il l'avait parfois poussée les soirs tièdes d'été, veuve infirme possédant des revenus modestes mais qui la rendaient indépendante, dans son fauteuil roulant de convalescente par de lentes révolutions de ses roues jusqu'au coin de la North Circular road en face des locaux de M. Gavin Low où elle était restée quelque temps à examiner à travers ses jumelles binoculaires à une seule lentille des citoyens méconnaissables dans les tramways, sur des bicyclettes de randonnée équipées de pneumatiques gonflables, dans des fiacres, sur des tandems, dans des landaus privés et de louage, dans des charrettes anglaises, des paniers et des wagonnettes qui allaient de la ville à Phoenix Park et *vice versa*.

Pourquoi pouvait-il alors endurer cette faction sienne avec une équanimité d'autant plus grande ?

Parce qu'à la fleur de sa jeunesse il s'était souvent assis pour observer à travers le rondeau de verre bosselé d'une vitre multicolore le spectacle qu'offrait avec des changements constants la voie publique au-dehors, piétons, quadrupèdes, vélocipèdes, véhicules, passant lentement, rapidement, régulièrement autour et autour et autour du pourtour d'un globe escarpé rond et rond.

Quels souvenirs distincts et différents chacun d'eux possédait-il d'elle à présent décédée depuis huit ans ?

Le plus âgé, ses cartes de bésigue et ses jetons, son skye-terrier, sa fortune supposée, les défaillances de son attention et le début de sa surdité catarrhale : le plus jeune, sa lampe à huile de colza devant la statue de l'Immaculée Conception, ses brosses verte et violine pour Charles Stewart Parnell et pour Michael Davitt, ses papiers de soie.

Ne disposait-il d'aucun autre moyen pour jouir du rajeunissement que ces réminiscences divulguées à un compagnon plus jeune rendaient d'autant plus désirables ?

Les exercices en chambre, auparavant pratiqués de façon intermittente, abandonnés par la suite, prescrits dans *La Force physique et Comment l'obtenir* d'Eugen Sandow, qui, destinés tout particulièrement aux commerciaux engagés dans des occupations sédentaires, devaient se pratiquer avec concentration mentale devant un miroir afin de faire jouer les diverses familles de muscles et d'aboutir successivement à une plaisante raideur, à une relaxation plus plaisante et à la repristination[28] des plus plaisantes de l'agilité juvénile.

Une agilité spéciale avait-elle été la sienne au cours de sa prime jeunesse ?

Bien que soulever des barradisques eût été au-dessus de ses forces et une lune à la barre fixe au-delà de son courage au collège il avait cependant excellé dans son exécution sûre et prolongée de la demi-bascule dorsale aux barres parallèles en conséquence de muscles abdominaux anormalement développés.

L'un ou l'autre firent-ils ouvertement allusion à leur différence raciale ?

Ni l'un ni l'autre.

Quelles étaient, réduites à leur forme réciproque la plus simple, les pensées de Bloom à propos des pensées de Stephen à propos de Bloom et les pensées de

Bloom à propos des pensées de Stephen à propos des pensées de Bloom à propos de Stephen ?

Il pensait qu'il pensait qu'il était juif tandis qu'il savait qu'il savait qu'il savait qu'il ne l'était pas.

Quels étaient, une fois éliminées les entraves de la réticence, leurs parentages respectifs ?

Bloom, seul héritier transsubstantiel[29] mâle de Rudolf Virag (subséquemment Rudolph Bloom) de Szombathély, Vienne, Budapest, Milan, Londres et Dublin et de Ellen Higgins, deuxième fille de Julius Higgins (né Karoly) et de Fanny Higgins (née Hegarty). Stephen, aîné consubstantiel des héritiers survivants mâles de Simon Dedalus de Cork et Dublin et de Mary, fille de Richard et Christina Goulding (née Grier).

Stephen et Bloom avaient-ils été baptisés, et où et par qui, clerc ou laïc ?

Bloom (trois fois), par le révérend M. Gilmer Johnston M. A., seul, dans l'église protestante de Saint Nicholas Without, Coombe, par James O'Connor, Philip Gilligan et James Fitzpatrick, ensemble, sous une pompe dans le village de Swords, et par le révérend Charles Malone C. C., dans l'église des Three Patrons, Rathgar. Stephen (une fois) par le révérend Charles Malone C. C., seul, dans l'église des Three Patrons, Rathgar.

Estimaient-ils avoir suivi un cursus éducatif semblable ?

En substituant Stephen à Bloom Stoom serait passé successivement par un jardin d'enfants et par le collège. En substituant Bloom à Stephen Blephen serait passé successivement par les classes préparatoires, primaires et secondaires du premier niveau puis la propédeutique, la première année, la deuxième année et les cours de maîtrise de l'université royale.

Pourquoi Bloom s'abstint-il de mentionner qu'il avait fréquenté l'université de la vie ?

Du fait de son incertitude flottante quant à savoir si cette remarque avait ou non déjà été faite par lui à Stephen ou par Stephen à lui.

Quels étaient les deux tempéraments qu'ils représentaient individuellement ?

Le scientifique. L'artistique.

Quelles preuves Bloom produisit-il afin de démontrer qu'il était attiré par la science appliquée plutôt que pure ?

Certaines inventions possibles sur lesquelles il avait cogité alors qu'en supination il était étendu dans un état de réplétion afin de faciliter sa digestion, stimulé par son appréciation de l'importance d'inventions aujourd'hui banales mais autrefois révolutionnaires, par exemple, le parachute aéronautique, le télescope à miroir, le tire-bouchon hélicoïdal, l'épingle de sûreté, le siphon d'eau minérale, l'écluse de canal avec treuil et vanne, la pompe aspirante.

Ces inventions étaient-elles principalement destinées à un projet de jardin d'enfants perfectionné ?

Oui, rendant obsolètes les pistolets à bouchon, les baudruches élastiques, les jeux de hasard, les lance-pierres. Elles comprenaient des kaléidoscopes astronomiques montrant les douze constellations du zodiaque depuis le Bélier jusqu'aux Poissons, des planétaires mécaniques miniature, des pastilles arithmétiques en gélatine, géométriques afin de correspondre à des biscuits zoologiques, ballons-mappemondes, poupées vêtues de costumes historiques.

Qu'est-ce qui l'avait également stimulé dans ses cogitations ?

Le succès financier auquel étaient parvenus Ephraïm Marks et Charles A. James, le premier grâce à son bazar à un penny au 42 George's street, south, le second dans son magasin à 6 pennies et demi de babioles du monde entier avec exposition de figures de cire au 30 Henry street, entrée 2 pennies, enfants 1 penny ; et les possibilités infinies restées jusqu'ici inexploitées de l'art moderne de la publicité s'il est concentré en symboles trilittères mono-idéaux, verticalement avec visibilité maximale (devinée), horizontalement avec lisibilité maximale (déchiffrée) et d'une efficacité magnétisante afin d'attirer l'attention involontaire, pour intéresser, pour convaincre, pour décider.

Telles que ?

K. 11. Kino's 11 shillings Pantalon.

Maison des Clés. Alexander J. Descley.

Et non telles que ?

Vous voyez cette longue bougie. Calculez le moment où elle sera entièrement brûlée et vous recevrez gratuitement 1 paire de nos chaussures spéciales cuirpleinefleur, puissance garantie d'1 bougie. Adresse : Barclay and Cook, 18 Talbot street.

Tubacille (Poudre Insecticide).

Lameilleure (Cire à Chaussures).

Voulefaut (Canif multi-usages à deux lames avec tire-bouchon, lime à ongles et cure-pipe).

Et surtout pas telles que ?

Que serait une maison sans les conserves Plumtree ?

Incomplète.

Avec elles, un paradis.

Confectionnées par George Plumtree, 23 Merchant's quay, Dublin, pots de 4 onces, publicité insérée par Joseph P. Nannetti, M. P., conseiller municipal, député de la circonscription de Rotunda Ward, 19 Hardwicke street, en dessous des notices nécrologiques et des anniversaires de décès[30]. Le nom sur l'étiquette est Plumtree, un prunier dans une terrine, marque déposée. Attention aux imitations. Pâtpot. Plâtree. Vionpât. Plimtrou.

Quel exemple introduisit-il afin d'induire Stephen à déduire que l'originalité, bien qu'elle produise sa propre récompense, ne conduit pas invariablement au succès ?

Le projet par lui idéé et rejeté d'un char d'exposition illuminé, tiré par une bête de trait, dans lequel deux jeunes filles élégamment habillées auraient été assises et occupées à écrire.

Quelle scène suggérée fut alors construite par Stephen ?

Hôtel solitaire sur un col montagneux. Automne. Crépuscule. Feu dans la cheminée. Dans un coin sombre jeune homme assis. Jeune femme entre. Nerveuse. Solitaire. Elle s'assied. Elle va à la fenêtre. Elle se lève. Elle s'assied. Crépuscule. Elle réfléchit. Sur le papier à lettres de l'hôtel solitaire elle écrit. Elle réfléchit. Elle écrit. Elle soupire. Roues et sabots. Elle se précipite dehors. Il sort de son coin sombre. Il saisit le papier solitaire. Il le tend vers le feu. Crépuscule. Il lit. Solitaire.

Quoi ?

D'une écriture haute, penchée vers la gauche :

Queen's Hotel, Queen's Hotel, Queen's Hotel, Queen's Ho...

Quelle scène suggérée fut alors reconstruite par Bloom ?

Le Queen's Hotel, Ennis, comté de Clare, où Rudolph Bloom (Rudolf Virag) mourut le soir du 27 juin 1886, à une heure non précisée, en conséquence d'une overdose de napel (aconit) auto-administré sous la forme d'un liniment névralgique composé de 2 parties de liniment d'aconit pour 1 partie de liniment chloroformique (acheté par lui à 10h20 le matin du 27 juin 1886 à la pharmacie de Francis Dennehy, 17 Church street, Ennis) après avoir, bien que pas en conséquence d'avoir, acheté à 3h15 de l'après-midi du 27 juin 1886 un nouveau canotier en paille, particulièrement chic (après avoir, bien que pas en conséquence d'avoir, acheté à l'heure et à l'endroit mentionnés plus haut, le toxique mentionné plus haut), dans le grand magasin de tissus de James Cullen, 4 Main street, Ennis.

Attribua-t-il cette homonymie à l'information ou à la coïncidence ou à l'intuition ?

À la coïncidence.

Décrivit-il verbalement la scène pour que son invité la voie ?

Lui-même préféra voir le visage d'un autre et écouter les mots d'un autre à l'aide desquels une narration potentielle fut réalisée et le tempérament cinétique soulagé.

Ne vit-il qu'une seconde coïncidence dans la seconde scène qui lui fut narrée, décrite par le narrateur sous le titre de *Vue de la Palestine depuis le mont Pisga* ou *La Parabole des prunes* ?

Celle-là, ainsi que la scène précédente et que d'autres nonnarrées mais existant par implication, auxquelles il faut ajouter des essais sur des sujets variés ou des apophtegmes moraux (par ex. *Mon héros favori*[31] ou *Procrastination est voleuse de temps*[32]) composés pendant les années d'école, lui paraissait contenir en elle-même et conjointement avec son équation personnelle certaines possibilités de succès financier, social, personnel et sexuel, soit qu'ils eussent été spécifiquement colligés et sélectionnés comme modèles thématiques pédagogiques (d'un mérite de cent pour cent) à l'usage des élèves du cours moyen et de première année soit offerts sous forme imprimée, à la suite du précédent créé par Philip Beaufoy ou Doctor Dick ou Heblon avec ses *Études en bleu*[33], dans une revue à la diffusion et à la solvabilité certaines soit verbalement en tant que stimulant intellectuel pour des auditeurs sympathisants, tacitement admiratifs d'une narration réussie et augurant avec confiance une réalisation réussie, au cours des nuits toujours plus longues qui suivent graduellement le solstice d'été dans quatre jours, *videlicet*, mardi 21 juin (saint Louis de Gonzague), lever de soleil 3.33 du matin, coucher de soleil 8.29 du soir.

Quel était le problème domestique qui occupait fréquemment son esprit autant, sinon plus, que tout autre problème ?

Que faire de nos épouses.

Quelles avaient été ses solutions singulières et hypothétiques ?

Jeux de société (dominos, alma, puces, jonchets,

passe-boule, Napoléon, écarté, bésigue, triomphe, bataille, dames, échecs ou jacquet) : broderie, ravaudage ou tricotage pour l'œuvre du vêtement soutenue par la police : duos musicaux, mandoline et guitare, piano et flûte, guitare et piano : travail de copie juridique ou rédaction d'enveloppes : sorties bihebdomadaires pour des spectacles de variétés : activité commerciale en tant que maîtresse propriétaire plaisamment autoritaire et plaisamment obéie d'une laiterie fraîche ou d'un chaud débit de tabac : la satisfaction clandestine de l'irritation érotique dans des bordels masculins, inspectés par l'administration et contrôlés par le corps médical : visites de politesse à intervalles réguliers et établis, peu fréquentes, sous supervision régulière, fréquente, préventive, à et de connaissances féminines à la respectabilité reconnue dans le proche voisinage : cours du soir d'instruction spécifiquement conçus pour rendre agréable une instruction libérale.

Quels exemples de développement mental insuffisant chez son épouse le faisaient pencher en faveur de la dernière (neuvième) solution mentionnée ?

Dans les moments où elle était inoccupée elle avait plus d'une fois couvert une feuille de papier de signes et de hiéroglyphes dont elle affirmait qu'ils étaient des caractères grecs et irlandais et hébreux. Elle avait constamment demandé à des intervalles de temps divers quelle était la façon correcte d'écrire la majuscule initiale du nom d'une ville au Canada, Québec. Elle ne comprenait pas grand-chose aux complications politiques, à l'intérieur, ou à l'équilibre des puissances, à l'extérieur. Pour calculer les additions sur les factures elle avait fréquemment recours à une aide digitale. Après complétion de compositions épistolaires laconiques elle abandonnait l'outil calligraphique dans le pigment encaustique, l'exposant à l'action corrosive de la couperose bleue, de la couperose verte et de la noix de galle. Les mots polysyllabiques peu courants d'origine étrangère elle interprétait soit phonétiquement soit à l'aide d'analogies fausses soit avec les deux à la fois : métempsycose (mets ton ptit chose[34]), *alias* (une personne mensongère mentionnée dans les textes sacrés[35]).

Qu'est-ce qui compensait dans la balance faussée de son intelligence ces erreurs de jugement au sujet des personnes, des lieux et des choses ?

Le faux parallélisme apparent de tous les bras perpendiculaires de toutes les balances, que la construction démontre comme vrai. Le contre-balancier de la compétence de son jugement au sujet d'une personne, dont l'expérience démontrait la réalité[36].

Comment avait-il tenté de remédier à cet état d'ignorance relative ?

De diverses façons. En laissant à bien en évidence un certain livre ouvert à une certaine page : en présumant chez elle, lors d'explications allusives, un savoir latent : en ridiculisant ouvertement en sa présence la bévue ignorante d'une personne absente.

Quel succès avait-il rencontré en tentant un enseignement direct ?

Elle ne suivait pas du tout, une partie du tout, prêtait attention avec intérêt, comprenait avec surprise, avec attention répétait, avec une plus grande difficulté se rappelait, oubliait avec facilité, avec méfiance se rerappelait, rerépétait fautivement.

Lequel des systèmes s'était montré le plus efficace ?

Suggestion indirecte mettant en œuvre l'intérêt personnel.

Exemple ?

Elle n'aimait pas parapluie avec pluie, il aimait femme avec parapluie, elle n'aimait pas chapeau neuf avec pluie, il aimait femme avec chapeau neuf, il acheta chapeau neuf avec pluie, elle porta parapluie avec chapeau neuf.

Acceptant l'analogie qu'impliquait la parabole de son invité quels exemples d'éminence postexilique invoqua-t-il ?

Trois chercheurs de la vérité pure, Moïse d'Égypte, Moïse Maïmonide, auteur de *More Nebukim* (Guide des Égarés) et Moïse Mendelssohn d'une telle éminence que de Moïse (Égypte) à Moïse (Mendelssohn) n'apparut personne de supérieur à Moïse (Maïmonide).

Quelle affirmation fut énoncée, sauf correction, par Bloom au sujet d'un quatrième chercheur de la vérité pure, du nom d'Aristote, mentionné, avec permission, par Stephen ?

Que le chercheur mentionné avait été l'élève d'un philosophe rabbinique, au nom incertain.

D'autres fils illustres et anapocryphes de la loi et enfants d'une race choisie ou rejetée furent-ils mentionnés ?

Félix Bartholdy Mendelssohn (compositeur), Baruch Spinoza (philosophe), Mendoza (pugiliste), Ferdinand Lassalle[37] (réformateur, duelliste).

Quels fragments de poésie de l'ancien hébreu et de l'ancien irlandais furent cités avec modulations de voix et traduction de textes de l'invité pour l'hôte et de l'hôte pour l'invité ?

Par Stephen : *suil, suil, suil arun, suil go siocair agus suil go cuin*[38] (va, va, va ton chemin, va en sécurité, va avec prudence).

Par Bloom : *kifeloch, harimon rakatejch m'baad l'zamatejch*[39] (ta tempe parmi tes cheveux est comme une tranche de grenade).

Comment une comparaison glyphique des symboles phoniques de ces deux langues fut-elle entreprise pour donner substance à la comparaison orale ?

Par juxtaposition. Sur la pénultième page d'un livre au style littéraire inférieur, intitulé *Douceurs du péché* (exhibé par Bloom et manipulé de telle sorte que sa couverture soit en contact avec la surface de la table) à l'aide d'un crayon (fourni par Stephen) Stephen traça les caractères irlandais pour gé, é, dé, em, simples et modifiés, et Bloom à son tour traça les caractères hébraïques gimel, aleph, daleth et (en l'absence de mem) un coph de substitution, expliquant leurs valeurs arithmétiques en tant que nombres ordinaux et cardinaux, *videlicet*, 3, 1, 4, et 100.

La connaissance que tous deux avaient de chacune de ces langues, la morte et la ranimée, était-elle théorique ou pratique ?

Théorique, car confinée à certaines règles grammaticales de morphologie et de syntaxe et excluant pratiquement le vocabulaire.

Quels points de rencontre existaient entre ces langues et entre les peuples qui les parlaient ?

La présence de sons gutturaux, d'aspirations diacritiques, de lettres épenthétiques et serviles dans les deux langues : leur antiquité, toutes deux ayant été enseignées dans la plaine de Schinear 242 ans après le déluge dans le séminaire fondé par Fenius Farsaigh, descendant de Noé, progéniteur d'Israël, et ascendant d'Héber et d'Heremon, progéniteurs de l'Irlande[40] : leurs littératures archéologiques, généalogiques, hagiographiques, exégétiques, homilétiques, toponomastiques, historiques et religieuses comprenant les textes des rabbins et des culdees, la Torah, le Talmud, (Mischna et Gemara), la Massore, le Pentateuque, Le Livre de la Vache brune, le Livre de Ballymote, la Guirlande de Howth, le Livre de Kells[41] : leurs dispersion, persécution, survie et renaissance : l'isolement de leurs rites synagogiques et ecclésiastiques dans le ghetto (S. Mary's abbey[42]) et dans la maison-Dieu (la taverne d'Adam et Ève[43]) : la proscription de leurs costumes nationaux par des lois pénales et des décrets sur l'habillement des juifs : la restauration de Sion en Chanah David[44] et la possibilité de l'autonomie politique ou d'une dévolution pour l'Irlande[45].

Quelle antienne Bloom psalmodia-t-il partiellement pour anticiper cet accomplissement multiple, ethniquement irréductible ?

Kolod balejwaw pnimah
Nefesch, jehudi, homijah[46]

Pourquoi la psalmodie s'arrêta-t-elle à la conclusion de ce premier distique ?

En raison d'une mnémotechnie déficiente.

Comment le chantre compensa-t-il cette faiblesse ?

Par une version périphrastique du texte général.

Dans quelle étude commune leurs réflexions mutuelles fusionnèrent-elles ?

La simplification croissante que l'on peut constater depuis les hiéroglyphes épigraphiques égyptiens jusqu'aux alphabets grecs et romains ainsi que l'anticipation de la sténographie moderne et du code télégraphique dans les inscriptions cunéiformes (sémitiques) et l'écriture virgulaire quinquécostale de l'ogham[47] (celtique).

L'invité accéda-t-il à la requête de son hôte ?

Doublement, en apposant sa signature en caractères irlandais et romains[48].

Quelle était la sensation auditive de Stephen ?

Il entendait dans une mélodie profonde, ancienne, masculine, peu familière l'accumulation du passé.

Quelle était la sensation visuelle de Bloom ?

Il voyait dans une forme vive, jeune, masculine, familière la prédestination d'un avenir.

Quelles étaient, chez Stephen et chez Bloom, les quasisensations volitionnelles quasisimultanées d'identités dissimulées ?

Visuellement, chez Stephen : La figure traditionnelle de l'hypostase, décrite par Johannes Damascenus, Lentulus Romanus et Epiphanius Monachus[49] comme leucodermique, sesquipédalien[50], avec une chevelure vinsombre[51].

Auditivement, chez Bloom : Le ton traditionnel de l'extase de la catastrophe.

Quelles carrières futures auraient été possibles pour Bloom dans le passé et selon quels modèles ?

Dans l'église, romaine, anglicane ou nonconformiste : modèles, le très révérend John Conmee S. J., le révérend T. Salmon, D. D., président de Trinity college, le Dr Alexander J. Dowie. Au barreau, anglais ou irlandais : modèles, Seymour Bushe, K. C., Rufus Isaacs[52], K. C. Sur la scène, moderne ou shakespearienne : modèles, Charles Wyndham[53], grand comédien, Osmond Tearle (✠1901), interprète de Shakespeare.

L'hôte incita-t-il son invité à psalmodier d'une voix modulée une étrange légende sur un thème connexe ?

De façon rassurante, l'endroit où ils étaient, où personne ne pouvait les entendre parler, étant retiré, rassurés, les boissons décoctées, permettant le sédiment résiduel légèrementsolide d'un mélange mécanique, eau plus sucre plus crème plus cacao, ayant été consommées.

Récitez la première (majeure) partie de cette légende psalmodiée.

Petit Harry Hughes et tous ses camarades
Sortirent jouer en brigade.
Et la toute première balle qu'Harry Hugues lança
Fut pour le juif, sur sa palissade.
Et la deuxième balle qu'Harry Hugues lança
Brisa les vitres du juif en façade[54].

Petit Harry Hughes et tous ses camara - des sor-
tirent jouer en briga- de – sor- tirent jouer en brigade et la toute premiè-re balle qu'Har- ry Hughes lan-ça fut
pour le juif, sur sa palis- sa - de fut pour le juif, sur sa palissade et la deuxième balle qu'Harry Hughes lança bri-
sa les vitres du juif en fa- çade brisa les vitres du juif en fa- çade

Comment le fils de Rudolph reçut-il cette première partie ?

Sans réserve. Souriant, un juif, il l'écouta avec plaisir et vit la fenêtre intacte de la cuisine.

Récitez la seconde (mineure) partie de la légende.

Alors sortit la fille du juif
Toute de vert vêtue.
« Reviens, reviens, mignon petit garçon,
Jouer à la balle, veux-tu ? »

« Non, jamais, je ne veux pas revenir
Sans mes amis, c'est défendu.
Car si mon maître le savait
Je crois que je serais battu. »

Elle le saisit par sa main blanc de lys
Et l'entraîna à son insu
Vers la maison, dans une pièce,
Où il ne serait pas entendu.

Elle sortit un canif de sa poche
Et sa petite tête elle coupa.
Il ne jouera plus à la balle
Car il est dans l'au-delà.

Comment le père de Millicent reçut-il cette deuxième partie ?

Avec réserves. Sans sourire, il entendit et vit avec étonnement une fille de juif, toute de vert vêtue.

Condensez le commentaire de Stephen.

L'un d'entre tous, le moindre d'entre tous, est la

victime prédestinée. Une fois par inadvertance, deux fois à dessein, il défie sa destinée. Elle vient quand il est abandonné et le défie alors qu'il résiste, et, sous la forme d'une apparition d'espoir et de jeunesse, le maintient soumis. Elle le conduit dans une étrange habitation, dans un appartement secret et infidèle, et là, implacable, elle l'immole, consentant.

Pourquoi l'hôte (victime prédestinée) était-il triste ?

Il souhaitait que l'histoire d'un acte soit contée d'un acte non de son fait soit par lui non contée.

Pourquoi l'hôte (à contrecœur, soumis) était-il immobile ?

Conformément à la loi de la conservation de l'énergie.

Pourquoi l'hôte (infidèle secret) était-il silencieux ?

Il pesait la possibilité de preuves pour et contre le meurtre rituel : les incitations de la hiérarchie, la superstition de la populace, la propagation de la rumeur par fractions continues de véridicité, l'envie d'opulence, l'influence des représailles, la réapparition sporadique de délinquance atavique, les circonstances atténuantes du fanatisme, de la suggestion hypnotique et du somnambulisme.

De ces troubles mentaux ou physiques, desquels (si tant est qu'il y en ait) n'était-il pas complètement à l'abri ?

De la suggestion hypnotique : une fois, s'étant réveillé, il n'avait pas reconnu sa chambre à coucher : plus d'une fois, s'étant réveillé, il avait été pendant un temps indéfini incapable de bouger ou de produire un son. Du somnambulisme : une fois, endormi, son corps s'était levé, s'était allongé par terre et avait rampé en direction d'un feu sans chaleur et là, ayant atteint sa destination, pelotonné, non réchauffé, en vêtements de nuit, était resté allongé, endormi.

Ce dernier phénomène, ou tout autre de nature semblable, s'était-il produit chez un autre membre de sa famille ?

Deux fois, à Holles street et à Ontario terrace, sa fille Millicent (Milly), à l'âge de 6 et 8 ans, avait proféré dans son sommeil une exclamation de terreur et avait répondu aux questions de deux silhouettes en vêtements de nuit par une expression absente et muette.

Quels autres souvenirs enfantins avait-il d'elle ?

15 juin 1889. Un nouveau-né dolent de sexe féminin pleurant afin de provoquer et de diminuer la congestion. Une enfant renommée Petit Chausson elle suffoque sous le choc et disloque sa cagnotte : compte ses trois boutons liards en liberté, un, dleu, tloi : une poupée, un garçon, un marin elle rejette : blonde, née de deux bruns, elle avait une ascendance blonde, lointaine, une violation, Herr Hauptmann Hainau[55], armée autrichienne, proche, une hallucination, lieutenant Mulvey, marine britannique.

Quels étaient les traits endémiques en présence ?

Inversement la formation nasale et frontale dérivait d'une ligne généalogique directe qui, quoique interrompue, continuerait à des intervalles lointains jusqu'à des intervalles plus lointains jusqu'à ses intervalles les plus lointains.

Quels souvenirs avait-il de son adolescence ?

Elle relégua dans un coin cerceau et corde à sauter. À duke's lawn, sollicitée par un visiteur anglais, elle refusa de lui permettre de prendre et d'emporter son image photographique (objection non précisée). Sur la South Circular road en compagnie d'Elsa Potter, suivie par un individu à l'aspect sinistre, elle descendit jusqu'au milieu de Stamer street avant de repartir abruptement dans l'autre sens (raison de ce changement non précisée). À la veille du 15e anniversaire de sa naissance elle écrivit une lettre depuis Mullingar, comté de Westmeath, où elle faisait une brève allusion à un étudiant de la localité (faculté et année non précisées).

Cette première division, présageant une seconde division, affligea-t-elle Bloom ?

Moins qu'il ne l'avait imaginé, plus qu'il ne l'avait espéré.

De quel deuxième départ fut-il semblablement conscient, à la même époque, bien que différemment ?

La disparition temporaire de sa chatte.

Pourquoi semblablement, pourquoi différemment ?

Semblablement, parce qu'animées par un objectif secret la quête d'un nouveau mâle (étudiant de Mullingar) ou d'un simple vulnéraire (valériane). Différemment, du fait de différents retours possibles vers les habitants ou vers l'habitation.

Sous d'autres aspects, leurs différences étaient-elles semblables ?

En ce qui concerne la passivité, l'économie, l'instinct de la tradition, l'inattendu.

Comme ?

Au sens où se penchant elle tendait vers lui sa chevelure blonde afin qu'il y noue un ruban (cf. chatte arquantlecou). En outre, sur la surface libre du lac de Stephen's green au milieu des reflets inversés d'arbres son crachat non commenté, décrivant des cercles concentriques d'anneaux d'eau, indiquait par la persistance de sa permanence la position d'un poisson somnolent prostré (cf. chatte observantsouris). Ou encore, afin de se souvenir de la date, des combattants, de l'issue et des conséquences d'une célèbre action militaire, elle tirait sur une tresse de ses cheveux (cf. chatte lavant-son-oreille). Également, Millinotte, elle avait rêvé qu'elle avait eu une conversation nonprononcée et nonsouvenue avec un cheval dont le nom était Joseph à qui (auquel) elle avait offert un grand verre de limonade qu'il (Joseph) avait paru accepter (cf. chatte rêvant-devant-l'âtre). Donc, en ce qui concerne la passivité, l'économie, l'instinct de la tradition, l'inattendu, leurs différences étaient semblables.

De quelle façon s'était-il servi de présents (1) une chouette, 2) une pendule), offerts comme augures matrimoniaux, pour l'intéresser et l'instruire ?

Comme leçons de choses pour expliquer : 1) la nature et les mœurs des animaux ovipares, la possibilité du vol aérien, certaines anomalies de la vision, le procédé séculier d'embaumement : 2) le principe du pendule, selon l'exemple de la lentille, de la transmission et du régulateur, la traduction en termes de régulation humaine ou sociale des diverses positions des indicateurs mobiles dans le sens positif sur un cadran immobile, l'exactitude du retour chaque heure d'un instant de chaque heure où les indicateurs long et court formaient le même angle d'inclinaison, *videlicet*, 5/11 minutes après l'heure par heure selon une progression arithmétique.

De quelles manières se manifesta-t-elle en retour ?

Elle se rappelait : pour le 27e anniversaire de sa

naissance elle lui offrit une tassamoustache imitant la porcelaine Crown Derby pour le petit déjeuner. Elle pourvoyait : le jour du terme ou à peu près si ou quand des emplettes avaient été faites par lui à son intention, elle se montrait très attentive à ses besoins, allant au devant de ses désirs. Elle admirait : lorsqu'il avait expliqué pas à son intention un phénomène naturel elle exprimait le désir immédiat de posséder sans acquisition graduelle une fraction de sa science, la moitié, le quart, la millième partie.

Quelle proposition Bloom, diambule, père de Milly, somnambule, fit-il à Stephen, noctambule ?

Passer à se reposer les heures intervenant entre le jeudi (proprement dit) et le vendredi (normal) dans une alcôve improvisée dans la chambre directement au-dessus de la cuisine et directement mitoyenne de la chambre à coucher de son hôte et de son hôtesse.

Quels avantages divers auraient découlé ou auraient pu découler de la prolongation d'une telle improvisation ?

Pour l'invité : sécurité de logement et isolement pour l'étude. Pour l'hôte : rajeunissement de l'intelligence, satisfaction vicariante. Pour l'hôtesse : désintégration de l'obsession, acquisition d'une prononciation correcte de l'italien.

Pourquoi ces diverses contingences provisoires entre un invité et une hôtesse n'auraient-elles pas nécessairement empêché ou été empêchées par l'éventualité permanente d'une union réconciliatrice entre un condisciple[56] et une fille de juif ?

Parce qu'il fallait passer par la mère pour atteindre la fille, par la fille pour atteindre la mère[57].

À quelle question polysyllabique inconséquente de son hôte l'invité répliqua-t-il par une réponse négative monosyllabique ?

S'il avait connu feu Mme Emily Sinico, tuée accidentellement dans la gare de chemin de fer de Sydney Parade le 14 octobre 1903[58].

Quelle affirmation corollaire inchoative fut en conséquence réprimée par l'hôte ?

Une affirmation expliquant son absence à l'occasion de l'enterrement de Mme Mary Dedalus (née Goulding), le 26 juin 1903[59], vigile de l'anniversaire du décès de Rudolph Bloom (né Virag).

La proposition d'asile fut-elle acceptée ?

Promptement[60], inexplicablement, avec amabilité, avec reconnaissance, elle fut refusée.

Quel échange d'argent eut lieu entre hôte et invité ?

Le premier rendit au second, sans intérêt, une somme d'argent (£1.7s.0.), une livre sept shillings sterling, avancée par le second au premier[61].

Quelles contre-propositions furent alternativement avancées, acceptées, modifiées, déclinées, reformulées en d'autres termes, réacceptées, ratifiées, reconfirmées ?

Inaugurer un cours préorganisé d'instruction en italien, sur le lieu de résidence de la personne à instruire. Inaugurer un cours d'instruction vocale, sur le lieu de résidence de la personne instruisant. Inaugurer une série de dialogues intellectuels statiques, semistatiques et péripatétiques, sur les lieux de résidence des deux interlocuteurs (si les deux interlocuteurs résidaient dans le même lieu), l'hôtel-taverne le *Ship*, 6 Lower Abbey street (propriétaires, W. et

E. Connery), la National Library of Ireland, 10 Kildare street, le National Maternity Hospital, 29, 30 et 31 Holles street, un jardin public, la proximité d'un lieu de culte, la conjonction de deux ou de plus de deux voies publiques, le point de bissection d'une ligne droite tirée entre leurs résidences (si les deux interlocuteurs résidaient dans des lieux différents).

Qu'est-ce qui rendait problématique aux yeux de Bloom la réalisation de ces propositions mutuellement autoexclusives ?

L'irréparabilité du passé : un jour lors d'une représentation du cirque d'Albert Hengler à la Rotonde, Rutland square, Dublin, un clown intuitif bariolé en quête de paternité était passé de la piste à un endroit dans l'auditoire où Bloom, solitaire, était assis et avait déclaré publiquement à un public hilare qu'il (Bloom) était son papa (celui du clown). L'imprévidibilité[62] de l'avenir : un jour pendant l'été 1898 il (Bloom) avait marqué un florin (2 shillings) de trois crans sur son bord crénelé et l'avait présenté en paiement d'une facture due à J. et T. Davy, épiciers de quartier, 1 Charlemont Mall, Grand Canal, et acquittée auprès d'eux, afin qu'il circule sur les eaux des finances publiques et puisse peut-être, de façon détournée ou directe, lui revenir.

Le clown était-il le fils de Bloom ?

Non.

La pièce de Bloom lui était-elle revenue ?

Jamais.

Pourquoi une frustration répétée le déprimerait-elle d'autant plus ?

Parce qu'au tournant critique de l'existence

humaine il désirait corriger de nombreuses circonstances sociales, produits de l'inégalité, de l'avarice et de l'animosité internationale.

Donc il croyait que, en éliminant ces circonstances, la vie humaine était infiniment perfectible ?

Restaient les circonstances génériques imposées par la loi naturelle, en tant que distincte de la loi humaine, comme parties intégrantes de la totalité humaine : la nécessité de détruire afin de se procurer une sustentation alimentaire : le caractère douloureux des fonctions ultimes de l'existence séparée, les agonies de la naissance et de la mort : la menstruation monotone des femelles simiennes et (particulièrement) humaines s'étendant de l'âge de la puberté à la ménopause[63] : les accidents inévitables en mer, dans les mines et dans les usines : certaines maladies très douloureuses et les opérations chirurgicales qu'elles occasionnent, l'imbécillité innée et la criminalité congénitale, les épidémies décimatrices : les catastrophes cataclysmiques qui font de la terreur le fondement de l'esprit humain : les soulèvements sismiques dont les épicentres sont situés dans des régions à population dense : le fait de la croissance vitale, à travers les convulsions de la métamorphose, de la petite enfance à la décrépitude en passant par la maturité.

Pourquoi renonça-t-il à spéculer ?

Parce qu'il fallait une intelligence supérieure pour substituer des phénomènes plus acceptables aux phénomènes moins acceptables qu'il fallait éliminer.

Stephen participait-il à son abattement ?

Il affirma sa signifiance en tant qu'animal rationnel conscient passant syllogistiquement du connu à l'inconnu et qu'agent réactif rationnel conscient entre un micro et un macrocosme inéluctablement édifiés sur l'incertitude du vide[64].

Cette affirmation fut-elle saisie par Bloom ?
Pas verbalement. Substantiellement.

Qu'est-ce qui renforça sa méprise ?
Le fait qu'en tant que citoyen sans clé et compétent il était passé énergiquement de l'inconnu au connu à travers l'incertitude du vide.

Dans quel ordre de préséance, accompagné par quelle cérémonie, l'exode de la maison de servitude au désert de la demeure se déroula-t-il ?

Bougie Allumée dans Bougeoir
portée par
BLOOM
Chapeau Diaconal sur Frênecanne
portée par
STEPHEN

Avec quelle intonation *secreto* de quel psaume commémoratif ?
Le 113e, *modus peregrinus : In exitu Israel de Egypto : domus Jacob de populo barbaro*[65].

Que fit chacun d'eux à la porte de sortie ?
Bloom posa le bougeoir sur le sol. Stephen mit le chapeau sur sa tête.

Pour quelle créature la porte de sortie fut-elle une porte d'entrée ?
Pour une chatte.

À quel spectacle furent-ils confrontés quand ils, d'abord l'hôte, puis l'invité, émergèrent silencieusement, doublement sombres, de l'obscurité par un passage à l'arrière de la maison dans la pénombre du jardin ?

L'arbreciel d'étoiles constellé de fruits humides bleunuit[66].

De quelles méditations Bloom, pour son compagnon, accompagna-t-il sa démonstration de diverses constellations ?

Méditations sur une évolution toujours plus étendue : sur la lune invisible en amorce de lunaison, approchant de son périgée[67] : sur la voie lactée incondensée scintillante lattigineuse[68] et infinie, visible en plein jour par un observateur placé à la partie inférieure d'un puits vertical cylindrique de 5 000 pieds de profondeur qui s'enfoncerait de la surface de la terre vers son centre : sur Sirius (alpha dans Canis Maior) distante de 10 années-lumière (57 000 000 000 000 miles) et ayant 900 fois la taille de notre planète en volume : sur Arcturus[69] : sur la précession des équinoxes : sur Orion avec baudrier et sextuple soleil thêta et nebula où 100 de nos systèmes solaires pourraient être contenus : sur les étoiles moribondes et les nouvelles étoiles naissantes telles que Nova[70] en 1901 : sur notre système plongeant vers la constellation d'Hercule : sur la parallaxe ou la dérive parallactique des étoiles soi-disant fixes, en réalité des vagabondes enconstantmouvement depuis des éons incommensurablement éloignés jusqu'à des temps futurs infiniment lointains en comparaison desquels les années, septante, allouées à la vie humaine constituaient une parenthèse d'une infinitésimale brièveté.

Y avait-il des méditations inverses sur une involution de moins en moins étendue ?

Sur les éons de périodes géologiques inscrites dans les stratifications de la terre : sur les myriades d'existences organiques entomologiques minuscules dissimulées dans les cavités de la terre, sous des pierres amovibles, dans des ruches et des buttes : sur les microbes, les germes, les bactéries, les bacilles, les spermatozoïdes : sur les incalculables trillions de milliards de millions de molécules imperceptibles contenues du fait de la cohésion de l'affinité moléculaire dans une seule tête d'épingle : sur l'univers du sérum humain constellé de corps rouges et blancs, eux-mêmes des univers d'espace vide constellés d'autres corps, chacun, en continuité, son propre univers de corps constituants divisibles dont chacun est à son tour divisible en divisions de corps constituants redivisibles, dividendes et diviseurs chaque fois plus petits sans division effective jusqu'à ce que, à condition que le processus fût mené suffisamment loin, rien nulle part ne soit jamais atteint.

Pourquoi n'élabora-t-il pas ces calculs pour obtenir un résultat plus précis ?

Parce que quelques années plus tôt en 1886 alors qu'il s'intéressait au problème de la quadrature du cercle[71] il avait appris l'existence d'un nombre calculé avec un degré relatif de précision d'une telle grandeur et contenant tant de chiffres, à savoir, la 9e puissance de la 9e puissance de 9, que, une fois le résultat obtenu, 33 volumes imprimés très petit de 1 000 pages chacun fait d'innombrables mains et rames de papier indien devraient être réquisitionnés afin de contenir le compte entier de ces nombrentiers imprimés d'unités, de dizaines, de centaines, de milliers, de dizaines de milliers, de centaines de milliers, de millions, de dizaines de millions, de centaines de millions, de milliards, le noyau de la nébuleuse de chaque chiffre de chaque série contenant succinctement la potentialité d'être élevé à l'élaboration cinétique la plus haute de toute puissance de l'une quelconque de ces puissances.

Estimait-il que les problèmes de l'habitabilité des planètes et de leurs satellites par une race, existant sous forme d'espèces, ainsi que la potentielle rédemption sociale et morale de la dite race par un rédempteur, étaient plus faciles à résoudre ?

D'une difficulté d'un autre ordre. Conscient que l'organisme humain, capable normalement de supporter une pression atmosphérique de 19 tonnes, lorsqu'il était élevé à une altitude considérable dans l'atmosphère terrestre souffrait avec une intensité en progression arithmétique, alors qu'il s'approchait de la ligne de démarcation entre la troposphère et la stratosphère, d'hémorragie nasale, de gêne respiratoire et de vertige, il avait en proposant une solution à ce problème, émis comme hypothèse de travail la conjecture dont il était impossible de démontrer la fausseté qu'une race plus adaptable et de construction anatomique différente pourrait subsister de façon autre sous des conditions suffisantes et équivalentes martiennes, mercurielles, vénériennes, jupitériennes, saturniennes, neptuniennes ou uraniennes, quoiqu'une humanité apogéenne d'êtres créés sous des formes diverses avec des différences résultantes finies semblables au tout et les unes aux autres restât probablement là-bas comme ici inaltérablement et inaliénablement attachée aux vanités, aux vanités des vanités et à tout ce qui est vanité.

Et le problème d'une rédemption possible ?

La mineure était démontrée par la majeure.

Quels divers aspects des constellations furent tour à tour examinés ?

Les diverses couleurs signifiant divers degrés de vitalité (blanc, jaune, pourpre, vermillon, cinabre) : leurs degrés de brillance : leurs grandeurs révélées jusqu'à et y compris la 7e : leurs positions : l'étoile du cocher : la voie de Walsingham : le chariot de David[72] : les ceintures annulaires de Saturne : la condensation de nébuleuses spirales en soleils : les girations interdépendantes des soleils doubles : les découvertes synchrones indépendantes de Galilée, de Simon Marius, de Piazzi, de Le Verrier, d'Herschel, de Galle[73] : les systématisations tentées par Bode et Kepler sur les cubes des distances et les carrés des durées de révolution : la compressibilité presque infinie des comètes hirsutes et leurs vastes orbites elliptiques sortantes et rentrantes de périhélie à aphélie : l'origine sidérale des pierres météoriques : les inondations libyennes sur Mars[74] aux environs de la naissance du plus jeune des astroscopistes : la réapparition annuelle des pluies de météores autour de la période de la fête de saint Laurent (martyr, 10 août) : la réapparition mensuelle connue sous le nom de nouvelle lune portant la vieille lune dans ses bras[75] : l'influence prétendue des corps célestes sur les corps humains : l'apparition d'une étoile (1re grandeur) d'un éclat extraordinaire dominant de jour comme de nuit (un nouveau soleil lumineux créé par la collision et l'amalgamation dans l'incandescence de deux ex-soleils nonlumineux) autour de la période de la naissance de William Shakespeare au-dessus de delta dans la constellation allongée jamais-couchante de Cassiopée[76] et d'une étoile (2e grandeur) d'origine semblable mais d'un éclat moindre qui était apparue dans la constellation de Corona Septentrionalis et en avait disparu autour de la période de la naissance de Leopold Bloom et d'autres étoiles d'origine (probablement) semblable qui étaient (effectivement ou probablement) apparues dans la constellation d'Andromède et en avaient disparu autour de la période de la naissance de Stephen Dedalus, et étaient apparues dans la constellation de l'Aurige et en avaient disparu quelques années après la naissance et la mort de Rudolph Bloom, junior, et étaient apparues dans d'autres constellations et en avaient disparu quelques années avant ou après la naissance ou la mort d'autres personnes : les phénomènes accompagnant les éclipses, solaires ou lunaires, de l'immersion à l'émersion, apaisement du vent, transit de l'ombre, taciturnité des créatures ailées, apparition d'animaux nocturnes ou crépusculaires, persistance de lumière infernale, obscurité des eaux terrestres, pâleur des êtres humains.

Sa conclusion logique (celle de Bloom), ayant évalué les choses et tenant compte d'erreurs possibles ?

Que ce n'était pas un arbreciel, pas une grotteciel, pas une bêteciel, pas un hommeciel. Que c'était une Utopie, car il n'existait pas de méthode connue du connu à l'inconnu : une infinité qui pouvait devenir également finie par l'apposition suppositive d'un corps ou de plus d'un corps également de la même et de différentes grandeurs : une mobilité de formes illusoires immobilisées dans l'espace, remobilisées dans l'air : un passé qui avait peut-être cessé d'exister en tant que présent avant que ses spectateurs probables soient entrés dans une existence actuelle présente.

Était-il davantage convaincu de la valeur esthétique du spectacle ?

Indubitablement en conséquence des exemples réitérés de poètes dans le délire de la frénésie de l'attachement ou dans l'humiliation du rejet invoquant soit d'ardentes constellations sympathiques soit la frigidité du satellite de leur planète[77].

Acceptait-il alors en tant qu'article de foi la théorie des influences astrologiques sur les désastres sublunaires ?

Il lui semblait tout aussi possible de la prouver ou de la réfuter et la nomenclature utilisée dans ses cartes sélénographiques était attribuable tout autant à une intuition vérifiable qu'à une fallacieuse analogie : le lac des rêves, la mer des pluies, le golfe des rosées, l'océan de la fécondité.

Quelles affinités particulières lui paraissaient exister entre la lune et la femme ?

Son antiquité qui précède les générations telluriennes successives et qui leur survit : sa prédominance nocturne : sa dépendance satellitique : sa réflexion lumineuse : sa constance dans toutes ses phases, se levant et se couchant aux moments désignés, croissant et décroissant : l'invariabilité contrainte de son aspect : sa réponse indéterminée à l'interrogation inaffirmative : son pouvoir sur les eaux effluentes et refluentes : sa capacité à énamourer, à mortifier, à investir de beauté, à rendre fou, à inciter et à favoriser la délinquance : l'inscrutabilité tranquille de son visage : la terribilité de sa propinquité isolée dominante implacable resplendissante : ses présages de tempête et de calme : la stimulation de sa lumière, de son mouvement et de sa présence : l'admonition de ses cratères, de ses mers arides, de son silence : sa splendeur, quand elle est visible : son attraction, quand elle est invisible.

Quel signe lumineux visible attira le regard de Bloom, lequel attira celui de Stephen ?

Au deuxième étage (arrière) de sa maison (celle de Bloom) la lumière d'une lampe à pétrole avec abat-jour oblique projetée sur l'écran d'un store à rouleau fourni par Frank O'Hara, fabricant de stores pour fenêtres, de tringles de rideaux et de volets à rouleau, 16 Aungier street.

Comment élucida-t-il le mystère d'une personne séduisante invisible, sa femme Marion (Molly) Bloom, dénotée par un splendide signe visible, une lampe ?

Par allusions ou affirmations indirectes et directes : par affection et admiration atténuées : par description : par empêchement : par suggestion.

Tous deux étaient-ils donc silencieux ?

Silencieux, chacun contemplant l'autre dans les deux miroirs de la chair réciproque de leursienpaslesien visageprochain.

Restèrent-ils indéfiniment inactifs ?

À la suggestion de Stephen, à l'instigation de Bloom, tous deux, Stephen d'abord, puis Bloom, dans la pénombre urinèrent, leurs flancs contigus, leurs organes de micturition rendus réciproquement invisibles du fait d'une circomposition manuelle, leurs regards, d'abord celui de Bloom, puis celui de Stephen, levés vers l'ombre projetée lumineuse et semi-lumineuse.

Semblablement ?

Les trajectoires, d'abord séquentielles, puis simultanées de leurs urinations étaient dissimilaires : celle de Bloom plus longue moins irruente, selon la forme incomplète et bifurquée de la pénultième lettre de l'alphabet, lui qui pendant sa dernière année de classe

(1880) s'était montré capable d'atteindre le point de plus grande altitude malgré la force concurrente de l'institution tout entière, soit 210 étudiants : celle de Stephen plus haute, plus sibilante, lui qui au cours des heures ultimes du jour précédent avait augmenté par une consommation diurétique une pression vésicale insistante.

Quels problèmes différents se présentaient à chacun d'entre eux en ce qui concernait l'organe collatéral invisible audible de l'autre ?

À Bloom : les problèmes d'irritabilité, de tumescence, de rigidité, de réactivité, de dimension, de salubrité, de pilosité. À Stephen : le problème de l'intégrité sacerdotale de Jésus circoncis (1er janvier, fête avec obligation d'assister à la messe et de s'abstenir d'œuvres serviles non indispensables) et le problème de savoir si le divin prépuce, l'anneau nuptial charnel de la sainte église catholique romaine et apostolique, conservé à Calcata, méritait une simple hyperdulie ou le quatrième degré de latrie concédée à l'abscission de divines excroissances telles que cheveux et ongles de pied[78].

Quel signe céleste fut par eux deux simultanément observé ?

Une étoile précipitée avec une grande vélocité apparente à travers le firmament depuis Véga dans la Lyre au-dessus du zénith au-delà du groupe d'étoiles de la Chevelure de Bérénice vers le signe zodiacal du Lion.

Comment le remanoir centripète fournit-il une issue au partant centrifuge ?

En introduisant la tige d'une clé ruginée[79] mâle dans le trou d'une serrure instable femelle, en effectuant une prise sur l'anneau de la clé et en tournant son panneton de droite à gauche pour retirer le pêne de sa gâche, en tirant vers l'intérieur par à-coups une porte dégondée obsolescente et en révélant une ouverture permettant libre issue et libre accès.

Comment prirent-ils congé, l'un de l'autre, dans la séparation ?

En se tenant perpendiculaires à la même porte et de part et d'autre de sa base, les lignes de leurs bras valédictoires se coupant en n'importe quel point et formant un angle moindre que la somme de deux angles droits.

Quel bruit accompagna l'union de leurs mains tangentes, la désunion de leurs mains (respectivement) centrifuge et centripète ?

Le bruit de l'heure nocturne qu'indiquait en sonnant le carillon de cloches de l'église de Saint George[80].

Quels échos de ce bruit furent entendus par eux deux et par chacun d'eux ?

Par Stephen :

Liliata rutilantium. Turma circumdet.
Iubilantium te virginum. Chorus excipiat.

Par Bloom :

Hé-las, hé-las,
Hé-las, hé-las.

Où se trouvait chacun des divers membres du groupe avec qui Bloom à l'appel de ces cloches s'était rendu de Sandymount au sud à Glasnevin au nord ?

Martin Cunningham (au lit), Jack Power (au lit), Simon Dedalus (au lit), Ned Lambert (au lit), Tom Kernan (au lit), Joe Hynes (au lit), John Henry Menton (au lit), Bernard Corrigan (au lit), Patsy Dignam (au lit), Paddy Dignam (au tombeau).

Seul, qu'entendit Bloom ?
La double réverbération de pas s'éloignant sur la terre néecéleste, la double vibration d'une guimbarde, dite aussi harpe juive, dans l'allée résonnante.

Seul, que ressentit Bloom ?
Le froid de l'espace interstellaire, des milliers de degrés au-dessous du point de congélation ou zéro absolu Fahrenheit, Centigrade ou Réaumur : les manifestations liminaires de l'aube proche.

Que lui rappelaient carillondecloches et étreintesmanuelles et bruitsdepas et froidsolitaire ?
Des compagnons à présent défunts de diverses manières et dans divers endroits : Percy Apjohn (mort au champ d'honneur, rivière Modder), Philip Gilligan (phtisie, hôpital de Jervis street), Matthew F. Kane (noyade accidentelle, baie de Dublin[81]), Philip Moisel (pyhémie, Heytesbury street), Michael Hart[82] (phtisie, hôpital Mater Misericordiae), Patrick Dignam (apoplexie, Sandymount).

Quelle perspective de quel phénomène l'incita à rester ?
La disparition de trois dernières étoiles, la diffusion de l'aube, l'apparition d'un nouveau disque solaire.

Avait-il déjà assisté à ces phénomènes ?
Une fois, en 1887, après une séance prolongée de charades dans la maison de Luke Doyle[83], à

Kimmage, il avait attendu avec patience l'apparition du phénomène diurne, installé sur un mur, le regard dirigé vers Mizrach, l'est.

Il se souvenait des paraphénomènes initiaux ?

Un air plus actif, un coq matutinal au loin, des horloges ecclésiastiques dans diverses directions, musique avienne, le pas isolé d'un passant matinal, la diffusion visible de la lumière d'un corps lumineux invisible, la réapparition du premier bord doré du soleil perceptible au ras de l'horizon.

Resta-t-il ?

Avec une profonde inspiration il s'en retourna, retraversant le jardin, rentrant dans le passage, refermant la porte. Avec une rapide expiration il reprit la bougie, remonta l'escalier, se rapprocha de la porte de la pièce de devant, au niveau de l'entrée et rentra.

Quelle chose fit soudain obstacle à son entrée ?

Le lobe temporal droit de la sphère creuse de son crâne entra en contact avec un angle en bois plein où, après une fraction infinitésimale mais sensible de seconde, une sensation de douleur se localisa en conséquence de sensations antécédentes transmises et enregistrées[84].

Décrivez les modifications effectuées dans la disposition du mobilier[85].

Un canapé tapissé en panne prune qui faisait face à la porte avait été déplacé près de la cheminée à proximité de l'Union Jack roulé serré[86] (une modification qu'il avait voulu fréquemment opérer) : la table marquetée en carreaux de majolique bleus et blancs avait été placée en face de la porte à l'endroit libéré par le canapé de panne prune : le buffet en noyer (dont un angle saillant avait momentanément fait obstacle à son entrée) avait été déplacé de sa position près de la porte et placé dans une position plus avantageuse mais plus périlleuse en face de la porte : deux sièges avaient été déplacés de la gauche et de la droite de l'âtre et installés à l'endroit originellement occupé par la table marquetée en carreaux de majolique bleus et blancs.

Décrivez-les.

L'un : une bergère trapue rembourrée aux larges accoudoirs épais et au dossier incliné vers l'arrière qui, repoussé en rebond, avait alors retourné la frange irrégulière d'un tapis rectangulaire et exhibait à présent sur son siège amplement tapissé une décoloration centrale qui décroissait en se diffusant. L'autre : une chaise mince aux pieds obliques faite de courbes cannées luisantes, placée directement en face du précédent, son armature, du haut à l'assise et de l'assise à la base, vernie en brun sombre, son assise un éclatant cercle blanc en jonc tressé.

Quelles significations étaient attachées à ces deux sièges ?

Significations de similitude, de posture, de symbolisme, de preuves indirectes, de supermanence de témoignage.

Qu'est-ce qui occupait la position originellement occupée par le buffet ?

Un piano droit (Cadby) au clavier visible avec, sur son cercueil fermé, une paire de longs gants jaunes de femme et un cendrier émeraude contenant quatre allumettes brûlées, une cigarette partiellement fumée et deux bouts décolorés de cigarette, avec, sur son pupitre, la partition de *L'Ancien Chant des doux amants* en sol naturel pour voix et piano (paroles de G. Clifton Bingham, composition de J. L. Molloy, chanté par Madame Antoinette Sterling) ouverte à la dernière page sur les indications finales *ad libitum*, *forte*, pédale, *animato*, pédale tenue, *ritirando*, fin.

Avec quelles sensations Bloom contempla-t-il en rotation ces objets ?

Avec effort, en soulevant un bougeoir : avec douleur, en sentant sur sa tempe droite une tumescence contuse : avec attention, en concentrant son regard sur un passif massif et morne et un actif svelte et vif : avec sollicitation[87], en se penchant pour redresser la frange retournée du tapis : avec amusement, en se souvenant du schéma de couleurs du Dr Malachie qui contient la gradation des verts : avec plaisir, répétant les mots et l'acte antécédent et percevant par divers canaux de sensibilité intime la diffusion tiède et agréable, conséquente et concomitante, d'une décoloration graduelle.

Son action suivante ?

Dans une boîte ouverte sur la table marquetée en majolique il prit un minuscule cône noir, d'un pouce de haut, posa sa base circulaire sur une petite assiette en étain, posa son bougeoir sur le coin droit du manteau de la cheminée, sortit de son gilet la feuille pliée d'un prospectus (illustré) intitulé Agendath Netaïm, déplia celle-ci, l'examina superficiellement, la roula en un mince cylindre, l'alluma à la flamme de la bougie, l'appliqua une fois allumée au sommet du cône jusqu'à ce que celui-ci ait atteint le stade de la rutilance, posa le cylindre sur la coupe du bougeoir en installant sa partie non consumée de telle sorte que sa combustion totale en soit facilitée.

Par quoi cette opération fut-elle suivie ?

Le sommet de ce cratère tronconique du volcan miniature émit une fumée verticale et serpentine exhalant un encens aromatique oriental[88].

Quels objets homothétiques, autres que le bougeoir, se trouvaient sur le manteau de la cheminée ?

Une pendule en marbre veiné de Connemara, arrêtée à 4.46 du matin le 21 mars 1896, cadeau de noces de Matthew Dillon : un arbre nain d'arborescence glaciale sous un abat-jour-cloche transparent, cadeau de noces de Luke et Caroline Doyle : une chouette embaumée, cadeau de noces de l'Adjoint John Hooper.

Quels échanges de regards eurent lieu entre ces trois objets et Bloom ?

Dans le miroir du trumeau bordé-d'or le dos inorné de l'arbre nain considérait le dos tout droit de la chouette embaumée. Devant le miroir le cadeau de noces de l'Adjoint John Hooper avec un regard clair mélancolique sage vif immobile compatissant considérait Bloom tandis que Bloom avec un regard obscur tranquille profond immobile compatissant considérait le cadeau de noces de Luke et Caroline Doyle.

Quelle image composite asymétrique dans le miroir attira alors son attention ?

L'image d'un homme solitaire (ipsorelatif) mutable (aliorelatif[89]).

Pourquoi solitaire (ipsorelatif) ?

Frères ou sœurs il n'en avait guère.
Bien que son père fût le fils de son grand-père[90].

Pourquoi mutable (aliorelatif) ?

De la petite enfance à l'âge mûr il avait ressemblé à sa procréatrice maternelle. De l'âge mûr à la sénilité il allait de plus en plus ressembler à son procréateur paternel.

Quelle impression visuelle finale le miroir lui communiqua-t-il ?

La réflexion optique de plusieurs volumes inversés incorrectement classés et pas dans l'ordre des lettres ordinaires de leurs titres scintillants sur les deux étagères en face.

Cataloguez ces livres[91].

Thom's Dublin Post Office Directory, 1886.

Œuvres poétiques de Denis Florence M'Carthy (feuille de hêtre rouge marquant la p. 5).

Œuvres de Shakespeare (maroquin grenat sombre, filets dorés).

Tables de calcul pratiques (toile brune).

L'Histoire secrète de la cour de Charles II (toile rouge, reliure ciselée).

Le Guide de l'enfant (toile bleue).

Les Beautés de Killarney (jaquette).

Quand nous étions jeunes de William O'Brien M. P. (toile verte, légèrement défraîchie, enveloppe marquant la p. 217).

Pensées de Spinoza (cuir rouge sombre).

L'Histoire du ciel de Sir Robert Ball (toile bleue).

Trois Voyages à Madagascar d'Ellis (toile brune, titre effacé).

Les Lettres de Stark Munro de A. Conan Doyle, propriété de la Dublin Public Library, 106 Capel street, emprunté le 21 mai (veille de Pentecôte) 1904, à rendre le 4 juin 1904, 13 jours de retard (reliure en toile noire, cote sur étiquette blanche).

Voyages en Chine par « Viator » (recouvert de papier brun, titre à l'encre rouge).
Philosophie du Talmud (brochure cousue).
Vie de Napoléon de Lockhart (couverture absente, annotations en marge, minimisant les victoires, exagérant les défaites du protagoniste).
Soll und Haben de Gustav Freytag (carton noir, caractères gothiques, coupon de cigarettes marquant la p. 24).
Histoire de la Guerre turco-russe de Hozier (toile brune, 2 volumes, avec une étiquette gommée au verso de la couverture, Garrison Library, Governor's Parade, Gibraltar).
Laurence Bloomfield en Irlande de William Allingham (deuxième édition, toile verte, motif de trèfles dorés, nom du propriétaire précédent effacé du recto de la page de garde).
Manuel d'Astronomie (jaquette en cuir brun, détachée, 5 planches, impression typographique à l'ancienne en philosophie, notes de l'auteur en bas de pages en nonpareille, indices marginaux en gaillarde, titres en cicero à petit œil).
La Vie cachée du Christ (carton noir).
Dans le sillage du soleil (toile jaune, page de titre manquante, titre courant répété à chaque page).
La Force physique et Comment l'obtenir d'Eugen Sandow (toile rouge).
Short but yet Plain Elements of Geometry écrits en français par F. Ignat. Pardies et traduit en Anglois par John Harris D. D. Londres, imprimé pour R. Knaplock à la Bifhop's Head MDCCXI, avec une épître dédicatoire à son digne ami Charles Cox, efquire, Membre du Parlement pour le bourg de Southwark et portant sur la page de garde une déclaration manuscrite à l'encre certifiant que le livre appartient à Michael Gallagher,

daté ce 10e jour de mai 1822 et priant toute perfonne qui le trouverait, si le livre venait à être perdu ou égaré, de le rapporter à Michael Gallagher, charpentier, Dufery Gate, Ennifcorthy, comté de Wicklow, le plus beau pays du monde.

Quelles réflexions occupaient son esprit au cours du processus de renversement des volumes inversés en question ?

La nécessité de l'ordre, une place pour chaque chose et chaque chose à sa place : l'appréciation insuffisante que portent les femmes à la littérature : l'incongruité d'une pomme incunée[92] dans un gobelet et d'un parapluie incliné dans une chaisepercée : le peu de sécurité que représente la dissimulation de n'importe quel document secret derrière des livres, sous des livres ou entre leurs pages.

Quel volume était le plus important en volume ?

L'*Histoire de la Guerre turco-russe* de Hozier.

Que contenait le second volume du livre en question, entre autres données ?

Le nom d'une bataille décisive (oubliée), dont se souvenait fréquemment un officier décisif, le major Brian Cooper Tweedy (non oublié).

Pourquoi, premièrement et deuxièmement, ne consulta-t-il pas l'œuvre en question ?

Premièrement, afin d'exercer la mnémotechnie[93] : deuxièmement, parce qu'après un moment d'amnésie, alors qu'assis à la table centrale il s'apprêtait à consulter le volume en question, il se souvint par mnémotechnie du nom de l'action militaire, Plevna.

Qu'est-ce qui lui occasionna une consolation dans sa position assise ?

La candeur, la nudité, la pose, la tranquillité, la jeunesse, la grâce, le sexe, le conseil d'une statue érigée au centre de la table, une image de Narcisse achetée aux enchères chez P. A. Wren, 9 Bachelor's Walk.

Qu'est-ce qui lui occasionna une irritation dans sa position assise ?

Pression inhibitrice de col (taille 17) et de gilet (5 boutons), deux pièces vestimentaires superflues dans le costume des hommes mûrs et inélastiques face aux altérations de masse en expansion.

Comment l'irritation fut-elle soulagée ?

Il détacha son col, lequel comprenait une cravate noire et un bouton à tête mobile, de son cou pour le poser sur le côté gauche de la table. Il déboutonna successivement dans le sens inverse gilet, pantalon, chemise et maillot de corps le long de la ligne médiane de poils noirs frisondulés irréguliers qui s'étendaient en convergence triangulaire depuis le bassin pelvien sur la circonférence de l'abdomen et la fossicule ombilicale le long de la ligne médiane de nœuds, jusqu'à l'intersection de la sixième vertèbre pectorale, qui s'étalaient de là des deux côtés à angle droit et s'arrêtaient en cercles décrits autour de deux points équidistants, à droite et à gauche, au sommet des protubérances mammaires. Il défit successivement chacun des six boutons moins un des bretelles de son pantalon, disposés par paires, dont l'une incomplète.

Quelles actions involontaires suivirent ?

Il comprima entre 2 doigts la chair circonjacente d'une cicatrice dans la région intercostale gauche en dessous du diaphragme résultant d'une piqûre infligée 2 semaines et 3 jours auparavant (23 mai 1904) par une abeille[94]. Il gratta vaguement avec la main droite, quoique insensible à la prurition, divers points et diverses surfaces de peau partiellement exposée, complètement abluée. Il introduisit sa main gauche dans la poche inférieure gauche de son gilet et en tira et y replaça une pièce d'argent (1 shilling), placée là (probablement) à l'occasion (17 octobre 1903) des obsèques de Mme Emily Sinico, Sydney Parade.

Établissez le budget du 16 juin 1904[95].

Débit	£. s. d.	*Crédit*	£. s. d.
1 Rognon de porc	0. 0. 3.	Disponibilités en liquide	0. 4. 9.
1 exemplaire *Freeman's Journal*	0. 0. 1.	Commission reçue *Freeman's Journal*	1. 7. 6.
1 Bain et pourboire	0. 1. 6.	Prêt (Stephen Dedalus)	1. 7. 0.
Ticket de tramway	0. 0. 1.		
1 In Memoriam Patrick Dignam	0. 5. 0.		
2 Petits sablés	0. 0. 1.		
1 Déjeuner	0. 0. 7.		
1 Réabonnement pour livre	0. 1. 0.		
1 Pochette papier à lettres et enveloppes	0. 0. 2.		
1 Dîner et pourboire	0. 2. 0.		
1 Mandat postal et timbre	0. 2. 8.		
Ticket de tramway	0. 0. 1.		
1 Pied de cochon	0. 0. 4.		
1 Pied de mouton	0. 0. 3.		
1 Biscuit fry au chocolat noir	0. 0. 1.		
1 Pain à la levure carré	0. 0. 4.		
1 Café et petit pain	0. 0. 4.		
Prêt (Stephen Dedalus) remboursé	1. 7. 0.		
	0.17. 5.		
Solde	£ 2.19. 3.		£ 2.19. 3.

Le processus de dévestiture se poursuivit-il ?

Sensible à une douleur bénigne persistante à la plante des pieds il tendit un pied de côté et observa les plis, les protubérances et les points saillants provoqués par la pression du pied au cours de ses allées et venues répétées dans plusieurs directions différentes, puis s'étant baissé, il délanoua les nœuds de ses lacets, dégrafa et desserra les lacets, quitta chacune de ses deux bottines pour la seconde fois, détacha la chaussette droite partiellement humide à travers la partie antérieure de laquelle l'ongle de son gros orteil avait une fois de plus effracté, souleva son pied droit et, ayant dégrafé un fixe-chaussettes élastique pourpre, ôta sa chaussette droite, posa son pied droit dévêtu sur le bord du siège de sa chaise, gratta et lacéra doucement la partie saillante de l'ongle du gros orteil, approcha la partie lacérée de ses narines et inhala l'odeur de chair vive, puis, avec satisfaction, jeta le fragment unguéal lacéré.

Pourquoi avec satisfaction ?

Parce que l'odeur inhalée correspondait à d'autres odeurs inhalées d'autres fragments unguéaux, que le jeune Bloom, alors qu'il était élève à l'école juvénile de Mme Ellis, grattait et lacérait patiemment dans les moments de brève génuflexion et de prière nocturne et d'ambitieuse méditation.

En quelle ultime ambition toutes les ambitions concurrentes et consécutives avaient-elles fusionné à présent ?

Ni hériter par droit de primogéniture, selon l'usage irlandais de redivision ou la coutume du plus jeune fils, ni posséder à perpétuité un demaine considérable d'un nombre suffisant d'acres, de vergées et de perches, mesures agraires légales (évaluation £42), de tourberie à pâtis entourant un château baronnial avec pavillon-de-gardien et avenue voiturière ni, d'autre part, une maison dans une rue aux maisons accolées ni une maison jumelée, décrite comme *Rus in Urbe* ou *Qui Si Sana*[96], mais d'acheter sous contrat privé en propriété inconditionnelle une maison-d'habitation au toit de chaume type-bungalow à 2 étages exposée au sud, surmontée d'une girouette et d'un paratonnerre, relié à la terre, avec porche couvert de plantes parasites (lierre ou vigne vierge), portentrée, avec finition carrosse du plus beau vert olive et cuivres polis, façade en stuc avec moulures dorées aux chéneaux et aux pignons, s'élevant, si possible, sur une légère éminence avec vue agréable depuis un balcon avec parapet à piliers en pierre sur des pâturages interjacents nonconstruits et inconstructibles et au centre de 5 ou 6 acres de son propre terrain, à telle distance de la voie publique la plus proche que ses fenêtres illuminées seraient visibles de nuit pardessus et à travers une haie vive de charmes en ouvrage topiaire, située sur un lieu donné éloigné de moins d'1 mile anglais de la périphérie de la métropole, trajet par tram ou par train ne dépassant pas 15 minutes (par exemple, Dundrum, sud, ou Sutton, nord, constat ayant été tiré après essais que ces localités ressemblaient aux pôles terrestres en ce qu'elles jouissent d'un climat favorable aux personnes phtisiques), la propriété étant tenue à main-ferme, avec un bail de 999 ans[97], le mesuage devant comprendre 1 salon avec bow-window (2 lancettes), thermomètre fixé, 1 petit salon, 4 chambres, 2 chambres de domestiques, cuisine carrelée avec fourneau et souillarde, un hall muni de placards à linge, une bibliothèque segmentaire en chêne fumé contenant l'Encyclopædia Britannica et le New Century Dictionary, armes obsolètes médiévales et orientales accrochées en oblique, gong pour le dîner, lampe d'albâtre, vasque suspendue, récepteur téléphonique automatique en vulcanite avec annuaire à portée de main, tapis Axminster de haute laine à fond crème et bordure à treillis, guéridon avec pied central et pattes de griffon, cheminée avec pincettes et tisonnier en cuivre massif et pendule chronomètre en or moulu sur son manteau, garantie toujours-à-l'heure avec carillon de cathédrale, baromètre et tambour enregistreur hygrographique, confortables canapés de salon et meubles d'angle, tapissés en panne rubis avec bons ressorts et centre rabaissé, portière japonaise à trois panneaux et crachoirs (style club, cuir rougevin luxueux, splendeur renouvelable avec un minimum de travail grâce à l'emploi d'huile de lin et de vinaigre) et lustre chandelier central pyramidalement prismatique, perchoir en bois courbé avec perroquet soumis-au-doigt (langage expurgé), papier mural gaufré à 10 shillings la douzaine de rouleaux avec motifs de guirlandes florales transverses carmin et frise supérieure, escalier, trois volées à la suite avec succession d'angles droits, chêne verni à grain clair, marches et contremarches, noyau d'escalier, balustres et main-courante, panneaux lambrissés en gradins, apprêtés à la cire camphrée : salle de bains, approvisionnement en eau chaude et froide, baignoire et douche : water-closet à l'entresol jouissant d'une fenêtre oblongue à vitre opaque unique, siège rabattable, applique au mur, chaîne et poignée en laiton, accoudoirs, reposepied et oléographie artistique sur la face intérieure de la porte : dito, simple : chambres des domestiques avec commodités sanitaires et hygiéniques indépendantes pour cuisinière, femme de chambre et bonne (salaire, augmenté d'une valeur ajoutée bi-annuelle de £2, avec assurance complète protégeant l'employeur, gratification annuelle (£1) et pension de retraite (fondée sur le système des 65 ans) au bout de 30 ans de service), garde-manger, dépense, cellier, glacière, appentis, caves à charbon et à bois avec porte-bouteilles (cuvées mousseuses et nonmousseuses) pour les hôtes de marque, quand ils sont reçus à dîner (tenue de soirée), approvisionnement au gaz d'hydrocarbone dans toute la maison.

Quels attraits supplémentaires le parc pourrait-il contenir ?

En supplément, un court de tennis et de jeudepaume, un massif d'arbustes, une serre en verre avec plantes tropicales, équipée selon les meilleures notions de botanique, un jardin de rocaille avec arrosage d'eau pulvérisée, une ruche organisée selon des principes humanitaires, parterres ovales de fleurs dans des pelouses rectangulaires ornés d'ellipses excentriques de tulipes écarlates et chrome, scilles bleues, crocus, primevères des jardins, œillets de poète, pois de senteur, muguet (bulbes disponibles chez sir James W. Mackey (Limited) vente en gros et en détail de semences et de bulbes, pépiniéristes, dépositaires d'engrais chimiques, 23 Sackville street, upper), un verger, un potager et une forcerie de raisin, protection contre les maraudeurs par une clôture murale surmontée de tessons, un hangar de jardin avec cadenas pour divers ustensiles inventoriés.

Comme ?

Nasses-à-anguilles, casiers-à-homards, cannes-à-pêche, hachette, crochetbascule, meule, émottoir, râteleur-d'andains, chancelière, échelle télescopique, râteau à 10 dents, sabots-de-lessive, tournefoin, râteau à retourner, serpe, pot-de-peinture, pinceau, houe et ainsi de suite.

Quelles améliorations pourraient subséquemment être introduites ?

Un clapier et un poulailler, un pigeonnier, une serre botanique, 2 hamacs (madame et monsieur), un cadransolaire ombragé et protégé par des cytises ou des lilas, une tintinnabulante sonnette japonaise de portail exotiquement et harmoniquement accordée fixée au montant latéral gauche, un grand tonneau pour recueillir l'eau de pluie, une tondeuse-à-gazon à débit latéral et panier à herbe, un tourniquet-arroseur avec tuyau hydraulique.

Quelles facilités de déplacement étaient souhaitables ?

Pour aller en ville de fréquentes liaisons par train ou par tram depuis leurs gares intermédiaires ou terminus respectifs. Pour aller à la campagne des vélocipèdes, une bicyclette routière acatène à roue-libre à laquelle est fixée une voiturette latérale en osier, ou alors un véhicule à traction animale, un âne tirant un cabriolet en osier ou un élégant phaéton tiré par un bon bidet robuste bien ongulé (hongre rouan 14 m).

Quel pourrait être le nom de cette résidence érigible ou érigée ?

Bloom Cottage. Saint Leopold's. Flowerville[98].

Le Bloom de 7 Eccles street pouvait-il se préfigurer le Bloom de Flowerville ?

En amples vêtements purelaine avec casquette en tweed Harris, prix 8 shillings 6, et brodequins de jardin pratiques à soufflets élastiques et arrosoir, en train de planter de jeunes sapins en lignes, de seringuer, d'élaguer, d'échalasser, de semer du foin, de voiturer une brouette pleine de mauvaises-herbes sans fatigue excessive au coucher du soleil dans l'odeur du foin fraîchement coupé, amendant sa terre, croissant en sagesse, atteignant la longévité.

Quel programme de quêtes intellectuelles pouvait-il mener simultanément ?

La photographie instantanée, l'étude comparative des religions, du folklore en ce qui concerne diverses pratiques amoureuses et superstitieuses, la contemplation des constellations stellaires.

Quelles récréations moins ardues ?

Au dehors : travail dans les champs et le jardin, cyclisme sur les chaussées nivelées macadamisées, ascension de collines d'altitude moyenne, natation en eau douce à l'écart et canotage sans danger en rivière dans un esquif de tout repos ou dans un coracle léger avec ancre toueuse sur des biefs sans écluses ni rapides (période d'estivation), pérambulation vespérale ou circonprocession équestre avec inspection du paysage stérile contrastant agréablement avec les feux de mottes de tourbe fumantes dans les cottages (période d'hibernation). À l'intérieur : discussions dans une tiède sécurité de problèmes historiques et criminels non résolus : lecture de chefs-d'œuvre érotiques exotiques nonexpurgés : menuiserie dans la maison avec boîte-à-outils contenant marteau, poinçon, clous, vis, broquettes, gibelet, brucelles, guillaume, tournevis.

Pourrait-il devenir un gentleman-farmer s'occupant de culture et de bétail ?

Ce ne serait pas impossible, avec 1 ou 2 vaches de traite, 1 meule de foin de montagne et l'outillage agricole nécessaire, par exemple, une baratteuse horizontale, un broyeur à raves etc.

Quels seraient ses rôles publics et son statut social parmi les grandes familles du comté et l'aristocratie terrienne ?

Organisés successivement en puissance ascendante hiérarchiquement ordonnés, ceux de jardinier, de terrassier, de cultivateur, d'éleveur et, au zénith de sa carrière, magistrat résident ou juge de paix avec écusson familial et armoiries et devise classique appropriée[99] (*Semper paratus*), dûment mentionné dans l'annuaire de la cour (Bloom, Leopold P., M. P., P. C., K. P., L. L. D. (*honoris causa*), Bloomville, Dundrum) et figurant dans l'agenda de la cour et des mondains (M. et Mme Leopold Bloom se sont embarqués à Kingstown pour l'Angleterre).

Quelle ligne de conduite esquissa-t-il à son endroit dans ces fonctions ?

Une ligne à mi-chemin entre une clémence injustifiable et une rigueur excessive : la dispensation dans une société hétérogène aux classes arbitraires, continuellement réorganisée en termes de plus ou moins grande inégalité sociale, d'une indiscutable justice homogène et impartiale, tempérée par des accommodements ayant la plus grande latitude possible mais exécutoire jusqu'au dernier sou avec confiscation de biens, réels et personnels, au profit de la couronne. Loyal envers les pouvoirs constitués les plus élevés du pays, animé par un amour inné de la rectitude, ses objectifs seraient le strict maintien de l'ordre public, la répression de nombreux abus quoique pas de tous simultanément (toute mesure de réforme ou de limitation étant une solution préliminaire devant être contenue par fluxion lors de l'ultime résolution), la défense de la lettre de la loi (droit coutumier, jurisprudence et droit commercial) contre tous les contrevenants en covin et tous les contrevenants agissant en violation des arrêtés municipaux et règlements, tous les résurrecteurs (par transgression et larcin de petit bois) de droits venville, rendus obsolètes par désuétude, tous les instigateurs emphatiques de persécution internationale, tous les perpétuateurs d'animosités internationales, tous les molesteurs serviles de la convivialité domestique, tous les violateurs récalcitrants de la conjugalité domestique.

Démontrez qu'il aimait la rectitude depuis sa prime jeunesse.

En 1880, au lycée, il avait fait part au jeune Percy Apjohn de son incrédulité devant les dogmes de l'église (protestante) irlandaise (à laquelle son père Rudolf Virag, plus tard Rudolph Bloom, ayant abjuré la foi et la communion israélite, avait été converti en 1865 par la Société pour la propagation du christianisme chez les juifs) subséquemment abjurée par lui en faveur du catholicisme romain à l'époque de, et pour faciliter, son mariage en 1888. À Daniel Magrane et Francis Wade en 1882 au cours d'une amitié juvénile (que l'émigration prématurée du premier avait interrompue) il avait préconisé pendant des pérambulations nocturnes la théorie politique de l'expansion coloniale (p. ex., canadienne) et les théories évolutionnistes de Charles Darwin, exposées dans *De la descendance de l'homme* et *De l'origine des espèces*. En 1885 il avait publiquement adhéré au programme économique collectif et national préconisé par James Fintan Lalor, John Fisher Murray, John Mitchel, J. F. X. O'Brien et autres, à la politique agraire de Michael Davitt, à l'agitation constitutionnelle de Charles Stewart Parnell (député de Cork City), au programme de paix, de limitation et de réforme de William Ewart Gladstone (député de Midlothian, Scot.) et, pour soutenir ses convictions politiques, avait grimpé jusqu'à un endroit stable parmi les ramifications d'un arbre de la Northumberland road pour observer l'entrée (2 février 1888 [100]) dans la capitale d'un défilé contestataire aux flambeaux de 20 000 porteurs de torches, répartis en 120 corporations de métier, escortant avec 2 000 torches le marquis de Ripon et (l'honnête) John Morley.

Combien et comment se proposait-il de payer cette résidence de campagne ?

Conformément au prospectus de la Coopérative de Financement Immobilier Industrious Foreign Acclimatised Nationalised Friendly Stateaided Society (créée en 1874), un maximum de £60 par an, correspondant à 1/6 d'un revenu certifié, émanant de valeurs de père de famille, représentant les intérêts simples à 5 % d'un capital de £1200 (estimation du prix d'achat sur 20 ans), dont 1/3 payable à l'acquisition et le solde sous forme de loyer annuel, à savoir £800 plus 2 ½ % d'intérêts sur cette somme, remboursables trimestriellement par versements annuels égaux jusqu'à extinction par amortissement du prêt consenti pour l'achat sur une période de 20 ans, correspondant à une location annuelle de £64, y compris le loyer dû au propriétaire foncier, les titres de propriété demeurant en possession du prêteur ou des prêteurs avec une clause provisionnelle envisageant la vente forcée, la saisie de l'hypothèque et le dédommagement mutuel en cas de défaut prolongé du versement des termes imposés, sans quoi le mesuage devient la propriété absolue de l'occupant locataire à échéance de la période stipulée.

Quels moyens rapides mais hasardeux d'opulence pourraient faciliter un achat immédiat ?

Un télégraphe sans-fil privé qui transmettrait par un système de points et de traits le résultat d'un handicap national hippique (course sur plat ou course d'obstacles) de 1 mile ou plus et huitièmes de mile remporté par un outsider avec une cote de 50 contre 1 à 3 heures 8 minutes de l'après-midi à Ascot (heure de Greenwich), le message étant reçu et disponible pour les paris à Dublin à 2 h. 59 mn. de l'après-midi (heure de Dunsink[101]). La découverte inattendue d'un objet de grande valeur monétaire (pierre précieuse, timbres de prix adhésifs ou oblitérés (7 schillings, mauve, non-dentelé, Hambourg, 1866 : 4 pence, rose, papier bleu, dentelé, Grande-Bretagne, 1855 : 1 franc, gris, officiel, moleté, surcharge diagonale, Luxembourg, 1878[102]), bague dynastique antique, (relique unique) dans des réceptacles insolites ou par des moyens insolites : du ciel (lâché par un aigle en vol), par le feu (au milieu des restes carbonisés d'un édifice incendié), dans la mer (parmi les objets rejetés par la mer, attachés à une bouée et abandonnés), sur terre (dans le gésier d'une volaille comestible). La donation par un prisonnier espagnol d'un lointain trésor[103] contenant des biens ou des espèces ou des lingots d'or confiés 100 ans plus tôt à une société bancaire solvable aux intérêts composés de 5 % d'une valeur globale de £5 000 000 stg (cinq millions de livres sterling). Un contrat inconsidéré avec un entrepreneur pour la livraison de 32 consignations d'une commodité quelconque contre paiement en espèces à réception par réception au taux initial de 1/4 de penny augmentant constamment selon une progression géométrique de 2 (1/4 de penny, 1/2 penny, 1 penny, 2 pennies, 4 pennies, 8 pennies, 1 shilling 4 pennies, 2 shillings 8 pennies, jusqu'au

32e terme). Une martingale préméditée fondée sur l'étude des lois de la probabilité pour faire sauter la banque à Monte-Carlo. Une solution au problème séculaire de la quadrature du cercle, récompense du gouvernement £1 000 000 sterling.

Une immense fortune pouvait-elle être acquise par des voies industrielles ?

Le défrichement de dunams de terrains aréneux arides, proposé dans le prospectus d'Agendath Netaïm, Bleibtreustrasse, Berlin, W.15, grâce à la culture de plantations d'orangers, aux champs de melons et au reboisement. L'utilisation de papier de rebut, de peaux de rongeurs d'égout, d'excréments humains possédant des propriétés chimiques, du fait de l'immense production du premier, de l'immense nombre des deuxièmes et de la vaste quantité des troisièmes, tout être humain de vitalité et d'appétit moyens produisant annuellement, sans tenir compte des sous-produits de l'eau, un poids total de 80 livres (régime mixte animal et végétal), qu'il faut multiplier par 4 386 035, toute la population irlandaise selon les chiffres du recensement de 1901.

Existait-il des projets d'une plus grande ampleur ?

Un projet à mettre au point et à soumettre à l'approbation des commissaires du port en vue de l'exploitation de la houille blanche (force hydraulique), obtenue par une usine hydroélectrique au point culminant de la marée à Dublin ou bien à la chute d'eau de Poulaphouca ou de Powerscourt ou bien dans les bassins de réception des principaux cours d'eau pour la production de 500 000 C. V. H. d'électricité. Un projet de clôture du delta péninsulaire du North Bull à Dollymount et d'érection sur la pointe de terre, utilisée comme terrain de golf et champ de tir, une esplanade macadamisée avec casinos, baraques de forains, stands de tir, hôtels, pensions de famille, salons-de-lecture, établissements de bains mixtes. Un projet d'utilisation de voitures-à-chiens et de voitures-à-chèvres pour la livraison de lait au petitmatin. Un projet de développement du trafic touristique irlandais à Dublin et aux environs grâce à l'utilisation de bateaux propulsés-à-l'essence, assurant une navette fluviale entre Island bridge et Ringsend, d'autocars, de chemins de fer à voie étroite d'intérêt local et de bateaux de plaisance pour la navigation côtière (10 shillings par personne et par jour, guide (trilingue) compris). Un projet pour la réhabilitation du transport de passagers et de marchandises sur les cours d'eau irlandais, une fois curés les obstacles herbeux. Un projet de liaison par une ligne de tramways entre le Marché aux Bestiaux (North Circular road et Prussia street) et les quais (Sheriff street lower, et East Wall), parallèle à la ligne de chemin de fer du Link construite (conjointement à la ligne de chemin de fer Great Southern and Western) entre le parc aux bestiaux, Liffey junction et le terminus du Midland Great Western Railway 43 à 45 North Wall, à proximité des terminus ou embranchements dublinois des Great Central Railway, Midland Railway of England, City of Dublin Steam Packet Company, Lancashire and Yorkshire Railway Company, Dublin and Glasgow Steam Packet Company, Glasgow Dublin and Londonderry Steam Packet Company (Laird line), British and Irish Steam Packet Company, Dublin and Morecambe Steamers, London and North Western Railway Company, Dublin Port et Docks Board Landing Sheds ainsi que des hangars de transit de Palgrave, Murphy and Company, propriétaires de navires à vapeur, concessionnaires de navires à vapeur pour la Méditerranée, l'Espagne, le Portugal, la France, la Belgique et la Hollande, ainsi que pour la Liverpool Underwriters' Association, le coût de l'acquisition du matériel roulant pour le transport des animaux et de la distance supplémentaire gérée par la Dublin United Tramway Company, limited, devant être couvert par les redevances des droits de pâture.

Quelle protase devrait être posée pour que les contrats de ces divers projets deviennent une naturelle et nécessaire apodose[104] ?

Grâce à une garantie égale à la somme recherchée, par acte de donation entre vifs et assignation de coupons du vivant du donateur ou par legs après extinction sans douleur du donateur, d'éminents financiers (Blum Pasha[105], Rothschild, Guggenheim, Hirsch, Montefiore, Morgan, Rockefeller), possédant des fortunes à 6 chiffres, amassées tout au long d'une vie réussie et, joignant le capital à l'opportunité, c'était chose faite.

Quelle éventualité le rendrait indépendant de telles fortunes ?

La découverte indépendante d'un filondor au minerai inépuisable.

Pour quelle raison méditait-il sur des projets aussi difficiles à réaliser ?

C'était un de ses axiomes que des méditations semblables ou le récit automatique qu'il se faisait à lui-même d'une narration le concernant ou concernant le souvenir paisible du passé[106] quand on les pratique habituellement avant de se retirer pour la nuit allégeaient la fatigue et procuraient en conséquence un repos profond et un regain de vitalité.

Ses justifications ?

En tant que physicien il avait appris que sur les 70 années d'une vie humaine complète au moins 2/7e, à savoir 20 années sont consacrées au sommeil. En tant que philosophe il savait qu'au terme de toute vie assignée seule une partie infinitésimale des désirs de chacun a été réalisée. En tant que physiologiste il croyait à la conciliation artificielle des agents malins opérant pour l'essentiel au cours de la somnolence.

Que craignait-il ?

La perpétration d'un homicide ou d'un suicide au cours du sommeil du fait d'une aberration des lumières de la raison, cette intelligence catégorique incommensurable située dans les circonvolutions cérébrales.

Quelles étaient en général ses méditations finales ?

Quelque seule et unique publicité obligeant les passants à s'arrêter émerveillés, une innovation en affiches, excluant toute accrétion fleurant l'extranéité, réduite à ses termes les plus simples et les plus efficaces sans outrepasser le champ de la vision fortuite et congruente à la vélocité de la vie moderne.

Que contenait le premier tiroir déverrouillé[107] ?

Un cahier d'écriture Vere Foster, propriété de Milly (Millicent) Bloom, dont certaines pages présentaient des dessins schématiques, marqués *Papli*, montrant une grosse tête globulaire avec 5 cheveux dressés, 2 yeux de profil, le torse de face avec 3 gros boutons, 1 pied triangulaire : 2 photographies jaunies de la reine Alexandra d'Angleterre et de Maud Branscombe, actrice et beauté professionnelle : une carte de Noël, portant la reproduction picturale d'une plante parasite, la légende *Maspha*[108], la date Noël 1892, les noms des expéditeurs : de la part de M. & Mme M. Comerford, le versiculet : *Que ce Noël vous apporte sagesse, Joie, sérénité et allégresse :* un morceau de cire à cacheter rouge partiellement liquéfié, provenant du grand magasin de Messrs Hely's, Ltd, 89, 90 et 91 Dame street : une boîte contenant le reste d'une grosse de plumes dorées « J », provenant du même rayon dans le même magasin : un vieux sablier qui roulait contenant du sable qui roulait : une prophétie scellée (jamais descellée) rédigée par Leopold Bloom en 1886, concernant les conséquences de l'adoption du projet de loi de Home Rule de William Ewart Gladstone de 1886 (jamais adopté comme loi) : un ticket de vente de charité, n° 2004, de S. Kevin Charity Fair, prix 6 pence, 100 lots : une épître infantile, datée, petit el lundi, où on lisait : pé majuscule Papli virgule cé majuscule Comment vas-tu point d'interrogation ji majuscule Je vais très bien point à la ligne signature avec em majuscule et enjolivures Milly pas de point : un camée monté en broche, propriété d'Ellen Bloom (née Higgins), décédée : 1 camée monté en épingle de foulard, propriété de Rudolph Bloom (né Virag), décédé : 3 lettres dactylographiées, destinataire, Henry Flower, poste restante Westland row, expéditeur, Martha Clifford, poste restante Dolphin's Barn : le nom et l'adresse de l'expéditrice des 3 lettres translittérés selon un cryptogramme quadrilinéaire pointé boustrophédontique alphabétique inversé (voyelles supprimées[109]) N. IGS./WI.UU. OX/W. OKS. MH/Y. IM : une coupure d'un périodique hebdomadaire anglais *Modern Society*, sujet châtiments corporels dans les écoles de filles : un ruban rose qui avait festonné un œuf de Pâques en l'an 1899 : deux préservatifs en caoutchouc[110] partiellement déroulés avec réservoir, achetés par la poste à la Boîte postale 32, poste restante, Charing Cross, Londres, W. C. :

1 paquet d'1 douzaine d'enveloppes de papier couché-crème et papier à lettres ligné-fin à filigrane, dont 3 manquaient à présent : quelques pièces de monnaie assorties d'Autriche-Hongrie : 2 billets de la Loterie Royale et Privilégiée de Hongrie[111] : une loupe peu puissante : 2 cartes photographiques érotiques représentant a) coït buccal entre une señorita nue (présentation arrière, position supérieure) et torero nu (présentation de face, position inférieure[112]) b) violation anale par religieux (entièrement vêtu, regard abject) de religieuse (partiellement vêtue, regard direct), commandées par la poste à la Boîte postale 32, poste restante, Charing Cross, Londres, W. C. : une coupure de presse donnant la recette pour rénover de vieilles chaussures marron : un timbre adhésif de 1d, lavande, règne de la reine Victoria : un tableau des mensurations de Leopold Bloom compilées avant, pendant et après 2 mois d'utilisation consécutive de la machine à poulie Sandow-Whiteley (hommes 15 shillings, athlète 20 shillings) à savoir, poitrine 28 pouces et 29 1/2 pouces, biceps 9 pouces et 10 pouces, avant-bras 8 1/2 et 9 pouces, cuisse 10 pouces et 12 pouces, mollet 11 pouces et 12 pouces : 1 prospectus du Baumiracle, le meilleur remède mondial contre les affections rectales, directement de Baumiracle, Coventry House, South Place, Londres, E.C., adressé (fautivement) à Mme L. Bloom avec une note d'accompagnement commençant (fautivement) par : Chère Madame.

Citez les termes littéraux par lesquels le prospectus revendiquait les vertus de ce remède thaumaturgique.

Il vous guérit et vous apaise pendant le sommeil, en cas de rétention de vents, assiste la nature de la plus prodigieuse manière, garantit un soulagement immédiat par l'évacuation des gaz, assure la propreté des parties et une action libre et naturelle, un débours initial de 7 shillings 6 fait de vous un homme nouveau et vous offre une vie digne d'être vécue. Les dames trouveront Baumiracle particulièrement utile, une surprise agréable quand elles auront connu le délicieux résultat pareil à une gorgée d'eau de source fraîche un jour de canicule estivale. Recommandez-le à vos amis et à vos amies, dure toute une vie. Insérez le gros bout arrondi. Baumiracle.

Y avait-il des attestations ?

Nombreuses. D'un ecclésiastique, d'un officier de la marine britannique, d'un auteur très en vue, d'un monsieur de la City, d'une infirmière, d'une lady, d'une mère de cinq enfants, d'un mendiant distrait[113].

Quelle était la conclusion de l'attestation du mendiant distrait ?

Quel dommage que le gouvernement n'ait pas fourni de baumiracle à nos hommes pendant la campagne d'Afrique du Sud ! Quel secours[114] cela aurait été !

Quel objet Bloom ajouta-t-il à cette collection d'objets ?

Une 4e lettre dactylographiée reçue par Henry Flower (si H. F. est L. B.) de Martha Clifford (trouvez M. C.).

Quelle réflexion plaisante accompagna ce geste ?

La réflexion selon laquelle, en dehors de la lettre en question, le magnétisme de son visage, de sa silhouette et de sa dextérité avait été favorablement accueilli au cours de la journée précédente par une épouse (Mme Josephine Breen, née Josie Powell), une infirmière, Mlle Callan (prénom inconnu), une jeune fille, Gertrude (Gerty, nom de famille inconnu).

Quelle possibilité lui vint à l'esprit ?

La possibilité d'exercer un pouvoir viril de fascination dans un avenir non immédiat après un repas luxueux dans un salon privé avec une élégante courtisane au corps d'une grande beauté, modérément vénale, diversement instruite, une dame d'origine aristocratique.

Que contenait le 2e tiroir ?

Des documents : le certificat de naissance de Leopold Paula Bloom[115] : une police d'assurance à terme fixe de £500 émise par la Scottish Widows' Assurance Society, au profit de Millicent (Milly) Bloom, se transformant après 25 ans en police avec intérêts de £430, £462-10-0 et £500 respectivement à 60 ans ou au décès, 65 ans ou au décès et au décès, ou, au choix, en police avec intérêts (payée) de £299-10-0 ainsi qu'un paiement en espèces de £133-10-0 : un livret de banque émis par la Ulster Bank, agence de College Green indiquant un relevé de compte de £18-14-6 (dix-huit livres, quatorze shillings et six pence, sterling) pour le semestre se terminant le 31 décembre 1903, crédit au profit du dépositaire, avoir net : certificat de possession de £900, titres d'État (exempts de droits de timbre) canadiens à 4 % (nominatifs) : récépissés du Catholic Cemeteries (Glasnevin) Committee, concernant l'achat d'une concession à perpétuité : une coupure de journal local concernant un changement de nom par acte sous-seing privé.

Citez les termes littéraux de cet avis.

Je soussigné Rudolph Virag, résidant actuellement au nº 52 Clanbrassil street, Dublin, précédemment à

Szombathely dans le royaume de Hongrie, annonce par le présent acte avoir pris le nom de Rudolph Bloom que j'ai dorénavant l'intention d'utiliser en toutes occasions et en tout temps.

Quels autres objets se rapportant à Rudolph Bloom (né Virag) se trouvaient dans le 2e tiroir ?

Un daguerréotype indistinct de Rudolph Virag et de son père Leopold Virag pris en l'année 1852 dans le studio de portraits de leur (respectivement) 1er et 2e cousin, Stefan Virag de Szesfehervar, Hongrie. Un ancien livre de haggadah dans lequel une paire de lunettes convexes à monture en corne marquait le passage d'action de grâce dans les prières rituelles pour Pessah (la Pâque) : une carte postale photographique du Queen's Hotel, Ennis, propriétaire, Rudolph Bloom : une enveloppe adressée : *À Mon Cher Fils Leopold.*

Quels lambeaux de phrase furent évoqués à la lecture de ces cinq mots entiers ?

Demain cela fera une semaine que j'ai reçu… il ne sert à rien Leopold d'être… avec ta chère mère… qu'il n'est pas plus à supporter… à elle… tout pour moi est terminé… sois gentil avec Athos, Leopold[116]… mon cher fils… toujours… de moi… *das Herz… Gott… dein…*

Quelles réminiscences d'un sujet humain souffrant d'une mélancolie progressive ces objets évoquèrent-ils à Bloom ?

Un vieil homme, veuf, chevelure hirsute, au lit, la tête couverte, soupirant : un chien infirme, Athos : aconit, auquel il recourait par doses croissantes de grains et de scrupules comme palliatif à une névralgie recrudescente : le visage dans la mort d'un septuagénaire, suicide par empoisonnement.

Pourquoi Bloom éprouvait-il un sentiment de remords ?

Parce que par impatience immature il avait considéré avec irrespect certaines croyances et pratiques.

Comme ?

L'interdiction de consommer de la viande et du lait au cours du même repas : le symposium hebdomadaire d'excompatriotes coexreligionnaires mercantiles chaleureusement concrets, incoordinément abstraits : la circoncision des enfants mâles : le caractère surnaturel des écritures judaïques : l'ineffabilité du tétragrammaton : le caractère sacré du sabbat.

Comment lui apparaissaient à présent ces croyances et pratiques ?

Pas plus rationnelles qu'elles ne lui avaient semblé alors, pas moins rationnelles que ne lui apparaissaient aujourd'hui d'autres croyances et pratiques.

Quelle première réminiscence avait-il de Rudolph Bloom (décédé) ?

Rudolph Bloom (décédé) racontant à son fils Leopold Bloom (âgé de 6 ans) un arrangement rétrospectif[117] de migrations et d'installations dans et entre Dublin, Londres, Florence, Milan, Vienne, Budapest, Szombathely accompagné de déclarations de satisfaction (son grand-père ayant vu Marie-Thérèse, impératrice d'Autriche, reine de Hongrie), de conseils commerciaux (après avoir veillé à la petite monnaie, les billets avaient veillé sur eux-mêmes). Leopold Bloom (âgé de 6 ans) avait écouté ces récits en consultant constamment une carte géographique de l'Europe (politique) et en suggérant la création de succursales commerciales dans les divers centres mentionnés.

Le temps avait-il également mais différemment oblitéré le souvenir de ces migrations chez le narrateur et chez l'auditeur ?

Chez le narrateur en raison du flux des années et comme conséquence de l'utilisation de toxines narcotiques : chez l'auditeur en raison du flux des années et en conséquence du rôle de la distraction dans les expériences par procuration.

Quelles idiosyncrasies du narrateur étaient dues de façon concomitante à l'amnésie ?

Il lui arrivait à l'occasion de manger sans avoir préalablement ôté son chapeau. Il lui arrivait à l'occasion de boire avec voracité le jus d'une crème de groseilles à maquereau en penchant son assiette. Il lui arrivait à l'occasion d'enlever des fragments de nourriture de ses lèvres à l'aide d'une enveloppe lacérée ou de tout autre fragment de papier à portée de main.

Quels étaient les deux phénomènes de sénescence les plus fréquents ?

Le calcul digital myopique de pièces de monnaie, l'éructation consécutive à la réplétion.

Quel objet offrait une consolation partielle à ces réminiscences ?

La police d'assurance à terme fixe, le livret de banque, le certificat attestant la possession d'actions.

Réduisez Bloom par multiplication composée de revers de fortune, dont ces secours le protégeaient, et par élimination de toutes les valeurs positives jusqu'à une quantité irréelle irrationnelle négative négligeable.

Successivement, en ordre ilotique décroissant : Pauvreté : celle du vendeur ambulant avec ses bijoux en toc, de l'agent de recouvrement de créances mauvaises et douteuses, du collecteur suppléant d'impôts et de la taxe des pauvres. Mendicité : celle du failli frauduleux avec un actif dérisoire qui paye 1/4 de penny par £, de l'hommesandwich, du distributeur de prospectus, du rôdeur nocturne, du sycophante insinuant, du marin estropié, du jouvenceau aveugle, du recors hors-d'âge, du gâtesauce, du lèchepatte, du rabatjoie, du cafard, de la risée publique excentrique assise sur un banc dans un jardin public sous un parapluie de récupération percé[118]. Indigence : celle du pensionnaire d'Old Man's House (Royal Hospital), Kilmainham, du pensionnaire du Simpson's Hospital pour hommes sans ressources mais respectables invalides du fait de la goutte ou de la perte de la vue. Nadir de la misère : le vieil indigent dément, impotent et moribond confié à l'assistancepublique et privé-de-droits-civiques.

Accompagnés de quelles indignités ?

L'indifférence peu compatissante de femmes naguère aimables, le mépris des mâles musculeux, l'acceptation de croûtes de pain, les anciennes connaissances qui feignent de ne pas vous connaître, la latration de chiens bâtards errant sans collier, le bombardement infantile de missiles végétaux décomposés, valant peu ou rien, rien ou moins que rien.

Par quoi une telle situation pouvait-elle être évitée ?

Par un décès (changement d'état) : par un départ (changement de lieu).

Lequel de préférence ?
Le dernier, du fait de la loi du moindre effort.

Quelles considérations ne le rendaient pas entièrement indésirable ?
Cohabitation continuelle entravant la tolérance mutuelle de défauts personnels. L'habitude d'achats indépendants de plus en plus cultivée. La nécessité de contrecarrer par un séjour impermanent la permanence de l'arrêt.

Quelles considérations ne le rendaient pas irrationnel ?
Les parties concernées, en s'unissant, s'étaient accrues et multipliées, après quoi, la descendance produite amenée à maturité, les parties, si elles n'étaient pas désunies, étaient obligées de se réunir pour s'accroître et se multiplier, ce qui était absurde, de reformer par réunion le couple primitif de parties s'unissant, ce qui était impossible.

Quelles considérations le rendaient désirable ?
L'aspect séduisant de certaines localités d'Irlande et de l'étranger, telles qu'elles étaient représentées sur les cartes géographiques générales au dessin polychrome ou sur des cartes d'état-major spécifiques du fait de l'utilisation de graduations d'échelle et de hachures.

En Irlande ?
Les falaises de Moher, les landes venteuses du Connemara, le lough Neagh avec cité pétrifiée engloutie, la Chaussée des Géants, le Fort Camden et le Fort Carlisle, le Val d'Or de Tipperary, les îles d'Aran, les pâturages du royal Meath, l'orme de Brigid à Kildare,

le chantier naval de Queen's Island à Belfast, le Salmon Leap, les lacs de Killarney.

À l'étranger ?

Ceylan (avec jardins-aux-épices fournissant du thé à Thomas Kernan, agent de Pulbrook, Robertson and Co, 2 Mincing lane, Londres, E. C., 5, Dame street, Dublin). Jérusalem, la cité sainte (avec mosquée d'Omar et porte de Damas, but de toutes les aspirations[119]), le détroit de Gibraltar (l'incomparable lieu de naissance de Marion Tweedy), le Parthénon (contenant des statues de divinités grecques nues[120]), le marché financier de Wall street (qui contrôle la finance internationale), la Plaza de Toros de La Linea, Espagne (où O'Hara du régiment des Camerons avait tué le taureau), le Niagara (sur lequel aucun être humain n'était passé impunément), le pays des Esquimaux (mangeurs de savon), le pays interdit du Tibet (dont aucun voyageur ne revient), la baie de Naples (la voir, c'est mourir), la mer Morte.

Grâce à quel guide, en suivant quels signes ?

En mer, vers le septentrion, de nuit l'étoile polaire, située au point d'intersection d'une ligne droite allant de bêta à alpha dans la Grande Ourse prolongée et coupée extérieurement à oméga et de l'hypoténuse du triangle rectangle formé par la ligne alpha oméga ainsi prolongée et la ligne alpha delta de la Grande Ourse. Sur terre, vers le méridional, une lune bisphérique, révélée selon des phases imparfaites et variables à travers l'interstice postérieur de la jupe imparfaitement occulté d'une femelle carniforme[121] négligente pérambulatoire, une colonne de nuée le jour.

Quelle annonce publique divulguerait l'occultation du disparu ?

£5 de récompense, gentleman d'environ 40 ans, perdu, enlevé ou égaré de son lieu de résidence 7 Eccles street, monsieur disparu, répondant au nom de Bloom, Leopold (Popold), taille 5 pieds 9 1/2 pouces, corpulent, teint olivâtre, a peut-être laissé pousser sa barbe depuis, portait un complet noir quand il a été vu pour la dernière fois. La somme ci-dessus sera versée à toute personne capable de fournir des informations permettant de le retrouver.

Quelles dénominations universelles binomiales seraient les siennes en tant qu'entité et que nonentité ?

Portée par quiconque ou connue de personne. Touthomme ou Personne.

Quels tributs les siens ?

Honneur et présents d'inconnus, les amis de Touthomme. Une nymphe immortelle, beauté, l'épouse de Personne[122].

Le disparu ne réapparaîtrait-il jamais nullepart de nullefaçon ?

Toujours il errerait, contraint, jusqu'aux extrêmes limites de son orbite cométaire, au-delà des étoiles fixes et des soleils variables et des planètes télescopiques, épaves astronomiques égarées, jusqu'à la frontière extrême de l'espace, allant de pays en pays, au milieu des peuples, au milieu des événements. Quelque part imperceptiblement il entendrait et un peu à contrecœur, contraint-par-le-soleil, obéirait à l'ordre de rappel. D'où, disparaissant de la constellation de la Couronne boréale il finirait par réapparaître rené au-dessus de delta dans la constellation de Cassiopée et après d'incalculables éons de pérégrination reviendrait vengeur venu d'ailleurs, dispensateur de justice envers les malfaiteurs[123], un croisé sombre, un dormeur éveillé[124], avec des capacités financières (une supposition) dépassant celles de Rothschild ou du Roi de l'argent[125].

Qu'est-ce qui rendrait un tel retour irrationnel ?

Une équation peu satisfaisante entre exode et retour dans le temps à travers l'espace réversible et exode et retour dans l'espace à travers le temps irréversible.

Quel jeu de forces, induisant l'inertie, rendait le départ indésirable ?

L'heure avancée, qui rend procrastinatoire : l'obscurité de la nuit, qui rend invisible : l'incertitude des grands chemins, qui rend périlleux : la nécessité du repos, qui s'oppose au mouvement : la proximité d'un lit occupé, qui s'oppose à la recherche : l'anticipation de la chaleur (humaine) tempérée par la fraîcheur (les draps), qui s'oppose au désir et rend désirable : la statue de Narcisse, son sans écho, désir désiré.

Quels avantages possédait un lit occupé par opposition à un lit inoccupé ?

L'élimination de la solitude nocturne, la qualité supérieure de la caléfaction humaine (femme mature) par rapport à l'inhumaine (bouillotte), la stimulation du contact matutinal, l'économie de calendrage sur place du pantalon lorsqu'il est plié avec précision et placé dans sa longueur entre le sommier (rayé) et le matelas en laine (piquage losange).

Quelles causes antérieures consécutives de fatigue accumulée avant le lever préappréhendées, Bloom, avant le lever, récapitula-t-il silencieusement ?

La préparation du petit déjeuner (sacrifice brûlé) : congestion intestinale et défécation préméditative (saint des saints[126]) : le bain (rite de Jean) : l'enterrement (rite de Samuel) : la publicité d'Alexander Descley (Urim et Thummim) : le déjeuner insubstantiel (rite de Melchisédech) : la visite au musée et à la bibliothèque nationale (lieu saint) : la quête de livres dans Bedford row, Merchant's arch, Wellington quay (Simchath Torah) : la musique à l'hôtel Ormond (Shira Shirim) : l'altercation avec un truculent troglodyte dans l'établissement de Bernard Kiernan (holocauste) : un laps de temps vide incluant une course en voiture, une visite à une maison mortuaire, un adieu (désert) : l'érotisme produit par l'exhibitionnisme féminin (rite d'Onan) : l'accouchement laborieux de Mme Mina Purefoy (rite de l'élévation) : la visite à la maison de colérance de Mme Bella Cohen, 82 Tyrone street lower, la rixe subséquente et la bagarre fortuite dans Beaver street (Harmaguédon) : pérambulation nocturne jusqu'à et depuis l'abri du cocher, Butt bridge (conciliation).

Quelle énigme auto-imposée Bloom sur le point de se lever afin de partir pour conclure de peur de ne pas conclure appréhendait-il involontairement ?

L'origine d'un unique bref craquement sec fort entendu imprévu émis par les veines tendues du matériau insensible d'une table en bois[127].

Quelle énigme auto-impliquée Bloom debout, sur le départ, rassemblant des pièces vestimentaires multicolores multiformes multitudineuses[128], volontairement appréhendée, ne comprit-il pas ?

Qui était M'Intosh[129] ?

Quelle énigme auto-évidente considérée avec une constance intermittente pendant 30 ans Bloom avait-il maintenant, ayant obtenu l'obscurité naturelle par extinction de la lumière artificielle, silencieusement et soudainement comprise ?

Où était Moïse quand la bougie s'est éteinte ?

Quelles imperfections d'une journée parfaite Bloom, s'avançant, chargé de divers articles vestimentaires masculins ramassés récemment ôtés, énuméra-t-il silencieusement, successivement ?

L'échec momentané de l'obtention du renouvellement d'une publicité : de l'obtention d'une certaine quantité de thé de Thomas Kernan (agent de Pulbrook, Robertson and Co, 5 Dame street, Dublin, et 2 Mincing lane, Londres, E. C.) : de la constatation de la présence ou de l'absence d'orifice rectal postérieur dans le cas de divinités féminines helléniques[130] : de l'obtention d'un billet (gratuit ou pas) pour la représentation de *Leah* avec Mme Bandmann Palmer au Gaiety Theatre, 46, 47, 48, 49 South King street.

Quelle impression d'un visage absent Bloom, arrêté, évoqua-t-il en silence ?

Le visage de son père à elle, feu le major Brian Cooper Tweedy, du Royal Dublin Fusiliers, de Gibraltar et Rehoboth[131], Dolphin's Barn.

Quelles impressions récurrentes du même étaient possibles par hypothèse ?

S'éloignant, au terminus du Great Northern Railway, Amiens street, avec une accélération constante et uniforme, le long de lignes parallèles se rejoignant à l'infini, si elles avaient été prolongées : le long de lignes parallèles, reprolongées depuis l'infini, avec une retardation constante et uniforme, au terminus du Great Northern Railway, Amiens street, revenant.

Quelles pièces vestimentaires féminines diverses et personnelles aperçut-il[132] ?

Une paire de bas de femme mi-soie noirs neufs inodores, une paire de jarretières neuves violettes, un pantalon de femme grandetaille en mousseline indienne, coupé selon des lignes généreuses, exhalant l'opoponax, le jessemin et les cigarettes turques[133] Muratti et contenant une longue épingle de nourrice en acier brillant, se refermant curviligne, une camisole en batiste avec une fine bordure de dentelle, une sousjupe plissée en moirette de soie bleue, tous ces articles disposés irrégulièrement sur le dessus d'une malle rectangulaire, quadruplement lattée, aux coins renforcés, avec des étiquettes multicolores, monogrammée B. C. T. (Brian Cooper Tweedy) sur la face avant en lettres blanches.

Quels objets impersonnels aperçut-il ?

Une chaisepercée, avec un pied fracturé[134], entièrement couverte par un coupon carré de cretonne, à dessin de pommes, sur laquelle était posé un chapeau de dame en paille noire. De la porcelaine à grecorange, achetée chez Henry Price, vannerie, nouveautés, porcelaine et quincaillerie, 21, 22, 23 Moore street, disposée irrégulièrement sur la table de toilette et par terre et se composant d'une cuvette, d'un porte-savon et d'un plateau à brosses (sur la table, ensemble), d'un broc et d'un récipient de nuit (par terre, séparés).

Les actions de Bloom ?

Il posa les articles vestimentaires sur une chaise, ôta les articles vestimentaires qu'il portait encore, prit de sous le traversin à la tête du lit une longue chemise de nuit blanche pliée, introduisit sa tête et ses bras dans les ouvertures ménagées à cet effet de la chemise de nuit, fit passer un oreiller de la tête au pied du lit, arrangea le drap en conséquence et entra dans le lit[135].

Comment ?

Avec circonspection, comme invariablement quand il entrait dans une demeure (la sienne ou pas la sienne[136]) : avec sollicitude, les ressorts serpentinspirales du sommier étant vieux, les anneaux de cuivre et les volutes vipérines en surplomb branlantes et tremblotantes en cas de tension et d'effort : prudemment, comme pour entrer dans une tanière ou embuscade de luxure ou de vipères : légèrement, pour déranger le moins possible : révéremment, le lit de conception et de naissance, de consommation du mariage et de rupture du mariage, du sommeil et de la mort.

Que rencontrèrent ses membres, en s'étendant graduellement ?

De nouveaux draps propres, des odeurs supplémentaires, la présence d'une forme humaine, féminine, la sienne, l'empreinte d'un corps humain, masculin, pas le sien, quelques miettes, quelques fragments de conserve de viande, recuits, qu'il enleva.

S'il avait souri pourquoi aurait-il souri ?

En pensant que quiconque entre s'imagine être le premier à entrer alors qu'il est toujours le dernier terme d'une série antérieure même s'il est le premier terme d'une série ultérieure, chacun s'imaginant être le premier, le dernier, le seul et unique alors qu'il n'est ni premier ni dernier ni seul ni unique dans une série ayant son origine dans l'infinité et se répétant à l'infini.

Quelle série antérieure ?

En supposant que Mulvey était le premier terme de

sa série, Penrose, Bartell d'Arcy, le professeur Goodwin, Julius Mastiansky, John Henry Menton, le Père Bernard Corrigan, un fermier du Royal Dublin Society's Horse Show, Maggot O'Reilly, Matthew Dillon, Valentine Blake Dillon (Lord Maire de Dublin), Christopher Callinan, Lenehan, un joueur d'orgue de barbarie italien, un gentleman inconnu au Gaiety Theatre[137], Benjamin Dollard, Simon Dedalus[138], Andrew (Pisseur) Burke, Joseph Cuffe, Wisdom Hely, l'Adjoint John Hooper, Dr Francis Brady[139], Père Sebastian de Mount Argus, un cireur de chaussures de la Poste centrale, Hugh E. (Flam) Boylan et ainsi chacun et ainsi de suite jusqu'à point de dernier terme.

Quelles étaient ses réflexions concernant le dernier membre de cette série et récent occupant du lit ?

Des réflexions sur sa vigueur (un butor), ses proportions physiques (un bouche-trou), son habileté commerciale (un barbet), son impressionnabilité (un baratineur).

Pourquoi impressionnabilité selon l'observateur outre la vigueur, les proportions physiques et l'habileté commerciale ?

Parce qu'il avait observé avec une fréquence croissante chez les membres antérieurs de la même série la même concupiscence, transmise inflammablement, d'abord avec crainte, puis avec entente, puis avec désir, finalement avec fatigue, avec des symptômes alternés de compréhension et d'appréhension épicènes[140].

De quels sentiments antagonistes ses réflexions subséquentes furent-elles mêlées ?

Envie, jalousie, abnégation, équanimité.

Envie ?
D'un organisme physique et mental masculin spécifiquement adapté à la posture surincombante de la copulation énergique humaine et d'énergique va-et-vient de piston dans le cylindre nécessaire à la satisfaction complète d'une concupiscence constante mais non aiguë logée dans un organisme physique et mental féminin, passif mais non obtus.

Jalousie ?
Parce qu'une nature entière et volatile à l'état libre, était alternativement l'agent et le réactif de l'attraction. Parce que l'attraction entre actif(s) et réactif(s) variait à tout instant, en proportion inverse de croissance et de décroissance, avec extension circulaire constante et rentrée radiale. Parce que la contemplation contrôlée de la fluctuation de l'attraction produite produisait, si tel était le désir, une fluctuation du plaisir.

Abnégation ?
En vertu a) d'une relation initiée en septembre 1903 dans l'établissement de George Mesias, tailleur et chemisier, 5 Eden quay, b) de l'hospitalité offerte et reçue en nature, réciproquée et réappropriée personnellement, c) d'une jeunesse relative sujette à des poussées d'ambition et de magnanimité, d'altruisme collégal et d'égoïsme amoureux, d) de l'attraction extraraciale, de l'inhibition intraraciale, de la prérogative supraraciale, e) d'une tournée musicale provinciale imminente, dépenses courantes partagées, bénéfices nets divisés[141].

Équanimité ?
Dans la mesure où aussi naturelle que tout et que chaque acte naturel d'une nature exprimée ou sous-

entendue exécuté dans la nature naturée par des créatures naturelles en conformité avec leurs natures naturées (à lui, à elle, à eux), d'une similitude dissimilaire. Dans la mesure où moins calamiteuse qu'une annihilation cataclysmique de la planète en conséquence d'une collision avec un soleil noir. Dans la mesure où moins répréhensible que le vol, le brigandage de grand chemin, la cruauté envers enfants et animaux, que l'obtention d'argent par des moyens frauduleux, que la contrefaçon, le détournement, l'appropriation de fonds publics, la trahison de la confiance publique, le tirageauflanc, la mutilation, la corruption de mineurs, le libelle, le chantage, l'outrage à la cour, l'incendie volontaire, la trahison, la félonie, la mutinerie en haute mer, l'intrusion, le cambriolage, l'évasion de prison, la pratique de vices contre nature, la désertion des forces armées devant l'ennemi, le parjure, le braconnage, l'usure, l'intelligence avec les ennemis du roi, la supposition de personne, l'attentat à la pudeur, l'homicide, l'assassinat volontaire et prémédité. Dans la mesure où non moins anormal que tout autre processus parallèle d'adaptation à des conditions modifiées d'existence, se traduisant par un équilibre réciproque entre l'organisme physique et ses circonstances contingentes, nourriture, boisson, habitudes acquises, penchants acceptés, maladie significative. Dans la mesure où plus qu'inévitable, irréparable.

Pourquoi plus d'abnégation que de jalousie, moins d'envie que d'équanimité ?

Entre l'outrage (matrimonialité) et l'outrage (adultère) ne s'élevait que l'outrage (copulation) bien que le violateur matrimonial de la matrimonialité violée n'eût pas été outragé par le violateur adultérin de ce qui avait été violé adultérément.

Quel châtiment, si châtiment il y avait ?

Assassinat, jamais, car deux maux ne font pas un bien. Duel armé, non. Divorce, pas maintenant. Révélation par artifice mécanique (lit piège[142]) ou témoignage individuel (témoins oculaires dissimulés), pas encore. Action en dommages-intérêts par voie légale ou simulation d'agression avec preuves des blessures subies (auto-infligées), pas impossible. Silence-acheté par persuasion morale, possible. Si oui, positivement, connivence, intervention de l'émulation (matérielle, une agence de publicité rivale et prospère : morale, un agent rival victorieux dans l'intimité), dépréciation, aliénation, humiliation, séparation protégeant la personne séparée de l'autre, protégeant le séparateur des deux autres.

À l'aide de quelles réflexions put-il, réacteur conscient contre le vide de l'incertitude[143], justifier envers lui-même ses sentiments ?

La frangibilité prédéterminée de l'hymen : l'intangibilité présupposée de la chose en soi : l'incongruité et la disproportion entre la tension auto-prolongeante de la chose à faire proposée et la relaxation auto-abréviative de la chose faite : la débilité de la femelle attribuée fallacieusement : la muscularité du mâle : les variations des codes éthiques : la transition grammaticale naturelle par inversion n'impliquant aucune altération du sens d'une proposition prétérite aoriste (analysée grammaticalement comme sujet masculin, verbe transitif onomatopéique monosyllabique avec complément d'objet direct féminin) de la voix active en sa proposition corrélative prétérite aoriste (analysée grammaticalement comme sujet féminin, verbe auxiliaire et participe passé onomatopéique quasimonosyllabique avec agent complémentaire masculin) à la voix passive[144] : le produit continu de séminateurs par génération : la production continuelle de sperme par distillation : la futilité du triomphe ou de la protestation ou de la revendication : l'inanité de la vertu exaltée : la léthargie de la matière nesciente : l'apathie des astres.

Vers quelle satisfaction finale ces sentiments et ces réflexions antagonistes, réduits à leurs formes les plus simples, convergeaient-ils ?

Satisfaction devant l'ubiquité dans les hémisphères terrestres oriental et occidental, sur toutes les terres et îles habitables explorées ou inexplorées (le pays du soleil de minuit, les îles des fortunés[145], les îles de Grèce, la terre de la promesse), des hémisphères adipeux féminins antérieurs et postérieurs, fleurant le lait et le miel[146] et la chaleur extravasée sanguine et séminale, évoquant les familles séculaires de courbes d'amplitude[147], insusceptibles d'humeurs d'impression ou de contrariétés d'expression, expressives d'animalité silencieuse, immuable et mature.

Les signes visibles d'antésatisfaction ?

Une érection approximative : une adversion empressée : une élévation graduelle : une révélation suggérée : une contemplation silencieuse.

Puis ?

Il embrassa les ocres onctorants melons rebondis odorants de sa croupe, sur chaque hémisphère rebondi melonneux, dans leur sillon ocre onctueux, avec une obscure osculation prolongée provocatrice melonodorante

Les signes visibles de postsatisfaction ?

Une contemplation silencieuse : une vélation

suggérée : un abaissement graduel : une aversion empressée : une érection proximative.

Par quoi cette action silencieuse fut-elle suivie ?

Invocation somnolente, reconnaissance moins somnolente, excitation naissante, interrogation catéchétique.

Avec quelles modifications le narrateur répondit-il à cet interrogatoire ?

Négatives[148] : il s'abstint de mentionner la correspondance clandestine entre Martha Clifford et Henry Flower, l'altercation publique au, dans le et aux environs de l'établissement de Bernard Kiernan and Co, Limited, 8, 9 et 10 Little Britain street, la provocation érotique et la réaction à celle-ci suscitée par l'exhibitionnisme de Gertrude (Gerty), nom de famille inconnu. Positives : il inclut la mention d'une représentation de *Leah* avec Mme Bandmann Palmer au Gaiety Theatre, 46, 47, 48, 49 South King street, d'une invitation à dîner au Wynn's (Murphy's) Hotel, 35, 36 et 37 Lower Abbey street, d'un livre à tendance pornographique peccamineuse intitulé *Douceurs du péché*, l'auteur anonyme un homme du monde, une commotion temporaire due à un mouvement mal calculé au cours d'une démonstration gymnastique postprandiale, dont la victime (depuis complètement remise sur pied) était Stephen Dedalus, professeur et auteur, aîné des fils survivants de Simon Dedalus, sans profession fixe, un exploit aéronautique effectué par lui (narrateur) en présence d'un témoin, le professeur et auteur susnommé, avec promptitude de décision et flexibilité de gymnaste.

La narration fut-elle par ailleurs inaltérée par des modifications ?

Absolument.

Quel événement ou quelle personne émergea en tant que point saillant de sa narration ?

Stephen Dedalus, professeur et auteur.

Quelles limitations d'activité et inhibitions de droits conjugaux les concernant furent perçues par l'auditrice et le narrateur au cours de cette narration intermittente et de plus en plus laconique ?

Pour l'auditrice une limitation de fertilité au sens où le mariage ayant été célébré 1 mois plein après le 18e anniversaire de sa naissance (8 septembre 1870), c'est-à-dire le 8 octobre[149], et consommé à la même date avec descendance féminine née le 15 juin 1889, où il y avait eu consommation anticipée le 10 septembre de la même année et où un commerce charnel complet, avec éjaculation de sperme à l'intérieur de l'organe féminin naturel[150], s'était déroulé pour la dernière fois 5 semaines avant, c'est-à-dire le 27 novembre 1893, la naissance le 29 décembre 1893 d'un second (et unique, masculin) descendant, décédé le 9 janvier 1894, âgé de 11 jours, restait une période de 10 ans, 5 mois et 18 jours au cours de laquelle le commerce charnel avait été incomplet[151], sans éjaculation de sperme à l'intérieur de l'organe féminin naturel. Pour le narrateur une limitation d'activité, mentale et physique, au sens où aucun commerce mental complet entre lui et l'auditrice n'avait eu lieu depuis la consommation de la puberté, marquée par une hémorragie cataméniale, de la descendance féminine du narrateur et de l'auditrice, le 15 septembre 1903, restait une période de 9 mois et 1 jour au cours de laquelle, en conséquence d'une compréhension naturelle préétablie dans l'incompréhension entre les femmes consommées (auditrice et descendance), la complète liberté physique d'action avait été circonscrite.

Comment ?

Par diverses interrogations féminines réitérées concernant la destination masculine vers laquelle, l'endroit où, le moment auquel, la durée pendant laquelle, l'objet avec lequel dans le cas d'absences temporaires, projetées ou effectives.

Qu'est-ce qui se déplaçait de façon visible au-dessus des pensées invisibles de l'auditrice et du narrateur ?

Le reflet vers le haut d'une lampe et son abat-jour, une série fluctuante de cercles concentriques aux gradations variables de lumière et d'ombre.

Dans quelles directions étaient couchés l'auditrice et le narrateur ?

Auditrice, S. E. par E. : Narrateur, N. O. par O. : sur le 53e parallèle de latitude, N., et le 6e méridien de longitude, O. : à un angle de 45° par rapport à l'équateur terrestre.

Dans quel état de repos ou de mouvement ?

Au repos relativement à eux-mêmes et l'un à l'autre. En mouvement étant chacun et tous deux emportés vers l'ouest, respectivement vers l'avant et vers l'arrière, par le mouvement propre et perpétuel de la terre sur les routes toujourschangeantes de l'espace jamaischangeant.

Dans quelle posture ?

Auditrice : couchée semilatéralement, à gauche, main gauche sous la tête, jambe droite étendue en ligne droite et reposant sur la jambe gauche, fléchie, dans l'attitude de Gea-Tellus, comblée, étendue, grosse de semence. Narrateur : couché latéralement, à gauche, jambes droite et gauche pliées, l'index et le pouce de la main droite posés sur l'arête du nez, dans l'attitude représentée sur une photographie instantanée de Percy Apjohn, l'hommenfant las, l'enfant-homme dans le sein maternel.

Sein ? Las ?
Il se repose. Il a voyagé.

Avec ?
Sinbad le Saleur et Tinbad[152] le Tailleur et Ginbad le Geôlier et Binbad le Baleinier et Clinbad le Cloueur et Linbad le Loupeur et Équinbad l'Écopeur et Pinbad le Pailleur et Rinbad le Railleur et Grinbad le Grêleur et Dinbad le Daubeur et Linbad le Kaïleur et Vinbad le Quaïleur et Linbad le Yaïleur et Xinbad le Phthailleur[153].

Quand ?
Allant dans le lit sombre il y avait l'œuf carré rond d'alque de roc[154] de Sinbad le Saleur dans la nuit du lit de tous les alques des rocs de Sombrinbad le Jourbrillanteur.

Où ?
●

Oui parce qu'avant jamais il a fait une chose pareille de demander qu'on lui serve son petit déjeuner au lit avec deux œufs[1] depuis le City Arms Hotel quand il faisait toujours semblant d'être alité avec sa voix de malade il faisait sa seigneurie pour se faire remarquer de cette vieille peau de Mme Riordan[2] avec laquelle il pensait avoir la cote et qu'elle nous a pas laissé un radis tout passe en messes pour elle et son âme ce qu'elle pouvait être rat effrayée à l'idée d'allonger 3 sous pour son alcool à brûler me racontant toutes ses maladies elle faisait tout un plat sur la politique les tremblements de terre la fin du monde prenons un peu de bon temps d'abord quel enfer si toutes les femmes étaient comme elle critiquant les maillots de bain et les décolletés bien entendu personne lui demandait d'en porter j'imagine qu'elle était pieuse parce qu'aucun homme aurait voulu la regarder à deux fois j'espère bien que je serai jamais comme elle c'est bizarre qu'elle nous ait jamais demandé de nous couvrir la figure mais c'était sûrement une femme qui avait de l'éducation et ses bavassages sur M. Riordan parci et M. Riordan parlà j'imagine qu'il était content d'en être débarrassé et son chien qui reniflait ma fourrure et se débrouillait pour se faufiler sous mes jupes surtout dans ces moments là quand même j'aime ça chez lui qu'il soit poli avec les vieilles dames comme ça et les serveurs les mendiants aussi il fait pas le fier parti de rien mais pas toujours si quelquefois il devait attraper un truc grave c'est bien mieux qu'ils aillent à l'hôpital où tout est bien propre mais j'imagine que je devrais le tanner pendant un mois oui et alors on aurait aussitôt l'infirmière dans les pattes il s'incrusterait jusqu'à ce qu'on le fiche dehors ou peut être une bonne sœur comme sur sa photo cochonne bonne sœur comme moi oui parce qu'ils sont tellement faibles et geignards quand ils sont malades ils ont besoin d'une femme pour aller mieux s'il saigne du nez il faut penser O quelle tragédie et cette tête de mourant qu'il faisait en revenant sur le south circular quand il s'était tordu le pied à la fête de la chorale du mont Pain de sucre le jour où je portais cette robe là Mlle Stack qui lui apportait des fleurs fanées les plus moches qu'elle avait pu trouver radine comme elle est n'importe quoi elle ferait pour pénétrer dans la chambre d'un homme avec sa voix de vieille fille elle essayait de se persuader qu'il se mourait par amour pour elle jamais plus ne revoir ton visage même s'il avait plus l'air d'un homme qui s'était tranquillement laissé pousser sa barbe au lit papa était pareil et puis je déteste faire des bandages et des potions lorsqu'il s'est coupé le doigt de pied avec le rasoir en curant ses cors il craignait un empoisonnement du sang mais si c'était moi qui devais être malade alors on verrait comment on s'occuperait de moi sauf que c'est sûr que la femme elle le cache pour pas donner tout le mal qu'ils donnent eux oui il est allé faire ça quelque part[3] j'en suis persuadée à l'appétit qu'il montrait en tout cas c'est pas de l'amour sinon il aurait pas eu faim en pensant à elle alors soit c'était une de ces professionnelles si c'est vraiment là bas qu'il est allé et cette histoire d'hôtel qu'il a inventée un paquet de mensonges pour cacher qu'il le faisait tout combiné Hynes m'a tenu la jambe qui j'ai rencontré ah oui j'ai rencontré tu te souviens de Menton ou qui d'autre voyons voir avec cette grosse tronche de bébé je l'ai vu lui marié depuis peu et qui flirtait avec une jeune fille au Pooles Myriorama[4] et je lui ai tourné le dos quand il s'est défilé tout gêné pas de mal à ça mais il a eu le culot de me faire la cour une fois bien fait pour lui quelle grande gueule et ses yeux de merlan frit le plus gros crétin que j'ai jamais vu et j'en ai vu et on appelle ça un homme de loi sauf que je déteste les longues disputes au lit ou alors sinon c'est une petite pute quelconque qu'il a levée je ne sais où ou bien ramassée en douce si seulement elles le connaissaient aussi bien que moi oui parce qu'avant-hier il était en train de gribouiller quelque chose une lettre quand je suis entrée dans le salon pour lui montrer la mort de Dignam dans le journal comme si quelque chose me disait de le faire et il l'a couverte avec le buvard en faisant semblant de réfléchir à son business c'est pour ça c'est probable que c'était à une qui pense qu'avec lui elle est tombée sur une bonne poire parce que tous les hommes deviennent un peu comme ça à son âge vers la quarantaine l'âge qu'il a maintenant pour lui soutirer tout l'argent qu'elle peut plus ils sont vieux plus ils sont fous et donc son baiser comme d'habitude sur mes fesses c'était pour donner le change au fond je me fiche pas mal maintenant avec qui il le fait ou qui il a eu avant comme ça j'aimerais quand même le savoir mais tant que je les ai pas toutes les deux tout le temps sous le nez comme cette souillon cette Mary[5] qu'on avait à Ontario Terrace qui rembourrait son faux derrière pour l'aguicher c'était déjà assez nul de sentir sur lui l'odeur des poules peinturlurées une fois ou deux j'ai eu un doute je l'ai fait venir près de moi quand j'ai trouvé ce cheveu long sur son manteau sans compter cette fois là quand je suis arrivée dans la cuisine et qu'il a fait semblant de boire de l'eau 1 femme ça leur suffit pas c'était sa faute à lui bien sûr il débauchait les bonnes puis il proposait qu'elle partage le repas de Noël avec nous s'il vous plaît ah non merci pas de ça chez moi qui vole mes pommes de terre et des huîtres à 2 shillings 6 la douzaine[6] elle sortait pour aller chez sa tante s'il vous plaît c'était du vol purement et simplement mais je savais qu'il y avait quelque chose entre celle là et lui y a que moi pour découvrir ces choses là il me disait t'as aucune preuve que c'était elle une preuve O ça oui elle aimait beaucoup les huîtres sa tante mais je lui ai pas envoyé dire à elle ce que j'en pensais quand il me suggérait de sortir pour rester seul avec elle je m'abaisserai jamais à les espionner mais les jarretières que j'ai trouvées dans sa chambre ce vendredi où elle était de sortie c'était assez pour moi un peu trop même sa figure s'est décomposée sous le coup de la colère quand je lui ai donné ses huit jours j'y ai veillé on ferait mieux de se passer d'elles je fais les chambres plus vite moi même y aurait pas cette foutue cuisine et puis les ordures à vider en tout cas je lui ai donné le choix c'est elle qui quitte la maison ou c'est moi je pourrais même plus le toucher si je savais qu'il était avec cette sale menteuse effrontée un torchon pareil qui osait me nier l'évidence en face et qui chantait partout même dans les WC parce qu'elle savait qu'elle était trop bien tombée oui parce qu'il était pas capable de se priver aussi longtemps de le faire donc il doit bien le faire quelque part et la dernière fois qu'il a joui entre mes fesses quand était-ce la nuit où Boylan m'a pressé si fort la main en marchant le long de la Tolka mettez votre main dans la mienne j'ai juste serré le dos de la sienne en retour comme ça avec mon pouce en chantant La jeune lune de mai resplendit mon amour aussi[7] parce qu'il se doute bien de quelque chose entre nous il est pas si bête il a dit je dînerai dehors et j'irai au Gaiety mais je vais pas lui donner ce plaisir de toute façon Dieu sait qu'il me distrait dans un sens à pas porter toujours et toujours le même chapeau à moins que je me paie un joli garçon pour faire ça puisque je peux pas le faire moi même je plairais bien à un très jeune homme je le troublerais un peu seule avec lui je lui laisserais voir mes jarretières les neuves et je le ferais rougir en le regardant je le séduirais je sais ce que ressentent les garçons avec ce duvet sur les joues toujours en train de faire joujou avec leur machin question réponse est-ce que tu ferais ceci cela et le reste avec le charbonnier oui avec un évêque oui je le ferais parce que je lui avais parlé d'un certain Chanoine ou Évêque assis à côté de moi dans les jardins des Temples juifs[8] pendant que je tricotais ce truc en laine il connaissait pas Dublin c'était quoi cet endroit et ainsi de suite à propos de tous les monuments et il m'a épuisée avec les statues ainsi je l'encourageais le faisant pire qu'il est à qui tu penses là maintenant dis moi qui tu as dans la tête qui c'est dis moi son nom dis moi qui c'est c'est l'Empereur d'Allemagne oui imagine que je suis lui pense à lui tu le sens bien là qu'il essaye de faire de moi une pute il y arrivera jamais il ferait mieux de laisser tomber maintenant à l'âge qu'il a ça vous détruit une femme et y a pas de plaisir à faire semblant d'aimer ça jusqu'à ce qu'il jouisse et alors moi je me finis comme je peux et ça vous fait les lèvres toutes pâles de toute façon c'est fait maintenant une bonne fois pour toutes malgré tout ce qu'on raconte y a que la première fois après ça devient l'ordinaire tu le fais et t'y penses plus pourquoi est-ce qu'on peut pas embrasser un homme sans aller jusqu'à l'épouser au début on aime ça parfois sauvagement quand on se sent comme ça si bien partout on peut pas résister quelquefois je voudrais qu'un homme n'importe lequel vienne me prendre quand il est là et qu'il m'enlace et m'embrasse y a rien de tel qu'un baiser long et chaud qui descend jusqu'à l'âme vous paralyse presque ensuite je déteste ça cette confession quand j'allais voir le père Corrigan il m'a touchée mon père et quel mal y avaitil où ça et j'ai dit au bord du canal comme une idiote mais où sur votre personne mon enfant sur la jambe derrière c'était haut oui c'était plutôt haut là où vous vous asseyez oui O Seigneur est-ce qu'il aurait pas pu dire fesses plus tôt et qu'on en finisse avec ça quel rapport ça a et avez vous j'ai oublié comment il a tourné ça non père et je pense toujours au vrai père quel besoin il avait de savoir alors que je m'étais déjà confessée de ça à Dieu il avait une jolie main grasse la paume toujours moite ça me déplairait pas de la sentir à lui non plus je dirais à voir son cou de taureau dans son licol je me demande s'il m'a reconnue dans le confessionnal je pouvais voir sa figure lui pouvait pas voir la mienne bien entendu il s'était jamais retourné et il avait rien laissé voir pourtant il avait les yeux rouges quand son père est mort ils sont perdus pour une femme c'est sûr ça doit être très dur quand un homme pleure et pour eux donc j'aimerais que l'un d'entre eux me prenne dans ses bras ses habits sacerdotaux l'odeur d'encens qu'il dégage comme le pape et puis y a aucun danger avec un prêtre si on est mariée il est jamais assez prudent pour lui même alors on donne quelque chose en pénitence à S S le pape je me demande s'il a été content avec moi une chose que j'ai pas aimée c'est la claque qu'il m'a donnée par derrière en partant avec un tel manque de respect dans le hall même si j'ai ri je suis pas un cheval ni un âne n'est-ce pas j'imagine qu'il pensait à son père je me demande s'il est réveillé et pense à moi ou s'il rêve est-ce de moi qui lui a donné cette fleur dont il a dit qu'il l'avait achetée son haleine sentait une espèce de boisson pas du whisky ni de la bière peutêtre cette espèce de pâte sucrée avec laquelle ils collent leurs affiches[9] une sorte de liqueur j'aimerais goûter de ces boissons de riches à la belle apparence corsée vert et jaune que boivent ces playboys en chapeaux hautsdeforme une fois j'ai goûté en trempant mon doigt dans celui de cet Américain qui avait l'écureuil et qui parlait timbres avec monpère il avait toute la peine du monde à ne pas s'endormir après la dernière fois qu'on a pris du porto et de la terrine elle avait un bon goût salé oui parce que je me sentais très bien et fatiguée moi aussi et je me suis endormie comme un plomb dès que je me suis fourrée au lit jusqu'à ce que ce tonnerre me réveille Dieu ait pitié de nous je croyais que le ciel allait nous tomber sur la tête pour nous punir quand je me suis signée et j'ai dit un Je vous salue Marie c'était comme ces épouvantables coups de tonnerre à Gibraltar comme si c'était la fin du monde et ils viennent vous dire qu'il y a pas de Dieu que pouvaiton faire d'autre qu'un acte de contrition quand ça roulait et ça se précipitait de partout rien sinon le cierge que j'ai allumé ce soir là à la chapelle de Whitefriars street pour le mois de Marie[10] eh bien ça a porté bonheur bien qu'il rigolerait s'il savait parce qu'il va jamais à l'église messe ou assemblée il dit ton âme t'as pas d'âme là dedans seulement de la matière grise parce qu'il[11] sait pas ce que c'est que d'en avoir une oui quand j'ai allumé la lampe oui parce qu'il avait dû jouir 3 ou 4 fois avec son machin sidérant gros rouge bestial qu'il a je me demandais si la veine ou le comment on dit putain allait exploser même si son nez est pas si grand après j'ai enlevé toutes mes affaires une fois les stores baissés après avoir passé des heures à m'habiller me parfumer me peigner c'est comme du fer ou une espèce de gros pied de biche tout le temps dressé il avait dû manger des huîtres quelques douzaines au bas mot il était très en voix non jamais de toute ma vie j'en ai senti un qui en avait une de cette taille là faite pour vous remplir complètement il a dû manger un mouton entier après et puis pourquoi donc est-ce que nous sommes faites comme ça avec un grand trou au milieu de nous comme un Étalon qui vous l'enfonce à l'intérieur parce que c'est tout ce qu'ils attendent de vous avec cet éclair déterminé vicieux dans le regard j'ai été obligée de fermer à moitié les yeux même s'il a pas une quantité tellement énorme de foutre quand je l'ai forcé à se retirer pour le faire sur moi vu comme c'est gros ça vaut mieux au cas où ça partirait pas totalement au lavage la dernière fois que je l'ai laissé se finir en moi quelle charmante invention pour les femmes qu'il ait tout le plaisir mais si on leur faisait essayer un peu à eux ils sau-raient ce que j'ai subi avec Milly personne croirait et quand elle faisait ses dents et le mari de Mina Pure-foy allez un ptit coup encore un ptit coup qui lui fourre un enfant tous les ans quand c'est pas des jumeaux c'est réglé comme du papier à musique elle se balade toujours avec une odeur d'enfant sur elle celui qu'ils appellent vermisseau ou quelque chose comme ça un vrai petit nègre avec des cheveux tout crépus Jésus d'espoir l'enfant est noir la dernière fois que j'y suis allée il y en avait toute une troupe à se chamailler et à brailler à plus pouvoir s'entendre c'est censé être bon pour eux ils sont contents que quand ils nous ont gonflées comme des éléphants ou quoi encore supposons que je risquais d'en avoir un autre quoique pas de lui pourtant s'il était marié je suis sûre qu'il aurait un bébé beau et fort mais après tout je sais pas Popold a plus de foutre oui ça serait incroyablement bon j'imagine que c'était de rencontrer Josie Powell[12] et l'enterrement et de penser à moi et Boylan c'est tout ça qui l'a excité il peut penser ce qu'il veut maintenant si ça peut lui faire du bien je sais qu'ils faisaient un peu affaire quand je suis entrée en scène il dansait avec elle et il sortait avec le soir de la crémaillère de Georgina Simpson et puis il a essayé de me baratiner sur le thème il aimait pas la voir faire tapisserie et c'est pour ça qu'on s'est engueulés sur la politique c'est lui qui a commencé pas moi quand il a dit que Notre Seigneur était charpentier à la fin il m'a fait pleurer c'est normal une femme c'est si sensible à propos de tout et de rien j'étais en rage contre moi même d'avoir cédé c'est bien parce que je voyais qu'il m'avait à la bonne et il disait qu'Il avait été le premier socialiste j'avais été tellement énervée de pas arriver à le mettre en colère mais il sait beaucoup de trucs en vrac surtout sur le corps et les intérieurs moi aussi des fois ça m'aurait plu de me pencher sur ce sujet de ce que nous avons à l'intérieur de nous dans la Médecine pour tous je pouvais toujours reconnaître sa voix à lui quand la pièce était bondée et le surveiller après ça j'ai fait semblant d'être en froid avec elle à son sujet parce qu'il était plutôt du genre jaloux quand il me demandait où vas tu et je disais chez Floey[13] et il m'a offert les poésies de Lord Byron et les trois paires de gants ça a mis fin à ça je pourrais assez facilement le faire se raccommoder n'importe quand je sais comment je pourrais même en imaginant qu'il se remette avec elle et qu'il sorte pour la retrouver quelque part je le saurais s'il refusait de manger des oignons je connais plein de trucs lui demander de rabattre le col de mon chemisier ou le toucher avec ma voilette ou mes gants au moment de sortir alors là 1 baiser suffirait à les envoyer toutes promener néanmoins très bien nous verrons qu'il aille chez elle c'est sûr elle serait bien trop contente de faire celle qui est follement amoureuse de lui je m'en ficherais un peu j'irais juste la voir et je lui demanderais vous l'aimez et je la regarderais droit dans les yeux elle pourrait pas me gruger mais lui alors il pourrait imaginer qu'il l'est et lui faire une déclaration entortillée à sa manière comme il m'a fait à moi bien qu'il ait fallu que je ruse à mort pour la lui arracher mais ça m'a pas déplu ça montrait qu'il pouvait se retenir et qu'il était pas pour la première qui lui ferait des avances il était mûr pour me faire des déclarations le soir dans la cuisine quand je roulais la galette de pommes de terre je voudrais te dire quelque chose si je l'avais pas empêché en faisant croire que j'étais en colère avec les mains et les bras pleins de farine et de pâte en tout cas je m'étais trop laissée aller la veille en parlant des rêves alors je voulais pas en lâcher plus qu'il fallait avec lui toujours elle était là à m'embrasser Josie toutes les fois qu'il était là elle le faisait sous entendant que ça s'adressait à lui c'est sûr toujours à me peloter et quand j'ai dit que je me lavais le corps de haut en bas aussi loin que possible elle m'a demandé si je me lavais le possible les femmes cherchent toujours à faire glisser la conversation de ce côté là et à insister quand il est là elles savent à son œil rusé qui cligne légèrement il prend un air détaché quand elles en viennent à sortir des trucs de ce style tel qu'il est fait ça le pourrit ça m'étonne pas du tout parce qu'il était plutôt bel homme à ce moment là il essayait de ressembler à Lord Byron que je disais que j'aimais tout en le trouvant trop beau pour un homme et il l'était un peu avant nos fiançailles plus tard bien qu'elle ait pas trop aimé ça le jour où j'avais un de ces fous rires à me rouler par terre sans pouvoir m'arrêter avec toutes mes épingles à cheveux qui tombaient l'une après l'autre avec la quantité de cheveux que j'avais tu es toujours en grande forme elle m'a fait oui parce que ça la faisait râler parce qu'elle savait ce que ça voulait dire parce que je lui en disais pas mal sur ce qui se passait entre nous deux pas tout mais juste assez pour lui mettre l'eau à la bouche mais c'était pas ma faute elle a pas beaucoup sali notre paillasson depuis notre mariage je me demande à quoi elle ressemble maintenant depuis le temps qu'elle vit avec son timbré de mari elle avait une sale mine et le visage qui commençait à accuser le coup la dernière fois que je l'ai vue ça devait être juste après une engueulade avec lui parce que j'ai tout de suite senti qu'elle voulait amener la conversation sur les maris et parler de lui pour pouvoir le descendre c'est quoi qu'elle m'a dit O oui que quelquefois il venait dans le lit avec ses chaussures crottées quand ça le prend sa lubie non mais imagine si tu devais te mettre au lit avec un machin pareil qui pourrait vous assassiner n'importe quand quel homme bon tout le monde devient pas fou de la même manière en tout cas Popold quoi qu'on dise il essuie toujours ses pieds sur le paillasson quand il arrive qu'il pleuve ou non et il cire toujours lui-même ses chaussures et il retire toujours son chapeau quand il vous rencontre dans la rue comme autrefois et le voilà qui se promène en pantoufles pour réclamer £10 000 à cause d'une carte postale HS HS O Marie chérie non mais un vieux machin comme ça ça vous ferait chier à en crever tellement débile qu'il est même pas capable d'enlever ses chaussures et alors quoi faire avec un homme pareil j'aimerais mieux mourir 20 fois que d'en épouser un autre de leur sexe bien sûr il retrouverait jamais une femme comme moi pour le supporter comme je le fais tu me connais alors tu couches avec moi oui et au fond de lui il le sait bien tiens par exemple cette Mme Maybrick qui a empoisonné son mari[14] pourquoi je me demande amoureuse d'un autre homme oui ça a été découvert est-ce qu'elle était pas une vraie saleté de faire une chose pareille c'est sûr il y a des hommes pour vous pousser à bout et vous rendre folles et toujours avec les pires mots à la bouche pourquoi alors est-ce qu'ils nous demandent de nous marier avec eux si on est si mauvaises comme tout revient à ça oui parce qu'ils peuvent pas se passer de nous c'était de la poudre d'Arsenic qu'elle a mis dans son thé elle l'avait pris sur du papier tuemouches c'est ça je me demande pourquoi ça s'appelle comme ça si je lui demandais il dirait que ça vient du grec et on serait aussi avancé qu'avant elle devait être follement amoureuse de l'autre type pour courir le risque d'être pendue O elle s'en fichait bien si elle avait ça dans le sang qu'est-ce qu'elle pouvait y faire et puis ils sont quand même pas assez cruels pour aller pendre une femme bien sûr que si

ils sont tous si différents Boylan il parlait de la forme de mon pied qu'il avait remarquée tout de suite même avant d'avoir été présenté quand j'étais à la DB[15] avec Popold à rire et à essayer d'écouter je remuais mes pieds on a tous les 2 commandé 2 thés avec simplement du pain et du beurre je l'ai vu qui matait avec ses deux vieilles filles ses sœurs quand je me suis levée et que j'ai demandé à la serveuse où c'était qu'est-ce que j'en ai à battre quand ça commence à me couler et ces culottes qu'il m'a fait acheter ces noires qui te barricadent ça vous prend une demi heure à défaire je suis toute trempée c'est toujours une nouvelle lubie tous les quinze jours ça a duré si longtemps que j'en ai oublié mes gants de suède sur le siège derrière moi je les ai jamais revus une voleuse qui est passée après et lui qui voulait que je mette une annonce dans l'Irish Times perdus dans les toilettes dames de la DB de Dame street prière de retourner à Mme Marion Bloom et j'ai vu son regard sur mes pieds quand je suis sortie par la porte tambour il regardait quand je me suis retournée pour voir et je suis revenue pour le thé 2 jours après en espérant mais il y était pas alors comme ça l'excitait parce que je les croisais quand on était dans l'autre pièce d'abord il voulait dire que les chaussures qui sont trop étroites pour marcher et puis ma main est jolie comme ça si seulement j'avais une bague avec la pierre de mon mois de naissance une belle aiguemarine je vais le harceler pour qu'il m'en paye une et un bracelet en or j'aime pas tellement mon pied n'empêche que je l'ai fait jouir avec le soir du concert de Goodwin un vrai four il faisait tellement froid et un de ces vents c'était bien qu'on ait eu ce rhum à la maison pour nous faire un punch et le feu était pas encore éteint quand il a demandé à retirer mes bas étendus devant la cheminée à Lombard street west et une autre fois c'était mes bottines crottées il aimerait que je marche dans toute la merde de cheval que je pourrais trouver mais c'est sûr il est pas naturel comme tout le monde que je qu'est-ce qu'il disait que je pourrais rendre 9 points contre 10 à Katty Lanner[16] et la battre qu'est-ce que ça veut dire je lui ai demandé je me rappelle pas ce qu'il a répondu parce qu'on criait à ce moment là la dernière édition et le gars bouclé de la laiterie Lucan qui est si poli je pense que j'ai déjà vu cette tête quelque part je l'ai remarqué pendant que je goûtais le beurre alors j'ai pris mon temps Bartell d'Arcy aussi dont il se moquait quand il a commencé à m'embrasser sur les escaliers du chœur après que j'avais chanté l'*Ave Maria* de Gounod qu'attendons nous O mon cœur dépose un baiser sur mon front et nous nous séparons ma suzon[17] il était plutôt chaud lui aussi malgré sa voix de crécelle et mes notes graves il était toujours à s'en extasier je sais pas si je dois le croire j'aimais comment il faisait avec sa bouche quand il chantait et puis il a dit c'est pas malheureux de faire ça ici dans un endroit comme ça je trouve pas ça si terrible je lui raconterai ça un jour pas maintenant et je l'étonnerai ouais et je l'emmènerai là et je lui montrerai aussi l'endroit exact où on l'a fait si ça te plaît pas c'est le même prix il croit que rien peut arriver sans qu'il le sache il savait rien du tout sur ma mère jusqu'à ce qu'on soit fiancés sinon il m'aurait pas eue si bon marché qu'il m'a eue il était 10 fois pire lui même en tout cas quand il m'a suppliée de lui découper un petit bout de mon pantalon pour lui donner ça c'était le soir où nous marchions le long de Kenilworth square[18] il m'a embrassée dans le trou de mon gant que j'ai dû le retirer et il me posait des questions puis je me permettre de demander comment était arrangée ma chambre à coucher et je l'ai laissé le garder comme si j'avais oublié pour penser à moi je l'ai vu le glisser dans sa poche ce qui le rend fou c'est les dessous c'est clair toujours à zieuter ces espèces d'effrontées sur leurs bicyclettes avec leurs jupes qui leur remontent jusqu'au nombril même quand Milly et moi on était avec lui à la fête en plein air celle là en mousseline crème qui s'était mise juste en face du soleil comme ça il pouvait voir le moindre atome de ce qu'elle portait en dessous quand il m'a vue de derrière qui suivais sous la pluie je l'ai vu avant qu'il me voie planté au croisement d'Harolds Cross road avec un nouvel imperméable et un cache-nez avec des couleurs de bohémiens pour faire ressortir son teint et le chapeau brun il avait l'air malin comme d'habitude qu'est-ce qu'il faisait là où il avait rien à faire ils peuvent s'amener et obtenir tout ce qu'ils veulent suffit que ça porte jupons et faut rien leur demander mais ils veulent savoir où tu étais où tu vas je le sentais arriver derrière moi furtivement ses yeux sur ma nuque il s'était bien gardé de venir à la maison il sentait que ça devenait trop intime pour lui alors je me suis à moitié retournée et me suis arrêtée alors il m'a harcelée pour que je dise oui jusqu'à ce que je retire mon gant lentement en le regardant il a dit que mes manches ajourées étaient trop froides pour la pluie n'importe quelle excuse pour mettre les mains sur moi le pantalon le pantalon pendant des heures jusqu'à ce que je m'engage à lui en donner un de ma poupée pour qu'il puisse le porter dans la poche de son gilet[19] *O Maria Santissima* il avait vraiment l'air d'un taré gouttant sous la pluie la splendide dentition qu'il avait ça me donnait faim rien qu'à les regarder et il m'a suppliée de retrousser le jupon orange que je portais celui avec les plis soleil qu'il y avait personne qu'il se mettrait à genoux sur le sol mouillé si je le faisais pas tellement têtu qu'il l'aurait vraiment fait il aurait gâché son imperméable tout neuf on sait jamais quelles horreurs ils peuvent faire seuls avec toi ils sont tellement brutes quand il s'agit de ça si quelqu'un était passé alors je l'ai montré un peu et j'ai touché son pantalon à l'extérieur comme je faisais à Gardner[20] après avec ma main baguée pour l'empêcher d'aller plus loin là où il y avait trop de monde je mourais d'envie de savoir si il était circoncis il tremblait comme une feuille de partout ils veulent tout faire trop vite ça retire tout le plaisir et monpère qui attendait son dîner pendant tout ce temps il m'a dit de dire que j'avais laissé mon portemonnaie chez le boucher et que j'avais dû y retourner quel Menteur avec un grand M et puis il m'a écrit cette lettre avec tous ces mots dedans comment est-ce qu'il peut avoir le culot à une femme après ces manières d'homme du monde ça a rendu si gênante notre rencontre après lui me demandant vous ai je blessée j'avais les yeux baissés naturellement il a vu que je l'étais pas il avait un peu d'esprit c'est pas comme l'autre imbécile d'Henny Doyle il cassait ou déchirait toujours quelque chose quand on jouait aux charades je déteste les hommes qui ont la poisse et il m'a demandé si j'avais compris ce que ça voulait dire naturellement j'ai dû dire non pour la forme j'ai dit je ne vous ai pas bien compris et est-ce que c'était pas normal bien sûr que ça l'est c'était toujours écrit avec un dessin de femme sur ce mur à Gibraltar avec ce mot que j'ai jamais pu trouver nulle part sauf que les enfants ils le voient trop jeunes ensuite il écrivait une lettre chaque matin parfois deux par jour j'aimais sa façon de faire l'amour à cette époque il savait prendre une femme quand il m'a envoyé les 8 gros pavots parce que je suis née un 8 alors j'ai écrit le soir qu'il a embrassé mon cœur à Dolphins barn je pourrais pas le décrire ça vous fait un effet qui ressemble à rien qui existe mais il a jamais su comment prendre dans les bras comme Gardner j'espère qu'il[21] va venir lundi comme il a dit à la même heure quatre heures je déteste les gens qui débarquent à n'importe quelle heure tu vas ouvrir tu penses que c'est pour les légumes en fait c'est quelqu'un et toi t'es toute déshabillée ou la porte de la cuisine sale dégueulasse qui s'ouvre toute seule le jour où cette vieille momie de Goodwin est venu à Lombard street à propos du concert et moi c'était juste après le dîner toute rouge et décoiffée à force de faire bouillir ce sale ragoût ne me regardez pas professeur j'ai été obligée de dire je suis à faire peur oui mais c'était vraiment un homme du monde à sa manière impossible d'être plus respectueux personne pour dire que vous êtes sortie il faut tâcher de voir à travers le brisebise comme pour le petit livreur aujourd'hui d'abord j'ai cru qu'il s'était décommandé il a envoyé le porto et les pêches d'abord et je commençais à bâiller et à m'énerver en croyant qu'il essayait de se foutre de moi quand j'ai entendu son toctoctoctoc à la porte il devait être un petit peu en retard parce qu'il était 3 heures 1/4 quand j'ai vu les 2 petites Dedalus qui revenaient de l'école je sais jamais l'heure même cette montre qu'il m'a offerte elle semble jamais marcher correctement je voudrais la donner à réparer c'est quand j'ai jeté le sou à ce marin boiteux pour À l'Angleterre à la famille à la beauté je sifflais Une belle fille que j'aime[22] et j'avais même pas encore mis ma chemise propre j'étais pas poudrée ni rien alors aujourd'hui en huit nous devons aller à Belfast et ça se trouve bien qu'il doit aussi aller à Ennis pour l'anniversaire de son père le 27 ce serait pas très agréable s'il venait imagine que nos chambres d'hôtel soient l'une à côté de l'autre et qu'on fasse des bêtises dans le nouveau lit je pourrais pas lui dire d'arrêter et de pas me toucher avec lui dans la pièce à côté ou peutêtre un pasteur protestant qui tousse et cogne sur le mur et puis le lendemain il voudrait pas y croire qu'on a rien fait un mari c'est tranquille mais un amant on peut pas le prendre pour un imbécile après lui avoir dit qu'on faisait jamais rien naturellement il y a pas cru non ça vaut mieux qu'il aille où il doit d'ailleurs il y a toujours quelque chose qui arrive avec lui la fois où on allait à Maryborough pour le concert Mallow il a commandé une soupe bouillante pour nous deux et alors la cloche a sonné et lui il marche sur le quai avec sa soupe qui dégouline de partout pendant qu'il s'en avale des cuillerées il manquait pas d'air et le garçon qui lui courait après et nous donnait en spectacle avec des cris et la confusion de la machine qui s'ébranle mais lui voulait pas payer avant d'avoir fini les deux messieurs dans le compartiment de 3e classe disaient qu'il était dans son droit ce qui était vrai une vraie tête de mule parfois quand il a quelque chose en tête une chance encore qu'il ait pu ouvrir la porte du wagon avec son couteau sinon on serait allés jusqu'à Cork[23] j'imagine qu'on avait fait ça pour se venger de lui O j'adore les cahots du train ou d'une voiture joliment capitonnée je me demande s'il me prendra une 1re il pourrait lui prendre l'envie de faire ça dans le train en donnant un pourboire au contrôleur bon O j'imagine qu'il y aura les crétins habituels avec leurs regards ébahis aussi stupides que possible c'était pas un homme ordinaire ce petit ouvrier qui nous a laissés seuls dans le compartiment le jour où on allait à Howth j'aimerais bien savoir des choses sur lui 1 ou 2 tunnels peutêtre et puis il faut regarder par la fenêtre c'est encore meilleur et puis au retour imagine qu'il y ait pas de retour qu'est-ce qu'on dirait elle s'est enfuie avec lui ça te lance au théâtre le dernier concert où j'ai chanté où il y a plus d'un an quand c'était salle Sainte-Thérèse Clarendon street il y a plus que des petites gamines maintenant là dedans qui chantent Kathleen Kearney[24] et tutti quanti au nom que leur père est dans l'armée et moi j'ai chanté le mendiant distrait[25] et je portais la broche pour Lord Roberts[26] quand j'ai eu la carte de toutes les opérations et Popold pas suffisamment irlandais était ce lui qui avait tout arrangé cette fois là je l'en croirais pas incapable comme quand il m'a fait chanter dans le *Stabat Mater* en racontant partout qu'il était en train de mettre en musique Que ta douce clarté[27] je l'avais mis là dessus jusqu'à ce que les jésuites découvrent qu'il était franc maçon tapant comme un sourd au piano Que tu me conduises recopié d'un vieil opéra oui et en ce temps-là il fréquentait quelques-uns de ces Sinner Fein[28] qu'ils s'appellent eux mêmes ou quelque chose comme ça à leur raconter ses conneries habituelles il dit que ce petit homme sans cou qu'il m'a montré il est très intelligent l'homme de l'avenir Griffith eh bien il en a pas l'air c'est tout ce que je peux dire pourtant ça doit bien être lui il savait qu'il y avait un boycott je déteste qu'on parle de leur politique depuis la guerre de Pretoria et Ladysmith et Blœmfontein[29] où Gardner Lieutenant Stanley G 8e bataillon 2e régiment du Lancashire est mort de la dysenterie il était bien gentil en kaki et juste la bonne taille un peu plus grand que moi je suis sûre qu'en plus il était courageux il m'a dit que j'étais ravissante le soir où nous nous sommes embrassés pour nous dire au revoir près de l'écluse ma belle Irlandaise l'émotion du départ le rendait tout pâle ou bien le fait qu'on pourrait nous voir de la route il arrivait pas à bander et moi excitée comme jamais depuis ils auraient bien pu faire leur paix dès le début ou le vieux tonton Paul et les autres vieux Krugers[30] régler tout ça entre eux au lieu de faire traîner ça pendant des années et tuer tous les beaux hommes qui étaient làbas avec leur fièvre si au moins il avait été tué avec une bonne balle ça aurait été moins pire j'adore voir passer un régiment en revue la première fois que j'ai vu la cavalerie espagnole à La Roque[31] c'était ravissant après de voir toute la baie depuis Algésiras[32] toutes les lumières du rocher comme des lucioles ou ces simulations de bataille sur le terrain des 15 acres les Black Watch avec leurs kilts au pas de parade le 10e Hussards le régiment du Prince de Galles et les Lanciers O les Lanciers ils sont sublimes et les Dublin qui ont remporté la bataille de Tugéla[33] son père il a fait sa fortune en vendant des chevaux pour la cavalerie bon il pourrait m'acheter un joli cadeau à Belfast après ce que je lui ai donné ils font du joli linge par làbas ou une de ces jolies affaires de kimono il faut que j'achète des boules de naphtaline comme j'avais avant pour mettre avec dans le tiroir ce serait génial de se promener avec lui faire des courses acheter ces choses dans une nouvelle ville mieux vaut laisser cette bague à la maison la tourner et la retourner jusqu'à ce qu'elle passe par dessus l'articulation là sans quoi ils pourraient le répandre à son de cloche dans toute la ville dans leurs journaux ou me signaler à la police mais ils penseraient qu'on est mariés O laissons les dire et qu'ils aillent se faire voir moi je m'en fous pas mal il a beaucoup d'argent et il est pas homme à se marier alors faut bien que quelqu'un le lui soutire j'aimerais bien arriver à savoir s'il m'aime bien sûr j'avais l'air un peu lessivée quand je me suis vue de près dans le miroir à main pour me poudrer un miroir ça vous donne jamais l'expression et puis de l'avoir eu tout le temps sur moi comme ça qui me pilonnait avec ses gros os qu'il a aux hanches il est lourd aussi par cette chaleur avec sa poitrine velue faut toujours s'allonger pour eux vaudrait mieux qu'il me la mette par derrière comme Mme Mastiansky m'a dit que son mari lui faisait comme les chiens et de tirer la langue aussi loin qu'elle pouvait et lui il a l'air si tranquille et si gentil avec sa cithare qui fait tingting est-ce qu'on pourra être un jour à la hauteur des hommes ce qui leur passe par la tête de la belle étoffe ce complet bleu qu'il portait et la cravate et les chaussettes très classe avec ces machins de soie bleu ciel dessus il a sûrement pas mal de fric je le vois à la coupe de ses vêtements et à sa montre qui est lourde mais il s'est déchaîné pendant quelques minutes après qu'il est revenu avec les résultats il déchirait les tickets en mille morceaux et jurait comme un charretier parce qu'il avait perdu 20 livres il a dit qu'il les avait perdues à cause de cet outsider qui avait gagné et la moitié il l'avait mise pour moi à cause du tuyau de Lenehan qu'il maudissait et traînait plus bas que terre ce parasite qui prenait des libertés avec moi depuis le dîner Glencree quand on est revenus par la longue route cahotante du mont Edredon et puis le Lord Maire qui m'avait matée avec ses yeux salaces Val Dillon ce gros rustre je l'ai remarqué pour la première fois au dessert quand je craquais les noisettes avec mes dents j'aurais aimé pouvoir manger tous les morceaux de ce poulet avec mes doigts il était tellement juteux et doré et tendre comme tout seulement je voulais pas manger tout ce que j'avais dans mon assiette ces fourchettes et ces couteaux à poisson étaient en argent poinçonné aussi j'aimerais bien en avoir quelques uns j'aurais pu facilement en faire glisser une paire dans mon manchon pendant que je jouais avec et puis toujours dépendre d'eux pour l'argent au restaurant pour la bouchée que tu te fourres dans le bec il faut encore leur dire merci pour une méchante tasse de thé comme si c'était une grande faveur à en être reconnaissante en tout cas la façon dont le monde est coupé en deux si ça doit continuer comme ça je veux au moins encore deux bonnes chemises pour commencer et puis un pantalon mais je sais pas lequel il aime qu'il y ait pas de pantalon du tout je crois à ce qu'il a dit oui et la moitié des jeunes filles de Gibraltar elles en portaient jamais non plus dans la tenue où Dieu les a faites cette Andalouse chantant sa Manola[34] elle faisait pas beaucoup mystère de ce qu'elle avait pas oui et ma deuxième paire de bas imitation soie s'est filée dès le premier jour j'aurais pu les rapporter chez Lewers[35] ce matin faire un peu de raffut et me les faire changer par ce type si seulement j'avais pas voulu m'énerver courir le risque de me trouver nez à nez avec lui tout gâcher et un de ces corsets qui vous font comme une seconde peau il me faudrait en soldes sur une annonce de La Femme moderne avec des godets élastiques sur les hanches c'est lui qui a rafistolé le seul que j'ai mais il vaut rien qu'est-ce qu'ils disent que ça donne une ligne ravissante 11 shillings 6 remédiant à ce disgracieux bourrelet au bas des reins et réduisant l'ampleur mon ventre est un peu trop gros il faudra que je supprime la bière au dîner ou peutêtre que je me mets à trop l'apprécier la dernière qu'ils ont envoyée de chez ORourke était plate comme une limande il gagne son argent facile Larrychard comme on l'appelle quel horrible cadeau il a envoyé pour Noël un gâteau de ménage et une bouteille de piquette qu'il essayait de faire passer pour du bordeaux mais qu'il a pu faire boire à personne que Dieu épargne sa salive de peur qu'il meure de soif ou bien il faudrait que je fasse un peu d'exercices respiratoires je me demande si cet antigraisse ferait quelque chose peutêtre trop les minces c'est pas tellement à la mode en ce moment des jarretières ça j'en ai les violettes que j'ai mises aujourd'hui c'est tout ce qu'il m'a payé avec le chèque qu'il a touché le premier O non il y a aussi eu la lotion pour le visage dont j'ai fini la dernière goutte hier qui m'a fait la peau comme neuve je lui ai dit et redit qu'il la fasse refaire au même endroit et de pas oublier dieu sait s'il l'a fait après tout ce que je lui ai dit de toute façon je le verrai bien à la bouteille sinon j'imagine que j'aurai plus qu'à me laver dans mon pipi ça ressemble à du bouillon de bœuf ou à de la soupe de poule avec un peu de cet opopanax et de la violette j'ai vu que ça commençait à devenir rugueux ou ridé un peu la peau du dessous est beaucoup plus fine là où ça a pelé sur mon doigt après la brûlure dommage que c'est pas partout comme ça et les quatre mouchoirs minables environ 6 shillings en tout sûr que tu peux pas arriver dans ce monde sans la toilette tout qui va dans la bouffe et le loyer quand j'en aurai je le jetterai par les fenêtres je vous le dis la classe j'ai toujours envie de jeter une pleine poignée de thé dans la théière lui c'est la mesure tout au compte gouttes si j'achète une paire même de vieux godillots tu aimes mes nouvelles chaussures oui elles ont coûté combien j'ai rien à me mettre l'ensemble marron et la jupe avec une veste et celle qui est chez le teinturier 3 ça rime à quoi pour une femme qui taille dans un vieux chapeau pour en rafistoler un autre les hommes te regardent même pas et les femmes essayent de te marcher sur les pieds parce qu'elles savent que t'as pas d'homme et puis avec toutes les choses qui te sont plus chères de jour en jour et les 4 ans qui me restent pour avoir 35 ans non j'ai qu'est-ce que j'ai exactement j'aurai 33 ans en septembre[36] vraiment quoi O bon regarde cette Mme Galbraith elle est beaucoup plus vieille que moi je l'ai vue quand j'étais sortie la semaine dernière sa beauté commence à faner c'était une belle femme avec des cheveux magnifiques qui lui descendaient jusqu'à la taille qu'elle rejetait en arrière comme ça comme Kitty OShea dans Grantham street[37] la première chose que je faisais chaque matin c'était de regarder en face pour la voir les peigner comme si elle en était amoureuse et qu'elle en jouissait dommage que j'ai seulement commencé à la connaître la veille de notre départ et cette Mme Langtry le Lis de Jersey[38] dont le prince de Galles était amoureux je suppose qu'il est comme le premier venu à part son nom de roi ils sont tous faits pareil sauf celle d'un noir j'aimerais bien essayer belle jusqu'à quel âge 45 ans il y avait une histoire drôle à propos du vieux mari jaloux qu'est-ce que ça pouvait bien être et un couteau à huîtres il allait non il lui faisait porter une espèce de truc en fer blanc autour d'elle et le prince de Galles oui il avait le couteau à huîtres j'y crois pas une chose pareille c'est comme dans les livres qu'il m'apporte les œuvres de Maître François[39] quelque chose soidisant prêtre à propos d'un enfant qu'elle a eu par l'oreille parce que son boyau culier était tombé un bien joli mot à écrire pour un prêtre et son c-l comme si n'importe quel imbécile savait pas ce que c'était je déteste par dessus tout qu'on fasse des manières avec cette figure de vieux débauché tout le monde sait bien que c'est pas vrai et cette Ruby et Les Fées au fouet il m'a apporté ça deux fois je me rappelle quand je suis arrivée à la page 50 le moment où elle le pend à un crochet avec une corde fustiger c'est sûr y a rien pour intéresser les femmes dans toutes ces inventions fabriquées de toutes pièces lui à boire du champagne dans sa pantoufle après la fin du bal comme l'enfant Jésus dans la mangeoire à Inchicore[40] dans les bras de la Sainte Vierge c'est sûr qu'aucune femme ne pourrait avoir un enfant aussi gros qui lui sorte du corps et j'ai cru d'abord que l'enfant devait sortir par son côté parce que sinon comment elle aurait pu aller sur le trône quand elle avait besoin et elle une dame riche bien sûr elle en était fière SAR il était à Gibraltar l'année où je suis née[41] je parie qu'il a dégoté quelques lis aussi par là où il a planté un arbre il a planté bien autre chose que ça en son temps il m'aurait plantée aussi s'il était venu un peu plus tôt alors j'en serais pas là où j'en suis il devrait laisser tomber ce Freeman et les misérables trois sous qu'il en retire et entrer dans un bureau ou quelque chose comme ça où il aurait un salaire régulier ou dans une banque où on le placerait sur un trône pour compter l'argent toute la journée naturellement il préfère être là à bricoler dans la maison en sorte que tu peux pas faire un mouvement sans l'avoir sur le dos c'est quoi tes projets pour aujourd'hui j'aimerais même mieux qu'il fume la pipe comme monpère pour sentir un peu l'homme ou bien il fait semblant de courir après les annonces quand il pourrait être encore chez M. Cuffe si seulement il avait pas fait ce qu'il a fait ensuite il m'a envoyée pour que j'essaye d'arranger l'affaire j'aurais pu le faire passer manager il m'a lancé de belles œillades une fois ou deux au début il était froid comme un glaçon en réalité et en vérité Mme Bloom si seulement je m'étais pas sentie aussi minable avec ma vieille robe en loques dont j'ai perdu les plombs qui étaient dans la traîne aucune coupe elle avait mais elles sont en train de revenir à la mode je l'ai achetée seulement pour lui faire plaisir j'ai bien vu que les finitions c'était pas ça dommage que j'aie abandonné l'idée d'aller chez Todd et Burns comme j'avais dit pour aller chez Lee[42] la robe était exactement dans le style de la boutique une foirefouille je déteste ces magasins de luxe ça me tape sur les nerfs rien ne peut me massacrer complètement mais il croit qu'il s'y connaît très bien en vêtements pour femmes et en cuisine il assaisonne avec tout ce qu'il peut ramasser sur les étagères si j'écoutais ses conseils n'importe quel foutu chapeau que j'essaye est-ce qu'il me va oui prends celuilà il va très bien celui qui faisait comme une pièce montée qui grimpait à des kilomètres au dessus de ma tête il a dit qu'il m'allait bien ou ce couvercle de casserole qui me descendait jusqu'aux fesses et il marchait sur des œufs à cause de la vendeuse de ce magasin de Grafton street[43] j'ai eu le malheur de l'amener là et elle d'une insolence avec son petit sourire satisfait et lui qui disait je crains que nous ne vous donnions un mal fou est-ce qu'elle est pas là pour ça mais je le lui ai fait rentrer son sourire oui il était affreusement froid et y a pas de doute il a changé d'attitude quand il m'a regardée la deuxième fois Popold une vraie tête de mule comme d'habitude mais j'ai bien vu qu'il regardait fixement ma poitrine quand il s'est levé pour m'ouvrir la porte c'était aimable à lui de me reconduire en tout cas je regrette infiniment Mme Bloom croyez le bien sans trop insister la première fois après qu'il avait été insulté et moi étant considérée comme sa femme je lui ai juste adressé un petit sourire je sais que ma poitrine ressortait comme ça à la porte quand il a dit je regrette infiniment et je n'en doute pas

oui je pense qu'il me les a rendus un peu plus fermes à les sucer comme ça si longtemps que ça me donnait soif il les appelle ses totos ça m'a fait rire oui celuici en tout cas le bout se dresse pour un rien je lui ferai garder son machin en l'air et je prendrai de ces œufs battus dans du Marsala pour les gonfler pour lui c'est quoi toutes ces veines et ces machins c'est bizarre comme c'est fait les 2 pareils en cas de jumeaux ils sont censés incarner la beauté placés là en haut comme ces statues du musée l'une d'elles faisant semblant de le dissimuler derrière sa main est-ce qu'elles sont si belles c'est sûr comparé à ce qu'un homme a l'air avec ses deux sachets pleins et son autre machin qui lui pend par devant ou qu'il vous dresse en l'air comme un portemanteau pas étonnant qu'ils la cachent avec une feuille de chou cet affreux Cameron Highlander[44] derrière le marché aux viandes ou cet autre salaud avec sa tête de rouquin derrière l'arbre où il y avait la statue du poisson[45] quand je passais il faisait semblant de pisser et il le dressait pour me le montrer avec sa barboteuse relevée d'un côté le régiment de la Reine c'était une de ces bandes tant mieux que les Surreys les aient relevés ils étaient toujours en train d'essayer de te la montrer presque toutes les fois où je passais près de la pissotière près de la gare de Harcourt street[46] y en avait toujours un qui essayait d'attraper mon regard comme si c'était 1 des 7 merveilles du monde O et qu'est-ce que ça pue ces lieux merdiques la nuit quand on revient à la maison avec Popold après la soirée des Comerford des oranges et de la limonade on se sent bien toute pleine après je suis entrée dans 1 le froid était si mordant que je pouvais plus me retenir quand était-ce en 93 le canal était gelé[47] oui c'était quelques mois après dommage qu'il y ait pas eu là un ou deux Cameron pour me voir accroupie chez les hommes au meadero[48] j'ai essayé une fois d'en faire un dessin avant de le mettre en pièces comme une espèce de saucisse je m'étonne qu'en se promenant ils aient pas peur de se prendre un coup de pied ou un bon coup avec n'importe quoi à cet endroit là la femme c'est la beauté c'est sûr c'est reconnu quand il a dit que je pourrais poser nue pour un tableau chez un type riche de Holles street quand il avait perdu sa place chez Helys et que je vendais les vêtements et que je tenais le piano au café Palace est-ce que je serais comme cette nymphe au bain avec mes cheveux détachés oui sauf qu'elle est plus jeune ou bien j'ai un peu l'air de cette sale petite pute sur cette photo espagnole qu'il a les nymphes est-ce qu'elles se promenaient comme ça d'habitude je lui ai demandé qui c'était et ce mot mets machin avec chose dedans et voilà qu'il vous sort des mots à vous faire péter la mâchoire à propos de l'incarnation il peut jamais expliquer une chose simplement de manière qu'on puisse comprendre et puis il va brûler le fond de la poêle tout pour son Rognon celuilà pas autant il y a encore la marque de ses dents pourtant quand il a essayé de mordre le téton j'ai pas pu m'empêcher de crier ils ont vraiment pas peur à essayer de nous faire mal j'avais une poitrine toute gonflée de lait avec Milly assez pour deux pour quelle raison il disait que j'aurais pu gagner une livre par semaine comme nourrice c'était gonflé à mort le matin cet étudiant au teint pâle qui logeait au nº 28 chez les Citrons Penrose il m'a quasiment surprise par la fenêtre en train de me laver sauf que je me suis vite recouvert la figure avec la serviette ça a été sa leçon du jour ce qu'ils ont pu me faire mal pour la sevrer jusqu'à ce qu'il fasse venir le docteur Brady qui m'a fait une ordonnance pour la Belladone bien obligée de les lui faire sucer ils étaient si durs il disait que c'était plus sucré et plus épais que les vaches et puis il a voulu me traire dans le thé bon il est vraiment au delà de tout je le dis publiquement on devrait en faire les gros titres si seulement je pouvais me rappeler la moitié des choses j'en ferais un livre les œuvres de Maître Popold oui et que la peau elle est tellement plus douce toute une heure il y est resté collé j'ai vu à la pendule une espèce de gros bébé accroché à moi ils veulent tout mettre dans leur bouche tout le plaisir que les hommes peuvent tirer d'une femme je sens encore sa bouche O Seigneur il faut que je m'étire j'aimerais qu'il soit ici ou quelqu'un d'autre pour jouir encore comme ça c'est comme si j'étais tout en feu ou si je pouvais rêver ça quand il m'a fait mouiller la 2e fois en me chatouillant par derrière avec son doigt j'ai joui pendant pratiquement 5 minutes avec mes jambes autour de lui il a fallu que je le serre très fort après O Seigneur j'avais envie de hurler des tas d'obscénités enculer merde n'importe quoi mais surtout pas paraître affreuse et ces rides de fatigue qui sait comment il le prendrait tu dois tâter le terrain avec un homme heureusement ils sont pas tous comme lui y en a qui vous veulent bien gentilles sur la question j'ai remarqué la différence avec lui il le fait et il parle pas j'ai donné à mes yeux cette expression avec mes cheveux un peu défaits après nos galipettes et ma langue entre mes lèvres tendue vers lui le sauvage la brute jeudi vendredi un samedi deux dimanches trois O Seigneur je peux pas attendre jusqu'à lundi

poupoupourpeupeupeuouour un train quelque part qui siffle la force qu'elles ont en elles ces locomotives comme des grosses géantes et l'eau qui bout et qui sort de partout ça fait comme la fin de Pour un peu d'amouououour les pauvres types qui sont obligés d'être dehors toute la nuit loin de leurs femmes et de leurs petites familles dans ces engins à rôtir c'était étouffant aujourd'hui je suis contente d'avoir brûlé la moitié de ces vieux Freemans et Photo mags il laisse les choses traîner partout comme ça il devient très négligent et j'ai fourré le reste en haut des WC je lui demanderai de me les découper demain au lieu de les garder là jusqu'à l'année prochaine pour en tirer quelques sous et qu'il me demande où il est ce journal de janvier dernier et tous ses vieux pardessus que j'ai foutus hors de l'entrée ça la rendait encore plus chaude cette pluie était délicieuse et rafraîchissante juste à la fin de mon premier sommeil j'avais cru que ça allait faire comme à Gibraltar bon dieu quelle chaleur il faisait avant que le levantin[49] arrive noir comme la nuit et les feux du rocher qui se dressait comme un gros géant comparé à leurs 3 Rocheuses[50] qu'ils croient si grandes et les sentinelles rouges deci delà les peupliers tout ça chauffé à blanc et l'odeur de l'eau de pluie dans les réservoirs on surveillait le soleil tout le temps à vous brûler à délaver cette jolie robe que l'amie de monpère Mme Stanhope[51] m'avait envoyée du B Marché Paris quel dommage ma très chère Toutoute elle a écrit dessus elle était très gentille c'est quoi son autre nom juste une petite carte pour te dire que je t'ai envoyé le petit cadeau je viens de prendre un bon bain chaud et je me sens comme un chien bien propre maintenant je me suis fait plaisir bouboule elle l'appelait bouboule on donnerait tout ce qu'on a pour revenir à Gib et t'entendre chanter dans le vieux Madrid ou En attendant Concone[52] c'est le nom de ces exercices il m'a acheté un de ces nouveaux je pouvais pas déchiffrer le mot châles ils sont amusants ils se déchirent comme rien mais je les trouve ravissants pas toi j'oublierai jamais les thés charmants qu'on prenait ensemble ces merveilleux scones aux raisins et les gaufres à la groseille j'adore bon maintenant ma très chère Toutoute n'oublie pas d'écrire bientôt bonnes elle a oublié amitiés à ton père ainsi qu'au capitaine Grove je t'embrasse très affectueusement Hester bises elle avait pas du tout l'air mariée une vraie jeune fille il était beaucoup plus âgé qu'elle bouboule il m'aimait vraiment beaucoup le jour où il a abaissé le fil de fer avec son pied pour me faire passer de l'autre côté à la corrida de La Linea le jour où ce matador Gomez s'est vu accorder l'oreille du taureau les vêtements qu'on doit porter je sais pas qui les a inventés on vous fait grimper la colline de Killiney[53] tiens par exemple à ce piquenique toute corsetée tu peux pas faire la moindre chose làdedans dans un mouvement de foule courir ni sauter pour s'éloigner c'est pour ça que j'avais peur quand l'autre vieux Taureau si féroce il a commencé à charger les banderilleros avec les ceintures et les 2 choses à leur chapeau et les hommes ces brutes qui criaient bravo toro c'est sûr les femmes elles étaient aussi mauvaises derrière leurs jolies mantilles blanches ils faisaient sortir tout ce qu'ils pouvaient des tripes de ces pauvres chevaux jamais de ma vie entendu parler d'une chose pareille oui il en crevait de rire quand j'imitais le chien aboyant dans bell lane[54] pauvre bête et malade en plus qu'est-ce qu'ils ont bien pu devenir j'imagine qu'ils sont morts depuis longtemps tous les 2 tout ça c'est comme à travers un brouillard ça te fait te sentir si vieille c'est moi qui faisais les scones naturellement j'avais tout ce que je voulais quand j'étais jeune fille Hester nous comparions nos cheveux les miens étaient plus épais que les siens elle me montrait comment les arranger derrière quand je les relevais et quoi encore comment faire un nœud à un fil avec une seule main on était comme des cousines quel âge j'avais à cette époque la nuit de l'orage j'ai dormi dans son lit elle avait ses bras autour de moi et puis le matin on a fait une bataille d'oreillers c'était marrant il me guettait dès qu'il en avait la possibilité à la fanfare sur l'esplanade de l'Alameda quand j'étais avec monpère et le capitaine Grove j'ai levé les yeux vers l'église d'abord et puis aux fenêtres et puis je les ai baissés et nos yeux se sont rencontrés j'ai ressenti un truc qui me traversait comme plein d'épingles mes yeux dansaient je me rappelle après quand je me suis regardée dans la glace j'avais du mal à me reconnaître le changement il pouvait plaire à une fille même s'il était un peu dégarni mais pas l'air bête l'air déçu et joyeux à la fois il était comme Thomas à l'ombre d'Ashlydyat[55] j'avais une peau magnifique à cause du soleil et de l'excitation comme une rose j'ai pas pu fermer l'œil ç'aurait pas été bien à cause d'elle mais j'aurais pu arrêter ça à temps elle m'avait donné à lire La Pierre de lune c'était le premier Wilkie Collins que je lisais j'ai lu East Lynne et L'Ombre d'Ashlydyat de Mme Henry Wood après je lui ai prêté à lui Henry Dunbar de cette autre femme avec la photo de Mulvey dedans pour qu'il voie que j'étais pas sans et Eugène Aram de Lord Lytton elle m'a donné Molly bawn de Mme Hungerford à cause du nom j'aime pas les livres avec une Molly dedans comme celui qu'il m'a acheté à propos d'une de Flandres[56] une putain qui arrête pas de voler tout ce qu'elle peut du drap des étoffes des mètres et des mètres O cette couverture me pèse c'est mieux j'ai même pas une chemise de nuit correcte ce truc se roule complètement sous moi et puis il y a lui et ses folies c'est mieux à l'époque j'étais dans un bain de vapeur ma chemise trempée de sueur collée entre mes fesses quand j'étais assise et quand je me levais elles étaient si grasses et fermes quand je montais sur les coussins du canapé pour me voir les jupes relevées les punaises il y en avait des tonnes la nuit et les moustiquaires je pouvais pas lire une ligne mon dieu ça fait combien de temps ça paraît des siècles naturellement ils sont jamais revenus et elle a pas mis son adresse correctement ou bien elle avait peutêtre remarqué que son bouboule les gens arrêtaient pas de s'en aller et nous jamais je me rappelle ce jour là avec les vagues et les bateaux avec leurs grandes têtes qui se balançaient et l'odeur du bateau ces uniformes d'Officiers en permission à terre ça me donnait le mal de mer il disait rien il était très sérieux j'avais mes bottines hautes à boutons et ma jupe se gonflait sous le vent elle m'a embrassée six ou sept fois aije pleuré oui je crois que j'ai pleuré ou que j'étais pas loin mes lèvres trembloblotaient quand j'ai dit aurevoir elle portait pour le voyage une cape Magnifique d'un bleu particulier coupée d'une manière spéciale comme de plein biais et c'était extrêmement joli c'est devenu ennuyeux comme la pluie après leur départ j'étais pas loin de faire une fugue comme une perdue n'importe où on est jamais bien là où on est père ou tante ou mariage attendre toujours attendre celui qui le guiiiidera vers moi qui l'aaattend hâââââte son pied ailééé[57] leurs sacrés canons qui faisaient feu et boum à faire sauter la boutique surtout pour l'anniversaire de la Reine et qui en envoyaient dans tous les coins si on ouvrait pas les fenêtres quand le général Ulysse Grant je sais même pas qui c'est ce qu'il a fait censé être un type génial a débarqué et le vieux Sprague le consul qui était là depuis avant le déluge sur son trente et un le pauvre qui était en deuil de son fils [58] et puis la même diane des clairons le matin les roulements de tambours et les pauvres diables de soldats en marche avec leurs gamelles qui puaient plus que les vieux juifs à longue barbe dans leur geléebas et leurs lévites le rassemblement le cessez le feu le coup de canon de la retraite le prévôt qui parade avec ses clés pour fermer les portes les cornemuses et y avait plus que le capitaine Grove et monpère qui parlaient de Rorkes drift de Plevna [59] de sir Garnet Wolseley de Gordon à Khartoum [60] je leur allumais leur pipe à chaque fois qu'ils sortaient un vieil ivrogne à la con avec son grog sur le rebord de la fenêtre il en aurait pas laissé une goutte en se fourrant les doigts dans le nez tâchant de trouver encore une histoire cochonne à raconter tout bas mais il se tenait toujours à carreau quand j'étais là on m'envoyait hors de la pièce pour un prétexte gros comme une maison il me faisait des compliments c'était le whisky Bushmill bien sûr il aurait raconté pareil à la première venue j'imagine qu'il est mort depuis des lustres d'un picrate galopant les jours c'est comme des années pas une lettre d'âme qui vive sauf les quelques que je me suis envoyées par la poste avec des petits bouts de papier dedans je m'ennuyais tellement que j'en aurais griffé quand j'entendais ce vieil arabe borgne avec instrument un vrai âne qui chantait son hi han hihan tous mes compriments pour le pot poui de ton hiâne aussi nul que maintenant toujours les bras ballants je regardais par la fenêtre pour voir si y avait pas un joli garçon même dans la maison d'en face ce carabin de Holles street que l'infirmière draguait je mettais mes gants et mon chapeau bien devant la fenêtre pour lui montrer que je sortais il avait pas la moindre idée de ce que ça pouvait vouloir dire ils en tiennent une de ces couches comprennent jamais rien au point qu'on aimerait leur écrire en grosses lettres même si tu leur donnes une poignée de main en serrant deux fois avec la gauche il m'a pas reconnue non plus quand je lui ai fait une grimace de reconnaissance près de la chapelle de Westland row où est-ce qu'elle est leur fameuse intelligence je voudrais bien le savoir leur matière grise elle est toute dans leur queue voilà ce que je pense ces escrocs du City Arms de l'intelligence ils en avaient foutrement moins que les taureaux et les vaches qu'ils vendaient pour leur viande et la clochette du charbonnier ce connard d'un lourdingue il a essayé de me rouler avec une mauvaise facture qu'il avait sortie de son chapeau quel enfoiré et les casseroles les poêles les bouilloires à réparer pas de bouteilles cassées pour un pauvre homme aujourd'hui et pas de visites ni de lettres sauf ses mandats ou une pub comme ce baumiracle qu'ils lui ont envoyé adressé chère Madame sauf sa lettre et la carte de Milly ce matin voyez elle lui a écrit une lettre de qui c'était la dernière lettre que j'ai reçue O de Mme Dwenn mais qu'est-ce qui lui a pris de m'écrire après tout ce temps pour que je lui donne la recette du pisto madrileno Floey Dillon depuis qu'elle a écrit pour dire qu'elle s'était mariée à un très riche architecte si je devais croire tout ce que j'entends avec une villa de huit pièces son père un homme incroyablement gentil dans les soixante-dix ans et toujours de bonne humeur eh bien Mlle Tweedy ou Mlle Gillepsie voici le pianio et c'était un service à café en argent massif qu'il avait sur la desserte en acajou et puis il est mort si loin je déteste les gens qui passent leur temps à raconter leurs malheurs tout le monde a ses soucis cette pauvre Nancy Blake est morte il y a un mois d'une pneumonie aiguë bon je la connaissais pas si bien que ça après tout c'était plus l'amie de Floey que la mienne cette pauvre Nancy quelle barbe d'avoir à répondre il me fait toujours écrire ce qu'il faut pas et il s'arrête pour ainsi dire pas comme s'il prononçait un discours votre perte douloureuse sympatie je fais toujours cette faute c'est comme neuveu avec 2 u j'espère qu'il m'écrira une lettre plus longue la prochaine fois si je lui plais vraiment tant que ça O je vous remercie mon dieu j'ai enfin quelqu'un pour me donner ce dont j'avais tellement besoin pour me redonner le goût de vivre t'as aucune occasion ici pas comme autrefois j'aimerais tellement que quelqu'un m'écrive une lettre d'amour la sienne elle allait pas loin et je lui ai dit qu'il pouvait m'écrire ce qu'il voulait bien à vous Hugh Boylan genre Dans le vieux Madrid toutes ces imbéciles qui croient que l'amour soupire moi j'expire mais je pense que s'il l'écrivait il y aurait quelque chose de vrai là dedans vrai ou non ça te remplit ta journée et ta vie tu peux penser à quelque chose tout le temps et voir tout autour de toi comme un monde nouveau je pourrais lui répondre dans mon lit pour qu'il puisse m'imaginer brièvement juste quelques mots pas ces lettres en long et en large qu'Atty Dillon écrivait au type qui était quelque chose à la cour d'appel qui l'a plaquée ensuite et qu'elle copiait dans la Correspondance des dames[61] alors que je lui avais conseillé d'écrire quelques mots tout simples où il pourrait lire ce qu'il voudrait ne pas agir avec précipat précipatation[62] avec une égale franchise le plus grand bonheur sur la terre répondre affirmativement à une demande en mariage bon dieu il y a rien d'autre à faire pour eux tout est facile mais pour une femme dès que t'es vieille t'es bonne à être jetée direct à la poubelle[63] la première ça a été celle de Mulvey j'étais dans mon lit ce matinlà quand Mme Rubio me l'a apportée en même temps que le café elle restait là à attendre et je lui ai demandé de me passer et je les lui montrais j'arrivais pas à me rappeler le mot une épingle à cheveu pour l'ouvrir avec ah horquilla[64] quelle déplaisante créature et elle les avait devant son nez avec son chignon de faux cheveux et d'une coquetterie moche comme tout elle devait avoir pas loin de 80 ou 100 ans sa figure un paquet de rides et un vrai tyran avec ça malgré sa religion parce qu'elle avait jamais pu se remettre que la flotte Atlantique vienne avec la moitié des bateaux du monde et de voir flotter l'Union Jack malgré tous ses carabineros tout ça parce que 4 marins anglais avec un coup dans le nez leur ont piqué tout le rocher[65] et parce que je courais pas assez souvent à son goût à la messe à Santa Maria[66] et son châle qui l'enveloppait sauf quand il y avait un mariage et toutes ses histoires de miracles de saints sa vierge noire en robe d'argent le soleil qui danse 3 fois le matin de Pâques et quand le prêtre allait avec sa clochette porter le viatican aux mourants elle se signait pour sa Majestad un admirateur il l'avait signée j'ai failli sauter au plafond j'avais envie de le draguer quand je l'ai vu qui me suivait dans la Calle Real[67] dans la vitre du magasin et puis il m'a effleurée en passant mais j'aurais jamais pensé qu'il m'écrirait pour me donner un rendez vous je l'ai portée dans mon soutiengorge toute la journée je la lisais dans tous les coins et recoins pendant que monpère dirigeait l'exercice pour savoir d'après l'écriture ou d'après le langage des timbres je chantais je me rappelle porteraije une rose blanche[68] et que je voulais rapprocher l'aiguille de la vieille conne de pendule tout contre l'heure c'est le premier homme qui m'a embrassée sous le mur des Maures amant mon jeune amant j'avais pas encore la moindre idée de ce que ça voulait dire embrasser jusqu'à ce qu'il mette sa langue dans ma bouche sa bouche était douce jeune je lui ai fait du genou un peu pour lui demander de m'apprendre qu'est-ce que je lui ai dit pour plaisanter que j'étais fiancée au fils d'un noble espagnol Don Miguel de la Flora et il a pas cru que je devais l'épouser dans trois ans il y a du vrai dans toutes les plaisanteries un bluet qui fleurit[69] je lui ai dit quelques trucs vrais sur moi juste pour qu'il se fasse une idée les Espagnoles il aimait pas j'imagine que l'une d'elles l'avait refusé je l'ai bien excité il a écrasé sur ma poitrine toutes les fleurs qu'il m'avait apportées il arrivait pas à compter en pesetas et en perragordas avant que je lui apprenne de Cappoquin il disait qu'il venait sur la Blackwater[70] mais ça a été trop court alors la veille de son départ en mai oui c'était en mai quand l'infant roi d'Espagne est né je suis toujours comme ça au printemps il me faudrait quelqu'un de nouveau tous les ans tout en haut du rocher sous le canon près de la tour OHara je lui racontais que la foudre était tombée dessus et tout sur les vieux singes de Barbarie qu'on a envoyés sans queue à Clapham[71] qui caracolaient partout sur le dos les uns des autres Mme Rubio disait que la femelle était un vrai scorpion du rocher[72] qu'elle allait voler les poulets de la ferme Ince et qu'elle vous jetait des pierres si vous vous approchiez il m'a regardée j'avais ce chemisier blanc ouvert devant pour l'encourager le plus que je pouvais sans le faire ouvertement ils commençaient seulement à être ronds j'ai dit que j'étais fatiguée on s'est allongés au dessus de la crique aux sapins un endroit sauvage je crois que c'est le rocher le plus haut qui existe les galeries les casemates ces rochers effrayants la grotte de Saint Michel avec les glaçons ou comment ça s'appelle qui pendent[73] et les échelles toute la boue qui éclaboussait mes bottines je suis sûre que c'est par là que les singes descendent sous la mer pour aller en Afrique quand ils meurent les bateaux si loin font comme des copeaux c'était le bateau de Malte qui passait oui la mer le ciel on pouvait faire ce qu'on voulait rester allongés là à jamais il les caressait de l'extérieur ils aiment faire ça à cause de la rondeur là je m'appuyais sur lui avec mon chapeau de paille de riz pour lui faire passer sa timidité le côté gauche de mon visage le plus avantageux mon chemisier ouvert pour son dernier jour il portait une espèce de chemise transparente j'apercevais le rose de sa poitrine il a voulu toucher ma avec la sienne pendant un instant mais je l'ai pas laissé faire il était affreusement contrarié on sait jamais la tuberculose ou bien qu'il me laisse avec un enfant embarazada[74] cette vieille domestique Ines m'avait dit que même une goutte si ça fait ne serait ce qu'entrer après j'ai essayé avec la Banane mais j'ai eu peur qu'elle se casse et qu'un bout reste perdu quelque part en moi oui parce qu'une fois on a enlevé quelque chose à une femme qui était resté là pendant des années couvert de sels de chaux tous ils ont que ça en tête rentrer par où ils sont sortis on a l'impression que ça va jamais assez loin pour eux et puis ils en ont fini avec toi jusqu'à la prochaine fois oui parce que c'est une sensation géniale là tout le temps c'est si sensible comment est-ce qu'on s'est finis oui O oui je l'ai fait venir dans mon mouchoir je faisais semblant de pas être excitée mais j'écartais les jambes j'ai pas voulu qu'il me touche sous mon jupon parce que j'avais une jupe qui s'ouvrait sur le côté je l'ai torturé à mort d'abord en la lui chatouillant comme j'aimais affoler ce chien à l'hôtel brrsssst awokawokawok il avait les yeux fermés et un oiseau vola très bas à côté de nous il était timide mais quand même il me plaisait comme ce matin là je l'ai fait rougir un peu quand je suis venue sur lui comme ça que je l'ai déboutonné que j'ai sorti son et que j'ai déroulé la peau il avait comme un œil dessus c'est que ça les hommes des Boutons au milieu du mauvais côté il m'appelait Molly chérie[75] comment s'appelaitil Jack Joe Harry Mulvey c'est ça oui lieutenant je crois il était plutôt blond il avait une drôle de voix rieuse alors je suis allée voir le machintruc il appelait tout machintruc une moustache est-ce qu'il en avait une il disait qu'il reviendrait Seigneur c'est comme si c'était hier et que si j'étais mariée il me ferait l'amour quand même et je lui ai promis que oui et c'est juré je me ferais mettre vite là maintenant peut-être qu'il est mort ou qu'il a été tué qu'il est devenu Capitaine ou amiral ça fait presque 20 ans si je disais crique aux sapins il saurait si il venait derrière moi et me mettait la main sur les yeux en demandant qui est-ce je le reconnaîtrais il est encore jeune 40 ans peutêtre qu'il a épousé une jeune fille sur la black water et qu'il a beaucoup changé tous ils changent ils ont pas la moitié du caractère d'une femme elle se doute guère de ce que j'ai fait avec son mari bienaimé avant même qu'il ait su qu'elle existait et même en plein jour au vu et au su de la terre entière on peut le dire on aurait pu écrire un article à ce sujet dans la Gazette de Gibraltar j'étais un peu déchaînée après j'ai soufflé dans le vieux sac à biscuits qui venaient de chez les frères Benady[76] pour le faire exploser Seigneur quel potin tous les coqs de bruyère et les pigeons criaient on est revenus par le même chemin la colline centrale en contournant la vieille maison du garde et le cimetière juif[77] en faisant comme si on pouvait lire l'Hébreu dessus j'avais envie de tirer avec son revolver mais il m'a dit qu'il en avait pas il savait pas par quel bout me prendre avec sa casquette qu'il gardait toujours de travers sur la tête que je lui remettais toujours droite H M S Calypso[78] je lançais mon chapeau ce vieil Évêque qui a parlé à l'autel son interminable sermon sur la haute fonction de la femme et sur les jeunes filles de maintenant qui montent à bicyclette et portent des casquettes et des bloomers les pantalons bouffants de la femme nouvelle[79] que Dieu l'éclaire un peu lui et qu'à moi il donne plus d'argent bloomers j'imagine qu'on les a appelés comme ça à cause de lui j'aurais jamais cru que ce serait mon nom Bloom je m'amusais à l'écrire en lettres majuscules pour voir comment ça faisait sur une carte de visite ou pour l'essayer chez le boucher sincères salutations M Bloom vous êtes comme une fleur elle me disait souvent Josie après mon mariage bon c'est mieux que Breen ou Briggs je brigue ou tous ces noms affreux avec con dedans Mme Conad ou con quelque chose Mulvey ça m'aurait pas emballée non plus ou si jamais je divorce Mme Boylan ma mère avait beau être ce qu'elle était elle aurait pu me donner un plus joli nom elle dieu sait qui en avait un si ravissant Lunita Laredo qu'est-ce qu'on s'est amusés à courir le long de Willis road jusqu'à Europe point en faisant des tours et des détours de l'autre côté de Jersey ils tressautaient et dansaient dans mon chemisier comme ils font maintenant les petits de Milly quand elle monte en courant les escaliers j'adorais baisser les yeux sur eux je sautais pour atteindre les poivriers et les peupliers blancs je leur arrachais quelques feuilles les lançais sur lui il est parti pour l'Inde il devait écrire les voyages qu'ils doivent faire les hommes aux confins du monde et le retour c'est bien le moins qu'ils puissent serrer une femme une ou deux fois dans leurs bras pendant qu'ils peuvent encore avant de partir pour être noyés ou explosés quelque part je suis montée à la crête du Moulin jusqu'aux plates formes ce dimanche matinlà avec la longue vue du Capitaine Rubio qui était mort comme celle de la sentinelle il a dit qu'il en aurait une ou deux du bord j'avais mis cette robe du B Marché Paris et le collier de corail le détroit brillait je pouvais voir jusqu'au Maroc presque la baie de Tanger blanche et les montagnes de l'Atlas avec de la neige dessus le détroit comme une rivière si limpide Harry Molly Chérie je pensais à lui tout le temps sur la mer après la messe quand mon jupon a commencé à glisser après l'élévation pendant des semaines et des semaines j'ai laissé le mouchoir sous mon oreiller pour sentir son odeur on pouvait pas trouver un parfum correct dans ce Gibraltar sauf du peau despagne minable qui s'évaporait en te laissant une sale odeur surtout je voulais lui donner un souvenir de moi lui m'avait donné comme portebonheur cette bague de Claddagh[80] bien mastoc que j'ai donnée à Gardner quand il est parti en Afrique du Sud où il a été tué par les Boers avec leur guerre leur fièvre mais ils ont été bien battus au bout du compte comme si elle avait porté malheur comme une opale ou une perle ça devait être de l'or pur 18 carottes parce qu'elle était bien lourde mais qu'est-ce qu'on pouvait bien trouver dans un endroit comme ça la pluie de grenouilles de sable qui venait d'Afrique et ce bateau pourri qui entrait dans le port de Marie la Marie machintruc non il avait pas de moustache c'était Gardner oui parce qu'elle était très lourde je revois encore son visage rasé de près Poupoupourpeupeupeuouour encore ce train sanglot des jours anci-ens dont on ne se souvient fermer les yeux respirer lèvres tendues pour un baiser regard triste les yeux ouverts piano ça a commencé bien avant la nuit des temps je déteste uittemps vive l'amouououour ce doux refrain je le chanterai à pleine voix quand je me retrouverai sous les feux de la rampe Kathleen Kearney et sa bande de miaulardes Mlle Ceci Mlle Cela Mlle Cettautre un tas de pétasses qui se trémoussent en parlant politique elles s'y connaissent comme mes fesses elles feraient n'importe quoi pour arriver à se rendre intéressantes beautés pure laine irlandaise fille de soldat je sais oui et toi de qui des bottiers ou des bistrotiers excusez moi voiture je vous croyais brouette elles en resteraient raides sur pied si jamais elles avaient la chance de descendre l'Alameda au bras d'un officier comme moi le soir de la fanfare j'ai les yeux brillants ma poitrine ce qu'elles ont pas c'est la passion que Dieu les aide ces pauvres écervelées j'en savais plus sur les hommes et sur la vie à l'âge de 15 ans qu'elles en sauront toutes à 50 elles ont pas les moyens de chanter une chanson comme ça Gardner disait qu'il était impossible à un homme de voir ma bouche mes dents qui souriaient ainsi sans penser à ça j'avais peur d'abord qu'il aime pas mon accent lui qui était si anglais c'est tout ce que monpère m'a laissé malgré ses timbres j'ai les yeux de ma mère et sa silhouette en tout cas il disait toujours y a de ces mufles tellement puants lui était pas du tout comme ça il était fou de mes lèvres qu'elles commencent par se trouver un mari ok et une fille comme la mienne et on verra si elles peuvent allumer un type friqué capable de se taper qui il veut comme Boylan qui peut le faire 4 ou 5 fois quand on est dans les bras l'un de l'autre et la voix j'aurais pu être une prima donna sauf que je me suis mariée avec lui vive l'amouououour bien profond le menton rentré pas trop ça en ferait un double Le Boudoir de ma Dame[81] est trop long pour un bis sur le vieux manoir au crépuscule et les salles vantées oui je chanterai le Vent qui souffle du Sud qu'il m'a donné après le spectacle sur les marches du chœur je changerai cette dentelle sur ma robe noire pour mettre mes nichons en valeur et oui putain je ferai réparer ce grand éventail pour qu'elles en crèvent de jalousie ma fente me démange chaque fois que je pense à lui je sens que je veux je sens comme un vent à l'intérieur de moi ferais mieux d'y aller doucement et pas le réveiller pour l'avoir encore à me baver dessus après que je me suis lavée de partout derrière ventre et côtés si au moins on avait une baignoire ou que j'avais ma chambre à moi j'aimerais bien qu'il dorme tout seul dans un autre lit avec ses pieds froids contre moi ça nous ferait de l'espace même pour lâcher un pet ou pour faire quoi que ce soit mieux vaut oui les retenir comme ça un peu sur le côté piano doucement muuuurm c'est le train au loin pianissimo uuuuure encore un je t'aime

quelle délivrance faut jamais retenir un vent où que ça vous prend qui sait si cette côte de porc que j'ai prise avec mon thé après était assez fraîche par cette chaleur elle avait pas d'odeur particulière ça j'en suis certaine le monsieur de la charcuterie avec son air bizarre un vrai filou j'espère que cette lampe fume pas pour me remplir le nez de suie ça vaut mieux que s'il avait laissé le gaz ouvert toute la nuit je pouvais pas dormir tranquille dans mon lit à Gibraltar et même je me relevais pour vérifier pourquoi est-ce que je suis mortellement inquiète avec ça quoique j'aime bien ça l'hiver on se tient chaud O Seigneur il faisait un froid monstre cet hiver là j'avais quelque chose comme dix ans je oui j'avais cette grande poupée avec tout son drôle de trousseau je l'habillais et je la déshabillais ce vent glacé qui arrivait en hurlant de ces montagnes quelque chose Nevada sierra [82] nevada debout devant le feu avec le petit pan de ma chemise relevé pour me chauffer j'adorais danser comme ça et puis piquer un sprint jusqu'à mon lit je suis sûre que le mec d'en face était tout le temps là à me regarder toutes lumières éteintes l'été et moi je sautais partout avec que ma peau je m'adorais à l'époque à poil devant la table de toilette je me massais avec de la crème c'est seulement quand j'en arrivais au spectacle du pot de chambre que j'éteignais à mon tour et comme ça on était tous les 2 pareils je peux dire Aurevoir à mon sommeil pour cette nuit j'espère qu'il va pas aller avec ces carabins qui le poussent à s'imaginer qu'il est redevenu jeune à rentrer à 4 heures du mat ça doit être si c'est pas plus en tout cas il a eu la correction de pas me réveiller qu'est-ce qu'ils peuvent bien trouver à bavasser toute la nuit à gaspiller leur argent et à être de plus en plus soûls ils pourraient pas boire de l'eau et puis il va se mettre à nous réclamer des œufs du thé du haddock Findon et des toasts beurrés je le vois déjà bon il va jouer au roi du pays pompant dans son œuf par le mauvais bout de la cuiller je sais pas où il a appris ça j'adore l'entendre grimper dans l'escalier à se casser le matin avec les tasses qui se cognent sur le plateau et puis jouer avec la chatte elle se frotte contre toi pour son plaisir me demande si elle a des puces pire qu'une femme tout le temps à se licher et à se lécher mais je déteste leurs griffes je me demande est-ce qu'elle voit des trucs qu'on peut pas voir à fixer comme ça assise en haut de l'escalier si longtemps et à écouter alors que j'arrête pas d'attendre quelle voleuse en plus ce magnifique carrelet tout frais que j'avais acheté je prendrai un peu de poisson demain ou aujourd'hui est-ce qu'on est vendredi oui c'est ça avec du blanc-manger et de la confiture de cassis comme autrefois pas ces pots de 2 livres de compote de prunes et de pommes de chez William et Wood Londres et Newcastle ils durent deux fois plus sauf qu'à cause des arêtes je déteste ces anguilles de la morue oui je prendrai un bon morceau de morue j'en prends toujours pour 3 j'oublie de toute manière j'en ai marre de l'éternelle viande de chez Buckley côtelettes dans le filet jarret de bœuf aloyau collier de mouton et fressure de veau rien que le nom ça me suffit on pourrait faire un piquenique en donnant 5 shillings chacun ou en le laissant payer le tout j'inviterais une autre femme pour lui qui Mme Fleming et on irait en voiture au furry glen ou aux fraisières[83] on le verrait faire l'examen des ongles de pied des chevaux comme il fait avec les lettres non pas avec Boylan présent oui avec des sandwiches au veau froid et au jambon il y a des petites maisons en bas des talus qui sont là pour ça mais il y fait chaud comme devant une flambée il dit qu'on y va pas un jour de fête en tout cas je déteste ces tas de bonnes femmes déguisées pour le grand jour le lundi de Pentecôte porte malheur aussi pas étonnant que cette abeille l'ait piqué ce serait mieux au bord de la mer mais jamais de ma vie je remettrai les pieds dans un bateau avec lui comme à Bray quand il a dit au marinier qu'il savait ramer si quelqu'un lui demandait s'il pouvait courir le steeplechase pour la coupe d'or il dirait oui et puis ça a commencé à devenir mauvais et le vieux rafiot à tanguer sérieusement et tout le poids de mon côté lui me disait de tirer les guides à droite maintenant tire à gauche avec toute l'eau qui envahissait le bateau par flots à travers le fond et sa rame qui a glissé de son tolet c'est un miracle qu'on s'est pas tous noyés il sait nager bien sûr moi non y a aucun danger d'aucune sorte reste calme il portait son pantalon de flanelle que j'aurais aimé lui arracher devant tout le monde pour lui faire ce que cet autre appelle flageller jusqu'à ce qu'il en soit noir de bleus ça lui aurait fait tout le bien du monde sauf qu'il y avait ce type au long pif je ne sais pas qui c'est et cet autre mignon Burke celui du City Arms Hotel à espionner comme d'habitude sur l'embarcadère toujours là quand ça le regardait pas si il y avait une dispute une figure à vomir on pouvait pas se sentir c'est 1 consolation je me demande quel genre de livre c'est celui qu'il m'a apporté Les Douceurs du péché par un homme du monde un autre M. de Kock j'imagine on avait dû lui donner ce surnom parce qu'il se promenait d'une femme à l'autre avec son conduit je pouvais même pas changer mes chaussures blanches toutes neuves toutes foutues à cause de l'eau de mer et le chapeau que j'avais avec cette plume que le vent remuait dans tous les sens ça m'agaçait et ça m'exaspérait parce que l'odeur de la mer m'excitait bien sûr les sardines et la brème de la baie des Catalans[84] par derrière le rocher elles étaient belles tout argentées dans les paniers des pêcheurs le vieux Luigi qui avait presque cent ans disaiton qui venait de Gênes et le grand dadais avec les boucles d'oreilles j'aime pas trop un homme qu'il faut grimper dessus pour y arriver j'imagine qu'ils sont tous morts et bouffés par les vers depuis longtemps en plus j'aime pas être seule dans cette grande baraque la nuit j'imagine que je dois en prendre mon parti j'ai même oublié d'apporter un peu de sel[85] dans la confusion du déménagement il voulait monter une académie de musique dans le salon du premier étage avec une plaque de cuivre ou aussi Pension Bloom il envisageait pour se ruiner complètement comme son père à Ennis comme toutes les choses qu'il a racontées à Papa qu'il allait faire et à moi mais moi j'y croyais pas tous ces endroits charmants où nous pourrions aller en voyage de noces Venise au clair de lune avec les gondoles et le lac de Côme dont il avait une image découpée dans un journal quelconque et les mandolines et les lanternes je disais O comme c'est beau tout ce qui me plaisait il était prêt à le faire immédiatement et même avant pour être mon homme sois ma bête de somme on devrait lui remettre une médaille en chocolat avec le bord mou pour tous les plans qui lui sont passés par la tête et puis nous abandonner ici tout le temps on sait jamais si un vieux mendiant qui réclame un croûton de pain en racontant une histoire à n'en plus finir serait pas un clodo qui met son pied en travers pour m'empêcher de refermer la porte comme l'image de ce criminel endurci comme on l'appelait dans le Lloyd Weekly News[86] 20 ans en prison et puis une fois dehors il assassine une vieille pour son argent t'imagines sa pauvre vieille sa mère ou une autre n'importe qui une figure comme cellelà ça te fait te tirer vite fait je pouvais pas dormir tranquille avant d'avoir verrouillé toutes les portes et les fenêtres plutôt deux fois qu'une mais c'est encore pire d'être enfermée comme dans une prison ou un asile on devrait tous les tuer ou le chat à neuf queues une grande brute comme ça qui attaquerait une pauvre femme pour l'assassiner dans son lit moi je les lui couperais c'est pas qu'il serait bien utile mais ce serait mieux que rien la nuit où j'étais certaine d'avoir entendu les cambrioleurs dans la cuisine et il est descendu en chemise avec une bougie et un tisonnier comme pour chercher une souris blanc comme un linge complètement paralysé par la peur il faisait un bruit d'enfer pour avertir les cambrioleurs y a pas grand chose à voler c'est sûr dieu sait mais c'est l'impression surtout maintenant que Milly est partie encore une idée à lui d'envoyer la petite làbas pour qu'elle apprenne à faire des photos à cause de son grandpère à lui au lieu de la mettre à l'académie Skerry[87] où elle aurait été obligée d'apprendre pas comme moi qui collectionnais les sales notes à l'école il aurait fait tout pareil à cause de moi et Boylan c'est pour ça qu'il l'a fait j'en suis certaine avec ses petites combines et tous ses plans sur la comète j'avais plus assez d'espace avec elle dans la maison ces derniers temps à moins de commencer par mettre le verrou de la porte elle m'a mis les nerfs en boule quand elle est entrée sans frapper quand j'avais mis la chaise contre la porte juste au moment où je me lavais le bas avec le gant et puis elle a le don de m'agacer à faire sa princesse toute la journée mets la sous globe et fais défiler les gens deux par deux pour la regarder s'il savait qu'elle avait cassé la main de cette petite statue de pacotille à cause de sa brusquerie et de sa négligence avant de partir je l'ai donnée à réparer à ce petit Italien et on voit plus la cassure pour 2 shillings voulait même pas m'aider à faire bouillir les pommes de terre c'est sûr elle a raison de pas vouloir s'abîmer les mains j'ai remarqué que c'était toujours à elle qu'il parlait à table les derniers temps il lui expliquait des choses dans le journal et elle qui faisait semblant de comprendre elle est maligne c'est sûr elle tient ça de lui il peut pas dire que je raconte des bobards je suis trop honnête en réalité et il l'aidait à enfiler son manteau mais s'il y avait quelque chose qui allait pas c'est moi qu'elle venait trouver pas lui il s'en faut j'imagine qu'il pense que je suis finie et bonne à mettre au rancart eh bien non plutôt le contraire on verra on verra maintenant elle est bien partie à flirter aussi avec les deux fils de Tom Devan elle m'imite à siffler comme ça et ces deux petites Murray un de ces tapages quand elles l'appellent est-ce que Milly peut venir s'il vous plaît elle est très demandée c'est pour lui tirer les vers du nez dans Nelson street[88] le soir quand elle monte sur la bicyclette d'Harry Devans c'est aussi bien qu'il l'ait envoyée là où elle est elle commençait à dépasser les bornes elle voulait aller à la patinoire et crapauter leurs cigarettes j'ai senti l'odeur sur sa robe quand j'ai cassé le fil avec mes dents en lui recousant son bouton en bas de sa veste elle pourrait pas me cacher grand chose c'est moi qui vous le dis sauf que j'aurais pas dû lui recoudre et directement sur elle en plus ça annonce une séparation et le dernier clafoutis qui s'est fendu en 2 tu vois ça se réalise on a beau dire elle a une langue un peu trop bien pendue pour mon goût ton chemisier est trop décolleté elle me dit la poêle qui se moque du chaudron qu'a le cul noir et il a fallu que je lui dise de ne pas mettre ses jambes en l'air comme ça sur le rebord de la fenêtre exhibées à tous les passants ils sont tous à la mater comme moi quand j'avais son âge c'est sûr à ce moment là n'importe quel vieux chiffon te va bien et puis elle est très pas-touche à sa manière la Seule Manière[89] au royal retire ton pied de là j'ai horreur qu'on me touche elle avait une peur bleue que je lui froisse sa jupe plissée je suis sûre qu'on se touche beaucoup au théâtre la foule le noir ils essayent toujours de se frotter contre toi ce type du parterre du Gaiety pour Beerbohm Tree dans Trilby[90] la dernière fois que j'irai là pour être écrasée comme ça pour aucun Trilby du monde ni son cul nu à elle toutes les deux minutes il me touchait là et regardait ailleurs il est un peu cinglé à mon avis je l'ai vu depuis qui tentait une approche avec deux dames très élégantes devant la vitrine de Switzer je l'ai reconnu aussitôt à son petit manège sa tête et tout et tout mais il se souvenait pas de moi oui et elle a même pas voulu que je l'embrasse à la gare de Broadstone[91] en partant bon j'espère qu'elle trouvera quelqu'un qu'elle pourra mener par le bout du nez comme j'ai fait moi quand elle était alitée avec les oreillons les ganglions tout gonflés où est ceci où est cela c'est sûr elle peut rien éprouver de profond pourtant moi j'ai jamais pu jouir complètement avant voyons 22 ans ou à peu près ça venait jamais là où il faut que les bêtises et les gloussements des filles comme cette Conny Connolly qui lui écrit à l'encre blanche sur du papier noir et qui cachette la lettre avec de la cire pourtant elle a applaudi au tomber du rideau parce qu'il était si beau et puis on a eu droit à Martin Harvey au petitdéjeuner déjeuner dîner après je me suis dit que ça devait être ça le vrai amour lorsqu'un homme renonce à la vie pour elle comme ça pour rien je crois qu'il y en a encore des hommes comme ça c'est difficile à croire sauf peutêtre quand ça t'arrive vraiment la majorité d'entre eux ils ont pas un gramme d'amour dans leur nature trouver deux personnes comme ça à notre époque tout emplies l'une de l'autre qui ressentiraient les choses de la même façon que toi généralement ce sont des gens qui ont un grain son père devait être un peu bizarre pour aller s'empoisonner après qu'elle n'empêche que c'est un pauvre vieux qui se sentait perdu j'imagine toujours pendue après mes affaires aussi les vieilles nippes que j'aies à 15 ans elle voulait déjà relever ses cheveux ma poudre aussi ça ferait qu'abîmer sa peau elle a tout le temps pour ça toute sa vie c'est sûr elle tient pas en place elle sait qu'elle est jolie avec ses lèvres bien rouges dommage ça restera pas j'étais comme ça aussi mais ça sert à rien d'être gentille avec l'autre qui te répond comme une harengère parce que je lui ai demandé d'aller me chercher deux kilos de pommes de terre le jour où on a rencontré Mme Joe Gallaher aux courses et qu'elle faisait semblant de pas nous voir dans sa charrette avec Friery l'avoué on était pas assez bien pour elle jusqu'au moment où je lui ai foutu 2 bonnes baffes sur les oreilles prends ça et arrête de me répondre sur ce ton et ça pour ton insolence elle m'avait exaspérée à un point c'est sûr à me contredire j'étais mal lunée aussi parce que quoi y avaitil une mauvaise herbe dans le thé ou bien j'avais pas dormi la nuit d'avant était-ce le fromage que j'avais mangé et je lui avais dit et répété de pas laisser les couteaux croisés comme ça parce qu'elle a personne pour la diriger comme elle l'a reconnu elle-même eh bien s'il la corrige pas ma parole je le ferai moi c'est la dernière fois qu'elle a sorti le grand jeu des larmes j'étais exactement pareille on osait pas me donner des ordres chez moi c'est sûr c'est sa faute à lui de nous esclavagiser toutes les deux au lieu d'employer une femme depuis longtemps est-ce que j'aurai un jour une vraie domestique à nouveau c'est sûr alors qu'elle le verrait venir faudrait que je la prévienne ou alors elle se vengerait quelle calamité cette vieille Mme Fleming t'es obligée de la suivre pas à pas pour lui mettre les choses dans la main à éternuer et à péter dans les casseroles bon bien sûr elle est vieille elle peut pas s'en empêcher c'est encore pas si mal que j'aie trouvé ce vieux torchon pourri qui pue perdu derrière le buffet je savais bien qu'il y avait quelque chose j'ai ouvert la fenêtre du sous sol pour faire partir l'odeur lui il ramène ses copains pour qu'ils prennent du bon temps comme la nuit où il est rentré à la maison avec un chien rien que ça il aurait pu être enragé et surtout le fils de Simon Dedalus son père qui arrête pas de critiquer avec ses lunettes sur le nez son haut-deforme au match de cricket et un énorme trou dans sa chaussette une qui fait coucou à l'autre et son fils qui a eu tous ses prix pour ce qu'il a gagné je sais pas quoi au concours général imaginer qu'il a grimpé par dessus la grille si quelqu'un de notre connaissance l'avait vu miracle qu'il ait pas fait un grand trou dans son beau pantalon d'enterrement comme si celui que la nature nous a donné suffisait pas lui braillant de descendre dans la vieille cuisine dégueulasse il est pas un peu fou non je vous demande dommage que c'était pas jour de lessive mon vieux pantalon aurait pu être pendu juste sous son nez avec la marque du fer chaud qu'a faite ce gros tas stupide il aurait pu penser que c'était autre chose et elle a même jamais fait fondre la graisse comme je lui avais demandé et maintenant elle s'en va on la changera pas sous prétexte que son mari paralysé va plus mal il y a toujours quelque chose qui va pas chez ces gens là une maladie ou bien ils doivent subir une opération ou si c'est pas ça c'est la boisson et il la bat il faudra que je me remette en chasse pour trouver quelqu'un tous les jours il suffit que je me lève pour que quelque chose me tombe dessus doux aïeux doux aïeux bon quand je serai étendue dans la tombe j'imagine que j'aurai un peu de repos il faut que je me lève un instant si je voyons voir O la la voyons oui ça y est elles sont là oui maintenant quelle plaie c'est sûr à me bourrer me trifouiller me labourer c'est sa faute qu'est-ce que je vais faire vendredi samedi dimanche il y a vraiment de quoi se flinguer à moins qu'il aime ça il y a des hommes qui aiment ça il faut avouer qu'il y a toujours quelque chose qui cloche avec nous 5 jours toutes les 3 ou 4 semaines l'habituel déballage mensuel écœurant c'est clair le soir où ça m'a pris d'un coup la fois la seule où nous étions dans une loge que Michael Gunn lui avait filée pour voir Mme Kendal[92] et son mari au Gaiety un service qu'il lui avait rendu à propos d'une assurance chez Drimmie ça m'a rendue folle à lier mais je voulais pas qu'on le voie avec ce monsieur très chic à l'étage du dessus qui me fixait avec ses lorgnons et lui à l'autre bord qui me parlait de Spinoza et de son âme il est mort il y a des millions d'années je pense je souriais le plus possible en plein marécage je me penchais en avant comme si j'étais passionnée obligée de rester assise jusqu'au bout et je suis pas près d'oublier cette épouse de Scarli qui s'enfuit censée être une pièce très osée sur l'adultère[93] ce crétin au poulailler qui sifflait la femme adultère il hurlait j'imagine qu'en sortant il s'est fait une femme dans la première ruelle en lui courant après dans tous les coins sombres pour faire l'équilibre j'aurais aimé qu'il ait eu ce que j'avais c'est alors qu'il aurait fait bouh je parie même les chattes sont mieux loties que nous est-ce qu'on a trop de sang ou quoi O pitié ça coule de moi comme une mer ce qui est sûr c'est qu'il m'a pas mise enceinte gros comme il est je veux pas foutre en l'air les draps propres que je viens de mettre je pense que c'est la faute du linge propre que j'avais mis et merde et merde et eux qui veulent tous voir une tache dans le lit pour être sûrs qu'ils t'ont eue vierge tous ça les préoccupe bande de crétins tu pourrais être veuve ou divorcée 40 fois et une tache d'encre rouge ferait l'affaire ou du jus de cassis non c'est trop violet O si le ciel avait pu m'épargner ça pouah les douceurs du péché je sais pas qui a inventé ça pour les femmes en plus du raccommodage de la cuisine et des enfants et puis cette saloperie de lit qui fait un boucan d'enfer j'imagine qu'on pouvait nous entendre depuis l'autre côté du parc et même au delà jusqu'à ce que je suggère qu'on mette le couvrelit au sol avec l'oreiller sous mes fesses je me demande si c'est meilleur le jour je pense que ça doit être bien doucement oui je vais couper tous les poils à cet endroit ça me démange je pourrais avoir l'air d'une adolescente il pourra pas résister la prochaine fois qu'il m'aura retroussé les jupes je donnerais n'importe quoi pour voir sa tête où est passé le pot de chambre doucement j'ai toujours eu la trouille qu'il se casse sous moi après cette vieille chaisepercée je me demande si j'étais pas trop lourde sur son genou je l'avais fait asseoir exprès sur la bergère pendant que je me déshabillais mais seulement ma blouse et ma jupe d'abord dans la pièce à côté mais il était si occupé là où il aurait pas dû être qu'il m'a pas tâtée j'espère que mon haleine était bonne après ces bonbons à la menthe doucement mon dieu je me rappelle l'époque où je pouvais envoyer ça tout droit en sifflant comme un homme presque doucement O mon dieu comme je fais du bruit j'espère qu'il y a des bulles dessus j'aurai des tas d'argent de quelqu'un il faudra que je la parfume demain matin ne pas oublier je parie qu'il a jamais vu d'aussi belles cuisses que celles là regarde comme elles sont blanches l'endroit le plus doux c'est juste là au milieu ce petit coin c'est doux comme une pêche doucement mon dieu ça me déplairait pas d'être un homme et de monter sur une belle femme O seigneur t'en fais des tonnes comme le lis de jersey doucement O comme les eaux descendent sur Lahore[94]

qui sait s'il se passe pas quelque chose avec mes intérieurs ou que quelque chose pousse pas en moi pour que cette chose me vienne toutes les semaines quand est-ce que j'ai pour la dernière fois lundi de Pentecôte oui ça fait que trois semaines environ il faudrait que j'aille voir un médecin sauf que ce serait comme avant mon mariage quand j'avais cette chose blanche qui dégoulinait de moi et Floey m'a conseillée d'aller chez le docteur Collins ce vieux coincé spécialiste des maladies féminines sur Pembroake road votre vagin il disait j'imagine que c'est comme ça qu'il s'était payé tous ses miroirs à cadre doré et ses tapis en embobinant les richardes de Stephens green qui couraient chez lui au moindre petit bobo son vagin son cochinchin elles ont de l'argent alors c'est sûr elles ont raison je l'épouserais pas même s'il était le dernier qui reste sur terre et puis il y a quelque chose de bizarre avec leurs enfants toujours à renifler partout ces sales garces il me demandait si ce que je faisais avait une odeur désagréable qu'est-ce qu'il voulait que je fasse d'autre de l'or peutêtre quelle question si j'en étalais partout sur sa vieille face ridée pour lui avec tous mes compriments j'imagine qu'il saurait ce coup là et pouvez vous passer facilement passer quoi j'avais l'impression qu'il était question du rocher de Gibraltar à la façon dont il en parlait une jolie invention ça aussi en tout cas sauf que j'aime me laisser aller après dans le trou à presser aussi loin que je pouvais et puis tirer la chasse bons picotements froids mais c'est quand même pas mal j'imagine je savais toujours d'après ce que Milly faisait quand elle était enfant si elle avait des vers ou non mais quand même le payer pour ça combien je vous dois docteur une guinée s'il vous plaît et il me demandait si j'avais des omissions fréquentes où ces vieux vontils chercher des mots pareils omissions avec ses yeux de myope pointés sur moi de travers j'aurais pas trop confiance qu'il me donne du chloroforme ou dieu sait quoi pourtant je le détestais pas quand il s'est assis pour rédiger son machin fronçant un sourcil sévère un nez intelligent comme ça espèce de sale petite menteuse O n'importe quoi n'importe qui sauf un idiot il était assez malin pour flairer ça c'est sûr c'était fait en pensant à lui et ses lettres de timbré ma Précieuse tout ce qui touche à votre Corps glorieux tout souligné ce qui émane de lui est objet de beauté et de joie éternelle[95] un truc qu'il avait sorti d'un de ses livres bien ineptes moi je me faisais ça toute seule 4 et 5 fois par jour et je lui ai dit que non vous êtes sûre O oui j'ai dit j'en étais tout à fait sûre de manière qu'il la ferme je savais ce qui allait arriver ensuite rien qu'une faiblesse naturelle c'était lui qui m'excitait je sais pas comment le premier soir qu'on s'est rencontrés quand j'habitais Rehoboth Terrace pour rester à nous regarder dans le blanc des yeux pendant presque 10 minutes comme si on s'était déjà vus quelque part j'imagine à cause du fait que j'étais juive[96] avec les traits de ma mère il me faisait rire avec les trucs qu'il racontait en faisant un demi sourire enjôleur et toute la famille Doyle disait qu'il allait se présenter au

Parlement O quelle imbécile heureuse j'étais de croire à toutes ses sornettes sur le home rule et la ligue agraire il m'avait envoyé ce chant d'un chiant des Huguenots pour que je le chante en français pour faire plus classe O beau pays de la Touraine[97] que j'ai pas chanté une seule fois des explications des palabres verbeux sur la religion les persécutions incapable de te laisser prendre plaisir à quelque chose naturellement et puis en seraitil capable dans un accès de bonté la toute 1re fois qu'il en a eu l'occasion à Brighton square il s'est précipité dans ma chambre sous prétexte qu'il s'était mis de l'encre sur les doigts pour les laver au savon Albion lait et soufre que j'utilisais qui était encore dans son emballage O qu'est-ce que j'ai pu rire de lui ce jourlà à en être malade je ferais mieux de pas rester assise toute la nuit sur cette affaire on devrait faire des pots de chambre à la taille naturelle pour qu'une femme puisse s'y asseoir correctement lui il fait ça à genoux je suppose qu'il y a pas un homme dans toute la création qui ait ses habitudes regarde comment il dort au pied du lit comment il peut faire sans un bon traversin bien dur encore heureux qu'il donne pas des coups de pied sinon il pourrait me casser toutes les dents il respire la main sur le nez comme ce dieu indien qu'il m'a emmené voir un dimanche pluvieux au musée de Kildare street[98] tout jaune en tablier couché sur le côté reposant sur sa main et ses dix doigts de pied dressés qu'il a dit que c'était une religion plus importante que celles des juifs et de Notre Seigneur réunies présente dans toute l'Asie il l'imite comme il est toujours à imiter tout le monde j'imagine qu'il dormait lui aussi la tête au pied du lit avec ses gros pieds carrés en plein contre la bouche de sa femme et merde pour cette chose qui pue de toute façon où est donc cette serviette ah oui je sais j'espère que la vieille armoire va pas grincer ah je le savais qu'elle le ferait il dort profondément il a dû s'en payer une bonne tranche quelque part mais elle a dû lui en donner pour son argent c'est sûr qu'il doit payer avec elle O quelle plaie ce truc j'espère qu'on nous prépare quelque chose de mieux dans l'autre monde être obligée de s'entraver on est pas aidées ça ira pour cette nuit et maintenant ce vieux lit défoncé qui grince il me fait toujours penser au vieux Cohen[99] j'imagine qu'il s'est gratté dedans assez souvent et lui qui pense que père l'a acheté à Lord Napier pour qui j'avais une telle admiration quand j'étais petite parce que je lui avais dit doucement piano O c'est bon d'être dans mon lit mon dieu nous voilà toujours aussi fauchés après 16 ans dans combien de maisons avons nous été en tout Raymond Terrace Ontario Terrace Lombard street Holles street et lui il part toujours en sifflotant chaque fois qu'on se retrimballe tout ses huguenots ou la marche des grenouilles en faisant semblant d'aider les déménageurs avec nos 4 vieux meubles et puis le City Arms Hotel de pire en pire comme dit le prévôt Daly cet endroit charmant sur le palier toujours quelqu'un à prier à l'intérieur en laissant tous leurs sales odeurs derrière eux on pouvait toujours dire qui y avait été en dernier chaque fois que ça commence à aller mieux il se passe quelque chose soit il met son gros pied dans le plat chez Thom et chez Helys et chez M. Cuffe et chez Drimmie soit il va être foutu en taule à cause de ses vieux billets de loterie qui devaient être notre salut soit il se montre insolent et on le verra revenir à la maison un de ces quatre viré du Freeman aussi pour changer à cause de ses Sinner Fein ou des francs maçons et puis on verra bien si le petit bonhomme qu'il m'a montré trempé comme une soupe qui se promenait tout seul sous la pluie du côté de Coadys lane[100] sera là pour le consoler lui qui est si intelligent et authentiquement irlandais sûrement qu'il doit l'être à voir l'authentique pantalon que je lui ai vu tiens voilà les cloches de saint George attends trois quarts d'heure l'heure attends 2 heures eh bien en voilà une bonne heure pour rentrer à la maison en sautant par dessus la grille si quelqu'un l'avait vu je lui ferai passer cette petite habitude demain d'abord j'inspecterai sa chemise pour voir et puis je vérifierai qu'il a toujours cette capote anglaise dans son portefeuille j'imagine qu'il croit que je sais pas quels menteurs ces hommes ils ont pas assez de leurs 20 poches pour y mettre leurs mensonges alors je vois pas pourquoi on leur raconterait même si c'est la vérité ils vous croient pas tout bien enveloppé dans son lit comme ces bébés dans le Chef-d'œuvre d'Aristocrate[101] qu'il m'a apporté l'autre fois comme si on avait pas assez de ça dans la vraie vie sans aller pêcher un vieil Aristocrate ou quelque chose comme ça pour vous dégoûter encore plus avec ces images monstrueuses d'enfants qui ont deux têtes et pas de jambes c'est le genre d'immondices qu'ils passent leur temps à en rêver avec rien d'autre dans leurs têtes vides ils mériteraient qu'on les empoisonne lentement la moitié d'entre eux et puis ce sera du thé et un toast pour monsieur beurré des deux côtés et des œufs fraîchement pondus je pense que je compte plus pour rien depuis que j'ai refusé qu'il me lèche une nuit à Holles street les hommes les hommes des tyrans comme toujours et pour commencer il a dormi par terre la moitié de la nuit nu comme faisaient les juifs quand meurt l'un des leurs et il a rien voulu prendre au petit déjeuner ni ouvrir la bouche il avait besoin d'être dorloté et j'ai pensé que j'avais tenu bon assez longtemps pour cette fois et je l'ai laissé faire mais il fait ça très mal il pense seulement à son plaisir à lui il met sa langue trop à plat ou je sais pas quoi il oublie que nousalors moi pas je lui ferai faire encore s'il fait pas attention qu'à lui et je l'enfermerai en bas dans la cave à charbon pour qu'il y dorme avec les cancrelats je me demande si c'était elle Josie complètement folle de récupérer mes vieilles frusques c'est un menteur né non il aurait jamais le cran de faire ça avec une femme mariée c'est pour ça qu'il veut que moi et Boylan pourtant son Denis comme elle l'appelle ce pitoyable spectacle difficile de le considérer comme un mari oui il a dû se mettre avec une bonne petite pute même quand j'étais avec lui et Milly aux courses du Collège cet Hornblower[102] avec son bonnet de bébé sur le coin de la poire nous avait fait entrer par la porte de derrière il faisait les yeux bêlant à ces deux qui jouaient de la minijupe sur le trottoir j'ai essayé de lui faire un signe de l'œil pas la peine naturellement et c'est comme ça que son argent file c'est le fruit de M. Paddy Dignam oui ils étaient tous en grande tenue à cet enterrement grandiose dans le journal que Boylan a apporté s'ils voyaient un vrai enterrement d'officier ça c'est quelque chose les armes renversées les tambours voilés le pauvre cheval qui marche derrière en noir L Boom et Tom Kernan[103] cet homoncule en forme de tonneau toujours soûl s'est mordu la langue en tombant dans les WC des hommes je sais pas où et Martin Cunnigham les deux Dedalus et le mari de Fanny M'Coy avec sa tête de chou cette pauvre petite chose avec un œil qui dit merde à l'autre qui s'essaye à chanter mes airs il faudrait qu'elle se métamorphose complètement pour renaître et sa vieille robe verte décolletée parce qu'elle peut pas leur plaire d'une autre manière comme faire trempette un jour de pluie je comprends tout maintenant c'est clair ils appellent ça l'amitié se tuer et s'enterrer mutuellement et ils ont tous femme et enfant à la maison en particulier Jack Power qui entretient cette fille de bar il faut dire que sa femme est toujours malade sur le point d'être malade ou juste en train de se remettre d'une maladie et lui il est encore pas mal même s'il grisonne un peu audessus des oreilles quelle galerie tous ceux là en tout cas ils auront pas mon mari si je peux l'arracher de leurs griffes même s'ils se foutent de lui derrière son dos je sais bien quand il leur débite ses salades parce qu'il a assez de bon sens pour pas gaspiller le moindre sou qu'il gagne à leur payer des pots et qu'il s'occupe de sa femme et de sa fille des bonsàrien pauvre Paddy Dignam tout de même je suis quand même peinée pour lui que vont faire sa femme et ses 5 enfants sauf s'il avait une assurance quel drôle de petit suceurdelait toujours scotché à un coin de bar et elle ou son fils toujours à chanter Bill Bailey reviens à la maison s'il te plaît[104] ses voiles de deuil vont pas l'arranger c'est monstrueusement seyant pourtant si on est pas trop mal quels hommes est-ce qu'il était pas si il était au dîner de Glencree comme Ben Dollard la basse bariltonnante le soir où il a emprunté la queue de pie à Holles street pour chanter dedans il était engoncé et comprimé làdedans sa tête de poupée tout sourire comme ptit cul d'enfant qui a reçu une bonne dérouillée il avait à peine l'air d'un bien beau ballot c'est sûr que ça devait être un joli spectacle sur la scène penser qu'on paye 5 shillings aux places préservées pour voir ça trottant dans son pantalon et Simon Dedalus aussi il débarquait toujours à moitié rond il chantait la deuxième strophe avant la première l'amour ancien est l'amour nouveau c'était un de ses airs la jeune fille chantait si délicatement dans le buisson d'aubépine il était lui aussi toujours prêt à flirtifier quand je chantais Maritana avec lui au concert privé chez Freddy Mayer il avait une voix ineffable et splendide Phébé mon amour adieu ma chérie pas comme le adieu ma chierie de Bartell d'Arcy[105] c'est sûr sa voix c'était un don naturel il y mettait pas de manière ça vous coulait dessus comme des flots d'eau tiède O Maritana ma fleur des champs on chantait ça magnifiquement c'était quand même un peu haut pour mon registre même transposé il était marié à ce moment là avec May Goulding mais il s'arrangeait toujours pour dire ou faire quelque chose qui gâchait tout il est veuf à présent je me demande comment il est son fils il dit qu'il écrit et qu'il va devenir professeur d'italien à l'université[106] et qu'il faut que je prenne des leçons qu'est-ce qu'il est en train de manigancer à lui montrer ma photo même pas une bonne de moi j'aurais dû m'en faire faire en drapé ça fait jamais démodé mais j'ai quand même l'air jeune làdessus je me demande s'il lui en a pas fait cadeau tant qu'il y était et moi avec après tout pourquoi pas je l'ai vu qui descendait en voiture à la gare de Kingsbridge avec son père et sa mère j'étais en deuil ça fait 11 ans maintenant oui il aurait 11 ans maintenant mais à quoi bon se mettre en deuil pour un être qui était ni une chose ni rien le premier cri m'a suffi j'ai aussi entendu l'horloge de la mort[107] dans le mur bien sûr il avait insisté il se mettrait en deuil pour le chat j'imagine que c'est un homme à présent à cette époque là il était un garçon innocent et ptit gars bien mignon avec son costume à la lord Fauntleroy et ses cheveux bouclés comme un prince de théâtre quand je l'ai rencontré chez Mat Dillon je lui ai bien plu aussi je m'en souviens je leur plaisais à tous tiens mon dieu oui tiens oui en effet il était sur les cartes ce matin quand j'ai tiré mon horoscope union avec un jeune étranger ni brun ni blond que vous avez déjà rencontré j'ai pensé que ça voulait dire que c'était lui mais il est ni un poussin sorti de son œuf ni un étranger non plus et puis ma tête était tournée de l'autre côté c'était quoi la 7e carte après ça le 10 de pique un

Voyage terrestre ensuite il y avait une lettre en chemin et aussi des ragots les 3 reines et le 8 de carreau pour une promotion sociale oui attends tout ça est sorti et 2 8 rouges des habits neufs voyez vous ça et est-ce que j'ai pas rêvé quelque chose en plus oui il y avait quelque chose à propos de poésie dedans j'espère qu'il a pas les cheveux longs et gras qui lui tombent dans les yeux ou qui rebiquent comme un Indien rouge qu'est-ce qu'ils ont à se montrer comme ça rien que pour qu'on se moque d'eux et de leur poésie j'ai toujours aimé la poésie quand j'étais jeune j'ai d'abord cru qu'il était un poète comme Lord Byron mais pas un gramme de ça dans sa nature je le croyais bien différent qu'il est je me demande s'il est trop jeune il a voyons 88 je me suis mariée en 88 Milly a eu 15 ans hier 89 quel âge avaitil à ce moment là chez les Dillon 5 ou 6 ans à peu près 88 il doit avoir 20 ou plus je suis pas trop vieille pour lui s'il a 23 ou 24 j'espère qu'il est pas du genre étudiant poseur et non autrement il se serait pas assis dans la vieille cuisine avec lui pour prendre un chocolat Epps en bavardant bien sûr qu'il devait faire semblant de tout comprendre probablement qu'il lui a dit qu'il était diplômé de Trinity college il est bien jeune pour être professeur ou j'espère que c'est pas un professeur genre Goodwin qui était professeur titulaire de John Jameson ils écrivent tous sur une femme dans leurs poèmes bon j'imagine qu'il en trouvera pas beaucoup des comme moi là où soupire d'amour de la guitare légère où la poésie est dans les airs le ciel bleu et la lune qui scintille si belle au retour de Tarifa[108] par le bateau de nuit le phare d'Europe point la guitare dont jouait ce type avait de tels accents est-ce que je retournerai làbas un jour que des nouvelles têtes deux yeux brillants cachés dans un treillis[109] je lui chanterai cet air ce sont mes yeux s'il est un tant soit peu poète deux yeux aussi noirs et brillants que l'étoile même de l'amour que c'est beau la jeune étoile de l'amour ça me changera Dieu m'est témoin d'avoir quelqu'un d'intelligent à qui tu peux parler de toi pas toujours l'écouter lui et l'annonce de Billy Prescott parci et l'annonce de Descley parlà et celle de compère le diable et puis c'est pas parce que ça va mal leurs affaires qu'on doit en souffrir je suis persuadée qu'il est très distingué j'aimerais bien avoir affaire à un homme comme ça nom de dieu c'est pas comme toute cette bande en plus il est jeune ces beaux jeunes gens que je pouvais voir làbas à Margate plage[110] du versant de la falaise l'un exposé au soleil nu comme une sorte de dieu et qui plongeait ensuite dans la mer avec les autres pourquoi est-ce que les hommes sont pas tous faits comme ça quelle consolation ça serait pour une femme comme cette jolie petite statue qu'il a achetée je pourrais passer la journée à le contempler sa tête bouclée ses épaules son doigt levé pour qu'on l'écoute ça c'est de la beauté pure et de la poésie j'ai souvent senti l'envie de l'embrasser partout même sa jolie petite bite là si innocente j'aimerais bien la prendre dans ma bouche si personne me regardait comme si elle te demandait de la sucer avec son air si propre et blanc et sa tête de jeunot et je le ferais en une demi minute même s'il y en a un peu qui me va dedans ça ferait rien c'est seulement comme du gruau ou de la rosée pas de danger il serait si propre à côté de ces porcs j'imagine qui pensent même pas à se la laver d'1 année sur l'autre la plupart d'entre eux sauf que c'est ce qui donne de la moustache aux femmes je suis sûre que ce sera génial si je peux me faire un beau jeune poète à mon âge la première chose que je ferai demain matin c'est de lancer les cartes jusqu'à ce que je voie sortir la carte du souhait ou bien j'essaierai d'apparier la dame ellemême pour voir si il sort je lirai et j'apprendrai tout ce que je pourrai trouver et apprendre un peu par cœur si je savais qui lui plaît comme ça il me trouvera pas stupide s'il croit que les femmes sont toutes les mêmes et je peux lui enseigner le reste je le ferai jouir complètement jusqu'à ce qu'il défaille sous moi et puis il écrira sur moi amant et maîtresse au grand jour avec aussi nos 2 photos dans tous les journaux quand il sera célèbre O mais alors je vais faire comment avec lui quoique

non lui c'est pas son genre il est pas bien élevé et il est pas raffiné non plus il a vraiment rien de rien pour lui nous mettre la main aux fesses comme ça parce que je ne l'appelais pas Hugh l'ignare qui sait pas faire la différence entre un poème et un chou voilà ce que tu gagnes à pas les remettre à leur place il retire ses chaussures et son pantalon là sur la chaise devant moi pas gêné sans même demander la permission et il reste planté là bien vulgaire dans la chemise courte qu'ils se mettent pour qu'on les admire comme un prêtre ou un boucher ou ces vieux hypocrites du temps de Jules César c'est sûr à sa façon il est mieux que rien histoire de passer le temps évidemment tu pourrais aussi bien être au lit avec quoi avec un lion Dieu je suis certaine qu'il saurait mieux y faire que lui un brave Lion O après tout j'imagine que c'est parce qu'elles étaient si rebondies et appétissantes sous mon jupon court qu'il a pas pu résister même moi elles m'excitent des fois ils ont de la chance les hommes tout le plaisir qu'ils peuvent prendre avec le corps des femmes on est si rondes et blanches pour eux j'ai toujours souhaité en être un moi même pour changer juste pour essayer avec leur machin tout gonflé sur vous si dur et en même temps tellement doux quand tu touches mon oncle Julien a un long machin j'ai entendu ces voyous chanter ça quand je passais le coin de Marrowbone lane ma tante Suzon a une belle toison parce qu'il faisait noir et qu'ils savaient qu'une fille passait ça m'a pas fait rougir pourquoi j'aurais rougi après tout c'est la nature et il fourre son long machin dans la toison de ma tante Suzon etcetera ce qui revient à mettre un manche à balai sur une brosse voilà bien les hommes encore ils ont l'embarras du choix selon leur bon plaisir une femme mariée une veuve joyeuse ou une jeune fille y en a pour tous les goûts comme ces maisons de derrière Irish street non mais on a pas le choix que d'être enchaînées toute sa vie ils vont pas m'enchaîner moi vous en faites pas quand je m'y mets je vous dis que ça malgré la jalousie stupide de leurs maris pourquoi est-ce qu'on peut pas rester bons amis plutôt que nous disputer làdessus son mari a découvert ce qu'ils faisaient ensemble bon eh bien s'il l'a découvert il pourra rien y changer de toute façon il est coronado[111] il y peut rien et puis c'est fou ce qu'il tombe d'un extrême à l'autre à propos de la femme dans Les Fées au fouet ce qui est sûr c'est que l'homme il s'en fiche comme de sa 1re chaussette du mari ou de la femme que c'est la femme qu'il veut et il l'a pourquoi d'autre avons nous été créées avec tous ces désirs j'aimerais bien le savoir c'est pas ma faute si je suis encore jeune n'est ce pas c'est miracle que je sois pas devenue une vieille sorcière toute ratatinée à force de vivre avec lui qui est si froid il m'embrasse jamais sauf quelquefois quand il est endormi le mauvais bout de moi sans savoir j'imagine qui il embrasse un homme capable d'embrasser le cul d'une femme je le traite par le mépris après il embrasserait n'importe quoi de pas naturel là où nous n'avons pas 1 atome d'expression d'aucune sorte là on est toutes pareilles 2 morceaux de saindoux avant que je fasse ça un jour à un homme pouah les sales porcs rien que d'y penser ça me suffit je baise les pieds de vous senorita ça tient debout est-ce qu'il a pas embrassé notre porte d'entrée[112] eh oui il l'a fait quel malade personne comprend ses idées loufoques sauf moi tout de même bien sûr une femme a besoin d'être embrassée presque 20 fois par jour pour avoir l'air jeune peu importe par qui du moment qu'on aime ou qu'on est aimée de quelqu'un si l'homme que vous désirez est pas là bon dieu il m'est arrivé de penser que je me promènerais le long des quais un soir sans lune là où personne me connaît et que je lèverais un marin fraîchement débarqué et il serait bien chaud pour ça et il s'en foutrait complètement à qui je pourrais appartenir juste pour faire ça contre un portail quelque part ou bien un de ces gitans de Rathfarnham avec leur air sauvage qui avaient établi leur camp près de la blanchisserie Bloomfield pour venir voler nos affaires si possible j'avais envoyé mon linge là deux ou trois fois seulement à cause du nom blanchisserie modèle ils arrêtaient pas de me renvoyer des bas de vieilles tout dépareillés ce type avec son air canaille et ses beaux yeux qui pelait un bâton pour se faire une cravache s'il me sautait dessus dans le noir et me chevauchait contre le mur sans un mot ou bien un assassin n'importe qui ce qu'ils font eux mêmes ces messieurs distingués en chapeau hautdeforme ce conseiller à la cour qui vit quelque part par ici et qui sortait de Hardwicke lane[113] le soir où il nous a offert le dîner de poisson du fait qu'il avait gagné pas mal d'argent sur le match de boxe c'est certain que c'était pour moi qu'il l'avait donné je l'ai reconnu à ses guêtres et à sa démarche et quand je me suis retournée une minute plus tard juste pour voir il y avait une femme derrière qui venait d'en sortir aussi une espèce de sale prostituée et puis après ça il rentre à la maison chez bobonne sauf que j'imagine que la moitié de ces marins sont bouffés encore par la maladie O bouge un peu ta grande carcasse de là bon dieu écoutez le les vents que soufflent mes soupirs vers toi [114] il peut bien dormir et soupirer le grand Illusionniste Don Poldo de la Flora s'il savait comment il est sorti dans les cartes ce matin il aurait de quoi soupirer un homme brun qui se trouve dans l'embarras entre 2 7 aussi en prison pour Dieu sait ce qu'il fait que j'ignore et moi je dois me traîner en bas dans la cuisine pour préparer le petit déjeuner de son altesse pendant que lui il est entortillé comme une momie non mais tu m'as déjà vu courir partout je voudrais bien voir ça ayez des attentions pour eux et ils vous traitent comme de la merde quoi qu'on dise ce serait bien mieux si le monde était gouverné par les femmes vous verriez pas les femmes s'entretuer et se massacrer et vous avez déjà vu des femmes rouler ivres dans le ruisseau comme ils font eux ou jouer leur moindre sou et le perdre sur des chevaux oui parce qu'une femme eh bien quoi qu'elle fasse elle connaît la limite ce qui est sûr c'est que sans nous ils seraient pas sur terre du tout ils savent pas ce que c'est que d'être une femme et une mère comment le pourraientils où seraientils tous s'ils avaient pas tous eu une mère pour s'occuper d'eux ce que moi j'ai jamais eu c'est pour ça j'imagine qu'il est en train de perdre les pédales à présent et qu'il sort le soir en délaissant ses livres ses études et il habite plus chez lui à cause de la maison toujours en l'air j'imagine eh bien c'est pathétique que ceux qui ont un fils bien comme lui ils sont pas satisfaits et moi j'en ai pas est-ce qu'il était pas capable d'en faire un ça a pas été ma faute on a joui ensemble quand je regardais les deux chiens lui monté sur son derrière à elle au milieu de la rue déserte ça m'a complètement démoralisée je pense que j'aurais pas dû l'enterrer dans cette petite brassière de laine que j'avais tricotée toute en larmes j'étais mais j'aurais dû la donner à un enfant pauvre mais je savais bien que j'en aurais pas d'autre c'était notre 1re mort aussi on a jamais plus été les mêmes depuis O je vais arrêter de broyer du noir en pensant encore à ça j'aimerais bien savoir pourquoi il a pas voulu rester pour la nuit j'avais tout le temps le sentiment que c'était quelqu'un d'étrange qu'il avait amené au lieu d'errer dans la rue à la rencontre de Dieu sait qui des rôdeuses et des pickpockets ça plairait pas à sa pauvre mère si elle était en vie qu'il s'abîme pour toute la vie peutêtre n'empêche c'est une heure exquise si silencieuse j'adorais autrefois rentrer chez nous après le bal l'air de la nuit ils ont des amis avec qui parler nous pas ou bien il réclame ce qu'on veut pas lui donner ou bien c'est une femme prête à pointer son couteau vers vous je déteste ça chez les femmes pas étonnant qu'ils nous traitent comme ils nous traitent on est une effrayante bande de putes j'imagine que c'est tous les problèmes qu'on a qui nous rendent si acariâtres je suis pas comme ça il aurait pu sans problème dormir là sur le canapé dans l'autre chambre j'imagine qu'il était aussi embarrassé qu'un jeunot lui qui est si jeune à peine 20 ans de me sentir dans la pièce à côté il m'aurait entendue sur le pot et alors quel mal à ça Dedalus je me demande c'est comme ces noms à Gibraltar Delapaz Delagracia ils avaient des noms à coucher dehors làbas père Vialaplana de Santa Maria qui m'a offert le rosaire Rosales y OReilly dans Calle las Siete Revueltas et Pisimbo et Mme Opisso dans Governor street O quel nom j'irais me jeter dans la première rivière venue si j'avais un nom pareil O et tous les petits tronçons de rue Paradise ramp Bedlam ramp Rodgers ramp et Crutchetts ramp et l'escalier du fossé du diable[115] bon c'est pas très grave si je suis une tête de linotte je sais que je le suis un peu je le reconnais je me sens pas plus vieille d'un jour que dans ce temps là je me demande si je pourrais encore tourner ma langue pour prononcer un peu d'espagnol como esta usted muy bien gracias y usted voyez j'ai pas tout oublié je pensais bien sauf la grammaire un substantif est le nom d'une personne d'un lieu ou d'une chose dommage que j'aie jamais essayé de lire ce roman que Mme Rubio cette vieille bique m'avait prêté de Valera[116] avec les questions qui y étaient à l'envers dans les deux sens j'ai toujours su qu'on finirait par s'en aller je peux lui dire l'espagnol et lui me dire l'italien et puis il verra que je suis pas si nulle quel dommage qu'il soit pas resté je suis sûre que le pauvre garçon il était mort de fatigue et qu'il avait rudement besoin d'un gros dodo j'aurais pu lui apporter son petit déjeuner au lit avec un toast du moment que je l'aurais pas fait en le piquant sur le couteau ça porte malheur ou si la femme était passée avec le cresson et quelque chose de bon de savoureux il y a quelques olives dans la cuisine il pourrait aimer ça j'ai jamais pu les voir en peinture chez Abrine je pourrais faire la criada[117] la chambre est pas mal depuis que j'ai tout changé de place[118] vous voyez il y avait tout le temps quelque chose qui me disait qu'il faudrait que je me présente moimême lui me connaissait ni d'Ève ni d'Adam ça serait très marrant hein je suis sa femme ou faire comme si on était en Espagne lui à moitié endormi sans la moindre notion où il est dos huevos estrellados señor[119] Seigneur les conneries qui me passent par la tête parfois ce serait trop drôle s'il s'installait chez nous pourquoi pas il y a la chambre du haut qui est vide et le lit de Milly dans la pièce sur l'arrière il pourrait faire ses écritures et ses études sur la table làdedans pour ce que lui il y griffonne et s'il veut lire au lit le matin comme moi puisqu'il fait le petit déjeuner pour 1 il peut bien le faire pour 2 qu'il compte pas que je vais prendre n'importe quel pensionnaire ramassé dans la rue parce qu'il a pris pour maison un grand bazar comme ça j'adorerais avoir de longues conversations avec une personne intelligente et cultivée il faudrait que j'achète une paire de jolis chaussons rouges comme ceux que vendaient les Turcs avec leur fez ou jaunes et un joli déshabillé à demi transparent dont j'ai une folle envie ou une robe de chambre fleurdepêcher comme celle il y a longtemps de chez Walpole[120] seulement 8 shillings 6 ou 18 shillings 6 je lui donnerai une dernière chance je me lèverai tôt demain matin j'en peux plus du vieux lit de Cohen de toute façon j'irai peutêtre faire un tour dans les marchés pour voir tous les légumes choux tomates carottes et toutes les variétés de fruits sublimes qui arrivent tous si jolis et frais qui sait qui serait le 1er homme que je rencontrerais ils se mettent en chasse dès le matin Mamy Dillon le disait et la nuit aussi c'est ainsi qu'elle vatalamesse j'adorerais une poire bien juteuse maintenant qui te fond dans la bouche comme quand j'étais dans mes envies de femme enceinte et puis je lui jetterai ses œufs et son thé dans la moustasse qu'elle lui a donnée pour rendre sa bouche encore plus grande j'imagine il aimerait bien ma bonne crème aussi je sais ce que je vais faire je vais aller et venir plutôt gaie mais pas trop en chantant un peu de temps en temps mi fa pieta Masetto[121] et puis je commencerai à m'habiller pour sortir presto non son piu forte je mettrai ce que j'ai de mieux comme chemise et pantalon je le laisserai me mater un bon coup pour faire lever sa petite bite je lui ferai savoir si c'est ça qu'il voulait que sa femme est bien baisée oui rudement bien baisée enfilée quasi jusqu'au cou et pas par lui 5 ou 6 fois sans débander il y a la trace de son foutre sur le drap propre je vais pas m'embêter à la repasser pour la retirer ça devrait lui suffire si tu me crois pas t'as qu'à toucher mon ventre à moins que je le fasse rester là debout et m'enfiler l'autre je suis en état de lui raconter tout dans les moindres détails et de l'obliger à le faire devant moi tout ce qu'il mérite c'est entièrement sa faute si je suis une femme adultère comme disait l'autre au poulailler O c'est pas une affaire si c'est tout le mal qu'on aura fait dans cette vallée de larmes Dieu sait que c'est pas grand chose est-ce que tout le monde le fait pas sauf qu'ils le cachent j'imagine que c'est pour ça que la femme est censée être sur terre sinon Il nous aurait pas faites comme Il nous a faites si attirantes pour les hommes et puis s'il veut embrasser mon cul j'écarterai mon pantalon et je le lui foutrai en plein sur son visage grand comme la vie pour qu'il puisse enfoncer sa langue dans mon trou jusqu'au fin fond tant qu'il y est ma toison et puis je lui dirai que j'ai besoin d'1£ ou peutêtre de 30 shillings je lui dirai que j'ai besoin d'acheter des dessous et puis s'il me les donne eh bien ça sera pas trop mal j'ai pas envie de le saigner comme font d'autres femmes j'ai pas manqué d'occasions de me remplir un joli chèque et de le signer à sa place bon pour 2 livres les quelques fois où il a oublié de l'enfermer d'ailleurs il le dépensera pas je le laisserai faire ça sur moi par derrière du moment qu'il salit pas mon beau pantalon O j'imagine que j'ai pas le choix je jouerai celle qui s'en fout 1 ou 2 questions je saurai par les réponses quand il est comme ça il peut rien garder pour lui je le connais comme si je l'avais fait je serrerai bien les fesses et je lâcherai quelques saloperies sensmonfion ou lèche ma merde ou le premier délire qui me passera par la tête et puis je lui suggérerai oui O doucement maintenant mon cœur c'est mon tour je serai toute gaie et gentille je me laisserai faire O mais j'oubliais cette chose abominable pruuit dont tu sais pas s'il faut rire ou pleurer on est une telle confiote non il faudra que je mette de vieilles affaires bien mieux comme ça ce sera plus visible il saura jamais si c'est lui qui l'a fait ou non c'est bien assez bon pour toi une vieille loque quelconque et puis je me l'essuierai l'air de rien son omission et puis je sortirai et il restera les yeux collés au plafond où estelle allée à présent faire qu'il me désire c'est le seul moyen le quart de quelle heure invraisemblable j'imagine qu'ils sont juste en train de se lever en Chine en ce moment en train de peigner leur queue pour la journée on aura bientôt les bonnes sœurs qui vont sonner l'angélus elles ont personne qui vient bousiller leur sommeil sauf un prêtre ou deux pour l'office de la nuit ou le réveil de la maison à côté qui au premier cri du coq carillonne à s'en péter le caisson voyons si j'arrive à m'endormir 1 2 3 4 5 c'est quoi ces fleurs qu'ils ont inventées comme des étoiles le papier peint de Lombard street était beaucoup plus joli le tablier qu'il m'a offert ressemblait un peu à ça sauf que je l'ai seulement porté deux fois vaudrait mieux éteindre cette lampe et essayer encore une fois pour que je puisse me lever tôt j'irai chez Lambe làbas à côté de chez Findlater[122] et je leur demanderai de nous envoyer des fleurs pour les mettre un peu partout dans la maison au cas où il le ramène chez nous demain je veux dire aujourd'hui non non vendredi est un jour porte malheur d'abord je veux mettre un peu d'ordre on dirait que la poussière augmente pendant que je dors et puis on se fera de la musique avec des cigarettes je peux l'accompagner d'abord il faut que je nettoie les touches du piano avec du lait qu'est-ce que je vais me mettre une rose blanche ou ces gâteaux divins de chez Lipton[123] j'adore l'odeur de la belle boutique chic à 15 sous la livre ou les autres fourrés à la cerise avec du sucre rose à 20 sous les deux livres une jolie plante pour le milieu de la table je l'aurai pour moins cher chez attendez où est-ce que je les ai vues y a pas longtemps j'adore les fleurs j'adorerais avoir toute la maison nager dans les roses dieu du ciel y a rien comme la nature les montagnes sauvages et puis la mer les vagues qui se bousculent et puis la campagne si belle avec ses champs d'avoine de blé toutes sortes de choses toutes les belles bêtes qui se promènent ça te ferait chaud au cœur de voir les rivières les lacs les fleurs de toutes sortes de forme de parfum de couleur qui jaillissent de partout même dans les fossés les primevères et les violettes c'est ça la nature quant à ceux qui disent qu'il y a pas de Dieu je donnerais pas bien cher de toute leur science pourquoi ils se mettent pas à créer quelque chose souvent je lui demande les athées ils peuvent s'appeler comme ils veulent ils devraient commencer par se nettoyer leur crasse eux mêmes d'abord et puis ils braillent à tout va qu'ils ont besoin d'un prêtre qu'ils sont à l'agonie et pourquoi pourquoi parce qu'ils ont peur de l'enfer à cause de leur mauvaise conscience ah oui je les connais bien tiens qui a été le premier dans l'univers avant qu'il y ait quelqu'un qui a tout fait qui ah ils savent pas moi non plus et alors qu'est-ce que ça change ils pourraient bien encore essayer d'empêcher le soleil de se lever demain le soleil c'est pour toi qu'il brille il me disait le jour où on était allongés au milieu des rhododendrons à la pointe de Howth avec son costume de tweed gris et son chapeau de paille le jour où je l'ai poussé à me demander en mariage oui d'abord je lui ai donné le morceau de gâteau à l'anis[124] que j'avais dans la bouche et c'était une année bissextile[125] comme maintenant oui il y a seize ans mon dieu après ce long baiser je pouvais presque plus respirer oui il a dit que j'étais une fleur de la montagne oui c'est ça nous sommes toutes des fleurs le corps d'une femme oui voilà une chose qu'il a dite dans sa vie qui est vraie et le soleil c'est pour toi qu'il brille aujourd'hui oui c'est pour ça qu'il me plaisait parce que j'ai bien vu qu'il comprenait qu'il ressentait ce que c'était qu'une femme et je savais que je pourrais toujours en faire ce que je voudrais alors je lui ai donné tout le plaisir que j'ai pu jusqu'à ce que je l'amène à me demander de dire oui et au début je voulais pas répondre je faisais que regarder la mer le ciel je pensais à tant de choses qu'il ignorait à Mulvey à M. Stanhope à Hester à père au vieux capitaine Groves et aux marins qui jouaient au poker menteur et au pouilleux déshabillé comme ils appelaient ça sur la jetée et à la sentinelle devant la maison du gouverneur avec le truc autour de son casque blanc pauvre vieux tout rôti et aux petites Espagnoles qui riaient avec leurs châles et leurs grands peignes et aux ventes aux enchères le matin les Grecs les juifs les Arabes et dieu sait qui d'autre encore des gens de tous les coins de l'Europe et Duke street et le marché aux volailles toutes gloussantes devant chez Larby Sharon et les pauvres ânes qui trébuchaient à moitié endormis les vagues gens qui dormaient dans leurs manteaux à l'ombre sur les marches les grandes roues des chars de taureaux et le vieux château vieux de milliers d'années oui et ces Maures si beaux tout en blanc avec des turbans comme des rois qui vous invitaient à vous asseoir dans leurs toutes petites boutiques Ronda et leurs vieilles fenêtres des posadas[126] 2 yeux brillants cachés dans un treillis pour que son amant embrasse les barreaux et les cabarets entrouverts la nuit et les castagnettes et le soir où on a raté le bateau à Algésiras le veilleur qui faisait sa ronde serein[127] avec sa lampe et O ce torrent effrayant tout au fond O et la mer la mer cramoisie quelquefois comme du feu et les couchers de soleil en gloire et les figuiers dans les jardins d'Alameda oui et toutes les drôles de petites ruelles les maisons roses bleues jaunes et les roseraies les jasmins les géraniums les cactus et Gibraltar quand j'étais jeune une Fleur de la montagne oui quand j'ai mis la rose dans mes cheveux comme le faisaient les Andalouses ou devrais-je en mettre une rouge oui et comment il m'a embrassée sous le mur des Maures et j'ai pensé bon autant lui qu'un autre et puis j'ai demandé avec mes yeux qu'il me demande encore oui et puis il m'a demandé si je voulais oui de dire oui ma fleur de la montagne et d'abord je l'ai entouré de mes bras oui et je l'ai attiré tout contre moi comme ça il pouvait sentir tout mes seins mon odeur oui et son cœur battait comme un fou et oui j'ai dit oui je veux Oui.

Trieste-Zurich-Paris
1914-1921

DOSSIER

CHRONOLOGIE
(1882-1941)

1882. **Naissance de James Augustine Joyce le 2 février à Rathgar, banlieue de Dublin** ; il s'efforcera plus tard de publier ses ouvrages à cette date devenue fétiche. Aîné d'une famille qui compta quinze enfants, il avait en fait été précédé, l'année d'avant, par un autre garçon, mort prématurément.
Dans les années qui suivent se succèdent déménagements et hypothèques du père sur le patrimoine, puis sur sa retraite de fonctionnaire municipal. Une adresse se distingue, celle de Martello Terrace, à Bray, où sont accueillis divers parents ou amis, qui apparaissent en filigrane dans le *Portrait de l'artiste en jeune homme*.

1888. James entre comme pensionnaire à Clongowes Wood College, petit collège jésuite réputé, où il restera jusqu'en 1891. Cette période, et les événements politiques nationaux qui la marquèrent, laisseront de nombreuses traces dans le *Portrait*.

1893. James entre à Belvedere College, établissement secondaire renommé, tenu à Dublin par les jésuites, sur la recommandation du P. Conmee, ancien recteur de Clongowes Wood, dont la figure apparaît dans *Ulysse*. Plusieurs épisodes de cette période de sa vie réapparaîtront dans le *Portrait,* dont le héros se distingue par sa piété aussi bien que par son intérêt, et ses dons, pour la littérature.

1898. James débute à University College, université également tenue par les jésuites, des études de lettres (anglaises, françaises, italiennes). Il participe à diverses activités culturelles extra-universitaires aussi bien qu'universitaires, notamment par des conférences.

1900. Conférence sur « Le Drame et la vie » devant la Société Littéraire et Historique de University College. En avril, il publie dans *The Fornightly Review*, de grand renom, « Le Nouveau Drame d'Ibsen », consacré à *Quand nous nous réveillerons d'entre les morts*. Ibsen exprimera ses remerciements par l'entremise de son traducteur, William Archer ; en mars 1901, Joyce écrit à Ibsen.

1901. Pendant l'été, Joyce traduit deux pièces de Gerhardt Hauptmann, *Michael Kramer* et *Vor Sonnenaufgang*.
En octobre, il publie « Le Triomphe de la canaille », pamphlet dirigé contre le mouvement du Théâtre Littéraire Irlandais. Le 24, devant la Société des Débats des étudiants en droit, John F. Taylor prononce un plaidoyer en faveur de la langue irlandaise, qui sera cité dans *Ulysse*, et que Joyce choisira d'enregistrer sur disque en 1926.

1902. Joyce prononce à l'Université une conférence sur le poète irlandais James Clarence Mangan, qui sera publiée dans *St Stephen's*, la revue des étudiants. En mars, mort de son frère George, promis à un brillant avenir, qu'il aimait beaucoup (il donnera son nom à son fils).
En avril, Joyce s'inscrit à l'École de Médecine de Dublin.
En juin, il achève son Bachelor of Arts, dont il recevra le diplôme en octobre.
En décembre, départ pour Paris, en vue d'y faire des études de médecine ; il devra y renoncer, faute d'obtenir l'équivalence de diplôme nécessaire à son inscription. Il gagnera sa vie grâce à des leçons particulières et à des comptes rendus pour des journaux de Dublin. Retour à Dublin le 23.

1903. Second séjour à Paris, du 23 janvier au 11 avril. James travaille beaucoup à la Bibliothèque nationale et à la Bibliothèque Sainte-Geneviève, rencontre J.M.Synge, qui lui fait lire sa dernière pièce, découvre *Les lauriers sont coupés* d'Édouard Dujardin, écrit quelques épiphanies.
À Dublin, il travaille à la National Library, écrit des comptes rendus d'ouvrages. Sa mère meurt le 13 août.

1904. James écrit *A Portrait of the Artist*, court essai autobiographique, pour la revue *Dana*, qui le refuse ; il commencera

bientôt à développer ces pages en un roman, *Stephen le Héros*.
En mars, enseigne dans une école de Dalkey, moment qui lui inspirera le deuxième épisode d'*Ulysse*.
James poursuit la composition de poèmes, dont certains sont publiés, et qui, pour la plupart, se retrouveront dans son recueil *Musique de chambre* (1907). Il envisage activement une carrière de chanteur, en prenant des cours de chant et en participant à des concours.
En juin (le 10 ?), il rencontre Nora Barnacle, avec laquelle il semble avoir eu son premier rendez-vous sérieux le 16, date à laquelle *Ulysse* est censé se dérouler.
En juillet-août, il compose « Le Saint-Office », poème satirique visant les milieux littéraires dublinois, qui sera imprimé à Trieste et distribué à Dublin en mai-juin 1905.
Le 13 août, publication dans *The Irish Homestead* de la nouvelle « Les Sœurs », la première du recueil *Dublinois* (1914). « Eveline » suivra, en septembre, et « Après la course » en décembre, dans le même périodique.
Du 9 au 15 septembre, James habite la Tour Martello, à Sandycove, en compagnie d'Oliver Gogarty et de Samuel Chevenix Trench (voir le premier épisode d'*Ulysse*).
Le 8 octobre, départ définitif de Dublin (il parlera plus tard de son « hégire », occasion de commémorations intimes) en compagnie de Nora. Recruté par l'École Berlitz, il aboutit, après Zurich et Trieste, à Pola, où il arrive le 31, et restera jusqu'en mars 1905.
Cette année 1904 est importante dans l'histoire culturelle de l'Irlande moderne, avec diverses publications, et l'ouverture, fin décembre, de l'Abbey Theatre, où sont mises en scène une pièce de Lady Gregory et une autre de W.B. Yeats.

1905. En mars, nomination à l'École Berlitz de Trieste.
En juillet, naissance du premier enfant, Giorgio.
Fin octobre, arrivée à Trieste de Stanislaus, à qui son frère a trouvé un poste à l'École Berlitz.
Au cours de cette année, James poursuit la composition de *Stephen le Héros* et des nouvelles de *Dublinois*.

1906. Année marquée par d'interminables discussions avec l'éditeur Grant Richards, qui demande des corrections au texte trop « immoral » de *Dublinois*.

Départ en juillet pour Rome, où Joyce travaillera dans une banque jusqu'en mars 1907.

1907. En mai, publication à Londres de *Musique de chambre*.

En juillet-août, James est hospitalisé pour des rhumatismes aigus. En juillet, naissance du second enfant, Lucia Anna.

De mars à septembre, Joyce prononce en italien, à l'Université Populaire de Trieste, trois conférences consacrées à l'Irlande et à sa culture, et publie dans un journal de la ville trois articles, toujours en italien, sur l'Irlande.

Au début de septembre, Joyce achève « les Morts », la dernière nouvelle de *Dublinois*. Il décide de récrire *Stephen le Héros* en cinq chapitres. Il abandonne l'École Berlitz pour vivre de leçons particulières.

Le 29 novembre, la révision est achevée de ce qui sera le premier chapitre du *Portrait de l'artiste en jeune homme*.

1908. Quelques périodes d'intempérance. Premières atteintes d'une maladie des yeux, qui se renouvelleront dès 1910. Collaboration à la traduction en italien de la pièce de J.M. Synge, *Riders to the Sea*.

1909. Italo Svevo (nom de plume d'Ettore Schmitz, 1861-1928), qui prend des cours d'anglais avec Joyce, et lui parlera culture juive et psychanalyse, lit et commente une partie du *Portrait*.

De fin juillet à début septembre, Joyce est à Dublin pour présenter son fils à son propre père et ramener sa sœur Eva à Trieste. Échange épistolaire avec Nora au sujet d'un de ses anciens amoureux, qui glisse vers l'érotique. Joyce envisage sa candidature à un poste d'italien à l'Université, mais y renonce. Le 20 août, signe avec l'éditeur Maunsel un contrat pour la publication de *Dublinois*. Fin août, voyage à Galway pour rencontrer la famille de Nora. Le 9 septembre, Joyce quitte Dublin.

Les 18 octobre, retour à Dublin, en vue d'ouvrir des salles de cinéma avec le soutien d'hommes d'affaires triestins ; le cinéma Volta y ouvrira le 20 décembre. Joyce quittera Dublin le 2 janvier.

1910-1911. Au cours de ces deux années, démêlés avec George Roberts, directeur de l'éditeur Maunsel, pour les raisons habituelles.

Le 17 août, lettre ouverte de Joyce aux journaux pour narrer ses déboires avec les éditeurs.

1912. En mars, Joyce prononce deux conférences à l'Université Populaire sur Daniel Defoe et William Blake.
En avril, candidat malheureux au diplôme italien de professeur de langues vivantes.
Juillet-15 septembre, dernier voyage de Joyce en Irlande (Dublin, Galway). Nouvel échange épistolaire intime avec Nora. Écrit deux articles sur l'Irlande dans le *Piccolo della Sera*. Après d'ultimes discussions, l'éditeur et l'imprimeur détruisent le tirage de *Dublinois* récemment achevé ; un seul exemplaire sera sauvé. Sur le chemin du retour, Joyce écrit une satire en vers, *De l'eau dans le gaz*, qui sera imprimée à Trieste.
Le 11 novembre, début d'une série de dix conférences sur *Hamlet*.

1913. Joyce est nommé professeur à l'école de commerce Revoltella. Par ailleurs, il a avec ses élèves particuliers de nombreux échanges intellectuels.
En décembre, W.B. Yeats met Joyce en contact avec Ezra Pound, qui à son tour le recommande aux responsables de la revue londonienne *The Egoist*, Dora Marsden, puis Harriet Weaver.
L'année est marquée par un intense travail de récriture du *Portrait de l'artiste en jeune homme*.
D'après R. Ellmann, c'est cette même année que se serait situé l'intermède sentimental dont la jeune Amalia Popper fut l'héroïne et que *Giacomo Joyce* commémore.

1914. Une grande année pour James Joyce.
Du 2 février au 1er septembre 1915, *The Egoist* publie en livraisons le *Portrait de l'artiste en jeune homme*.
Le 15 juin, *Dublinois* est publié à Londres par Grant Richards.
Au printemps, Joyce se lance dans la composition d'*Exils*, qu'il achèvera au début de l'année suivante. **Il commence à travailler à *Ulysse*.**

1915. En juin, Joyce, qui jusque-là a échappé au sort de son frère, interné en tant citoyen britannique suspect par les autorités de l'Empire austro-hongrois dont relève alors Trieste, est autorisé à se réfugier en Suisse, à Zurich. Grâce à Yeats et à Pound, il recevra une aide du Royal Literary Fund.

1916. C'est l'année du soulèvement historique des nationalistes irlandais de Pâques (Easter Rising), préludant aux luttes décisives pour l'indépendance du pays.
Joyce reçoit cent livres sterling de la Liste Civile.
Il tient un « Carnet de rêves » de Nora, accompagnés de ses interprétations.

1917. Édition anglaise du *Portrait* (Egoist Press).
En août, première opération des yeux, d'une longue série.
En février, Harriet Shaw Weaver commence ses versements anonymes d'une allocation.
Joyce adresse à Pound les trois premiers chapitres d'*Ulysse*, que par ailleurs H.S. Weaver s'engage à publier en livraisons dans *The Egoist*.
En mars, début de la publication du livre en livraisons dans *The Little Review*.
Exiles est publié par Grant Richards.
Joyce fonde une troupe d'acteurs qui monte *L'Importance d'être constant* d'Oscar Wilde.

1919. Poursuite de la publication du livre dans la *Little Review* et dans *The Egoist*.
Première représentation d'*Exils* à Munich.

1920. En juin, première rencontre entre Joyce et Pound.
En juillet, Joyce arrive à Paris avec sa famille. Il y fait la connaissance successivement d'Adrienne Monnier, de Sylvia Beach, de T.S. Eliot, de Wyndham Lewis, enfin de Valery Larbaud. En septembre, il adresse son premier schéma d'*Ulysse* à Carlo Linati.
La publication en livraisons se poursuit, jusqu'au moment où les numéros de janvier et de juillet-août de la *Little Review* sont saisis par la Poste américaine. La New York Society for the Suppression of Vice, dans sa plainte en justice, fait état de passages de l'épisode « Nausicaa ».
La dernière livraison dans la *Little Review* (septembre-décembre) contiendra la dernière partie des « Bœufs du Soleil ».

1921. Condamnation des éditrices de la *Little Review* et fin des livraisons. À Paris, Sylvia Beach propose de publier l'ouvrage en volume à l'enseigne de sa librairie Shakespeare and Company ; Joyce accepte. La fabrication du livre et l'achèvement de sa composition par Joyce vont

se combiner jusqu'à la veille même de la publication au début de 1922.
Le 7 décembre, soirée de présentation de l'ouvrage à Shakespeare and Company, avec une conférence de Valery Larbaud et des lectures de l'œuvre.

1922. **Le 2 février, publication d'*Ulysse*.**
En avril, Nora et les enfants font un voyage en Irlande, en pleine guerre civile ; affolé, Joyce les rappelle d'urgence.
En août, la famille voyage en Angleterre, où James Joyce fait la connaissance de Harriet Weaver.

1923. En mars, Joyce commence son *Work in Progress*, titre provisoire de *Finnegans Wake,* dont des fragments seront publiés dans les années vingt et trente dans diverses revues, dont la *Transatlantic Review* et surtout, à partir de 1927, *transition*, revue d'Eugene et Maria Jolas, et plus tard en fascicules chez divers éditeurs.

1924. Première traduction française du *Portrait de l'artiste*.

1927. En juillet, publication de *Pomes Penyeach* [*Poèmes d'api*] par Shakespeare and Company.

1928. Publication à New York d'*Anna Livia Plurabelle*, fragment de *Work in Progress*.

1929. **La traduction française d'*Ulysse* est publiée par Adrienne Monnier à la Maison des Amis des Livres.**
Shakespeare and Company publie *Our Exagmination Round His Factification for Incamination of Work in Progress*, ouvrage collectif destiné à initier le lecteur au *Work in Progress* de Joyce, qui rassemble notamment Samuel Beckett, Marcel Brion, Frank Budgen, Stuart Gilbert, Eugene Jolas, William Carlos Williams.
Une édition pirate d'*Ulysse* est publiée à New York par Samuel Roth.

1930. Publication de l'étude de Stuart Gilbert *James Joyce's « Ulysses »*, qui a bénéficié de l'aide de Joyce.

1931. En mai, publication dans la *Nouvelle Revue Française* de la traduction collective, par une équipe comprenant notamment Samuel Beckett, Philippe Soupault et l'auteur, d'*Anna Livia Plurabelle*.
Le 4 juillet, James et Nora se marient à Londres.
Le 29 décembre, mort de John Joyce, père de l'auteur.

1932. Le 15 février, naissance de Stephen James Joyce, fils de Giorgio et Helen Joyce, qui inspire à Joyce son poème *Ecce Puer*.

Première crise grave de Lucia, nécessitant une hospitalisation.
Parution à Hambourg, chez Odyssey Press, d'une édition d'*Ulysse*, révisée par Stuart Gilbert, qui fera autorité.

1933. Le 6 décembre, à New York, le Juge Woolsey décrète qu'*Ulysse*, n'étant pas obscène, peut être publié aux États-Unis.

1934. Random House publie une édition américaine d'*Ulysse*.
Publication à Londres des souvenirs de Frank Budgen, *James Joyce and the Making of « Ulysses »*.
Lucia est confiée à C.G. Jung et à ses collègues.

1935. Édition d'*Ulysse* illustrée par Matisse (New York Limited Editions Club).

1936. En octobre, *Ulysse* est publié à Londres chez Bodley Head.
En décembre, publication de *Collected Poems* à New York.

1938. Achèvement de *Finnegans Wake*.

1939. Le 2 février, en avant-première, Joyce reçoit un exemplaire de *Finnegans Wake*, dont la publication officielle aura lieu le 4 mai, à Londres et à New York.
En décembre, les Joyce se réfugient à Saint-Gérand-le-Puy, près de Vichy, où l'école de Stephen, dirigée par Maria Jolas, s'était repliée.

1940. En décembre, les Joyce parviennent à entrer en Suisse.

1941. Mort de James Joyce le 13 janvier, à Zurich, des suites d'un ulcère perforé du duodénum.

NOTICE SUR L'HISTOIRE DU TEXTE

Gestation

La venue au monde d'*Ulysse* ne fut pas une *Sturzgeburt*, une de ces naissances abruptes dont le livre nous parle incidemment dans l'épisode des « Bœufs du Soleil ». Elle est plus proche de l'évocation par Stephen Dedalus, dans le *Portrait de l'artiste en jeune homme*, de la naissance de l'âme dans son « épiphanie » : « L'âme naît [...] dans ces moments dont je t'ai parlé. Sa naissance est obscure et lente, plus mystérieuse que celle du corps [1]. »

Si le texte proprement dit d'*Ulysse* porte la marque d'une composition qui s'étendit sur environ sept années, de 1915 [2] à 1922, celle-ci est pourtant inséparable d'un projet plus ancien, et d'une gestation plus longue encore, comme en témoigne ces propos rapportés par son ami Georges Borach :

> Le thème le plus beau, le plus universel [*all-embracing*], est celui de l'*Odyssée*. Il est plus grand, plus humain que celui d'*Hamlet*, de *Don Quichotte*, de Dante, de *Faust*. Le rajeunissement de Faust a sur moi un effet déplaisant. Dante vous fatigue rapidement, tout comme la contemplation du soleil. C'est l'*Odyssée* qui recèle les traits le plus magnifiques, les plus humains. J'avais douze ans lorsque nous avons traité de la Guerre de Troie à l'école ; seule

1. *Œuvres*, t. I, p. 730.
2. La première référence explicite au roman, datable probablement de 1914, se trouve dans un rêve rapporté vers la fin de *Giacomo Joyce* : « Gogarty est venu hier afin de lui être présenté. Cela est en rapport avec *Ulysse*. » Mais c'est dans une correspondance du 16 juin 1915 qu'il dit à son frère Stanislaus travailler à un nouveau roman.

> l'*Odyssée* est restée fixée dans ma mémoire. Pour être franc, je dois dire qu'à douze ans c'est le mysticisme d'Ulysse qui m'a plu. Lorsque j'ai écrit *Dublinois*, j'ai d'abord envisagé de prendre pour titre *Ulysse à Dublin*, avant d'en abandonner l'idée. À Rome, au moment où j'achevais à peu près la première moitié du *Portrait*, je me rendis compte que c'est l'Odyssée qui devait en être la suite, et je me mis à écrire *Ulysse*. Pourquoi retournais-je toujours à ce thème ? Aujourd'hui, *al mezzo del' cammin*, je considère que le sujet de l'*Odyssée* est le plus humain de toute la littérature mondiale. Ulysse ne voulait pas partir pour Troie ; il savait que la raison officielle de la guerre, la dissémination de la culture de l'Hellade, n'était qu'un prétexte pour les marchands grecs à la recherche de nouveaux marchés. Lorsque les sergents recruteurs arrivèrent, il était en train de labourer. Il feignit la folie. Sur quoi ils placèrent son fils âgé de deux ans dans le sillon. Il arrête sa charrue devant l'enfant. Je vous fais remarquer la beauté des motifs : le seul homme de l'Hellade à s'opposer à la guerre, et le père [1] [...].

En fait, c'est en 1915 seulement, pour des raisons exposées dans notre Préface, qu'il se lança dans la composition d'*Ulysse*. Mais les propos de 1917 révèlent la place tenue ici par les souvenirs d'enfance ; on sait maintenant qu'il avait choisi le guerrier grec comme thème d'une rédaction sur « votre héros préféré », et l'on considère que sa préférence d'alors doit beaucoup à sa lecture, non point tant d'Homère, que de sa paraphrase par Charles Lamb dans *The Adventures of Ulysses* (1808) et de *The Authoress of the Odyssey* (1897) de Samuel Butler.

Histoire

L'histoire du texte n'est pas non plus indépendante de circonstances extérieures : des contraintes liées à la Grande Guerre, de l'idéologie anglo-saxonne, tant anglaise qu'américaine, et plus encore de rencontres heureuses avec plusieurs personnalités aptes à saisir les enjeux de l'aventure dans laquelle James Joyce était alors prêt à s'engager.

1. Note prise par George Borach lors d'un entretien avec Joyce le 1er août 1917. Les souvenirs de Borach ont été publiés sous le titre de « *Gespräche mit James Joyce* », *Die Neue Zürcher Zeitung*, nº 827, 3 mai 1931 (première traduction anglaise dans *College English*, 15 mars 1954, p. 325-327, reprise dans Willard Potts, ed., *Portraits of the Artist in Exile, Recollections of James Joyce by Europeans*, University of Washington Press, 1979, p. 69 *sq*. (trad. J. Aubert).

La première de ces rencontres fut, à la fin de 1913, à l'instigation de William Butler Yeats, celle du poète et critique américain Ezra Pound, alors éditeur de la revue anglaise *The Egoist*, qui publia immédiatement, en livraisons, le *Portrait de l'artiste en jeune homme*. Mais c'est après avoir mis la dernière main à *Giacomo Joyce* et à *Exils* que Joyce se lança dans *Ulysse*, au point que le 16 juin 1915, dans une carte postale (en allemand) à son frère Stanislaus, il peut dire : « J'ai écrit le premier épisode de mon nouveau roman. La première partie, la Télémachie, consiste en quatre épisodes ; la seconde, de quinze, à savoir l'errance d'Ulysse ; et la troisième, le retour d'Ulysse au foyer, de trois autres. » On voit que Joyce mettra un certain temps à mettre au point le schéma final d'une tripartition en trois, douze et trois épisodes, puisque le 18 mai 1918, dans une lettre à sa mécène et éditrice Harriet Shaw Weaver, il parlera encore d'un plan en trois / onze / trois épisodes. Ses tâtonnements sont plus nets encore lorsqu'il poursuit : « En tout [j'ai écrit] dix-sept épisodes, dont j'ai livré six, y compris celui qui est à la frappe et partira dans un jour ou deux, Hadès. Il est impossible de dire quelle proportion du livre est vraiment écrite. Plusieurs autres épisodes en sont au second brouillon, mais cela ne signifie rien, car, bien que le troisième épisode de la *Télémachie* soit resté longtemps au stade de second brouillon, j'ai passé dessus environ deux cents heures avant d'aboutir à la version finale. Je crains d'avoir peu d'imagination [...]. Si tout se passe bien, le livre devrait être achevé à l'été de 1919. »

C'est que Joyce, ayant quitté Trieste en juin 1915 et dès lors réfugié à Zurich, poursuivait la composition du roman, au point d'avoir pu s'engager auprès de Pound, en août 1917, à fournir son texte en livraisons à partir du 1er janvier suivant ; Harriet Shaw Weaver s'engagea au nom de *The Egoist*, dont elle était la responsable, et Pound, éditeur européen de la *Little Review*, fit en sorte que cette revue américaine, animée par Margaret Anderson et Jane Heap, publie simultanément l'œuvre de Joyce aux États-Unis.

Les plaintes et les poursuites introduites dans ce pays à partir de 1919 par les U.S. Postal Authorities et la New York Society for the Suppression of Vice, touchant la supposée « indécence » d'*Ulysse*, aboutissant à la confiscation, à la destruction des exemplaires et pour finir à la condamnation, le 14 février 1921, de Margaret Anderson et de Jane Heap, eurent raison des projets de publication en volume. C'est ainsi que les négociations avec l'éditeur Huebsch furent abandonnées. En Grande-Bretagne, où les imprimeurs étaient tenus pour responsables en cas de poursuites pour obscénité, ces décisions eurent un effet dissuasif radical.

Du coup, c'est à Paris que la relève fut prise. Dès le 8 avril 1921, Sylvia Beach, que Joyce avait rencontrée peu après son arrivée en juillet 1920, proposa de publier l'ouvrage à l'enseigne de sa libraire, Shakespeare and Company, avec la collaboration de l'imprimeur Darantière, de Dijon. Ce fut l'occasion pour Joyce, non seulement d'achever son livre, mais de revoir et d'amplifier les épisodes publiés, souvent dans la hâte, et à une époque où il ne disposait pas encore des importantes notes laissées à Trieste. Pendant toute la période allant du début de la fabrication, le 11 juin 1921, à la publication le jour de son anniversaire, le 2 février 1922, il conduira simultanément l'achèvement des derniers épisodes et la révision des épreuves et placards en cours. Le professeur Jeri Johnson, dans sa belle édition, donne un exemple frappant de ce travail complexe : « Au milieu d'août 1921, Joyce était plongé dans les ultimes corrections des placards de "Télémaque", "Nestor", "Protée", "Calypso" et "Lotophages" ; il procédait aux premières révisions et additions aux placards de "Hadès", "Lestrygons", "Charybde et Scylla" et "Rochers Errants" ; composait "Ithaque" de sa main droite, et "Pénélope" de la gauche [1]. » On a calculé que les additions interlinéaires et marginales de cette période constituaient environ 30 % du texte final.

Les errata étaient nombreux, tenant à divers facteurs : multiplicité des brouillons, dactylogrammes et dactylographes, insertions manuscrites plus ou moins lisibles, erreurs de l'imprimeur ou de ses protes souvent peu familiers avec la langue anglaise (et qui néanmoins fournirent un travail digne d'éloges), etc. Joyce lui-même établit une première liste d'errata, puis en commença une seconde, qu'il abandonna. Dans les années qui suivirent, d'autres tentatives suivirent, qui au total semblent avoir introduit plus d'erreurs qu'elles n'en ont corrigé, à l'exception peut-être de l'édition de l'Odyssey Press de 1932, révisée par Stuart Gilbert. Notons qu'un certain Samuel Roth, profitant de l'absence de copyright du livre aux États-Unis, en pirata quatorze épisodes dans sa revue *Two Worlds Monthly* en 1927, puis sous forme de volume en 1929.

1. James Joyce, *Ulysses*, Oxford, Oxford World's Classics, p. XLIV.

L'interdiction qui pesait sur *Ulysse* dans ce pays fut levée par une célèbre décision du Juge John M. Woolsey le 6 décembre 1933. Elle eut pour effet sa publication par Random House dès le 25 janvier 1934. La première édition anglaise, elle, ne fut publiée par John Lane, à la Bodley Head, qu'en 1936.

La première traduction française complète de l'ouvrage parut en février 1929 à la Maison des Amis des Livres. James Joyce avait tenu à ce que fût précisé : « Traduction française intégrale de M. Auguste Morel, assisté par M. Stuart Gilbert, entièrement revue par M. Valery Larbaud et l'auteur ».

La présente traduction, fruit d'un travail collectif dans lequel écrivains et universitaires collaborèrent, a été publiée le 16 juin 2004. Nous lui avons apporté quelques modifications de détail visant à mieux faire apparaître des échos ou résonances stylistiques.

JACQUES AUBERT

SCHÉMAS

Dans le dessein de mieux faire connaître son œuvre et d'en faire saisir le sérieux, James Joyce confia à certaines personnes occupant à ses yeux une position stratégique dans les milieux littéraires des schémas explicatifs d'*Ulysse*. Le plus complet fut adressé à Carlo Linati le 21 septembre 1920, donc plusieurs années avant l'achèvement de l'ensemble, et alors que plusieurs épisodes n'étaient pas encore ébauchés ; Richard Ellmann l'a édité et traduit de l'original italien dans *Ulysses on the Liffey*[1]. Deux autres, plus succincts, sont à peu près identiques. L'un d'eux a été repris par Stuart Gilbert dans *James Joyce's Ulysses*[2]. L'autre, dans un premier temps offert par James Joyce à Sylvia Beach, fut ensuite confié par elle à Herbert Gorman, qui l'édita dans la première biographie de Joyce[3] ; c'est le plus complet des deux, indiquant, à la différence du précédent, mais comme le schéma Linati, la division tripartite du livre ainsi que des correspondances homériques. Il était, à l'origine, destiné sans doute à Valery Larbaud en vue de sa conférence du 7 décembre 1921 à la Maison des Amis des Livres. À peu près à la même époque, un autre schéma analogue avait été confié à Jacques Benoist-Méchin, le traducteur des fragments lus ce soir-là[4]. Le schéma Linati correspond donc à une phase intermédiaire du travail de composition de James Joyce, et certaines orientations ou correspondances qu'il indique seront en définitive abandonnées — encore convient-il ici de procéder avec prudence et d'examiner les textes avec soin. Le schéma Gilbert-Gorman, en revanche, rend compte de façon plus fidèle des thèmes exploités dans l'œuvre. Nous reproduisons ces deux schémas aux pages suivantes.

1. Faber & Faber, Londres, 1972.
2. Faber & Faber, 1930, réédition en 1952.
3. Herbert S. Gorman, *James Joyce*, 1940 ; édition révisée, Rinehart, New York, 1948.
4. Voir Ellman, t. II, p. 153-155. Ce schéma fut, semble-t-il, relié avec l'exemplaire offert par l'auteur à J. Benoist-Méchin.

Schéma Linati

Titre	*Heure*	*Couleur*	*Personnages*	*Technique*	*Science, Art*	*Sens (Signification)*	*Organe*	*Symbole*
I. L'AUBE								
1. Télémaque	8-9	Or Blanc	Télémaque Antinoüs Mentor Pallas Les Prétendants Pénélope (Muse)	Dialogue à trois et quatre Narration Soliloque	Théologie	Le combat du fils déposédé	Télémaque n'éprouve pas encore son corps	Hamlet, Irlande, Stephen
2. Nestor	9-10	Marron	Nestor Télémaque Pisistrate Hélène	Dialogue à deux personnes Narration Soliloque	Histoire	La sagesse du monde ancien		Ulster, Femme, Sens commun
3. Protée	10-11	Bleu	Protée Ménélas Hélène Mégapenthès Télémaque	Soliloque	Philologie	Materia Prima (ΜΡΩΤΈΥΣ)		Parole, Signature, Lune, Évolution, Métamorphose

II. LE MATIN

1. Calypso (4)	8-9	Orange	Calypso (Pénélope épouse) Ulysse Callidicé	Dialogue à deux Soliloque	Mythologie	Le départ du voyageur	Reins	Vagin, Exil, Famille, Nymphe, Israël asservie
2. Les Lotophages (5)	9-10	Brun	Euryloque Politès Ulysse Nausicaa (2)	Dialogue Soliloque Prière	Chimie	La séduction de la Foi	Peau	Hôte, Pénis dans le bain, Écume, Fleur, Drogues, Castration, Avoine
3. Hadès (6)	11-12	Noir Blanc	Ulysse Elpénor Ajax Agamemnon Hercule Ériphyle Sisyphe Orion Laërte etc. Prométhée Cerbère Tirésias Hadès Proserpine Télémaque Antinoüs	Narration Dialogue	—	Descente vers le Néant	Cœur	Cimetière, Sacré Cœur, Le Passé, L'inconnu, L'Inconscient, Malaise cardiaque, Reliques, Cœur blessé

Titre	*Heure*	*Couleur*	*Personnages*	*Techniques*	*Science, Art*	*Sens (Signification)*	*Organe*	*Symbole*
				MIDI				
4 Éole (7)	12-1	Rouge	Éole Fils Télémaque Mentor Ulysse (2)	Simbouleutikè (éloquence délibérative) Dikanikè (éloquence judiciaire) Epidictique (éloquence publique) Tropes	Rhétorique	La Dérision de la Victoire	Poumons	Machines, Vent, Faim, Lucane, Destinées ratées, presse, Mutabilité
5. Les Lestrygons (8)	1-2	Couleur sang	Antiphatès La fille en séductrice Ulysse	Prose péristaltique	Architecture	Abattement	Œsophage	Sacrifice sanglant, Aliments, Honte
6. Charybde et Scylla (9)	2-3	—	Charybde et Scylla Ulysse Télémaque Antinoüs	Tourbillons	Littérature	Dilemme à deux branches	Cerveau	Hamlet, Shakespeare, le Christ, Socrate, Londres et Stratford, Scolastique et Mysticisme, Platon et Aristote, Jeunesse et Maturité

(anti-ailes, umbilicus achevé)

7. Les Rochers errants (10)	3-4	Arc-en-ciel	Objets Lieux Forces Ulysse	Labyrinthe se déplaçant entre deux rives	Mécanique	L'Environnement hostile	Sang	Christ et César, Erreurs, Homonymes, Synchronisation, Ressemblances
8. Les Sirènes (11)	4-5	Corail	Leucothée Parthénope Ulysse Orphée Ménélas Argonautes	Fuga per canonem	Musique	La Douce Ruse	Oreille	Promesses, Féminisme Sons, Embellissements
9. Le Cyclope (12)	5-6	Vert	Prométhée Personne Ulysse Galatée	Symétrie alternée	Chirurgie	La Terreur égocide	Muscles Os	Nation, État, Religion, Dynastie, Idéalisme, Exagération, Fanatisme, Collectivité
10. Nausicaa (13)	8-9	Gris	Nausicaa Servantes Alcinoüs Arétè Ulysse	Progression rétrogressive	Peinture	Le Mirage projeté	Œil Nez	Onanisme, Féminin, Hypocrisie
11. Les Bœufs du Soleil	10-11	Blanc	Lampétia Phaétus Hélios Hypérion Jupiter Ulysse	Prose (Embryon-Fœtus-Naissance)	Physique	Les Troupeaux éternels	Matrice Utérus	Fécondation, Fraudes Parthénogenèse

Titre	*Heure*	*Couleur*	*Personnages*	*Techniques*	*Science, Art*	*Sens (Signification)*	*Organe*	*Symbole*
12. Circé (15)	11-12	Violet	Circé Les Bêtes Télémaque Hermès	Vision animée jusqu'à explosion	Danse	La Sorcière anthropophobe	Appareil locomoteur Squelette	Zoologie, Personnification, Panthéisme, Magie, Poison, Antidote, Ronde
				III. MINUIT (Fusion de Bloom et de Stephen) (Ulysse et Télémaque)				
1. Eumée (16)	12-1	—	Eumée, Ulysse, Télémaque, Le Mauvais Berger, Ulysse Pseudangélos	Prose détendue		L'embuscade indigène	Nerfs	
2. Ithaque (17)	1-2	— Étoilé, lacté	Ulysse, Télémaque, Euryclée, Les Prétendants	Dialogue Style apaisé Fusion		L'Espérance armée	Sucs	
3. Pénélope (18)	∞	Étoilé, lacté, *puis* nouvelle aube	Laërte, Ulysse, Pénélope	Monologue Style résigné		Le Passé dort	Graisse	

NUIT PROFONDE - AUBE
Ulysse (Bloom) Télémaque (Stephen)

Schéma Gorman

Titre	*Scène*	*Heure*	*Organe*	*Art*	*Couleur*	*Symbole*	*Technique*	*Correspondance*
				I. TÉLÉMACHIE				
1. Télémaque	La Tour	8 h		Théologie	Blanc, or	Héritier	Narration (jeune)	Stephen : Télémaque-Hamlet Buck Mulligan Antinoüs Laitière : Mentor
2. Nestor	L'École	10 h		Histoire	Brun	Cheval	Catéchisme (personnel)	Deasy : Nestor, Pisistrate Sargent : Hélène, Mme O'Shea
3. Protée	La Grève (mâle)	11 h	Prima	Philologie	Vert	Marée	Monologue	Kevin Egan : Ménélas Mégapenthès : le Ramasseur de coquillages

Titre	*Scène*	*Heure*	*Organe*	*Art*	*Couleur*	*Symbole*	*Technique*	*Correspondance*
				II. OYDSSÉE				
1. Calypso	La Maison	8 h	Rein	Économie	Orange	Nymphe	Narration (mûre)	Calypso : la Nymphe Dlugacz : le Rappel Sion : Ithaque
2. Les Lotophages	Le Bain	10 h	Organes génitaux	Botanique, Chimie		Eucharistie	Narcissisme	Lotophages : Chevaux de fiacre, Communiants, Soldats, Eunuques, Baigneur, Spectateurs de cricket
3. Hadès	Le Cimetière	11 h	Cœur	Religion	Blanc, noir	Gardien	Incubisme	Dodder, Grand Canal, Canal-Royal, Liffey : les quatre fleuves. Cunningham : Sisyphe. Le Père Coffey : Cerbère Gardien : Hadès Daniel O'Connell : Hercule Dignam : Elpénor Parnell : Agamemnon Mentor, Ajax
4. Éole	Le Journal	Midi	Poumons	Rhétorique	Rouge	Rédacteur en chef	Enthymémique	Crawford : Éole Inceste : journalisme Île flottante : presse

5. Les Lestrygons	Le Déjeuner	13 h	Œsophage	Architecture		Agents de police	Péristaltique	Antiphatès : faim Leurre : nourriture Lestrygons : dents
6. Charybde et Scylla	La Bibliothèque	14 h	Cerveau	Littérature		Stratford, Londres	Dialectique	Le Roc : Aristote, le Dogme, Stratford Le Tourbillon : Platon, Mysticisme, Londres
7. Les Rochers errants	Les Rues	15 h	Sang	Mécanique		Citoyens	Labyrinthe	Ulysse : Socrate, Jésus, Shakespeare Bosphore : Liffey Rive européenne : Vice-Roi Rive asiatique : Conmee. Symplegades ; groupes de citoyens
8. Les Sirènes	La salle de concert	16 h	Oreille	Musique		Serveuses	Fuga per canonem	Sirènes : serveuses Île : bar
9. Le Cyclope	La Taverne	17 h	Muscle	Politique		Fénian	Gigantisme	Personne : Je Épieu : cigare Défi : apothéose
10. Nausicaa	Les Rochers	20 h	Œil, nez	Peinture	Gris, bleu	Vierge	Tumescence Détumescence	Phéacie : Étoile de la mer. Gertie : Nausicaa

Titre	*Scène*	*Heure*	*Organe*	*Art*	*Couleur*	*Symbole*	*Technique*	*Correspondance*
11. Les Bœufs du Soleil	L'Hôpital	22 h	Matrice	Médecine	Blanc	Mères	Développement embryonnaire	Hôpital : Trinacrie Lampétia, Phaétousa : Infirmières Hélios : Horne Bœufs : fertilité Crime : fraude
12. Circé	Le Bordel	Minuit	Appareil locomoteur	Magie		Putain	Hallucination	Circé : Bella
				III. NOSTOS				
1. Eumée	L'Abri	1 h	Nerfs	Navigations		Marins	Narration (vieille)	Eumée : Skinthe-Goat Marin : Ulysse Pseudangélos Mélanthios : Corley
2. Ithaque	La Maison	2 h	Squelette	Science		Comètes	Catéchisme (impersonnel)	Eurymaque : Boylan Prétendants : scrupules Arc : raison
3. Pénélope	Le Lit		Chair			Terre	Monologue (féminin)	Pénélope : Terre Toile : Mouvement

BIBLIOGRAPHIE

ŒUVRES DE JOYCE

Les œuvres de James Joyce sont publiées en langue française aux Éditions Gallimard. Elles ont été rassemblées pour l'essentiel en deux volumes (1982 et 1995) dans la Bibliothèque de la Pléiade. *Finnegans Wake* a été publié dans la collection « Du Monde Entier » dans une traduction de Philippe Lavergne en 1982, et se trouve disponible maintenant dans la collection Folio classique.

Les principales éditions en langue anglaise sont les suivantes :

James Joyce. Poems and Shorter Writings, éd. sous la direction de Richard Ellmann, A. Walton Litz et John Whittier-Ferguson, Londres, Faber & Faber, 1991.

Letters of James Joyce, vol. I, éd. sous la direction de Stuart Gilbert ; vol. II et III, éd. R. Ellmann, Londres, Faber & Faber, 1957 ; New York, The Viking Press, 1966.

Selected Letters of James Joyce, éd. sous la direction de R. Ellmann, New York, The Viking Press, 1975.

The Critical Writings of James Joyce, éd. sous la direction de Ellsworth Mason et Richard Ellmann, The Viking Press, 1959.

The James Joyce Archive, éd. Michael Groden, 63 vol., New York et Londres, Garland, 1977-1980.

James Joyce's Manuscript. An Index to the James Joyce Archive, éd. Michael Groden, New York, Garland, 1980.

BIBLIOGRAPHE GÉNÉRALE SUR JOYCE

DEMING, Robert H., *A Bibliography of James Joyce Studies*, Lawrence, University of Kansas Libraries, 1964 ; Boston, J.K. Hall, 1977.

SLOCUM, John J. ; CAHOON, Herbert, *A Bibliography of James Joyce (1882-1941)*, New Haven, Yale University Press, 1953 ; réimpression Greenwood Press, Westport, Connecticut, 1971.

STALEY, Thomas F., *An Annotated Critical Bibliography of James Joyce*, St. Martin's Press, New York, 1989.

RICE, Thomas J., *James Joyce, A Guide to Research*, Londres, Garland, 1982.

Ces ouvrages doivent être complétés par la consultation des « Supplemental James Joyce Checklists », puis des « Current James Joyce Checklists » procurées après 1964 pour le *James Joyce Quarterly* par Cohn, Alan M., et Kain, Richard M.

On trouvera de précieuses recensions des publications récentes, ainsi que des annonces ou comptes rendus d'événements concernant James Joyce et son œuvre, dans le *James Joyce Broadsheet*, publié par Pieter Bekker, Richard Brown et Alister Stead (The School of English, University of Leeds, Leeds, LS2 9JT, United Kingdom), et dans *The James Joyce Literary Supplement*, édité par Patrick A. McCarthy (PO Box 248145, Coral Gables, Fl 33124, USA ; jjls.english@miami.edu).

Signalons enfin l'importance, pour les chercheurs européens, de la *James Joyce Stiftung* de Zurich, fondation (et bibliothèque) créée et dirigée par le maître ès études joyciennes, le Dr Fritz Senn (Augustinergasse, 9, 8001 Zurich).

ULYSSE

Édition

Outre les références fournies dans la Note sur l'édition, signalons :

« *Ulysses* ». *A Facsimile of the Manuscript*, édition sous la direction de Clive Driver, 3 vol., Londres, Faber & Faber, 1975.

[Le volume III contient le fac-similé de l'édition originale de 1922.]

« *Ulysses* ». *A Critical and Synoptic Edition*, édition sous la direction de Hans Walter Gabler, avec la collaboration de Wolfhard Steppe et de Claus Melchior, 3 vol., New York et Londres, Garland, 1984 ; éd. révisée, 1986.

A Handlist to James Joyce's Ulysses. *A Complete Alphabetical Index to the Critical Reading Text*, (vol. 582), éd. de Wolfhard Steppe, avec la collaboration de Hans Walter Gabler, Garland Reference Library of the Humanities, vol. 582, New York et Londres, Garland, 1986.

Études critiques

ADAMS, Robert M., *Surface and Symbol. The Consistency of James Joyce's « Ulysses »*, Oxford, University Press, 1962 ; édition révisée, 1967.

ELLMANN, Richard, *« Ulysses » on the Liffey*, Londres, Faber & Faber, 1972 ; édition corrigée, 1974.

FERRER, Daniel, JACQUET, Claude, TOPIA, André, *« Ulysse » à l'article. Joyce aux marges du roman*, Tusson, Du Lérot Éditeur, 1991.

FOREST, Philippe, *Beaucoup de jours, d'après* Ulysse *de James Joyce*, Nantes, Éditions nouvelles Cécile Defaut, 2011.

GIFFORD, Don ; SEIDMAN, Robert J., *« Ulysses » Annotated. Notes for James Joyce's « Ulysses »*, Berkeley, University of California Press, 1988.

GILBERT, Stuart, *James Joyce's « Ulysses ». A Study*, Londres, Faber & Faber, 1930 ; édition révisée, 1952.

GOLDBERG, Samuel L., *The Classical Temper. A Study of James Joyce's « Ulysses »*, Londres Chatto & Windus, 1961.

GRODEN, Michael, *« Ulysses » in Progress*, Princeton, Princeton University Press, 1977.

HART, Clive, HAYMAN, David, *James Joyce's « Ulysses ». Critical Essays*, Berkeley, University of California Press, 1974.

HAYMAN, David, *« Ulysses ». The Mechanics of Meaning*, Madison, University of Wisconsin Press, 1970 ; édition révisée, 1982.

HERRING, Philip, *Joyce's Notes and Early Drafts for « Ulysses ». Selections from the Buffalo Collection*, Charlottesville, University Press of Virginia, 1977.

HERRING, Philip, *Joyce's « Ulysses », Notesheets in the British Museum*, Charlottesville, University Press of Virginia, 1972.

LAMB, Charles, « The Adventures of Ulysses » (1808), dans *The Works of Charles Lamb*, éd. William McDonald, vol. 7, *Stories for Children*, Londres, Dent, 1903 ; Split Pea Press, 1992.

LARBAUD, Valery, « James Joyce », *Nouvelle Revue Française*, 18 avril 1922, p. 385-407.

LARBAUD, Valery, « The *Ulysses* of James Joyce », *Criterion*, 1, 1922, p. 94-103.

LAWRENCE, Karen, *The Odyssey of Style in « Ulysses »*, Princeton, Princeton University Press, 1981.

LITZ, A. Walton, *The Art of James Joyce. Method and Design in « Ulysses » and « Finnegans Wake »*, New York, Oxford University Press, 1961 ; édition révisée, 1964.

RABATÉ, Jean-Michel, *Portrait de l'auteur en autre lecteur*, Paris, Éditions Cistre, 1984.

SALADO, Régis, « Monologues antérieurs », dans *Ulysse à l'article. Joyce aux marges du roman*, éd. de Daniel Ferrer *et al.*, *op. cit*.

SEIDEL, Michael, *Epic Geography. James Joyce's « Ulysses »*, Princeton, Princeton University Press, 1976.

SENN, Fritz, « Book of Many Turns », dans *« Ulysses ». Fifty Years*, éd de Thomas F. Staley, Indiana University Press, 1972.

SENN, Fritz, « Seven Against *Ulysses*, *James Joyce Quarterly*, 4/3, printemps 1967, p. 170-193.

STANFORD, W.B., *The Ulysses Theme. A Study in the Adaptability of a Traditional Hero*, Oxford, Basil Blackwell, 1954 ; éd. révisée, 1968.

THORNTON, Weldon, *Allusions in Ulysses*, Chapel Hill, The University of North Carolina Press, 1961 ; édition révisée, 1968.

AUTOUR DE JOYCE

Biographies

ELLMANN, Richard, *James Joyce*, New York, Oxford University Press, 1959 ; révisée, 1983 ; traduite en français par André Cœroy, Paris, Gallimard, coll. « Tel », 2 vol., 1987 [la biographie la plus complète à ce jour].

GORMAN, Herbert, *James Joyce. A Definitive Biography*, London,

John Lane and Bodley Head, 1939 [cette biographie a bénéficié de la collaboration de Joyce].

Souvenirs et témoignages de contemporains de Joyce

BEACH, Sylvia, *Shakespeare and Company*, New York, Harcourt, Brace and Company, 1959 ; Paris, Mercure de France, 1962 ; London, Plantin, 1987.

GILLET, Louis, *Stèle pour James Joyce*, Paris, Éditions du Sagittaire, 1941.

Joyce, Stanislaus, *The Complete Dublin Diary of Stanislaus Joyce*, Ithaca, Cornell University Press, 1971.

James Joyce's Letters to Sylvia Beach, éd. de Melissa Banta et Oscar Silverman, Bloomington, Indiana University Press, 1987.

A James Joyce Yearbook, éd. Maria Jolas, Paris, Transition Press, 1949.

JOYCE, Stanislaus, *My Brother's Keeper. James Joyce's Early Years*, ed. R. Ellmann, Londres, Faber & Faber, 1958.

LIDDERDALE, Jane, NICHOLSON, Mary, *Dear Miss Weaver. Harriet Shaw Weaver, 1876-1961*, New York, Viking, 1970 ; Londres, Faber & Faber, 1970.

MERCANTON, Jacques, *Les Heures de James Joyce*, Lausanne, Éditions L'Âge d'Homme, 1967.

MONNIER, Adrienne, *Rue de l'Odéon*, Paris, Albin Michel, 1960.

Portraits of the Artist in Exile. Recollections of James Joyce by Europeans, éd. Willard Potts, Seattle, University of Washington Press, 1979 ; New York, Harcourt Brace, 1986.

POUND, Ezra, *Pound / Joyce. The Letters of Ezra Pound to James Joyce, with Pound's Essays on Joyce*, édition sous la direction de Forrest Read, 1967 ; Londres, Faber & Faber, 1968.

NOTICES

I. TÉLÉMAQUE

Le chant I de l'*Odyssée* nous présente Télémaque à Ithaque, dans une situation peu enviable. Non seulement son père, Ulysse, se bat au loin, mais il se sent menacé par le groupe des soupirants de sa mère Pénélope, qui sont prêts à le tuer, lui, ainsi que son père si celui-ci revient. Heureusement, Pallas Athénée, protectrice d'Ulysse, apparaît à Télémaque sous l'apparence de Mentès, roi de Taphos et vieil ami de la famille, qui l'encourage à partir à la recherche de son père. Le poème est ainsi placé d'emblée sous le double signe de la crise et du départ, de la coupure, auquel il convient d'ajouter la méthode du déguisement.

Quel sens a pu prendre chez Joyce la transcription d'un tel schéma dans le cadre moderne qu'il a choisi ? Ce cadre est celui d'une tour au sud de la baie de Dublin, jadis tour de guet autant que de défense, occupée par trois étudiants à leur petit déjeuner, qui, en attendant leur bain matinal, devisent de tout et de rien. Mais pour l'un d'entre eux, Stephen Dedalus, c'est le moment où il se prépare à prendre congé de tout un monde, ou plutôt de deux mondes, l'Irlande, et sans doute de tout un monde intérieur riche, complexe, et souvent douloureux.

Il s'engage dans « un temps du comprendre », au cours duquel il a saisi qu'il était sous le double empire de la couronne britannique et de l'Église catholique. Ce sont à ses yeux des usurpateurs d'un héritage plus authentique, mais en même temps plus obscur, parce que symbolique, et non matériel. Le temps qui s'achève ici, et la rupture qui logiquement devrait s'ensuivre, ne débouchent sur aucune conclusion, mais laissent plutôt, à la charge du héros, des restes, des bribes d'images et de langage, comme autant de souvenirs énigmatiques.

Coupures et fêlure

Les coupures permettent de saisir les enjeux de la crise. C'est d'abord la distance prise par ce Stephen à l'égard des pitreries blasphématoires de Mulligan, avec aussi la tentation avancée par la culture anglo-irlandaise. Son silence devant la proposition d'helléniser l'Irlande est lourd de non-dits : Dublin est bien loin d'Oxford, de ses débats très victoriens, des enfants de la bourgeoisie et de l'aristocratie qui peuplent ses antiques collèges. Joyce ne pouvait oublier que, catholique, il n'avait pas eu accès au Trinity College de Dublin, fondé jadis pour propager la foi protestante. Si ses maîtres jésuites en avaient fait un très bon latiniste, c'est en autodidacte qu'il dut plus tard se former au grec. La coupure, en même temps que culturelle, est sociale et économique, Stephen le fait sentir à l'occasion.

Pourtant, le véritable changement, le surgissement d'une altérité fondatrice commence avec son regard sur lui-même dans un miroir fêlé, quitte à ne point en rester là.

Fantômes et écriture

Cette altérité se développe en prenant appui sur un dit poétique, lui-même généré par un mot équivoque, *brooding*, « rumination » mais aussi « couvade ». Tout un procès de remémoration se déclenche alors, tournant autour de l'amour, « amer mystère » associé à la mère : une mère à la fois mourante, et porteuse de secrets et de souvenirs aussi dérisoires que poignants. Et c'est en cet instant, révélé par un souvenir tournant au cauchemar, que le moment de rupture prend une profondeur tragique.

Certes, ce moment semble se clore assez vite, la vie paraît reprendre ses droits : le déjeuner se poursuit, la vieille paysanne apporte la touche folklorique attendue, espérée même par le visiteur anglais. Cependant, les échanges entre les gais (et moins gais) compagnons sont filtrés par le regard, l'écoute et la mémoire de Stephen. Et c'est ainsi que, au moment même où il va prendre la route, certaines pierres d'attente sont posées ; il ne s'agit pas de thèmes à proprement parler, mais d'éléments discrets, hétérogènes à l'occasion, propres à nourrir plus tard, dans d'autres épisodes, dits philosophiques et discours inédits, informant une poétique toujours recommencée.

Tout au long de ces pages, le texte ne cesse de donner la parole à Stephen, à glisser son point de vue entre les phrases, entre les mots, si discrètement que l'on n'est plus toujours sûr de savoir qui parle. Si l'épisode s'achève sur le thème de l'usurpateur, c'est que celui-ci, sous diverses apparences, vient parasiter de son bavardage et de son idéologie la recherche subjective de celui qui semble être le héros du récit. C'est qu'en réalité, dès ces premières pages, il ne cesse d'interroger ses souvenirs et ses rêves, d'analyser de son mieux les mystères qu'ils lui présentent avec insistance : le mystère de l'amour, le mystère de la paternité, qui ont partie liée en lui. Chaque fois, on constate que c'est l'*art*, à travers la poésie de langue anglaise, ou bien latine, ou encore la musique sacrée, qui sert de déclencheur.

Progressivement, le processus de décantation à l'œuvre ici produira ses effets, d'abord au fil des trois épisodes liminaires, qui verront Stephen Dedalus, en tant que personnage, quitter la scène. Il y reviendra, en situation centrale, dans l'épisode IX, « Charybde et Scylla », pour reprendre et développer avec force, sinon, semble-t-il dire, avec conviction, certains thèmes qu'il est parvenu à isoler. Pas tous, pourtant, car celui de la Femme, de ses désirs et de ses jouissances, apparu avec le retour de la mère dans ses pensées et dans ses rêves, reviendra, avec l'épisode XVIII, « Pénélope », clore l'ouvrage par la grâce du verbe de Molly Bloom.

JACQUES AUBERT

II. NESTOR

L'*Iliade* raconte qu'un Nestor déjà vieux s'engage dans la guerre de Troie : sa longue expérience — celle-là même dont se prévaut Deasy, le directeur de l'école où Stephen est un improbable professeur — lui confère une sagesse inégalée lui valant le respect de tous les chefs de guerre grecs. Dans l'*Odyssée*, Nestor s'est retiré dans l'île de Pylos, entouré de ses fils, et c'est auprès de lui que Télémaque, sur les conseils d'Athéna, cherche des nouvelles de son père (chant III). Si Nestor, à l'instar de Deasy, n'est point avare de récits, il ignore tout du sort d'Ulysse et il conseille à Télémaque de se rendre à Sparte pour interroger Ménélas.

Au terme de « Télémaque », Stephen a décidé de quitter la Martello Tower et d'en remettre les clés aux prétendants. Il se livre ainsi à l'exil et à l'incertitude puisqu'il a également décidé de ne pas retourner chez Dedalus père. D'une certaine manière, « Nestor » constitue un intermède, où nous voyons Stephen installé, très provisoirement, dans ses fonctions de répétiteur. Le lecteur est témoin de ses difficultés à confirmer l'ordre que suppose ce type d'enseignement de l'histoire et des mathématiques qui lui est confié. L'épisode, préalable à l'errance et à la dépense sans retenue de son maigre salaire, se déroule très clairement en trois temps. D'abord, un cours portant sur Pyrrhus donne à Stephen l'occasion de méditer sur le « cauchemar » que l'histoire constitue pour lui, elle qui semble tout figer à jamais. Une méditation sur les possibilités « exclues » permet d'enfoncer un coin dans l'irrémédiable sous la forme du « et si... », opportunément relayée par la demande de ses élèves pour *une* histoire. La devinette que Stephen leur propose semble tomber *à côté*, car elle s'adresse avant tout à lui-même, en parabole du travail de deuil et du travail de l'écriture : tel le renard, il lui faut gratter. Le deuxième temps s'ouvre à l'appel qui va mobiliser les enfants dans le jeu de hockey. Stephen est laissé seul avec l'élève Sargent, dont la gaucherie le touche et lui pose avec insistance la question de l'amour d'une mère, de son mystère qui semble condamner l'enfant au secret. Enfin, l'entretien avec Deasy, directeur de l'école, permet de remettre en jeu la question de l'histoire, des manipulations et réécritures auxquelles se livrent ceux qui prétendent être les maîtres du sens. Fidèle au commandement que Stephen s'était donné de n'utiliser pour sa défense que « le silence, l'exil et la ruse[1] », il reste essentiellement silencieux tandis que Deasy pérore et répand son discours satisfait et mortifère. Alors que l'exil l'attend à l'issue de l'épisode, nous voyons la ruse à l'œuvre lorsque Stephen convoque Aristote pour déjouer l'histoire en faisant grand cas de la notion de mouvement, ce qui lui permettra de la rejouer sur la scène de l'écriture qui se dégage devant lui.

Il est aisé de relever un certain nombre des déplacements opérés par Joyce. Là où Nestor oriente Télémaque dans sa

1. *Portrait de l'artiste en jeune homme*, dans *Œuvres*, Bibl. de la Pléiade, t. I, p. 774.

quête et l'envoie chez les Lacédémoniens en compagnie de son fils Pisistrate, Deasy cherche, lui, à mettre Stephen à son service en lui confiant une lettre pour la presse. Là où Nestor n'a aucun mal à reconnaître en Télémaque le digne fils d'Ulysse (« cet Ulysse divin... Ton père !... tu serais vraiment son fils ?... à Lui. Mais ta vue me confond !... Mêmes mots..., même tact ! comment peut-on, si jeune, à ce point refléter le langage d'un père[1] ?...), Deasy fait montre de condescendance vis-à-vis de Stephen. Enfin, si Nestor est plutôt prolixe, il est conscient de l'impossibilité de dire le tout de l'histoire, ne fût-ce que celle de la prise de Troie, quand cinq ou six années n'y suffiraient pas (« avant de tout savoir, tu rentrerais lassé au pays de tes pères[2] »), tandis que Deasy ne répugne ni aux distorsions ni aux raccourcis mensongers pour faire s'accorder l'histoire avec le sens qu'il prétend détenir, à la fois sa vérité et son cheminement vers la Révélation. Pour Deasy, enfin, il est entendu que la légitimité et le bon droit de sa nation, l'Ulster, et, au-delà, la Grande-Bretagne, ne font aucun doute. La colonisation de l'Irlande et l'appropriation de ses richesses se justifient et s'autorisent de Dieu lui-même, selon une logique protestante quelque peu pervertie et mâtinée de Hegel : « Toute l'histoire humaine s'avance vers un seul et unique but, la manifestation de Dieu » (p. 92).

En ce qui concerne les correspondances homériques, il est intéressant de mettre en regard les schémas Linati et Gorman[3], puisque le premier pose la femme comme symbole de l'épisode (à côté de l'Ulster et du sens commun, tous deux associés au personnage de Deasy), tandis que le second attribue ce rôle au cheval. La femme et le cheval, outre les images évidentes de domination masculine véhiculées par ces signifiants, sont comme les deux pôles de l'histoire collective qui précipite Ulysse dans son odyssée personnelle. À l'origine de la guerre, insiste Deasy, il y a Hélène, femme tentatrice et sans parole, objet de désir dont il faut se saisir quel qu'en soit le prix. Le cheval, éminemment lourd de connotations sexuelles, est instrument de

1. *Odyssée*, III, v. 122-25 (traduction de Victor Bérard, Bibl. de la Pléiade, 1955).
2. *Ibid.*, v. 116-117.
3. Ces schémas furent d'abord confiés par Joyce aux traducteurs et commentateurs d'*Ulysse* pour les aider dans leur tâche, autant que pour souligner le sérieux de son entreprise littéraire. Voir p. 1221-1230.

guerre. Nestor est d'ailleurs conducteur de char et « dompteur de chevaux », tandis que Deasy se passionne lui aussi pour cette noble conquête. Bien sûr, le cheval est aussi la ruse ultime d'Ulysse, celui qui avait simulé la folie afin de se soustraire à la guerre, pour en finir avec les vains combats : l'artifice qu'il imagine joue de la crédulité humaine quant au divin et à la certitude d'avoir les dieux, ou Dieu, dans le cas de Deasy, dans son camp…

Cependant, la femme est aussi à l'origine d'une transmission, qui se dit dans ces mots : *amour de la mère*, « *Amor matris* : génitif subjectif et objectif » (p. 83). Avec la perte de sa mère, il reste à Stephen la tâche écrasante, mais qui pourra être infiniment créatrice, de surmonter la culpabilité qui l'assaille. La pensée de la mère ouvre pour l'heure sur un abîme de chair que Stephen ne peut envisager, et le père n'étant qu'une « fiction légale » ou « un mal nécessaire » (p. 355), il lui faut assurer par l'écriture une fondation sur le vide[1]. En cela, Deasy est certainement une image de père bien commode pour tout ce qu'elle a de risible et de composé, une image de vieillard radoteur drapé dans les certitudes de « la sagesse du monde ancien » (« sens » ironiquement donné par le schéma Linati à l'épisode).

Nous sommes alors fort éloignés du monde grec qui était, lui, véritablement habité par le divin, univers où les héros étaient eux-mêmes divins (c'est l'une des épithètes les plus courantes pour qualifier Ulysse ou les personnages de premier plan) : ils sont bien nés, tout entiers armés d'un sens et d'un destin. Stephen doit en revanche trouver sa voie sans pouvoir compter sur une quelconque généalogie puisque sa famille est marquée par la ruine : « Maisons en plein déclin, la mienne, la sienne, toutes » (p. 100). Deasy, avec ses prétentions, apparaît comme l'image comique et dégénérée de ce monde antique. Son intérêt obsessionnel pour la fièvre aphteuse, maladie des bovins (*foot and mouth disease*), ainsi que son nom, *Deasy*, proche du mot *disease*, le trahissent comme l'un de ceux qui traquent partout la dégénérescence du monde moderne, c'est-à-dire aussi du monde artiste[2], et disent assez à Stephen qu'il doit

1. Voir à ce sujet les études indispensables de Jean-Michel Rabaté, *Joyce, portrait de l'auteur en autre lecteur* (Cistre, Petit-Rœulx, 1984) et *Joyce Upon the Void* (New York, St. Martin's Press, 1991).

2. Mentionnons ici *Dégénérescence* de Max Nordau (*Entartung*, 1892), point nodal d'un ressentiment contre l'art, forcément dégénéré dès qu'il dérange, et d'une haine qui n'avait pas dit son dernier mot en 1922.

s'écarter de lui et de l'institution scolaire qu'il dirige, où la transmission se fait sur le mode de la répétition et de la reproduction à l'identique de savoirs qu'on a laissé mourir.

Alors que « Télémaque », le premier épisode, introduisait le motif du deuil et présentait l'histoire et son cortège de douleurs comme ce qui ne peut cesser de faire retour, « Nestor » ajoute encore la thématique de la dette. Quel prix faut-il payer pour se donner le droit d'avancer ? L'écriture donnera à Stephen les modalités du chemin inédit, mais inéluctable, à parcourir. De fait, elle sera le lieu d'une véritable négociation entre, d'une part l'héritage à assumer, la mémoire obsédante qui permet à un peuple de ne pas oublier son histoire, mais sans nécessairement perpétuer les souffrances du passé[1], et, d'autre part, la fabulation qui renouvelle sans cesse le sens et permet à ceux qui viennent *après* de vivre encore. Pour Aristote, « c'est être philosophe que d'aimer les fables[2] », c'est-à-dire l'inactuel, car nous approchons ainsi ce que nous ne comprenons pas, ce qui est à la fois le vide et une certaine vérité. On pourrait appliquer tout à la fois à l'histoire et au sujet la réflexion de Lacan suivant laquelle ce n'est pas des faits que la vérité tire sa garantie mais de la parole « qui l'institue dans une structure de fiction[3] ».

Ce sera l'enjeu de la véritable *tabula rasa* sensorielle de « Protée », où Aristote sert encore à se repérer. Bloom, pour sa part, donnera un sens au plus près de l'expérience quotidienne de cette réécriture permanente de l'histoire en parlant de « l'arrangement rétrospectif[4] ». Si l'argent est le nerf de la guerre, comme le pense Deasy, Stephen consacrera le sien, dans un sens quasi religieux, à la dépense, dépense en vue de la seule création qui contraindra à s'en remettre à la bonne fortune du signifiant. Avec tous les risques de se perdre que perçoit bien le prudent Bloom[5].

MICHEL CUSIN et PASCAL BATAILLARD

1. Voir l'ouvrage passionnant de Nicholas A. Miller, *Modernism, Ireland and the Erotics of Memory* (Cambridge University Press, 2002) et le motif des « histoires mortelles » instrumentalisées par le nationalisme irlandais.
2. *Métaphysique*, I, II, 982a. Voir p. 78 et n. 7.
3. Jacques Lacan, *Écrits*, Paris, Éd. du Seuil, 1966, p. 808.
4. Voir p. 179 et n. 19.
5. Voir l'épisode XVI, « Eumée », p. 948 *sq*.

III. PROTÉE

C'est dans le chant IV de l'*Odyssée* que Télémaque, qui est venu rendre visite à Ménélas pour obtenir des nouvelles de son père, entend de la bouche du roi le récit de sa rencontre avec le dieu Protée. Dieu de la mer chargé de faire paître les animaux marins appartenant à Poséidon, Protée se tient habituellement dans l'île de Pharos, non loin de l'embouchure du Nil. Il a le don de prophétie, mais se refuse à révéler ses prédictions et se soustrait aux questionneurs grâce à son pouvoir de se métamorphoser, prenant toutes les formes qu'il désire. Ménélas va réussir à tenir le dieu solidement, de sorte que Protée finit par parler. Il apprend ainsi à Ménélas qu'Ulysse se morfond dans l'île où la nymphe Calypso le retient prisonnier.

Après son entrevue avec Mr Deasy, Stephen s'est rendu de Dalkey à Sandymount, au sud de l'embouchure de la Liffey. Pour occuper le temps qui lui reste avant son rendez-vous avec Mulligan prévu pour midi et demi et auquel finalement il n'ira pas, il marche sur la plage, allant d'abord vers l'est, puis revenant sur ses pas en direction de l'ouest et de Dublin, retrouvant ainsi le double mouvement qui dans *Dublinois* faisait osciller les personnages entre le tropisme oriental, quête de régénération et d'expérience initiatique, et le retour vers l'ouest, en direction du déclin et de la mort.

Dans « Protée », Stephen est confronté à une épreuve qui est celle de tout artiste. Il lui faut traverser un monde où tout fait signe et où le rôle de l'écrivain est d'interpréter la *signatura rerum* de Jakob Boehme. Tant qu'il marche vers l'est, il avance vers les origines, qu'il s'agisse des catégories premières de la perception ou de la succession des naissances qui le fait remonter à la première femme et au premier homme. Mais dès qu'il se tourne vers l'ouest, il fait face à la mort et au désert de l'Irlande où les prétendants Haines et Mulligan attendent en embuscade dans la tour.

Richard Ellmann[1] a vu dans l'épisode une dialectique entre deux pôles : l'originel et le terminal. En effet, alors que « Télémaque » est sous le signe de la corruption de l'espace (la terre irlandaise occupée par les usurpateurs) et « Nestor » sous le signe de la corruption du temps (l'histoire), « Protée » est le

1. Richard Ellmann, *Ulysses on the Liffey*, Londres, Faber, 1972, p. 23-26.

moment où Stephen essaie de démêler, sans y parvenir, ce qui est corrompu de ce qui ne l'est pas, à la fois dans le temps et dans l'espace. Le grand mystère qu'explore Stephen dans l'épisode est la coexistence de la permanence et du changement : êtres et choses sont observés oscillant entre la naissance et la mort, entre pureté originelle et dissolution. Mais les deux pôles se télescopent parfois dans une conflagration des extrêmes qui rappelle Joachim de Flore[1]. Ainsi, Stephen imagine la sage-femme portant dans son sac un fœtus sanglant, et le cadavre flottant dans les eaux subit une métamorphose qui le fait repartir vers une nouvelle naissance et une transmigration.

Au début de sa marche, Stephen essaie de revenir aux catégories élémentaires de l'espace et du temps, se donnant ainsi le rôle du créateur d'un monde *ex nihilo*. En fermant les yeux, il tente de se fermer au monde extérieur de l'espace et de ne vivre que dans le monde intérieur du temps. Méditant sur le temps et l'espace à partir des catégories empruntées au *Laokoon* de Lessing, il se fabrique une version caricaturale de l'idéalisme de Berkeley sur le modèle de son propre solipsisme narcissique, un Berkeley pour qui le *esse est percipi* (être, c'est être perçu) aboutirait à nier la réalité du monde. Mais il s'aperçoit en rouvrant les yeux que le monde extérieur ne se laisse pas néantiser aussi facilement. Pourtant, il continue à avancer dans ce monde en n'y voyant que son propre reflet, marchant à la rencontre d'images de lui-même, cherchant des signes qu'il ne sait ni voir, ni interpréter lorsqu'il les trouve, prisonnier de son narcissisme et menacé par les sables mouvants qui le guettent. Cette menace de dissolution s'accentue une fois qu'il a changé de direction. Alors que la première partie de l'épisode s'attache aux origines, la seconde est sous le signe de la dissolution et de la mort. Stephen imagine « famine, peste, massacres » à Dublin dans les siècles passés, le chien lui semble un rapace déchiquetant un cadavre, la femme de son poème devient un vampire au baiser sanglant, il voit le cadavre du noyé se décomposant au soleil.

Stephen n'est plus le même que celui qu'on avait vu se promener sur une plage déserte au chapitre IV du *Portrait de*

1. Joachim de Flore (1145-1202), mystique italien qui, dans sa *Concordia Novi et Veteris Testamenti* (1519) et son *Expositio in Apocalypsim* (1527), développe une conception trinitaire de l'histoire du monde et dont certains des disciples furent jugés hérétiques. Stephen Dedalus l'évoque déjà dans *Stephen le Héros* et le *Portrait de l'artiste en jeune homme*.

l'artiste en jeune homme, se laissant aller aux pièges d'un post-romantisme flamboyant mêlé de spiritualisme décadent, tendant un écran déformant entre lui-même et le monde réel. Dans « Protée », Stephen se rend compte que s'il veut devenir un véritable artiste, il lui faut affronter le défi qu'est l'existence du monde. Il cherche en tâtonnant un moyen d'exprimer ses potentialités encore informes et de leur donner une direction. Il a accentué le regard ironique sur lui-même qui s'était ébauché dans son journal à la fin du *Portrait*. Les épiphanies religieusement rassemblées dans ses carnets comme le germe de ses œuvres futures sont à présent vues comme des divagations de collégien. De son voyage à Paris, qui devait être la première étape de son envol vers la gloire littéraire sur le continent, il ne garde que les images fragmentaires d'un étudiant désargenté et rappelé peu glorieusement à Dublin par un télégramme lui annonçant la mort de sa mère.

Il déambule ainsi au milieu d'un paysage halluciné où l'espace et les mots, le réel et la légende ne cessent de se télescoper. Mais sur cette Irlande du passé aussi on sent un changement par rapport à la rétraction crispée du *Portrait*. Même si l'histoire irlandaise lui apparaît comme une succession de compromissions, trahisons et soubresauts sanglants ou burlesques, il se sent à présent étrangement proche de ces peuplades archaïques qu'il imagine dépeçant des cachalots pour échapper à la famine. La plage devient une page sur laquelle il promène son ombre comme celle d'un stylet et sa baguette de frêne magique comme le *lituus* d'un augure cherchant à délimiter un *templum* ordonné dans l'immensité de l'espace

Toute la méditation de Stephen dans l'épisode s'ancre en fait dans l'arrière-plan mythique et ésotérique de la légende de Protée. Comme l'a montré Michael Seidel[1], on trouve là l'influence de l'ouvrage de Victor Bérard, *Les Phéniciens et l'Odyssée* (1902-1903), sur les origines phéniciennes, sémitiques, de l'*Odyssée*, même si Joyce lut Bérard alors que la rédaction d'*Ulysse* était déjà assez avancée. Pour Bérard, la légende de Protée dans l'*Odyssée* n'est qu'une variante d'un conte égyptien transmis en Grèce par la Crète, où les pouvoirs de Protée sur la matière sont liés à la magie. Tout comme le Pharaon, roi-magicien sur la terre, le dieu de la mer est un magicien qui garde les secrets du

1. Michael Seidel, *Epic Geography. James Joyce's « Ulysses »*, Princeton, Princeton University Press, 1976, p. 145-146.

bassin du Nil, et, comme le dieu Thoth, il possède des formules secrètes qui permettent d'évoquer le monde de l'au-delà.

Mais les pouvoirs de magicien de Protée font aussi de lui un illusionniste et un faussaire, le rapprochant d'une des figures de Stephen qui, à la fin du *Portrait*, se donnait pour ambition de « façonner [*forge*] dans la forge de mon âme la conscience incréée de ma race[1] » — or on sait que « *to forge* » a aussi en anglais le sens de « contrefaire ». Pour l'artiste écrivain, affronter Protée, c'est affronter l'informe du temps et de l'espace, mais c'est aussi le vaincre par ses propres armes en venant se couler dans des identités aussi multiples que celles d'Adam, Jésus, Lucifer, Télémaque, Hamlet ou Swift. La fable protéenne est ainsi inscrite dans la vocation même de l'artiste qui doit mentir et déformer pour accéder à un réel qui lui renvoie ses illusions dans un va-et-vient où initiation et échec ne sont que les deux faces d'un même combat, celui de l'écriture.

ANDRÉ TOPIA

IV. CALYPSO

Calypso souhaitait garder pour toujours auprès d'elle le roi d'Ithaque qui, depuis sept ans, séjournait dans l'île d'Ogygie. Seule l'intervention d'Hermès permettra à Ulysse de regagner sa patrie.

D'emblée l'épisode IV est placé sous le signe de la rupture, alors qu'il existait une continuité entre la Télémachie et le *Portrait de l'artiste en jeune homme*. Stephen avait été vu comme un « être impossible » et, selon le schéma de Linati, n'avait pas encore de corps. L'accent est ici mis sur les appétits, y compris sexuels, et les aliments connaissent une odyssée qui va de leur ingestion à leur expulsion. Pour la première fois un organe est assigné à l'épisode : le rein, dont les principales fonctions — filtration et excrétion — font de lui un symbole de la société dublinoise de l'époque. Bloom sera maintes fois en butte à l'hostilité de ses concitoyens qui tendent à rejeter l'Autre, celui qui n'obéit pas à leurs propres critères.

1. *Portrait de l'artiste en jeune homme*, *Œuvres*, Bibl. de la Pléiade, t. I, p. 781.

Sur un plan stylistique, on opposera les cogitations métaphysiques et esthétiques quelque peu fumeuses de Stephen aux préoccupations terre à terre de Bloom. Lorsque ce dernier traite d'un sujet un peu abstrait, c'est de la métempsycose, ou comment l'âme d'un défunt migre vers un nouveau corps.

La rupture avec les trois premiers épisodes est aussi d'ordre spatio-temporel. L'action se déroule dans un nouveau lieu et l'heure assignée à l'épisode coïncide avec celle à laquelle débute le roman. Joyce se démarque également de la structure de l'*Odyssée*. Ogygie était un point d'arrivée, l'avant-dernière étape avant le retour à Ithaque, et le récit que faisait Ulysse à Alcinoous était celui d'aventures passées. On ne perçoit d'emblée aucun lien entre Bloom et Ulysse. Ce dernier ne sera nommé que deux fois dans le roman. Dans « Charybde et Scylla », il est une référence en matière de naufrage et il est privé de parole autonome : il est celui qui cite Aristote.

À la différence de son modèle antique, l'Ulysse dublinois n'a pas de fils (Rudy, âgé alors de onze jours, est mort il y a dix ans) mais une fille adolescente qui vit loin de ses parents et que Bloom voit, de façon parfois ambiguë, comme un double de Molly. C'est cette absence du fils qui permettra à Stephen d'endosser le rôle de Télémaque. Point de Laërte pour accueillir son fils puisque Rudolph Virag repose à Ennis et que le fidèle Athos est remplacé par une chatte, à la fois métaphore et métonymie d'une épouse qui est, elle, bien loin d'être un parangon de fidélité conjugale. Enfin, loin de défier — et de défaire — les prétendants, Bloom quittera le domicile, laissant ainsi le champ libre au dernier en date des amants de sa femme. Sa longue errance dans Dublin peut se lire comme la chronique d'un adultère annoncé et sa seule victoire sera d'éviter de rencontrer son rival.

Toutefois la rupture n'est pas aussi radicale qu'on serait tenté de le croire. Bloom et Stephen prennent tous les deux leur petit déjeuner, leurs pensées sont à un moment tournées vers l'Orient et c'est le même nuage qu'ils voient couvrir le soleil. Tous les deux fuient devant l'usurpateur et sont sans clef, d'où cette porte qui n'est que poussée, signalant par là un retour programmé. Tous les deux professent des ambitions littéraires, même s'il y a loin des « épiphanies écrites sur des feuilles vertes » (p. 102) à l'histoire inventée « à partir d'un proverbe » (p. 144), tout juste bonne à être publiée dans un magazine populaire. Comme son modèle homérique, Bloom est un homme à femmes, même si le fil de ses pensées le montre attaché à un pieu et si la petite musique de lit résonnera au fil des épisodes. Molly fait ici cliqueter les anneaux de cuivre en se retournant dans le lit conjugal, mais dans « Circé » leur « jigjag » signera sans équivoque la manifestation de l'adultère consommé. C'est dans cette cave matrice où règne Molly, dans ce qui est une sorte de réplique de la grotte de Calypso (que certains situent à Gibraltar), que Bloom vient chercher refuge et qu'il investit son imaginaire. Le parallèle est explicitement établi entre la Nymphe au bain qui décore la chambre et une épouse dont Bloom s'attache à satisfaire tous les désirs. Malgré le coup de tonnerre que constitue la lettre de Boylan, pâle avatar de la tempête soulevée par Poséidon, les propos et le monologue intérieur de Bloom montrent que dans cet épisode, comme dans le roman tout entier, la force centripète l'emporte en définitive sur la force centrifuge, et nous pourrons dire qu'au terme du déplacement c'est le domocentrisme qui prévaut.

Quelle est donc l'identité de celui qui va désormais occuper le devant de la scène ? D'un point de vue référentiel, c'est un personnage composite dont on apprendra que, dans un souci d'intégration, il a changé de nom[1]. En passant de Virag à Bloom, traduisant ainsi son patronyme hongrois, il perd la racine *vir*, rappelant ainsi le « Poldy » que lance Molly à un mari occupé à des tâches plus spécifiquement féminines. Par une sorte de mise en abyme du changement patronymique, Bloom prendra le nom de Flower dans sa correspondance secrète avec Martha Clifford. Serait-il donc ce « Personne » qu'Ulysse prétend être lorsque Polyphème le somme de se nommer ? L'unité serait-elle à chercher du côté de la religion ? Sa judéité est suggérée et niée à la fois. S'il est fasciné par Israël, terre de vie et de mort, il consomme de la nourriture non cachère et voue un culte païen à son épouse dont le prénom et la date de naissance font d'elle une bien improbable vierge Marie. Molly est initialement vue « en creux », son langage étant, dans un premier temps, à peine plus articulé que celui de la chatte de la maison. L'anglais réunit dans un même mot la star et l'étoile, deux volets du personnage. Dans sa fonction stellaire, elle constitue pour son époux un point de repère — tout comme un repaire — et, plus que par ses dons de cantatrice, c'est par son monologue final, magistral contrepoint à son « Mn » initial, qu'elle donnera

1. Voir Joyce, *Œuvres*, Bibl. de la Pléiade, t. II, p. 1160-1161.

toute la mesure de son talent d'artiste dans ce qui reste une inoubliable performance.

Joyce, que fascinait le personnage d'Ulysse, se proposait d'écrire l'épopée conjointe des juifs et des Irlandais, qu'il voyait comme deux nations asservies. Son antihéros apparaît d'emblée comme le représentant de l'homme sensuel ordinaire lancé dans une odyssée qui, par la magie de l'écriture, joue sur le mode parodique, transcendant ainsi son modèle homérique.

MARIE-DANIÈLE VORS

V. LES LOTOPHAGES

L'épisode des Lotophages est raconté par Ulysse lors de son séjour au palais d'Antinoüs dans le chant IX de l'*Odyssée*. Son navire a dérivé vers la côte du pays des Lotophages, peuple mangeur du lotos. Les habitants accueillent avec hospitalité les marins envoyés par Ulysse en reconnaissance et leur donnent à manger le fruit du lotos, qui fait perdre la mémoire. Ils abandonnent alors tout désir de revenir à Ithaque et Ulysse doit les ramener de force au bateau et les enchaîner avant de reprendre la mer.

Lorsque l'épisode commence, Bloom, qui a quitté sa maison pour ne pas être là lors de la venue de Boylan, se trouve sur le quai rive sud de la Liffey, non loin de l'embouchure de la rivière. Il continue sa marche en décrivant un cercle vers le sud en direction de la poste de Westland Row. Son trajet tortueux reflète peut-être sa mauvaise conscience d'avoir à aller chercher une lettre qu'il s'est fait envoyer en poste restante en cachette de Molly. Il s'arrête un instant devant la vitrine d'une compagnie de thé, qui déclenche toute une rêverie sur l'Orient, puis entre à la poste de Westland Row pour se faire remettre la lettre de Martha Clifford. Il bifurque ensuite en direction des bains de Leinster Street, rencontre M'Coy, puis entre dans l'église de Tous-les-Saints où une messe est en cours. Il s'arrête chez le pharmacien Sweny, où il commande la lotion de Molly et achète un savon au citron, puis rencontre Bantam Lyons qui croit à tort que Bloom veut lui donner un tuyau pour la Coupe d'Or. Nous le voyons enfin se diriger vers les bains turcs et imaginer à l'avance son corps flottant dans l'eau. La marche de Bloom continue le tropisme vers l'Orient, pays de ses ancêtres, qui avait commencé dans « Calypso » avec la rêverie sur le voyage oriental et qui le mène à présent, après un détour imaginaire par Ceylan, la Chine et l'Égypte, jusqu'au bain turc dont le bâtiment lui évoque des « minarets ».

L'épisode illustre ce que A. Walton Litz a appelé *expressive form*, c'est-à-dire une forme qui cherche à établir une correspondance directe entre contenu et style. Les fleurs et les parfums sont un exemple de ce mimétisme d'écriture : ils sont disséminés dans la texture même de l'épisode au point de donner l'impression d'une écriture « fleurie » et « olfactive », brouillant la distinction classique entre forme et fond et annonçant toutes les expérimentations des « Sirènes » et des « Bœufs du Soleil ». Ce mimétisme est poussé très loin. Phillip Herring a noté que, si l'on regarde une carte de Dublin avec sur la périphérie les lignes courbes et au centre le conduit de la Liffey, l'ensemble peut suggérer un postérieur féminin allongé à l'intérieur duquel circule Bloom. Bloom fait bien plus que projeter ses fantasmes sur son environnement : il déambule en fait à l'intérieur d'un corps de femme, et les images qui le hantent ne sont plus simplement des rêveries, mais la cristallisation de l'espace même qui l'entoure.

Richard Ellmann[1] voit une correspondance triadique entre chacun des trois épisodes, respectivement de Stephen et de Bloom, par lesquels s'ouvre *Ulysse*. Alors que « Calypso », tout comme « Télémaque », se déroule avant tout dans l'espace, « Lotophages », tout comme « Nestor », a pour principal sujet le temps, mais un temps arrêté et réduit à une série d'instantanés. Au contraire de « Nestor » qui se préoccupe de l'histoire et du passé, « Lotophages » est dans un présent coupé de l'histoire, un présent qui s'est endormi sous l'effet soporifique du lotus, s'abandonnant à la torpeur et à la nostalgie de la mort.

Alors que « Calypso » offrait des stimulants, « Lotophages » offre tout un éventail d'anesthésiants : cigarette, sucette, hostie, vin, liqueur, bière, parfum, lotion, savon, musique, castration. Nous sommes dès le début de l'épisode sous le signe de la loi de la chute des corps, qui empêche tout élan vers les hauteurs et tire les êtres vers le sol sous l'effet de leur poids. Joyce nous montre des êtres cherchant des substituts à la vie dans la torpeur et l'inertie, à l'image du baigneur qui flotte dans la mer

1. Richard Ellmann, *Ulysses on the Liffey*, Faber, Londres, 1972, p. 38-39.

Morte sous un parasol, comme perdu dans un paradis artificiel, ou des barils de bière déversant sur toute l'Irlande un fleuve de torpeur. Bloom lui-même est dans un état de semi-léthargie, en train de digérer son petit déjeuner et se préparant pour une éventuelle masturbation dans le bain turc, qui finalement n'aura pas lieu. De plus, il est en proie à une double appréhension : la peur d'être surpris en flagrant délit de liaison clandestine et une inquiétude plus profonde à l'approche de l'adultère imminent de Molly. Il donne l'impression, sinon de fuir, du moins d'éviter et de contourner le monde : il vérifie qu'il n'y a personne avant d'entrer dans la poste, se tient à distance des fidèles tout en les observant dans l'église comme un voyeur et ne trouve finalement la paix que dans la contemplation de son nombril au bain turc. Ses rêveries multiformes, ses combinaisons insolites pour trouver des solutions aux problèmes que lui pose le monde extérieur répondent à un besoin de pallier ses difficultés familiales et sociales et de guérir son moi blessé.

Si la sexualité est très présente dans l'épisode, c'est uniquement par des substituts et des détournements. Alors que la lettre de Milly dans « Calypso » révélait l'éveil du sentiment amoureux authentique, la lettre de Martha Clifford montre au contraire la dégradation de ce même sentiment en fausse pudeur complaisante, allusions grivoises, sous-entendus érotiques, jeux de double entente pervers. Mais Bloom préfère correspondre clandestinement avec Martha Clifford que de la rencontrer, et ses émois érotiques se donnent sur le mode de la dissimulation et du voyeurisme. Ce désir de retrait narcissique du monde s'accompagne d'une tentation fétichiste et masochiste en face des figures féminines, qui annonce certains des fantasmes de « Circé ». La fixation joycienne bien connue sur les vêtements féminins transparaît ici lors des rêveries de Bloom sur la femme qui s'apprête à monter dans un fiacre.

Mais c'est surtout la religion qui, sous ses diverses formes, apparaît comme la drogue par excellence, l'origine et le centre symbolique de l'inertie. Bloom rencontre successivement des bâtiments évoquant les trois grandes religions monothéistes : d'abord Béthel, le foyer de l'Armée du Salut, qui évoque pour lui le mot hébreu « maison de Dieu », puis l'église catholique où des femmes s'abandonnent passivement au rite de la communion, et finalement les bains turcs qui lui apparaissent comme une mosquée. Qu'il s'agisse du protestantisme, de la judaïté, du catholicisme ou de l'islam, le religion est ainsi associée à un refuge protecteur, à un éden de substitution. Ce sont là les pièges que doit éviter Bloom dans sa marche prudente et sinueuse.

Dans cette léthargie générale, le corps devient cadavre, chair morte, à l'image de la « viande en pot » des pâtés Prunier dont le slogan publicitaire circule et essaime symboliquement tout au long de l'épisode. Ces diverses images de chair ou de viande enserrée dans des enveloppes vont de l'allusion biblique aux « marmites d'Égypte pleines de viande » jusqu'à la version moderne industrielle du repas eucharistique qu'est le pâté dans sa boîte, en passant par les hosties que Bloom voit le prêtre sortir du ciboire. Toutes ces enveloppes protectrices font tendre l'épisode vers une régression à la vie intra-utérine. Bloom au bain turc devient une variété de « viande en pot », flottant à l'intérieur de sa baignoire comme dans un liquide amniotique. Par un jeu de mots que permet l'anglais, le *corpus* de la liturgie est aussi *corpse* (cadavre). Le corps du Christ dans l'Eucharistie devient un cadavre que mangent les croyants dans une célébration rituelle qui se rapproche fort du cannibalisme.

Joyce trouva aussi dans Bérard l'idée d'un lien entre les Lotophages et les Irlandais. Bérard émet l'idée que pour les Grecs le mot *lotos* désigne une sorte de trèfle que mangent les chevaux. Le fruit du lotos et le *shamrock*, symbole de saint Patrick et de l'Irlande, deviennent ainsi un même tranquillisant. De plus, pour Bérard, la distribution généreuse de la drogue nationale par les Lotophages engendrait chez les envahisseurs une euphorie qui rendait inutile l'institution d'un gouvernement ou d'une armée. De même, chez les Irlandais, l'hostie et les fleuves de bière se rejoignent pour endormir le ressentiment contre l'occupant britannique. Là encore, par sa circulation incessante à travers les strates historiques, le monologue bloomien, tout en ayant l'air de se détourner du monde et d'en fuir les difficultés, devient le révélateur par excellence des contradictions dublinoises.

A. T.

VI. HADÈS

Dans cet épisode, nous assistons aux funérailles de Paddy Dignam, citoyen de Dublin ordinaire, père de famille et alcoolique. Le cortège part du domicile du défunt, traverse Dublin selon un axe sud-est / nord-ouest avant d'arriver au cimetière.

Ce voyage symbolique vers l'ouest est associé à un cheminement vers la mort depuis *Dublinois*[1]. « Hadès » est le sixième épisode d'*Ulysse* mais seulement le troisième où Bloom est mis en scène. Dans l'*Odyssée*, qui comporte vingt-quatre chants, il faut attendre le chant XI pour voir Ulysse quitter le royaume de Circé et se rendre à l'entrée du royaume d'Hadès afin d'interroger le devin Tirésias sur la fin de son errance. Cette position fort différente indique que cet épisode se voit attribuer une autre fonction dans le roman de Joyce, où il s'agit moins de savoir si Bloom pourra retrouver son domicile au terme de son périple, ni même comment, que de démythifier l'idée d'un voyage auprès des morts.

Le monde des morts, à la fois tout autre et d'une présence insistante, n'a cessé, depuis le Moyen Âge, d'être éloigné des vivants par certaines mutations sociales et culturelles, pour être finalement mis au ban de la cité, peu à peu coupée de cette dimension invisible[2]. Tout au long du roman, nous assistons à un commerce de Bloom avec les défunts, en particulier avec ses propres parents et son fils Rudy. De même que le souvenir de moments heureux, tels que les premières rencontres amoureuses avec Molly, sont susceptibles d'illuminer le présent, mais aussi de jeter sur lui l'ombre envahissante de ce qui n'est plus : côtoyer les morts ne va pas sans risques. Le double écueil d'une morosité envahissante ou d'un bruyant déni n'est jamais aussi élevé que dans « Hadès ». À défaut d'une terre commune, les vivants et les morts ont un point commun, leur mortalité, à la fois condition irréductible de l'être humain et point de bascule.

« Hadès » est le dernier épisode de la deuxième partie du roman, censé se dérouler en parallèle avec ceux de la « Télémachie ». Malgré la différence de points de vue qui se fait sentir ici au regard de « Protée », il y a comme l'esquisse d'une rencontre entre « le père », symbolique, et « le fils », puisque Bloom aperçoit Stephen par la fenêtre de la voiture : « M. Bloom aux aguets aperçut un mince jeune homme, habit de deuil, chapeau à large bord » (p. 175). Cette vision fugitive amorce immédiatement plusieurs lignes de réflexion chez Bloom, ayant trait essentiellement au deuil, à la paternité et à l'amour charnel de Molly. Que

1. En particulier dans la nouvelle « Les Morts », dans *Œuvres*, Bibl. de la Pléiade, t. I, p. 265-320.

2. Voir l'étude classique de Philippe Ariès, *Essais sur l'histoire de la mort en Occident. Du Moyen Âge à nos jours*, Éd. du Seuil, 1975.

le deuil soit l'expérience commune de Bloom et Stephen en cet endroit du roman n'est pas une coïncidence, mais les deux expériences sont cependant loin de coïncider. Il est tout à fait significatif que Stephen soit convaincu, dans le temps même où Bloom le remarque, qu'il n'y a « personne par ici » (p. 103) — « Personne » renvoyant néanmoins à Outis, le nom lancé par Ulysse au Cyclope[1]. Cette question de parallaxe — l'incidence de changement de position de l'observateur sur la chose observée — inclut jusqu'au regard sur la perte, solipsiste dans le cas de Stephen, « universaliste » dans celui de Bloom, toujours à la fois compatissant, empathique et détaché. Ainsi quand, dans la même scène, Simon Dedalus menace Mulligan de ses foudres et agonit le « clan Goulding », Bloom s'arrache à ces paroles vaines et « sourit mélancoliquement » (p. 175).

C'est que pour Bloom la proximité avec les morts, quand bien même l'horreur pourrait surgir, est une « donnée immédiate de la conscience », pour paraphraser Bergson[2]. Expérience puissamment ancrée dans le quotidien, elle contribue à amarrer celui-ci, ou du moins à le sauver du naufrage sur l'océan déchaîné de la réalité. Bloom est pour sa part d'emblée armé de ce savoir qui ne venait à Gabriel Conroy qu'à la toute fin de la nouvelle « Les Morts », dans *Dublinois*, savoir qui lui permet de se risquer dans un dialogue avec tous ceux qui nous ont précédé et accompagné, parfois à notre insu, sans mettre en péril sa joie de vivre. C'est aussi ce savoir qui lui donne la certitude, malgré toutes les oscillations et vacillations qui menacent celle-ci, qu'il peut retrouver Molly / Pénélope au terme de son odyssée. Quelque insidieux que puisse être le poison de la jalousie, rien ne rendra nécessaire, autrement que par la pensée et le style, le massacre des prétendants, ou du moins celui de Boylan, aspirant au lit conjugal des Bloom.

Le voyage au pays des morts n'est plus tant l'expérience limite réservée au héros antique que l'une des expériences seuil de l'homme sensible ordinaire, l'un de ces moments de refondation de soi provoqué par le sentiment de perte, qu'il soit le sentiment de la perte d'un être unique ou qu'il soit le réveil de ce sentiment. Cette rencontre amène chez Bloom une expérience

1. Pour une fine discussion de ce moment et de son traitement dans les deux épisodes, convergent et divergent à la fois, voir Jean-Michel Rabaté, *James Joyce*, Hachette, 1993, p. 111-113.

2. L'*Essai sur les données immédiates de la conscience* parut en 1889.

de la *tabula rasa* qui diffère de celle éprouvée par Stephen dans « Protée ». Le deuil que portent les participants aux funérailles de Paddy Dignam est une expérience où le temps de la parole se creuse, donnant lieu à des paroles vaines et à des pensées qui plongent là où nous ne sommes presque plus rien. Le point d'évanouissement en question est cependant chaque fois le lieu d'où Bloom construit ou se reconstruit : il imagine un monde où Rudy serait encore vivant, se livre à une méditation sur l'inanité nécessaire des rituels funéraires et même élabore une véritable thanatologie, champ de spéculation idéal pour l'imagination et l'inventivité bloomiennes jamais à court. Ainsi Bloom, rêvant sur le devenir du corps, s'empare sans hésiter de l'idée du compostage (« Suis persuadé que la terre serait enrichie avec du compost de cadavre », p. 206), art d'accommoder les restes mais aussi parade au spectre du corps pourrissant (« Mais doivent engendrer une sacrée quantité de vers », *ibid.*).

Nulle part sans doute le lien entre les vivants et les morts ne s'opère de façon plus parfaite qu'avec la *moly*, talisman qui dans l'*Odyssée* protège Ulysse de la magie de Circé au point d'en faire une alliée. En effet, la plante aux vertus surnaturelles, don d'Hermès, prend pour Bloom la forme d'une modeste pomme de terre, ce légume si irlandais, cette racine qui nourrit et qui associe la mère morte de Bloom, « pauvre maman », et son épouse Molly[1]. Quand Bloom renverse les mots du moine Notker le Bègue, *Media vita morte summus*, en clamant, de sa manière discrète, « Au milieu de la mort nous sommes en vie » (p. 205), il pense à sa fille Milly (« Oui, oui : une femme elle aussi. La vie. La vie », p. 177) et dit sans tapage son sentiment de l'éternel retour. Mais il entrevoit déjà Ithaque et tend la main vers Molly. Il chante à voix basse la même affirmation de la vie, le même « oui ! » qu'elle reprendra pour et contre son mari, endormi tête-bêche à ses côtés au terme du roman.

M. C. et P. B.

1. Voir la n. 142, p. 1348.

VII. ÉOLE

Vents

L'épisode d'Éole ne tient dans l'*Odyssée*, au chant X, qu'une place modeste, narrant un simple incident de parcours du héros. Celui-ci a été bien accueilli, sur son île flottante, par le souverain, maître des vents par la grâce de Zeus, qui lui a donné en cadeau, cousu dans des outres, les vents mauvais susceptibles de le détourner de son but, Ithaque. Mais l'équipage, à son insu, ouvre les outres, pour le malheur de tous.

Une île flottante, des vents puissants, autant d'indices de fragilité de cet univers qui ne tient qu'à un fil, celui qui ferme les outres : selon le mathématicien Ératosthène, « on trouvera le lieu des errances d'Ulysse le jour où l'on découvrira le bourrelier qui a cousu l'outre des vents ». Transposé dans l'ordre de l'écriture, il s'agit de l'artisan qui maîtrise la parole, bonne ou mauvaise, là encore par un tour de main spécifique : une manipulation du réel par le *fil* du langage. Le premier paragraphe est à cet égard emblématique : c'est une voix, enrouée, qui préside à la communication entre les différents secteurs de la ville.

Pour le meilleur et pour le pire, l'art du bourrelier littéraire, même s'il s'appuie sur celui du prote metteur en page, est en même temps celui de la rhétorique, chère à Joyce au point d'orienter ses goûts littéraires, ainsi qu'en témoigne son admiration pour la prose du cardinal Newman. Ici, le pire nous est fourni par le discours de Dan Dawson lu par Ned Lambert. Le meilleur est supposé être le plaidoyer de Seymour Bushe dans l'affaire Childs. Joyce, en 1923, choisira précisément ce dernier passage pour un exceptionnel enregistrement phonographique : c'est que, pour lui, si le contenu du discours est important, sa production concrète doit être tenue pour décisive.

Production

Il n'est pas surprenant que la journée d'*Ulysse* soit, à un moment donné, ponctuée par la présence d'un quotidien... Il y a d'autant moins matière à s'en étonner que Joyce, dès ses débuts, s'est intéressé au journalisme, au point de l'envisager comme carrière[1]. Plusieurs nouvelles de *Dublinois* portent la trace de cet intérêt, avec par exemple « Après la course », qui avait eu pour prélude, trois mois plus tôt, l'interview recueillie par lui d'un coureur automobile ; on y remarque surtout la place tenue par des journalistes : Gallagher, O'Madden Burke, et surtout Gabriel Conroy, où il se représente tel qu'il aurait pu être s'il ne s'était pas exilé. Et s'il se refusa toujours à écrire pour des motifs purement pécuniaires, il n'hésita pas à évoquer dans la presse ses conflits avec des éditeurs, ou, dans le *Piccolo della Sera* de Trieste, l'Irlande et son histoire.

Bien avant l'écriture d'*Ulysse*, Joyce s'est moins intéressé aux informations recueillies dans le quotidien de la vie qu'à leur production, qu'à la manière dont ce quotidien se manifeste, tant dans sa lecture que dans son écriture. Significative est la place que tient le journal intime dans les dernières pages du *Portrait de l'artiste en jeune homme*, qui seront précisément pillées au bénéfice des premiers épisodes d'*Ulysse*.

Dans « Éole », le registre est bien différent. D'abord, ce qui nous est présenté d'un journal, c'est son siège, et les échos montant de sa salle de rédaction et de cet autre atelier où est mise en scène, jusque dans ses ratés, la réalité d'une élaboration très spéciale. Le rythme du déplacement des tramways dans la première section, embrayant sur l'activité de la Grande poste, avait posé la dimension machinique de toute communication, et constitué une sorte de clé, sonore à défaut d'être musicale, préludant au rythme des rotatives ou autres machines qui se manifestent à l'arrière-plan des conversations. Il n'en reste pas moins que le tour de main de l'artisan peut avoir un autre nom : la manipulation, jusque dans son acception la plus équivoque.

Le plus remarquable, ici, est la façon dont l'auteur va finir par nouer, dans la dernière partie de l'épisode, des données autobiographiques bien réelles, qui donnent à voir James Joyce derrière Stephen Dedalus : un Stephen qui fait les commissions de son employeur, plaçant ici sa lettre au rédacteur en chef, et qui par la même occasion se frotte à ce monde littéraire de Dublin qui va lui donner sa chance, dans des allusions transparentes aux nouvelles de *Dublinois*. Mais cette mise en scène est à plusieurs reprises, de plusieurs façons, contestée de

1. Voir dans *Œuvres*, Bibl. de la Pléiade, t. I, la section « Essais, articles et conférences ».

l'intérieur, ironiquement, d'abord dans le souvenir de la méditation augustinienne de la corruption nécessaire de toutes choses, puis avec la constatation : « Dublin. J'ai beaucoup, beaucoup à apprendre. »

Lecture et écriture

C'est aussi dans la manipulation très concrète du langage que se rejoignent, au début de l'épisode, Bloom et ce prote qui le fascine. Ce dernier incarne ce que la typographie propose avec les intertitres : le travail, le fonctionnement conjoint de l'écriture et de la lecture, du découpage et de l'articulation. Le prote travaille sur la lettre en ce qu'elle a de plus extérieur au sens des mots, ce qui lui permet de fabriquer des énigmes et des pièges (c'est le ressort de la publicité efficace) : il est le lien, plus profond qu'il ne paraît, entre ces deux personnages, Stephen et Bloom, qui, pour la première fois, sans le savoir, se sont ici croisés. Le lecteur se trouve ainsi guidé dans une lecture singulière, *à l'envers*, telle celle du prote, d'une journée de la ville : les êtres qui l'animent de leurs propos comme de leurs parcours ne sont pas moins énigmatiques que des lettres, mais pas moins porteurs de sens à déchiffrer, de savoirs plus accessibles que la Vérité révélée.

J. A.

VIII. LES LESTRYGONS

Dans l'*Odyssée*, après leur second départ du royaume d'Éole, Ulysse et ses compagnons arrivent dans un port encaissé. Tandis que les marins abordent en quête de nourriture, le prudent Ulysse, qui a mouillé son navire à l'extérieur de ce plan d'eau en apparence tranquille, voit ses hommes subir l'attaque des Lestrygons, des géants cannibales qui massacrent leurs proies afin de s'en repaître. Il ne doit son salut qu'à une fuite précipitée et reprend la mer en pleurant ses chers camarades.

Les liens unissant l'épisode VIII à l'*Odyssée* sont explicites. Lorsque Bloom évoque la marmite géante d'une cuisine communautaire destinée à nourrir les Irlandais, il emploie le verbe « harponner », celui-là même qu'utilise Homère pour décrire le supplice infligé aux Grecs, et c'est à toute allure qu'à la fin de l'épisode il s'engouffre dans le musée, pour y être « en sécurité », de même qu'Ulysse s'enfuit pour échapper aux Lestrygons.

Après la fragmentation qui marquait « Éole », c'est à un mode d'écriture plus « traditionnel » que nous avons affaire ici. Il est 13 heures, l'heure du déjeuner, et c'est un Bloom affamé qui déambule dans les rues de Dublin. Il y fait peu de rencontres et c'est majoritairement son monologue intérieur qui est restitué, entrecoupé de quelques interventions d'un narrateur principalement destinées à ancrer ou à relancer le flux de ses cogitations au gré de ses déplacements. Comme un bol alimentaire qui progresserait le long de l'intestin, Bloom chemine en ruminant des pensées centrées sur la nourriture et sur un sentiment exacerbé de la fuite du temps.

À l'instar des aliments que nous ingérons, l'épisode va de l'oralité à l'analité, des friandises destinées aux enfants à l'évocation des statues du musée : l'artiste a-t-il poussé le réalisme jusqu'à les doter d'un anus ? Cette dernière question est tronquée, comme nombre de notations qui appartiennent au monologue intérieur de Bloom, lequel jalonne sa progression de phrases sans verbes, voire composées de simples noms ou adjectifs, tels des cailloux semés qui fonctionnent comme des repères ou comme des obstacles propres à faire hésiter le lecteur. Le discours de Bloom est principalement généré par des associations d'idées. On s'aperçoit alors que, contrairement à la Liffey dont le cours ne peut s'inverser, le texte fonctionne indifféremment sur les modes prospectif et rétrospectif. On y apprend exactement, par exemple, quelle lecture fautive faisait Molly du mot « métempsycose », et la fin de la phrase « C'est la nuit où… » se trouvera dans une scène qu'elle évoque dans « Pénélope ». L'absence de sujet exprimé rend parfois ambiguë une formulation comme « Plus pris de plaisir du tout à faire ça après Rudy », même si le sous-entendu est nettement d'ordre sexuel.

L'étude de la genèse de l'épisode montre que Joyce a fait de très nombreux addenda, dont la majorité concerne la nourriture. Pouvoir temporel et pouvoir spirituel sont envisagés dans les rapports qu'ils entretiennent avec elle. La cuisine communautaire envisagée par Bloom est plus apte à générer de la violence qu'à assurer la survie des Irlandais, historiquement toujours menacés de famine. Les dîneurs sont ravalés au rang d'animaux carnivores. Quant à l'abondance des sucreries offertes par l'Église, elle évoque un univers infantile et, de plus, se révélera nuisible. Le souverain est lui aussi englué dans cet univers poisseux et, d'entrée de jeu, il perd beaucoup du prestige traditionnellement associé à sa fonction. En encourageant la procréation (Joyce lui-même était l'aîné d'une fratrie de dix), le catholicisme est grandement responsable de la sous-alimentation qui frappe les classes pauvres, condamnées qu'elles sont à consommer « margarine et pommes de terre » (p. 270), laissant le pain et le beurre aux familles plus aisées. De plus, l'accent est d'emblée mis sur le caractère sanguinaire du rite. Déjà Stephen voyait dans l'Église une « mâcheuse de cadavres » (p. 56), et la couleur rouge sang assignée à l'épisode trouve sa justification dès le début de celui-ci.

La religion de Bloom le met à l'écart de ce qui tient du cannibalisme et lui permet la mise à distance nécessaire à qui veut conserver une attitude critique. Le sandwich qu'il déguste est une construction à trois étages, certes rudimentaire par rapport à la « belle bâtisse » qu'est le musée de Kildare Street, mais qui relève cependant de l'architecture — l'art mentionné dans le schéma de Linati. Bloom se démarque ainsi des régimes extrêmes de ses compatriotes (poètes végétariens ou citoyens cannibales), et tout ce qu'il ingère a subi une transformation. La panification trouve même un prolongement inattendu dans l'évocation nostalgique de ce gâteau mâché qu'il a reçu de Molly.

Cette scène, qui constitue le point d'aboutissement du monologue intérieur de Bloom, réunit sexe et nourriture. Par une sorte de renversement, cette pâtisserie à la graine d'anis passe de la femme à l'homme, rappel du côté féminin de Bloom déjà perceptible dans « Calypso » et peut-être explication du fatalisme dont il fait preuve à l'évocation de l'adultère imminent. En ce 16 juin, la pendule est pour Bloom une ennemie dont la marche implacable lui rappelle que 16 heures marquera la rencontre entre Boylan et Molly. La fuite du temps est un des thèmes récurrents de l'épisode. Elle y est illustrée par les clichés traditionnels : le cours de la Liffey, l'eau qui coule entre les doigts, la beauté des femmes qui se fane. Les pendules abondent, et pour contrer le *fugit irreparabile tempus*, un motif (au sens musical du terme) récurrent dans l'épisode, Bloom met en doute l'exactitude des données qu'elles fournissent ou se refuse à les voir tout en sachant qu'elles existent. Il ponctue son monologue de « attendez » mais il est impuissant à arrêter le processus qui mène inexorablement de la naissance du bébé Purefoy à la mort de Dignam.

C'est dans le retour fantasmé à une période de bonheur familial que se réfugie Bloom avant que la vision implicitement teintée de sexualité de deux mouches scotchées sur une vitre ne lui fasse remonter le temps plus avant et le ramène à l'époque idyllique où tout a commencé entre Molly et lui. Cette scène, dans laquelle tous les sens sont sollicités, se déroulait sur la péninsule de Howth, lieu pour lui mythique et point d'ancrage d'une identité qui est maintenant remise en question. Victime du cannibalisme social, en passe d'être supplanté par son rival, Bloom est obsédé par ce qu'il a perdu au fil du temps, et seule la pérennité de l'art peut lui éviter le naufrage.

Nous assistons dans cet épisode à un basculement incessant entre l'objectif et le subjectif. Le style transcende le simple enregistrement naturaliste que nous laissait attendre le début d'un texte qui oscille sans cesse entre mythologisation du quotidien et quotidianisation du mythe.

M.-D. V.

IX. CHARYBDE ET SCYLLA

Ce chapitre est un achèvement et un nouveau départ. Sa copie dans le manuscrit Rosenbach est suivie de cette indication : « Fin de la première partie d'*Ulysse* ». C'est le neuvième épisode, la moitié selon le schéma homérique joycien, même si, comme nous le constatons au nombre des pages, le livre va prendre de l'ampleur. C'est la culmination du « roman du fils », avec l'exposé de Stephen sur Shakespeare promis au début. Pourtant, la conclusion de ses méditations sur la création quasi divine du barde anglais le mène à une impasse, à une conscience plus vive de son aliénation sociale. Quant à Buck Mulligan, qui apporte sa faconde joviale et ses plaisanteries obscènes, il commence à apparaître plus sinistre. Et l'aréopage des beaux esprits dublinois se réduit à quelques auditeurs plutôt sceptiques. Les signes se multiplient pour Stephen qui rejoue en un seul chapitre l'évolution du *Portrait de l'artiste en jeune homme* : il va choisir l'exil.

Le manuscrit Rosenbach permit à Gabler d'insérer un passage qui ne figurait pas dans les versions préalables. Stephen cite saint Thomas en latin : *Amor vero aliquid alieni bonum vult unde et ea qua concupiscimus* (L'amour veut un certain bien pour une autre personne d'où s'ensuit ces choses que nous désirons). Gabler ajoute ce passage et quelques lignes qui précèdent en 1984 : « Sais-tu de quoi tu parles ? L'amour, oui. Mot connu de tous les hommes. » Richard Ellmann affirma que ceci changeait l'interprétation du roman entier, et introduisait le principe fondamental de l'amour[1]. Pourtant, ce passage restitué semble plutôt combiner amour et désir, et il n'est pas certain que Stephen arrive à les rendre compatibles. C'est que Stephen nous fait aller et venir entre les rochers et le tourbillon que figurent, entre autres, les figures tutélaires que sont Aristote au solide sens commun et un Platon qui vise les pures essences. Aucun des termes de la discussion n'échappe à cet aller-retour dialectique lorsque Stephen expose sa théorie sur *Hamlet*. Joyce a puisé dans ses notes prises pour la série de douze conférences sur Shakespeare qu'il donna à Trieste en 1912 et 1913. Ces conférences en anglais, données à partir du 11 novembre 1912, prenaient *Hamlet* pour thème principal[2]. Joyce connaissait dans ses moindres détails la culture et la vie quotidienne de l'époque élisabéthaine. Il avait lu les œuvres de critiques reconnus, Sydney Lee, Franck Harris et Georg Brandes. John, le père de William Shakespeare, était mort le 6 septembre 1601. *Hamlet* fut inscrit sur le registre officiel du *Stationer's Hall* le 6 juillet 1602. Joyce lie la composition d'*Hamlet* à la mort du père et à celle du fils de Shakespeare, Hamnet Shakespeare, né le 2 février 1585, mort à onze ans en août 1596. Joyce prend acte du fait que Shakespeare avait joué le rôle du fantôme du roi dans les premières représentations d'*Hamlet*. L'un des documents de Shakespeare est un testament qui mentionne un « moins bon lit » (*second best bed*) légué à sa femme Ann. Ce serait la vengeance posthume d'un homme bafoué, trompé par ses frères mêmes, multipliant les œuvres afin de ne pas voir ses divisions personnelles.

Stephen tente de convaincre les trois conservateurs de la Bibliothèque nationale qui hésitent à le suivre dans un protocole de lecture freudien. Ce sont Thomas W. Lyster, traducteur

1. Voir la préface de Richard Ellmann à l'édition d'*Ulysse* confiée à Hans Walter Gabler, *Ulysses*, éd. de Hans Walter Gabler, avec la collaboration de Wolfhard Steppe et Claud Melchior, New York, Random House, 1986, p. XII-XIII.

2. Nous n'avons qu'une partie de ces notes : voir *Œuvres*, Bibl. de la Pléiade, t. I, p. 1877-1895.

de Goethe, Richard Irvine Best, traducteur du livre de De Jubainville sur la mythologie celtique, et John Eglington, nom de plume de William Magee, essayiste de renom dans le mouvement de l'Irish Literary Revival. Il venait de lancer la revue *Dana* qui ne vécut qu'une année, et devait publier le premier « Portrait de l'artiste » de Joyce, qui ne fut pas accepté. Les deux autres auditeurs sont George Russel, alias « A.E. », et Buck Mulligan, qui transforme la discussion en farce. Stephen, épuisé par son effort, finit par nier qu'il ait jamais pris sa propre théorie au sérieux. Il suit Mulligan, comprenant qu'il n'a aucune place dans les mouvements littéraires irlandais.

La théorie de Stephen ne peut être dégagée de sa présentation. Stephen accuse les membres de la famille de Shakespeare, les uns après les autres, et ce de manière manipulatrice. Il n'hésite pas à omettre certains faits, ainsi lorsqu'il mentionne un signe dans le ciel. Refusant l'idéalisme de Russell pour affirmer le poids de la réalité historique, Stephen ne s'arrête pas au contexte élisabéthain mais inclut la guerre des Boers et ses camps de concentration. Il montre en quoi la thésaurisation du barde de Stratford laisse pressentir la montée du capitalisme britannique, tandis que son nationalisme annonce l'impérialisme moderne. Stephen se laisse emporter, Ulysse devenant tour à tour « Socrate, Jésus, Shakespeare ». Sa thèse insiste sur la jalousie et la trahison : la femme de Shakespeare, Ann Hathaway, plus âgée que lui, le trompe avec ses propres frères. Shakespeare s'exile de Stratford pour tenter sa chance à Londres, et il accepte les tentations que lui offre une culture de l'excès. Il passe de l'hétérosexualité à l'homosexualité et se projette dans *tous* ses personnages, avec une préférence pour le rôle du père d'Hamlet, le roi assassiné et trompé par sa femme.

Les auditeurs n'admettent pas qu'on exploite les détails biographiques pour en tirer des conclusions douteuses sur les œuvres, comme chercher dans les noms des personnages des preuves de l'adultère d'Ann Hathaway avec les frères de Shakespeare. Face aux « Platoniciens » que sont Russell et Eglington, Stephen manœuvre en rusé sophiste, et finit par les persuader que Shakespeare est « tout dans tout », à la fois le Spectre et le Prince. Pourquoi refuse-t-il de croire à sa propre théorie, ce qui le prive de la possibilité d'une publication ? Cette rhétorique qui nie ses conclusions dès qu'elle emporte l'assentiment vient de l'essai d'Oscar Wilde, ce *Portrait de M. W. H.* de

1889[1]. Le destinataire des Sonnets de Shakespeare ne serait autre qu'un certain Willie Hughes. Ce dialogue platonicien présente une série d'auditeurs qui tour à tour se « convertissent » à la thèse proposée, tandis que celui qui a démontré la thèse perd confiance en sa validité. Cyril Graham peint un faux portrait de Willie, et, une fois la supercherie découverte, se suicide. Le narrateur admet l'existence Willie Hughes, et veut montrer le bien-fondé de cette thèse, mais dès qu'il a rédigé son essai, il perd sa croyance. Stephen, mis au pied du mur par Eglington, admet « promptement » qu'il ne croit pas à sa théorie, comme il refusera « promptement » l'asile que Bloom lui offrira. Il ne peut assumer la paternité de sa théorie qui le mène au bord de l'auto-engendrement mystique.

Avec ses morceaux de bravoure, ce « mélange théologicophilolologique » achève la première partie du roman sur un éblouissant feu d'artifice rhétorique qui met en scène jusqu'à son échec même, afin de mieux intégrer le lecteur à la fête verbale qui va aller en s'amplifiant.

Se rejoignent ici les problématiques de Bloom, présent comme une ombre qui ne fait que passer dans cet épisode, et de Stephen. Le thème de Bloom, autre incarnation de Shakespeare, tantôt usurier juif, tantôt Juif errant, revient grâce à Maeterlinck. Materlinck dit qu'on trouve dans le monde extérieur la projection de ce que l'on est. Le monde réel se charge d'actualiser le virtuel en germe dans chacun de nous. Son livre, *La Sagesse et la Destinée,* refuse tout romantisme, que ce soit dans l'art ou dans la vie. La phrase qui précède celle que cite Stephen dit : « Toute aventure qui se présente, se présente à notre âme sous la forme de nos pensées habituelles, et aucune occasion héroïque ne s'est jamais offerte à celui qui n'était pas un héros silencieux et obscur depuis un grand nombre d'années[2]. » Ceci pointe vers Bloom, citoyen modeste figurant d'autant mieux un Ulysse moderne qu'il n'a rien d'héroïque apparemment, mais qu'il peut incarner la quotidienneté universelle. Ulysse devient Socrate, Jésus, Shakespeare, mais aussi Monsieur Tout-le-monde.

JEAN-MICHEL RABATÉ

1. Oscar Wilde, *Le Portrait de M. W. H.*, traduit et annoté par Jean Gattégno, dans *Œuvres*, Paris, Gallimard, Bibl. de la Pléiade.

2. Maurice Maeterlinck, *La Sagesse et la Destinée* (1899), Paris, Fasquelle, 1941, p. 35.

X. LES ROCHERS ERRANTS

En confrontant l'Ulysse dublinois aux deux dangers que Circé présentait comme mutuellement exclusifs, Joyce abandonne le modèle odysséen. « Les Rochers Errants » est un épisode excédentaire divisé en 19 sections dans lesquelles on est tenté de voir un microcosme du roman tout entier, mais là aussi il y a surnombre. D'entrée de jeu, le texte se présente comme une mise en abyme de l'écart. Nous avons atteint la seconde moitié de l'œuvre dont les deux parties figurent ces rochers entre lesquels il est périlleux de s'aventurer. Le lecteur téméraire qui entend continuer un voyage qui s'apparente à une quête du sens ne devra plus se concentrer sur ce qui est dit mais sur la manière dont cela est dit. Et Jason n'est-il pas là pour nous rappeler que c'est des usurpateurs qu'il faut triompher, ceux qui en ce 16 juin 1904 ont lancé les deux protagonistes à l'assaut des rues de la capitale ?

Curieusement, on trouve les lieux et les objets dans la colonne que le schéma de Linati consacre aux personnages. Ceci est d'autant plus paradoxal que c'est dans l'épisode X que l'on rencontre le plus grand nombre de citoyens prisonniers d'une ville-labyrinthe que nul ne quittera ce jour-là. À terme, la paralysie guette ces errants presque chosifiés dont les trajets, devenus trajectoires, apparaissent comme bornés et balisés par les deux « sur-parcours » qui délimitent et encadrent l'épisode : celui qui conduit le Père Conmee à Artane et la cavalcade du vice-roi qui se rend à l'inauguration d'une kermesse. C'est une mission charitable qu'accomplissent ces deux représentants d'un pays étranger, mais on s'aperçoit que ceux qui incarnent les deux forces qui oppriment l'Irlande se refusent à reconnaître l'Autre. Le jésuite s'emploie à nier ou à réduire l'altérité chaque fois qu'elle se manifeste, et l'Irlande colonisée par l'Angleterre a perdu toute identité. Dans une section où la densité du texte est symbolique de la pression qui s'exerce sur les citoyens, le vice-roi n'est jamais reconnu comme tel par ceux qui le saluent. Leur repérage spatial paraît d'ailleurs plus important que leur nom, comme si Joyce souhaitait laisser le dernier mot à ce Dublin fantasmé, réduit *in fine* à la page du livre.

De façon symptomatique, Bloom et Stephen n'apparaissent pas dans la dix-neuvième section, rappel du « *non serviam* », ce refus blasphématoire et luciférien de servir que ce dernier lançait dans le *Portrait de l'artiste* et prélude à ce même cri lancé à sa mère dans « Circé ». Quant à Bloom, c'est grâce à son statut de métèque (au sens grec de *metoikos*) qu'il échappe à l'emprise des deux forces qui broient l'Irlande. Les deux personnages évitent les mirages et les illusions nés du mouvement des rochers qui s'entrechoquent. En effet, nombreux sont les leurres qui jalonnent l'épisode. Le risque est grand de trébucher sur les peaux de banane que glisse Joyce : polysémie, homonymie, méprise sur le contenu d'une marmite, changement de toponyme au cours d'une histoire qui semble échapper totalement aux Dublinois, confisquée qu'elle est par les Anglais ou par la religion. À ces périls s'ajoutent les trente-deux interpolations, ces fragments venus d'ailleurs qui affleurent à la surface du texte. Ils fonctionnent de manière rétrospective ou prospective : il faudra par exemple attendre le dernier épisode, « Pénélope », pour acquérir la certitude que c'est effectivement Molly qui a lancé la pièce au marin unijambiste. Les premiers critiques de Joyce avaient été déroutés par ces interpolations qui participent d'une technique cinématographique. Paradoxalement, ces notations, perçues comme des facteurs de discontinuité, sont mises en fait au service de la continuité dans l'épisode où elles constituent une tentative pour rendre la simultanéité.

La section 10 de l'épisode X nous place au centre du labyrinthe que construisit Dédale pour dissimuler le Minotaure, né de la violation d'un interdit. Nous sommes dès lors amenés à nous interroger sur l'objet de la quête que mène ce personnage vu de dos que nous présentait une interpolation dans la section précédente. Tout converge ici sur le Livre. L'écrit est omniprésent dans « Les Rochers Errants ». Il apparaît sous sa forme minimale : les lettres que portent les hommes-sandwichs. Ils doivent déambuler dans un ordre préétabli afin d'assurer la lisibilité d'un message qui est de l'ordre de la réclame (un rappel de l'activité professionnelle de Bloom). C'est aussi de la réclame qui s'affiche sur les murs de Dublin ou qui descend le cours de la Liffey jusqu'à rejoindre la mer. Pour le jésuite, le livre est un texte auquel on ne peut rien changer, et pour les enfants Dedalus c'est une marchandise dont le prix permet une conversion des nourritures spirituelles en nourritures terrestres. Le livre établit aussi un lien subtil entre Bloom et Stephen et prépare à leur future rencontre. Tous les deux sont vus comme des artistes potentiels et tous les deux y investissent leurs fantasmes amoureux. Stephen a une approche intellectuelle, désincarnée, alors que Bloom trouve dans l'ouvrage semi-pornographique qu'il feuillette les échos de sa propre histoire conjugale. Le roman qu'il choisit, dont le titre anglais « Sweets of Sin » restitue l'acronyme SOS qui figurait au début de l'épisode VIII[1], vise à satisfaire le désir de Molly et à la confirmer dans son rôle de refuge vers lequel le mari ne cesse de se tourner. À l'inverse, Boylan, le conquérant, fait peu de différence entre fantasme et réalité. Toutefois, le livre est également là pour établir Bloom dans son statut de juif. L'arche sous laquelle il se situe, les *Contes de Ghetto* qu'il déclare posséder, le prénom de l'auteur de cet ouvrage sont autant d'éléments qui surdéterminent l'hébraïcité du personnage et rappellent qu'il plonge ses racines dans un peuple qui, par définition, est un perpétuel pérégrinant. On peut aussi voir dans cette silhouette noire sans visage un avatar du lecteur lui-même qui occupe ce point aveugle, cette zone d'ombre où la vérité ne peut que se dire à demi.

L'arc-en-ciel, la couleur assignée à l'épisode, le laissait présager. Comme la lumière blanche la ville se décompose et se recompose lorsqu'elle est vue à travers le prisme d'une écriture dont l'ultime effet n'est pas le réalisme, but que prétendait poursuivre Joyce. Pour en sortir indemne il faudra suivre Artifoni : à l'instar de la colombe lâchée par Jason il permettra, par la médiation d'un art justement inscrit dans son patronyme, au récit de se poursuivre et au roman d'exister.

M.-D. V.

XI. LES SIRÈNES

« Les Sirènes » viennent clore la série des épisodes rédigés dans le style « initial[2] », qui mêle étroitement monologue intérieur et narration à la troisième personne. C'est aussi la première des parodies qui caractérisent le style intermédiaire[3] (« Cyclopes », « Nausicaa », « Les Bœufs du Soleil »). À la fois

1. Voir p. 268 et n. 2.
2. L'expression est employée par Joyce dans une lettre à Harriet Shaw Weaver du 6 août 1919.
3. Voir Michael Groden, *Ulysses in Progress*, Princeton University Press, 1977.

aboutissement et point de départ, l'épisode marque surtout un tournant capital : le *prétexte* musical fourni par le thème du chapitre permet à la technique romanesque de s'émanciper définitivement du réalisme du XIXe siècle et de sortir de la discrétion qui était la sienne (effacement apparent de l'instance narrative derrière les personnages). La manipulation ostentatoire du langage, qui avait commencé à se manifester ponctuellement, s'érige ici en système.

Le trait le plus saillant est en effet le rapport à la musique. Non seulement les allusions, directes et indirectes, à l'univers musical abondent, non seulement le parallèle homérique fait porter l'accent sur les séductions mortelles du chant, mais le sujet explicite du chapitre est un concert improvisé dans un bar, reflétant la passion des Irlandais pour la musique vocale. Sur le plan formel, on ne peut manquer d'être frappé par les jeux de rythmes et d'échos, l'entrecroisement des thèmes, et surtout par l'étonnant prélude qui, sur le modèle des ouvertures d'opéra ou d'opérette, nous présente une sorte de résumé thématique de l'œuvre qui va suivre. Le langage tente ouvertement de concurrencer la musique sur son propre terrain.

Cela ne signifie pas qu'il faille se laisser aveugler par cette prépondérance, ni qu'il faille prendre à la lettre la revendication de Joyce qui prétendait que l'épisode revêtait la forme d'une fugue canonique. Personne n'a réussi à y mettre en évidence de façon convaincante les « huit parties que comporte une *fuga per canonem* » annoncées dans une lettre à Miss Weaver[1]. La très riche polyphonie qui se manifeste dans ce chapitre n'est pas structurelle, elle résulte d'une combinaison de citations, d'allusions, de stylisations et de parodies, faisant entendre plusieurs voix à l'intérieur d'une même phrase, voire d'un même mot.

L'ouverture elle-même, qui pousse le mimétisme aussi loin qu'il est possible, ne peut être interprétée comme une simple transposition d'une forme musicale. Contrairement aux thèmes musicaux, les thèmes verbaux refusent de faire sens hors de leur contexte et ne produisent, télescopés en un pot-pourri, qu'un

1. Joyce, lettre du 6 août 1919. De récentes découvertes semblent indiquer que ces énigmatiques huit parties proviendraient de notes prises par Joyce au cours d'une lecture superficielle de l'article « fugue » dans un dictionnaire de musique. Il faut noter que toutes nos connaissances sur la genèse de cet épisode ont été bouleversées, au début des années 2000, par la réapparition de brouillons dont on ignorait l'existence.

effet comique d'incongruité. Ils ne deviennent compréhensibles qu'à la seconde lecture. Ce mécanisme s'applique à l'ensemble de l'épisode. Joyce ne se contente pas d'échos sonores, il s'appuie sur le fait que toute reprise d'un énoncé introduit une distance, fût-elle minime, par rapport à cet énoncé, pour élargir cette distance et la creuser parfois jusqu'à la parodie la plus burlesque ou jusqu'à l'étrangeté la plus grande. C'est cette multiplication des décalages énonciatifs qui fait l'intérêt, mais aussi la difficulté des « Sirènes ». D'autant que, le plus souvent, les juxtapositions verbales incongrues ne rencontrent pas d'alibi psychologique. Elles ne peuvent plus être rapportées aux associations d'idées d'un des personnages.

On ne saurait surestimer la rupture représentée par cette absence de perspective unifiante. Pour en prendre la mesure, il suffit de considérer le désarroi que cet épisode a produit chez ceux, comme Harriet Shaw Weaver et Ezra Pound, qui avaient été les plus fidèles soutiens de Joyce et qui soudain ne parvenaient plus à le suivre.

Du point de vue de l'action, cet épisode apparaît comme un temps mort dans l'action d'*Ulysse*. L'événement majeur qui se produit en ce milieu d'après-midi, la rencontre adultère de Molly et de Boylan, a lieu loin de l'hôtel Ormond où Bloom prend un déjeuner tardif. Mais pour Bloom, tous les gestes qu'il surprend et toutes les chansons qu'il entend renvoient à cette autre scène, absente. Cette économie de la représentation et de la substitution est à généraliser, car là est la différence fondamentale entre les « Sirènes » et un pur jeu formel, un morceau de musique où les notes ne renverraient à rien d'autre qu'à elles-mêmes : ici tout représente, tout joue le rôle de quelque chose d'autre.

Tout le monde est *en représentation*, préoccupé de qui le regarde et de qui l'écoute. D'entrée, le modèle est posé : le manège entre Miss Douce et le membre du cortège vice-royal alterne les positions du spectacle et du spectateur ; et aussitôt la curiosité inassouvie du chasseur vient se greffer sur cet échange de regards. Même Bloom aimerait savoir si c'est bien pour lui seul que la vendeuse ou la barmaid se donnent en spectacle. Miss Douce s'exhibe devant Boylan en s'interrogeant sur la femme qui a pu lui donner la rose dont il s'orne, tandis que celui-ci ne voit en elle qu'une mise en appétit pour sa rencontre avec Molly. Cette scène du *Sonnez la cloche*, où Joyce présente un parfait équivalent sonore du voyeurisme-exhibitionnisme, jette du même coup une lumière crue sur les relations qui unissent les chanteurs à leur public.

Dans cet épisode musical, contrairement à ce qu'on pourrait attendre, les occurrences des mots « œil », « voir » et « regarder » et de leurs synonymes sont plus nombreuses que celles des mots « oreille », « entendre » et « écouter ». À chaque instant, l'œil et l'oreille se suppléent ou se court-circuitent sur les chemins du désir. Le dispositif scénique complexe opère alternativement une conjonction et une disjonction des deux registres visuel et auditif. À l'intérieur de l'hôtel Ormond, le théâtre est partagé en plusieurs espaces : la salle à manger, où se tiennent Bloom et Richie Goulding, le bar, royaume des barmaids, divisé par un comptoir, mais redoublé par un miroir, et enfin la salle de musique qu'occupent Cowley, Simon Dedalus puis Dollard. De la salle à manger on entend la musique et l'on voit une partie du bar quand la porte est entrebâillée ; du bar on voit les deux autres salles et on entend la musique ; de la salle de musique on voit et on entend le bar, mais pas la salle à manger. Les barmaids occupent donc une position stratégique de charnière, mais de Richie Goulding à Pat, chaque personnage joue tour à tour un rôle de relais. Le regard, comme la voix, est toujours *partagé*, pris en charge par un système complexe de médiations, de renvois et de ricochets, dans lequel le lecteur se trouve aspiré, sans pouvoir se raccrocher à un point de repère stable.

DANIEL FERRER

XII. LE CYCLOPE

Après leur séjour chez les Lotophages, Ulysse et ses compagnons arrivent au pays des Cyclopes. Accompagné de douze hommes, Ulysse débarque et pénètre dans une caverne où il trouve du fromage et du lait. Lorsque rentre le propriétaire de la caverne, Polyphème, celui-ci s'empare des intrus et se met à les dévorer. Ulysse lui offre du vin et le Cyclope, qui n'en a jamais bu, se sent de meilleure humeur et demande son nom à Ulysse. Celui-ci répond alors : « Personne. » Le Cyclope s'endort et Ulysse, à l'aide d'un épieu durci au feu, perce l'œil du Cyclope. Celui-ci appelle alors ses congénères au secours, mais lorsqu'ils lui demandent qui l'a attaqué, il répond : « Personne », et ils le prennent pour un fou. Ulysse et ses compagnons s'attachent alors sous le ventre des béliers et parviennent à sortir de la caverne en échappant aux mains du Cyclope. Une fois que son bateau a mis la voile, Ulysse crie à Polyphème son vrai nom et se moque de lui. Dans sa rage, le Cyclope lance contre le bateau des rochers, mais sans l'atteindre. Polyphème étant fils de Poséidon, c'est de ce moment que date la colère du dieu de la mer contre Ulysse.

Pour la première fois dans le roman, nous quittons complètement le monologue bloomien et Bloom n'apparaît dans l'épisode que comme un protagoniste parmi les autres, non seulement vu de l'extérieur, mais mis en perspective de manière dévalorisante par les ragots du Narrateur anonyme. La scène se passe dans le pub de Barney Kiernan. Situé près du tribunal de Green Street, l'endroit était très fréquenté par des gens liés à des procès, d'où l'abondance des conversations portant sur des questions d'actions en justice, de droit et de procédure.

L'épisode est d'une construction très subtilement agencée derrière un apparent désordre de conversations décousues et un va-et-vient incessant d'entrées et de sorties. La conversation est ponctuée, de façon très rituelle, par les offres sans cesse renouvelées d'alcool, selon la coutume irlandaise du *treating* qui veut que chacun, à tour de rôle, offre la tournée. Les entrées des personnages, le plus souvent par groupes de deux, donnent peu à peu l'impression d'une scène de théâtre toujours pleine de monde, mais d'où les comédiens entrent et sortent sans cesse, rappelant un peu, en plus complexe, la construction de « "Ivy Day" dans la salle des commissions » dans *Dublinois*. La conversation revient toujours à quelques obsessions : la boisson, les conflits et procédures judiciaires, la violence, la vantardise nationaliste, les calomnies contre Bloom. L'ensemble des protagonistes donne l'impression d'un ramassis d'épaves, d'ivrognes, de parasites, de bouffons, population dublinoise assez crépusculaire qui cherche à maintenir les apparences par ses plaisanteries et compensera sa veulerie et ses frustrations en se trouvant un bouc émissaire en la personne de Bloom.

Tout l'épisode est traversé par l'opposition entre la vision monoculaire, déformée, intolérante des Cyclopes, Narrateur ou Citoyen, et la vision bioculaire de Bloom. Les allusions à la vision déformée ou réduite ponctuent la conversation. Un parallèle s'instaure ainsi entre un certain nationalisme irlandais, inculte, intolérant, obscurantiste, et les Cyclopes, qu'Homère présente comme « brutes sans foi ni lois ». Les conversations se complaisent dans l'évocation de la criminalité, signe de cette violence dublinoise qui va peu à peu s'accumuler contre Bloom.

En face de la brutalité du Citoyen, Bloom se fait le chantre d'un humanisme tolérant. S'élevant contre les persécutions de toutes sortes, il affirme haut et fort : « L'amour, dit Bloom. C'est-à-dire tout l'opposé de la haine. » Mais ce message bloomien est constamment mis en perspective par la double écriture de l'épisode. On voit en effet s'amplifier jusqu'à l'éclatement la dissociation en instances d'énonciation hétérogènes déjà entamée avec les intertitres d'« Éole » et l'ouverture musicale des « Sirènes ». C'est d'une part le déroulement chronologique d'un récit à la première personne par un Narrateur anonyme racontant les événements qui se déroulent dans le pub, d'autre part des amplifications parodiques provenant d'un autre espace textuel, un peu comme si on avait opéré un montage cinématographique de bobines appartenant à des films différents.

Mais chaque insertion parodique est beaucoup plus que la réécriture, dans un autre style, de ce qui vient d'être dit par le Narrateur : elle constitue chaque fois une scène autonome. Richard Ellmann[1] voit d'ailleurs une des sources possibles de cette écriture alternée dans un des premiers exemples littéraires de la technique cinématographique du montage, l'épisode des comices agricoles dans *Madame Bovary*, qui fait alterner les clichés sentimentaux du dialogue amoureux de Rodolphe et Emma sur le balcon et les envolées rhétoriques des autorités sur l'avenir de l'agriculture et de l'industrie.

La dimension satirique n'est pas non plus absente. La cible des interpolations parodiques est d'abord l'archaïsme parfois affecté de la traduction de l'*Odyssée* par S.H. Butcher et Andrew Lang (1879). Mais c'est aussi le médiévalisme un peu frelaté des tenants du Renouveau gaélique et les traductions de poésie celtique en vogue à la fin du XIXe siècle, au style souvent verbeux et enflé. Quant à l'abondance des énumérations, que ce soient les poissons et les légumes du marché ou les curiosités touristiques brodées sur le mouchoir, elle évoque un foisonnement qui tranche spectaculairement avec l'état réel de l'Irlande, comme si le déferlement rhétorique pouvait compenser la pauvreté économique du pays.

Mais c'est peut-être dans la différence entre l'écrit et la voix qu'est la ligne de clivage de l'épisode. Alors que le récit du narrateur anonyme est avant tout une performance orale, les inter-

1. Richard Ellmann, *Ulysses on the Liffey*, Faber, Londres, 1972, p. 110.

polations sont sous le signe de l'écrit et de la page imprimée. La narration ne cesse de répéter du déjà-dit, de se trouver des autorités plus ou moins fallacieuses, sources inépuisables et invérifiables de ragots. L'épisode s'inscrit à cet égard dans la tradition orale irlandaise des conversations de pub où il est impossible de démêler le vrai des amplifications et racontars. La parole irlandaise apparaît comme répétition infinie, renvoyant toujours à du déjà-dit, devenant ainsi l'écho d'un écho d'un écho, sans qu'on puisse jamais remonter à une origine de vérité indubitable. Mais cette narration a une force performative qui tient au pouvoir de la voix. Par ses règles de mise en scène très codées, elle se rapproche souvent du théâtre. La moindre anecdote est immédiatement construite en une petite saynète où le détail burlesque devient le point de départ d'un véritable numéro de music-hall improvisé. On voit ainsi se jouer sous forme de pochades express les débordements de Polly Mooney, la soirée des antialcooliques, les pitreries de Bob Doran avec deux prostituées dans un pub clandestin, ou les entrechats de Bloom autour de Molly. David Hayman[1] a vu à juste titre dans « Le Cyclope » la reprise d'un divertissement irlandais traditionnel, la *Dublin Christmas pantomime*, spectacle de music-hall comique donné pour Noël, déroulement d'épisodes burlesques régulièrement interrompus par des intermèdes de chansons et de numéros comiques. Elle se termine souvent par une apothéose parodique, la *transformation scene*, transfiguration burlesque du héros, ici la montée de Bloom au ciel sur son char glorieux dans la dernière scène. Mais, au-delà du burlesque mélodramatique, la transfiguration bloomienne rattache aussi la scène à la tradition du *trickster tale*, récit folklorique dont le protagoniste, en l'occurrence Bloom, est à la fois personnage de farce, magicien et héros mythique.

Au contraire, les insertions parodiques apparaissent éminemment vulnérables aux stéréotypes du discours imprimé. Amplification épique et cliché journalistique s'y interpénètrent et s'y contaminent mutuellement. Les morceaux journalistiques sont émaillés de clichés épiques mais, inversement, les vignettes épiques ou héroïques glissent parfois vers le style un peu racoleur de la page publicitaire. Le style oratoire devient emphase,

1. David Hayman, « Cyclops », dans Clive Hart et David Hayman (éd.), *James Joyce's « Ulysses ». Critical Essays*, Berkeley, University of California Press, 1974, p. 258.

la métaphore devient cliché, l'amplification devient boursouflure, le panorama épique devient catalogue de grand magasin ou dépliant touristique, la vignette devient chromo, l'*exemplum* devient sagesse des nations, l'épithète homérique devient poncif, l'éloge devient publicité, la galerie de portraits devient carnet mondain, la diversité est celle d'un almanach et les *mirabilia* relèvent du fait divers.

Le décalage dévastateur entre la narration et les insertions montre ainsi l'écart grandissant entre la voix et l'imprimé. Cette faille est la marque des deux discours qui écartèlent Dublin : d'une part la parole qui répète, de l'autre la presse d'imprimerie qui reproduit ; d'une part l'infinie série des échos, de l'autre la production effrénée de la machine rhétorique des médias. Toute la paralysie — mais aussi la magie — dublinoise est dans cette coexistence du passé de la parole et du présent de l'imprimé au sein de la caverne cyclopéenne du pub.

A. T.

XIII. NAUSICAA

Au chant V de l'*Odyssée*, Ulysse, victime du courroux de Poséidon après avoir quitté Calypso, s'est échoué chez les Phéaciens. Ce peuple eut jadis à pâtir des Cyclopes avant de s'établir en ce pays, de même que Bloom trouve le repos à Sandymount après ses mésaventures de l'épisode précédent avec le « Citoyen » / cyclope. Au matin, Ulysse est réveillé par la princesse Nausicaa qui, accompagnée de ses suivantes, est venue laver du linge avant son mariage, précisément par une balle avec laquelle jouent les jeunes femmes. Semblablement, Bloom voit rouler jusqu'à lui un ballon, qu'il renvoie « juste sous la jupe de Gerty » (p. 579), établissant ainsi le premier contact avec celle-ci. Gerty est très préoccupée par les vêtements, le linge de corps en particulier, les questions d'hygiène et de propreté, de même que Bloom. Gerty MacDowell est quant à elle littéralement obsédée par l'idée de mariage et de bonheur conjugal.

Mais en plus des ressemblances thématiques et diégétiques qu'il inscrit, Joyce reprend à son compte une caractéristique structurelle importante du passage d'Ulysse à la cour d'Alkinoos. En effet, c'est là que le héros fait le récit de ses aventures, des chants IX à XIII, avant de prendre la mer vers Ithaque.

D'une manière identique, quoique très ramassée, Bloom récapitule sa journée peu avant la fin de l'épisode (p. 620-621).

Cette partie du roman est la seule qui commence par une description du lieu ou, plutôt, par sa mise en scène. Le cadre, tout en dorures, est posé avant qu'une voix de bonimenteur ne nous prépare à un spectacle devenant de plus en plus total, puisqu'il inclut la bande-son d'une retraite religieuse et les lumières d'un feu d'artifice[1]. Le tableau qui est peint — mais il faut ici prendre le terme de peinture dans le sens plus large de tous les procédés optiques de représentation — propose un point de vue rassurant et dominant. La voix douceâtre d'un narrateur-« bonimenteur[2] », ou d'un « Arrangeur[3] », nous enveloppe comme si nous devions nous laisser bercer et porter par les litanies à la Vierge. Bien sûr, l'ironie et le pastiche se font tôt sentir, et les pensées de Gerty la midinette sont de plus en plus envahies par des clichés peignant la femme et l'amour en de mièvres couleurs, tirés de chansons populaires, d'opérettes ou de la presse féminine.

Une fois le cadre posé, la plage de Sandymount, où Stephen déambulait plus tôt dans « Protée », le promontoire de Howth, la retraite mariale d'alcooliques repentis et le basculement progressif dans le crépuscule qui s'annonce, l'épisode, fortement polarisé entre Bloom et Gerty, se divise grossièrement en deux parties. « Tumescence, détumescence » annonce le schéma confié à Gorman pour décrire la « Technique » utilisée ici[4]. Joyce lui-même en présente ainsi la manière : « Nausicaa » est écrit dans un style mielleux confituré marmeladé culotté (alto là !)

1. Voir l'article de Carla Marengo, « "All the world's a fair" : le mot et le monde dans "Nausicaa" », dans Adolphe Haberer, dir., *De Joyce à Stoppard. Écritures de la modernité*, Presses Universitaires de Lyon, 1991, p. 109-129. Pour prolonger la réflexion sur les rapports texte / image, voir Liliane Louvel, *Le Tiers pictural. Pour une critique intermédiale*, Presses Universitaires de Rennes, 2010.

2. Carla Marengo, *op. cit.*, p. 110.

3. Terme proposé par Hugh Kenner dans son étude classique, *Ulysses*, Londres, George Allen & Unwin, 1982, p. 61-71.

4. La fonction essentielle des schémas, rappelons-le, était d'attirer l'attention sur le travail complexe d'élaboration et sur les parallèles homériques, façon de convaincre du sérieux de l'entreprise (voir lettre à Linati du 21 septembre 1920, *Œuvres*, t. II, p. 910-911). Ellmann indique que Joyce donna quelques bribes du schéma à Benoist-Méchin pour la traduction et le confia à Larbaud pour sa présentation (*James Joyce*, p. 522). Sylvia Beach le distribua ensuite à des proches et ce second schéma est à présent désigné sous le nom de « schéma Gorman » (voir p. 1221-1230).

avec effets d'encens, mariolâtrie, masturbation, coques marinières, palette de peinture, bavardage, circonlocution etc.[1] ».

Sans surprise, le caractère sexuellement très explicite de la scène affola les censeurs. Cependant, l'obscénité, au sens du Georges Bataille de *L'Érotisme*, tient moins à certaines précisions physiques qu'à la proximité qui s'affirme entre sexuel et sacré, puisque tout est ici scandé par les litanies à la Vierge. L'outrage n'est pas d'abord dans les notations de perceptions choquantes, qui heurtent jusqu'au principe de plaisir au profit d'une jouissance plus obscure (« Alors elles te jettent un de ces relents tu peux y accrocher ton chapeau », p. 610). Pas non plus dans certains détails qui ne sont pas là pour glorifier le sexe en majesté mais dire sa gravité ou son poids, voire son caractère encombrant et malcommode (« Ça commence à devenir froid et gluant. Suite pas très agréable. Encore qu'il faille bien évacuer ça quelque part », p. 602). Ce sont bien plutôt dans tous les glissements qui nous font passer de Gerty la vierge impudique à la Vierge, mère de Dieu et figure de l'intercession entre les humains et l'Éternel, ou du passage de l'élévation de l'hostie à l'orgasme de Bloom que réside le « scandale ». Il ne faudrait pas néanmoins sous-estimer que le rapport à la chair, ou l'état de la chair dont témoigne « Nausicaa », n'était pas si courant en son temps, et suffirait même à distinguer *Ulysse* de la littérature « érotique » ou « pornographique » à laquelle certains voulurent l'assimiler.

En fait, plusieurs scènes se jouent simultanément. D'abord, les rêveries sentimentales de Gerty ouvrent complaisamment au mystérieux inconnu qui la regarde les portes de son théâtre féminin, théâtre qui est tout autant le lieu d'une « mascarade féminine[2] », d'une « performance » qui tente de faire exister *la femme*[3], que d'une aliénante identification. Bloom, voyeur actif, dont le monologue intérieur est beaucoup plus direct, cru et charnel, utilise Gerty de deux manières. Elle est, d'une part, *une* femme à partir de laquelle il essaie de percer l'énigme du désir féminin, en s'aidant du discours de la science, avec un succès

1. Lettre à Budgen du 3 janvier 1920, dans *Œuvres*, Bibl. de la Pléiade, t. II, p. 893-894, traduction légèrement modifiée.

2. Je reprends, dans un usage généralisé, l'expression de Joan Rivière. Son texte célèbre, « La féminité en tant que mascarade » (1929), est repris dans *Féminité Mascarade*, Études psychanalytiques réunies par M.-C. Hamon, Éd. du Seuil, 1994, p. 197-213.

3. Voir Judith Butler, *Trouble dans le genre* (*Gender Trouble*, 1990), traduction de C. Kraus (Paris, La Découverte, 2005).

tout relatif. Mais la question du désir et de la jouissance sont indéniablement en jeu et le tirent quelque peu du côté du féminin : « Mais des tas d'entre elles n'arrivent pas au septième ciel, je crois. Gardent ça en suspens durant des heures. Pour moi c'est une sorte de fourmillement qui me gagne et m'envahit jusqu'au milieu du dos[1] » (p. 609).

En outre, Bloom tente d'oublier une autre scène qui met en jeu Molly et Boylan au domicile conjugal, sans y parvenir toutefois, comme l'indiquent assez les « Coucou » de la fin de l'épisode. De manière assez classique, serait-on tenté de dire, il se détache de Gerty pour retourner à sa femme, mais c'est ici qu'il faut revenir à l'*Odyssée*. En effet, le poème homérique contient l'idée d'une union quasi mystique entre Ulysse et Nausicaa. Au moment des adieux, Nausicaa dit à Ulysse : « Quand tu seras rentré, garde mon souvenir ! car c'est à moi d'abord que devrait revenir le prix de ton salut[2]. » À quoi Ulysse répond que ses vœux lui « resteront fidèles : tu me seras un dieu, tous les jours d'une vie que je te dois, ô vierge[3] ! ».

On peut faire l'hypothèse de ce que Joyce inscrit sa propre sentimentalité en créant avec Gerty un double romanesque de Nora infiniment plus complaisant que son épouse. Deux notations, discrètes, dans cette débauche de signes et de chair imagée, confirmeraient cette lecture. D'une part, les remerciements muets de Bloom à Gerty, « Jamais nous ne nous rencontrerons de nouveau. Mais ce fut délicieux. Adieu, chérie. Merci. Tu m'as donné de me sentir si jeune » (p. 622), où se dit assez sa reconnaissance toute ulysséenne pour la vie donnée, sinon sauvée. D'autre part, l'allusion à une chanson de Thomas Moore, « *The last glimpse of Erin* », que Joyce interpréta publiquement mais, surtout, devant Nora qui l'entendait chanter pour la première fois[4].

M. C. et P. B.

1. Cette proximité avec le féminin fait retour dans « Circé », par exemple dans la déclaration lue par le Dr Dixon : « Le professeur Bloom est un exemple achevé du nouvel homme féminin » (Folio p. 783).

2. *Odyssée*, chant VIII, v. 462-464 (traduction de Victor Bérard, Bibliothèque de la Pléiade, Gallimard, 1955).

3. *Ibid.*, v. 468-471.

4. Voir p. 591 et n. 50.

XIV. LES BŒUFS DU SOLEIL

Au chant XII de l'*Odyssée*, Ulysse et ses hommes, après avoir quitté l'île de Calypso, contourné les Sirènes, échappé à la tenaille de Charybde et de Scylla, arrivent en vue de l'île d'Hélios, la Trinacrie (la Sicile moderne). Ulysse a été prévenu par Circé et par Tirésias qu'il importe de ne pas s'en prendre aux bœufs et vaches sacrés d'Hélios, exigence qu'il fait jurer à son équipage de respecter. Le malheur veut qu'il s'endorme, et que pendant son sommeil ses hommes massacrent le bétail pour s'en nourrir. La foudre de Zeus tombera sur eux lors de leur départ, n'épargnant que le seul Ulysse, qui parviendra à réparer le navire et à prendre la mer.

La lecture que Joyce fait de cet épisode est simple en apparence : « L'idée est le crime commis contre la fécondité par la stérilisation du coït[1]. » Le cadre, tout naturellement, sera la grande maternité de Holles Street, au centre de Dublin, et le moment, celui d'un accouchement dont l'issue reste suspendue tout au long de l'épisode. S'ensuit tout un dispositif d'équivalences, que Joyce détaille : « Bloom est le spermatozoïde, l'hôpital le ventre, l'infirmière l'œuf, Stephen l'embryon. » Mais ces correspondances, comme c'est souvent le cas dans *Ulysse*, sont virtuelles, passent aisément inaperçues, sans dommage pour la lecture.

En revanche, les choses se compliquent lorsque Joyce semble prendre le lecteur à contre-pied, et que celui-ci, après le premier moment d'effarement devant le style des premiers paragraphes, prend toute la mesure de la dimension poétique que l'auteur donne à la langue qu'il manie et manipule. Voici ce qu'il en dit à son ami :

> Technique : un épisode en neuf parties, sans divisions, introduit par un prélude du genre Salluste-Tacite (l'œuf non fécondé), puis un passage écrit dans le style anglais primitif allitératif, monosyllabique et anglo-saxon [...], puis à la manière de Mandeville [...], puis de la *Morte d'Arthur* de Malory [...], puis le style de la chronique élisabéthaine [...], puis un passage solennel, du genre Milton, Taylor, Hooker, suivi d'un morceau en style latin syncopé dans le genre anecdotique Burton-Browne,

1. Dans sa lettre du 20 mars 1920 à son ami Frank Budgen, écrite au moment le plus intense de sa composition de l'épisode.

> puis un passage bunyanesque [...]. Ensuite un morceau de style journal Pepys-Evelyn [...]; et ainsi de suite en passant par Defoe-Swift, Steele-Addison-Sterne et Landor-Pater-Newman jusqu'à ce que l'épisode se termine en un affreux mélange de petit nègre, nègre, anglais des faubourgs, argot irlandais et new-yorkais et fragments de vers de mirliton. Cette progression est, de plus, subtilement reliée à chaque partie par un épisode antérieur de la journée et aussi par les stades naturels du développement de l'embryon et les périodes de l'évolution de la faune en général. Le motif anglo-saxon à double son mat se retrouve de temps à autre [...] pour donner l'impression des sabots des bœufs.

La première habileté de Joyce est de prendre la question, en quelque sorte, par son tranchant : la fécondité en tant que possible, problématique, en tant qu'elle peut *ne pas* se réaliser : autant dire, au moment même de la naissance. Samuel Beckett, perspicace, a observé que pour son ami « la naissance ne va pas de soi » (« *Mr Joyce does not take birth for granted*[1] »). Son statut d'aîné de substitution (il avait été précédé d'un frère mort-né) a peut-être à voir ici ; et il ne fait pas de doute que la question du baptême, et de la nomination symbolique qui l'accompagne, était pour lui d'importance — ce fut le cas pour ses propres enfants. Ici, l'arrière-plan est anthropologique. La communauté, sa continuité, sa survie grâce à la fécondité reposent sur un interdit absolu : la mort pour le transgresseur garantissant la vie. Joyce tire de ce fait la conclusion que la culture, la société reposent sur cette base symbolique du sacrifice (il est significatif que la place du sacrifice dans la liturgie catholique l'ait durablement fasciné).

Ce qu'il va sacrifier, c'est la fonction du langage qui regarde la communication, et c'est bien pourquoi les analogies auxquelles elle invite apparaissent vite négligeables. Il va privilégier la dimension poétique, la fonction de création à l'œuvre dans toute langue : ce qui caractérise le mieux l'épisode, c'est ce déplacement de l'accent, non seulement vers la langue, mais vers l'*acte* qui l'anime, sa naissance dans la poésie.

Ce qui est en cause, c'est la langue en tant qu'elle vit et meurt, et, très précisément, meurt pour mieux survivre. Un ami de

1. Samuel Beckett, « Dante... Bruno. Vico... Joyce », *Our Exagmination Round His Factification For Incamination of Work in Progress*, Shakespeare & Company, 1929, p. 8.

Stephen Dedalus, dans *Portrait de l'artiste en jeune homme*, lui avait fait remarquer « la profondeur » de la formule finale d'un traité de zoologie: « La reproduction est le commencement de la mort[1]. » En son point de départ, la vie de la langue nous est présentée comme fondée sur une forme de la répétition, qui pourrait être mortelle : le principe poétique du rythme. Mais elle se développe et s'étoffe au fil de l'évolution culturelle et des générations poétiques qui la ponctuent.

Ce mouvement se mue en une effervescence, vitale certes, qui cependant semble menacer sa survie par une dégénérescence en un Babel annonciateur du défi que *Finnegans Wake* va avoir pour objet de relever. Car le sacrifice poétique consiste en dernier ressort à aborder la langue par sa face la plus escarpée, à savoir la lettre, qui en elle-même ne signifie rien, mais demeure porteuse de tout le sens possible du monde.

J. A.

XV. CIRCÉ

Dans l'*Odyssée*, la magicienne Circé change en bêtes les compagnons d'Ulysse. Dans l'*Ulysse* de Joyce, l'épisode de « Circé » correspond également à une profonde transformation. Il inaugure en effet cette troisième manière que Michael Groden a appelée le « dernier style[2] », avec lequel la machinerie d'*Ulysse* en vient à se retourner sur elle-même et à s'alimenter de sa propre substance.

L'écriture de ce chapitre, commencé à Trieste et achevé à Paris, fut particulièrement laborieuse. Les délais successifs que Joyce se donnait pour l'achever, tout au long de l'année 1920, furent dépassés à de nombreuses reprises, comme si lui-même n'avait que très progressivement pris conscience de la nature et de l'ampleur de son entreprise. Il est vrai que le volume de l'épisode ne cessa de croître, jusqu'à représenter près d'un tiers du livre en nombre de pages. Mais c'était surtout la nouveauté et la complexité de la technique mise en œuvre qui l'obligèrent

1. *Œuvres*, Bibl. de la Pléiade, t. I, p. 758.
2. Michael Groden, *Ulysses in Progress*, Princeton University Press, 1972, p. 52.

à réécrire l'ensemble jusqu'à neuf fois, « du premier au dernier mot[1] ».

À vrai dire, cette complexité technique n'apparaît pas immédiatement aux yeux du lecteur. Après l'extrême confusion des derniers paragraphes des « Bœufs du Soleil », c'est plutôt une impression de relative limpidité qui prévaut. Le style revient à l'anglais courant[2]. La continuité événementielle n'est pas difficile à rétablir : une heure s'est écoulée depuis la fin du chapitre précédent, pendant laquelle Stephen s'est querellé avec Mulligan et Haines. Ceux-ci l'ont abandonné à la gare de Westland Row pour rentrer sans lui à la tour Martello. Stephen et Lynch ont alors pris un train pour le quartier des bordels. Bloom, inquiet de l'état d'ébriété dans lequel il voyait le jeune homme pour qui il ressent une sollicitude paternelle, a entrepris de le suivre, mais s'est trompé de train. Il arrive donc dans le quartier réservé avec un peu de retard. À l'autre extrémité de l'épisode, on observe que la continuité s'établit également sans difficulté : de nombreux événements de « Circé », majeurs ou mineurs, laissent des traces repérables dans les chapitres ultérieurs. Ainsi, au début d'« Eumée », nous vérifions que Stephen est bien sous la protection de Bloom, ou que le bouton de culotte perdu par celui-ci est toujours manquant. Les correspondances avec l'*Odyssée* ne posent guère de problèmes particuliers : en mettant en parallèle la débauche ou la prostitution avec les maléfices de la magicienne qui change les compagnons d'Ulysse en pourceaux, Joyce ne fait que reprendre un très ancien *topos* moralisateur. Ce qui est véritablement déroutant pour le lecteur, c'est le statut incertain des événements, des personnages et des objets qu'il rencontre dans cet épisode.

Soudain, après plusieurs centaines de pages narratives, au quinzième chapitre de ce qui, malgré quelques excentricités, demeurait un roman, nous voyons surgir un dispositif

1. C'est du moins ce dont se plaint Joyce dans une lettre à John Quinn du 7 janvier 1921. Au vu des documents existants, on a longtemps pensé que Joyce exagérait, mais deux nouveaux brouillons ayant été retrouvés récemment, on tend maintenant à penser que ce chiffre n'est pas loin de la vérité. Pour une excellente mise au point de l'état actuel des connaissances sur la genèse de « Circé », voir Ronan Crowley, « Fusing the Elements of "Circe": From Compositional to Textual Repetition », *James Joyce Quarterly*, 47.3 (printemps 2010), p. 341-361.

2. À quelques exceptions près. Voir par exemple p. 897.

typographique qui est celui du théâtre. Une véritable scène s'ouvre soudain, sur laquelle se joue une représentation qui parodie tour à tour différentes formes dramatiques, mystère médiéval, tragédie shakespearienne, drame irlandais et surtout revue de music-hall, pantomime et théâtre populaire à grand spectacle avec profusion de costumes et de décors à transformation. Mais l'objectivité et l'extériorité qu'implique la forme dramatique sont très vite mises à mal, infiltrées par des notations subjectives.

Les plus troublantes de ces manifestations intempestives constituent de véritables hallucinations. Ainsi Bloom et Stephen voient tour à tour apparaître leurs parents décédés (p. 707-709, 807-815, 898-901). Ces spectres surgissent en scène au côté des autres personnages, apparemment sur le même plan qu'eux. Toutefois, ils ne sont pas visibles par tous. On peut donc essayer de faire le partage entre ce qui appartient à la réalité fictionnelle (ce qui est censé s'être réellement passé dans le quartier des bordels de Dublin, le soir du 16 juin 1904) et ce qui relève de la fantasmagorie. Joyce lui-même ne dédaignait pas ce type de distinction, puisqu'il précisait à Harriet Weaver que la chasse à l'homme des pages 905-908 était « imaginaire ». On dira la même chose des pages 731-758, qui culminent avec le procès de Bloom, de l'« épisode messianique » des pages 762-790, de la scène de transformation sexuelle (p. 832-864), du cocufiage de Bloom (p. 876-881), de la résurrection et de la messe noire (p. 922-924). Toutefois, l'imbrication des deux plans est si forte qu'on est souvent bien en peine de décider où s'arrêtent ces « hallucinations » et surtout à qui précisément les attribuer. Même quand elles se rattachent explicitement au passé de Stephen ou de Bloom et semblent pouvoir faire l'objet d'une explication psychologique, il n'en reste pas moins que nous, lecteurs, sommes victimes des mêmes hantises et partageons les hallucinations.

C'est en effet notre passé de lecteur qui est avant tout mis à contribution. Il est remarquable que, dans le schéma de Gilbert et Gorman, l'hallucination figure dans la colonne des « Techniques[1] ». Il s'agit d'un mécanisme textuel, voire rhétorique, plus que d'un mécanisme psychologique. Il repose sur une reprise systématique, un véritable ressassement des épisodes antérieurs, qui font retour par petites bouffées et viennent enva-

1. Voir p. 1230.

hir l'univers du nouvel épisode et se mêler étroitement à sa substance.

Par exemple, au cours de la conversation de Bloom avec Mme Breen, le jugement gastronomique porté par Bloom (« Il y a là-bas un formidable endroit pour les pieds de cochon », p. 719) fait surgir Richie Goulding, qui avait vanté dans l'épisode XI, « Les Sirènes », « le meilleur rapport qualité prix de Dublin » (p. 441). Goulding reprend sous forme tronquée des phrases qu'il avait proférées au cours du déjeuner pris avec Bloom à l'hôtel Ormond, dans ce même épisode XI. Il est pourvu d'attributs qui lui avaient été associés à cette occasion, mais aussi à travers les réminiscences de Bloom (les chapeaux de femme superposés sont évoqués dans l'épisode VI, « Hadès », p. 175) et même lors de la visite que Stephen imagine rendre à sa famille dans l'épisode III, « Protée » (p. 100) (le hareng virtuel offert par Goulding et les pilules). À cela vient s'ajouter, par association, Pat, le garçon qui avait servi le déjeuner, avec ses propres caractéristiques emblématiques. Puis tout disparaît et la conversation reprend comme si de rien n'était.

L'exemple le plus frappant est celui de l'« Être Sans Nom » au « visage sans traits » qui apparaît à la page 751. Il se laisse assez facilement identifier. Son ton, son attitude, les propos qu'il tient, son juron favori, *Gob* (traduit ici par « morbleu » et dans « Le Cyclope » par « putain »), nous permettent de le reconnaître : il s'agit du narrateur de (la moitié de) l'épisode du « Cyclope », le recouvreur de créances (voir p. 483). Il est clair qu'il apparaît ici non pas en tant que personnage, mais en tant que procédé littéraire. Comment, en effet, ce pilier de bar, que rien ne distinguait de ses compagnons de beuverie ici énumérés, pourrait-il être sans nom et sans visage ? C'est nous, lecteurs, qui ne lui connaissons ni nom ni visage, puisqu'il était le narrateur de l'unique épisode dans lequel il a figuré jusqu'ici, et il eût été invraisemblable qu'il se décrivît lui-même ou prononçât son propre nom. Si ce passage de « Circé » représentait, comme on le pense souvent, une hallucination de Bloom, il devrait nous révéler le visage que celui-ci a pu longuement contempler quelques heures plus tôt dans le bar de Barney Kiernan et le nom qu'il ne peut pas ignorer. Ce qui est mis en cause par le resurgissement hallucinatoire d'éléments provenant des chapitres antérieurs, c'est bien notre propre mémoire de lecteur.

Il faut se laisser porter par ce flot de réminiscences textuelles.

La méthode rétrograde est la seule qui permette de pénétrer au cœur de « Circé », car on est devant ce texte comme devant un miroir : on découvre qu'on y figure déjà, mais on ne peut s'y enfoncer qu'à condition de s'en éloigner à reculons.

D. F.

XVI. EUMÉE

Arrivé dans son royaume, Ulysse se réfugie dans la cabane d'un de ses fidèles serviteurs : un porcher auquel il raconte maintes fables avant de se faire reconnaître de Télémaque venu le rejoindre. « Eumée » inaugure le Nostos qui scelle les retrouvailles de Bloom avec un fils qu'il a décidé de conduire jusqu'au domicile conjugal. L'épisode est marqué par la notion de retour qui porte en elle la possibilité de l'imposture. Le langage se fait ici à la fois complice et vecteur de la duplicité, dans un épisode qui, pour la dernière fois, restitue le discours de deux des principaux personnages avant de céder la place à une énonciation sans sujet (« Ithaque ») et à l'énonciation d'un corps sans sujet (« Pénélope »).

Qu'est-ce qui fait retour dans « Eumée » ? Principalement une histoire qui, pour Stephen comme pour ses compatriotes, est cauchemardesque. Pour qu'elle soit supportable, elle est présentée comme pleine de bruits et de rumeurs. Déjà évoqué dans Hadès, l'éventuel retour de Parnell est au centre des conversations. Il est associé à un passé magnifié. Son absence a laissé un vide dans lequel, au mépris du principe de réalité, viennent s'investir les fantasmes des Irlandais. Tombé victime de la rumeur, il en alimente d'autres dans un défilement perpétuel qui dévoie la notion même d'Histoire. L'adultère qui causa sa chute est récupéré par Bloom : trompé par sa femme, il banalise l'infidélité et fait de Molly un avatar de Kitty O'Shea. L'histoire des deux amants rejoue sa propre situation conjugale : les deux femmes n'ont-elles pas toutes les deux du sang espagnol ?

L'Histoire est rabaissée au rang d'anecdote : en restituant le chapeau de Parnell, Bloom croit accomplir une action « rigoureusement historique ». Par cet acte, dont la portée symbolique lui échappe, il rétablit le « roi sans couronne » dans sa majesté, et c'est le même geste qu'il aura pour Stephen dont le prénom, rappelons-le, signifie « le couronné ». De même, il est symptomatique que Howth fasse pour lui partie de l'héritage historique, car c'est là le point d'ancrage d'un fantasme qui ne cesse de faire retour. Le véritable retour de l'Histoire serait-il à chercher du côté de la fidélité aveugle d'un serviteur à son maître ? Hélas, le chef est mort, trahi par ceux-là mêmes qu'il avait tenté toute sa vie de libérer. La loyauté tourne à vide dans ce qui a été qualifié, à juste titre, de « pays le plus déprimant ». À la recherche d'un nouvel homme providentiel, l'Irlande répète l'histoire des Juifs qui crucifièrent un Messie qu'ils n'avaient pas reconnu.

Tromperie et duplicité sont omniprésentes dans un épisode où les choses elles-mêmes ne sont pas ce qu'elles semblent être. Stephen contemple une brioche-brique, et des pierres ont remplacé le corps de Parnell. Un langage jugé poétique par Bloom ne sert qu'à lancer une bordée de jurons ; mieux encore, les personnages perdent toute identité repérable. Stephen joue pour Corley le rôle que tint Eumée pour le roi d'Ithaque. Fitzharris est peut-être l'un des Invincibles, et c'est Murphy qui correspond à l'Ulysse d'Homère. Son patronyme fait de lui le Monsieur Tout-le-monde irlandais et c'est lui qui, comme le fit le roi d'Ithaque chez le porcher, mène l'assemblée en bateau. Bloom devient ainsi paradoxalement l'*eiron,* ce personnage rusé qui feint l'ignorance et qui tente de démasquer celui qui le répète et le détruit à la fois. La pierre de touche qui établira ou réfutera la véracité des dires de cet imposteur qu'est l'*alazon* est nettement de l'ordre du fantasme, liée qu'elle est à Molly, indissociable chez Bloom de Gibraltar. Le matelot, quant à lui, s'insère dans la lignée des conteurs célèbres, rejoignant ainsi l'archétype de l'artiste tel qu'il est vu dans la tradition irlandaise. Ni la filiation (difficile, voire impossible à établir avec certitude) ni le nom ne sont garants de l'identité des personnages. L'homonymie vient brouiller les cartes : le patronyme de Dedalus ne représente pas la même chose pour le marin et pour Stephen, et la distance que prend ce dernier avec son père creuse un écart dans lequel Bloom tentera de s'installer, devenant ainsi un nouveau Joseph.

Dans un épisode où règne l'incertitude, le patronyme n'a plus de lien univoque avec celui qui le porte. Celui de Bloom tel qu'il figure dans le journal du soir a été amputé de la lettre « l », réplique typographique du « i » majuscule qui, en anglais, désigne le pronom « je ». Impossible également d'ajouter foi à un article de presse qui fait à tort figurer Stephen au nombre de ceux qui assistèrent aux funérailles de Dignam. Quant à la mention de M'Intosh parmi cette assistance, elle illustre parfaitement le fait que le nom n'est, en définitive, qu'une enveloppe vide.

La duplicité contamine le langage tout entier. Si « Éole » dressait le catalogue des figures de rhétorique, « Eumée » fait l'inventaire des expressions toutes faites : le narrateur y emploie les mots de « la cohue parlante qui nous précède », dans un effort constant pour dire un réel impossible à cerner. La narration, ici qualifiée de « vieille », fait la part belle aux idées reçues. Les *topoï* participent à la mise en abyme de la notion de retour, illustrés qu'ils sont d'exemples tirés de la littérature ou du folklore. Dans « Eumée », le langage est emprunté aux deux sens du terme : le narrateur a recours à des locutions étrangères, dont un grand nombre d'expressions latines qui échouent à en restituer la dimension historique (le latin étant une source de l'anglais). Bien loin des ambitions poétiques qu'il affichait, Stephen enchaîne des signifiants dissociés des idées qu'ils sont censés véhiculer, et le narrateur, une voix anonyme, fait un usage intensif des doubles négations, affaiblissant ainsi les concepts dans le même temps qu'il les énonce. Le langage se parodie lui-même en jouant sur les distorsions entre sens propre et sens figuré, sur le mélange entre style soutenu et expressions triviales. L'épisode est écrit notamment sous la forme d'un pastiche de gros titres de journaux. Joyce détourne les clichés et introduit l'écart dans les expressions figées, passant sans cesse de l'univoque à l'équivoque, jusqu'à ce qu'à la fin de l'épisode un même effet de fondu affecte le trajet suivi par les deux héros et la voix du sujet, qui se dilue dans un fragment de chanson populaire.

M.-D. V.

XVII. ITHAQUE

Aux chants XVI et XVII de l'*Odyssée,* Télémaque et Ulysse sont de retour à Ithaque, le second encore presque incognito (il s'est fait reconnaître de son fils et de sa femme seulement). La demeure familiale est occupée par les prétendants à la main de Pénélope, qui dilapident le patrimoine, et complotent l'assassinat de Télémaque. Le père et le fils vont mettre au point les stratagèmes leur permettant de reprendre possession de leur bien. On est tenté de schématiser en réduisant la substance de l'intrigue à deux ou trois thèmes simples : un double retour, assorti de retrouvailles, mais également de règlements de comptes, et l'omniprésence des ruses et des stratagèmes.

Cependant, la forme que Joyce choisit de donner à son écriture est totalement déroutante. La typographie est parlante, tout comme l'était, à sa manière, celle de l'épisode VII, « Éole », et le lecteur constate vite qu'il a affaire à une sorte de catéchisme. De ce fait, il est tenté de rapprocher cette présentation d'autres traits qui, dans le roman aussi bien que dans *Portrait de l'artiste en jeune homme*, évoquent le catholicisme de Stephen Dedalus. Et il se souviendra que le premier texte publié par l'auteur, « Les Sœurs », était centré sur un vieux prêtre au psychisme en déroute, qui mettait littéralement à la question un jeune garçon sur les points les plus compliqués et litigieux de la doctrine chrétienne. Or, rien de tout cela ici.

Certes, le principe est maintenu, qui régit le catéchisme, au dire de l'étymologie, celui d'un tac au tac entre questions et réponses sur ce qui doit être connu du sujet concernant le visible et l'invisible (*visibilium omnium et invisibilium*, comme l'énonce le Credo) : c'est ce principe dont Joyce nous dit, à la cantonade, qu'il l'a suivi :

> Je rédige Ithaque sous forme de catéchisme mathématique. Tous les événements se résolvent en leurs équivalents cosmiques, physiques, psychiques (par exemple Bloom dégringolant l'escalier, tirant de l'eau au robinet, la miction dans le jardin, le cône d'encens, le cierge allumé et la statue) pour que le lecteur sache tout, et de la façon la plus nue et la plus froide, si bien qu'ainsi Bloom et Stephen deviennent des corps célestes, vagabonds comme les étoiles qu'ils contemplent. / Le dernier mot (humain, bien trop humain) est laissé à Pénélope. C'est l'indispensable visa du passeport de Bloom pour l'éternité [1].

L'écrivain et critique Wyndham Lewis a fait ce reproche à Joyce : « C'est la méthode naturaliste poussée jusqu'au parfait cauchemar [2]. » De fait, le lecteur a le sentiment que l'écrivain est marqué par le scientisme perceptible dans la culture à la fin du XIXe siècle, et son frère nous le présente en admirateur de l'esprit

1. Lettre à Frank Budgen du 28 février 1921, dans James Joyce, *Lettres*, trad. Marie Tadié, Paris, Gallimard, 1961, t. I, p. 184.
2. *Time and Western Man*, Londres, Chatto & Windus, 1927, p. 108.

scientifique[1]. On sait maintenant qu'à l'époque de la rédaction de cet épisode il se plongea dans le tout récent ouvrage de Bertrand Russell, *Introduction to Mathematical Philosophy*. À en juger d'après les notes qu'il prit alors, il s'agissait pour lui de mathématiser le discours en prenant en compte la théorie de l'induction et des relations « ancestrales ». Il s'intéresse aux notions de nombre et de collection, d'ordre, de suite et de succession, de relation, de série et d'infini, de fiction logique, etc. Il ne se laisse pas entraîner à des analogies faciles que le vocabulaire de Russell pouvait proposer, comme « ancestral », « successeur », « héréditaire », qui aurait pu rejoindre la thématique de la paternité, dont on sait la place qu'elle tient dans le livre. Russell interroge les philosophes, qui, selon lui, auraient pu gagner à éclaircir la notion de structure en termes de relations et de similitudes.

L'originalité de Joyce est de reprendre à nouveaux frais ces suggestions de Russell. Il va exploiter les possibilités offertes par la structure du discours en tant qu'il est fondé sur un certain dialogisme, sur l'interlocution, qui suppose la possibilité de ruptures logiques. Il va exploiter ces ruptures, approfondir les failles du discours, de façon expérimentale, et ce jusqu'à l'absurde. On peut sans exagération voir là une extension de l'expérience de cette « épiphanie » qu'il avait tenté de théoriser au début de sa carrière : « Une soudaine manifestation spirituelle, se produisant dans la vulgarité de la parole ou du geste, ou bien dans une phase mémorable de l'esprit même. » La différence est qu'ici Joyce ne dénonce rien, ni personne, mais décrit en acte ce qui se passe dans *les dessous du discours* courant, jusque dans ses aléas logiques, susceptibles de confiner à l'absurde. Il reste en cela fidèle à sa perspective « scientifique », et à son idéal de vivisection appliqué à la littérature, selon la suggestion de Claude Bernard, qu'il prône dans ses premiers écrits.

Il vise ici à approfondir les ruptures constitutives du discours, les points où le sujet est mis en suspens. Cette expérience peut donc être envisagée sous deux angles complémentaires. Si l'on se place du point de vue de l'écriture, sa logique de son exploration du discours est en train de le conduire vers un travail sur la

1. « *In theory he approves only of the scientific method [...], He wishes to take every advantage of scientific inventions* », *The Complete Dublin Diary of Stanislaus Joyce*, éd. George H. Healey, Cornell University Press, 1962, p. 53-54.

lettre en tant que hors-sens : un travail qui va déboucher sans plus tarder sur *Finnegans Wake*. D'un autre côté, cette mise en suspens du sujet devient mise en jeu, et mise en cause, du lecteur, le confronte assurément au défi de ce qui en lui est à la fois le plus décisif et le plus obscur : sa jouissance. Le texte devient une machine à fabriquer du symptôme, dont la moindre manifestation ne sera pas, dans les pages qui suivront, le discours de Molly Bloom.

J. A.

XVIII. PÉNÉLOPE

Pénélope est une femme avant d'être un mythe, et c'est en tant que femme qu'elle a le dernier mot dans le roman, dernier mot qui outrepasse les frontières de l'humain. Joyce la présente ainsi : « Le dernier mot (humain, bien trop humain) est laissé à Pénélope. C'est l'indispensable visa [*countersign*] du passeport de Bloom pour l'éternité[1]. » Un peu plus tard, il change sa formule : « Je réprouve l'interprétation habituelle de Pénélope, apparition humaine. [...] Par la conception et la technique, j'ai essayé de peindre la terre préhumaine et peut-être posthumaine[2]. » Joyce se contredit-il ? Sans doute, mais c'est pour imiter le mouvement de Pénélope qui se tisse et se détisse à la fois dans ses mensonges qui disent la vérité. Joyce trouve l'équivalent textuel de la fameuse ruse de l'héroïne homérique. Pendant trois années, la femme d'Ulysse réussit à tromper les prétendants ; elle ne choisira l'un d'entre eux que lorsqu'elle aura terminé un suaire pour son beau-père Laërte. Et, chaque nuit, elle défait à la lueur des torches ce qu'elle a tissé pendant le jour. Ce n'est qu'une fois qu'elle aura été dénoncée par une servante qu'elle devra terminer son ouvrage. Ulysse revient à temps pour massacrer les prétendants et aussi les servantes. Cela ne suffit pas : Pénélope ne le reconnaît qu'après qu'il lui a confirmé qu'il connaissait le secret de la fabrication de leur lit.

1. Lettre à Budgen du 28 février 1921, *op. cit.*
2. Lettre à Miss Weaver du 8 février 1922, *Lettres*, *op. cit.*, t. I, p. 212.

Molly Bloom, fille du major Brian Cooper Tweedy et de Lunita Laredo, dont on découvre seulement dans cet épisode qu'elle est juive, figure Pénélope, comme elle a déjà incarné Calypso dans l'épisode IV. Elle est aussi Géa-Tellus, la Terre ou la voix de la Nature. Dans la nuit du 16 au 17 juin 1904, Molly tisse et détisse la trame d'*Ulysse* en huit longues phrases dont la souple ligne mélodique commence et s'achève sur un « oui ». Cette composition est rigoureuse, Joyce la décrit en des termes qui montrent qu'il est conscient de son audace :

> Pénélope est le *clou* du livre. La première phrase contient 2 500 mots. Il y a huit phrases dans l'épisode, qui commence et se termine par le mot femelle *yes*. Il tourne, comme l'énorme globe terrestre, lentement, sûrement et également, en un perpétuel tourbillon. Ses quatre points cardinaux sont les seins, le cul, le ventre et le con des femmes, exprimés par les mots *because*, *bottom* (dans tous les sens du terme : bouton du fondement, fond du verre, fond de la mer, fond de son cœur), *woman*, *yes*. Bien que sans doute plus obscène qu'aucun des épisodes précédents, il me semble que Pénélope est une *Weib* [femme, épouse en allemand] parfaitement saine, complète, amorale, fertilisable, déloyale, engageante, astucieuse, bornée, prudente, indifférente. *Ich bin der* [sic] *Fleisch der stets bejaht* [1].

Le choix de ces adjectifs indique une volonté de rendre Molly aussi universelle que possible, en multipliant les ambiguïtés et les contradictions. L'analyse de la genèse de cet épisode menée par James Van Dyck Card [2] confirme ce programme. Card montre comment Joyce s'ingénie à insérer peu à peu des énoncés qui se contredisent. Veut-on savoir ce que Molly pense de son lit ? Tour à tour elle l'adore ou peste contre le bruit qu'il fait, et veut s'en débarrasser. Et les fesses des femmes ? Tantôt un emblème de désir, tantôt une masse de chair sans expression. Elle repousse l'idée d'épouser un autre homme, mais pense un moment divorcer et prendre le

1. Lettre à Frank Budgen du 16 août 1921, *Lettres*, *op. cit.*, t. I, p. 198. Joyce commet une erreur de grammaire sur le genre de *Fleisch*, qui est neutre, parce qu'il inverse la phrase de Méphisto dans le *Faust* de Goethe: « *Ich bin der Geist, der stets verneint* » (Je suis l'esprit qui toujours nie). Il fait dire à Pénélope: « Je suis la chair qui dit toujours oui. »

2. Voir James Van Dyck Card, *An Anatomy of Penelope*, Rutherford, Farleigh Dickinson University Press, 1984.

nom de Boylan. Card démontre que Joyce a voulu ces contradictions, ajoutant des phrases qui contredisent les précédentes (mais pas au même endroit) au cours de ses révisions successives.

On ne peut donc rien affirmer qui ne soit sujet à caution ou à révision au sujet de Molly. Est-elle une bonne ménagère qui sait le prix des légumes ou des huîtres et se souvient de recettes espagnoles, ou bien une fainéante qui traîne au lit et laisse s'accumuler la poussière ? Est-elle une bonne mère soucieuse d'éduquer sa fille, ou une amante désireuse de l'éloigner pour se livrer à ses ébats avec Boylan ? Va-t-elle accéder à ce qu'elle a compris comme une demande de petit déjeuner de la part de son mari ? Compte-t-elle continuer sa liaison adultère au cours de leur concert à Belfast, ou bien souhaite-t-elle avant tout réveiller le désir de Leopold et ainsi entamer une nouvelle phase de leur vie commune ? Rares sont les points sûrs : elle semble détester la politique en général et le nationalisme en particulier, elle ne verrait aucun mal à séduire un jeune homme comme Stephen Dedalus, elle craint le tonnerre et la fin du monde, elle croit en Dieu, elle désapprouve les manières cavalières de Boylan et admire le savoir-faire de son mari qui a plus de manières et d'intuition que son amant. Et si elle pense que les hommes ne savent rien des femmes, elle reconnaît que Leopold comprend ce qui fait une femme. Joyce s'est donc plu à dresser le portrait contradictoire d'une Vierge qui serait aussi une Putain, et qui, entre ces extrêmes, révèle une femme bien réelle, un « être de fuite » bien campé dans sa chair. Le portrait de Pénélope, fidèle et infidèle à la fois, est une étape vers la création du cosmos de la simultanéité contradictoire de *Finnegans Wake*, comme il est une reprise des ambivalences constitutives des personnages d'*Exils*.

Molly, Vierge profane (née le jour de la fête de la Vierge, elle chante l'*Ave Maria* de Gounod ou le *Stabat Mater*), chante par la sexualité et le désir toute la Nature. Elle donne un corps érotique au tissage de Dana évoqué par Stephen. Son côté « nature » apparaît dans son langage. Molly commet des fautes d'orthographe, son vocabulaire est imprécis, sa grammaire est celle du langage parlé ; pourtant elle ne devient jamais vulgaire. Les ajouts sur le manuscrit montrent que Joyce voulait lui donner une voix populaire sans qu'elle soit ordurière, même si son expression de la sexualité ne connaît guère d'interdit. Une addition au manuscrit Rosenbach était *18 carrot gold*, aussitôt corrigé en *16 carat gold*. Selon cette révision, qui n'a pas été reportée dans le texte définitif, Molly pense correctement « carat » et non « carotte », et le chiffre passe de 18 à 16 pour renforcer le jeu sur les multiples de 4 et de 8. En effet, Molly, née le 8 septembre 1870, s'est mariée le 8 octobre 1888, et donc en juin 1904, elle a passé seize années avec Leopold Bloom. L'heure de l'épisode est le 8 couché, symbole de l'infini, mais aussi représentation iconique de ce tissage qui passe par un point central, celui qui clôt la quatrième phrase dans le manuscrit Rosenbach.

Si cet épisode récapitule presque tous les éléments déjà connus de la vie commune de Molly et de Leopold Bloom, il ajoute à ces révisions constantes du texte par lui-même la perspective d'un autre lieu, d'une autre scène, avec les souvenirs de Gibraltar. C'est l'unique moment où l'on voit Joyce construire un lieu sans l'avoir connu personnellement : il doit tous les détails sur Gibraltar à des guides, cartes et ouvrages historiques qu'il se faisait envoyer en grand nombre par ses amis en 1921. Semblable en cela à Paris pour Stephen, Gibraltar apporte une touche d'exotisme avec la juxtaposition d'un vocabulaire espagnol et d'une nouvelle identité donnée à la protagoniste. Molly se révèle être en fait plus « juive » que son mari, même si tous la prennent pour une bonne Irlandaise et Bloom pour un vrai juif. Par-delà l'anecdote du lit du vieux Cohen, qui met à mal toutes les velléités de récupération identitaire ou religieuse, Joyce a su exploiter les accidents de l'histoire qui firent de Gibraltar un lieu d'accueil aux Juifs sépharades. Il faut aussi l'intertexte des multiples chansons populaires et airs d'opéra et d'opérette que fredonne sans cesse Molly pour arriver à la superbe fusion entre le promontoire de Howth et le Rocher de Gibraltar qui clôt le livre. Molly y mêle en un même élan lyrique les souvenirs de ses premières amours et la demande en mariage par Bloom. Est-ce la promesse d'un nouveau départ pour le couple, ou bien faut-il n'y voir qu'un retour de la navette du tisserand ? Le livre s'achève sur l'image de Molly et Leopold dormant tête-bêche, représentant les figures de l'art et de la nature, du masculin et du féminin aussi, qui s'entrecroisent et s'entre-tissent mutuellement.

C'est pourtant Molly seule qui permet que s'incarne l'infini textuel dans le ruban de Moebius du chapitre, ce huit couché par lequel le féminin se fait texte. Pénélope tissait le suaire d'un beau-père qui n'était pas encore mort, et qui, comme le suggérait Samuel Butler dans son commentaire de l'*Odyssée*[1], s'était retiré à la campagne pour ne pas voir les excès de sa bru avec les prétendants. Molly trame sa vie avec ses souvenirs et ses désirs, fabriquant « tout contre » son mari (et aussi avec son amant tout récent) cette toile de mots qui, sans présager d'aucune décision future, reconnaît à Leopold une place à ses côtés. Son hymne profane et religieux à la nature se conclut en une incantation orgasmique — le rythme des dernières pages mimant un rapport sexuel enfin possible grâce au verbe — qui chante la positivité des fleurs et des flux (*flows* et *flowers*). Cela l'amène à assumer pleinement son nom floral, à l'écrire et à le signer. Molly retisse son nom de femme mariée, faisant entendre dans *Bloom* la navette du *loom* (métier à tisser). Sa ruse, plus forte, plus ancienne, plus cosmique que la ruse d'Ulysse, débouche sur un épithalame final qui ajoute le paraphe d'un « Oui » féminin et majuscule au texte tout entier, confirmant ainsi que la définition du « plus grand bonheur sur la terre » (p. 1164) n'est autre que « répondre affirmativement ».

J.-M. R.

1. Samuel Butler, *The Authoress of the "Odyssey"*, Londres, 1897. Butler y exposait l'idée que l'*Odyssée* n'avait pu être écrite que par une femme.

NOTES

I. TÉLÉMAQUE

1. *Buck Mulligan* est le nom donné par Joyce à son ami Oliver St John Gogarty, médecin et bel esprit dublinois.

2. *Introibo ad altare Dei* : « je me présenterai devant l'autel du Seigneur » ; début de l'ordinaire de la messe catholique.

3. En dialecte écossais, *kinch* désigne un nœud coulant permettant de maîtriser un cheval par la langue, un mors ; au figuré, il désigne un mauvais garçon (c'est dans ce sens qu'il est employé un peu plus loin).

4. Joyce était le premier à se féliciter de son éducation chez les Jésuites.

5. *Corps et sang et âme et tout le pataquès* : parodie des paroles prononcées par le prêtre lors de la consécration.

6. Joyce semble vouloir évoquer malicieusement à la fois un Père de l'Église grecque, saint Jean Chrysostome (349-407), et le rhéteur Dion Chrysostome (30 ou 40-117). Plus loin, Mulligan est signalé comme riche : d'un or qui le coupe (*chrysos tomos*) de son ami Stephen.

7. *The mockery of it*, expression chère à Mulligan ; noter que la dérision, la raillerie, est associée par l'Église à l'hérésie, thème qui reviendra plus loin dans le roman.

8. Malachie a surtout une étymologie hébraïque, « mon messager ». C'est le nom du dernier prophète de l'Ancien Testament, mais également d'un des grands rois de l'Irlande, au Xe siècle, et d'un de ses grands saints, Malachie d'Armagh (1094-1148).

9. Dans l'*Odyssée*, Télémaque est constamment qualifié de *pepnuménos*, prudent, avisé.

10. *Un lourdaud saxon* : cette figure antithétique du Celte réapparaîtra dans divers contextes.

11. *Le tire-jus du barde* : *The bard*. Joyce joue un peu avec la typographie : *The Bard* est une appellation courante de Shakespeare.

12. *Algy* est ici Algernon Charles Swinburne (1837-1909), poète anglais décadent. Deux lignes plus bas, l'expression « grande et douce mère » est reprise de son poème « *The Triumph of Time* ».

13. *La mer vert-morve* : *snotgreen*. Joyce tourne en dérision l'usage emblématique du vert (émeraude) par les nationalistes irlandais.

14. « La mer couleur de vin », épithète homérique (voir par exemple l'*Odyssée*, I, v. 183) qui réapparaîtra à plusieurs reprises dans les pensées de Stephen, dans les propos du Citoyen (épisode XII, « Nausicaa ») et ceux de Bloom et de Mulligan (épisode XV, « Circé »).

15. En 1904, Joyce ne connaissait pas encore le grec, qu'il apprit à Trieste.

16. *Thalatta* : « La mer ! », cri des Dix Mille lorsqu'ils aperçurent la mer (Xénophon, *Anabase*, IV,VII, 24).

17. *Le port de Kingstown* a aujourd'hui pour nom Dun Laoghaire (Dunleary).

18. *Notre mère toute puissante* : *Our mighty mother*, expression favorite, désignant la Terre, du poète et théosophe irlandais George Russell.

19. *Hyperboréen* : peut-être une allusion à un thème de *L'Antéchrist* de Nietzsche.

20. *Le plus charmant cabot de toute la bande* : variation sur une expression shakespearienne (*Jules César*, V, v, v. 68), que Mulligan reprendra dans les épisodes IX et XIV.

21. *Pauvre corniaud* : *poor dogsbody*, expression qui dans l'épisode XV, « Circé », sera l'occasion de jouer sur les lettres de *Dog, God, Good*.

22. *Dingopolis* : *Dottyville*.

23. *Paralysie générale* : c'est autour de ce thème que Joyce avait conçu *Dublinois*. — *Conolly Norman* (1853-1908), aliéniste irlandais de réputation internationale, développa la clinique psychiatrique en Irlande, et s'intéressa très tôt à Freud. Rappelons que Joyce avait entamé des études de médecine, et fréquentait des étudiants de cette discipline ; c'est à Trieste qu'il se

familiarisa avec la psychanalyse au contact de psychanalystes et de certains de leurs patients.

24. Voir Wilde, préface du *Portrait de Dorian Gray* (1891) : « La haine du XIXe siècle pour le réalisme, c'est la rage de Caliban [dans *La Tempête* de Shakespeare] à la vue de son visage dans un miroir. La haine du XIXe siècle pour le romantisme, c'est la rage de Caliban de ne pas voir son visage dans un miroir. »

25. Voir Wilde, « La décadence du mensonge », dans *Intentions* (1889) : « Je peux tout à fait comprendre votre objection à ce que l'on traite l'art comme un miroir. Vous pensez que cela pourrait réduire le génie à la position d'un miroir fêlé ».

26. Thème cher au poète et critique Matthew Arnold (1822-1888) : dans *Culture and Anarchy* (1869), il oppose les deux composantes de la culture occidentale, l'héllénique et l'hébraïque.

27. *Aubrey* : prénom au parfum d'esthétisme, évoquant le dessinateur Aubrey Beardsley (1872-1898) ainsi que John Aubrey (1626-1697), l'auteur des *Vies brèves*.

28. Cette image de dérision d'un Arnold réducteur et éliminateur des différences réapparaîtra dans l'épisode XV, « Circé » (p. 817). Des textes d'Arnold sont souvent cités dans le roman.

29. *À nousautres* : traduction à peu près littérale de *Sinn Fein*, nom du parti nationaliste irlandais fondé en 1908, et, dès 1906, du journal de même tendance. Noter que *Ulysse*, nous l'apprendrons plus tard, est censé se passer en 1904.

30. *Nouveau paganisme* : le néo-paganisme évoque les positions d'écrivains fin-de-siècle comme Walter Pater ou Algernon Swinburne.

31. *Je ne me souviens que des idées et des sensations* : sans doute l'indication que Mulligan est disciple du philosophe mécaniste David Hartley, alors que Stephen, dans l'épisode suivant, semble plus intéressé par les idées de l'idéaliste Berkeley.

32. *Sir Peter Teazle* : personnage de *L'École de la médisance* du dramaturge R.B. Sheridan (1751-1816).

33. *Cueille des boutons d'or sur son édredon* : variation sur la célèbre description d'un mourant dans le *Henri V* de Shakespeare (II, III).

34. *Chez Lalouette* : maison de pompes funèbres de Dublin.

35. *Ne passe pas ton temps à broyer du noir* : on pense ici aux reproches d'Athéna à Télémaque au début de l'*Odyssée*, I, v. 254.

36. Fragment de « *The Countess Kathleen* » de W.B. Yeats.

37. *Ce bol d'eau amer* : écho du Livre des Nombres, V, 11-31, où est décrit l'épreuve des « eaux très amères », qui apportent la

malédiction en cas d'adultère de l'épouse, ou la justification et la fécondité en cas de jalousie infondée de l'époux.

38. E.W. Royce, (1841-?), comédien anglais.

39. *Turko the Terrible, or The Fairy Roses* (1868), pantomime de W. Brough. L'intrigue tourne autour du don d'invisibilité conféré au roi Turko par une rose magique.

40. *La mémoire de la nature, the memory of nature* : expression chère aux écrivains ésotériques, dont les idées étaient volontiers reprises par les contemporains de Joyce, notamment le poète W.B. Yeats.

41. *Ses paroles muettes, mute secret words* : thème repris avec force dans « Protée », « Charybde et Scylla » et « Circé ».

42. Fragment de l'*Ordo commendationis animae,* ou prière aux agonisants, qui reviendra obséder Stephen dans « Charybde et Scylla », « Circé » et « Ithaque ».

43. *Entendait la course des chauds rayons de soleil, heard warm running sunlight* : remarquable notation, curieusement reprise par Leopold Bloom dans l'épisode IV, « Calypso », p. 132.

44. *Comme le bon petit diable, like a good mosey* : expression argotique, à résonance antisémite.

45. *Guinée* : monnaie de compte d'une livre et un shilling. *Souverain* : pièce d'or d'une livre.

46. Variante d'une chanson très populaire à l'époque du couronnement du roi Édouard VII, en 1902. Dans « Circé » (p. 917), c'est le roi lui-même qui la chante.

47. *Clongowes* : sur ce collège jésuite où Joyce fit ses études, voir le début du *Portrait de l'artiste en jeune homme.* Il sera à nouveau évoqué dans le roman.

48. *Un serviteur de servant, a server of a servant* : allusion à la malédiction de Noé sur les fils de Cham dans la Genèse, IX, 25.

49. La question de la *clé* absente, on le verra, est commune à Stephen Dedalus et à Leopold Bloom, quoique dans des registres différents (voir l'épisode XVII, « Ithaque », p. 1027). Bloom fera des clés croisées le logo de son client Keyes. Joyce se garde d'exploiter la symbolique facile du registre papal.

50. *La vieille mère Grogan* : mère du personnage éponyme de la chanson irlandaise *Ned Grogan,* qui a pour thème une interrogation sur la paternité.

51. *L'année du Grand Vent* : traditionnellement, l'expression se rapporte à la tornade du 6 janvier 1839, longtemps repère temporel populaire.

52. Le *Mabinogion* est un recueil de contes gallois traduits par Lady Charlotte Guest, publiés entre 1838 et 1849.

53. *Les Upanishads* est un ouvrage particulièrement cher au cœur des théosophes et occultistes dublinois.

54. *Messagère* : tel est le rôle de Mentor, en fait Athéna, au livre I de l'*Odyssée*.

55. *Dans les temps anciens* : c'est-à-dire à l'époque où il était interdit aux Irlandais d'appeler leur pays par son nom.

56. *Son joyeux séducteur, her gay betrayer* : le terme anglais est ambivalent, soulignant le thème de la trahison, omniprésent dans les premières œuvres de Joyce, parfois associé à l'adultère, comme dans *Exils*, ou à propos de l'abandon par les Irlandais de leur langue en faveur de l'anglais.

57. La question de l'impureté semble avoir coïncidé pour Joyce avec sa date de naissance, le 2 février, fête liturgique de la Purification de la Vierge aussi bien que de la Présentation de Jésus au Temple. Voir plus loin l'expression « le barde impur ».

58. *De ce que j'ai je ne garde mie, all I can give you I give* ; citation d'un poème de A.C. Swinburne, « *The Oblation* ».

59. Parodie du célèbre message de Nelson à ses équipages avant la bataille de Trafalgar.

60. Cette *bibliothèque nationale*, fondée en 1877, tenait lieu de bibliothèque universitaire pour les étudiants de University College, catholiques et le plus souvent nationalistes ; elle ne doit pas être confondue ave la riche et ancienne bibliothèque de Trinity College, destinée, elle, à la promotion de la foi protestante.

61. *Re-mords de l'inextimé, ayenbite of inwit*, « remords de conscience » en anglais ancien : titre de la traduction anglaise (1340) de la *Somme des vices et des vertus*, de Laurentius Gallus, écrite en 1279 dans le dialecte du Kent. L'expression reviendra dans le roman.

62. *Et pourtant voici une tache* : écho littéral de *Macbeth*, V, I, où Lady Macbeth ne parvient pas à se laver les mains.

63. *Son numéro sur Hamlet* : cette interprétation constituera le morceau de bravoure de l'épisode IX, « Charybde et Scylla ».

64. Très tôt, Joyce eut la même exigence de reconnaissance pour ses travaux d'écriture.

65. *Mulligan est dépouillé de ses vêtements* : parodie de la dixième station du Chemin de croix.

66. *Fort bien donc, je me contredis* : citation de *Song of Myself* (1855 et 1891-1892) de Walt Whitman.

67. *Étant donc sorti il rencontra Lamermort, And going forth*

he met Butterly : parodie de l'Évangile selon saint Mathieu, XXVI, 75, *And going forth he wept bitterly*, « Étant donc sorti dehors, il pleura amèrement ».

68. *Sa frênecanne* : *his ashplant*. Cette canne jouera un rôle dans « Circé » (p. 700), où elle sera identifiée à l'épée de Siegfried. Dans la culture celte, le frêne était associé à la royauté. L'arbre Yggdrasil, cher aux peuples germaniques, et souvent invoqué par les écrivains européens de l'époque, était un frêne.

69. *Martello* : ces tours doivent leur nom à la tour Mortella, en Corse, que les Anglais avaient eu les plus grandes difficultés à emporter : d'où la décision d'en bâtir sur les côtes des îles Britanniques en 1803-1806.

70. Allusion à une chanson populaire qui évoque les tentatives, avortées, de soutien par les Français aux soulèvements nationalistes irlandais de 1796 et surtout 1798.

71. Les premiers textes de Joyce portent plus d'une trace de l'influence de saint Thomas. Mulligan complique les choses par son allusion facétieuse aux mouvements des cinquante-cinq sphères célestes décrits dans la *Métaphysique* d'Aristote (XII, VIII).

72. *Son gilet primevère, primrose waistcoat* : ce détail d'habillement revient tout au long du livre. Il vise sans doute à associer Mulligan à la très conservatrice *Primrose League* fondée en 1883. Mais, par ailleurs, le mot *primrose*, depuis Shakespeare, est associé à l'idée de libertinage.

73. *Japhet en quête de père, Japhet in search of a father* : titre exact d'un roman de F. Marryat (1836), dont le héros est un enfant trouvé à la recherche de son père. Rappelons que Japhet, fils de Noé, est considéré comme l'ancêtre de la famille indo-européenne (Genèse, IX-X).

74. *Qui surplombe sa base au-dessus des flots* : citation d'*Hamlet* (I, IV, v. 71), reprise au début de l'épisode III, « Protée ».

75. *Souverain des mers, the sea's ruler* : écho de la chanson patriotique *Rule, Britannia*, qui réapparaîtra deux fois dans le roman.

76. *Son panama* : autre attrribut de Mulligan, qui reviendra plusieurs fois ; emblème de son opulence, il peut être aussi équivoque, lorsqu'il évoque, plus loin, Mercure et ses diverses activités.

77. Ces trois strophes reproduisent plus ou moins fidèlement un poème de Oliver St John Gogarty (l'original de Mulligan), *The Song of the Cheerful (but slightly sarcastic) Jesus*.

78. *Trou de quarante pieds* : *The Fortyfoot Hole*, lieu qui tire son appellation non de sa profondeur supposée mais du 40e régiment de ligne à un moment stationné à proximité.

79. *Une pierre verte* : Joyce glisse ici une image shakespearienne décrivant l'Angleterre, « *this precious stone set in the silver sea* » (*Richard II*, II, I, v. 46) ; mais la mention de l'émeraude indique l'intérêt de Haines pour l'Irlande et sa symbolique.

80. Une note marginale de Joyce sur son manuscrit précise : « N.B. Il y a ici *12* e », signant son attention à la lettre.

81. *Maintenant je mange son pain salé* : voir Dante, *Le Paradis*, XVII, v. 58-62 : « Tu sauras comme il a saveur de sel, le pain d'autrui ».

82. *Je suis le serviteur de deux maîtres* : l'allusion est sans doute moins à la comédie de Goldoni qu'à l'Évangile selon saint Matthieu, VI, 24 : « Nul ne peut servir deux maîtres : car ou il haïra l'un et aimera l'autre, ou il se soumettra à l'un et méprisera l'autre. Vous ne pouvez servir Dieu et les richesses. »

83. *Une reine* : *queen*, qui peut faire entendre *quean*, « coquine », et « la grande prostituée qui est appelée Babylone ».

84. *Il semble que la faute en revienne à l'histoire* : thème repris dans plusieurs épisodes ; voir notamment « Nestor », p. 92 : « L'histoire est un cauchemar dont j'essaie de m'éveiller ».

85. Fragment du Credo catholique, dont on entend des échos plus ou moins déformés dans plusieurs épisodes.

86. *La messe pour le pape Marcel* : Joyce était un admirateur de cette messe, composée en 1565, dix ans après la mort de ce pape qui régna vingt-deux jours. Palestrina, son auteur, était revenu en faveur à Dublin dans les années 1890. Joyce chantait volontiers certains de ses airs.

87. Écho des débats qui, après le concile de Trente, opposèrent dans l'Église les puristes partisans du chant grégorien et les tenants de la polyphonie.

88. *Photius* (820-895), patriarche de Constantinople excommunié par le pape, et qui excommunia à son tour celui-ci. Par son refus du *Filioque* dans le Credo, il fut à l'origine du schisme d'Orient en 1054.

89. *Arius* : selon lui, le Fils n'était pas de même substance que le Père, *homoousios*, mais de substance semblable, *homoiousios*. Le premier concile de Nicée, en 325, prit position contre lui, mettant en relief l'importance que peut revêtir un iota.

90. Hérétique gnostique du deuxième siècle, *Valentin* niait que le Christ eût eu un corps réel et eût réellement souffert.

91. Le modalisme, ou monarchianisme, de *Sabellius* enseignait que Père et Fils étaient identiques, les trois personnes de la Trinité n'étant que des modes d'une seule substance divine.

92. *Vaine* : *idle*. Le thème de la parole vaine était cher à Joyce (voir *Dublinois*, dans *Œuvres*, Bibl. de la Pléiade, t. I, p. 109, n. 2).

93. *Le néant* : ce vide fascine également Stephen et Leopold Bloom, mais ils en tirent des réflexions différentes.

94. Ces propos doivent être attribués au personnage. L'antisémitisme de Joyce lui-même est discuté : si on a pu se souvenir de certains propos antisémites, on a signalé aussi son dévouement à l'égard d'intellectuels juifs persécutés (comme Broch ou Svevo).

95. *Cinq brasses de fond, five fathoms* : écho de *La Tempête* de Shakespeare (I, II, v. 397 *sq.*) qui évoque la mort sublimée d'un père.

96. Première mention d'un noyé dont nous saurons plus tard qu'il a été repêché. Le 16 juin 1904, dont nous appprendrons plus loin (dans « Les Rochers Errants », p. 387) que c'est le jour où se déroule l'action, la marée haute fut effectivement à 12 h 42.

97. *Celui qui vole le pauvre prête au seigneur* : parodie du Livre des Proverbes, XIX, 17 : « Celui qui a pitié du pauvre prête au Seigneur à intérêt, et il lui rendra ce qu'il lui aura prêté. »

98. Proverbe irlandais du XVIIe siècle.

99. Cette tête de phoque, tout en renforçant l'animalité de Mulligan, annonce les troupeaux marins gardés par Protée à l'épisode III.

100. *Usurpateur* : dans « Charybde et Scylla » (p. 362), le thème de l'usurpation est associé à l'adultère (voir aussi dans « Ithaque », p. 1023). On peut rattacher cette notion à celle de spoliation, *dispossession*, repérable dans « Protée » (p. 104) et « Charybde et Scylla » (p. 328-329), idée présente dès les premiers écrits de Joyce, qui l'associe à la situation culturelle de l'Irlande.

JACQUES AUBERT

II. NESTOR

1. *Tarente* est une cité grecque de l'Italie méridionale qui, menacée par Rome, fit appel à Pyrrhus, roi d'Épire, issu d'Achille par son père et d'Hercule par sa mère, en 280 av. J.-C.

2. *Fabulation des filles de la mémoire* : l'expression est reprise de Blake mais marque de façon encore plus nette le rôle créateur et l'aspect fictionnel de l'histoire.

3. Outre l'allusion à la chute de Troie, Stephen emprunte ici à Blake certains fragments de vision apocalyptique que l'on retrouve par exemple lorsque Stephen, poursuivi au bordel par le spectre maternel, fracasse la suspension.

4. Plus qu'à des noms de familles établies à Dalkey, les noms des élèves sont associés à la colonisation de l'Irlande : Armstrong, le bras armé, et Sargent, aux connotations militaires évidentes. Cochrane, patronyme d'origine écossaise, est courant en Ulster, théâtre d'une colonisation féroce au XVIIe siècle. John Comyn devint le premier archevêque anglo-irlandais de Dublin à la fin du XIIe siècle, marquant la fin de l'Église irlandaise des origines. John Talbot fut vice-roi au XVe siècle et le colonel Richard Talbot incarna au XVIe siècle le type du catholique anglo-irlandais hostile à tout ce que pouvait représenter la culture gaélique.

5. Les deux jetées fermant le port artificiel de Kingstown (aujourd'hui, Dun Laoghaire) étaient des lieux de rendez-vous galants, d'où les murmures au fond de la classe.

6. *Lily* : ce nom, associé à la tentatrice biblique, est celui de la jeune fille qui accueille Gabriel au début de la nouvelle « Les Morts », dans *Dublinois*, et le désarçonne par ses propos désabusés sur les hommes. *Gerty* annonce la Gerty MacDowell de « Nausicaa ».

7. Pour Aristote, « c'est être philosophe que d'aimer les fables », c'est-à-dire l'inactuel, car nous approchons ainsi ce que nous ne comprenons pas (*Métaphysique*, I, II, 982a).

8. Dans la *Métaphysique*, Aristote oppose l'actuel au potentiel : l'actualisation d'une possibilité historique exclut nécessairement toutes les autres. Cette opposition est reprise pour distinguer l'historien qui « parle de ce qui est arrivé », alors que le poète se consacre à « ce qui aurait pu arriver » (*Poétique*, IX, II). Joyce avait compilé des citations d'Aristote pour un traité d'esthétique qui ne vit pas le jour. En revanche, Aristote imprègne *Ulysse* de sa présence.

9. *Tisse, tisseur de vent* : Sans doute un écho du Blake de *Jérusalem* : « Les filles d'Albion tissent la toile / Des siècles et des générations ».

10. Dernière partie de « Lycidas », célèbre élégie de Milton.

11. Ici, comme dans la suite de l'ouvrage, l'écriture assure le

réglage de la tension existant entre les pôles opposés de l'obscurité (celle du corps et de l'inconscient) et de la clarté (celle visée, malgré tous les obstacles, par la mise en forme).

12. Stephen prend des libertés avec la réponse traditionnelle, en particulier en substituant le mot « grand-mère » à « mère », comme pour mettre à distance cette dernière, source de culpabilité. Dès les premières pages, Mulligan ne s'est pas privé d'accuser Stephen d'avoir tué sa mère en lui refusant une prière. « Le Renard », *Fox*, était l'un des surnoms de Parnell en lien avec son adultère, et renforce ce motif de la culpabilité qui hante Stephen dans le roman.

13. *Sommes* : *sums*, qui signifie aussi « problèmes ». On peut voir ici un monstrueux *sum* latin, un « je suis » pluriel qui exprime en particulier le fait que Stephen se reconnaît en Sargent. Les jeux de mots polyglottes se multiplient à partir de l'épisode III, « Protée ».

14. *M. Deasy* : là encore, le nom peut être associé à la colonisation puisque le *Deasy Act* de 1860 constituait une tentative de réforme agraire destinée à favoriser les grands propriétaires terriens.

15. Saint *Colomban* (540-615), missionnaire irlandais, qui brava l'autorité de sa mère avant de sillonner l'Europe pour l'évangéliser ; il écrivit une œuvre importante en latin.

16. À l'orée du roman, Mulligan raille les théories de Stephen sur la relation existant entre Shakespeare et Hamlet, longuement exposées dans l'épisode IX, « Charybde et Scylla ».

17. *Moresque solennelle* : les *morris dances*, danses folkloriques anglaises associées à des rites de fertilité célébrés en mai, sont mauresques par leur étymologie au moins. Le glissement qui s'opère dans l'esprit de Stephen part de l'origine arabe des nombres pour conduire au philosophe arabe Averroès.

18. *Averroès* (1126-1198) et *Moïse Maimonide* (1135-1204), grands commentateurs d'Aristote. Maimonide tenta de réconcilier le rationalisme d'Aristote avec la révélation judaïque, marquant profondément la pensée médiévale chrétienne, en particulier Thomas d'Aquin.

19. *Amor matris* : aussi bien l'amour de la mère pour l'enfant que celui de l'enfant pour sa mère.

20. *Ses pieds guêtrés* : détail vestimentaire proclamant une identité britannique qui est parodié dans « Circé ».

21. Chassé du trône d'Angleterre en 1688, Jacques II se réfugia en Irlande, d'où il prit la fuite après sa défaite à la bataille

de la Boyne en 1690 (célébrée chaque année en juillet par les confréries orangistes). En 1689, il avait, pour battre monnaie, usé d'un métal déprécié.

22. Dès le XVIe siècle, on offrait à l'occasion d'un baptême ces *apostle spoons*, cuillères dont le manche représentait l'un des apôtres.

23. La doxologie catholique du *Gloria patri* ne cesse de ponctuer les pensées de Stephen ; elle ressurgit d'ailleurs dans « Protée » et « Circé ».

24. *Coquillages vides* : ces coquilles vides scandent toute la fin de l'épisode, répétant l'inutilité de l'argent pour la création littéraire que vise Stephen. Dans l'épisode suivant, « Protée », Stephen les broie sous ses chaussures en parcourant la grève pour frapper sa monnaie poétique. Elles reviennent encore plusieurs fois associées à des images de mort et de corruption.

25. *Trois livres et douze shillings* : ce salaire, dépensé dans la journée, amène une forme de bilan dans l'épisode XVI, « Eumée ».

26. *Des symboles aussi de beauté* : allusion à la naissance d'Aphrodite surgissant des eaux sur un coquillage dont Botticelli a donné la représentation la plus iconique, la *Naissance de Vénus*.

27. Injonction martelée par Iago à Roderigo dans l'*Othello* de Shakespeare (I, III, v. 345 *sq.*).

28. *Le souverain des mers, The Sea's Ruler* : expression dérivée de l'hymne *Rule, Britannia,* qui est appliquée à l'Anglais Haines aperçu au premier épisode. Le personnage, évoqué obliquement, fait retentir sa sentence, « la faute à l'histoire », prononcée dans « Télémaque ».

29. *Que sur son empire, le soleil ne se couche jamais* : si l'expression a été souvent utilisée depuis l'Empire perse de Xerxès, son attribution à un « Celte de France » est hautement fantaisiste et invite à se méfier des usages de l'histoire.

30. *J'ai payé mon dû, I paid my way* : cette phrase, qui évoque la thématique de l'odyssée, du départ ou du retour nécessaire, entre en résonance avec la culpabilité de Stephen et revient le hanter dans « Charybde et Scylla » et « Circé ».

31. Les noms qui forment cette liste appartiennent soit à des personnages fictifs apparus dans des écrits antérieurs (McCann dans *Stephen le Héros,* puis au chapitre V du *Portrait de l'artiste en jeune homme,* tout comme Temple, qui réapparaît dans l'épisode suivant) ou des personnages « réels », qu'il s'agisse d'amis

(Constantine P. Curran, auteur d'un recueil de souvenirs, *James Joyce Remembered* ; James H. Cousins, poète et théosophe, chez qui Joyce séjourna brièvement après l'épisode de la Tour Martello ; T.G. Keller, homme de lettres dublinois) ou de figures publiques de la vie culturelle dublinoise (Fred Ryan, économiste et directeur de la revue *Dana*, tout comme George William Russell, connu sous le pseudonyme « A.E. », par ailleurs rédacteur en chef de l'*Irish Homestead*, où Joyce publia ses premières nouvelles à son invitation). Comme toujours chez Joyce s'effectue cependant un brouillage entre réel et fiction : Curran inspira aussi en partie le personnage de Gabriel Conroy dans « Les Morts » et, si Mrs McKernan fut bien la logeuse de Joyce au printemps 1904, Kernan est aussi le nom du protagoniste de « La Grâce ». Rappelons qu'*Ulysse* fut d'abord un projet de nouvelle, la seizième envisagée pour *Dublinois*.

32. *Albert Édouard, Prince de Galles* : devenu roi sous le nom d'Édouard VII à la mort de la reine Victoria en 1901.

33. Daniel *O'Connell* (1775-1847) : grande figure de l'émancipation des catholiques irlandais, « le Libérateur » échoua à obtenir l'abolition de l'Acte d'Union.

34. La Grande *Famine* survint en 1846-1852, décimant la population et conduisant à une émigration massive. Due à une maladie de la pomme de terre, aliment de base en Irlande, elle fut aussi la conséquence d'une spéculation sur les cours du blé. Cet épisode tragique laissa son empreinte dans les esprits (« *the famine mentality* ») jusqu'à la fin des années 1950.

35. *Les loges orangistes* : organisations orangistes créées en 1795 sur le modèle maçonnique. Deasy omet d'indiquer que ces loges devinrent de fanatiques partisans de l'Union après 1800, prônant le recours à la violence.

36. *Fénians* : société secrète fondée en 1858 (*The Irish Republican Brotherhood*) qui milite pour la lutte armée et le terrorisme.

37. *Glorieux, pieux et immortel souvenir* : écho du toast traditionnel des orangistes, ou williamites, à la mémoire de Guillaume d'Orange.

38. *Pavoisée de cadavres papistes* : évocation du massacre d'une trentaine de catholiques dans le comté d'Armagh, le 21 septembre 1795, épisode d'une violence sectaire ranimant le slogan de Cromwell, « En Enfer ou au Connaught ».

39. La colonisation de l'Irlande fut entamée sous le règne d'Élisabeth et généralisée par Cromwell ; les terres confisquées

étaient distribuées à ceux qui prêtaient serment au roi d'Angleterre, chef de l'Église.

40. Le terme *tondus* (*croppies*) désigne les rebelles irlandais, et l'appel à leur soumission est un classique des chansons loyalistes, alors qu'ils sont les héros des chants nationalistes, tel « *The Croppy Boy* ».

41. *Sir John Blackwood* mourut au contraire en enfilant ses bottes avant d'aller voter contre l'Acte d'Union.

42. *Nous sommes tous Irlandais, tous fils de rois* : comme les Gaules que découvre Jules César, l'Irlande était divisée en une multitude de petits royaumes ; d'où ce proverbe.

43. *Ards of Down* : péninsule du comté de Down, située juste à l'ouest de Belfast, fief orangiste.

44. Refrain de la ballade irlandaise « *The Rocky Road to Dublin* » (mâtinée d'un air de Joe Dassin dans la traduction), qui chante les aventures d'un jeune paysan du Connaught en route vers Dublin.

45. *Pas trop humide, votre honneur* : salutation par temps de pluie, traditionnelle en Irlande et non moins ironique.

46. *J'ai une lettre ici pour les journaux* : lettre dont on peut suivre le trajet tout au long du roman.

47. À l'image de cette galerie de cracks qui apparaît dans le monologue intérieur de Stephen de l'épisode suivant et qui s'anime au bordel de « Circé », il est caractéristique de l'écriture d'Ulysse que des motifs fassent retour, fréquemment « réarrangés ».

48. *Mal du pied et du museau, foot and mouth disease* : épizootie contre laquelle il n'existait pas de remède alors que les tentatives d'immunisation étaient peu concluantes.

49. Les soupçons de complot à l'encontre du projet de transformer Galway en port transatlantique ne semblent pas fondés.

50. *Cassandre* : fille de Priam, roi de Troie, elle se refusa à Apollon qui la condamna à prononcer des prophéties véridiques mais jamais écoutées, comme celle concernant la chute de Troie.

51. *Une femme qui ne valait pas mieux que sa réputation* : cet euphémisme, ou grossièreté, désigne une femme jugée trop légère. Il s'agit ici de la belle Hélène de Sparte, femme du roi Ménélas, enlevée avec son consentement par le séduisant Pâris, et donc jugée responsable de la guerre.

52. Robert *Koch* (1843-1910), découvreur du bacille de la

tuberculose en 1882 (année de naissance de Joyce), s'intéressa à la fièvre aphteuse.

53. *Rinderpest* : peste bovine, épizootie alors sans remède.

54. Stephen reprend les *remerciements* de Deasy dans « Protée », avant d'en arracher l'une des pages pour écrire.

55. *Ils sucent la vitalité de la nation* : le discours antisémite de Deasy fait écho à celui de Haines, le bien nommé, dans le premier épisode.

56. Citation de Blake, « Augures de l'Innocence », v. 115-116. Dans l'*Odyssée*, Pénélope tisse le suaire de son beau-père.

57. La prise de Jérusalem et la destruction du Temple par Titus, en 70 de notre ère, provoquèrent la dispersion des Juifs, mais c'est au Moyen Âge que se répandit en Europe la légende du Juif errant. Cette allusion préfigure Bloom dans le rôle du Juif errant dublinois.

58. *Ils fourmillaient dans le temple* : allusion aux marchands du Temple de Jérusalem.

59. La célèbre sentence de Stephen est dérivée d'un aphorisme de Jules Laforgue (1860-1887) : « L'histoire est un cauchemar bariolé qui ne doute pas que les meilleures plaisanteries sont les plus courtes. »

60. *Toute l'histoire humaine s'avance vers [...] la manifestation de Dieu* : ces propos aux accents hégéliens font écho aux derniers vers du célèbre poème de Tennyson, *In Memoriam* (1850).

61. *Un grand cri dans la rue* : cette épiphanie de Dieu « est mise du côté de la voix plus que de la parole », selon l'analyse d'Annie Tardits (dans « L'Appensée, le Renard et l'Hérésie », *Joyce avec Lacan*, dir. J. Aubert, Navarin, 1987, p. 131-132), c'est-à-dire de quelque chose qui troue la parole et défie l'écoute. C'est l'amorce d'une série poursuivie dans plusieurs épisodes.

62. Pâris, fils de Priam, roi de Troie, accorda le prix de beauté à Aphrodite et reçut en récompense le droit d'enlever la belle Hélène. C'est, dans le roman, l'un des rares parallèles explicites avec l'*Odyssée*, qui donne aussi du sel au « Prix de Paris » mentionné plus haut.

63. Là encore, Deasy refait l'histoire, puisque *Tiernan O'Rourke* était en fait son époux légitime qu'elle avait quitté pour MacMurrough. C'est ce dernier qui fit appel à Henry II.

64. Catherine O'Shea vivait séparée de son mari quand elle devint la compagne de *Parnell*, mais le scandale que provoqua le divorce des époux O'Shea fut fatal au leader irlandais. Joyce

conclut ainsi un article publié à Trieste en 1912 : ses compatriotes « ne le jetèrent pas aux loups anglais, ils le mirent en pièces eux-mêmes » (« L'Ombre de Parnell », *Œuvres*, « Bibl. de la Pléiade », t. I, p. 1098).

MICHEL CUSIN et PASCAL BATAILLARD

III. PROTÉE

1. *Inéluctable modalité du visible* : Aristote, *Traité de l'âme* (II et III).

2. *Signatures de toutes choses* : référence à Jakob Boehme (1575-1624), *De Signatura Rerum*, « La Signature des Choses ». Selon Boehme, le Verbe proféré par Dieu continue à vivre dans les choses et il s'agit de déchiffrer dans les mots les secrets divins qu'ils contiennnent.

3. Aristote, *Traité de l'âme* (II, VII) : ce qui est visible, c'est la couleur, mais elle doit avoir un substrat (*diaphanes*, le transparent), qui, bien qu'étant lui-même invisible, devient visible par elle.

4. *En s'y cognant la tronche* : Samuel Johnson réfuta la théorie de Berkeley selon laquelle la matière n'existe pas et l'univers n'est qu'idée en donnant simplement un grand coup de pied dans une pierre.

5. Une tradition médiévale veut qu'Aristote ait été chauve et ait hérité d'une fortune considérable.

6. Dans *La Divine Comédie*, Aristote est évoqué comme *maestro di color che sanno*, « maître de ceux qui savent » (« Enfer », IV, v. 131).

7. *Adiaphane* : mot forgé par Joyce signifiant « non transparent ».

8. En allemand, *nacheinander* : l'un après l'autre ; *nebeneinander* : l'un à côté de l'autre. Dans le *Laokoon* (1766), Lessing fait une distinction dans les arts entre la poésie, qui se déploie dans le temps (*aufeinander* — et non pas *nacheinander* — c'est là l'une des nombreuses citations erronées de Stephen), et les arts visuels, comme la sculpture et la peinture, qui se déploient dans l'espace (*nebeneinander*).

9. Stephen a emprunté une paire de chaussures à Mulligan.

10. Chez William Blake, *Los*, le principe de l'imagination créatrice, est représenté avec un marteau et une enclume.

11. Dans *Milton* (I, 21, v. 12-14), Blake raconte comment,

par la vision de Milton entrant dans son pied gauche, il eut la révélation du secret du monde.

12. Stephen évoque ici Mr Deasy (« Nestor ») dans le style d'une chanson populaire en dialecte écossais.

13. Le *tétramètre* est un vers de quatre pieds. Un vers *acatalectique* est un vers auquel aucune syllabe ne manque. Pourtant le premier vers est ici catalectique, c'est-à-dire qu'il lui manque une syllabe pour éviter des effets de monotonie. Une explication possible est que Stephen s'y connaît mal en prosodie.

14. *Basta* : « assez » en italien.

15. *Frauenzimmer* : terme familier en allemand pour désigner les femmes.

16. *Algy* : version familière du premier prénom du poète Algernon Charles Swinburne (1837-1909).

17. *Liberties* : quartier pauvre du sud de Dublin.

18. *Création à partir de rien* : c'est-à-dire comme dans la création *ex nihilo* de la Genèse.

19. *Vous voulez être comme des dieux* : dans la Genèse (III, 5), le serpent dit à Ève à propos du fruit défendu : « le jour où vous en mangerez, vos yeux s'ouvriront et vous serez comme des dieux, qui connaissent le bien et le mal ».

20. *Omphalos* est le nom de la pierre blanche de Delphes qui était pour les Grecs le centre de l'univers et le point de jonction entre le monde des vivants et celui des morts.

21. Stephen imagine un fil téléphonique qui serait la succession ininterrompue de tous les cordons ombilicaux remontant jusqu'à Adam et Ève et permettant d'entrer en communication avec eux. Leur numéro de téléphone commence par la première lettre de l'alphabet hébreu et de l'alphabet grec. Le zéro renvoie à l'oméga, dernière lettre de l'alphabet grec.

22. Dans la Kabbale, *Adam Kadmon* (Adam Primordial) est l'homme originel, libre du péché et androgyne. — *Heva* : version primitive du nom d'Ève, à partir de l'hébreu *hawwah* (vie). — Selon la Kabbale, Ève *n'avait pas de nombril* parce qu'elle n'était pas née d'une femme.

23. Dans le Cantique des Cantiques (VII, 2), la Sulamite est ainsi décrite : « Ton nombril est comme un gobelet rond, où le vin est en abondance : ton ventre est comme un monceau de froment entouré de lis. »

24. Inversion de la formulation du Credo, qui affirme la croyance en Christ « *genitum non factum, consubstantialem Patri* » (« engendré mais non fait, consubstantiel avec le Père »).

25. La ressemblance entre Télémaque et Ulysse est notée dans l'*Odyssée* (IV, 115-154).

26. Dans la *Somme de théologie* (II, 1, 91 ; II, 1, 93), saint Thomas examine les différents types de loi et tout particulièrement la *lex eterna*, loi éternelle de Dieu

27. Écho d'*Hamlet* (III, IV, v. 196-198).

28. *La contransmagnificaetjudeobigbangtantialité* : mot-valise fabriqué à partir des mots *consubstantiality, transubstantiality, Magnificat, bang* (qui exprime la sonorité pompeuse de tous ces grands mots) et *jew* (juif).

29. La tradition veut qu'Arius soit mort sur un siège de cabinets. — *Euthanasie* : le mot a ici son sens étymologique de « mort douce et sans souffrance ».

30. Après sa condamnation par le concile de Nicée en 325, Arius dut passer plusieurs années en exil. — *Omophorion* : longue écharpe de soie blanche portée par les évêques de l'Église orientale, symbole du pouvoir épiscopal.

31. Écho d'*Hamlet* (I, IV, v. 2).

32. *Mananaan* MacLir est le dieu irlandais de la mer.

33. *La tante Sarah* : Mrs Sara Goulding, épouse de Richie Goulding, l'oncle maternel de Stephen.

34. *Tante Sally* : « *aunt Sally* » veut aussi dire en anglais « jeu de massacre ».

35. Dans le *Portrait de l'artiste en jeune homme,* Stephen Dedalus s'identifie à Icare, cherchant à s'envoler hors du labyrinthe de Dublin.

36. L'expression revient à plusieurs reprises dans l'acte I de l'opérette de Gilbert et Sullivan, *Les Gondoliers* (1889).

37. *Jésus pleura* : le verset le plus court de la Bible, au moment où Marie et Marthe mènent le Christ à la tombe de Lazare (Évangile selon saint Jean, XI, 35).

38. Écho de *Macbeth* (I, VI, v. 6-8).

39. *Goff* : lourdaud, imbécile.

40. *Duces Tecum,* « Vous apporterez avec vous » : assignation à comparaître avec un document ou une pièce à conviction qui doivent être examinés par la cour.

41. *Le Requiescat* : court poème écrit par Oscar Wilde en 1881 après la mort de sa sœur Isola.

42. *All'erta !* : « Prenez garde ! » en italien. C'est le début de l'air d'entrée en scène (*aria di sortita*) de Ferrando dans *Le Trouvère* (1852) de Verdi.

43. *Maisons en plein déclin* : la maison de la famille

Joyce était effectivement dans un grand état de délabrement en 1904.

44. *Clongowes* Wood College, le collège de jésuites que fréquenta Joyce de 1888 à 1891.

45. *La bibliothèque Marsh* : c'est la plus ancienne bibliothèque de Dublin, fondée en 1707. Elle contient d'importantes collections d'ouvrages de théologie, médecine, histoire ancienne et langues anciennes. — *Joachim* de Flore (1145-1202), mystique italien qui développe une conception trinitaire de l'histoire du monde, dans laquelle il distingue trois âges : l'âge du Père, l'âge du Fils et l'âge du Saint-Esprit. En 1255, une commission papale condamna son vulgarisateur Gérard de Borgo San Donnino, mais non Joachim lui-même. — *Abba* : « père » en araméen.

46. Allusion à la folie de Jonathan Swift pendant les dernières années de sa vie.

47. *Houyhnhnm* : nom des chevaux doués de raison dans la 4e partie des *Voyages de Gulliver* (1726) de Swift.

48. *Temple* : personnage qui apparaît dans le chapitre V du *Portrait de l'artiste en jeune homme*.

49. Swift fut *doyen* de la cathédrale Saint-Patrick de Dublin de 1713 à 1745.

50. En latin : « Descends, tête chauve, afin de ne pas être rendue encore plus chauve. » La source de Joyce est probablement la phrase d'ouverture de *Vaticinia Pontificum* (1589) de Joachim de Flore, où celui-ce se moque du pape.

51. *Voyez lui moi* : *see him me*. Déjà dans le *Portrait de l'artiste en jeune homme* (IV), Stephen, tenté par la vocation ecclésiastique, s'imagine accomplissant les gestes de la liturgie.

52. Dans l'Ancien Testament, les *cornes* sont emblèmes de puissance et de royauté. Les quatre angles de *l'autel* des holocaustes ressemblaient à des cornes d'animaux.

53. Écho du Cantique de Moïse (Deutéronome, 32). On offrait à Dieu le meilleur du *froment* et la *graisse* de *rognons,* partie la plus grasse de l'animal. Ces rognons sont aussi un des éléments prémonitoires annonçant Bloom.

54. Guillaume d'*Occam* (1300-1349), philosophe et théologien scolastique anglais, célèbre pour la rigueur de sa logique.

55. *Dans les brumes d'un petit matin anglais* : début d'une comptine. — L'*hypostase* est la substance en tant qu'elle est distincte de ses attributs. Pour Occam, c'est la chose

individuelle qui est la réalité, et il n'y a pas de substance en dehors des attributs.

56. John Dryden aurait dit un jour à Jonathan Swift : « Cousin Swift, vous ne serez jamais un poète ».

57. *Île des saints* : l'Irlande était appelée au Moyen Âge *Insula Sanctorum* à cause du rôle crucial que jouèrent ses monastères après la chute de Rome.

58. *O si, certo !* : « Oh oui, certainement ! » en italien.

59. *Les livres que tu allais écrire avec des lettres pour titre* : probablement un souvenir de la *Métaphysique* d'Aristote, qui se présente ainsi.

60. Les *épiphanies* étaient pour Joyce des moments de révélation qui pouvaient se produire lors des événements les plus insignifiants de la vie quotidienne. Il les consignait dans des carnets et les réutilisait ensuite dans son œuvre.

61. *Mahamanvantara* : terme de sanscrit signifiant « grande année » (vaste cycle d'années).

62. *Pic de la Mirandole* (1463-1494), humaniste italien qui s'intéressa à l'alchimie et à la Kabbale, et chercha à établir un lien entre les principes chrétiens et les doctrines néoplatoniciennes et kabbalistiques.

63. Dans *Hamlet* (III, II, v. 384-390), Polonius, croyant Hamlet fou, ne le contredit pas lorsque celui-ci voit un nuage prendre successivement la forme de divers animaux. Cette allusion est à relier au thème de la métempsycose qui court à travers tout l'épisode.

64. Peut-être un écho parodique du style fleuri de Walter Pater (1839-1894) dans son essai « Pic de la Mirandole ».

65. *Galets innombrables* : c'est ainsi qu'est évoquée la mer dans *Le Roi Lear*, lorsque Gloucester, aveugle, cherche à se suicider et que son fils Edgar lui fait croire qu'il est au sommet d'une falaise (IV, V, v. 20-22). — Après sa défaite dans la Manche en 1588, l'*Armada* espagnole continua sa route vers le nord, mais fut dispersée par des tempêtes et nombre de ses navires firent naufrage sur les côtes d'Irlande et d'Écosse.

66. *Pigeon House* : la centrale électrique de Dublin.

67. Les deux phrases, en français dans le texte, sont reprises de *La Vie de Jésus* (1884) de Léo Taxil (pseudonyme de Gabriel Jogand-Pagès, 1854-1907). Ce livre, écrit sur le mode burlesque, essaie de montrer les absurdités de la tradition chrétienne sur la vie de Jésus. Taxil montre Joseph en proie à des

soupçons sur la grossesse de Marie, à quoi celle-ci répond : « C'est le pigeon, Joseph ! »

68. Le nom d'*oie sauvage* était donné aux Irlandais qui avaient préféré s'expatrier plutôt que de vivre sous la domination britannique. — Le personnage de *Kevin Egan* est modelé sur le nationaliste émigré Joseph Casey, qui s'était évadé de la prison de Clerkenwell à Londres en 1867.

69. Plusieurs ouvrages de *Michelet* portent en effet sur les femmes.

70. *Schluss* : « Fin » en allemand.

71. Première année d'études de médecine. En 1903, pendant son court séjour à Paris, Joyce tenta de s'inscrire à l'École de médecine, mais cessa rapidement de suivre les cours.

72. L'image des « *fleshpots* » (« marmites de viande ») est devenue le symbole de l'abandon aux plaisirs (voir Exode, XVI, 3).

73. Souvenir d'un épisode effectivement vécu par Joyce lors de son séjour à Paris en 1903.

74. *Fiacre* : saint écossais d'origine irlandaise du VIIe siècle. — *Scott* : Duns Scot (1266-1308), théologien et philosophe écossais d'origine irlandaise, appelé le Docteur Subtil en raison de son habileté à manier la dialectique.

75. *Riant-aux-éclats-en-latin* : *loudlatinlaughing*, mot-valise fabriqué par Joyce. — *Euge ! Euge !* : « Très bien ! bravo ! » en latin. Ces mots apparaissent à plusieurs reprises dans la Vulgate. Il s'agit chaque fois des paroles d'un ennemi ou d'un railleur que Dieu est appelé à châtier.

76. *Le Tutu* : magazine parisien grivois publié à partir de 1901. — *Pantalon Blanc et Culotte Rouge* : journal non identifié et peut-être fictif.

77. Ce sont les termes du télégramme reçu par Joyce à Paris le 10 avril 1903, mais ici il comporte une coquille : *Nother dying* (qui semble évoquer « *Another* », « Un autre »), au lieu de *Mother dying* (« Mère mourante »).

78. Refrain d'une chanson du poète irlandais Percy French (1854-1920).

79. Tout ce paragraphe s'inspire de l'épiphanie XXXIII.

80. *Belluomo* : « bel homme » en italien, au sens de « séducteur ».

81. *Rodot* : pâtisserie sur le boulevard Saint-Michel à Paris.

82. *Fée verte* : surnom de l'absinthe chez les écrivains français du XIXe siècle.

83. *Slainte* : « À votre santé ! » en irlandais.

84. *Dalcatiens* : membres de la famille Dal Cais, l'une des tribus des rois de Munster au Moyen Âge. — *Arthur Griffith* (1872-1922), nationaliste irlandais qui fonda en 1899 l'hebdomadaire *United Irishman* et en 1905 organisa le *Sinn Fein*. En 1922, il fut pendant une courte période président de l'État Libre d'Irlande. — *AE* : pseudonyme de George William Russell (1867-1935), poète et peintre irlandais qui s'intéressa au lien entre la mythologie irlandaise et le mysticisme théosophique. Il fit partie du mouvement du Crépuscule celtique.

85. Édouard Adolphe *Drumont* (1844-1917), journaliste français connu pour son antisémitisme, auteur de *La France juive* (1886). Les antidreyfusards français étaient rendus furieux par les prises de position en faveur de Dreyfus dans l'opinion anglaise, d'où les injures contre la reine Victoria.

86. *Maud Gonne* (1866-1953), Irlandaise célèbre pour sa beauté et son nationalisme fervent. Elle se réfugia pendant un certain temps à Paris, où elle fut la maîtresse de Lucien Millevoye. — Lucien *Millevoye* (1850-1918) était depuis 1894 rédacteur en chef de *La Patrie*, périodique politique antisémite qui s'était vigoureusement engagé lors de l'affaire Dreyfus. — *Félix Faure*, élu président de la République en 1895, mourut d'une hémorragie cérébrale à l'Élysée en 1899, alors qu'il était en compagnie de sa maîtresse.

87. *Froeken* : « jeune fille » en suédois.

88. Les *Peep o' Day Boys*, « Garçons de l'Aube », étaient des groupes de protestants d'Ulster ainsi nommés parce qu'ils faisaient des raids à l'aube dans les maisons de catholiques pour y chercher des armes.

89. En novembre 1865, James Stephens (1824-1901), chef des Fénians, fut trahi, arrêté et emprisonné à Richmond. Le 24 novembre, il s'évada et se réfugia aux États-Unis. En 1866, l'organisation se divisa et l'on fit courir le bruit faux qu'il s'était enfui en se déguisant en femme et avait trahi ses compatriotes.

90. *Chefs disparus* : *Of lost leaders*. Dans un poème intitulé « *The Lost Leader* », Robert Browning (1812-1899) reproche à Wordsworth d'avoir abandonné la cause des idées libérales.

91. *Chef héritier du clan* : *Tanist of his sept*. Le *sept* désigne une tribu irlandaise ancienne. Le *tanist* était l'héritier et successeur du chef de clan. Burke était l'héritier désigné de James Stephens.

92. En décembre 1867, une tentative pour faire évader Richard O'Sullivan Burke, chef nationaliste fénian, de la prison de Clerkenwell en faisant sauter le mur de la prison avec un baril de poudre échoua, car les autorités avaient été prévenues par un informateur.

93. *Egan de Paris* : Patrick, fils de Kevin Egan.

94. Début d'une chanson irlandaise.

95. *Kilkenny* : comté et ville du sud-est de l'Irlande, tirant son nom de saint Canice, ou Kenny. — *Saint-Canice* : saint irlandais du VIe siècle qui prêcha en Irlande et en Écosse. — L'arrivée de Richard FitzGilbert de Clare, comte de Pembroke, surnommé *Strongbow* (« Arc solide »), en Irlande en août 1170 marqua le début véritable de la conquête du pays par les Anglais.

96. *Napper Tandy* : chef nationaliste irlandais qui, en 1798, tenta d'obtenir l'aide de la France pour le soulèvement en Irlande.

97. Écho du Psaume CXXXVII, 1, où les Juifs en captivité se lamentent.

98. *Kish* : bateau-phare amarré au sud-est de la baie de Dublin.

99. L'*obélisque* égyptien se rattache à l'origine au culte des pierres levées, que l'Irlande connut dès l'époque préceltique. Cette image, liée à celle du « sol cadran solaire » quelques lignes plus haut, semble suggérer que Stephen accomplit un cycle solaire.

100. La tour Martello devient ici une des Tours de Silence dans lesquelles les Perses zoroastriens plaçaient les cadavres qui étaient ensuite dévorés par les oiseaux de proie.

101. Écho d'*Hamlet* (I, IV, v. 69).

102. *Louis Veuillot* (1813-1883) était le chef du parti ultramontain qui s'opposait à toute tentative pour réduire l'influence de l'Église catholique. Dans un essai de 1867, il attaque violemment les poètes romantiques, en particulier Gautier, dont la phrase prend, selon lui, l'allure d'un « coche ensablé ».

103. Allusion à la Chaussée des Géants, ensemble de colonnes basaltiques sur la côte nord-est de l'Irlande. Une légende l'attribue au géant Finn MacCool qui, irrité par les vantardises d'un géant écossais, lança des rochers dans la mer pour pouvoir la franchir et venir corriger son adversaire.

104. La phrase rappelle le prétendu délire d'Edgar dans *Le Roi Lear* (III, IV, v. 180-181).

105. *Va-t-il m'attaquer ?* : Joyce eut toute sa vie peur des chiens.

106. *Les deux maries* : Marie-Madeleine et Marie, mère de Jacques et de Joseph, sont mentionnées ensemble en plusieurs endroits des Évangiles.

107. Écho de l'Exode (II, 3), où la mère de Moïse dépose l'enfant dans les roseaux du fleuve pour le faire échapper au meurtre ordonné par le pharaon.

108. *Lochlanns* : nom irlandais des tribus norvégiennes qui furent parmi les premiers envahisseurs de l'Irlande à la fin du VIIIe siècle.

109. Les Danars, venus du Danemark, furent les derniers de la grande vague des envahisseurs scandinaves.

110. Vers du poème de Thomas Moore, « Qu'Erin se souvienne des jours anciens ». Malachie (948-1022), roi de Meath et roi d'Irlande, lutta contre l'envahisseur scandinave.

111. *La cité de palissades* : le nom irlandais de Dublin, *Baile Atha Cliath*, a à peu près ce sens.

112. Lors d'une famine en 1331, un groupe de cachalots vint s'échouer dans la baie de Dublin. Les Dublinois accoururent, en tuèrent plus de deux cents et les mangèrent.

113. Pendant la seconde moitié du XIVe siècle, la *peste* fit des ravages à Dublin et contribua à faire fortement diminuer la population.

114. *Changeling* : enfant qui a été substitué à un autre par les fées.

115. Peut-être un écho des paroles de Cordelia à la fin du *Roi Lear* (IV, VII, v. 36-38).

116. « Méditant des choses terribles », en latin.

117. Écho des paroles de Cléopâtre à la fin d'*Antoine et Cléopâtre* de Shakespeare (V, II, v. 2-4).

118. Robert *Bruce* (1274-1329) fut roi d'Écosse et conquit l'indépendance de son pays sur les Anglais à la bataille de Bannockburn en 1314. Son frère Edward Bruce devint roi d'Irlande du Nord, mais fut assassiné en 1318. — Lord *Thomas Fitzgerald* (1513-1537) fut surnommé Thomas le Soyeux parce que les gens de sa suite portaient en signe de reconnaissance un ruban de soie. D'abord gouverneur d'Irlande, il déclara la guerre aux Anglais, mais fut battu et écartelé. — *Perkin Warbeck* (1474-1499) était un roturier qui prétendit pendant plusieurs années être Richard, duc d'York, fils d'Édouard IV. Il était soutenu par les princes anglo-irlandais d'Irlande. Capturé

par les Anglais, il avoua l'imposture. — Lambert Simnel (1475-1537) se fit passer pour Édouard, comte de Warwick, qui était héritier du trône d'Angleterre. Il fut effectivement couronné sous le nom d'Édouard VI à Dublin en 1487. Il envahit l'Angleterre, fut vaincu en juin 1487 à la bataille de Stoke et finit comme marmiton dans les cuisines royales.

119. L'Irlande soutint les *prétendants* yorkistes au trône d'Angleterre au XVe siècle, et les prétendants Stuart de 1688 à 1745.

120. *Il* : Mulligan.

121. Boccace (1313-1375) raconte dans le *Décaméron* qu'un jour où le poète Guido Cavalcanti (1250-1300), ami de Dante, ayant quitté le *Orto* (jardin) *San Michele*, se promenait à Florence au milieu de tombes, ses amis se moquèrent de son air sombre. Il leur répondit qu'ils étaient libres de dire ce qu'ils voulaient, puisqu'ils étaient chez eux, signifiant par là que, dans leur ignorance, ils appartenaient au monde de la mort.

122. *Natürlich* : « naturellement » en allemand.

123. On retrouve ici le thème de la métempsycose et de la transmigration des âmes, qui court dans tout l'épisode.

124. Le cerf est vu ici par Stephen en termes de blason. *Passant* : dans l'attitude de la marche. *Au naturel* : en couleurs naturelles. *Sans massacre* : sans bois (ce qui en langage héraldique signifie impuissance). Au contraire, le blason de l'Irlande représente un cerf bondissant, couleur argent, avec des bois et des sabots d'or.

125. Une croyance répandue veut que toutes les neuvièmes vagues soient plus fortes que les autres.

126. Joyce voyait dans le chien la créature protéenne par excellence.

127. Écho ironique de la célèbre « Élégie écrite dans un cimetière de campagne » (1751) de Thomas Gray.

128. C'est l'une des métamorphoses du dieu Protée dans l'*Odyssée* (IV, v. 457).

129. *Haroun al Rachid* (763-809), calife de Bagdad. Il apparaît dans plusieurs contes des *Mille et Une Nuits*.

130. Détail prémonitoire de la rencontre de Stephen et Bloom.

131. La loi hébraïque veut que les prémices des récoltes soient apportées en un lieu saint et présentées au prêtre.

132. Une croyance répandue voulait que les gitans soient originaires d'Égypte et que leur visage ait une teinte rougeâtre.

133. *The ruffian and his strolling mort. Mort* (dialecte gitan) : femme appartenant en commun à une tribu de gitans. C'est là le début d'une série d'allusions à un poème en dialecte gitan du XVIIe siècle, « *The Rogue's Delight in Praise of His Strolling Mort* » (« Le plaisir du coquin à faire l'éloge de sa femme vagabonde »).

134. Ces mots viennent de la 7e strophe du poème en dialecte gitan, « *The Rogue's Delight....* »

135. Bar clandestin dans le quartier pauvre de Dublin, les Liberties.

136. Ruelle du quartier des Liberties.

137. Deuxième strophe du poème en dialecte gitan.

138. La *delectatio morosa* est le péché qui consiste à laisser ses pensées s'attarder avec plaisir sur un désir coupable (saint Thomas, *Somme de théologie*).

139. « Frère porc-épic » en italien. Peut-être une allusion aux arguments acérés de saint Thomas.

140. Selon saint Thomas, avant la chute, Adam n'était pas soumis à un désir charnel, mais dominait toutes ses impulsions.

141. Allusion à « la flamme du glaive » des chérubins postés par Dieu devant le jardin d'Éden après qu'il en eut chassé Adam et Ève (Genèse, III, 24).

142. *She trudges, schlepps, trains, drags, trascines her load*. Tous ces verbes sont des synonymes de « traîner », successivement en anglais, allemand (*schleppen*), français, anglais, italien (*trascinare*).

143. Écho des paroles de Marie à l'ange de l'Annonciation : « Je suis la servante du Seigneur » (Évangile selon saint Luc, I, 38).

144. Dans *Hamlet*, Horatio appelle la lune « l'étoile humide » (I, I, v. 118).

145. « Toute chair viendra à toi », en latin. Ces mots, qui viennent du Psaume LXV, 2, sont entonnés dans l'*Introit* de la Messe de *Requiem*.

146. Après l'apparition du spectre, Hamlet, troublé, note dans ses « tablettes » ses pensées sur la vilenie de Claudius (I, V, v. 107-108).

147. Cette ressemblance phonique entre *tomb*, « tombe », et *womb*, « ventre de femme », a été souvent exploitée dans la littérature (voir *Roméo et Juliette*, II, III, v. 9-10).

148. Inversion de la phrase de saint Jean sur la lumière divine : « Et la lumière luit dans les ténèbres » (Évangile selon saint Jean, I, 5).

149. Le *lituus* (bâton de l'augure) était utilisé pour délimiter le *templum*, espace à l'intérieur duquel l'augure allait observer le vol des oiseaux. Chez les Grecs, le frêne est un symbole de solidité et de force. Pour les peuples germaniques et scandinaves, le frêne Yggdrasil était l'arbre du monde et faisait vivre l'univers.

150. George Berkeley (1685-1753), philosophe irlandais, évêque anglican de *Cloyne*. Dans son *Essai pour une nouvelle théorie de la vision* (1709), il affirme que la distance est quelque chose qui appartient non pas à la vue, mais à la pensée : « Un aveugle-né, rendu à la vue, n'aurait d'abord aucune idée de distance par la vue. » — Le *voile du temple* est, dans l'Ancien Testament (Exode, XXVI, 33) le rideau qui sur l'autel marque la séparation du « Saint des Saints », demeure de Yahvé fermée à tous, sauf au grand-prêtre le jour de l'Expiation.

151. Voir Berkeley, *Alciphron* (4e Dialogue, Sections 9-11) et *Nouvelle théorie de la vision* (sections III-XVII).

152. *Image stéréoscopique* : image unique donnant une impression de relief obtenue à partir de deux photos d'un même objet prises sous des angles légèrement différents.

153. *Hodges Figgis* : librairie de Dublin dans Grafton Street.

154. *Jesse* : lanière attachée aux pattes des faucons.

155. *Piuttosto* : « plutôt » en italien.

156. *Quel est ce mot connu de tous les hommes ?* : les critiques se sont longtemps interrogés sur la nature de ce mot mystérieux. Le problème semble maintenant résolu, depuis que H.W. Gabler a rétabli dans l'édition Garland cinq lignes qui manquaient dans « Charybde et Scylla », parmi lesquelles un passage de monologue intérieur de Stephen : « Savez-vous de quoi vous parlez ? L'amour, oui. Le mot connu de tous les hommes. »

157. « Et Dieu vit [tout ce qu'il avait fait]. Et cela était très bon » (Genèse [Vulgate], I, 31).

158. Refrain d'une chanson de Dan J. Sullivan.

159. Les quatre phrases qui précèdent semblent faire écho à *L'Après-Midi d'un Faune* (1865) de Mallarmé.

160. *Tripudium* : chez les Romains, sauts et danses rythmés, en particulier lors d'une danse religieuse solennelle.

161. Lord Alfred Douglas, ami d'Oscar Wilde, écrivit un poème intitulé « Le Débat entre deux amours », dans lequel on trouve le vers « Je suis l'amour qui n'ose pas dire son nom ». En 1895, lors de son procès, Wilde reprit cette expression pour défendre sa relation homosexuelle.

162. Selon David Hayman, Stephen ici n'urine pas mais se masturbe.

163. *Saint Ambroise* (340-397), l'un des Pères de l'Église, composa des hymnes latins et de la musique religieuse.

164. « Jour et nuit, elle [la création] gémit patiemment sur les injustices » (saint Ambroise, *Commentaire sur l'Épître aux Romains*).

165. Dans *La Tempête* de Shakespeare, Ariel évoque pour Ferdinand la mystérieuse métamorphose de son père Alonso, que l'on croit disparu en mer : « Par cinq brasses sous les eaux / Ton père étendu sommeille. / De ses os naît le corail, / De ses yeux naissent les perles. / Rien chez lui de périssable / Que le flot marin ne change / En tel ou tel faste étrange » (I, II, v. 397-402) (trad. Pierre Leyris et Elizabeth Holland, Gallimard, 1959). Dans *The Waste Land* (1922), T. S. Eliot s'est inspiré de ce passage d'*Ulysse* dans son épisode du « marin noyé » (IV, « *Death by Water* », « Mort marine »), qui évoque une renaissance par le contact avec l'élément liquide.

166. Reprise d'un vers du *Lycidas* (1637) de Milton.

167. Au début du christianisme, le *poisson* était devenu un symbole du Christ grâce au jeu sur les initiales de *ichthus* : *Iesous Khristous Theou Uios Soter* (« Jésus-Christ, Fils de Dieu, Sauveur »). — *Featherbed mountain* : jeu de mots sur *featherbed* (« lit de plumes ») et Featherbed Mountain, montagne au sud de Dublin.

168. *Mort en mer...* : c'est dans ces termes que le prophète Tirésias évoque la mort d'Ulysse dans l'*Odyssée* (XI, v. 134-135). — *Vieux Père Océan* : désignation fréquente de Protée au chant IV de l'*Odyssée*.

169. Le Grand Prix de Paris était l'événement le plus important de la saison hippique. Mais l'allusion aux « contrefaçons » semble aussi suggérer un jeu de mots sur le nom du pâtre Pâris qui remit un « prix » en donnant la pomme d'or à Aphrodite, puis, en enlevant Hélène, déclencha la guerre de Troie et fut à l'origine des pérégrinations d'Ulysse.

170. Ce sont les paroles du Christ quelques instants avant sa mort (Évangile selon saint Jean, XIX, 28).

171. *Étincelant il chute* : dans Isaïe (XIV, 12), la chute du roi de Babylone est comparée à celle de l'étoile du matin, appelée dans la Vulgate « Lucifer » (porteuse de lumière). Dans le *Portrait de l'artiste en jeune homme*, Stephen s'identifie à l'ange déchu. — *Orgueilleux éclair de l'intellect* : écho des paroles du

Christ aux apôtres : « Je vis Satan tomber du ciel comme l'éclair » (Évangile selon saint Luc, X, 18). — *Lucifer, dico...* : cette phrase, qui vient de l'*Exultet* de la prière du Samedi, joue sur les deux sens de « Lucifer » : l'étoile du matin et l'ange déchu. Elle peut être comprise de deux manières : « L'étoile du matin, dis-je, qui ne se couche jamais » ou : « Lucifer, dis-je, qui ne connaît jamais la chute ».

172. Écho de la chanson d'Ophélie dans *Hamlet*, lors de sa folie (IV, v, v. 23-26). Avec cette l'allusion, c'est le thème de la mort par noyade qui continue.

173. Le mardi 21 juin 1904 était le premier jour de l'été.

174. Écho de la première strophe du poème de Tennyson « La Reine de mai » (1833).

175. *Issant yeux* : termes héraldiques signifiant « regardant en arrière ».

176. Quand Frank Budgen fit remarquer à Joyce que le terme *crosstrees* (barres de flèches, littéralement : « arbres en croix ») n'était pas le mot exact pour les espars auxquels sont fixées les voiles, Joyce répondit que le mot était trop important pour être changé (Frank Budgen, *James Joyce and the Making of « Ulysses »* [1934], Bloomington, Indiana University Press, 1960). Il s'agit en fait d'une allusion à la croix et à la crucifixion du Christ, Stephen étant ainsi à la fois artiste et martyr, comme son prénom l'indique.

ANDRÉ TOPIA

IV. CALYPSO

1. Dans « Ithaque », nous apprendrons que Bloom a un second prénom, féminin celui-là : Paula. Son père, juif hongrois émigré en Irlande, a traduit en anglais son patronyme : Virag, qui signifie « fleur ». Notons que c'est sous le nom d'emprunt de Henry Flower (« fleur ») que Bloom entretient une relation épistolaire avec Martha Clifford. « Bloom » a sur « Flower » l'avantage de conserver la notion de judaïté grâce à l'homonymie avec le patronyme juif « Blum ». Consulter l'Index pour voir les nombreux avatars que subit le nom du héros dans le cours du roman.

2. Le texte anglais, « *curious mice never squeal* », est ambigu car il signifie également « les souris curieuses ne couinent jamais ».

3. *Mrkrgnao* : dans cette transcription du miaulement de la chatte, Giulio de Angelis note la présence des consonnes figurant dans le nom de Mercure : M, R, K, R. Cet avatar romain d'Hermès était le dieu des voyageurs et le messager des autres dieux, ce qui faisait de lui un passeur de sens.

4. À maintes reprises dans l'épisode et dans le roman tout entier, Bloom se fait l'écho d'idées reçues qu'il met cependant en doute et auxquelles il tente de trouver des justifications.

5. *Dlugacz* : la loi hébraïque qui proscrit la consommation de porc rend curieux le nom à consonance judéo-polonaise de ce charcutier dublinois. Le seul charcutier de Dorset Street Upper se nommait Michael Brunton et le nom de Dlugacz était celui d'un intellectuel juif, ardent partisan du sionisme, que Joyce avait connu à Trieste. Il sera plusieurs fois dans le roman fait allusion au rognon de porc acheté ce matin-là.

6. Ces *anneaux* cliquetants dont le bruit résonne dans plusieurs épisodes sont métonymiquement associés à l'adultère de Molly.

7. Molly Bloom, née Marion *Tweedy*, a vu le jour à Gibraltar le 8 septembre 1870, date de la fête de la nativité de la Vierge Marie. Son nom de jeune fille (particulièrement adapté à cet avatar de Pénélope) évoque une étoffe écossaise et irlandaise traditionnelle. Molly a en elle du sang irlandais mais aussi du sang espagnol que lui a transmis sa mère, Lunita Laredo.

8. Le siège de *Plevna* est un épisode de la guerre russo-turque de 1877-1878 lors du règlement de la question d'Orient. Une garnison turque, commandée par Osman Pacha Ghazi, résista 143 jours avant de capituler. Bloom possède dans sa bibliothèque une histoire de cette guerre dans laquelle les Anglais maintinrent une stricte neutralité.

9. *Plasto's high grade ha* : les deux dernières lettres du mot « *hats* » (« chapeaux ») se sont effacées à l'usage. Boylan porte lui aussi un chapeau de chez Plasto. L'énigme du petit morceau de papier blanc, carte de visite apocryphe dont Bloom fera usage à la poste, sera levée dans « Les Lotophages » (p. 148).

10. Bloom et Stephen sont sans clef en ce 16 juin.

11. La *pomme de terre* était la nourriture de base des paysans irlandais. Celle-ci est un talisman que la mère de Bloom a donné à son fils. Elle rappelle ce *moly* qu'Hermès offrit à Ulysse en guise d'antidote aux sortilèges de Circé. Grâce à cette plante magique, le roi d'Ithaque ne glissera pas dans l'animalité. C'est

l'exact opposé du lotos, la plante de l'oubli, que l'équipage d'Ulysse consommera chez les Lotophages.

12. Cette porte, qui a l'air fermée seulement, montre que le retour est programmé.

13. *George's Church* : cette église protestante porte le nom du saint patron de l'Angleterre.

14. Une des questions qui hantent l'esprit de Bloom au cours de cette journée.

15. Écho du *Pater noster* : « Donnez-nous aujourd'hui notre pain quotidien ».

16. Des images de l'*Orient* avaient traversé l'esprit de Stephen dans « Protée ». Ce thème reviendra à plusieurs reprises dans les pensées de Bloom.

17. *Turco le terrible* : Bloom partage avec Stephen cette référence culturelle (voir « Télémaque », p. 55). Ce sont les moustaches du vieux Tweedy qui font surgir le souvenir de cette pantomime.

18. Ces *jarretières* sont plusieurs fois évoquées dans le roman. Molly les portait pour accueillir son amant et dans « Pénélope » elle s'imagine séduire un gigolo grâce à elles.

19. Bloom possède dans sa bibliothèque un ouvrage intitulé *In the Track of the Sun : Diary of a Globe Trotter* (« Sur la piste du soleil, journal d'un globe-trotter »). La page de titre, qui a disparu du livre de Bloom, s'ornait de l'image d'une jeune fille jouant d'un instrument à cordes, sans doute un tympanon, qui est un écho du vers de Coleridge : « *A damsel with a dulcimer / In a vision once I saw* » (« J'ai jadis eu la vision d'une demoiselle et de son tympanon ») (*Kubla Khan*, 1816, v. 37-38).

20. Cette vignette du quotidien dublinois modéré *The Freeman's Journal and National Press* sera évoquée à plusieurs reprises dans le roman. C'est la fraction de l'opinion irlandaise qui hésitait entre sentiments nationalistes et intérêts financiers qui est visée ici. Dans « Les Lestrygons », nous apprendrons que c'est pour ce journal que Bloom fait de la prospection publicitaire.

21. Cette idée est peut-être venue à Bloom lorsqu'il était commis aux écritures chez Joe Cuffe, marchand de bestiaux. L'idée d'une ligne de tramway pour le transport des passagers traversera l'esprit du Père Conmee dans « Les Rochers Errants ».

22. Allusion à la guerre russo-japonaise (février 1904-septembre 1905).

23. *Adam Findlater*, homme d'affaires prospère, aspirait à

jouer un rôle politique. Son nom est également celui d'une église de Dublin. *Dan Tallon*, épicier et marchand de vin prospère, fut lord-maire de Dublin.

24. Les hiérarchies catholique et anglicane virent longtemps d'un mauvais œil les écoles publiques interconfessionnelles, qui eurent du mal à se développer.

25. *Inishturk. Inishark. Inishboffin* : Trois petites îles au nord de Galway dont les noms respectifs signifient « l'île du Sanglier », « l'île du Bœuf » et « l'île de la Vache Blanche ». Cette évocation trouve son origine dans les signifiants « turk », « ark » et « boffin ». « Turk » se relie aux évocations de la pantomime et du Major Tweedy ; « Ark » est associé à l'arche qui scella l'alliance entre Jéhovah et le peuple juif ; quant à « Boffin » il est phonétiquement très proche de « coffin », ce cercueil où repose Dignam.

26. *Slieve Bloom* : cette chaîne de montagnes s'élève dans la plaine centrale de l'Irlande à 55 miles au sud-ouest de Dublin.

27. Molly a autrefois soupçonné son mari d'avoir eu des faiblesses pour leur servante Mary.

28. Les mouvements du corps de cette jeune bonne qui travaille chez les Woods, personnages réels habitant au 8, Eccles Street, semblent hanter Bloom. Le nom des patrons a été traduit par Forest pour respecter le jeu de mots qui figure p. 129.

29. Sir Moses Haim *Montefiore* (1784-1885), juif anglo-irlandais, mit son influence et sa fortune au service de l'émancipation politique des juifs d'Angleterre. Il encouragea la colonisation de la Palestine au début du mouvement sioniste.

30. Bloom est en train d'acquérir la conviction que Dlugacz est juif.

31. Eccles Street et *Eccles Lane*, la ruelle adjacente, doivent leur nom à la famille Eccles qui compta, outre des musiciens, un commentateur de Shakespeare (Ambrose Eccles) qui édita *Cymbeline*, *Le Marchand de Venise* et *Le Roi Lear*. Mais surtout, ce nom fait entendre le début de « *Ecclesia* », Église.

32. Le thème du policier et de la jeune fille égarée était courant dans les chansons de music-hall de l'époque.

33. *Aucun signe* : cette expression fait référence au fait que la jeune fille a disparu mais aussi au fait que le charcutier n'a fait aucun signe de reconnaissance.

34. *Agendath Netaïm* : en hébreu, « société de planteurs » (l'orthographe exacte serait « Agudath »).

35. Le *dunam* est une mesure de superficie en usage en Israël. Un dunam correspond à 1 000 m^2 environ.

36. En allemand, « *Bleibtreu* » signifie « reste fidèle ». Bloom, dont nous apprendrons plus tard qu'il est cocu et juif renégat, semble frappé par ce nom. Carl Bleibtreu, avec lequel Joyce entra en contact épistolaire, soutenait que Shakespeare était en fait le comte de Rutland.

37. *Citron* : un voisin des Bloom lorsqu'ils résidaient dans Lombard Street West. Ce glissement du nom propre au nom commun se retrouve quelques lignes plus bas, dans le passage de *Pleasants street* (« rue des Plaisants ») à « passé plaisant ».

38. Pour célébrer la fête juive des Tabernacles on apporte à la synagogue un cédrat et des palmes tressées avec du myrte et des branches de saule. Selon les directives données par le Talmud, tous ces végétaux doivent être parfaits. Bloom a dans sa bibliothèque un ouvrage intitulé *La Philosophie du Talmud*.

39. Citation du *Pater noster* : « Que ta volonté soit faite, sur la terre comme au ciel. »

40. On peut penser qu'il s'agit du *nuage* que remarque Stephen dans « Télémaque ».

41. Sur les villes de la plaine, voir Genèse, XIV, 2 et XIX, 24-29. *Édom* ne fait pas partie de ces villes et son nom est probablement appelé pour la rime avec Sodome.

42. Cette image rappelle le châtiment que subit la femme de Loth lors de la destruction des villes de la plaine dans Genèse XIX, 2-6.

43. Eugene *Sandow* (Frederick Muller, 1867-1925) : premier culturiste mondialement connu et père du body-building. Bloom possède sur ses étagères un exemplaire de *Physical Strength and How to Obtain It* (« La force physique et la manière de l'obtenir », Londres, 1897), un des quatre ouvrages écrits par cet athlète allemand.

44. Quatre agents immobiliers de Dublin.

45. Cet acquiescement a, dans le contexte, une connotation sexuelle.

46. Le libellé de l'adresse témoigne d'un manque total de savoir-vivre. Significativement, l'adresse occulte le mari et obsédera Bloom tout au long de la journée.

47. *Popold* : Leopold vient de *Leut*, « peuple », et *bold*, « audacieux ». Le diminutif atténue, voire nie complètement la hardiesse. C'est la première fois que Mrs Bloom s'exprime autrement que par un grognement. Le diminutif de son

prénom, Molly, coïncide, à une lettre près, avec le nom de la plante qu'Hermès avait donnée à Ulysse pour le préserver des enchantements de Circé (voir la note 11).

48. *Mullingar*, près du lough Owel, est la capitale du comté de Westmeath, au nord-ouest de Dublin. C'est là que Milly Bloom travaille chez un photographe, M. Coghlan.

49. *Jeune étudiant* : il s'agit de Bannon.

50. Flam Boylan (Blazes Boylan) est un personnage composite, à l'opposé de Bloom dans ses manières, son costume et son langage.

51. Ces *morceaux de papier* qui peuvent être déposés par le père ou par la fillette rappellent les lettres que Molly s'envoyait à elle-même pour tromper son ennui et qu'elle évoquera dans « Pénélope », p. 1162. La lettre est détournée de sa fonction : elle ne s'adresse plus à un autre.

52. Pastiche d'un quatrain de Samuel Lover (1787-1868), poète, romancier, dramaturge, peintre et compositeur dont plusieurs œuvres sont citées dans le roman.

53. *Goodwin* : ce pianiste accompagnait Molly lors d'un concert donné en 1893 ou 1894. Ce vieillard un peu décrépit est souvent mentionné dans le roman, parfois sous les traits d'un poivrot.

54. *Là ci darem* : « Puis nous irons [la main dans la main] » : allusion au duo de Don Juan et Zerlina, acte I, scène VIII du *Don Juan* de Mozart. À la tentative de séduction de Don Juan, Zerlina répond : « *Vorrei e non vorrei* » (« Je voudrais et je ne voudrais pas »), que Bloom transforme en « *Voglio e non vorrei* » (« Je veux et je ne voudrais pas »). Quelques lignes plus bas, la séquence « *voglio*. Pas dans le lit » prend une dimension ironique certaine. Le 27 août 1904 Joyce participa à un concert où se produisait J. C. Doyle, célèbre baryton irlandais. — *L'Ancien Chant des doux amants* : « *Love's Old Sweet Song* » (1884). Les échos de cette chanson, dont les premières lettres du titre forment l'acrostiche *LOSS* (« la perte »), traversent tout le roman.

55. On pense ici à l'usage du yad, cet instrument qui sert à pointer le texte durant la lecture de la Torah pour éviter le contact avec le texte sacré. Le doigt que tendait Molly en direction du livre tombé sous le lit préfigurait l'image de cette « main de lecture ».

56. Le pataquès de Molly reviendra à plusieurs reprises,

associé à la scène du matin et à ses évocations sensuelles ou à l'adultère qui commence à s'attacher au personnage.

57. L'expression *jeunes yeux* rappelle à Bloom sa première rencontre avec Molly. Elle est associée aux jeunes filles de la plage et le sera, de manière incestueuse, à Milly.

58. Cette soirée est fréquemment évoquée dans le roman. C'est lors de cette réunion que Bloom et Molly ont fait connaissance.

59. Il pourrait s'agir d'un roman d'Ayme Reade : *Ruby. A Novel. Founded on the Life of a Circus Girl* (1889). Cet ouvrage dénonce la cruauté dont étaient victimes les jeunes artistes qui étaient littéralement vendus aux directeurs de cirques ambulants. L'apposition « la perle du cirque » se rencontrait alors fréquemment dans de nombreux romans bon marché.

60. *Cirque Hengler* : ce cirque était l'un des plus populaires du XIXe siècle.

61. *Paul de Kock* : le nom de ce romancier français (1793-1871) signifie en anglais « pénis ».

62. Le titre du roman emprunté par Bloom sera révélé dans « Ithaque ».

63. Dans « Pénélope », le lien est clairement établi entre Molly et la *nymphe*, personnage mis en scène dans « Circé ».

64. On trouvait dans le magazine hebdomadaire *Photo Bits* (titre qui figure dans le texte anglais) de la publicité pour des ouvrages un peu licencieux ou des pilules destinées à ranimer une virilité défaillante.

65. *Papli* est le terme d'affection qu'utilisent les enfants hongrois pour désigner leur père ou leur grand-père.

66. Lucia Anna, la fille de Joyce née en 1907, avait elle aussi *quinze ans* lorsque le roman parut en 1922. On est tenté d'établir un parallèle entre les pensées de l'auteur et celles de son personnage.

67. *Mme Thornton* : cette sage-femme dublinoise mit au monde Margaret, Charles, Eileen et Florence Joyce. Bloom sera accouché par elle dans « Circé ».

68. Le fils de Bloom, né le 29 décembre 1893, mort le 9 janvier 1894. Son décès marque la fin de la relation conjugale entre Bloom et Molly.

69. *Le destin* : un thème constant chez Boom, souvent associé à l'amour.

70. *L'Erin's King* : ce bateau faisait faire aux touristes le tour de la baie de Dublin. Le souvenir de cette promenade en

mer reviendra plusieurs fois dans le roman, associé à l'écharpe bleue de Milly.

71. Extrait de la chanson « *Seaside Girls* » dont deux vers seront repris quatre lignes plus bas.

72. Le malaise de Bloom se combine à un fatalisme exprimé quelques lignes plus haut. Il s'étendra de Milly à Molly, dans un glissement aux relents d'inceste accentué par la presque similitude des prénoms de la mère et de la fille.

73. Dans une lettre à son frère Stanislaus datée du 21 août 1909, Joyce évoquait une tentative faite pour obtenir un billet de train gratuit pour aller de Dublin à Galway en se faisant passer pour un journaliste italien.

74. *Titbits* : magazine bon marché qui faisait la part belle à l'insolite un peu scabreux et aux futilités quelque peu scandaleuses. La nouvelle qui y figure va exciter les ambitions littéraires de M. Bloom qui, à plusieurs reprises, va songer à de possibles sujets de nouvelles. Notons qu'il a tendance à confondre M. Beaufoy, l'auteur du récit primé, et Mme Purefoy, la parturiente de l'épisode XIV. Ce trait est d'autant plus remarquable que « Les Bœufs du Soleil » traite d'un accouchement et de l'histoire de la littérature anglaise.

75. Cet incident sera narré à la manière d'une épopée dans « Les Bœufs du Soleil ».

76. L'évasion du chef fénian James Stephens donnait lieu à d'innombrables légendes. Bloom associe, sur la base de leurs patronymes, deux personnes bien différentes : O'Brien, gérant des bains de Tara Street, et William Smith O'Brien (1803-1864), l'un des chefs du mouvement hostile à l'union avec la Grande-Bretagne (réalisée en 1800) et dont Stephens fut l'aide de camp et le complice.

77. *Enthousiaste* : on peut penser que ce terme, s'il est pris comme substantif, fait allusion à un mouvement séparatiste puritain du XVIIIe siècle, partisan d'une utopie agraire anarchiste que Bloom rapprocherait du mouvement sioniste pour lequel Dlugacz aurait quelque sympathie.

78. Tout comme Stephen craignait d'être vu collant la crotte séchée extraite de sa narine dans « Protée », Bloom a peur d'être surpris en train de déféquer.

79. Le titre cité par Bloom ne figure nulle part dans les archives du journal. Le coup de maître est peut-être l'un des nombreux projets que fait Bloom en cette fin d'épisode et dans le roman tout entier. En associant un peu plus loin M. et

Mme L. M. Bloom, il annule les effets de l'intitulé de l'adresse figurant sur la lettre d'un Boylan qu'il évince ainsi, du moins virtuellement, du duo qu'il forme avec Molly.

80. Peut-être une pique à l'encontre de George Roberts, directeur commercial de l'éditeur dublinois Maunsel, qui avait refusé de publier une nouvelle de *Dubliners* : « *Ivy Day in the Committee Room* » (« *Ivy Day* dans la salle des commissions »). Il trouvait en effet que quelques phrases étaient injurieuses vis-à-vis du roi Édouard VII.

81. C'est au cours de ce bal que Molly a rencontré Boylan. La *danse des heures* se situe dans l'acte III de *La Gioconda* (1876), opéra de Ponchielli. Changements de costumes et jeux de lumière représentent la ronde des heures mais aussi la lutte entre les puissances de la lumière et des ténèbres.

82. Cette sonnerie qui marque *moins le quart* est peut-être la même que celle entendue par Stephen à la fin de « Télémaque ».

MARIE-DANIÈLE VORS

V. LES LOTOPHAGES

1. *Brady* : ruelle d'habitations pauvres. — *Arpète* : apprenti.

2. *Maison de* : nom du foyer de l'Armée du Salut (en hébreu : « maison de Dieu » ; c'est le nom du lieu saint, près de Jérusalem, où était conservée l'Arche de l'Alliance). — *Aleph, Beth* : les deux premières lettres de l'alphabet hébreu. C'est l'une des nombreuses correspondances entre le monologue intérieur de Bloom et celui de Stephen (voir l'épisode III, « Protée »).

3. *Tom Kernan* est représentant en thé.

4. Peut-être un écho du titre d'un des premiers recueils de poèmes de Byron, *Hours of Idleness* (« Heures oisives », 1807).

5. Peut-être un écho du poème de Shelley *The Sensitive Plant* (1820), qui oppose le dépérissement des plantes à l'éternité de l'amour et de la beauté.

6. Le principe d'Archimède.

7. Nom fictif sous lequel Bloom a entamé une correspondance avec une certaine « Martha Clifford » au moyen d'une petite annonce dans le *Irish Times*. On pourra comparer la relation épistolaire entre Bloom et Martha Clifford et l'étrange liaison qui s'établit entre Joyce et Marthe Fleischmann à Zurich de

décembre 1918 à mars 1919, et commença par une correspondance. Le pseudonyme de Bloom évoque aussi un air célèbre de l'opéra *Maritana* (1845) de W. Vincent Wallace, alors très populaire à Dublin

8. Bloom regarde les affiches pour le recrutement de l'armée. Le régiment du commandant Tweedy, le père de Molly, était celui des Royal Dublin Fusiliers.

9. Lors de la guerre des Boers (1899-1902), *Maud Gonne*, ardente nationaliste, fit une campagne pour demander aux Irlandais de ne pas s'engager dans l'armée britannique et fit distribuer un tract exhortant les femmes irlandaises à ne pas fréquenter les soldats britanniques.

10. *Le journal de Griffith* : le *United Irishman*, fondé par Arthur Griffith en 1899.

11. *Habillé en pompier* : on voyait souvent Édouard VII (qui régna de 1901 à 1910) vêtu d'uniformes de divers régiments. — *Franc-maçon* : le futur Édouard VII fut grand-maître des Francs-Maçons anglais de 1874 jusqu'à son avènement au trône en 1901.

12. *Hôtel Grosvenor* : hôtel élégant.

13. Dans *Jules César* de Shakespeare, Marc-Antoine, lors de son oraison funèbre de César, répète à plusieurs reprises la phrase « Brutus est un homme honorable » (III, II, v. 89, 96 et 101), mettant ironiquement en doute les raisons qui ont poussé Brutus à tuer César.

14. *Conway* : pub et marchand de vin.

15. *Broadstone* : gare terminus de la ligne menant vers l'ouest du pays.

16. *L'Arche* : pub dans le centre de Dublin.

17. Titre de la seconde partie du poème de Thomas Moore, « *Lalla Rookh, An Oriental Romance* » (1817). Ce poème a été mis plusieurs fois en musique, notamment par Schumann (*Le Paradis et la Péri*, 1843). Dans la mythologie persane, les péris sont des êtres déchus et chassés du paradis, qui ne peuvent y retourner qu'une fois leur pénitence accomplie. L'expression « *paradise and the peri* » est parfois utilisée pour signifier la frustration au moment d'atteindre le but.

18. En argot, *a pot of bliss* désignait une belle grande femme ; *to pot one's meat*, « empoter sa viande », est une expression argotique pour « copuler ». Tout le slogan prend ainsi une dimension sexuelle.

19. M'Coy a emprunté à Bloom une valise sous le prétexte

que sa femme en avait besoin pour partir en tournée, et ne la lui a jamais rendue.

20. *Ulster Hall* : grande salle de concert et de réunion.

21. La phrase anglaise (*Who's getting it up ?*) peut être entendue de façon grivoise avec des connotations d'érection.

22. Variation sur un vers de la comptine « *Sing a song of sixpence* ».

23. En cartomancie, la *dame brune* peut être la dame de pique ou la dame de trèfle, l'*homme blond* le roi de cœur ou le roi de carreau. Les deux figures renvoient ici à Molly Bloom et Flam Boylan. On se souvient que Molly Bloom s'est tiré les cartes lors de son petit déjeuner.

24. Les *régates de Wicklow* avaient lieu chaque année en août dans la ville côtière de Wicklow, au sud de Dublin.

25. Il y avait eu un début d'épidémie de *variole* à Belfast en mai-juin 1904.

26. *Cantrell et Cochrane* : compagnie vendant des eaux de table.

27. *Clery* : grand magasin qui existe encore de nos jours.

28. *Leah* : il s'agit de la pièce *Léa, la vierge juive*, adaptée par l'auteur américain Augustin Daley à partir de la pièce *Deborah* (1850) de l'auteur autrichien Solomon Hermann von Mosenthal. L'histoire est située dans un village autrichien au début du XVIIIe siècle. La jeune juive Léa, poursuivie par le juif apostat Nathan, finit par se suicider. — Le *Freeman's Journal* du 16 juin 1904 annonçait la venue de la célèbre actrice américaine Millicent *Palmer* dans le rôle principal de Léa au Gaiety Theatre de Dublin.

29. Il arrivait assez souvent que des actrices jouent des personnages masculins dans les pièces de Shakespeare, jugeant que les rôles féminins n'étaient pas assez gratifiants.

30. Edward Payson Vining, dans son livre *Le Mystère de Hamlet. Tentative pour résoudre un vieux problème* (1881), soutient qu'Hamlet est une jeune fille élevée par sa famille comme un garçon afin d'obtenir le trône du Danemark.

31. Le père de Bloom, Rudolph Virag, s'est suicidé le 27 juin 1886.

32. *Kate Bateman* : actrice célèbre qui triompha dans les rôles de Léa, Juliette, Lady Macbeth et Médée.

33. Adélaïde *Ristori*, célèbre actrice italienne qui joua le rôle de Léa à Vienne.

34. Bloom confond Deborah et Rachel, peut-être parce que dans la Genèse (XXIX), Rachel est la sœur de Léa.

35. Scène de *Deborah* (II, XIV) de Mosenthal.

36. *L'abri du cocher* : c'est là que se déroulera une bonne partie de l'épisode XVI, « Eumée ».

37. Cette anecdote fait partie des légendes populaires sur Mahomet.

38. Mrs *Ellis* dirigeait une école maternelle que fréquentait Bloom enfant.

39. On comparera la veine un peu sado-masochiste de la lettre à certaines lettres de Joyce à Nora (lettre du 13 décembre 1909 à Nora, dans *Œuvres*, Bibl. de la Pléiade, t. I, p. 1282-1283). On retrouvera cette veine chez Bloom dans certains des fantasmes de l'épisode XV, « Circé ».

40. Manifestement un lapsus de Martha Clifford écrivant « *world* » (monde) pour « *word* » (mot).

41. *If you do not wrote* : faute d'anglais de Martha, qui met le verbe au prétérit au lieu du présent.

42. *Before my patience are exhausted* : encore une faute d'anglais de Martha, qui met le verbe au pluriel avec un sujet au singulier.

43. *La Coombe* : rue du quartier des Liberties, proche de la cathédrale Saint-Patrick.

44. *It ? Them* : Bloom remarque avec raison qu'il y a une contradiction grammaticale dans le texte de la chanson. En effet « *drawers* » (la culotte) est un pluriel alors que « *it* » (ça) est un singulier.

45. C'est-à-dire les menstrues.

46. On peut imaginer une préoccupation sexuelle plus masculine dans la répétition par Bloom de ce vers précis de la chanson. En effet « *to keep it up* » peut aussi avoir le sens de « maintenir dressé ».

47. *Marthe, Marie* : sœurs de Lazare auxquelles le Christ rendit visite (Évangile selon saint Luc, X, 38-42).

48. *Il* : le Christ.

49. *Ashtown* : faubourg de Dublin où se trouvait la résidence du vice-roi. Le *trou dans le mur* était une ouverture par laquelle les électeurs pouvaient passer la main et la retirer pleine d'argent, ignorant ainsi l'identité de la personne qui les soudoyait.

50. Marie, plus contemplative que Marthe, préfère rester assise aux pieds du Christ et l'écouter parler (Évangile selon saint

Luc, x, 40). On peut lire là un parallèle entre Marthe et Martha Clifford d'une part, Marie et Molly Bloom de l'autre. Molly, malgré son apparente passivité envers son mari, conservera l'amour de Bloom et l'emportera sur l'entreprenante Martha Clifford.

51. Edward Cecil Guinness, qui devint comte d'*Iveagh* en 1891.

52. Arthur Edward Guinness, qui devint baron *Ardilaun* en 1880.

53. *John Conmee* S.J. était recteur de Clongowes Wood College (1885-1891) lorsque Joyce y était élève (1888-1891). Il eut ensuite à nouveau Joyce comme élève à Belvedere College (1893-1898), où il était préfet des études. Il fut supérieur de l'église Saint-François-Xavier à Dublin de 1898 à 1904 et fut nommé provincial des jésuites irlandais en 1905. — *Peter Claver* (1581-1654), missionnaire jésuite espagnol, évangélisa pendant plus de quarante ans les esclaves arrivant d'Afrique à Cartagène en Colombie. Il fut canonisé en 1888.

54. Il y eut de nombreuses missions de jésuites en Afrique pendant la seconde moitié du XIXe siècle.

55. William *Gladstone*, quatre fois Premier ministre, était très populaire en Irlande, car il soutenait la politique du *Home Rule* (autonomie de l'Irlande) et était considéré comme proche des catholiques. Peu avant sa mort, en 1898, l'archevêque catholique de Dublin, William J. Walsh, envoya une lettre à ses fidèles, les exhortant à prier pour Gladstone, mais sans appeler explicitement à la conversion de ce dernier.

56. *William J. Walsh,* l'archevêque catholique de Dublin, était en Irlande un personnage tellement influent que Joyce écrivit de lui dans son poème satirique « De l'eau dans le gaz » : « Car le Pape, on le sait, ne peut pas faire un pet / Sans le consentement exprès de Billy Walsh. » *D. D.* : « *Doctor of Divinity* » (« Docteur en théologie »).

57. Des missions jésuites étaient installées en Chine depuis le XVIIe siècle.

58. « *The Heathen Chinee* » (« Le Chinetoque païen ») est le titre d'un poème de Bret Harte (1836-1902) qui fut plusieurs fois mis en musique.

59. Il y avait un Bouddha dans cette posture dans l'entrée du National Museum de Dublin.

60. *Ecce Homo*, « Voici l'homme » : paroles de Ponce Pilate lorsqu'il présente au peuple le Christ portant la couronne

d'épines (Vulgate, Évangile selon saint Jean, XIX, 5). Peut-être une allusion au tableau du peintre hongrois Michael Munkacsy, « Ecce Homo », qui fut exposé à la Royal Hibernian Academy de Dublin en 1899 et sur lequel Joyce écrivit un essai.

61. Selon une légende, *saint Patrick* (389-461), le patron de l'Irlande, se servit de la triple feuille du trèfle (*shamrock*) pour expliquer la doctrine de la Trinité au roi irlandais Laoghaire.

62. *Who is my neighbour ?* : jeu sur *neighbour*, « voisin » et « prochain ». Voir Évangile selon saint Luc (X, 25-29).

63. *Licou rouge* : il s'agit d'un scapulaire, bande d'étoffe passée autour du cou indiquant l'appartenance à une société religieuse.

64. Peut-être un écho de la chansonnette « Ouvrez la bouche et fermez les yeux ».

65. Formule latine prononcée par le prêtre au moment de donner la communion aux fidèles : *Corpus Domini Nostri Iesu Christi custodiat animam tuam in vitam æternam* (« Que le corps de Notre Seigneur garde ton âme pour la vie éternelle »). Bloom fait ici un jeu de mots sur « *corpus* » (corps) et « *corpse* » (cadavre).

66. Allusion à l'*Hospice des Agonisants* au sud de Dublin.

67. *These pots we have to wear* : un *pot hat* est un chapeau melon. Comme le pâté Prunier, la tête de Bloom devient elle aussi « *potted meat* » (de la viande en pot).

68. Le *mazzoth* est le pain azyme utilisé lors de la Pâque juive. Mais Bloom le confond ici avec le « pain de proposition », les douze gâteaux placés sur l'autel de Yahvé lors de chaque sabbat (voir Lévitique, XXIV, 5-9).

69. *Pain des anges* : traduction littérale de *panis angelorum*, nom latin de l'hostie.

70. *Hokypoky penny a lump* : c'était le cri des vendeurs de glaces ambulants. « *Hokey-pokey* » est aussi un synonyme de « *hocus-pocus* » (supercherie, charlatanisme). D'après une tradition anticatholique, ce sens viendrait d'une déformation de la prononciation de la formule latine de la consécration, *Hoc est enim corpus meum* (« Ceci est mon corps »).

71. Dans *Le Paradis perdu*, Milton évoque le fleuve Léthé comme « le Fleuve de l'Oubli » (II, 583-584). Joyce connaissait l'hypothèse de Victor Bérard selon laquelle il y a chez Homère un jeu de mots sur « lotus » et « Léthé ».

72. *Lourdes* est un lieu de pèlerinage particulièrement fréquenté par les Irlandais. La Vierge apparut à plusieurs per-

sonnes dans le village de *Knock* (comté de Mayo) le 21 août 1879. D'autres apparitions suivirent au début de 1880 et furent accompagnées de cures miraculeuses.

73. Cette phrase télescope l'hymne « À l'abri dans les bras de Jésus » et un fragment du « Notre Père » (« Que ton règne arrive »).

74. *I. N. R. I.* : initiales de *Iesus Nazarenus, Rex Iudaeorum* (« Jésus de Nazareth, Roi des Juifs »), inscription que Ponce Pilate avait placée sur la croix (Évangile selon saint Jean, XIX, 19). — *I. H. S.* : originellement ces initiales correspondaient aux trois premières lettres du mot « Jésus » en grec (iota, eta, sigma, I H S). Par la suite, on y vit une abréviation des expressions latines *Iesus Hominum Salvator* (« Jésus Sauveur des Hommes »), *In Hoc Signo Vinces* (« Par Ce Signe tu Vaincras ») et *In Hac Salus* (« Dans Cette [croix] [est] le Salut »).

75. Dans le texte anglais, les deux interprétations de « I.H.S. » par Molly sont *I have sinned* (« J'ai péché ») et *I have suffered* (« J'ai souffert »). Quant à « I.N.R.I. », Bloom y lit *Iron nails ran in* (« Les clous de fer ont pénétré »).

76. Écho de la lettre de Martha Clifford.

77. Écho d'un passage de l'opérette de Gilbert et Sullivan, « Jugement par Jury » (1876), où un avocat dit à un de ses clients qui est tombé amoureux d'une jeune fille laide mais fortunée : « Elle peut très bien passer pour quarante-trois ans / Dans la pénombre, à contre-jour ! »

78. Les *Invincibles* étaient un groupe dissident des Fénians qui, le 6 mai 1882, assassinèrent dans Phoenix Park Lord Frederick Cavendish, le nouveau Premier secrétaire pour l'Irlande, et le sous-secrétaire Thomas Henry Burke. L'événement eut un très grand retentissement et est évoqué à plusieurs reprises dans *Ulysse*. — James *Carey* était un des chefs des Invincibles à Dublin. Arrêté après les meurtres de Phoenix Park, il témoigna contre ses compagnons lors du procès et contribua à les faire condamner.

79. James Carey avait un frère, *Peter Carey,* qui fut lui aussi impliqué dans les meurtres de Phoenix Park.

80. *Crawthumpers* : « bigots » (littéralement : « qui se battent la poitrine »).

81. *Wheatley* : bière sans alcool qui faisait l'objet d'une publicité dans le *Freeman's Journal*.

82. *Vin de proposition* : expression fabriquée à partir de « pain de proposition ».

83. *Mince consolation, cold comfort* : expression utilisée par le roi dans *Le Roi Jean* de Shakespeare, au moment où il meurt empoisonné (V, VII, v. 41-43).

84. *À Gardiner street* : à l'église jésuite Saint-François-Xavier.

85. Mots d'ouverture de la cinquième strophe du *Stabat Mater* : « *Quis est homo, qui non fleret, / Christi Matrem si videret / In tanto supplicio ?* » (« Quel est l'homme qui ne pleurerait, / S'il voyait la Mère du Christ / Dans un si grand supplice ? »)

86. *Mercadante* : compositeur italien, auteur de nombreux opéras et œuvres religieuses, dont un oratorio, *Les Sept Dernières Paroles de Notre Seigneur* (1833).

87. Bloom pense peut-être à une messe faussement attribuée à Mozart, rendue célèbre par son *Gloria* et intitulée « Douzième Messe » au début du XIXe siècle. La véritable Douzième Messe est classée K. 262.

88. Bloom pense peut-être à la *Messe pour le pape Marcel* de Palestrina, déjà évoquée par Stephen dans « Télémaque ».

89. *La chose* : le ciboire.

90. La première des deux prières en anglais que le prêtre récite après la messe basse.

91. Fragments de la première des deux prières en anglais qui suit la messe basse : « par l'intercession de la Vierge Marie glorieuse et immaculée, mère de Dieu, de saint Joseph son époux, de tes saints apôtres Pierre et Paul ».

92. *Whispering gallery* : galerie à écho, comme celle de la cathédrale Saint-Paul à Londres, où la moindre parole murmurée contre une paroi est audible près de la paroi opposée.

93. L'*Armée du Salut* encourageait les confessions publiques.

94. C'est le texte exact de la seconde des deux prières en anglais récitées à haute voix après la messe basse.

95. *Frère Martin* : *Brother Buzz*. « *Buzz* » (argot) : l'activité du pickpocket.

96. *Glimpses of the moon* : expression utilisée par Hamlet pour évoquer la nuit lorsqu'il s'adresse au spectre de son père (*Hamlet*, I, IV, v. 51-56).

97. Bloom a placé une publicité pour la teinturerie Prescott.

98. Abréviations latines respectivement de « Eau distillée », « Feuilles de laurier » et « Thé vert ».

99. *Docteur Crack-Boum* : *Doctor Whack*. « *Whack* » : onomatopée d'un bruit de coup.

100. C'est également d'une *overdose*, d'aconit, que le père de Bloom est mort, accidentellement selon les enquêteurs, bien que tout le monde sache qu'il s'agissait d'un suicide.

101. Le prince Léopold, *duc d'Albany*, fils cadet de la reine Victoria, était en fait hémophile, maladie mystérieuse à l'époque et qui suscitait des rumeurs comme celle qu'évoque Bloom.

102. Écho de la lettre de Martha Clifford.

103. Encore une correspondance avec le monologue intérieur de Stephen.

104. Ce *savon* réapparaîtra dans de nombreux épisodes et aura lui aussi sa micro-odyssée dans *Ulysse*.

105. Slogan publicitaire pour un savon anglais célèbre.

106. Croyance de médecine populaire.

107. La *Gold Cup* (« Coupe d'Or ») devait être courue au champ de courses d'Ascot, près de Londres, à trois heures de l'après-midi. Le favori était *Sceptre*, mais la course fut gagnée par l'outsider *Throwaway* (« Jetsam » dans la traduction) à 20 contre 1.

108. *I was just going to throw it away* : en utilisant le verbe « *throw away* » (jeter), Bloom a sans le vouloir donné une indication sur le gagnant de la course à Bantam Lyons, qui voit là un tuyau fourni par Bloom (voir la note précédente).

109. *Hornblower* : le portier de Trinity College.

110. *Club de Kildare street* : club très fermé et très cher, rendez-vous de riches propriétaires anglophiles. — Au cricket, le *square leg* est une des positions défensives, à la gauche du batteur et en alignement avec le guichet.

111. La foire du village de *Donnybrook* (maintenant un faubourg du nord-est de Dublin), abolie en 1855, était célèbre pour son tumulte et ses scènes de désordre.

112. Vers du refrain d'« Enniscorthy », chanson de Robert Martin, l'une des chansons favorites du jeune Joyce : « Et les crânes, j'vous jure, il s'en est cassé, / Quand McCarthy est entré dans la danse à Enniscorthy. »

113. Citation approximative de la ballade « Dans les moments de bonheur, jour après jour », à l'acte II de l'opéra *Maritana* de William Vincent Wallace (1845).

114. *Limp father of thousands*, « père indolent de milliers » : écho des paroles à Rébecca dans la Genèse : « [...] Ô notre sœur, puisses-tu devenir la mère de milliers de millions [...] » (XXIV, 60).

A. T.

VI. HADÈS

1. Comme Cunningham, le personnage de *M. Power* apparaît déjà dans la nouvelle « La Grâce » de *Dublinois* (*Œuvres*, Bibl. de la Pléiade, t. I, p. 245).

2. *Les stores abaissés de l'avenue* : premier indice d'un décès survenu dans cette avenue.

3. *Savatisavatant* : la « Mère Savatisavate » est inspirée de la *Mother Slipperslapper* des comptines irlandaises.

4. L'image du lit de mort est parasitée par la pensée de l'adultère, d'autant plus que le tissage du linceul est l'occupation de Pénélope.

5. *Boulot impur* : écho profane de la loi juive selon laquelle celui qui touche au cadavre d'animaux morts « sera impur jusqu'au coucher du soleil » (Lévitique, XI, 24-25).

6. *Sa porte entrouverte* : le chant VI de l'*Énéide* mentionne la porte d'Hadès, toujours entrouverte (v. 127).

7. Premier écho de « *The Pauper's Drive* » (paroles de Thomas Noel), chanson décrivant un corbillard lancé à tombeau ouvert, qui hante les pensées de Bloom dans cet épisode : « *Rattle his bones over the stones : / He's only a pauper whom nobody owns !* », « Claquent ses os aux cahots du pavé : / Ce n'est qu'un pauvre, de tous abandonné ».

8. *Chapeau à large bord* : Stephen est identifié par son chapeau style « quartier Latin », qui entre dans la composition de son personnage.

9. Bloom aperçoit ici Stephen pour la première fois de la journée.

10. *Son fidus Achates* : nouvel écho du chant VI de l'*Énéide* où le « fidèle Achate » et la prêtresse Déiphobé tirent Énée de sa méditation sur Dédale et Icare pour qu'il interroge la Sibylle.

11. *Moi dans ses yeux* : dans l'épisode III, « Protée », Stephen pense à « cet homme qui a mes yeux, ma voix » avant de formuler ses questions sur la consubstantialité du père et du fils.

12. Adresse des Bloom en 1892, année de la conception de Rudy, domicile que Molly relie elle aussi à la mort du fils dans « Pénélope ».

13. *Mon Papli chéri* : c'est ainsi que commence la lettre de Milly reçue le matin dans « Calypso » et ce sont les mots de Milly quand elle apparaît dans la scène de soumission de Bloom par Bello dans « Circé ».

14. *Jeune étudiant* : il s'agit de Bannon.

15. *Il cligna de l'œil gauche* : la loucherie de Kelleher, autant que son tic verbal et le caractère allusif de ses propos, renvoient à son statut de mouchard révélé dans l'épisode précédent.

16. *Hynes* : personnage fictif qui semble n'avoir comme fonction que de parler des morts (dans la nouvelle « *Ivy Day* » de *Dublinois*, il récite un poème à la mémoire de Parnell et plus loin, dans « Éole », il écrit un mot sur la mort de Dignam dans le *Freeman's Journal*).

17. *C'est mon dernier vœu* : notons qu'Athos, du nom d'un des trois mousquetaires d'Alexandre Dumas, rime avec Argos, le chien fidèle qui reconnaît Ulysse lors de son retour à Ithaque.

18. *Paddy Leonard* : habitué du pub de Davy Byrne, c'était un compagnon de bar de Farrington dans la nouvelle « Contre-parties » de *Dublinois*.

19. *Retrospective arrangement* : cette expression associée à Kernan et reprise en de nombreuses occasions est aussi indicative du fonctionnement d'*Ulysse*, où les paroles ne cessent d'être reprises, et souvent déformées.

20. *Pour elle* : il s'agit de *Ruby. La Perle du cirque*.

21. C'est sur la même page que Bloom a lu une publicité pour les conserves Plumtree.

22. *La Petite Fleur* est un surnom que s'était donné sainte Thérèse de Lisieux (1873-1897).

23. *Henry* Flower (« Fleur ») est le pseudonyme de Bloom dans sa correspondance secrète avec Martha.

24. Avec le *Theatre Royal* et *The Gaiety* (« La Gaieté »), l'un des trois principaux théâtres de Dublin en 1904.

25. *Eugene Stratton* : célèbre artiste de music-hall américain (1861-1918) qui fit principalement carrière en Grande-Bretagne, d'abord comme « voix irlandaise » puis grimé en artiste noir (surnommé alors *the whistling coon*, « le rossignol nègre »).

26. *Le Lys de Killarney* : opérette créée à Covent Garden en 1862 (livret de Dion Boucicault et John Oxenford, musique de Sir Julius Benedict).

27. *Elster Grimes* : compagnie réputée, modèle de professionnalisme selon Bloom.

28. *Sir Philip Crampton* : chirurgien dublinois (1777-1858) dont le buste juché sur une vasque en forme d'artichaut, aujourd'hui disparu, fut la risée de tous et de Stephen en particulier dans le *Portrait de l'artiste*.

29. *Je dois me rendre dans le comté de Clare pour une affaire d'ordre personnel* : à Ennis, pour le jour anniversaire du suicide de son père, le 27 juin 1886.

30. *John Mac Cormack* : ténor qui devint riche et célèbre avec des tournées et des enregistrements effectués avec Fritz Kreisler entre 1914 et 1922.

31. *Smith O'Brien* : figure des événements de 1848, mort le 16 juin 1864. La statue, de 1869, est l'œuvre de Thomas Farrell.

32. *Un vieil homme* : évoque Charon, le passeur de l'Hadès, au chant VI de l'*Énéide* (v. 298 *sq.*).

33. *Restes de son ancienne grandeur* : l'expression « *Relics of old decency* » emprunte au refrain d'une chanson irlandaise de Johnny Patterson, « *The Hat My Father Wore* » (« Le Chapeau de mon Père »).

34. *O'Callaghan on his last legs* : allusion possible à une pièce de William Bayle Bernard, *His Last Legs*, donnée à Dublin en 1866.

35. *Vorrei e non:* extrait du duo du *Don Juan* de Mozart, « *La ci darem la mano* ».

36. *Moira*, en grec, désigne le destin, central dans la thématique de l'épisode. C'est aussi une variante, courante en Irlande, de Marie.

37. *Un de la tribu de Reuben* : expression antisémite. Ruben était l'aîné des douze enfants de Jacob et patriarche de l'une des douze tribus d'Israël (Nombres, I, 21). Ironiquement, cette tribu s'écarta du judaïsme.

38. *Que le diable te vide par la queue* : les prêteurs sur gage sont la cible habituelle des antisémites.

39. *La statue de Gray* : autre statue de Farrell. Sir John Gray (1816-1875), patriote irlandais protestant, fut le fondateur du *Freeman's Journal*.

40. Rebelle gracié par la foule aux dépens de Jésus, *Barabbas*, dans la pièce de Christopher Marlowe, meurt noyé dans la marmite d'eau bouillante préparée pour ses ennemis.

41. *M. Dedalus* : saillie cruelle qui persiste dans les pensées de Bloom.

42. *Colonne Nelson* : monument qui fut dynamité en 1966, pour le cinquantième anniversaire de la rébellion de 1916, dont la Grande Poste qui lui faisait face avait été le haut lieu.

43. *Pauvre Paddy* : première mention du nom du défunt depuis le début de l'épisode.

44. *Le plus correct petit homme qui ait jamais coiffé un cha-*

peau : nouvelle allusion à la chanson de Patterson, « *The Hat My Father Wore* ».

45. *Le cœur* est l'organe associé à cet épisode où il est mentionné de nombreuses fois.

46. *Rouge vif* : selon V. Bérard, le nom d'Elpénor, prototype ici de Paddy Dignam, dériverait d'une racine sémitique signifiant « face enflammée ». Elpénor est le premier défunt avec qui s'entretient Ulysse aux portes d'Hadès. Il lui confesse que sa chute mortelle chez Circé était due à l'ivresse (*Odyssée*, XI, v. 51-83). Notons que la chute du père ivre, réelle ou symbolique, est une figure centrale de *Finnegans Wake*.

47. *John Barleycorn* : expression populaire qui désigne le whisky ou une bière forte (de *barley*, orge, et *corn*, avoine, plutôt que blé, en Irlande).

48. *Personne ne répliqua* : la remarque de Bloom va en effet totalement à rebours du sentiment catholique qu'il est préférable d'avoir le temps de se mettre en règle avec Dieu.

49. *Falconer* : Joyce connut certains démêlés avec cet imprimeur (voir *Œuvres*, Bibl. de la Pléiade, t. I, p. 1366 *sq*.).

50. *Chez Gill* : librairie où, apprend-on plus loin, Haines est censé avoir acheté *The Love Songs of Connaught* de D. Hyde.

51. L'attelage vient de passer devant la statue du père *Theobald Mathew* (1790-1861), qui s'illustra par son action contre le choléra en 1832 et lors de la Grande Famine (1846-1849), mais plus encore pour son combat contre l'intempérance.

52. Il s'agit du socle de la statue de *Parnell*, qui ne devait être érigée qu'en 1910. Joyce ironise sur les inconséquences de son pays, où « le monument progresse rarement au-delà de la pose de la première pierre » (« Conférence sur le poète J. C. Mangan », *Œuvres*, Bibl. de la Pléiade, t. I, p. 1027).

53. *Le cœur* : Parnell s'effondra lors d'un meeting tenu sous la pluie. Même s'il fut emporté par la pneumonie, on ne retient généralement que l'attaque cardiaque.

54. *Au coin de la Rotonde* : à l'angle de Rutland Square, là où Sackville St. devenait Cavendish Road et où se dressaient alors un théâtre et une salle de concert, alors désignés comme *The Rotunda*, devenus le *Gate Theatre*.

55. *Un enfant* : voir l'*Énéide*, VI, v. 426-429, où Énée entend les pleurs des enfants morts au seuil de l'existence.

56. *S'il ne l'est pas, du père* : dans certaines traditions juives, la santé de l'enfant est signe de la virilité du père.

57. *Rutland square* : le convoi longe maintenant l'actuel Parnell Square avant de rejoindre Frederick Street.

58. Nouvel écho de Thomas Noel, *The Pauper's Drive*.

59. Début de l'hymne latin composé par Notker le Bègue (840-912), moine à Saint-Gall : *Media vita morte summus*. Encore présente dans la liturgie catholique du Carême et reprise par l'Église anglicane dans sa liturgie des morts, cette sentence est radicalement renversée par Bloom un peu plus loin dans l'épisode : « Au milieu de la mort nous sommes en vie. »

60. Voir l'*Énéide*, VI, v. 434-438, qui expose les regrets pour la vie des suicidés.

61. Voir l'Évangile selon saint Matthieu, VII, I : « Ne jugez point, afin que vous ne soyez point jugés. »

62. À partir du Ve siècle, plusieurs conciles interdisent de sépulture chrétienne les suicidés. Au cours du Moyen Âge, le cadavre pouvait en Angleterre être enterré aux carrefours après qu'on lui eut transpercé le cœur d'un pieu de bois, tel le vampire dans une littérature plus tardive.

63. *Et le lundi matin repartir à zéro* : la tâche de Cunningham, toujours à recommencer, renvoie à Sisyphe, tel qu'il apparaît à Ulysse (*Odyssée*, IX, v. 593-600).

64. Chanson extraite de l'opéra-bouffe *The Geisha*, créé à Londres en 1896 (livret de Owen Hall), très proche par l'intrigue de *Madame Butterfly* de Puccini, admiré de Joyce.

65. *À la fosse* : nouvel écho de Thomas Noel, *The Pauper's Drive*.

66. *Le long de Blessington street* : après avoir suivi Frederick Street, le convoi se dirige à présent vers le nord-ouest de Dublin.

67. *La Gordon Bennett* : course automobile créée en 1900 par le journaliste américain James Gordon Bennett (1841-1918), à nouveau mentionnée au cours du récit macabre du cercueil tombé du corbillard dans un virage. Joyce fit un reportage sur l'édition 1903 de cette course qui se déroula à Dublin qui servit de point de départ à la nouvelle « Après la course » de *Dublinois*.

68. Après avoir quitté Blessington St., le convoi s'engage dans Berkeley St. Puis dans Berkeley Road.

69. *Ka e deux elles i grec* : refrain de la chanson « *Has anybody here seen Kelly ? Kelly from the Isle of Man* » (1908) de C.W. Murphy et W. Letters. Suit de très près un extrait de « *Oh ! Oh ! Antonio* » (1907) du même Murphy, qui comme *Kelly* met en scène une jeune femme à la recherche de son bien-aimé.

70. *Marche funèbre de Saül* : celle-ci ouvre l'acte III de l'oratorio de Haendel, *Saül* (1739) et annonce la défaite des Israélites à Giboa.

71. *Mme Riordan* : personnage modelé sur « Dante », Mme Conway, tante maternelle de Joyce, figure importante pour l'auteur et dans son œuvre.

72. *Est parti à la maternité* : il s'agit de Dixon.

73. Bloom a été préposé aux écritures chez Cuffe.

74. *Rosbifs pour la vieille Albion* : allusion à la chanson populaire « *The Roast Beef of Old England* », tirée du *Don Quichotte* de Fielding (1733).

75. *Comme la voiture tournait à droite* : le convoi a quitté Berkeley Road et pris à gauche le North Circular Road. Il tourne maintenant à droite sur Phibsborough Road.

76. *Le canal royal* : canal reliant Galway à Dublin qu'il contourne par le nord. Bloom franchit donc quatre cours d'eau (Dodder, Grand Canal, Liffey et Canal royal), évoquant les quatre fleuves de l'Hadès (voir *Odyssée*, X, v. 513-514).

77. Allusion directe à « *Aboard the Bugabu* », chanson de J.P. Rooney qui s'amuse des difficultés de navigation d'une péniche.

78. *La salle des ventes* : située au centre de Dublin.

79. *Leixlip, Clonsilla* : bévue bien bloomienne puisque Leixlip se trouve sur la Liffey.

80. *Brian Boroimhe* : pub à l'enseigne du roi Brian Boru (926-1024) dont la victoire sur les Danois à Clontarf en 1014 a pris force mythique dans l'histoire nationale irlandaise.

81. *Fogarty* : épicier établi sur Glasnevin Road, victime des impayés de Tom Kernan dans la nouvelle « La Grâce » de *Dublinois*

82. *Sinistres demeures* : allusion aux champs de pleurs, *lugentes campi*, de l'*Énéide* (VI, v. 440 *sq.*).

83. *À ce qu'on dit* : Samuel Childs fut accusé du meurtre de son vieux frère Thomas. Seymour Bushe, l'un des ténors du barreau dublinois, obtint son acquittement lors du procès de 1899. Joyce assista au procès où il prit des notes.

84. *Prospect* : nom du cimetière de Glasnevin, pouvant s'entendre comme « cimetière des perspectives ».

85. Les peupliers font écho à ceux du bois de Perséphone (*Odyssée*, X, v. 510) et à deux passages du chant VI de l'*Énéide*, l'un où Énée rencontre « des fantômes monstrueux et divers animaux sauvages, les Centaures, parqués devant les portes, les

Scyllas… » (traduction d'André Bellessort, v. 282-294), l'autre où l'on voit la foule angoissée dans l'attente de son passage vers l'Hadès (v. 306-316).

86. Les *simnel cakes* étaient des gâteaux très durs aux raisins secs. Par homonymie, allusion au prétendant Lambert Simnel, mentionné plus tôt par Stephen.

87. *Au petit garçon* : il s'agit de Patrick (ou Patsy) Aloysius Dignam, fils du défunt.

88. *Arrivé avant nous, tout mort qu'il est* : très proche des mots d'Ulysse à l'adresse de l'ombre d'Elpénor (*Odyssée*, XI, v. 17-19).

89. *Le Mont Jérôme* : cimetière situé au sud-ouest de Dublin.

90. *De la parentèle en deuil passa le portail…* : paragraphe très largement repris de l'épiphanie XXI.

91. *Le beau-frère* : ce personnage fictif est désigné plus loin comme l'oncle de Patsy Dignam. Son nom, Bernard Corrigan, n'est livré que bien plus tard dans une nécrologie. Ainsi s'opère une dissociation du nom et de la figure très courante chez Joyce, redoublée ici de l'homonymie avec le P. Bernard Corrigan, confesseur et amant supposé par Bloom de Molly.

92. *Artane* : ville située à cinq kilomètres au nord de Dublin, où se trouvait *The O'Brien Institute for Destitute Children*.

93. *Il y a plus de femmes que d'hommes sur la terre* : repris du refrain de « *Three Women to Every Man* », chanson de Murray et Leigh.

94. Allusion au *sati*, immolation sur le bûcher funéraire de la *veuve hindoue*.

95. *Victoria* porta le deuil de son époux pendant quarante ans, de 1861 jusqu'à sa propre mort en 1901.

96. *Son fils seul était ce qui comptait* : le prince de Galles, devenu Édouard VII.

97. *John Henry Menton* : avoué pour qui Dignam avait travaillé.

98. *Je dois trois shillings à O'Grady* : écho de la chanson comique « *I owe $10 to O'Grady* » (paroles de M. A. Kennedy, 1887) et parodie des derniers mots de Socrate : « Je dois un coq à Asclépios. Veillez à ce qu'il lui soit payé » (*Phédon*, 118 a). La question est un raccourci par lequel Bloom passe des dernières paroles d'un mourant à l'allusion qu'il pourrait lancer à son débiteur, Hynes.

99. *Moi, dit le corbeau* : extrait de la célèbre comptine « *Who Killed Cock Robin* » : « *Who'll be the Parson ? / I, said the rook /*

With my little book » (« Qui fera le curé ? / Moi, dit le corbeau, / Avec mon petit livre »).

100. *Père Corbyatt* : le père Coffey (nom proche de *coffin*, cercueil).

101. *Du clebs dans le museau* : voici qui rapproche le prêtre de Cerbère avec « ses trois gueules aboyantes » (*Énéide*, VI, v. 417-418).

102. *Chrétien musclé* : terme qui désigne, à partir de 1857, ceux qui, au sein de l'Église anglicane et dans le sillage de Charles Kingsley, mettent l'accent sur la santé du corps.

103. « Et n'entrez pas en jugement avec votre serviteur, parce que nul homme vivant ne sera trouvé juste devant vous » (Psaumes de David, CXLII, 2) : début de l'Absoute qui terminait l'office des morts dans l'Église catholique avant Vatican II.

104. *Doit y avoir un sacré stock de mauvais gaz dans les parages* : voir l'*Énéide*, VI, v. 239-240 : « Aucun oiseau ne pouvait impunément traverser l'air au-dessus de cette sombre gorge, tant les émanations qui s'en dégagent montaient vers la voûte du ciel » (trad. d'André Bellessort).

105. *Saint Werburgh* : les grandes orgues de cette église passent pour les plus belles du XVIIIe siècle dans les îles Britanniques.

106. Ce penchant pour les *domestiques* se confirme dans le roman, sans échapper à Molly.

107. Ulysse songe lui aussi à cette foule composite des défunts (*Odyssée*, XI, v. 37-40).

108. *In paradisum* : début du chant final de l'office des morts, entonné lorsque la dépouille mortuaire quitte l'église.

109. *Le rond-point O'Connell* : tertre entouré d'un fossé où fut enseveli O'Connell. La réplique d'une tour ronde irlandaise fut érigée sur le tertre où sa dépouille fut transférée en 1869.

110. O'Connell mourut en 1847 à Gênes au retour d'un pèlerinage à Rome, où son cœur fut placé dans l'église Sainte-Agathe, chapelle du Collège irlandais. Ses dernières paroles sont gravées sur sa tombe : « Mon corps à l'Irlande. Mon cœur à Rome. Mon âme au ciel. »

111. Bloom est *franc-maçon*.

112. Kernan est en effet d'origine *protestante*.

113. Kernan cite le début de l'office des morts anglican. L'ironie est que celui-ci est repris du latin de l'Église catholique, *Ego sum resurrectio et vita*, qui servait d'antienne au psaume *Miserere*, psalmodié entre le domicile du défunt et l'église, et qui, de

surcroît, figure dans l'évangile de la messe des funérailles (dialogue entre Jésus et Marthe qui suit la mort de Lazare, Jean, XI, 23-27).

114. *Cette idée du jugement dernier* : l'un des fondements du christianisme puisqu'il figure dans le Credo dès le premier concile de Nicée (325), et se fonde sur de nombreux passages des Évangiles, en particulier Jean, VII, 40.

115. *Mesure de Troyes* : par-delà l'allusion homérique flagrante, ce système de mesures remonte au XIVe siècle et tire son nom de la ville de Troyes, très fréquentée alors par les marchands anglais. Il ne correspond pas exactement au système avoirdupoids utilisé dans le monde anglo-saxon aujourd'hui et n'est plus utilisé que dans le domaine des métaux et pierres précieux. Bloom se trompe puisqu'une once de Troyes pèse 31,1 g (28 g pour l'once avoirdupoids).

116. Kelleher traîne une réputation d'indic.

117. *Roundtown* : quartier du sud de Dublin où vivait Mat Dillon, que Joyce avait fréquenté et dont l'une des nombreuses filles, de « type espagnol », a pu inspirer le personnage de Molly. Dans le roman, Dillon devient un vieil ami de Bloom et du commandant Tweedy et c'est chez lui qu'a lieu la première rencontre entre Bloom et Molly. Dillon a offert aux Bloom une horloge en cadeau de mariage qui trône sur leur cheminée.

118. *Je me suis pris de bec avec lui un soir…* : Bloom n'a pas, lui non plus, oublié. C'est lors de cette soirée que Stephen, âgé alors de cinq ans, a rencontré Bloom pour la première fois.

119. *Représentant en papier-buvard* : nous apprendrons de Bloom qu'il est entré dans cette imprimerie-papeterie l'année de son mariage en 1888 et qu'il y est resté environ six ans, avec une parenthèse chez Cuffe en 1893-1894.

120. Le gardien de ce cimetière dont le nom figurait encore dans le *Thom's Official Directory* en 1922.

121. *Comme l'annonce de Descley* : le motif des clés, celles qui sont égarées ou celles qui doivent ouvrir une énigme, de même que celles figurant sur cette publicité, court à travers le roman. Ici, il s'agit en particulier d'une annonce que Bloom souhaite renouveler pour la maison Descley, pour laquelle il se propose d'utiliser les deux clés symbolisant le Parlement de l'île de Man.

122. *Habeat corpus* : coquille sans doute laissée volontairement par Joyce, qui permet un jeu de mots entre l'*habeas corpus*, pilier des libertés civiles (des vivants), et le pouvoir sur le

corps des morts prêté à O'Connell, *habeat corpus*, « qu'il ait le corps ».

123. *Les ombres des tombeaux quand tout le cimetière bâille* : référence à *Hamlet* (III, II, v. 406-408), « Voici l'heure propice aux sorcelleries nocturnes, où les tombes bâillent, et où l'enfer lui-même souffle la contagion sur le monde » (trad. de Victor Hugo). Voir aussi l'*Énéide*, VI, v. 239-241.

124. Allusion à la rencontre d'Ulysse avec Hercule qui dans l'*Odyssée* marque le retour vers le monde des vivants (XI, v. 601-626).

125. *Roméo* : après l'allusion au poème de Browning, « Love Among the Ruins » (1855), écho de la scène d'amour dans le tombeau de Juliette (Shakespeare, *Roméo et Juliette*, IV, III).

126. *Le Major Gamble de Mont Jérôme* : celui-ci était au cimetière protestant l'homologue de J. O'Connell.

127. *Ces juifs dont on disait qu'ils avaient tué un enfant chrétien* : de nombreuses légendes et rumeurs médiévales antisémites agitaient ce motif, où s'ajoute ici la notion d'un rite de fertilité. Le 12 janvier 1904, à Limerick, un sermon du rédemptoriste John Creagh, accusant les juifs de verser le sang, conduisit à un boycott de leurs activités. Ce boycott dura un an et conduisit au départ de quatre-vingts juifs, soit les deux tiers de la communauté d'alors.

128. *Trois livres treize shillings six* : prix reçu du *Titbits* par Philip Beaufoy pour la nouvelle que Bloom a lue aux toilettes.

129. Autour de saint *Pierre*, petit jeu entre l'heure de fermeture des pubs, onze heures, et celle du paradis.

130. Dans *Hamlet*, IV, I, les *fossoyeurs* plaisantent lourdement sur le sort des corps.

131. *De mortuis nil nisi prius* : Bloom opère un glissement aux allures de pataquès à partir de l'adage invitant à ne rien dire des morts, sinon du bien. En substituant « *nisi prius* » (terme emprunté au langage juridique signifiant que le jury est convoqué pour une certaine date, sauf si les juges itinérants arrivent plus tôt) au « *nisi bonum* » attendu, il se produit un effet de télescopage avec l'un des jugements mentionnés plus haut : *Ne rien dire des morts à moins que n'arrivent les juges*. Mais que resterait-il à dire au jour du jugement dernier ? Se taire, donc, plutôt que juger : à peine une variante de l'invite spinozienne à ne pas se moquer…

132. *Nous venons pour ensevelir César* : allusion à l'oraison funèbre de Jules César par Marc Antoine : « Je viens ensevelir

César, non point faire ses louanges » (Shakespeare, *Jules César*, I, II, v. 18, trad. V. Hugo).

133. Cet homme en imper fera l'objet d'un malentendu entre Bloom et Hynes qui l'inscrit plus loin sous le nom de M. M'Intosh, erreur d'attribution reprise ultérieurement dans l'article nécrologique. L'inconnu hante bon nombre d'épisodes, au point d'incarner l'être de l'énigme lors de sa dernière mention, du moins pour Bloom.

134. Joyce était un grand admirateur de Defoe. On peut être tenté de considérer que le cheminement retors vers le mot d'esprit de Bloom ne fait que mimer l'hommage de Joyce à Defoe, qui « appelait *Robinson Crusoé* l'*Ulysse* anglais » (selon Frank Budgen ; voir Joyce, *Œuvres*, Bibl. de la Pléiade, t. I, p. 1862).

135. *Ô mon pauvre Robinson Crusoé* : écho d'une comptine, « *Poor Old Robinson Crusoe* ».

136. *Une poignée de terre sainte* : coutume funéraire de certains juifs pour qui cette terre de Palestine déposée dans le cercueil symbolisait la terre promise.

137. *Tout modeste qu'il soit, chaque Irlandais est maître en son cercueil* : torsion donnée à l'adage suivant lequel « La maison d'un Anglais est son château », qui illustre les ravages de la colonisation.

138. *Lombard street west* : ce lieu et la période qui lui est associée sont souvent mentionnés. Un certain Joseph Bloom habitait à cette adresse en 1904.

139. *Mésias* : un tailleur de ce nom était installé au 5, Eden Quay.

140. *Et paf, il claque* : allusion à la fin tragique de *Lucia di Lammermoor*, opéra de Donizetti (1835), avec la folie de Lucia, contrainte à un mariage qu'elle refuse, et le suicide d'Edgar.

141. *Le Jour du lierre se meurt* : le 6 octobre, jour anniversaire de la mort de Parnell, ses partisans arboraient une feuille de lierre en sa mémoire.

142. Ellen Higgins, de son nom de jeune fille, est associée à la pomme de terre que porte Bloom dans sa poche, talisman ou *moly*, plante sacrée en grec.

143. Malgré trois baptêmes, l'appartenance de Bloom au christianisme est aussi mal assurée que sa judéité est « techniquement » problématique du côté maternel.

144. *Charlie, c'est toi que j'aime* : d'après une chanson écos-

saise composée en l'honneur du jeune Charles Stuart (1720-1788), familièrement appelé *Bonnie Prince Charlie*.

145. Hadès avait le don d'invisibilité grâce à son casque, cadeau des Cyclopes.

146. *Moi je voyageais pour le linoléum* : ce détail crée une correspondance avec le père de Gerty McDowell.

147. *Élégie écrite dans un cimetière de campagne* est en fait un poème de Thomas Gray (1751).

148. *Comme le cadeau de noces que nous avait fait l'adjoint Hooper* : ce hibou est perché sur la cheminée des Bloom. John Hooper, conseiller municipal authentique, avait un fils, Paddy, reporter au *Freeman's Journal*, figure dans la liste des amants supposés de Molly.

149. *Le Sacré-Cœur* : objet central de la dévotion catholique irlandaise.

150. *Est-ce que les oiseaux viendraient le picorer...* : pensées contaminées par un passage de l'*Othello* de Shakespeare : « Je porterai mon cœur en écharpe / Pour qu'y picorent les jours » (I, I, 64-65), et la référence au grec Zeuxis qui réussit à tromper les oiseaux par sa peinture tant était grande l'illusion produite.

151. *Apollon que c'était* : Bloom confond le peintre grec Apelle avec le dieu grec, confusion que justifierait une comptine italienne, commençant par *Apelle, figlio d'Apollo / fece una palla di pelle di pollo* (« Apelle, fils d'Apollon / fit une pelote de peau de poulet »), pour autant que le bon Leopold connaisse cette langue.

152. *Un obèse de rat gris trottinait...* : ce rat court dans les pensées de Bloom tout au long du roman.

153. *Emmet* (1778-1803) tenta d'obtenir l'aide de Napoléon dans sa lutte pour la libération de l'Irlande. Il fut capturé et exécuté pour haute trahison.

154. Ce rituel parsi se justifie par le souci de ne souiller aucun des quatre éléments. Une correspondance est créée avec Stephen qui compare la tour Martello à une tour de silence, dans « Protée ».

155. La mort de Mme Sinico, accident ou suicide, est au cœur de la nouvelle « Un cas douloureux » de *Dublinois*.

156. En référence au supplice de *Tantale*, les bouteilles sont présentées dans une vitrine protégée par un mécanisme secret.

157. L'humiliation ressentie à l'occasion de cet incident se rappellera encore au souvenir de Bloom. Menton se comporte

comme Ajax dans l'Hadès, qu'Ulysse tente vainement d'amadouer (*Odyssée*, XI, v. 543-567).

158. *Martin qui dit la loi* : tel Minos rendant la justice aux Enfers (*Odyssée*, XI, v. 568-571).

M. C. et P. B.

VII. ÉOLE

1. *De la métropole hibernienne* : ces sous-titres n'existaient pas à l'origine.

2. *The Nelson Pillar* : cette colonne, située dans Sackville (aujourd'hui O'Connell) Street, fut détruite en mars 1966, à la veille des cérémonies commémorant le soulèvement de Pâques 1916.

3. *La Dublin United Tramway Company* : en 1904, les transports urbains de Dublin étaient parmi les mieux organisés au monde. La connaissance de ce réseau permet de saisir la minutie avec laquelle Joyce a réglé les déplacements silencieux de ses personnages entre les épisodes.

4. *Le porteur de la couronne* : allusion à la couronne qui, sur les voitures postales, surmontait les initiales royales. Mais la traduction grecque de l'expression, *stéphanéforos*, fait apparaître en filigrane le nom de Stephen Dedalus.

5. *The general post office* : haut lieu de la lutte nationale irlandaise ; c'est là que les insurgés de 1916 proclamèrent l'indépendance et la République.

6. *Red Murray* : surnom réel de John Murray, oncle de Joyce.

7. *Davy Stephens* est un vendeur de journaux pittoresque de Dun Laoghaire (alors Kingstown), qui se flattait de figurer dans des romans situés à Dublin. Le surnom de *king's courier* remontait à sa plaisante confrontation avec le roi Édouard VII lors de sa visite en 1903.

8. *Scissors and paste* : ce cliché, qui évoque une manipulation, fait allusion à un journal de même nom du nationaliste Arthur Griffith, composé de titres découpés dans divers journaux, commentant ironiquement l'actualité tout en échappant à la censure. À sa façon, dans un autre esprit, Joyce procède ici de même.

9. *Mario le ténor* : nom de scène de Giovanni Matteo (1810-1883), qui chanta souvent le rôle de Lionel dans *Martha*.

10. *Martha, oder der Markt von Richmond* (1847), opéra de Friedrich von Flotow, souvent cité dans le roman, notamment avec les airs « *Tis the last rose of summer* » et « *M'appari* ».

11. *Re-e-viens m'offrir ton cœur !...* : lamentation de Lionel à l'acte IV de *Martha*.

12. L'éditeur du *Freeman's Journal*, fidèle de Parnell, était à couteaux tirés avec l'archevêque William J. Walsh, qui avait condamné l'homme politique à la suite de son adultère. Joyce a écrit malicieusement *His grace* et non *His Grace*.

13. J.P. *Nannetti*, maître-imprimeur, élu d'une circonscription de Dublin et futur lord-maire, en 1906.

14. *Irlande mon pays* : le thème de la vraie patrie sera repris par d'autres que Bloom, et contre lui.

15. *Queen Ann is Dead* : prototype de « nouvelles rancies » remontant au XVIIIe siècle.

16. *Demaine* : Joyce emploie ici la forme archaïque *demesne* propre à une annonce légale.

17. *Quel serait le remède approprié pour les flatulences ?* : voir « Ithaque », p. 1107.

18. *S. D. P* : le *Freeman* avait effectivement cette rubrique « Surtout des photos ».

19. *Plus irlandais que les Irlandais* : expression appliquée aux colons anglais qui s'étaient trop assimilés au goût de la mère patrie. M.V. Caprani, d'origine italienne, était imprimeur au *Freeman* ; son frère et lui avaient épousé deux sœurs O'Connor.

20. *Long John* Fanning, nom fictif de Long John Clancy, shérif adjoint de Dublin.

21. *Moi aussi je vais aller le taper* : Hynes parviendra à ses fins ; voir « Le Cyclope », p. 490-491.

22. *D'immenses rouleaux de papier [...] Que devient-il après ?* : sur ce sujet, voir les pensées, mais aussi les actes, de Bloom dans « Calypso », p. 128 et 144-145.

23. *The house of keys*, effectivement le nom du petit Parlement de l'île de Man. Bloom, juif converti d'abord au protestantisme, puis au catholicisme, semble ignorer que ces clés sont également l'emblème de la papauté.

24. Ce petit jeu aura un écho dans plusieurs épisodes.

25. *Où est la lettre de l'archevêque ?...* : Bloom pourra lire cette lettre plus tard, dans « Eumée ». Mais les Dublinois de 1904 ne purent la lire ni dans le *Telegraph*, ni dans le *Freeman's Journal*.

26. Les effets de cette interruption se feront sentir dans la composition du journal (voir « Eumée », p. 996-997).

27. *A dayfather*, littéralement « un père du jour », qui fait curieusement écho au thème de la paternité cher à Stephen Dedalus.

28. *Rapidement il le fait. De la pratique ça doit demander* : la construction des deux phrases est elle-même à rebours. Par ailleurs, on a observé que Bloom se trompe sur la technique des protes, qui travaillent en réalité de la gauche vers la droite.

29. Le *livre de l'haggadah* est le récit de l'exode d'Égypte lu et rejoué en famille le premier jour de la Pâque juive.

30. *Pessah. L'an prochain à Jérusalem* : conclusion de la prière du Seder, la veille de la Pâque.

31. Lapsus notable de Bloom. Dans Exode, XIII, 3, Moïse dit au peuple : « Souviens-toi du jour où vous êtes sortis d'Égypte, de la maison de servitude. » La phrase se retrouve dans le rituel de la Pâque juive.

32. *Alleluia. Shema Israël Adonaï Elohenu* : « écoute, Israel, le Seigneur notre Dieu », Deutéronome, VI, 4, début de la Shema, prière du matin et du soir, que Bloom confond d'abord avec le rituel de Pâques, avant de rectifier.

33. *Et puis les douze frères, fils de Jacob* : voir Genèse, XXXV, 23-26.

34. *Et puis l'agneau et le chat et le chien et le bâton...* : variation sur le chant Had Gadya, qui conclut la cérémonie de la Pâque, et dont le structure fait penser à la *nursery rhyme* (berceuse) « *The House That Jack Built* ».

35. *Thom* : Alexander Thom & Company, 89, Abbey Street Middle : imprimeur et éditeur spécialisé dans les publications officielles. *Thom's Official Directory*, notamment, a nourri *Ulysse* et *Finnegans Wake* d'informations incroyablement détaillées.

36. *Érin, vert joyau de la mer argentée* : échos mêlés du poème de Thomas Moore, « Let Erin Remember the Days of Old », et de la célébration de l'Angleterre dans *Richard II* (II, I, v. 46).

37. *The ghost walks* : « la paie arrive », en argot journalistique.

38. *Et Xénophon regardait Marathon...* : variation sur deux vers de Byron, dans *Don Juan*, acte III, entre les strophes LXXXVI et LXXXVII.

39. *Johnny, make room for your uncle* : citation d'une chanson populaire.

40. *Our lovely land* : cliché nationaliste dont Joyce se moque souvent dans ses écrits.

41. *Lenehan* : sur ce personnage très typé, voir la nouvelle « Deux galants » dans *Dublinois*.

42. *L'envers les pages roses* : l'édition du soir, qui donnait les résultats des courses, était imprimée sur papier rose.

43. *The Irish Independent*, quotidien nationaliste.

44. *Il a oublié Hamlet* : voir *Hamlet*, I, I, v. 166-167.

45. *His native doric*. *Doric*, épithète précieuse décrivant les dialectes régionaux anglais.

46. *Doughy Daw* : Joyce joue sur *Daw* et *dough*, « le fric », de prononciations assez proches.

47. *Whetherup* : ce personnage, collègue, à la mairie de Dublin, de John Joyce, le père de l'écrivain, avait une réputation de sagesse.

48. *Here comes the sham squire himself*. *The sham squire*, surnom de Francis Higgins, un peu escroc, et indicateur de police, un temps rédacteur en chef du *Freeman's Journal*.

49. *Dans l'Ohio* : la milice loyaliste en question avait fait partie du corps expéditionnaire britannique en Amérique.

50. *M. Bloom, voyant que le champ était libre...* : scène sans paroles. « Le professeur » imite le son de la guimbarde, en anglais *Jew's harp*, vocable qui conjoint judéité et harpe irlandaise. Bloom, entendant là le thème de l'Irlande judaïsée de l'antisémite MacHugh, va s'éclipser, d'autant qu'il n'a pas été associé à l'invitation au pub de M. Dedalus.

51. « *The Boys of Wexford* », chanson nationaliste célébrant la victoire des « gars du Wexford » sur les milices nationalistes lors du soulèvement de 1798. Sa strophe finale bien connue, « Maudite soit la boisson, c'est cela qui nous a vaincus », est un commentaire ironique de cette scène, où tout le monde, sauf Bloom, se dispose à aller boire.

52. *Dillon* : commissaire-priseur tout proche.

53. *The world is before you* : écho facétieux de la fin du *Paradis perdu* de Milton.

54. *Steal upon larks* : écho d'un vieux proverbe, « Quand le ciel tombera, nous attraperons des alouettes ». C'est la première fois que Bloom est décrit de l'extérieur ; ce que l'on ne nous dit pas, c'est qu'il se rend compte de la situation et s'en trouve gêné, comme il le révélera plus tard dans « Nausicaa ».

55. *Paddy Hooper* et *Jack Hall* étaient deux journalistes dublinois connus.

56. *Dignité et célébrité t'ont tenté ...*: fragment de la ballade chantée à l'acte III de l'opéra *The Rose of Castile* (1857) de M.W. Balfe.

57. *Brixton* est une banlieue de Londres de développement récent.

58. *The grandeur that was Rome* : cliché tiré du poème d'Edgar Allan Poe, « *To Helen* ».

59. Dans *Stephen le Héros,* la formule est appliquée à l'art grec par un contradicteur de Stephen Dedalus.

60. *Cloacal obsession* : expression que H.G. Wells avait appliquée à James Joyce en 1917 dans son compte rendu du *Portrait de l'artiste en jeune homme*

61. Personnage déjà présent dans *Dublinois*.

62. *Depuis le sud, trombe de fièvre...*: nouvel écho d'un poème de Douglas Hyde.

63. *O'Rourke, prince de Breffni* : Stephen se souvient des propos de Garrett Deasy dans « Nestor ».

64. *Maximilien Karl O'Donnell, graf von Tirconnel* : le18 février 1853, ce comte d'origine irlandaise sauva la vie de l'Empereur François-Joseph lors d'une tentative d'assassinat.

65. Le 9 juin 1904, soit une semaine plus tôt, l'archiduc François-Ferdinand avait remis le bâton de maréchal au roi Édouard VII.

66. *Il y aura un jour du grabuge là-bas* : Crawford est supposé prédire l'attentat de Sarajevo, où périt l'Archiduc, préludant à la Grande Guerre.

67. *Causes perdues on parle d'un noble marquis* : rappel de l'implication du marquis de Queensberry dans le procès d'Oscar Wilde, autre cause perdue par un Irlandais, comme l'amour du grec, dont il va être question.

68. *Lord Salisbury* : Robert Cecil, troisième marquis de Salisbury (1830-1903), chef du parti conservateur et Premier ministre à plusieurs reprises, avait été foncièrement hostile au Home Rule.

69. *Kyrie Eleison* : on va voir Joyce accentuer la valeur de l'épiclèse eucharistique, idée avec laquelle il avait jadis joué.

70. *Ægospotamos* : cette victoire des Spartiates de Lysandre sur les Athéniens en 404 avant J.-C. mit pratiquement fin à la guerre du Péloponnèse et marqua le début du déclin d'Athènes.

71. *Porte le deuil de Salluste, dit Mulligan* : l'idée de deuil, associée aux bons mots de Mulligan, a fait surgir ce souvenir (voir le début de « Télémaque »).

72. *Le général Bobrikoff* était un gouverneur russe de la Finlande qui fut assassiné ce même 16 juin 1904 à 11 heures. Le décalage horaire permettait de faire connaître la nouvelle à Dublin à l'heure où cette scène est censée se dérouler (la dernière édition de l'*Evening Telegraph* en fit état).

73. *O, for a fresh of breath air !* : rencontre d'une contrepèterie sur « *O, for a breath of fresh air !* » (« Oh, pour un souffle d'air frais ! ») et de l'écho d'un vers célèbre de John Keats, « *O, for a draught of vintage !* » (« Oh, que ne puis-je boire une gorgée de vin ! »), dans l'« Ode au rossignol ».

74. *Il faut que vous écriviez quelque chose pour moi*… : à peu près à la même époque, 1904, Joyce était l'objet d'une proposition analogue, qu'il accepta, et ce fut le point de départ de *Dublinois*.

75. *Dans le lexique de la jeunesse* : emprunt à *Richelieu, or The Conspiracy*, de Sir Edward Bulwer-Lytton, où il est dit que dans ce lexique il n'est pas de mot pour signifier l'échec.

76. *See it in our eye*, souvenir du *Portrait de l'artiste en jeune homme*, repris dans d'autres épisodes.

77. *Borris-in-Ossory* : petite ville associée aux grands rassemblements nationalistes de jadis, et qui revenait sur la scène.

78. Il est surprenant que Crawford avance d'un an cet événement historique. Rappelons que James Joyce naquit le 2 février 1882.

79. *Le New York World* : ce quotidien, propriété entre 1876 et 1883 du financier Jay Gould, qui en manipulait l'information à ses fins personnelles, évolua vers le reportage à sensation. Ses numéros des 7 et 8 mai 1882 firent une large place à l'attentat de Phoenix Park.

80. *Kavanagh* conduisait le fiacre des terroristes. *Brady* semble avoir été le principal assassin et fut exécuté, ainsi que son complice *Kelly*.

81. *Skin-the-Goat* : de son vrai nom Fitzharris, conducteur d'un second fiacre, condamné à la prison à vie, fut libéré sur parole en 1902 ; on dit qu'il avait tué sa chèvre et vendu sa peau pour payer ses dettes de boisson. Il en est question dans l'épisode XVI, « Eumée », qui se déroule à l'Abri du cocher, dont il n'était pas le propriétaire, contrairement à ce qui est affirmé ici.

82. *Il tourna violemment les pages de la collection* : sans doute parce qu'il s'est trompé sur la date : en 1882, le 17 mars, fête de Saint-Patrick, saint patron de l'Irlande, tombait un vendredi, alors que le *Weekly Freeman* paraissait le dimanche. Le récit de Gallagher n'est pas clair, mais repose manifestement sur la superposition de deux documents, un plan de la ville et une annonce de journal.

83. L'expression *foutue histoire* a rappelé à Stephen la formule qu'il a lancée dans « Nestor » (« L'histoire est un cauchemar dont j'essaie de m'éveiller »).

84. *Dick Adams* : journaliste au *Freeman's*, puis avocat, il défendit certains des inculpés des assassinats de Phoenix Park.

85. *Abel* : un premier palindrome, engendré par le nom Adam (*Madam, I'm Adam*), en engendre un autre.

86. Toute l'*histoire* racontée par *Crawford* est rocambolesque : elle n'a pu se dérouler en 1881, ni même en 1882, puisque c'est en 1883 que les Invincibles furent découverts. Et ce ne pouvait être une nouvelle le 17 mars de cette année-là puisque la dénonciation se produisit le 10 février.

87. *Gregor Grey* : artiste dublinois.

88. *Tay Pay* : appellation familière de Thomas Power O'Connor, homme politique et journaliste, fondateur de plusieurs journaux populaires.

89. R.D. *Blumenfeld* (1864-1948), journaliste d'origine américaine, rédacteur en chef du *Daily Mail*, puis du *Daily Express*.

90. Félix *Pyat* (Joyce n'a pas vérifié l'orthographe) (1810-1889), révolutionnaire et journaliste français, réfugié à Londres après la Commune.

91. *Chris Callinan* : journaliste dublinois contemporain célèbre pour ses bourdes et ses plaisanteries.

92. *Lady Dudley* : femme du lord-lieutenant d'Irlande.

93. Il est question ici du *cyclone* des 26-27 février 1903.

94. James *Whiteside* (1804-1876) défendit à plusieurs reprises des patriotes irlandais.

95. *Isaac Butt* : professeur d'économie politique à Trinity College, député, fondateur en 1870 de la Home Rule Association.

96. Silvertongued *O'Hagan* (1812-1885), député, lord-chancelier d'Irlande en 1868, pair en 1870, complaisant aux intérêts anglais, comme ces promotions le suggèrent.

97. *Lèvres, fièvres. Les lèvres peuvent-elles avoir la fièvre ?...* : début d'une série d'associations et de variations inspirées de *La*

Divine Comédie (voir *Le Purgatoire*, XXIX, v. 134-135, et *L'Enfer*, V, v. 88-96), chant dans lequel les âmes des damnés sont tourmentées par des vents soufflant en tempête.

98. Citation du *Purgatoire* de Dante, XXIX, v. 121-129.

99. Citation du *Paradis*, XXXI, v. 127 et 142.

100. *But I old men, penitent, leadenfooted, underdarkneath the night : mouth south : tomb womb*. Voir *Le Purgatoire*, XXIX, v. 142-144.

101. *La troisième profession* : la profession judiciaire. Traditionnellement, les trois professions savantes (*learned professions*) étaient la théologie, le droit et la médecine.

102. Dans la chanson irlandaise « *The Cork Leg* », un marchand hollandais unijambiste se fait faire une jambe en liège (*cork*), qui se révèle douée d'autonomie.

103. *Edmund Burke* : homme politique et essayiste irlandais (1729-1797). Bien que protestant, il soutint la cause des catholiques irlandais, le Parlement et l'économie du pays. Adversaire véhément de la Révolution française. Voir dans « Les Bœufs du Soleil » (p. 659 *sq.*) un pastiche de sa célèbre éloquence.

104. Né à Chapelizod, banlieue de Dublin, Alfred *Harmsworth* (1865-1922), développa le journalisme populaire. Créateur du *Daily Mail*, il fut l'actionnaire principal du *Times* en 1908.

105. *Son cousin américain du Bowery* : il s'agit de Joseph Pulitzer (1847-1911), ami de Harmsworth et propriétaire du *New York World*. *Our American Cousin* est une comédie (1858) de Tom Taylor.

106. *Paddy Kelly's Budget* : périodique humoristique de Dublin (1830).

107. *Pue's Occurrences* est l'un des premiers journaux irlandais, fondé aux environs de 1700.

108. *The Skibbereen Eagle* : journal du comté de Cork (années 1860), devenu en 1904 le *Cork County Eagle*.

109. *Irish Volunteers*, milice loyaliste fondée en 1778 pour compenser le départ des troupes anglaises pour les colonies d'Amérique, mais néanmoins favorable au Parlement irlandais autonome de 1782.

110. Médecin qui écrivait des articles dans le *Freeman's Journal*.

111. *John Philpot Curran* : avocat qui défendit des patriotes irlandais.

112. Charles *Kendal Bushe* (1767-1843), juriste, député,

brillant orateur, à ne pas confondre avec son parent *Seymour* Bushe, apparu dans « Hadès ». Ce Bushe, gros buveur, avait en outre été compromis dans une affaire d'adultère (d'où le « si seulement… » quelques lignes plus bas).

113. *Et dans les porches de mienne oreille versa* : citation, légèrement archaïsée, d'*Hamlet* (I, v, v. 63) où le fantôme du père raconte à Hamlet son assassinat.

114. Citation d'*Othello*, I, I, v. 118.

115. *La théorie des preuves* : Bushe en parla, mais pour opposer la loi irlandaise, qui interdisait à Mme Childs de témoigner en faveur de son mari, à la loi anglaise, qui le permettait.

116. *Le Moïse de Michel-Ange au Vatican* : cette statue est en fait à San Pietro in Vincoli. Une statue de Moïse dominait le portique central des *Four Courts*, le Palais de Justice de Dublin.

117. *… la suite de nos deux vies* : pastiche du style de Charles Dickens.

118. *Cette effigie marmoréenne de musique figée* : Schelling (*Philosophie de l'art*, 1803) applique cette image à l'architecture. Walter Pater (*Studies in the History of the Renaissance*, « Giorgione ») affirmait que « tout art tend vers l'état musical ».

119. *Magennis* avait été l'un des professeurs de James Joyce à University College.

120. La vogue de l'hermétisme et de la théosophie, après Paris et Londres, avait atteint Dublin dans les années 1880.

121. *Opal hush*, deux mots chers au théosophe dublinois A.E. ; l'opale figure en bonne place chez les Décadents anglais.

122. Helena Petrovna *Blavatski* (1831-1891), l'une des fondatrices, en 1875, de la Theosophical Society, eut une influence intellectuelle considérable, en particulier à travers son *Isis Unveiled* et *The Secret Doctrine*.

123. *Un interviewer yankee* : sans doute Cornelius Weygandt, universitaire américain.

124. *Un discours prononcé par John F. Taylor* : cet avocat et journaliste prononça ce discours le 24 octobre 1901 devant la Law Student Debating Society. James Joyce y assista.

125. *Gerald Fitzgibbon* : ce magistrat conservateur était hostile au Home Rule.

126. Timothy Michael *Healy* (1855-1931), fut longtemps le second de Parnell, avant de conduire la cabale qui l'élimina, trahison qui inspira au jeune Joyce l'un de ses premiers poèmes.

127. Cette commission gérait les biens de *Trinity College*, université protestante, au moment où la législation devenait plus favorable aux fermiers (en majorité catholiques).

128. *Les coupes de sa colère* : Apocalypse de saint Jean, XVI, 1.

129. *The proud man's contumely* : cliché tiré du célèbre monologue d'*Hamlet*, III, I, v. 71.

130. *C'était alors un nouveau mouvement* : inexact ; le mouvement s'était développé depuis les années 1880. Mais les milieux anglo-irlandais, eux, restaient réservés.

131. *En résumé, aussi fidèlement que je puisse m'en souvenir...* : cette péroraison fut rapportée textuellement en 1903 dans une brochure, *The Language of the Outlaw*, que Joyce eut sans doute entre les mains. En 1923 il choisit ce passage pour un enregistrement phonographique. Dans l'Irlande nationaliste de l'époque, Parnell était souvent comparé à Moïse.

132. *Et que nos tortueuses fumées* : citation de Shakespeare, *Cymbeline*, V, V, v. 477.

133. *Il me fut révélé que sont bonnes ces choses qui néanmoins corrompues...* : saint Augustin, *Confessions*, VII, XII. Joyce avait déjà utilisé ce texte en 1904 dans son premier « Portrait de l'artiste ». Il fera l'objet d'une brillante variation stylistique dans « Les Bœufs du Soleil » (p. 624-625).

134. *Stonehorned*. La tradition selon laquelle Moïse redescendit du Sinaï le front orné de cornes provient d'une traduction fautive par la Vulgate d'un mot hébreu signifiant soit « rayon de lumière », soit, effectivement, « corne ».

135. *Il mourut sans avoir pénétré sur la terre qui lui avait été promise* : il est remarquable qu'à l'exception de la p. 265 ci-dessous, cette expression sera invariablement détournée de son sens, dans « Les Bœufs du Soleil », « Circé » et « Ithaque ».

136. *Gone with the wind* : cliché emprunté à un poème d'Ernest Dowson (1867-1900) et, en dernière analyse, à Psaumes, CII, 15, où il est clair que ce vent est celui de l'Esprit.

137. *Multitudes à Mullaghmast et à la Tara des rois* : évocation des meetings monstres tenus en 1843 par le tribun nationaliste Daniel O'Connell dans des sites historiques.

138. Dans les théories occultistes, l'*akasa* est « l'essence spirituelle subtile et suprasensible qui occupe l'espace tout entier [...] Il est à l'éther ce que l'esprit est à la matière ».

139. *Mooney's* : plusieurs pubs de Dublin étaient à cette enseigne.

140. *Lay on, Macduff !* : c'est Macbeth qui parle, dans *Macbeth,* V, VIII, v. 33.

141. *Énéide*, chant II, v. 325 : *Fuimus Troes, fuit Ilium et ingens / Gloria Teucrorum,* « Il n'y a plus de Troyens, il n'y a plus d'Ilion ; l'immense gloire de Troie a vécu. »

142. *Windy Troy* : emprunt au poème de Tennyson *Ulysses* (1842).

143. Voir dans l'Évangile selon saint Matthieu, IV, 8-9, la tentation du Christ par Satan. C'est le contrepoint du « Mon royaume n'est pas de ce monde » de l'Évangile selon saint Jean, XVIII, 36.

144. *J'ai beaucoup, beaucoup à apprendre* : confirmation des propos tenus à M. Deasy dans « Nestor ».

145. *Dear dirty Dublin* : expression consacrée due à Lady Sydney Morgan (1783-1859), célèbre hôtesse dublinoise.

146. *Dublinois* : titre du recueil de nouvelles de Joyce publié en 1914, mais dont la première, « *The Sisters* », parut le 13 août 1904, deux mois après la journée commémorée dans *Ulysse*.

147. *Fumbally's lane* : ruelle du quartier populaire des Liberties, où Joyce a situé « *The Sisters* ». Dans « Protée », c'était le lieu d'une scène assez sordide avec une prostituée.

148. *Blackpitts* : également dans le quartier des Liberties.

149. *Mlle Kate Collins* : effectivement la propriétaire, en 1904, de ce restaurant-traiteur.

150. *Une bouteille de double X* : la Guinness ordinaire.

151. L'*Irish Catholic* et le *Dublin Penny Journal* sont deux hebdomadaires publiés le jeudi.

152. Le lecteur sait, depuis « Nestor », que ces chaussures lui ont été procurées par Mulligan.

153. *Que faisait-il à Irishtown ?* Bloom se souvient d'avoir aperçu Stephen en traversant ce faubourg : voir « Hadès ».

154. *Raising the wind*, « trouver prêteur », en argot, mais littéralement « faire lever le vent », expression qui s'accorde avec la thématique de l'épisode.

155. *Nulla bona* : expression juridique indiquant que l'huissier n'a rien trouvé à saisir chez le débiteur.

156. *The one-handled adulterer*. Nelson, manchot depuis le siège de Santa-Cruz de Ténériffe en 1797, devint l'année suivante l'amant de Lady Hamilton, femme du ministre britannique à Naples.

157. *Speedpills velocitous* : néologismes.

158. Ménélas, le mari d'Hélène, était roi de Sparte.

159. *Antisthène* (440-370), fondateur de l'école cynique et grand défenseur, dans l'Antiquité, de la figure d'Ulysse, auquel il consacra un traité. Diogène Laërce signale un essai d'Antisthène sur *Hélène et Pénélope*, rappelé par Stephen dans « Charybde et Scylla ».

160. Une *Pénélope* en appelle une autre : *Penelope Rich* (1562-1607) fut le grand amour du poète et homme d'État Sir Philip Sidney, qui lui consacra en 1591 un célèbre recueil de sonnets, *Astrophel and Stella*.

161. Cet emploi de *central* est un américanisme.

162. *Sophomore* : ce terme, qui désignait jadis les étudiants de deuxième année à Cambridge, est devenu courant aux États-Unis dans le même sens.

163. *Deus nobis hæc otia fecit* : « C'est à un dieu que nous devons cette félicité » : Virgile, *Bucoliques*, I, v. 6.

164. *A Pisgah-Sight of Palestine and the Confines Thereof, with the History of the Old and New Testaments* (1650). Thème de l'interdit signifié au prophète de retourner au lieu de son origine. Voir Deutéronome, XXXIV, 1-5.

165. Cet *Horatio* est Nelson, mais le nom évoque aussi l'ami d'Hamlet, et sonne comme *oratio*, « discours », dans cet épisode placé sous le signe de la rhétorique.

166. *Bricotte [...] fricotte* : Joyce utilise ici des termes dialectaux, en particulier du nord de l'Angleterre.

J. A.

VIII. LES LESTRYGONS

1. Les *frère[s] des écoles chrétiennes* étaient un ordre différent des *christian brothers*, terme employé par Joyce.

2. *Dieu. Protège. Notre* : début du *God Save the Queen/King*, l'hymne national anglais, alors peu populaire en Irlande. L'anglais « *Save. Our. Sitting* ... » fait apparaître l'appel au secours SOS qui est à rapprocher du « en sécurité » qui clôt l'épisode après que Bloom aura réussi à éviter de rencontrer son rival.

3. *Y.M.C.A* : *Young Men Christian Association* (« Union chrétienne des jeunes gens »). À l'origine, ces associations créées par George Williams étaient protestantes et se donnaient pour but d'atteindre l'harmonie essentielle à l'homme sur les plans spirituel, physique et intellectuel.

4. Ce *prospectus* connaîtra une mini-odyssée. Sa progression au fil de la Liffey unira les différentes sections de l'épisode X.

5. « *Washed in the Blood of the Lamb* » (« lavés dans le sang de l'agneau ») : cantique protestant traditionnel.

6. Ce *rognon*, qui rappelle l'incident qui a eu lieu au petit déjeuner, fait basculer l'énumération du registre noble au ridicule.

7. L'évangéliste écossais *John Alexander Dowie* (1847-1907) se proclamait Élie II. Il fonda *Zion*, près de Chicago, en 1901, mais la cité se révolta contre lui. On a ici le contrepoint du sionisme, thème inauguré dans l'épisode IV. Ironiquement, Joyce fait voisiner vrai et faux prophète. Elie était le héraut de Yahvé. Il provoqua en Israël une sécheresse qui dura trois ans et qui rappelle celle qui règne à Dublin en ce 16 juin 1904.

8. Les Américains *Torrey* (1856-1928) — dont Joyce orthographie le nom Torry — et *Alexander* (1867-1928) prêchaient un réveil religieux. Ils visitèrent Dublin en mars-avril 1904.

9. Il est maintes fois indiqué dans le roman que *la naissance de Rudy* a marqué un tournant dans la vie sexuelle des Bloom.

10. *Bachelor*, qui signifie entre autres « célibataire », se relie à la problématique du paragraphe.

11. *Croissez et multipliez-vous* : Genèse, I, 28.

12. Dans *Henry IV* de Shakespeare (IIe partie, II, I, v. 80), Mrs Quickly dit, en parlant de Falstaff : « Il m'a tout mangé, la maison et le reste ».

13. Le *Yom Kippour*, « jour de pardon », commémore le pardon accordé par Moïse aux enfants d'Israël, coupables d'avoir adoré le veau d'or. Cette fête juive est marquée par un jeûne de vingt-cinq heures.

14. La tradition anglicane veut que le jour du *vendredi saint* on consomme des *petits pains* dont la croûte est marquée d'une croix. Notons que Bloom a reçu un baptême protestant.

15. Encore une « combine » de Bloom.

16. La brasserie *Guinness* est située à l'ouest de Dublin, au sud de la Liffey.

17. En irlandais, « *christian* » a, outre son sens religieux, celui d'« être humain ». Cette appellation est remarquable dans la bouche d'un Bloom conscient de ses origines juives.

18. L'exercice de composition poétique auquel se livre Bloom est un écho de *Childe Harold* de Byron (Canto I, XIII, v. 1-2).

19. *Condamné pour un temps à parcourir le monde...* : écho d'*Hamlet*, I, v, v. 9-10 : « Je suis l'esprit de ton père / Condamné pour un temps à errer de nuit... » Cette évocation du roi du Danemark est à relier à la problématique du fantôme qui parcourt le roman tout entier.

20. *Anna Liffey* : c'est ainsi qu'est désignée la Liffey dans la partie de son cours située en amont de Dublin.

21. Au Moyen Âge et au cours de la Renaissance, *la viande de cygne* était un mets recherché. Elle était réservée à l'usage exclusif du roi. Il n'est nulle part dans *Robinson Crusoé* fait mention d'une telle nourriture. Joyce s'intéressait beaucoup à Defoe et appelait Robinson Crusoé « l'Ulysse anglais ».

22. *Car la vie est un fleuve* : écho de *Maritana* (1845), opéra de William Vincent Wallace.

23. *Maginni* : ce professeur de danse faisait partie des excentriques de Dublin.

24. *Non, mais non...* : Bloom repousse l'idée que Boylan puisse avoir une maladie vénérienne.

25. Une *boule* située sur une tige tombait pour marquer les heures. Cette *horloge* située sur le bureau de la marine (*Ballast Office*) donnait l'heure de Greenwich. Elle avançait de vingt-cinq minutes par rapport à celle de l'observatoire de *Dunsink* qui donnait, elle, l'heure pour l'Irlande.

26. *Sir Robert Ball*, astronome royal, auteur de *Star-Land* et *The Story of the Heavens* (qui figure dans la bibliothèque de Bloom).

27. *Paraxalles* : en astronomie, déplacement de la position apparente d'un corps dû au changement de position de l'observateur. Il s'agit pour Bloom de voir sous le bon angle la star du spectacle organisé par Boylan. Cette notion joue un rôle structurant dans l'épisode.

28. *Vorace comme un albatros* : la comparaison de Ben Dollard avec un albatros, oiseau réputé pour sa voracité, continue la série ornithologique amorcée par les mouettes et s'inscrit dans l'isotopie de la nourriture omniprésente dans l'épisode

29. La *bière Bass* est une bière irlandaise fortement alcoolisée.

30. En 1888, Bloom a travaillé chez *Wisdom Hely*.

31. *Boylan* et *M'Glade* dirigeaient des entreprises de

publicité. Notons que Bloom ne peut se résoudre à prononcer le nom de son rival.

32. *Statue de sel* : voir le châtiment de la femme de Loth dans Genèse, XIX, 26.

33. *Hely's, 85 Dame street* : l'adresse donnée ici est inexacte. Faut-il y voir l'influence de l'homonymie entre le nom de l'employeur de Bloom et « *he lies* », « il ment » ?

34. *Le couvent de Tranquilla* : les sœurs de ce couvent fondé en 1833 et situé à Rathmines, un faubourg au sud de Dublin, hanteront les pensées de Bloom.

35. *C'est une bonne sœur [...] qui a inventé le fil de fer barbelé* : encore une des nombreuses erreurs de Bloom, qui sera reprise plus tard.

36. Le « *rover* », ou vagabond, est un personnage traditionnel des ballades irlandaises, en harmonie avec le personnage d'Ulysse.

37. *L'année de la mort de Phil Gilligan* : c'est l'année de la mort de Rudy. Il est révélateur que Bloom choisisse d'autres points de repère pour situer cette année-là.

38. Un *dîner* avait lieu chaque année à *Glencree*, dans le comté de Wicklow, au bénéfice de l'orphelinat de Saint-Kevin qui recueillait des garçons de religion catholique.

39. *Pour tout ce que nous avons déjà reçu que le Seigneur nous* : formulation inversée et tronquée du bénédicité : « Que Dieu nous inspire de la reconnaissance pour ce que nous allons recevoir ».

40. Les monts *Sugarloaf* (littéralement « Pain de sucre »), situés à une vingtaine de kilomètres au sud de Dublin. Leur nom rappelle l'univers fait de sucreries sur lequel s'ouvrait l'épisode.

41. Bloom a acheté *un savon* pour Molly, un rapprochement entre la mère et la fille maintes fois signalé dans le roman.

42. Stefan Virag, un cousin de Rudolph Virag, avait un atelier de *daguerréotypie* en Hongrie.

43. *The History of Pendennis* (1850) est un roman de W.M. Thackeray. De façon significative, la première syllabe du nom de ce personnage de fiction, celle dont se souvient Bloom, signifie « plume » et se relie à l'écriture. Lorsque le nom que cherchait Bloom lui revient en mémoire, on s'aperçoit que ce qui vient à la place de « rose » est, à la lettre près, le prénom du mari de Mme Breen, une amie de Molly que Bloom avait courtisée alors qu'elle était célibataire.

44. *Winds that blow from the south* : Molly envisage de mettre à son répertoire cette chanson dont on a dit qu'elle servait de code à Parnell pour communiquer avec sa maîtresse.

45. *Cette réunion de la loge* : pour de nombreux Dublinois, y compris Molly, Bloom est un fils de la lumière. La franc-maçonnerie acceptait les juifs mais Bloom s'est converti au catholicisme pour épouser Molly.

46. *Peut-être pour un jour peut-être pour toujours* : paraphrase de « Kathleen Mavourneen », une chanson de Julia Crawford et Frederick Crouch, dont le thème est la séparation.

47. *Dégrafant le busc de son corset* : Bloom, à l'instar de Joyce, semble être fasciné par les sous-vêtements féminins, qui seront évoqués à plusieurs reprises dans le roman.

48. Bloom télescope deux chansons : « *His Funeral Is Tomorrow* » (« C'est demain son enterrement ») de McGlennon et « *Comin' Thro' the Rye* » (« En battant la campagne ») de R. Burns.

49. *Ses deux grands yeux. Toujours aussi beaux* : Bloom avait autrefois été attiré par cette amie de Molly. Le temps et les maternités ont prématurément vieilli *Mme Breen*, qui sera plus loin comparée à Mme Bloom.

50. Pendant les mois d'hiver, l'association chrétienne *Dublin Free Breakfasts for the Poor* (« Petits déjeuners pour les pauvres de Dublin ») offrait aux indigents des repas à un penny. Les couverts étaient enchaînés aux comptoirs devant lesquels les bénéficiaires mangeaient debout.

51. *H.S. Hors service* : le sous-entendu est nettement d'ordre sexuel. Ce message reviendra à plusieurs reprises dans le roman.

52. *John Henry Menton* avait effectivement un bureau au 27 de Bachelor's Walk. Il assiste à l'enterrement de Dignam et figure au nombre des admirateurs de Molly dans la liste qu'en dresse Bloom dans « Ithaque ».

53. Un autre excentrique dublinois. Deux de ses patronymes évoquent la filiation. *O'* est l'ancienne particule servant à marquer la filiation en Irlande. *Fitz*, du latin *filius*, est un préfixe qui a servi à composer les noms donnés aux fils illégitimes de princes. L'historien Macaulay appelait « Fitz » un Irlandais d'origine anglo-normande, mettant ainsi en évidence l'inscription de la bâtardise chez le personnage.

54. *Meshuggah* : « cinglé, excentrique » en yiddish.

55. Ellmann dépeint cet assistant du sous-shérif de Dublin,

familier des Joyce, comme « un joyeux compère, inépuisable en histoires scatologiques ».

56. L'*Irish Times* : c'est dans ce quotidien d'obédience protestante et conservatrice que Bloom a passé l'annonce à laquelle a répondu Martha Clifford. Le texte de cette annonce figure quelques lignes plus bas, suivi de notations empruntées à la lettre que Bloom a lue dans « Les Lotophages ». En 1903, Joyce avait caressé l'espoir (déçu) d'être embauché comme correspondant de ce journal en France.

57. *Lizzie Twigg* : personnage réel, cette protégée de George Russell (dont le pseudonyme était A.E.), publia dans l'*United Irishman* des poèmes sous le nom gaélique d'Elis ni Chraobhin. Joyce se défiait de la théosophie et on peut penser que l'adjectif « illustre » a ici une valeur ironique.

58. *James Carlisle* est le directeur de l'*Irish Times Ltd* en 1904. En 1903, l'*Irish Time Ltd* avait versé 6,5 % de dividendes à ses actionnaires.

59. Deux sociétés de filature, celle de James et Peter *Coates* (établie en Écosse) et celle de Clarke and C°, fusionnèrent, créant un monopole qui eut pour résultat une forte augmentation de la valeur des actions.

60. *The Irish Field* : ce journal dominical était consacré aux intérêts des gentlemen campagnards.

61. *La Ward Union* : cet équipage de chasse à courre était l'un des plus célèbres d'Irlande.

62. *De la méthode dans sa folie* : lorsque Hamlet feint la folie, Polonius, qu'il tourne en dérision, remarque : « Bien que ce soit de la folie, voici qui ne manque pas de logique », *Hamlet*, II, II, v. 207-208.

63. Les *laiteries-écoles* (*Educational Dairy Produce Stores, Ltd*) offraient, dans leurs magasins de Dublin où l'on pouvait déjeuner, une nourriture saine et des boissons sans alcool.

64. *Au château de Dublin* : un rappel de la mainmise de l'Angleterre sur l'Irlande. Ces bâtiments abritaient l'administration britannique et plus spécialement la police.

65. Un proverbe dit du *chien du jardinier* qu'il ne mange ni ne laisse manger.

66. *Tom Kernan* : ce représentant en thés (d'où l'enchaînement des pensées de Bloom) emprunte des traits à John Joyce et à un de ses amis.

67. Lors de la naissance de son huitième enfant, le prince Léopold, *la reine Victoria* reçut une faible dose de chloroforme.

Il en fut largement fait état car l'anesthésie était encore à ses débuts.

68. La croyance populaire attribuait aux *tuberculeux* un appétit sexuel accru.

69. Bloom télescope ici deux expressions tirées du discours patriotique de Dan Dawson que Ned Lambert a déclamé sur le ton de la dérision dans les bureaux du *Freeman's Journal* dans « Éole ».

70. En 1904, les bâtiments qui avaient abrité le *Parlement irlandais* jusqu'à sa dissolution, en 1800, étaient en fait depuis longtemps occupés par la Banque d'Irlande.

71. *Apjohn, moi et Owen Goldberg* : ce patronyme a vraisemblablement été choisi par Joyce pour sa consonance juive.

72. *Le sort d'un agent c'est pas dégoûtant* : écho parodique d'une chanson extraite de l'acte II de *The Pirates of Penzance*, opéra de Gilbert et Sullivan (1880), où l'on trouve : « *A policeman's lot is not a happy one* » (« Le sort d'un agent n'a rien d'enviable »).

73. *Trinity College* : université fondée par Élisabeth Ire en 1592. Elle s'oppose à *University College* (catholique) où Joyce étudia sous la direction des jésuites.

74. *Tommy Moore* : ce poète irlandais (1779-1852) étudia à Trinity College, qui venait de s'ouvrir aux catholiques. On trouve dans le roman plusieurs citations de ballades qu'il composa.

75. *Michael Balfe* : musicien dublinois (1808-1870).

76. *Joe Chamberlain* : cet homme d'État anglais opposé au Home Rule était particulièrement impopulaire en Irlande pour sa responsabilité dans la guerre des Boers. Le diplôme qui lui fut conféré à titre honorifique à Trinity College donna lieu à des émeutes au cours desquelles la police chargea les manifestants.

77. *De Wet* : ce général boer conduisit la guérilla contre les Anglais. Les Irlandais soutenaient les Boers dans leur combat contre l'oppression anglaise, combat plusieurs fois évoqué dans le roman.

78. *Vinegar Hill*, dans le comté de Wexford, fut le quartier général des rebelles lors du soulèvement de 1798.

79. *La guilde des Crémiers* de Dublin avait constitué une fanfare qui était présente lors de la manifestation évoquée par M. Bloom.

80. *On se prépare de grands moments, Mary* : une façon d'annoncer l'imminence d'une révolution.

81. Pour éviter délations et infiltrations, *James Stephens* avait scindé son association en cercles de dix membres, chacun ne connaissant que le centre de son groupe. Les centres rendaient des comptes aux centres de districts qui rendaient des comptes aux centres divisionnaires qui s'adressaient au conseil suprême, composé de onze membres.

82. *Sinn Fein* : expression gaélique signifiant « Nous-mêmes » ou « Nous seuls ». Le Sinn Fein fut fondé par Arthur Griffith en 1904-1905 et visait à faire accéder l'Irlande à l'indépendance. La première utilisation de ce nom date de novembre 1904 et constitue ici un anachronisme.

83. Au début du XXe siècle, les membres de l'*Irish Republican Brotherhood* qui tentaient d'abandonner l'association étaient menacés d'exécution sommaire par *la Main secrète* (*the Hidden Hand*).

84. *Garibaldi* : cet artisan de l'indépendance italienne qui œuvra pour que cesse la domination autrichienne sur son pays connut la prison, l'évasion et l'exil, ce qui le rapproche de James Stephens.

85. Selon la coutume anglaise et irlandaise, on mange de *l'oie* le jour de la *Saint-Michel*.

86. L'Armée du Salut offrait *un petit pain* d'*un penny* à quiconque témoignait de sa « conversion » en défilant dans les rues.

87. Dans l'Irlande préhistorique, les tumulus funéraires étaient surmontés de *monolithes*. — Les *tours rondes* étaient caractéristiques de l'architecture irlandaise du IXe au XIIe siècle. Elles servaient de tours du guet et de refuge contre les envahisseurs.

88. *Les bicoques de Kerwan* : l'entrepreneur dublinois Michael Kerwan construisait des habitations bon marché dans un quartier à l'est de Phoenix Park.

89. *Le révérend docteur Salmon* : ce mathématicien distingué fut président de Trinity College de 1888 à 1902.

90. *John Howard Parnell*, frère de Charles Stewart Parnell, fut député de South Mead de 1895 à 1900. En 1904, il était « officier de la ville de Dublin ». L'officier de ville avait pour tâche (entre autres) de maintenir l'ordre lors des réunions du conseil municipal.

91. *Fanny la folle* : Frances Isabel Parnell (1854-1882) milita au sein du mouvement nationaliste irlandais et soutint ardem-

ment la cause de son frère. — *Mme Dickinson* : née Emily Parnell (1841-1918). Après la mort de son frère elle écrivit une biographie au ton assez ambigu, *A Patriot's Mistake* (« L'erreur d'un patriote »).

92. *David Sheehy*, député nationaliste de South Galway, se présenta contre J.H. Parnell en 1903 pour le siège de South Mead et l'emporta avec plus de mille voix d'écart.

93. Des commissaires de la Couronne patrouillaient autrefois dans les collines de *Chiltern*, repaire de bandits de grand chemin. Lorsqu'un député britannique souhaite quitter ses fonctions il demande à être nommé « *Steward of the Chiltern Hundreds* ». Cette nomination équivaut à une démission du mandat électoral car on ne peut pas être à la fois député et au service de la Couronne.

94. Lors de rassemblements patriotiques dans Phoenix Park, les nationalistes irlandais mangeaient *des oranges*, un geste symbolique visant les orangistes protestants, partisans de l'Union et adversaires des patriotes. Ils suggéraient par là qu'une Irlande unie et indépendante ne ferait qu'une bouchée de ses adversaires.

95. *De la pieuvre à deux têtes* : parodie de l'occultisme et peut-être allusion aux relations difficiles que Russell entretenait avec McGregor, théosophe comme lui.

96. Russell signa sa première œuvre « Aeon » mais le typographe lut : « *A.E.* » et Russell conserva ce pseudonyme.

97. *Albert Édouard*, l'aîné des fils de la reine Victoria, qui fut pendant soixante ans Albert Édouard, prince de Galles, choisit de régner sous le nom d'Édouard VII. Il serait ironique qu'un patriote irlandais adoptât ce patronyme. Le second prénom est probablement une référence à Arthur Edmond Guinness, lord Ardilaun.

98. Russell était vêtu de *tweed* tissé à la main pour affirmer sa croyance en l'avenir de la paysannerie et de l'artisanat irlandais et il se déplaçait souvent à bicyclette.

99. *Lentilles Goerz* : la firme allemande connaissait alors un énorme succès avec ses jumelles à prismes.

100. *Ennis* : c'est là qu'est enterré le père de Bloom, qui s'y rend chaque année pour l'anniversaire de Rudolph Virag.

101. *Le bout de son petit doigt dissimula le disque solaire* : chez les druides, ce geste et ce phénomène étaient considérés comme symbolisant la capacité divinatoire de l'homme.

102. En août 1893, on observa des *taches* solaires et il y eut le 9 septembre 1904 une éclipse totale de soleil qui ne fut pas visible de Dublin.

103. L'astronome et professeur d'astronomie Charles Jasper *Joly* (1864-1906) dirigeait l'Observatoire de Dublin.

104. *Un gaz, puis un solide, puis un monde* : écho des hypothèses que Laplace (1749-1827) formula sur les origines de la terre.

105. *La Tolka* : cette petite rivière sinueuse longe les faubourgs nord de Dublin et se jette dans la baie de Dublin à Fairview.

106. *Théâtre de la Harpe* : dans les années 1890, *Pat Kinsella* avait dirigé ce cabaret dont le nom est cher aux Irlandais. En 1904, les locaux étaient occupés par l'Empire Buffet.

107. *Dion Boucicault* : auteur et acteur irlandais (1820 ?-1890).

108. « *Trois Petites Demoiselles de Pensionnat* » : chanson extraite de l'acte II de *The Mikado* (1885) de Gilbert et Sullivan.

109. Jeu sur la chanson de Thomas Moore : « *The Harp that once through Tara's Halls* » (« La harpe qui autrefois dans les châteaux de Tara »).

110. *La causa è santa !* : sans doute un écho de « Rataplan », chœur qui ouvre l'acte III de l'opéra de Meyerbeer, *Les Huguenots* (1836), dont le sujet est la Saint-Barthélemy. Il est tout au long de l'œuvre question du caractère sacré de la cause.

111. *Elles disent que ça coupe l'am* : une superstition qui voudrait qu'offrir une épingle coupe l'amitié (ou l'amour). Joyce fait ici en sorte que la graphie mime le sens.

112. Joyce avait confié à Frank Budgen qu'il avait travaillé une journée entière pour trouver dans quel ordre il convenait de mettre les mots qui composent ces deux phrases.

113. Dans *The Burial of King Cormac* (« Les Funérailles du roi Cormac »), Samuel Ferguson relaie la légende selon laquelle ce monarque s'étrangla avec une arête de poisson, un châtiment des druides en punition de sa conversion au christianisme. En fait, Cormac vécut deux siècles avant que saint Patrick ne vienne évangéliser l'Irlande.

114. *Regardez-moi ce tableau...* : dans *Hamlet* (III, IV, v. 53), Hamlet demande à sa mère de comparer le portrait de son père et celui de son oncle : « Contemplez l'un de ces deux tableaux, puis l'autre. »

115. Les organisations clandestines visant à la réforme agraire donnaient à leurs chefs le pseudonyme de Captain *Rock*. Elles devaient terroriser, voire assassiner, les *huissiers* qui travaillaient pour le compte des propriétaires. Le nom de cet huissier, dont on ne sait s'il a réellement existé, prend donc ici une dimension ironique.

116. C'est dans ce *carrosse en pain d'épices* richement ouvragé que le lord-maire de Dublin effectuait ses sorties officielles.

117. À la fin de sa vie, *la reine* Victoria prenait l'air dans une chaise en osier.

118. Cette *fontaine*, érigée à la mémoire de *Sir Philip Crampton,* chirurgien dublinois de renom, était équipée d'un gobelet fourni par la municipalité.

119. Écho de la ballade « *Father O'Flynn* » d'Alfred Percival Graves (1846-1931), qui met en scène un curé populaire et jovial.

120. *City Arms Hotel* : les Bloom résidèrent dans cet hôtel en 1893-1894. Ils s'y lièrent d'amitié avec Mme Riordan.

121. Avant de parler, les âmes de l'Érèbe boivent le sang des animaux qu'Ulysse a immolés en offrande (voir l'*Odyssée*, chant XI, v. 525-535).

122. C'est ainsi qu'on expliquait, de façon humoristique, la survie *des missionnaires blancs* en Afrique.

123. *On ne mélange pas la viande et les laitages* : un des principes de la diététique juive.

124. *Frais comme le concombre* : cette expression, qui sert à désigner ceux qui ne perdent jamais leur sang-froid, est un écho du *Manuel de conversation polie* de Jonathan Swift (2e conversation), de même que, quelques lignes plus loin, « Dieu a fait l'aliment, le diable l'assaisonnement ».

125. *C'est un bon coup. Qui monte ça ?* : le sous-entendu est nettement grivois.

126. *Deux heures* : ce « deux » signifie l'heure que marque la pendule mais évoque aussi pour Bloom le couple que forment Boylan et Molly. L'heure de fermeture des bars était alors strictement réglementée, aussi les horloges des cafés avançaient-elles systématiquement de cinq minutes.

127. Le même mot désigne en anglais *les mains* et *les aiguilles* des pendules. On a ici un rappel des jeux de mains auxquels se sont livrés Molly et Boylan.

128. Une publicité du *Freeman's Journal* du 28 et 29 avril

1904 annonçait un combat opposant M.L. *Keogh* à Garry, du 6e dragons.

129. *Licence pour la vente et la consommation de bière* : c'est la formule qui figure sur la licence des débitants de boissons alcoolisées.

130. Ce Derby eut lieu le 2 juin 1904 et Saint-Amant (un poulain et non une *pouliche*) gagna dans les conditions évoquées par Flynn.

131. *Le sot et son oseille* : début d'une expression proverbiale : « Un sot et son argent ne restent pas longtemps ensemble. »

132. *Vers six heures* : c'est à 4 heures qu'a lieu le rendez-vous de Molly et de Boylan.

133. *Oui mais que dire des huîtres ?* : dans le *Manuel de conversation polie* de Swift, le colonel Atwit remarque : « Celui qui le premier a mangé une huître a eu bien du courage. »

134. *Huîtres de Redbank et roteuse* : la combinaison d'huîtres et de champagne était tenue pour aphrodisiaque.

135. Au décès de Louis II de Bavière, son frère *Otto* Ier devint roi bien qu'il fût atteint d'aliénation mentale. Son oncle Leopold gouverna à la place de son neveu. Bloom confond ici l'oncle et le neveu car *Otto* était un Wittelsbad et non un *Habsbourg*.

136. Édouard II avait déclaré que tous les *esturgeons* vivant dans les eaux territoriales anglaises étaient propriété de la Couronne.

137. *Micky Ha, Hache A* : le poissonnier est en train d'épeler son nom.

138. *Cachés sous les fougères de Howth :* c'est sur ce promontoire qui domine l'entrée de la baie de Dublin que Bloom avait eu son premier rapport charnel avec Molly. Il sera plusieurs fois fait allusion à ce lieu et aux souvenirs heureux qui lui sont associés. La date du 16 juin a été choisie par Joyce en souvenir de sa première rencontre avec Nora Barnacle.

139. *Pygmalion*, sculpteur et roi de Chypre, était tombé amoureux d'une statue qu'il avait sculptée. La déesse Aphrodite donna vie à la statue, *Galatée*, que son auteur put épouser.

140. *Allsop* : une bière bon marché fabriquée par Allsopp et Fils, Ltd, brasseurs dublinois.

141. *Le nectar, c'est comme si tu buvais de l'électricité* : Ellmann rapporte que Joyce aimait comparer le vin blanc, son préféré, à de l'électricité.

142. Bloom semble avoir travaillé en 1896-1897 chez David Drimmies and Sons, assureurs.

143. *Lumière, vie et amour* : cette formule est empruntée au rituel maçonnique.

144. *Iiiihaaaaaaaah* : on entend presque dans ce bâillement le nom du deuxième patriarche d'Israël.

145. La fille d'Arthur *Saint-Léger*, premier vicomte *de Doneraile*, s'était cachée pour assister à une réunion maçonnique qui avait lieu dans la maison de son père. Lorsqu'elle fut découverte elle ne dut qu'à l'intervention de son père d'échapper à la mort et elle prêta le serment maçonnique.

146. *Il faut faire la part du diable* : cette expression proverbiale se rencontre chez Shakespeare, dans *Henry IV* (I^e^ partie, I, II, v. 131-132) et *Henry V* (III, VII, v. 125).

147. *Comment va le grand collecteur ?* : cette question fait référence à la dyspepsie de Tom Rochford (et à celle dont souffrent les Irlandais en général) et à son acte qualifié d'« héroïque ».

148. *Don Giovnni, a cenar teco…* : « Don Juan, tu m'as invité à souper avec toi » ; extrait de la scène finale du *Don Juan* de Mozart. Cette citation lie les deux thèmes principaux de l'épisode : amour et nourriture.

149. Cette *librairie du révérend Thomas Connellan*, située au 51B, Dawson Street, était spécialisée dans les ouvrages de propagande protestante. — *Pourquoi j'ai quitté l'église romaine ?* Titre d'un opuscule du pasteur Charles Telesphore Chiniquy (1809-1899) qui avait été ordonné prêtre catholique en 1833 et qui devint presbytérien en 1858. — *Le Nid* d'oiseaux était une mission protestante qui recueillait quelque 170 enfants abandonnés.

150. *Il paraît qu'on donnait de la soupe aux enfants pauvres…* : cette pratique eut cours pendant la Grande Famine, mais aussi pendant tout le XIXe siècle.

151. Bloom se refuse toujours à nommer celui qu'il réduit à une *tête gominée*.

152. *Derrière le taureau : devant le cheval* sont ici les consignes de sécurité lorsqu'il s'agit de contourner ces animaux.

153. *L'Institut Stewart* est une institution pour enfants déficients mentaux.

154. Mme *Levenston* dirigeait une académie de danse au 35, Frederick Street South. Son mari y enseignait la musique.

155. *Il glissa sa main entre son gilet et son pantalon...* : Stephen et Bloom font tous les deux l'expérience de la cécité.

156. Le vapeur américain *General Slocum* avait été affrété par l'église luthérienne Saint-Marc pour un pique-nique de fin d'année scolaire. Un millier de personnes (principalement des femmes et des enfants) périrent dans l'incendie qui le ravagea le 15 juin 1904. Le mauvais entretien du navire fut responsable du nombre élevé de victimes.

157. En 1902, Sir Frederick Falkiner prononça une virulente diatribe contre les juifs. L'indignation qu'elle suscita se propagea jusqu'à la Chambre des Communes et il dut se rétracter. Bloom, le juif étranger, trouve ici quelqu'un à ostraciser en relayant la haine qu'éprouvait Joyce pour l'usurier Reuben dont il orthographie le patronyme « Ruben ».

158. *Aussi solennel que Troy* : le révérend John Thomas Troy, archevêque catholique romain de Dublin, condamna « solennellement » la rébellion de 1789. Il se déclara ensuite favorable à l'Acte d'Union, rendant par là même sa solennité légendaire.

159. *L'orphelinat des uniformesbleus* : référence à la couleur bleue de l'uniforme porté par les élèves de King's Hospital. Sir Frederick Falkiner fut président du conseil d'administration de cet établissement.

160. *Et puisse le Seigneur avoir pitié de votre âme* : c'est la formule qu'utilise le juge lors d'une condamnation à la peine capitale.

161. Cette *vente de charité Mirus* au profit de l'hôpital Mercer eut lieu le 31 mai et non le 16 juin.

162. Le 13 avril 1742, *Haendel* lui-même dirigea *Le Messie*, au Music Hall, Fishamble Street, à Dublin.

163. *Pantalons retroussés* : ces éléments, qui sont associés à Boylan, en constituent autant de métonymies.

164. *En sécurité !* : le passage qui suit évoque le départ précipité d'Ulysse du pays des Lestrygons dans l'*Odyssée* (chant X, v 116-132).

M.-D. V.

IX. CHARYBDE ET SCYLLA

1. *Le bibliothécaire quaker* : il s'agit de Thomas William Lyster (1855-1922), bibliothécaire de la Bibliothèque nationale d'Irlande de 1895 à 1920. Il avait été surnommé « le quaker »

par les étudiants en raison de son enthousiasme religieux pour la littérature.

2. *Une âme hésitante prenant les armes contre un océan d'épreuves...* : Lyster paraphrase le commentaire donné par le héros de Goethe, Wilhelm Meister (au chapitre XIII du livre IV de la première partie de *Wilhelm Meister*), sur le fameux soliloque de Hamlet, « Être ou ne pas être », dans lequel Hamlet se demande s'il doit prendre les armes contre un ocean d'ennuis. Dans le roman de Goethe, c'est Wilhelm qui joue le rôle de Hamlet, tandis que son père joue celui du fantôme, donc du père de Hamlet.

3. *Il fit un pas...* : deux citations de Shakespeare se mêlent ici : *La Nuit des rois* I, III, v. 139 et *Jules César*, I, I, v. 29. — Pour les références à Shakespeare dans cet épisode, nous citons l'édition Riverside Shakespeare, Boston, 1974.

4. *Il s'en fut d'un pas de courante* : écho de *La Nuit des Rois*, I, III, v. 123.

5. *John Eglinton* : pseudonyme de William Kirkpatrick Magee (1868-1961), bibliothécaire assistant à la Bibliothèque nationale de 1904 à 1922. C'était un helléniste et latiniste distingué que Joyce et Gogarty s'amusaient à brocarder.

6. *The Sorrows of Satan*, titre d'un roman victorien populaire, publié en 1897 et écrit par Marie Corelli (1855-1924). John Milton, devenu aveugle, dicta son *Paradis perdu* à ses filles. Dans son poème « Milton », Blake imagine Milton contemplant sa sextuple émanation (I, 2, v. 17-20).

7. *Puis d'un spéculum la pénétra...* : tiré de la chanson obscène de Gogarty, « *Medical Dick and Medical Davy* », qui reviendra à la fin de l'épisode.

8. *Les sept resplendissantes* : citation du poème de William Butler Yeats « *A Cradle Song* » (« Berceuse ») qui décrit ainsi les sept planètes sous le regard de Dieu.

9. *Satan-orchestre, pleurant à n'en plus finir...* : le premier vers déforme *Le Paradis perdu* (I, v. 196), le second reprend littéralement le vers 620 du même chant, le troisième vient de *L'Enfer* de Dante (XXI, v. 139). « Et de son cul il avait fait une trompette » : il s'agit de Barbariccia, chef d'une troupe de démons.

10. *Cranly*, personnage du *Portrait de l'artiste en jeune homme*, rêvait de douze hommes résolus qui, venus d'un petit village du comté de Wicklow, Tinahely, seraient les *Tinahely Twelve* et sauveraient l'Irlande.

11. *Kathleen l'édentée [...] l'étranger dans sa maison* : écho de la pièce de Yeats *Cathleen Ni Houlihan* (1902). *La vieille édentée* symbolise l'Irlande.

12. *Ave, rabbi* : mots par lesquels Judas salue Jésus dans la Vulgate (Évangile selon saint Matthieu, XXVI, 49) au moment où il le trahit.

13. *Dans l'ombre du vallon* : écho du titre d'une pièce de Synge, *In the Shadow of the Glen* (1903).

14. Ben Jonson, dans son hommage à Shakespeare du premier « Folio » des pièces de ce dernier.

15. George William *Russell*, dit « A.E. », déjà évoqué dans « Nestor » (p. 87).

16. *Gustave Moreau* : ce peintre symboliste français (1826-1898) était souvent cité en modèle par Russell à cette époque.

17. *The schoolmen were schoolboys first* : jeu de mots sur les scholastiques (*schoolmen*) et le écoliers (*schoolboys*), allusion au fait que Platon dirigeait l'Académie tandis qu'Aristote débutait dans ses études et fut son élève. Un semblable trait d'esprit, visant cette fois saint Thomas d'Aquin, se trouvait dans un essai d'Eglinton publié dans Dana en mai 1904. Stephen le cite donc devant son auteur.

18. *Je suis le beurre du sacrifice* : montage d'allusions parodiques à la théosophie ; le *beurre du sacrifice* était souvent cité par Annie Besant dans *The Ancient Wisdom* (1897).

19. Daniel Nicol *Dunlop*, théosophe, responsable de *The Irish Theosoph* de 1896 à 1915. — *Le plus noble Romain d'entre tous* : citation de *Jules César* de Shakespeare, V, v, v. 68.

20. *H.P.B.* : Helena Petrovna Blavatsky (1831-1891) ; elle avait fondé avec William Q. Judge, cité plus haut, la Société théosophique en 1875. Isabel Cooper-Oakley avait été associée à Mme Blavatsky en Inde et à Londres, et elle prétendait avoir reçu un message psychique d'elle après sa mort.

21. Richard Irvine *Best* (1872-1959) alors conservateur adjoint puis directeur de la Bibliothèque nationale irlandaise. Spécialiste de mythologie irlandaise, il était aussi proche de l'esthétisme à la Pater et Wilde.

22. Stephen résume ici, en quelques formules percutantes, ses méditations des épisodes « Nestor » et « Protée ».

23. Marie Henri d'Arbois de *Jubainville* (1827-1910), professeur de littérature celtique au Collège de France, auteur du *Cercle mythologique irlandais* que Best venait de traduire en anglais en 1903.

24. Douglas *Hyde* (1860-1949) avait publié les *Love Songs of Connacht* en 1895. C'était un des ouvrages principaux de la renaissance celtique.

25. *Dans cet anglais sans relief et sans charme* : citation de l'envoi du livre de Hyde, *The Story of Early Gaelic Literature* (1894).

26. *Une émeraude enchâssée dans l'anneau de la mer* : vers d'un poème de John Philpot Curran (1750-1817) sur l'Irlande.

27. *L'œuf aurique* : nom donné par les théosophes au « corps causal » en raison de sa forme ovoïde.

28. « Il se promène pas plus, lisant au livre de lui-même, haut et vivant Signe ; nie du regard les autres » : citation de l'article de Mallarmé, « Hamlet et Fortinbras », publié dans le numéro de juillet 1896 de la *Revue Blanche* (*Œuvres complètes*, éd. Henri Mondor et G. Jean-Aubry, « Bibl. de la Pléiade », 1945, p. 1564).

29. *The absent-minded beggar* : citation ironique du titre d'un célèbre poème de Rudyard Kipling (1865-1936) qui, en 1899, voulait aider l'effort de guerre contre les Boers. Le poème avait été mis en musique par Sullivan et il était souvent chanté de manière patriotique. Stephen, au contraire, est partisan des Boers.

30. *Somptueuse et stagnante exagération du meurtre* : reprise littérale de l'expression de Mallarmé qui insiste sur l'amoncellement de cadavres à la fin d'*Hamlet*.

31. *Un bourreau de l'âme* : expression de Robert Greene (1558-1592), qui attaqua Shakespeare dans un pamphlet publié en 1592 ; mais Greene parlait en ces termes de la luxure (*a deathman of the soul*) et non de Shakespeare.

32. John Aubrey, dans ses *Vies Brèves* (1669-1693), soutenait que le père de Shakespeare était *un boucher*, alors que la tradition en fait plutôt un propriétaire terrien. La référence à la hache vient d'*Hamlet* (I, I, v. 63).

33. Ce sonnet de *Swinburne*, « *On the Death of Colonel Benson* », est publié dans la *Saturday Review* le 9 novembre 1901. Tout en pleurant la mort de cet officier, Swinburne semblait inciter à l'extermination pure et simple des Boers. Les deux vers qui suivent sont tirés de ce poème. L'armée anglaise avait rassemblé une grande partie de la population civile des Boers dans des *camp[s] de concentration.* Cette pratique avait été condamnée en Europe.

34. Au chapitre 8 des *Aventures de M. Pickwick* (1836-1837) de Dickens, on voit le Gros Joe, au service de M. et Mme Wardle,

commencer un récit un peu leste impliquant leur fille par : « Je vais vous donner la chair de poule. »

35. *Écoute ! Écoute ! Ô, écoute* : paroles du fantôme du père dans *Hamlet* (I, v, v. 22). Le fantôme continue ainsi : « Si oncques tu as aimé ton cher père... ».

36. Les détails sur Londres et le théâtre du Globe viennent du livre de Georg Brandes sur Shakespeare, *William Shakespeare. A Critical Study* (1898). Le Globe se trouvait sur la rive sud de la Tamise en face de la Cité de Londres.

37. *Swan of Avon* : épithète donnée à Shakespeare par Ben Jonson dans le premier « Folio » de 1623.

38. *La composition du lieu* était un élément important dans la rhétorique des *Exercices spirituels* (1548) d'Ignace de Loyola. Elle y figure dans la première méditation.

39. *Un roi qui n'est pas roi* : allusion à la pièce de Beaumont et Fletcher, *A King and No King* (1611), une tragi-comédie peut-être inspirée par l'œuvre de Shakespeare.

40. Richard *Burbage* (1567-1619), acteur anglais qui fonda le théâtre du Globe. Il était célèbre à cette époque.

41. *Hamlet, je suis l'esprit de ton père* : *Hamlet*, I, v, v. 9 et 22.

42. Fils unique de Shakespeare, *Hamnet* était né le 2 février 1585 (le 2 février était aussi le jour de la naissance de Joyce) et il mourut le 11 août 1596 à l'âge de onze ans. Il avait une sœur jumelle qui survécut. Brandes médite longuement sur le choc que cette perte causa à Shakespeare.

43. *Fantôme par l'absence, et portant la vêture du Danemark enterré* : écho d'*Hamlet*, I, IV, v. 49.

44. *Ann* (1556-1623) : femme de Shakespeare. Bien que plus âgée que lui, elle lui survécut, mourant en 1623 à l'âge de soixante-sept ans.

45. *Es-tu là, homme de bon aloi* : écho d'*Hamlet*, I, v, v. 50.

46. *Roule sur eux avec tes vagues et tes eaux,...* : citation de *Deirdre*, acte III, pièce de Russell jouée en 1902. Il tenait lui-même le rôle du druide Cathvah qui déclame cette imprécation annonçant la fin de l'âge héroïque en Irlande.

47. Le *noble* est une pièce de monnaie ayant cours jusqu'à la fin du XVe siècle, valant environ le quart d'une livre.

48. *Il vient d' l'aut' bord de la Boyne* : on aura reconnu l'allusion à M. Deasy qui, comme George Russell (à qui Stephen doit bien une livre), était né en Ulster. La bataille de la Boyne du 12 juillet 1690 vit la victoire de Guillaume III contre Jacques II

et consacra la défaite des catholiques. L'Irlande du Nord protestante fête chaque année cette victoire.

49. *Tape. Tape* : écho d'*Hamlet*, II, II, v. 412.

50. *Un enfant que Conmee a sauvé de la férule* : allusion au premier chapitre du *Portrait de l'artiste en jeune homme.*

51. *A.E. I. O. U* : Joyce joue sur l'expression « I.O.U. » qui signifie une reconnaissance de dette (*I owe you*) et sur les voyelles de l'alphabet qui incluent A.E. ou George Russell.

52. *Xantippe* : la femme de Socrate, que la tradition présente comme une mégère.

53. La première femme de Socrate se serait appelée *Myrto*, et aurait été la fille d'Aristéidès. En jouant sur *absit omen*, « que ceci ne soit pas un mauvais présage », et *absit nomen*, « que le nom ne figure pas ici », Stephen met en doute sa réalité historique. L'*Epipsychidon* était un poème de Shelley de 1821, mais renvoie ici au diminutif donné par Aristophane à Socrate dans sa comédie *Les Nuées* (423 av. J.-C.) ; Socrate apparaît dans une nacelle et les Athéniens se moquent de lui.

54. *Mais ni le savoir-faire de la sage-femme...* : allusion aux *Curtain Lectures* (1846) de Douglas Jerrold qui mettent en scène une Mme Caudle qui domine son mari.

55. *Et une mémoire qui n'était pas buissonnière* : écho d'*Hamlet*, I, II, v. 169.

56. *Et il avait un mémoire dans sa besace* : écho de *Troïlus et Cressida*, III, III, v. 45. — *Romville* : argot *cant* du XVIIe siècle pour désigner Londres.

57. *Vénus et Adonis* : poème de Shakespeare (1593) qui mentionne un tremblement de terre. Il eut lieu en 1580, quand l'auteur avait seize ans. Le *pauvre Wat* est un lièvre dans sa tanière (v. 697-699).

58. *Ses femmes-garçons* : allusion à la pratique élisabéthaine de faire jouer les rôles féminins par des jeunes garcons.

59. Jeu de mots sur les nom et prénom de la femme de Shakespeare : *If others have their will, Ann hath a way.* À l'époque élisabéthaine, *will* désignait, en plus de la volonté, l'organe sexuel masculin.

60. *Nom d'une queue, c'est sa faute à elle* : adaptation de la chanson d'Ophélie dans *Hamlet*, IV, V, v. 61.

61. *S'abaissant pour conquérir* : allusion au titre de la pièce d'Oliver Goldsmith, *She Stoops to Conquer* (« Elle s'abaisse pour conquérir ») (1773).

62. *En prologue à l'acte ballonnant* : écho de *Macbeth*, I, III, v. 128.

63. *Couchés au fond des champs de seigle* : écho de *Comme il vous plaira*, V, III, v. 23-25.

64. Les multiples activités de George Russell (agronomie, théosophie, littérature, journalisme, coopératives) avaient rendu familière son habitude de consulter *sa montre* pour aller à une réunion légendaire à Dublin.

65. George *Moore* (1852-1933), écrivain qui maintenait le contact entre les milieux dublinois et parisien. Il avait été associé avec Yeats, Synge et Lady Gregory pour promouvoir la Renaissance celtique.

66. *Peter Piper picota un petit peu de poivre...* : jeu sur le nom de William J. Stanton Pyper (1868-1941), figure mineure chez les intellectuels dublinois, et la comptine pour enfants qui est aussi un *tongue-twister* (phrase difficile à prononcer), *Peter Piper picked a peck of pickled pepper...*

67. *Dawson* Chambers, situé au 12, Dawson Street, tout proche de la Bibliothèque, était le lieu de réunion des membres de la Société Hermétique. Ils y lisaient *Isis Unveiled* de Mme Blavatsky. Le passage qui suit parodie le jargon ésotérique des théosophes.

68. *En quintessence insignifiante...* : tiré de « *Soul-Perturbating Mimicry* », poème de Louis H. Victory qui venait de publier en 1903 *Imaginations in the dust*.

69. *Russell* venait de publier en 1904 des jeunes poètes dans un recueil intitulé *New Songs. A Lyric Selection*. Joyce, qui n'avait pas été invité, en gardait quelque ressentiment.

70. Catalogue des jeunes talents irlandais : Padraic Colum (1881-1972) qui devint l'ami de Joyce ; James Sullivan Starkey (1879-1958) ; Ernest Victor Longworth (1874-1935) ; Susan Mitchell (1866-1926) ; Edward Martyn (1859-1923), connu pour son puritanisme tandis que Moore jouait au débauché parisien ; George Sigerson (1838-1925) ; Thomas O'Neil Russell (1828-1908) ; James Stephens (1882-1950), qui fut aussi un proche de Joyce par la suite.

71. *Cordelia. La plus solitaire des filles de Lir* : Stephen joue sur la ressemblance entre Cordelia, la plus jeune fille du roi Lear, et le mot de *cordoglio* qui en italien signifie « tristesse ». *Lir* est le dieu de la mer dans la mythologie irlandaise.

72. Harry Felix *Norman* (1868-1947), alors rédacteur à

l'*Irish Homestead* (à ne pas confondre avec l'aliéniste Connolly Norman mentionné dans « Télémaque »).

73. *The pig's paper* : termes peu flatteurs que Stephen emploie pour le *Irish Homestead* (« La ferme irlandaise »), en écho de *Peg's Paper*, une publication féminine. C'est pourtant grâce au *Irish Homestead* que Joyce put publier ses premières nouvelles. Trois y furent publiées à la suite de l'invitation de George Russell qui lui avait demandé d'envoyer une série de courts textes en juin ou juillet 1904. Ce fut le point de départ de *Dublinois*.

74. John Millington *Synge* (1871-1909), écrivain que Yeats avait envoyé dans les îles d'Aran en 1896 afin qu'il se plonge dans le folklore irlandais. Joyce l'avait rencontré à Paris et pouvait le considérer comme son rival le plus dangereux. Il l'admirait aussi, et après la mort de Synge traduisit sa pièce *Riders to the Sea* en italien.

75. *Dana* : c'était une nouvelle revue littéraire fondée par Eglinton et Fred Ryan. *Dana* refusa la première version du « Portrait de l'artiste » en 1904.

76. *La Ligue gaélique* : fondée en 1893 afin de promouvoir la langue et la culture gaéliques.

77. *Christ-renard et ses caleçons écossais en cuir* : ce passage mêle de manière assez énigmatique des détails de la vie de Shakespeare et des éléments de la vie de George Fox (1624-1691) qui fonda la Société des « Amis », ou quakers. Son nom signifie « renard », mot qui avait aussi été un pseudonyme de Parnell.

78. *Ici il médite de choses qui ne furent pas...* : énigme célèbre que cite sir Thomas Browne dans *Hydriotaphia* (1658) au chapitre 5.

79. *Pensées ensevelies tout autour de moi...* : Stephen se souvient de ses méditations sur Thot (que Joyce écrit *Thoth*), le dieu égyptien de l'écriture, dans le *Portrait de l'artiste en jeune homme*, et du discours de Taylor sur Moïse dans « Éole ».

80. *Ta an bad ar an tir. Taim imo shagart* : cette phrase en gaélique provient d'un livre d'apprentissage élémentaire et signifie : « Le bateau est sur la terre. Je suis un prêtre. » *Beurla* signifie la langue anglaise en gaélique.

81. *Littlejohn* : lieutenant de Robin des Bois, surnom donné à Eglinton par George Moore.

82. *Un peu d'indulgence pour moi* : comme le dit Marc Antoine dans *Jules César*, III, II, v. 107.

83. Stephen cite ici *Brunetto* Latini (1220-1294), le maître

de Dante qui figure au chant XV de *L'Enfer*. Son premier *Livre dou trésor* contient une description du basilic, animal magique capable d'empoisonner quelqu'un par le simple regard.

84. Dans la mythologie gaélique, *Dana* est la déesse mère des « Tuatha De Danaan », les premiers habitants de l'Irlande. Stephen cite la célèbre expression de Walter Pater qui, dans la conclusion de *The Renaissance* (1873), évoquait « cet étrange mouvement de tissage et de détissage de nous-mêmes ».

85. P.B. Shelley explique dans *A Defence of Poetry* (1821) que « l'esprit en train de créer est comme une braise près de s'éteindre qu'une influence invisible, comme un vent inconstant, ravive et éclaire un instant ».

86. Le poète écossais William Drummond, né au château de *Hawthornden* (1585-1644), médite sur la mortalité dans son « *Cypress Grove* » (dans *Flowers of Sion*, 1630). Il écrit : « Si tu te plains qu'il y aura un temps dans lequel tu ne seras pas, pourquoi ne te lamentes-tu pas qu'il y ait eu un temps dans lequel tu n'as pas été ? […] Cela sera après nous qui fut aussi longtemps avant nous. »

87. *Cette tache est la dernière à disparaître* : écho d'*Hamlet*, I, IV, v. 23.

88. Ernest *Renan* (1823-1892) voulut ajouter une suite à *La Tempête* de *Shakespeare* dans son *Caliban* (1878). Joyce était un lecteur de Renan, comme le montrent ses lettres.

89. *Périclès* ne faisant pas partie du premier « Folio » des œuvres de Shakespeare (1623), on a souvent douté de son attribution. Marina est la fille de Périclès.

90. *Shakespeare, la gourme de Bacon :* Stephen implique que le « bon sens » de John Eglinton reprend la sagesse de *Bacon* critiquant les vaines disputes des doctes dans son *Advancement of Learning* (1605), mais il fait aussi allusion à la théorie selon laquelle *Bacon* aurait écrit les pièces attribuées à Shakespeare.

91. *Ceux qui jonglent avec les codes* : Joyce avait dans sa bibliothèque l'ouvrage d'Edwin Borman, *Francis Bacon's Cryptic Rhymes* (1906) et il connaissait les ouvrages d'Ignatius Donelly (1831-1901), qui appuyait la théorie de Bacon auteur des œuvres de Shakespeare sur des codes cachés, dans *The Great Cryptogram. Francis Bacon's Cipher in the socalled Shakespeare's plays* (1887) et dans *Cipher in the Shakespeare Plays* (1900).

92. *A.E., éon* : origine du nom de plume de George Russell.

93. *Tir na n-og* : nom gaélique de la mythique « contrée de la

jeunesse » qui serait un paradis terrestre situé à l'ouest de l'Irlande.

94. *D'ici Dublin combien de milles ?...* : comptine anglaise adaptée à Dublin par Stephen.

95. Georg Morris Cohen *Brandes* (1842-1927), célèbre écrivain et critique danois, était l'auteur d'un *William Shakespeare* (1898) aussitôt traduit en anglais par William Archer, et qui faisait autorité.

96. Sydney *Lee,* auteur de *Life of William Shakespeare* (1898). Il était de fait né Solomon Lazarus *Lee* à Londres.

97. Ce sont les héroïnes de *Périclès*, de *La Tempête* et du *Conte d'hiver*.

98. *Mon épouse bien-aimée [...] ressemblait à cette vierge* : *Périclès*, V, I, v. 108-109.

99. *L'art d'être grandp* : référence à *L'Art d'être grand-père* de Victor Hugo (1877).

100. *Amor vero aliquid...* : ce passage, restauré par Gabler dans son édition, qui suit le manuscrit Rosenbach, a été beaucoup commenté. Il mélange deux phrases tirées de la *Summa contra Gentiles* de saint Thomas d'Aquin, au chapitre XCI du livre I, « Qu'en Dieu se trouve l'amour ». Une traduction approximative donnerait: « L'amour en vérité veut quelque chose de bon pour quelqu'un et donc ces choses que nous désirons. » Cette citation détourne effectivement le sens de l'argument de saint Thomas, qui vise à opposer amour et désir, alors que Stephen semble les relier ou les identifier l'un à l'autre.

101. *George Bernard Shaw* (1856-1950) avait publié des commentaires sur Shakespeare dans la *Saturday Review* en 1890.

102. On avait découvert en 1904 que l'*alque* était une espèce d'oiseau qui venait de s'éteindre.

103. *Car vous l'obtiendrez dans votre maturité* : tiré de l'autobiographie de Goethe, *Poésie et Vérité* (1814), où Goethe se donne comme devise la phrase, traduite dans le texte : *Was man in der Jugend wünscht, hat man im Alter Fülle.*

104. *Une buonaroba* : une femme légère ; voir *Henry IV*, deuxième partie, III, II, v. 26. — *Une jument que tous les hommes montent* : citation du sonnet CXXXVII de Shakespeare, v. 6. Il s'agit ici de Mary Fitton, fille d'honneur de la reine Elizabeth depuis 1595. Elle avait dix-sept ans à l'époque, avait été mariée à seize ans, se remaria plus tard et eut en tout trois enfants illégitimes de géniteurs différents.

105. *Ris-et-couche-toi-là* : nom d'un jeu de cartes populaire de l'époque élisabéthaine.

106. *La défense du sanglier l'a blessé là où l'amour saigne toujours* : citation de *Vénus et Adonis*, v. 1052.

107. Stephen cite la définition du péché originel du *Catéchisme de Maynooth*. Ses conséquences sont évoquées en ces termes : « il a assombri notre compréhension et affaibli notre volonté ».

108. *Et dans le porche de leur oreille je verse* : écho d'*Hamlet* I, V, v. 22.

109. Nous passons du sein de Lucrèce dans *The Rape of Lucrece* (v. 407) au sein d'Imogène dans *Cymbeline* (II, II, v. 37-39).

110. Écho d'*Hamlet*, I, II, v. 230.

111. *M'as-tu trouvé, ô mon ennemi* : c'est ce que dit Achab à Élie dans 1 Rois, XXI, 20.

112. *Was Du verlachst wirst Du noch dienen* : proverbe allemand signifiant « Tu continueras à servir ce dont tu te moques ».

113. En plus de l'hérésiarque *Photius*, déjà rencontré dans « Télémaque », et de saint *Malachie*, voici *Johann Most* (1846-1906), un anarchiste allemand qui émigra aux États-Unis où il continua à publier son journal *Die Freiheit*. Il avait fait de la prison à Londres pour avoir applaudi aux attentats des nationalistes irlandais et approuvé le meurtre de Lord Cavendish en 1882. Le paragraphe qui suit cite presque littéralement une parodie de l'Acte des Apôtres publiée par Most dans son livre *The Deistic Purulence* (1902).

114. Bon mot de Gogarty depuis que Yeats avait déclaré que *Synge* était un nouvel Eschyle.

115. *J'ai appris qu'une actrice jouait Hamlet...* : il s'agit bien sûr de Mme Bandmann Palmer, déjà rencontrée dans « Les Lotophages ».

116. Edward Payson *Vining* (1847-1920) soutenait dans son livre *The Mystery of Hamlet* (1881) que l'intrigue de la pièce s'éclairait si l'on considérait Hamlet comme une femme éduquée en homme afin de conserver le trône à la famille royale.

117. En effet, Hamlet jure par *saint Patrick* (*Hamlet* I, V, v. 139). Le *juge* Dunbar Plunket *Barton* tenait Hamlet pour un Irlandais, et il exposa cette thèse dans *Links between Ireland and Shakespeare* (1919).

118. Oscar Wilde publia *The Portrait of M[r.] W. H.* en 1889.

Il tente de démontrer que le W. H. à qui les sonnets sont dédiés serait un certain Willie Hughes, jeune acteur amant de Shakespeare. Best déforme son argument, fort complexe il est vrai, lorsqu'il lui fait dire que Willie Hughes aurait été l'auteur des sonnets.

119. *Tame essence of Wilde :* jeu de mots sur Wilde (qui signifie « sauvage ») souvent utilisé dans le magazine satirique *Punch* à l'époque de son procès et de sa chute.

120. *Trois petits verres d'usquebac* : mot gaélique pour le whisky.

121. *Humour wet and dry* : Joyce se cite lui-même. Il avait évoqué dans son poème satirique « De l'eau dans le gaz » l'humour irlandais — sec (à froid) ou mouillé — qui consistait à jeter de la chaux vive dans les yeux de Parnell.

122. *Tu donneras tes cinq esprits...* : écho du vers 3 du sonnet II de Shakespeare.

123. *Linéaments du désir satisfait* : citation de « *The Question Answer'd* » de William Blake, poème de 1793 dans lequel cette phrase revient au refrain.

124. *Le sentimental est celui qui voudrait la jouissance...* : Stephen cite l'une des maximes de George Meredith qui définit ainsi le sentimentalisme dans *The Ordeal of Richard Feverel. A history of Father and Son* (1859). Joyce cite l'édition de 1875 dans laquelle le texte avait été modifié.

125. *Et nous une heure et deux heures...* : Mulligan se livre ici à une parodie du style de Synge et mêle des expressions populaires irlandaises de l'Ouest et du Wicklow.

126. *Ghasthule* : quartier de Kingstown (aujourd'hui Dun Laoghaire) où Synge résidait en 1904.

127. Joyce rencontra Synge plusieurs fois lors de son séjour parisien en 1902-1903. Ils avaient des discussions souvent houleuses. Oisin, fils de Finn MacCool, aurait été converti au christianisme par saint Patrick au Ve siècle. Leur dialogue, rejoué ici par Joyce et Synge, est un thème classique de la littérature irlandaise.

128. *J'ai rencontré un fou, dans la forêt* : écho de *Comme il vous plaira,* II, VII, v. 12. Synge avait raconté cette curieuse rencontre à Joyce.

129. Le juge Dodgson Hamilton *Madden* (1840-1928) avait publié *The Diary of Master William Shakespeare. A Study of Shakespeare and Elizabethan Sport* en 1897.

130. *Vie de la vie, tes lèvres embrasent* : citation du *Prométhée délivré* de Shelley (1820), II, v. 48.

131. *Ses pâles yeux galiléens* : citation de Swinburne, « Hymne à Proserpine » (1866), v. 35. Dans ce poème, Jésus est présenté comme un « pâle Galiléen » dont la victoire a rendu le monde terne et sans saveur.

132. *Le dieu poursuivant la virginité cachée* : citation du chœur d'ouverture de la pièce de Swinburne *Atalanta in Calydon* (1865).

133. Une *Grisilde* est une femme vertueuse typique soit chez Boccace, soit chez Chaucer (*The Clerk's Tale*).

134. *Il gagna autant d'argent que le lord chancelier d'Irlande* : détail prélevé dans Lee et Harris qui calculent que lorsqu'il vivait à Londres, Shakespeare gagnait environ 600 livres par an.

135. *Sa vie fut riche*... : dans un article de 1886, « *A Thought on Shakespeare* », Whitman notait que les caractéristiques principales de l'art de Shakespeare étaient l'excès des richesses, donc le superflu ou la surabondance.

136. *Lady Penelope Rich* (1562-107) passait pour être la *dark lady* des sonnets de Shakespeare.

137. *Et la mère de Sir William Davenant, d'Oxford*... : écho de *La Nuit des rois*, I, III, v. 85. Harris accorde une certaine confiance à la légende selon laquelle Shakespeare aurait été le géniteur de Sir William Davenant.

138. *Bienheureuse Marguerite Marie Àlaqueue* : jeu de mots sur sainte Marguerite Marie Alacoque (1647-1690), objet de dévotion populaire en Irlande, qui devient dans la bouche de Mulligan *Blessed Margaret Mary Anycock*.

139. *Et la fille d'Henry aux six femmes sans compter*... : citation de *The Princess. A Medley* (1847) de Tennyson

140. *Agir, agir* : écho de *Macbeth*, I, III, v. 10.

141. John *Gerard* (1543-1612), intendant des jardins de la reine Élisabeth.

142. *Une campanule azur comme ses veines à elles* : citation de *Cymbeline*, IV, II, v. 222.

143. *Les paupières de Junon* : citation du *Conte d'hiver*, IV, IV, v. 121.

144. Proverbe anglais : *An Englishman loves a lord*.

145. Matrices en friche, *uneared wombs* : écho du vers 5 du sonnet III de Shakespeare.

146. Écho d'*Hamlet*, III, II, v. 90. Stephen passe en revue la famille de Shakespeare : Mary Shakespeare, sa mère, mourut en

1608 ; John, le père, en 1601 ; Joan Hart, la sœur, en 1646. Les frères de Shakespeare étaient Edmund (1569-1607), Richard (1584-1613) et Gilbert (dates inconnues). La plus jeune des filles de Shakespeare, Judith, sœur jumelle de Hamlet qui mourut à onze ans, mourut en 1649. Elizabeth était la fille unique de Judith. Après la mort de son premier mari, Judith épousa John Bernard qui était veuf lui-même.

147. Tout le passage qui suit commente le testament de Shakespeare, rédigé en janvier 1616 et modifié en mars 1616. Joyce utilise ici le livre du juge Barton, *Links between Shakespeare and the law* (1919), qui montrait que Shakespeare connaissait bien le droit. Vers 1613, le barde aurait tenté d'empêcher sa femme de toucher son douaire de veuve. Dans le dernière version du testament, Shakespeare avait ajouté qu'il léguait à Anne son « moins bon lit » (*second best bed*), ce qui va produire toute une série de jeux de mots sur *best* et Monsieur Best.

148. *Separatio a mensa et a thalamo* : variation sur l'expression *separatio a mensa et thoro* par laquelle la loi anglaise reconnaissait une séparation de fait équivalente d'un divorce jusque vers 1857.

149. *Ce malicieux écolier stagirite et sage païen chauve* : on aura reconnu Aristote qui à sa mort laissa un testament qui libérait ses esclaves, commandait une statue pour sa mère et laissait à sa concubine la jouissance de sa maison. Sa maîtresse, qui s'appelait Herpyllis, est mêlée au nom de Nell Gwyn, la célèbre maîtresse de Charles II. Lorsque Charles II mourut en 1685, il veilla à ce qu'on ne la laissât pas dans le besoin.

150. *Il est mort ivre mort* : une tradition rapportée par Harris, Lee et Brandes veut que Shakespeare, Ben Jonson et Michael Drayton se fussent enivrés de concert, ce qui aurait causé la mort de Shakespeare.

151. Edward *Dowden* (1843-1913), professeur de littérature anglaise à Trinity College. Il habitait Highfield House, à Rathgar, dans la banlieue de Dublin.

152. *Shylock* : le prêteur sur gages vindicatif du *Marchand de Venise*, un juif qui exige sa « livre de chair (I, III, v. 146-152.) Stephen examine les détails de la vie de Shakespeare qui pourraient faire de lui un usurier. Pendant la famine de 1598, Shakespeare aurait accaparé du grain pour le vendre plus cher, selon Lee et Brandes, et il était connu pour exiger le paiement des dettes.

153. Henry *Chettle* (1560-1607), imprimeur londonien qui

avait publié l'attaque de Greene contre Shakespeare en 1592. Brandes et Harris pensent qu'il avait servi de modèle pour Falstaff.

154. Dans ses *Vies brèves,* Aubrey présentait Shakespeare comme un garçon boucher.

155. En février 1594, Roderigo *Lopez,* médecin juif de la reine Élisabeth, fut condamné à être pendu, écartelé et découpé en morceaux car il avait été accusé faussement d'avoir voulu empoisonner la reine. Son supplice fut l'occasion de persécutions contre les juifs en Angleterre.

156. *Du philosophâtre écossais amateur de sorcières grillées* : il s'agit de James Ier ou Jacques Ier (1566-1623), roi d'Angleterre de 1603 à sa mort. Il monta sur le trône d'Écosse en 1567. Passionné par la sorcellerie, il écrivit un traité de *Démonologie* en 1597, mais persécuta les sorcières en Écosse.

157. L'« invincible » *armada* des Espagnols fut détruite par une tempête en 1588. Le nom de don Adriano de Armado, personnage de *Peines d'amour perdues*, l'évoque.

158. *Sur une marée d'enthousiasme à la Mafeking* : victoire des Britanniques contre les Boers le 17 mai 1900.

159. Le portier de *Macbeth* mentionne la doctrine jésuite de la restriction mentale (II, III, v. 8-12). Elle avait été utilisée par Henry Gardner, un jésuite du Warwickshire, pour justifier le fait qu'il avait menti sous serment en 1605, car c'était « pour la plus grande gloire de Dieu ». Gardner participait à la conjuration des catholiques qui voulaient faire sauter le Parlement anglais.

160. Le *Sea Venture* s'était perdu dans les Bermudes en 1609, et ses marins réussirent à survivre dix mois dans des îles jusqu'alors inconnues avant de regagner l'Angleterre en passant par la Virginie. Cet événement a pu influencer Shakespeare et lui donner l'idée de *La Tempête*. Stephen fait de Caliban un Irlandais exilé aux États-Unis (Patsy est un diminutif de Patrick).

161. Sir Philip *Sidney* (1554-1586) avait composé *Astrophel and Stella,* une série de sonnets, en 1581. L'expression de *sugared sonnets* avait été donnée aux sonnets de Shakespeare par ses contemporains.

162. Stephen mêle, involontairement peut-être, la conjugaison de *mixere* avec celle de *mingere* qui signife « uriner ».

163. Le père Joseph Darlington (1850-1939), jésuite et doyen de University College, avait tenté de démontrer que Shakespeare était catholique dans un article sur « *The Catholicity of*

Shakespeare's plays » paru en 1898 dans la *New Ireland Review*. Cette thèse semble plus généralement acceptée de nos jours qu'à l'époque.

164. *Sufflaminandus sum* : « Je devais me retenir » est une phrase de Ben Jonson qui l'appliquait à Shakespeare pour évoquer la facilité verbale de ce dernier dans *Timber* (1641).

165. *Un homme innombrable* : Samuel Taylor Coleridge appelait Shakespeare *myriadminded* dans ses *Biographia Literaria* (1817, note du chapitre XV).

166. *Amplius. In societate humana...* : « de plus, dans toute société humaine, il est absolument nécessaire que l'amitié règne entre le plus grand nombre. » Il s'agit sans doute d'une phrase de saint Thomas d'Aquin dont la source n'a pas été retrouvée.

167. *Pogue mahone ! Acushla machree* : en gaélique, « embrasse mon cul ! Mon chéri ! ». Suit une phrase prononcée par Cathleen dans *Riders to the Sea* de Synge (1904) lorsqu'elle saisit que sa mère a vu en rêve la mort par noyade de son seul frère survivant.

168. Stephen cite la *Somme de théologie* de saint Thomas (II, 2, question 154, article 9) où il est question de savoir si l'inceste est un type de luxure. Il conclut que l'inceste va contre le respect que nous devons à ceux qui nous sont proches. Aussitôt après, saint Thomas cite *La Cité de Dieu* de saint Augustin (XV, 16) où l'inceste se voit assimilé à l'avarice ou à la thésaurisation *(aviditas)* des émotions. L'école viennoise renvoie bien entendu à Freud et à son école, que Joyce avait découverts à Trieste et approfondis à Zurich. L'interprétation de Stephen reste plus freudienne que thomiste dans la mesure où elle ressemble à une psycho-biographie de Shakespeare.

169. *Old Nobodaddy* : expression forgée par William Blake et utilisée dans plusieurs poèmes, comme « *To Nobodaddy* », qui dénoncent le Dieu jaloux de l'Ancien Testament.

170. *Nul Beausourire* : citation du *Conte d'hiver* (I, II, v. 196), lorsque Léontès est pris d'une jalousie irrationnelle et imagine son rival sous les traits de *Sir Smile*.

171. *La volonté d'agir, qu'est-elle devenue ? ...* : citation du poème de George Russell « *Sung on a By-Way* ».

172. *Elle repose, disposée toute rigide dans ce moinsbon lit ...* : écho d'*Hamlet*, II, II, v. 524.

173. *Crochets et Agrafes pour les Culottes des Vrais Croyants...* : Stephen cite des titres de pamphlets des puritains. Ceux-ci étaient farouchement opposés au théâtre.

174. *Inquit Eglintonus Chronolologos* : mélange de latin et de grec signifiant « Dit Eglinton le chronologue ».

175. *Mais nous savons de source sûre que les pires ennemis* : Stephen cite la Bible (Évangile selon saint Matthieu, X, 35-36).

176. *Timide, renie tes parents, les purs et durs* : Stephen mêle *Roméo et Juliette* (II, II, v. 34) et Robert Burns (1759-1796) qui dans le poème « *Address to the Unco Guid, or the Rigidly Righteous* » (1787) se moque des bien-pensants religieux.

177. *Un géniteur, un ulstérien d'Antrim* : la famille de Magee venait de la péninsule appelée « île Magee » dans le comté d'Antrim en Ulster.

178. Susanna Shakespeare, née en 1583, se maria en 1607 ; Judith, née en 1585, se maria en 1616. On admet que Shakespeare écrivit *Hamlet* en 1601.

179. *Nel mezzo del cammin di nostra vita* : citation du premier vers de *L'Enfer* de Dante, qui avait trente-cinq ans en 1300, année où la *Divine Comédie* est censée se dérouler.

180. Hamlet était étudiant à *Wittenberg*, université où Giordano Bruno enseignait à la même époque. Le premier *Quarto* donne dix-neuf ans à Hamlet, tandis que le second lui donne trente ans.

181. *Le cadavre de John Shakespeare ne se promène pas la nuit* : écho d'*Hamlet*, I, V, v. 10.

182. *D'heure en heure il va pourrissant* : écho de *Comme il vous plaira*, II, VII, v. 27.

183. Dans le *Décaméron* de *Boccace* (1313-1375), le naïf Calandrin est berné par ses amis qui lui font croire qu'il est enceint (IXe jour, troisième histoire).

184. *Amor matris* : « l'amour de la mère » en latin, au double sens d'amour pour et d'amour de.

185. *La paternité est peut-être une fiction légale* : Joyce avait employé cette expression à propos de la naissance de son fils dans une lettre du 18 septembre 1905.

186. *Amplius. Adhuc. Iterum. Postea* : « de plus, jusque là, à nouveau, par la suite » en latin.

187. *Fils et mères, géniteurs et filles...* : allusion à la légende de Pasiphaé, amante d'un taureau, donnant naissance au Minotaure.

188. *Le dogue d'Aquin* : Thomas d'Aquin était dominicain, et les dominicains étaient souvent appelés *Domini canes*, les chiens de Dieu. Sa *Somme de théologie* réfute effectivement l'hérésie sabellienne et l'hérésie arienne (Ire partie, question 31).

189. *Rutlandbaconsouthamptonshakespeare* : le comte de Rutland (1576-1612), Francis Bacon (1561-1626) et le comte de Southampton (1573-1624) étaient tous les trois des personnalités que l'on avait identifiées avec Shakespeare dans la critique du XIXe siècle. Shakespeare écrivit *La Comédie des erreurs* en 1592 ou 1594.

190. Stephen flatte *Magee* en citant son recueil d'essais, *Pebbles from a book* (1901) où il est dit que « la nature a horreur de la perfection ».

191. *Regard joyeux, un puritain ravi, à travers l'églantine tressée* : citation de *L'Allegro* de Milton, v. 48. Milton était un puritain comme Magee, selon Stephen.

192. *Athéna,* qui aidait Ulysse au cours de ses voyages, était née directement du front de Zeus.

193. *Ce qui compte, c'est la pièce* : écho d'*Hamlet,* II, II, v. 633.

194. La mère de Shakespeare s'appelait Mary *Arden,* telle la forêt de *Comme il vous plaira.*

195. Mary est morte en septembre 1608, et l'on admet que *Coriolan* a été joué en 1608 pour la première fois. La mère du héros vient l'implorer de ne pas détruire Rome à la fin de l'acte V.

196. Harris et Brandes datent tous deux *Le Roi Jean* de 1596. Hamnet mourut en 1596.

197. Stephen implique Ann Hathaway dans tous ces rôles.

198. *Qu'y a-t-il dans un nom* : écho de la question de Juliette dans *Roméo et Juliette,* II, II, v. 43.

199. *Pour son compère carabin Davy...* : reprise de la chanson de Gogarty, *Medical Dick and Medical Davy,* déjà citée en début d'épisode.

200. *Mais celui qui me vole mon renom* : écho d'*Othello,* III, III, v. 159.

201. *Il l'a révélé dans les sonnets où l'on trouve du Will à revendre* : écho du sonnet CXXXV de Shakespeare, v. 2.

202. *Tout comme John O'Gaunt* : dans *Richard II,* le vieux Jean de Gant multiplie les jeux de mots sur son nom (II, I, v. 73-83). — Stephen décrit ici les *armoiries* de la famille de Shakespeare, que son père aurait obtenues par des manœuvres plutôt louches entre 1596 et 1599. — *Honorificabilitudinitatibus* : mot employé pour ses effets comiques dans *Peines d'amour perdues* (V, I, v. 44). — *Branlescène* : jeu de mots sur

« *shakescene* » utilisé par Robert Greene pour se moquer de son rival dans son pamphlet.

203. *Shottery*, village du Warwickshire proche de Stratford où habitait Ann Hathaway avant son mariage. Dans le paragraphe qui précède, Stephen fait allusion à un phénomène astral particulier. Le 11 novembre 1572, l'astronome danois Tycho Brahe (1546-1601) observa une supernova au-dessus du delta de Cassiopée. Cette étoile se mit à briller de plus en plus, jusqu'à être visible en plein jour. Elle diminua d'intensité à partir de décembre 1572, pour s'éteindre tout à fait en 1574. Son apparition fut souvent interprétée comme annonçant une naissance miraculeuse. Or la constellation de Cassiopée a la forme d'un W, initiale de William ; et aussi bien d'un sigma, ou S, initiale de Stephen.

204. *Satisfaits tous les deux. Moi aussi...* : écho d'*Henry VI*, Ire partie, V, III, v. 138.

205. *Hein, couille-molle* : écho de *La Mégère apprivoisée*, II, I, v. 315.

206. *Autontimorumenos* : pièce de Térence (190-159 av. J.-C.) dont le titre signifie « Celui qui se torture lui-même », et autocitation du *Portrait de l'artiste en jeune homme*, quand les condisciples de Stephen l'appellent de loin *Bous Stephanoumenos*, « âme-bœuf-Stephen » en grec d'écolier.

207. *Gelindo risolve di non amare S.D.* : reprise d'une comptine anglaise (« *Stephen, Stephen, cut the bread even* ») suivie d'une phrase en italien qui signifie: « S. D.: *sua donna*, sa femme. Bien sûr : de lui. Gelindo décide de ne pas aimer S. D. »

208. *Une étoile la nuit, [...] une colonne de nuée le jour* : citation de la Bible, Exode, XIII, 21.

209. *Stephanos* : « couronne » ou « guirlande » en grec.

210. *Pater, ait* : citation de la Vulgate, Évangile selon saint Luc, XXIII, 46. Ce sont les dernières paroles du Christ.

211. *Vanneau tu es. Vanneau sois* : Stephen mêle la légende de Dédale et d'Icare avec celle du vanneau ou pluvier (*lapwing*), oiseau associé par Ovide au cycle de Dédale. Dédale avait causé la mort de son neveu dont il était jaloux en le faisant chuter du haut de l'Acropole, et Athéna le métamorphosa en pluvier (*Métamorphoses*, VIII, v. 250-259). Après la chute d'Icare, un vanneau apparaît alors que Dédale enterre son fils (v. 236-240).

212. *Les frères Best*, avocats assez connus, habitaient au 24, Frederick Street.

213. Le *père* Patrick *Dineen* (1860-1934) était spécialiste de

littérature gaélique, auteur de poèmes, pièces de théâtre et d'un dictionnaire anglo-gaélique.

214. *Apothecaries Hall. Mon affiloir* : Stanislaus Joyce, qui apparaît sous le nom de Maurice dans *Stephen le Héros*, avait travaillé quelque temps chez un pharmacien.

215. *Richard, un vicieux bossu, avorton...* : Stephen évoque le début de *Richard III*.

216. L'intrigue secondaire du *Roi Lear* concerne l'histoire d'Edmond, le bâtard de Gloucester, qui force son père à répudier son fils légitime avant de le trahir. Ce récit vient bien de *L'Arcadie* de *Sidney* (1590 ; II, 10). Quant aux sources de l'histoire du roi Lear, selon Brandes, elles sont d'origine purement celtique.

217. *Il place la Bohême au bord de la mer et son Ulysse cite Aristote* : deux erreurs célèbres de Shakespeare, la première dans *Le Conte d'hiver*, la seconde dans *Troilus et Cressida*.

218. *Les Deux Gentilshommes de Vérone* : dans cette pièce, Valentin est banni par le duc de Milan alors qu'il est amoureux de la fille du duc. — À la fin de *La Tempête, Prospéro* renonce à sa magie et brise sa baguette (V, I, v. 54-57).

219. *Elle se redouble cette note au milieu de sa vie...* : termes de rhétorique classique désignant les premiers vers d'une tragédie (protase), le développement de l'action (épitase), sa culmination (catastase) et sa conclusion (catastrophe).

220. *Le temps ne l'a pas flétri* : écho d'*Antoine et Cléopâtre*, II, II, v. 240.

221. *Il est tout dans tout* : écho détourné d'*Hamlet* (I, II, v. 187), où Hamlet dit de son père que *all in all*, « tout en tout », « au total », il n'avait aucun rival.

222. Dans *Cymbeline*, Léonatus soupçonne faussement Cymbeline à cause de Iachimo ; dans *Othello*, Othello soupçonne faussement Desdémone à cause de Iago ; dans *Carmen* de Bizet (1875), don José finit par tuer Carmen qui l'a vraiment abandonné pour le toréador Escamillo.

223. *Il est tout dans tout* : citation de *Peines d'amour perdues* (V, II, v. 904-921).

224. C'est bien *Dumas père* qui avait décerné à Shakespeare la palme de la création après Dieu, dans ses *Souvenirs dramatiques* (1836).

225. *L'homme ne lui procure aucun délice et la femme non plus* : écho détourné d'*Hamlet*, II, II, v. 321-322.

226. *Il plante son mûrier en terre* : tradition rapportée par

Brandes et Lee ; Shakespeare aurait planté un mûrier dans son jardin juste après avoir acheté New Place.

227. *Si Socrate sort de chez lui aujourd'hui...* : citation de Maurice Maeterlinck (1862-1949), *La Sagesse et la Destinée* (1899).

228. *Il nous a donné la lumière d'abord et le soleil deux jours plus tard* : *Genèse*, I, 1-9, où l'on voit Dieu créer le soleil et la lune au quatrième jour seulement.

229. *Le seigneur des choses telles qu'elles sont et que les plus romains* : écho d'*Hamlet*, III, I, v. 153-157.

230. *Il rit, non marié...* : jeu de mots intraduisible sur *bachelor* qui signifie à la fois « célibataire » et « diplômé ».

231. Edward *Dowden*, dans son *Shakespeare* (1857), concluait son analyse d'*Hamlet* sur l'idée que Shakespeare voulait que son héros restât un mystère impénétrable.

232. Karl *Bleibtreu* (1859-1928), critique et dramaturge allemand, auteur de *Die Lösung der Shakespeare-Frage* (1907) dans lequel il voulait prouver que les pièces de Shakespeare étaient l'œuvre du comte de Rutland. Joyce le rencontra à Zurich pendant la guerre.

233. *Je crois, Ô Seigneur, viens au secours de mon incroyance* : Évangile selon saint Marc, IX, 24.

234. *Egomen* : « moi-même » en latin, avec en plus une allusion à *The Egoist*, revue féministe et anarchiste de Londres où certains des épisodes d'*Ulysse* avaient été publiés.

235. *Mecklenburg street* : haut lieu dublinois de la prostitution à l'époque.

236. *Ængus-des-Oiseaux l'errant* : écho du poème de Yeats, « *The Song of the Wandering Aengus* » dans *The Wind Among the Reeds* (1899). Aengus, dieu de la beauté et de l'amour dans les mythes gaéliques, était accompagné d'oiseaux, et se transformait même en cygne.

237. *Ès lettres françaises* : plaisanterie sur les *French letters* qui évoquent davantage les préservatifs que la littérature française.

238. *Les Mille et Une Nuits irlandaises* : Stephen déforme le titre d'un recueil de légendes sur Ossian par Patrick J. McCall, *The Fenian Nights' Entertainment* (1897).

239. J'ai marché sur ses talons : écho d'*Hamlet*, V, I, v. 154.

240. *Mincius si lisse et si glissant* : citation de Milton, *Lycidas* (1637), v. 86.

241. *Buck Mulligan* s'est transformé en Puck, le facétieux serviteur d'Obéron dans *Le Songe d'une nuit d'été.*

242. *Pourquoi ne prends-tu pas femme ?...* : pastiche du refrain du poème de Robert Burns « *John Anderson My Jo* » (1789).

243. *Ô, le Chinois Chin Chon Eg Lin Ton Sans men ton* : d'après une chanson de l'opérette *The Geisha* (1896) de Harry Greenbank et James Philip.

244. *L'Abbey Theatre* venait d'ouvrir en 1904. Autrefois appelé « studio des plombiers », il était situé au 27, Abbey Street Lower. Il allait devenir un lieu majeur de création pour l'Irish National Theatre Society. Yeats, Lady Gregory, A.E., Martyn et Synge s'y illustrèrent.

245. *Les coups de fouet...* : selon une tradition rapportée par Brandes, Lee et Harris, Shakespeare aurait eu des démêlés avec un certain Sir Thomas Lucy qui l'aurait fait fouetter pour avoir volé du gibier sur ses terres. Shakespeare se serait vengé en envoyant de Londres une ballade satirique où il était question de *lowsie Lucy,* « ce pouilleux de Lucy ».

246. *Femme de trente ans* : ce titre du roman de Balzac (1831) renvoie à Ann Hathaway.

247. *Mignon fait pour le plaisir* : citation du sonnet CXXVI de Shakespeare, v. 9. — *Blonds chevaux de Phédon* : Oscar Wilde aimait citer le passage du *Phédon* de Platon (89 b) où l'on voit Socrate, le jour de sa mort, caresser les boucles dorées du jeune Phédon.

248. Frederick *M'Curdy Atkinson,* écrivain très mineur qui fréquentait le cercle de George Moore.

249. *Les paroles d'un soldat près de moi...* : parodie de la première strophe du poème de Yeats « *Baile and Ailinn* » (1903).

250. *Longworth est extrêmement mal...* : ceci ressemble fort à ce qui s'était passé entre Joyce et Lady Gregory. Joyce avait publié un compte rendu assez négatif de *Poets and Dreamers* de Lady Gregory dans le *Daily Express* (dirigé par de Longworth) le 26 mars 1903 sous le titre « L'âme de l'Irlande ». Elle en fut d'autant plus offensée qu'elle venait de recommander Joyce à Longworth.

251. *Jewjesuit* : l'identification du « juif » au « jésuite » était courante à l'époque victorienne.

252. *Le plus beau livre que notre pays ait produit ...* : Mulligan parodie Yeats, qui avait l'habitude d'encenser son amie Lady Gregory, femme remarquable mais de mince talent littéraire. Il

avait ainsi rédigé une préface pour son *Cuchulain of Muirthemme* (1902) qui déclarait que « ce livre est le meilleur de ce que peut produire l'Irlande à présent ».

253. *Camden Hall* : lieu où se trouvait le Théâtre national irlandais avant son déménagement vers Abbey Street. Cet épisode peu glorieux de la vie de Joyce a bien eu lieu.

254. *Ici j'ai observé les oiseaux, leurs augures* : écho d'une scène du *Portrait de l'artiste en jeune homme*.

255. *Entrez. Vous verrez* : reprise du motif du rêve de Haroun Al Rashid entrevu dans « Protée » (p. 112).

256. *J'ai peur de toi, vieux marin* : référence au célèbre poème de Coleridge, « *The Rime of the Ancient Mariner* » (1798), v. 224.

257. *Procure-toi un protège-cul...* : Joyce avait noté à propos d'Oscar Wilde que le système scolaire et universitaire britannique menait à l'homosexualité. Ici, il vise donc moins Bloom, qui passe devant lui, que les arrière-pensées troubles de son ami Mulligan.

258. *Fragiles, du sommet des toits s'élevaient deux volutes de fumée...* : écho de *Cymbeline* (V, v, v. 435-452), où le devin interprète un oracle en lisant dans les mots *mollis aer* (« l'air doux ») le mot *mulier* ; et c'est donc la fille de Cymbeline qui accomplit l'oracle.

259. *Cesse de lutter* : Circé conseillait à Ulysse la fuite comme seul moyen de survivre à Scylla (*Odyssée*, chant XII, v. 120-121). Stephen, visiblement épuisé par ses efforts oratoires, retrouve l'indolence de Bloom à la fin de l'épisode des « Lotophages ».

260. *La paix des prêtres druides de Cymbeline* : dans la dernière scène de *Cymbeline*, le prophète Philarmonus annonce la paix pour l'Angleterre (V, v, v. 457-458 et 466-467).

261. *Et que nos tortueuses fumées montent vers leurs narines* : écho de *Cymbeline*, V, v, v. 476-478.

JEAN-MICHEL RABATÉ

X. LES ROCHERS ERRANTS

1. *Artane* est une paroisse située à 3 miles au nord de Dublin. C'est là que se trouve l'institution dans laquelle le Père Conmee, à la demande de M. Cunningham, se propose de faire admettre le fils de feu Dignam.

2. *Vere dignum et iustum est* : « il est vraiment juste et nécessaire » ; début de la préface par laquelle le prêtre glorifie Dieu le Père.

3. Un révérend Père William A. *Swan* dirigeait l'institution O'Brien qui accueillait une centaine de jeunes indigents à Donnycarney, au nord-est de Dublin.

4. Le *cardinal* Thomas *Wolsey* (1473-1530) tomba en défaveur lorsqu'il tenta de s'opposer au divorce d'Henry VIII dont il était l'un des plus influents conseillers. Il visait à établir en Angleterre une monarchie absolue qu'il aurait contrôlée.

5. *Les eaux* de la ville de *Buxton* du Derbyshire soignent la goutte, les rhumatismes, les affections nerveuses et dermatologiques.

6. C'est dans l'établissement secondaire de *Belvedere* College tenu par les Jésuites que Joyce fut admis en 1893 sur la recommandation du Père Conmee alors préfet des études.

7. Les sermons du jésuite anglais *Bernard Vaughan* (1847-1922) contenaient généralement quelque énormité.

8. *Pourquoi que tu r'tiens pas c'te foule urlante ?* : voir Évangiles selon saint Marc, XV, 1-15, selon saint Luc, XXXIII, 1-25, et selon saint Jean, XVIII, 28-XIX, 22. On a ici une version dramatisée de la capitulation de Pilate devant la foule des Juifs.

9. *Oh, gardons-nous d'oublier* : cette expression revient souvent dans la Bible (voir par exemple Deutéronome, IV, 23 et VI, 12). Elle figure aussi dans « *Recessional* », un poème que Kipling écrivit à l'occasion du jubilé de diamant de la reine Victoria en 1897.

10. Adams signale que ce frère d'Ignatius *Gallaher* ne pouvait pas, à l'âge qu'il avait alors, être élève de Belvedere College.

11. Les *boîte*[s] aux lettres britanniques sont de grands cylindres d'un mètre cinquante de haut environ.

12. *Dignam's court* n'a qu'un rapport d'homonymie avec la famille de feu Dignam.

13. Dans la section IV de l'épisode, les filles Dedalus tenteront de mettre en gage les livres de prix de leur frère chez *Madame M'Guinness*, cette prêteuse sur gages.

14. *Mary* Ire Stuart fut reine d'*Écosse* (1542-1567) et de France (1559-1560). Cette *reine* catholique d'une grande beauté fut décapitée sur ordre d'Élisabeth Ire.

15. *L'église libre, bouclée* : contrairement aux églises catholiques, cette église protestante n'est pas ouverte en permanence.

16. Aux yeux des catholiques, les protestants, à cause de

leurs croyances tenues pour « hérétiques », sont voués à une *ignorance invincible* que saint Thomas définit précisément dans la *Somme de théologie* (II, I, question LXXVI, art. 2).

17. Il y avait dans Richmond Street une école tenue par les *frères des écoles chrétiennes*. Joyce la fréquenta quelques mois en 1895.

18. L'Asile *saint Joseph* pour vieilles dames vertueuses avoisinait l'église catholique saint Joseph.

19. En 1797, Lord *Aldborough* avait fait construire une maison dont le coût exorbitant devint le symbole de la prodigalité qui ruina la noblesse irlandaise. En 1904 cette demeure abritait les bureaux de la Poste.

20. *Cependant, un acte de contrition parfaite* : cette phrase inachevée montre que le jésuite soutient la théorie selon laquelle un repentir sincère au seuil de la mort peut assurer le salut de celui qui n'a pas reçu l'extrême-onction.

21. *H.J.O'Neill* est l'entreprise de pompes funèbres chargée de l'enterrement de Dignam. Ne pas confondre avec le J.J. O'Neill, marchand de thés et de vins, au 29, Essex Street East.

22. *Un agent en tournée salua le Père Conmee et le Père Conmee salua l'agent* : cette symétrie illustre la collusion entre police et Église, un thème cher à Joyce.

23. Le vicaire de *l'église sainte Agathe* porte le même nom que le vice-roi que l'on verra traverser Dublin dans la dernière section de l'épisode. On commence à voir que les homonymies font partie intégrante du fonctionnement du texte.

24. *Mud Island* est un quartier au nord-est de Dublin. Ses maisons en pisé lui avaient valu le surnom de « l'île de Boue ».

25. *L'église au lierre* est une église protestante épiscopalienne. L'absence de majuscule vient au secours de l'idéologie du Père Conmee.

26. Dès sa formation, l'ordre des Jésuites a mis l'accent sur une disponibilité à toute forme d'apostolat et dans tout pays.

27. *Aux millions d'âmes noires et brunes et jaunes...* : écho de la première Épître de saint Paul aux Thessaloniciens V, 2. : « Vous savez bien vous-mêmes que le jour du Seigneur doit venir comme un voleur de nuit. »

28. Dans l'ouvrage *Le Nombre des élus*, le Père A. Castelein, S.J., soutient que la majorité des âmes seront sauvées. Il s'oppose aux thèses des rigoristes pour qui seules le seront celles qui ont reçu le baptême.

29. *Les cloches sonnaient la joie dans la gaie Malahide* : premier vers de « *The Bridal of Malahide* » (« Les Noces de Malahide ») du poète irlandais Gerald Griffin (1803-1840). — Le fils de Lord Galtrim fut tué le jour de ses noces avec Maud Plunkett. Sa veuve épousa en troisièmes noces Richard *Talbot, Lord de Malahide*. Citation extraite du poème « Les Noces de Malahide ».

30. *La Baronnie du temps jadis* : *Old Times in the Barony* (« Au bon vieux temps des barons »), par le Père John Conmee, Dublin, Catholic Truth Society of Ireland (non daté). Cet ouvrage, paru vers 1902, évoque la nostalgie d'une vie rurale et simple. — *Mary Rochfort* fut accusée d'avoir commis l'adultère avec son beau-frère Arthur Rochfort. Le comte retint sa femme captive dans le comté de Westmeath et son frère s'exila.

31. *Son confesseur* : le Père Conmee néglige visiblement le fait que les Rochfort étaient protestants et trouve quelque satisfaction dans les secrets de la confession. — *Eiaculatio seminis inter vas naturale mulieris*, « avec éjaculation de sperme dans l'organe féminin approprié » : telle est la définition de la consommation du rapport sexuel selon le droit canon.

32. On a généralement recours aux *choux* pour occulter le rôle que joue le sexe dans la naissance des enfants. Conmee esquive ainsi les problèmes liés aux manifestations de la sexualité, laquelle ressurgira dans le sillage de Lynch et de sa compagne sortant de la haie.

33. *Rathcoffey* : la seconde partie du nom de cette localité est phonétiquement proche de *coffin*, « cercueil ». — De 1885 à 1891, le vrai Père Conmee avait été recteur de *Clongowes* Wood où Joyce étudia de 1888 à 1892.

34. Début du psaume LXIX : « Venez à mon aide, ô mon Dieu. »

35. « Heureux sont ceux qui sont intègres. La Vérité est le principe de vos paroles, tous les jugements de votre justice sont éternels. »

36. Il s'agit de Lynch. Dans « Les Bœufs du Soleil », il donnera sa propre version de l'incident.

37. « Les princes m'ont persécuté sans raison et mon cœur n'a été touché que de la crainte de vos paroles » : psaume CXVIII, verset 161.

38. *Rathcoffey* : cet agent appartient à la division C de la

police métropolitaine de Dublin. Le dialogue qui suit confirme que Kelleher est un indicateur de police.

39. *Qu'un bras blanc généreux...* : il s'agit du bras de Molly (nous en aurons la confirmation dans « Pénélope »).

40. *Pour l'Angleterre...* : extrait de la chanson « *The Death of Nelson* » (« La Mort de Nelson ») de S.J. Arnold et J. Braham.

41. *Notre père qui n'êtes pas aux cieux* : Boody déforme ici la première phrase du Pater Noster, « Notre père, qui êtes aux cieux ».

42. *La bouteille emmaillotée d'un papier crépon rose* : de retour chez lui Bloom verra cette bouteille sur un rayon de son buffet et Mollly évoquera le cadeau de Boylan dans « Pénélope ».

43. *La tige de la fleur rouge* : il convient ici de se souvenir que Bloom signifie « fleur ». Son rival n'en fait littéralement qu'une bouchée...

44. *Ma* : « Ma foi ! » ou « « Mais... ». — *Almidano Artifoni* : selon Ellmann, ce personnage devrait son nom au directeur de l'école Berlitz à Trieste. C'est grâce à lui que Joyce trouva un emploi de professeur à l'école de Pola. On peut penser que la bienveillance de ce « maître » serait inspirée du père Ghezzi, professeur à University College, qui encouragea Joyce dans ses recherches sur l'art.

45. La statue de l'écrivain irlandais *Goldsmith* (1728-1774) se trouve derrière les grilles de Trinity College.

46. *Visagespâles* : ce terme argotique désignait les Anglais.

47. Traduction de l'italien : « — Moi aussi j'ai eu des idées comme ça, quand j'étais jeune comme vous : et puis je me suis convaincu que le monde est idiot ! C'est ennuyeux. Parce que votre voix... ce serait le pactole, c'est sûr ! Au lieu de cela, vous vous sacrifiez. / — Sacrifice non sanglant. [...] / — Espérons. [...] Mais écoutez-moi : pensez-y ! » L'expression « *Sacrifizio incruento* » désigne le renouvellement du sacrifice du Christ dans l'Eucharistie. Ce jeu de mots d'intellectuels n'a rien d'original.

48. *La sévère main de pierre de Grattan* : la statue (en pierre) de ce chef du mouvement qui força la Grande-Bretagne à accorder l'indépendance législative à l'Irlande en 1782 s'élève devant ce qui était autrefois le Parlement d'Irlande.

49. Traduction de l'italien : « — J'y penserai [...] / — Pour de bon, n'est-ce pas ? [...] / — Le voilà ! [...] Venez me trouver et pensez-y. Adieu, cher ami. / — Mes respects, maître. Et merci ! / — De quoi ? [...] Et excusez-moi. Bien des choses, à nouveau ! »

50. *La Dame en blanc* : chef-d'œuvre de Wilkie Collins (1860), grand maître du mystère.

51. *Mary Cecil Haye* (1840 ?-1886), auteur de romans sentimentaux anglais très populaires.

52. En 1898 avait été posée dans St. Stephen Green la première pierre d'une statue de *Wolfe Tone* qui ne fut jamais érigée.

53. *Marie Kendall* : chanteuse et comédienne anglaise (1874-1964).

54. *À l'Ormond* : c'est le bar de cet hôtel, situé au 8, Ormond Quay Upper, qui servira de cadre à l'épisode suivant.

55. *Ringabella* est une petite baie et *Crosshaven* un village situé près de Cork. Ces deux toponymes sonnent comme des mots de passe.

56. Ce *clergyman* est un ministre protestant.

57. Le bastion des Fitzgerald était le château de Maynooth, à 25 km environ à l'ouest de Dublin. En 1534 c'est de là que partit Lord Thomas Fitzgerald accompagné d'un millier d'hommes. Ils traversèrent Dublin pour se rendre à l'abbaye où siégeait le conseil de la ville et là Silken Thomas (Thomas le Soyeux) se proclama rebelle à Henry VIII. L'appellation saint Mary abbey désigne soit le bâtiment où vient de se dérouler la scène évoquée précédemment (et non une abbaye), soit la ruelle où il se trouve. C'est ce dernier sens que l'on a ici mais une fois de plus Joyce brouille les pistes.

58. La synagogue d'*Adelaïde Road* fut consacrée en 1892.

59. Le 5 novembre 1605, Guy Fawkes avait tenté de faire sauter le Parlement réuni en session d'ouverture en présence de Jacques Ier d'Angleterre. Le complot, connu sous le nom de *conspiration des poudres*, avait vraisemblablement été fomenté par les catholiques.

60. Gerald Fitzgerald (1456-1513), 8e comte de Kildare, dit « Mor » (« le grand »), entra en conflit avec l'archevêque Creagh et mit le feu à la *cathédrale de Cashel* en 1495.

61. *Les Geraldine* : une autre façon de désigner les Fitzgerald, une célèbre famille anglo-irlandaise dont les origines remontaient à Guillaume le Conquérant.

62. *Richie Goulding* : Joyce a ajouté le nom du frère de Mme Dedalus à ceux des deux notaires associés dont l'étude était située au 31, Dame Street.

63. Les spectacles donnés dans les cafés-concerts de l'époque se déroulaient de façon continue, les mêmes *numéros* passant plusieurs fois. Pour aider les spectateurs qui entraient

et sortaient à s'y retrouver, Tom Rochford a inventé un système qui permet de savoir à quoi correspond ce qui se passe sur scène (Bloom évoquait cette invention dans « Les Lestrygons », p. 313).

64. *Il te file la corde autour du pauvre diable...* : cet épisode serait, selon Adam, inspiré d'un incident réel.

65. *Leopoldo, ou Le Seigle en Fleur* : « *When the Bloom is on the Rye* » (« Quand le seigle est en fleur »), paroles d'Edward Fitzball, musique de Sir Henry Bishop.

66. *C'est d'astronomie que ça parlait* : un sujet qui visiblement passionne Bloom.

67. *Sir Charles Cameron* (1841- 1924), d'origine irlandaise, était propriétaire de journaux à Dublin et à Glasgow. Il fut député libéral de Glasgow de 1874 à 1900.

68. *Je passais mon temps à lui border son plaid et à arranger son boa* : quand Bloom évoquera cette scène plus tard, Molly y sera présentée comme endormie, ce qui rendra l'incident supportable aux yeux du mari. Molly s'en souviendra dans son monologue final.

69. *Ce vieux Bloom a un côté artiste* : cette remarque rapproche Bloom de Stephen.

70. *Abominables révélations de Maria Monk* : cette Canadienne prétendit s'être échappée du couvent de l'Hôtel-Dieu à Montréal et dans son ouvrage violemment anticatholique, paru en 1836, elle dénonça les pratiques révoltantes dont elle prétendait avoir été témoin. — *Chef-d'œuvre d'Aristote* : ce livre à tendance pornographique, édité pour la première fois en 1694, ne doit rien au « Maître de ceux qui savent ». Lorsque Molly se souviendra de cet ouvrage que lui avait apporté son mari elle transformera le nom d'Aristote en Aristocrate.

71. *Contes du Ghetto* : *The Jewish Tales* (« Les Contes juifs »), recueil de contes de Leopold von Sacher-Masoch (1836-1895), publié à Chicago en 1894.

72. *Sweets of Sin* : il semble que le titre de cet ouvrage soit une pure invention de Joyce. Les premières lettres du titre de cet ouvrage font apparaître l'appel au secours qui figurait en début de l'épisode VIII. Ce roman, métonymiquement lié à l'adultère de Molly, apparaîtra plusieurs fois dans les épisodes qui suivent.

73. *Il lut là où son doigt ouvrit* : tout se passe comme si Bloom jouait à la divination prophétique sur le mode des *sortes*

Virgilianae. Cet exercice de bibliomancie lui permet de retrouver sa propre histoire conjugale.

74. *Je vais prendre celui-ci* : contrairement aux apparences, Bloom n'achète pas le livre ; le prix de l'abonnement au service de location de livres pornographiques qu'offre le boutiquier figurera dans les comptes de la journée tels qu'ils apparaissent dans « Ithaque ».

75. Le 16 juin 1904, on pouvait lire dans la dernière édition de l'*Evening Telegraph* un article consacré à la course *cycliste* qui avait eu lieu dans le parc de l'Université.

76. *Personne à Dublin qui me prêterait quatre sous* : un rappel de l'impécuniosité chronique du père de Joyce.

77. *Je vous laisserai tous là où Jésus a laissé les juifs* : c'est-à-dire condamnés à la damnation éternelle pour avoir crucifié Jésus.

78. Joyce sème de faux indices : *le Père Cowley* n'est peut-être pas un membre du clergé ; dans la section XIV il est vu lissant sa moustache, or les ecclésiastiques n'en portaient pas.

79. *Sur Carlisle bridge* : l'anglophilie de Kernan se montre dans le nom qu'il emploie pour désigner ce pont. À sa construction, il fut nommé Carlisle Bridge et en 1882 il fut renommé O'Connell Bridge.

80. Dans *The Task* (1785 ; IVe partie, v. 34), William Cowper définit ainsi le thé : « un breuvage qui réconforte sans enivrer ». Cette expression est devenue un cliché.

81. *C'est là-bas que Emmet a été pendu, éviscéré et écartelé* : en fait Emmet fut pendu avant d'être décapité.

82. *Saint Michan* : dans cette église furent enterrés un grand nombre de héros de la rébellion de 1798.

83. Le politicien *Sir Jonah Barrington* (1760-1834) s'opposa à l'Acte d'Union et écrivit *Personal Sketches of His Own Time* (« Souvenirs de son époque »).

84. *Chez Daly* : un tripot où se retrouvait la jeunesse aristocratique du début du XIXe siècle.

85. Près de la maison du comte de *Moira*, le major Sirr tendit une embuscade à Lord Edward Fitzgerald (1763-1798), l'âme de la révolution de 1798. Fitzgerald, qui était parvenu à s'enfuir, fut trahi par Francis Higgins, « le gentilhomme à la gomme ».

86. *Sûr ils étaient du mauvais côté* : cette remarque prouve une nouvelle fois que M. Kernan est opposé à l'indépendance de l'Irlande.

87. *En ces jours sombres et mauvais, ils se dressèrent* : vers

33 du poème patriotique : « *The Memory of the Dead* » (« Souvenir des morts », 1843) que John Kells Ingram écrivit à la gloire des événements de 1798.

88. *C'est au siège de Ross que trépassa mon père* : extrait de « *The Croppy Boy* » (« Le Ptit Tondu »), une ballade patriotique dont les paroles reviendront tout au long de l'épisode suivant. L'attaque menée le 5 juin 1798 par les rebelles catholiques vint échouer contre cette place forte tenue par les Anglais dans cette ville du sud-est du pays.

89. *Nées, toutes, dans la sombre terre véreuse, froides...* : écho de l'Évangile selon saint Jean, I, 5, « Et la lumière luit dans les ténèbres ».

90. *Là où les archanges déchus jetèrent les étoiles de leur front* : écho d'Apocalypse, XII, 4.

91. *Elle danse, cabriole, frétillant de la croupe* : on songe ici à la description de Salomé dans le chapitre V de *À rebours* (1884) de Huysmans.

92. *Grandpère magot repaissant ses yeux d'un trésor volé* : peut-être un écho de Yeats qui dans « *The Celtic Twilight* » (« Le crépuscule celtique » ; 1893) décrit une vision de l'enfer celte, comparé à l'enfer de l'artiste.

93. Le 7 avril 1860 le boxeur américain John C. *Heenan* et le Britannique Tom *Sayers* combattirent pendant plus de deux heures avant d'obtenir un match nul.

94. *L'Apiculteur irlandais* : sans doute *The Irish Beekeeper's Journal* (« Le Journal de l'apiculteur irlandais »). Joyce avait proposé au rédacteur de cette publication de traduire *La Vie des abeilles* de Maeterlinck. Le titre « La Vie et les Miracles de... » était généralement réservé aux saints, or le curé d'Ars ne fut canonisé qu'en 1923. De nombreux guides sont consacrés à Killarney, mais aucun ne porte ce titre.

95. *Huitième et neuvième livre de Moïse* : le Pentateuque (les cinq premiers livres de la Bible) est la partie la plus sacrée de l'Ancien Testament car il aurait été, selon le judaïsme, entièrement révélé à Moïse. Selon la cabale médiévale les quatre livres de Moïse le magicien auraient disparu et de nombreuses théories concernant ces livres perdus et leur traduction se développèrent au XIXe siècle.

96. *Sceau du roi David* : un hexagramme fait de deux triangles entrelacés, emblème du judaïsme.

97. *Se el yilo nebrakada femininum* : selon Gifford, cette

incantation qui mêle plusieurs langages signifierait : « N'aime que moi, ô petit paradis de féminité bénie ».

98. *Abbé Pierre Salanka* : selon la version allemande des 8e et 9e livres de Moïse, *le père Salanka* (et non Peter) serait le prieur (et non l'abbé) d'un célèbre monastère trappiste espagnol.

99. *Un visage Stuart d'un King Charles sans pareil* : cette comparaison est appelée par le destin tragique de Charles Ier et Jacques II, deux rois de la famille des Stuart. Le premier périt décapité et le second fut exilé.

100. *Long John* : John Fanning, personnage de fiction, shérif adjoint de Dublin.

101. *Ben Dollard* : ce personnage porte ici un pantalon trop grand, dans l'épisode suivant il en portera un si serré qu'il révèle son anatomie.

102. *Le Tholsel* : le nom de cet édifice construit en 1761 signifie « la baraque du percepteur de péage ». Il devait abriter les salles d'audience du tribunal et les bureaux de la mairie de Dublin avant d'être démoli en 1806. — *Ford of Hurdles* : traduction du nom gaélique de Dublin, « Baile Atha Cliath » ; « la ville du gué des claies ».

103. À la fin du XIXe siècle, *Lobengula*, roi des Matébélés, défendit férocement son royaume contre les incursions d'Européens attirés par les richesses du continent africain. En 1894, James Walshe, alias *Lynchehaun*, attaqua une propriétaire terrienne dans l'île d'Achill au nord-ouest de l'Irlande. Condamné à la réclusion à perpétuité il parvint à s'échapper de la prison où il était détenu et à se réfugier aux États-Unis. Il est l'exemple du bandit impitoyable et rusé.

104. *29 Windsor avenue* : c'est à cette adresse que la famille Joyce résida de 1896 à 1899.

105. *Mademoiselle Kennedy* et *mademoiselle Douce* sont les deux serveuses du bar de l'hôtel Ormond qui seront les personnages principaux de l'épisode suivant.

106. *Pas de ça pour moi* : William A. Boyd était secrétaire général du YMCA de Dublin. Il était protestant, ce qui explique la réaction négative de M. Cunningham.

107. *L'Adjoint Cowley* : aucun conseiller municipal portant ce nom n'était en fonction en 1904. Joyce a sans doute voulu créer une confusion avec le Père Cowley. — *Le Conseiller Abraham Lyon* était conseiller élu de Clontarf West, en 1903-1904.

108. *Je dirais qu'il est grande bonté en ce juif-là* : citation du *Marchand de Venise,* I, III, v. 148.

109. L'homme d'État américain *Henry Clay* donna son nom à un cigare.

110. *Les pères conscrits poursuivent-ils leurs paisibles délibérations ?* : il s'agit ici de la délibération du conseil municipal, mais l'appellation « pères conscrits » fait allusion au nom que reçurent les cent nouveaux sénateurs romains désignés par Brutus après l'expulsion des Tarquin en 510 av. J.-C. Leurs noms avaient été inscrits tous ensemble (*conscripta*) sur les murs du sénat.

111. *Le premier prévôt* : charge occupée par le frère de Parnell.

112. John *Barlow* portait la masse, symbole de l'autorité.

113. *Hutchinson* : lord-maire de Dublin 1904-1905. — *Llandudno* est une ville d'eaux en vogue au sud-ouest de Liverpool. — *Lorcan Sherlock* : secrétaire de mairie qui agit en tant que remplaçant (*locum tenens*) du lord-maire.

114. *Mélange* : terme, qui figure en français dans le texte anglais, qui s'inscrit tout à fait dans la thématique de l'épisode.

115. *L'Angleterre compte...* : début de l'adresse de Nelson à la flotte anglaise lors de la bataille de Trafalgar : « L'Angleterre compte que chaque homme aujourd'hui fera son devoir. »

116. *La note de Swinburne, de tous les poètes...* : citation extraite du poème de Swinburne, « *Genesis* » (« Genèse »), du recueil *Songs before Sunrise* (« Chants d'avant le lever du soleil »), strophe 9.

117. Né en 1887, Julius P. *Pokorny*, spécialiste des langues celtiques à l'université de Berlin, ne pouvait pas être professeur en 1904.

118. *M. Lewis Werner* : ce chirurgien ophtalmologiste au 31, Merrion Square North, n'a rien à voir avec Louis Werner, chef d'orchestre mentionné dans « Hadès ».

119. Les parents d'Oscar *Wilde* vécurent au 1, Merrion Square North.

120. *Coactus volui* : « ayant été forcé, j'ai voulu », expression qui appartient au vocabulaire de la justice et qui figure dans le Digeste de Justinien (IV, II, 21, 5).

121. *La vitrine dentaire de M. Bloom* : il n'existe aucun lien de parenté entre ce chirurgien-dentiste et le mari de Molly.

122. À la fin du mois d'avril 1904, M.L. Keogh livra un combat contre un certain Garry, du 6e Dragons, mais Joyce rem-

place le nom de Garry par celui de Percy *Bennett*, consul général à Zurich, qu'il n'aimait guère.

123. L'Anglais Robert Fitzsimmons fut champion du monde des poids lourds en 1897. Joyce a modifié l'orthographe du nom de ce boxeur.

124. L'Américain James *J. Corbett* fut champion du monde des poids lourds en 1892.

125. *William Humble,* deuxième *comte de Dudley,* fut lord-lieutenant d'Irlande de 1902 à 1905. Le Mirus Bazaar fut en fait inauguré le 31 mai 1904. — En 1904, le *lieutenant-colonel Hesseltine* était aide de camp au service du lord-lieutenant.

126. Les noms de ces deux femmes sont liés à l'histoire de l'Irlande. Henry William Paget fut à deux reprises lord-lieutenant d'Irlande (1828-1829 et 1830-1833). Il défendit la réhabilitation des catholiques en 1828 mais soutint les mesures de coercition prises à l'encontre de O'Connell. Il commanda la cavalerie de Wellington à Waterloo. Sir John de *Courcy* s'illustra lors de l'invasion de l'Irlande au XIIe siècle.

127. *Bloody bridge* : les propriétaires de ferries et d'entrepôts que la construction du pont privait d'une partie de leurs bénéfices envoyèrent leurs apprentis en expédition contre l'ouvrage. Il y gagna le surnom de « pont sanglant » car quatre des jeunes gens furent tués dans le combat.

128. *M. Dudley White* : un avocat résidant au 29, Kildare Street. *B.L.* est l'abréviation de *Bachelor of Law* (licencié en droit). *M.A.* celle de *Master of Arts* (maître ès lettres). Il n'a avec le vice-roi qu'un rapport d'homonymie.

129. William *King,* imprimeur, au 36, Ormond Quay Upper.

130. *La rivière Poddle* : Gifford fait remarquer que Joyce a déplacé cette rivière de près de 300 mètres vers l'ouest, sans doute pour les besoins de la cause.

131. Ne pas confondre ce *Dollard,* imprimeur de livres de comptes, avec Ben Dollard. — *Gerty Mac Dowell* : elle sera l'un des principaux personnages de l'épisode XIII, « Nausicaa ».

132. *G.C.V.O.* : *Grand Cross of the Victorian (royal) Order* (« Grand-croix de l'Ordre (royal) de Victoria »).

133. James *dernier cri* : en français dans le texte.

134. *Là où la patte avant du cheval de King Billy* : la statue équestre du roi Guillaume III, devant Trinity College. Il était un « bon roi » pour les loyalistes et non pour les nationalistes.

135. Il s'agit ici du *long mur* de la résidence du recteur de Trinity College.

136. *Ma môme est une fille du Yorkshire* : chanson de C.W. Murphy et Dan Lipton qui ne fut publiée qu'en 1908. La raison de cet anachronisme est peut-être à chercher du côté du sens du verbe « *to yorkshire* » qui signifie « tromper ». L'erreur, voire la duplicité, sont des thèmes principaux de l'épisode. La chanson fait allusion à deux jeunes gens qui ont, sans le savoir, la même petite amie dont ils découvrent qu'elle est mariée... Il n'est donc pas innocent que ce soit Boylan qui chante cette chanson.

137. *Finn's hotel* : l'hôtel où travaillait Nora Barnacle lorsque Joyce fit sa connaissance.

138. Pendant ses déplacements officiels, le lord-maire de Dublin portait une chaîne en *or*, emblème de sa fonction.

139. *La reine* Victoria et *le prince* Albert séjournèrent à Dublin du 6 au 10 août 1849. La presse de l'époque ne mentionne pas le passage du cortège dans les deux avenues mentionnées par Joyce.

140. On pense ici à la colombe que Jason lâcha pour qu'Argo puisse franchir les Symplégades avant que ces rochers mobiles ne se referment sur son vaisseau.

M.-D. V.

XI. LES SIRÈNES

1. Les éléments de cette ouverture thématique (voir la Notice, p. 1268) apparaissent sous une forme délibérément absurde et incompréhensible. Ce n'est que lors de leur réapparition systématique dans le corps de l'épisode que leur sens s'éclairera. Toutes les annotations explicatives seront donc différées jusqu'à cette résurgence.

2. *Commencez !* : c'est l'unique mot de cette ouverture qui ne soit pas repris dans le chapitre, ou du moins qui n'y apparaisse pas à la place qui devrait être la sienne : à la fin (voir la Notice).

3. *Elle* : lady Dudley, la vice-reine.

4. *Ce type* : Gerald Ward.

5. *Il se tue à regarder derrière* : comme Ulysse, qui, au péril de sa vie, s'abandonnerait à la séduction des sirènes s'il n'était pas attaché à son mât.

6. *Bloowho went by* : « Bloo(m)qui passait ». — *Moulang* est

bijoutier et importateur de pipes au nº 31 du Wellington Quay, Wine est bijoutier et antiquaire au 35 et Carroll bijoutier et négociant d'argenterie ancienne, au 29. On voit que l'ordre d'apparition des boutiques dans la phrase ne correspond pas à leur succession numérique et géographique le long de Wellington Quay. Cette infraction à la topographie dublinoise est suffisamment exceptionnelle dans l'œuvre de Joyce pour avoir intrigué la critique.

7. Bloom transporte à la fois dans son sein (*in his breast*) *Les Douceurs du péché*, l'ouvrage pornographique qu'il a acheté pour Molly, et dans sa mémoire les mots doux du péché que l'héroïne adresse à son amant Raoul.

8. *Mme de Massey* : c'est bien le nom de la propriétaire de l'hôtel Ormond, à la fin du siècle.

9. *Aaron Figatner* : bijoutier, au 26, Wellington Quay. — *Prosper Loré* : chapelier, au 22, Wellington Quay. — *Bassi* : fabricant de statues, au 14, Wellington Quay.

10. *Bluerobed* : vêtue d'une robe bleue. Les couleurs mariales (bleu et blanc) et l'invitation rédemptrice au pécheur ou à l'affligé (« viens à moi ») prennent un sens tout différent dans le contexte de cet épisode.

11. *Je n'ai pas pu voir* : Bloom n'a pas pu mener à bien son projet de vérifier si les statues de marbre de la National Library avaient un anus.

12. *Cantwell* : marchand de vins et spiritueux, au 12, Wellington Quay. — *Ceppi* : fabricant de statues, au 8-9, Wellington Quay.

13. *Clarence* : hôtel, au 6-7, Wellington Quay. — *Dolphin* : hôtel-restaurant, au 46, Essex Street, juste au sud de Wellington Quay.

14. *Pas encore* : il est trop tôt pour acheter un nouveau présent pour Molly, puisque Bloom lui apporte déjà un livre, *Les Douceurs du péché*.

15. *Rostrevor* : villégiature dans les monts Mourne, sur la côte irlandaise au nord de Dublin.

16. *Ô, Idolores* : déformation de *O, my Dolores* (« Ô ma Dolorès »), refrain de l'air « *The Shade of the Palm* » dans l'opérette *Floradora* (1899) de Leslie Stuart.

17. *Daly* : bureau de tabac au 1, Ormond Quay Upper.

18. *Le scribe et rédacteur en chef* : Myles Crawford.

19. *That minstrel boy of the wild wet west* : « *The Minstrel Boy* » est une des *Irish Melodies* de Thomas Moore.

20. *Troisième fois* : Bloom a déjà croisé Boylan à deux reprises dans la journée.

21. *La canette* : *popcorked bottle*, bouteille débouchée-bruyamment.

22. C'est le début de la chanson « *Goodbye, Sweetheart, Goodbye* » de J. Williams et J. Hatton, qui se poursuit dans les lignes qui suivent.

23. *Notes* : *keys*, touches (du piano).

24. La *rose de Castille* était le thème du calembour de Lenehan dans l'épisode VII, « Éole », mais dans la présente traduction elle a été remplacée par *L'Enlèvement d'Hélène* pour les besoins du jeu de mots.

25. Le thème de la *rose délaissée*, introduit ici, va se développer dans la suite de l'épisode sous la forme d'allusions à la mélodie de Thomas Moore, « *The Last Rose of Summer* » (« La dernière rose de l'été »), notamment parce que cette mélodie est reprise dans la *Martha* de Flotow.

26. *See the conquering hero comes* : poème de Thomas Morell, mis en musique par Haendel.

27. *Sceptre t'arrivera dans un fauteuil* : il s'agit du résultat escompté de la *Gold Cup*.

28. *Belle [...]. Pour moi* : la narration se mêle à la suite du refrain de *Floradora* (voir la n. 16), « *Fair one of Eden, look to the West for me* ».

29. *Accord perdu* : première allusion à la chanson de A. Proctor et A. Sullivan, « *The Lost Chord* ».

30. *Ce type Long* : c'est à dire Long John Fanning.

31. *Fuyez sombres soucis*, « *Begone dull care* » : chanson à boire du XVIIe siècle.

32. *Love and War* : duo pour ténor et basse de T. Cooke, dans lequel l'Amant rivalise avec le Soldat.

33. *Grisdocéan* : *seagreen*, vert mer.

34. Voir la Parabole des Noces, Évangile de saint Matthieu, XXII-12.

35. *Un joli nom* : les rognons induisent un train de souvenirs renvoyant à l'épisode IV, « Calypso ».

36. *La Fille du régiment* (1840) et *La Fille du tambour-major* (1879) sont deux opéras-comiques de Donizetti et d'Offenbach.

37. *Bachelier* : *bachelor*, célibataire.

38. *Vous êtes le guerrier* : Dollard se trompe de paroles. Dans ce duo, la basse chante le rôle du Soldat.

39. *Bloom ate liv as said before* : le mot *liver* (« foie ») est tronqué ; le processus de récapitulation s'accélère.

40. *La harpe qui jadis ou naguère* : *The harp that once or twice* : humour sur le titre de la mélodie de Moore, « *The harp that once through Tara's halls* » (« La harpe qui autrefois dans les salles de Tara »).

41. C'est la version italienne de « *Ach ! so fromm, ach so traut* », le grand air de Lionel dans *Martha* de Flotow, que Simon Dedalus va en fait chanter en version anglaise.

42. Le trajet de Boylan vers Eccles Street croise, dans l'ordre inverse, quelques-uns des jalons du parcours de Bloom.

43. Goulding fait allusion à « *Tutto è sciolto* » (« Tout est perdu ») de l'opéra de Bellini *La Sonnambula*.

44. *Choirboy style* : il [M'Guckin] avait un style de choriste. Le ténor irlandais M'Guckin, comme son rival anglais Joe Maas, avait en effet commencé à chanter dans un chœur d'église.

45. *Rognons* : la maladie de Bright dont souffre Goulding est une affection rénale, souvent liée à l'alcoolisme. — *Les douceurs du* : *Sweets to the* : l'allusion n'est pas ici aux *Douceurs du péché* mais aux paroles que prononce la reine Gertrude sur la tombe d'Ophélie: « *Sweets to the sweet* » (« Des douceurs pour la douce », *Hamlet*, V, I, v. 245). De même que les douceurs vont à la douce, les rognons vont au malade des reins.

46. *Quelle douce réponse* : d'après « *Echo* », une des *Irish Melodies* de Thomas Moor, « *How sweet the answer Echo makes* » (« Quelle douce réponse fait l'écho »).

47. *Still harping on his daughter* : écho d'*Hamlet*, « *Still harping on my daughter* » (II, II), comportant une nouvelle allusion musicale (la harpe).

48. Simon Dedalus chante le grand air de Lionel (voir la note 41).

49. *Chezplusquoi tympanons* : dans « Calypso », Bloom avait hésité sur ce mot ; l'hésitation est ici transférée à l'instance narrative.

50. *Les ligota bien serré* : comme Ulysse à son mât.

51. *My head it simply* : en évoquant les ténors et toutes les femmes qui perdent la tête pour eux, Bloom pense inévitablement à Boylan et aux paroles des « *Filles du bord de mer* », la chanson qu'il interprète, « *Your head it simply swirls* », qui était traduit dans « Calypso » par « Elles vous font tourner la tête ».

52. *Your head it simply swurls* : Bloom, qui avait converti la phrase à la première personne (*My head*), revient ici à la

deuxième personne. Il évoque la prononciation vulgaire de Boylan (*swurls* au lieu de *swirls*), qui l'empêchera toujours de « chanter dans le beau monde ». Dans « Calypso », cette prononciation défectueuse était rendue par « turnent ».

53. *Cork* : Simon Dedalus, comme le père de Joyce, est originaire de cette ville.

54. *Jenny Lind* : soprano célèbre au XIXe siècle, surnommée le Rossignol Suédois. On donna son nom à une soupe censée fortifier la voix.

55. *For creamy dreamy* : « Pour [une sonorité] crémeuse et rêveuse ».

56. La question posée par la correspondante de Bloom ressurgit avec les lilas du jardin de Mat Dillon dont l'odeur reste associée au souvenir de la rencontre de Molly.

57. Ce paragraphe reprend des bribes du discours grotesque de Dan Dawson.

58. Bluff Boylan, *Blazes Boylan* : généralement traduit par Flam Boylan.

59. *Nous ne nous parlons jamais…*, « *We never speak as we pass by* » : titre d'une chanson de F. Egerton. — *N'y touchez pas il est brisé, Rift in the lute* : encore une allusion musicale, à travers le poème de Tennyson « *The Rift within the Lute* » (1859). Ce poème décrit la méfiance comme une fêlure dans un luth qui finit par rendre l'instrument muet.

60. *Barraclough's voice production* : l'émission vocale selon Barraclough, professeur de chant enseignant à Dublin à l'époque.

61. Au *In paradisum* du Père Corbyatt au cimetière s'ajoute le *Corpus* entendu par Bloom plus tôt dans la matinée, au cours d'un autre service religieux (dans l'épisode V, « Les Lotophages »).

62. Au moment même où il prend conscience de l'influence de la signature sur la réception du message, Bloom s'apprête à écrire une lettre clandestine sous le pseudonyme d'Henry Flower.

63. Bloom lit distraitement la nécrologie du jour. La liste est interrompue par la réminiscence des cloches de l'église Saint Georges, associées à la mort de Dignam.

64. Bloom, toujours prudent, déguise son écriture. Joyce avait utilisé le même stratagème, quelques mois avant d'écrire ce passage, dans sa correspondance clandestine avec une jeune femme qui portait le même prénom, Martha Fleishmann.

65. *Sauce pour le jars* : expression proverbiale (*What is sauce for the goose is sauce for the gander*) signifiant littéralement : « Une sauce qui est bonne pour l'oie est aussi bonne pour le jars », c'est-à-dire « Ce que la femme peut se permettre, le mari peut se le permettre aussi ».

66. Voir l'air du Catalogue de *Don Giovanni : « Voi sapete quel que fa »*.

67. *Blot over the other* : éponger par-dessus l'autre. Bloom prend soin de superposer les lignes d'écriture pour créer sur le buvard un palimpseste indéchiffrable.

68. En pensant à la nouvelle primée publiée par *Pêle-Mêle*, Bloom se remémore le texte de celle qu'il a lue le matin, signée Philip Beaufoy. Ce nom est associé pour lui à celui de Mme Purefoy, en train de souffrir à la maternité. Mme Purefoy lui rappelle Mme Breen qui lui a appris la nouvelle de cet accouchement laborieux et la carte postale énigmatique envoyée à M. Breen.

69. Bloom fait allusion à une citation célèbre, qui n'est pas de Shakespeare, mais de William Congreve dans *The Mourning Bride* (1695) : « *Music hath charms to soothe a savage breast, / To soften rocks, or bend a knotted oak* » (« La musique a des sortilèges capables d'apaiser un cœur sauvage, / D'attendrir les rochers ou de faire plier un chêne noueux »).

70. Dans l'ensemble d'*Ulysse*, ce passage est un de ceux dont il est le plus difficile de déterminer le statut : que vient faire cette reprise du monologue intérieur de Stephen, dans « Charybde et Scylla », au beau milieu des pensées de Bloom ? Dans les paragraphes qui suivent, on peut remarquer de plus discrètes coïncidences entre les deux monologues, avec les mots « cheveux comme des algues » et « îles corpuscules ».

71. *House of mourning* : « maison en deuil » (voir Ecclésiaste, VII, 2). Il s'agit de la maison Dignam à laquelle Bloom va rendre visite, après son rendez-vous avec Martin Cunningham chez Barney Kiernan.

72. *Musique de chambre* : c'est le titre du premier recueil de poèmes de Joyce.

73. *Qui sdegno* : nom italien de l'air de Zarastro, « *In diesen heil'gen Hallen* », à l'acte II de *La Flûte enchantée* de Mozart, morceau de bravoure propre à mettre en valeur une voix de basse profonde.

74. Premiers mots du « Ptit Tondu » (« *The Croppy Boy* ») ; tout le passage qui suit reprend des paroles de cette chanson qui évoque les rebelles irlandais (les « *Croppies* »).

75. *Failed to the tune of ten thousand pounds* : littéralement « as fait faillite sur l'air de dix mille livres ». Joyce a introduit un grand nombre d'allusions musicales que le français ne peut pas rendre.

76. *Fondation Iveagh* : asile de charité à Dublin.

77. *Lay of the last minstrel* : titre d'un poème de Walter Scott.

78. Les formules sacrées en latin sont une fois de plus déformées. Ici le « *Nomine Dei* » de la chanson est remplacé par « *Nomine Domini* ». Voir aussi « *corpusnomine* » au paragraphe suivant.

79. *Michael Gunn* : dirigeant du Gaiety Theatre de Dublin à la fin du siècle.

80. En anglais, la forme archaïque du verbe indique qu'il s'agit d'une reprise, burlesque, de la citation apocryphe de Congreve (voir la note 69 ci-dessus).

81. *God made the country man the tune*, « C'est Dieu qui a fait le pays et l'homme qui a fait l'air » : jeu de mots sur la formule de William Cowper dans *The Task* (1785), « *God made the country and man made the town* » : (« C'est Dieu qui a fait la campagne et l'homme qui a fait la ville »).

82. Bloom actualise à sa manière le « Qui craint de parler de quatre-vingt-dix-huit » du poème de Charles Ingram, « *The Memory of the Dead* ».

83. *By the sad sea waves* : titre d'une chanson tirée de l'opéra *The Bride of Venice* (1843) de Julius Benedict.

84. *Rires à l'audience...* : la scène qui traverse fugitivement l'esprit de Bloom (un procès intenté par « Martha » pour abandon après promesse de mariage) prendra consistance dans l'épisode XV, « Circé ».

85. *Du bronze sur la face, brass in your face* : du culot sur le visage. Mais le mot *brass* désigne aussi la famille instrumentale des cuivres.

86. Dans une conversation avec George Borach, Joyce livre la clé de ce passage : les serveuses de bar sont comme les sirènes, femme attirante au dessus de la surface de l'eau et poisson en dessous. Au-dessus du bar, on aperçoit leur coiffure élaborée, leur visage avenant et leur buste pimpant, gainé de satin, mais leur moitié inférieure, hors de la vue des clients, est entourée de saleté et de déchets. Le point de vue transversal de Bloom (« la voit bien d'ici ») révèle cette dualité et le sauve de la

fascination amoureuse. Joyce rapproche ce désenchantement de la démystification de la musique qu'accomplit cet épisode.

87. En partant, Bloom passe en revue les accessoires qui l'accompagnent tout au long de la journée : le *savon* acheté chez le pharmacien (ce qui lui rappelle qu'il doit retourner chercher la *lotion*) et son chapeau *de luxe*, avec la *carte* qui y est dissimulée.

88. *Lablache* : célèbre basse de la première moitié du dix-neuvième siècle.

89. Le bureau de *poste* était en effet situé dans le même bâtiment que les bureaux de Ruben J. Dodd. — *C'est dix fois tr, One and eightpence too* : Bloom repense à la remarque de Simon Dedalus concernant le misérable pourboire donné par Reuben J. Dodd au batelier qui avait sauvé son fils de la noyade : « C'était un shilling huit de trop ». — *Arrêter avec ça, Get shut of it* : s'en débarrasser. Il s'agit de la lettre à Martha.

90. Le geste suggestif de la main de Miss Douce rappelle à Bloom sa première expérience érotique avec Molly sur le *Ben Howth*. — *Qui gouverne le monde* : d'après le poème de W. R. Wallace (1819-1881), « *The Hand that Rocks the Cradle is the Hand that Rules the World* » (« La main qui balance le berceau est la main qui gouverne le monde »).

91. Voir Proverbes, XXX, 19.

92. *Le registre mezzo, lower register* : le registre du bas, introduisant l'émission finale de Bloom, issue du registre inférieur.

93. Bloom revient sur *Le Ptit tondu*.

94. *Machin, macin* : Bloom évoque sous forme abrégée le mystérieux homme au Macintosh brun.

95. *We'd never, well hardly ever* : allusion à l'opérette de Gilbert et Sullivan, *H.M.S. Pinafore* (1878), où un futur marié promet qu'il ne trompera sa femme « jamais ou presque jamais ».

96. Bloom attribue à *Meyerbeer* les *Sept paroles du Christ* de Mercadante, après avoir attribué à celui-ci le « *Quis est homo* » de Rossini. Au début de la journée, il avait pourtant correctement situé les deux œuvres.

97. Le discours prononcé par Robert Emmet à la veille de son exécution se terminait ainsi : « Quand mon pays prendra sa place parmi les nations de la terre, alors, mais alors seulement, que mon épitaphe soit écrite : j'ai fini. »

DANIEL FERRER

XII. LE CYCLOPE

1. *A bit off the top* : équivalent familier de « circoncis » (mot à mot : « un petit morceau coupé du haut »), qui signifie aussi : « un peu cinglé ». C'est aussi le refrain d'une chanson de music-hall de l'époque.

2. La phrase vient de la lamentation de David sur le destin d'Israël après la mort de Saül et Jonathan (Deuxième Livre de Samuel, I, 19 et I, 25). C'est aussi un air de l'oratorio de Haendel *Saül* (1738).

3. *Jean de Dieu*, House of St. John of God : asile psychiatrique privé.

4. *Barney Kiernan* : tenancier de pub.

5. Le modèle du *citoyen* est Michael Cusack (1847-1907), fondateur de la Gaelic Athletic Association (1884) qui luttait pour la renaissance des anciens sports irlandais et représentait le noyau le plus intransigeant des nationalistes.

6. *L'amour de Barney* : *Barney mavourneen's*. « *Mavourneen* » : « mon amour » en irlandais.

7. Cette description poétique de l'Irlande du passé s'inspire d'une traduction par James Clarence Mangan (1803-1849) d'un poème en irlandais d'Aldfrid, roi de Northumbrie au VIIe siècle, « Le voyage du prince Alfrid à travers l'Irlande ». Le poème énumère toutes les richesses et beautés des différentes régions d'Irlande. *Inisfail* est un des noms poétiques de l'Irlande (*Inis Fail*, l'île du Fal, roche sacrée de Tara). — *La terre de Michan* : le pub de Barney Kiernan est dans la paroisse de Saint-Michan

8. *Une tour de guet* : allusion aux tours fortifiées que bâtirent les premières communautés religieuses en Irlande pour se protéger contre les attaques des Vikings

9. La crypte de l'église Saint-Michan contient des corps momifiés qui se sont conservés à travers les siècles. Plusieurs des chefs de la rébellion de 1798 y sont enterrés.

10. La célébration des forêts irlandaises disparues à la suite de l'occupation britannique était un thème nationaliste répandu. Cette énumération peut aussi rappeler un passage de l'Ecclésiastique (XXIV, 13-15) où la Sagesse se compare successivement à différents arbres enracinés dans la terre d'Israël.

11. *Eblana* : localité de l'Hibernia (nom romain de l'Irlande), qui devint plus tard le site de Dublin. — *Slievermargy* : montagne à une centaine de kilomètres au sud-est de Dublin. — *Munster*,

Connacht, Leinster : trois des quatre provinces traditionnelles de l'Irlande. — *Cruachan* : palais du roi de Connacht. — *Armagh* : ville d'Ulster, capitale religieuse de l'Irlande. — *Boyle* : ville de l'ouest de l'Irlande, célèbre pour son abbaye cistercienne.

12. Évocation du marché aux fruits, légumes et poissons dans le centre de Dublin. — *O'Connell Fitzsimon* : responsable du marché de Dublin en 1904.

13. *Haricots de Rangoon* : variété de melons ressemblant à des haricots verts géants.

14. *Perles de la terre* : qualificatif de l'oignon dans l'ancienne Égypte, où il était vénéré.

15. *Lusk* : village à une vingtaine de kilomètres au nord de Dublin. — *Rush* : petit port à une vingtaine de kilomètres au sud-est de Dublin. — *Carrickmines* : village à une quinzaine de kilomètres au sud-est de Dublin. — *Thomond* : petit royaume du nord de la province de Munster avant l'époque normande. — *M'Gillicuddy's reeks* : la plus haute chaîne de montagnes de l'Irlande, dans le comté de Kerry. Mais son point culminant n'atteint pas 1100 m. — *Shannon* : principale rivière de l'Irlande. — *Kiar* : un des trois fils de la légendaire reine Maeve de Connacht au Ier siècle après J.-C.

16. Toute cette liste d'animaux et de produits peut rappeler l'énumération des moutons, agneaux, chevreaux et fromages dans l'antre du Cyclope dans le chant IX de l'*Odyssée*.

17. *Garryowen* : ce nom est aussi le titre d'une ballade irlandaise sur un faubourg de Limerick, Garryowen, célèbre pour sa saleté et pour la rudesse de ses habitants.

18. *Cruiskeen lawn* : « petite cruche pleine » en irlandais ; titre d'une chanson à boire irlandaise.

19. *Il faisait son rebelle* : *doing the rapparee*. Les *rapparees* (« bandits » en irlandais) étaient des catholiques irlandais dépossédés de leurs terres par Cromwell et qui vivaient en pillant les propriétés que Cromwell avait données aux protestants. Après la défaite de Jacques II et le traité de Limerick (1691), les *rapparees* furent les soldats irlandais qui restèrent en Irlande pour harceler les troupes anglaises. — *Brigand des montagnes, Rory of the hill* : allusion au chant « Rory of the Hill » qui célèbre un fermier de ce nom qui lutta pour la défense des paysans catholiques contre les expropriations.

20. Allusion à la guerre russo-japonaise (1904-1905).

21. *La bibine du pays* : la bière Guinness.

22. Lors de la bataille politique autour de Parnell, un

membre de la famille MacAnaspey fit un long discours en faveur de ce dernier et l'orateur qui lui succéda dit simplement : « *Ditto MacAnaspey* » (c'est-à-dire : inutile de répéter, car je dirai la même chose).

23. *A chara* : « ô mon ami » en irlandais.

24. Un poème de Thomas Moore a pour titre « Erin, la larme et le sourire dans tes yeux ». L'image était devenue un cliché associé aux Celtes.

25. *Balbriggan* : village côtier à une cinquantaine de kilomètres au nord de Dublin.

26. *Brogues* : grosses chaussures de cuir mal dégrossi souvent portées en Irlande à l'époque

27. *Cuchulin* : héros légendaire d'Ulster. C'est l'un des héros irlandais mythiques les plus connus. — *Conn aux cent batailles* : roi d'Irlande (123-157), premier de la lignée des anciens rois. — *Niall aux neuf otages* : roi d'Irlande (379-405) ; il envahit la Grande-Bretagne, puis la Gaule. — *Brian de Kincora* : Brian Boru. — *Les Ardri Malachi* : *ardri* signifie « grand roi » en irlandais. — *Art MacMurragh* : roi de Leinster (1377-1417) ; il combattit la domination de Richard II sur l'Irlande. — *Shane O'Neill* : noble irlandais (1530-1567), l'un des plus farouches opposants à la domination anglaise en Irlande. — *Le Père John Murphy* : prêtre nationaliste (1753-1798), l'un des chefs de la rébellion de 1798. Il fut capturé et exécuté. — *Owen Roe* : général irlandais (1590-1649) ; il commanda les forces irlandaises loyales à Charles Ier et fut écrasé par les armées de Cromwell. — *Patrick Sarsfield* : général irlandais (1650-1693) qui soutint les droits de Jacques II au trône d'Angleterre. — *Hugh O'Donnell le Rouge* : grand seigneur irlandais (1571-1602) qui mena l'ultime soulèvement gaélique. — *Jim MacDermott le Rouge* : d'abord membre de la Irish Republican Brotherhood, il fut ensuite considéré comme un traître à la cause nationaliste. — *Soggarth Eoghan O'Growney* : prêtre irlandais (1863-1899), il fut l'un des fondateurs de la Gaelic League (1893). — *Michael Dwyer* : nationaliste irlandais (1771-1816), l'un des chefs de la rébellion de 1798. — *Francy Higgins* (1746-1802) : il devint propriétaire du *Freeman's Journal*, qu'il utilisa contre le nationalistes. — *Henry Joy M'Cracken* : nationaliste irlandais (1767-1798), un des chefs des United Irishmen d'Ulster. — *Horace Wheatley* : acteur de music-hall célèbre dans les années 1890. — *Thomas Conneff* : personnage non identifié. — *Peg Woffington* : Margaret Woffington (1720-1760), actrice irlandaise

célèbre pour sa beauté. — *Le Forgeron du Village* : titre et héros de l'un des *Psaumes de Vie* (1840) du poète américain Henry Wadsworth Longfellow. — *Le Capitaine Clair de lune* : signature fréquemment utilisée dans les lettres envoyées par des membres de la Ligue Agraire lors de l'agitation en faveur de la réforme agraire dans les années 1870 et 1880. — *Le Capitaine Boycott* : Charles Cunningham Boycott, régisseur d'un propriétaire foncier en 1880, expulsa ses fermiers et la Ligue Agraire décida que personne ne devrait plus avoir le moindre rapport avec lui. — *Saint Fursa* : saint irlandais qui mourut en 650 ; il écrivit des *Visions* qui décrivent un voyage de l'enfer au ciel et ont fait voir en lui un précurseur de Dante. — *Saint Brendan* : saint irlandais (484-577) qui fonda des monastères en Irlande et en Bretagne et fut appelé Brendan le Navigateur à cause de ses voyages légendaires. Il aurait découvert l'Amérique. — *Le Maréchal MacMahon* : ce président de la République française (1873-1879) était d'origine irlandaise. — *Theobald Wolfe Tone* : révolutionnaire irlandais (1763-1798) et l'un des héros les plus populaires de l'Irlande. Il essaya d'obtenir le soutien français pour la rébellion irlandaise, mais fut capturé et se suicida dans sa prison. — *La Mère des Macchabées* : les Macchabées étaient une grande famille juive à laquelle appartenait Salomé, qui fut exécutée en 168 avant J.-C. par Antiochus Épiphane pour avoir refusé d'abandonner la religion juive. — *Le Candidat de Galway* : « *The Man for Galway* », titre d'une chanson de Charles James Lever (1806-1872). — *L'Homme qui a fait sauter la banque à Monte Carlo* : c'est le titre d'une chanson de music-hall de Fred Gilbert. — *Le Troisième Larron* : *The Man in the Gap* était dans l'ancienne Irlande l'homme chargé de venger les insultes faites à sa tribu. Il lui fallait surveiller les lieux dangereux comme les gués et les brèches, par où pouvait passer l'ennemi. — *La Femme qui n'osa point* : variation sur le titre du roman de Grant Allen *La Femme qui osa* (1895), qui raconte les efforts d'une femme pour s'émanciper par « l'amour libre ». — *John L. Sullivan* : champion de boxe américain des poids lourds en 1882, d'origine irlandaise. — *Savourneen Deelish* : « Ma fidèle bien-aimée » (irlandais). Titre d'une ballade de George Colman. — *Sir Thomas Lipton* : commerçant d'origine irlandaise qui fit sa fortune dans le thé qui porte son nom. — *Michel-Ange Hayes* : illustrateur et caricaturiste dublinois. — *La Fiancée de Lammermoor* : titre d'un roman de Walter Scott (1819) qui fut la source de l'opéra de Donizetti *Lucia di Lammermoor* (1835). — *Pierre l'Ermite* : religieux français qui prêcha la première croisade et fut l'un des chefs de la croisade populaire en 1096. — *Pierre le Prévaricateur* : surnom de Lord Peter O'Brien de Kilfenora, président de la Haute Cour de justice d'Irlande. Hostile aux nationalistes, il avait la réputation de « *packing juries* » (composer des jurys qui lui étaient acquis), d'où son surnom de « *packer* ». — *La Brune Rosalinde* : « *My Dark Rosaleen* » (« Ma sombre Rosaleen ») est le titre d'une chanson irlandaise du XVIe siècle à la gloire de l'Irlande, dont Rosaleen est une personnification. Sa plus fameuse version est celle de James Clarence Mangan (1803-1849). — *Capitaine Nemo* : héros du roman de Jules Verne *Vingt mille lieues sous les mers* (1870). — *Tristan et Yseut* : dans la légende, Yseut est une princesse irlandaise et c'est en Irlande que commence son histoire d'amour avec Tristan. — *Le premier Prince de Galles* : Édouard II (roi de 1307 à 1327) fut le premier héritier du trône à porter le titre de prince de Galles. Mais il y a peut-être aussi là une allusion à Llywelyn ap Gruffydd, qui en 1258 se proclama prince de Galles par défi envers l'Angleterre. — *Thomas Cook et fils* : célèbre agence de voyages fondée par Thomas Cook et son fils. — *Le Hardi Petit Soldat* : titre d'un poème de Samuel Lover qui célèbre les plaisirs de la vie militaire. — *Arragh na Pogue* : « Arrah qui aime embrasser » en irlandais ; titre d'une pièce (1864) de l'auteur irlandais Dion Boucicault. — *Dick Turpin* : célèbre voleur de grand chemin anglais qui fut exécuté en 1739. — *Ma belle Irlandaise* : *The Colleen Bawn* (« La Jeune fille blonde » en irlandais) ; titre d'une pièce (1860) de Dion Boucicault. C'est aussi le titre d'une ballade dans l'opéra *Le Lis de Killarney* (1862), inspiré de la pièce de Boucicault. — *Healy marche-en-canard* : il s'agit probablement de John Healey, archevêque de Tuam, qui se dandinait en marchant. — *Angus servant Dieu* (*Angus the Culdee*) : les *culdees* (« serviteurs de Dieu ») étaient des anachorètes irlandais des VIIIe et IXe siècles. — *Dolly Mount* : Dollymount est un village sur la côte nord-est de Dublin. — *Sydney Parade* : avenue et quartier du sud-est de Dublin. — *Ben Howth* : colline au nord-est de Dublin. — *Valentin Greatrakes* : célèbre guérisseur irlandais du XVIIe siècle. — *Adam et Ève* : c'est aussi le nom courant de l'église Saint-François-d'Assise à Dublin. — *Arthur Wellesley* : le duc de Wellington, né à Dublin. — *Boss Croker* : Richard « Boss » Croker, homme politique d'origine irlandaise, responsable de l'organisation du parti démocrate à New York de 1886 à 1902. — *Jack le tueur-de-géants* : héros d'un conte pour enfants célèbre, il possède un manteau qui rend invisible, des bottes de sept lieues et une épée magique. — *Bouddha Gautama* : le nom complet du Bouddha est Siddhârta Gautama. — *Lady Godiva* était l'épouse du comte de Chester au XIe siècle. Lorsqu'elle demanda à son mari de diminuer les impôts de la ville, il répondit qu'il accepterait si elle traversait la ville de Coventry nue sur un cheval ; par gratitude envers elle, tous les habitants de la ville refusèrent de regarder, sauf un tailleur, « *Peeping Tom* » (« Tom le voyeur »), qui regarda et pour sa punition devint aveugle. — *Balor le Mauvais Œil* : héros irlandais légendaire. Il avait un œil qui avait le pouvoir d'enlever toute force à l'ennemi. — *La Reine de Saba* : reine légendaire d'un royaume du sud de l'Arabie, qui rendit visite à Salomon. — *Acky Nagle* : John Joachim (« Acky ») Nagle et ses deux frères James Joseph (mentionné ci-après) et Patrick tenaient un pub bien connu à Dublin. — *Alessandro Volta* : physicien italien dont les découvertes en électricité aboutirent en 1800 à l'invention de la pile électrique. — *Jeremiah O'Donovan Rossa* : nationaliste irlandais qui préconisait l'action violente contre les Britanniques et fut surnommé « Dynamite Rossa ». — *Don Philip O'Sullivan Beare* : historien espagnol né en Irlande, auteur d'une chronique de l'époque élisabéthaine, *Historiae Catholicae Iberniae Compendium* (1621).

28. *Notre membre prudent* : Bloom. Les règles de l'ordre maçonnique interdisent aux membres les conversations touchant à la maçonnerie en présence de non-initiés.

29. *Pill lane et Greek street* : rues qui bordent le marché de Dublin sur sa partie ouest.

30. Il y a de multiples *Rory* dans l'histoire irlandaise. Parmi les plus célèbres, on trouve Roderick (Rory) O'Connor (1116-1198), dernier des anciens rois d'Irlande, et aussi Rory O'More qui fut l'un des chefs de la rébellion de 1641.

31. Le nationalisme un peu prudent du *Freeman's Journal* faisait dire aux extrémistes qu'il était « subventionné » et compromis avec le Home Rule Party, dont les positions étaient assez modérées.

32. En 1852, environ la moitié des députés irlandais de la Chambre des communes s'engagèrent à défendre une politique d'indépendance à l'égard des deux grands partis, conservateurs et libéraux, tout en appuyant de leurs votes celui des deux qui soutiendrait des réformes en Irlande. Dans les années 1880, sous la direction de Parnell, le parti irlandais participa à une coalition avec le parti libéral de Gladstone, mais après la chute

de Parnell en 1890 cette coalition éclata. Après 1900, le parti libéral s'avéra incapable de soutenir l'émancipation de l'Irlande, mais les parlementaires irlandais continuèrent à appuyer les libéraux.

33. Bien qu'ayant maintenu son soutien à Parnell pendant quelque temps après sa chute, le *Freeman's Journal* finit par lui retirer son appui en septembre 1891. Parnell se préparait à lancer *The Irish Daily Independent* lorsqu'il mourut et le journal ne commença à être publié qu'en décembre 1891. Il passa rapidement entre les mains du groupe opposé à Parnell et fut racheté en 1900 par William Martin Murphy.

34. Les noms et adresses que lit le citoyen viennent du *Irish Daily Independent* du 16 juin 1904. Il omet en fait plusieurs noms irlandais et ne garde que les personnes ayant des adresses anglaises.

35. *Mon coco, my brown son* : expression argotique désignant le pénis.

36. William Martin Murphy, originaire de *Bantry*, adversaire de Parnell dans sa dernière période, était propriétaire notamment de l'*Irish Daily Independent*.

37. *Collis et Ward* : notaires.

38. Le sous-shérif de 1904, John Clancy, était connu pour ses réticences à mettre à exécution les rares pendaisons qui avaient lieu à Dublin dans la prison de *Mountjoy*. Il y avait à Dublin en 1904 toute une controverse sur l'éventuelle condamnation à mort de Thomas Byrne, qui attendait d'être rejugé pour le meurtre de sa femme.

39. Lord Iveagh et Lord Ardilaun, frères, mais non *jumeaux*, possédaient la brasserie Guinness.

40. *Léda*, séduite par Zeus qui avait pris la forme d'un cygne, donna naissance aux jumeaux Castor et Pollux qui se rendirent célèbres par de nombreux exploits.

41. Écho d'*Hamlet* (I, IV, v. 14-16).

42. *Un teston* : pièce d'un shilling d'argent et de bronze introduite sous le règne de Henry VIII.

43. La reine Victoria était la petite-fille de George III, qui descendait des ducs de Brunswick.

44. Écho du Psaume C, 1.

45. *L'éthiopien* : *ethiop* fut jusqu'au XVIIIe siècle un terme générique appliqué indistinctement à tous les peuples africains noirs.

46. Dans l'hindouisme, les *tantra* sont des recueils de for-

mules rituelles consacrées à l'évocation des divinités, l'acquisition des pouvoirs magiques et l'extase par la méditation. Ils étaient largement utilisés par les théosophes et les spiritualistes.

47. *Double éthérique* : en théosophie, l'être humain est composé d'un « corps dense » et d'un « corps éthérique » ou « double ». Après la mort, le double éthérique se désintègre et un nouveau double éthérique est créé pour la renaissance de l'âme. — *Rayons jiviques* : le *jiva* est le principe de vie de chaque âme.

48. Le *corps pituitaire*, ou glande pituitaire (en fait l'hypophyse), est considéré par certains théosophes comme ce qui unit l'âme et le corps.

49. En théosophie, le *pralaya* est la période entre la mort et la renaissance de l'âme.

50. *Comme en un miroir et confusément* : écho de la Première Épître aux Corinthiens (XIII, 12). — Le plan *atmique* est en théosophie le plan où les pouvoirs divins règnent sans partage. Ceux qui sont parvenus à ce niveau ont atteint la sagesse parfaite.

51. Cette orthographe parodie le goût des théosophes pour les termes de sanscrit.

52. Dans l'hindouisme, *Maya* est l'univers physique des sens conçu comme un monde d'illusion. « Être *du mauvais côté de Maya* », c'est ne pas avoir encore entamé l'évolution spirituelle qui mène à *Atma*.

53. *Cercles dévaniques* : dans le bouddhisme, un *deva* est un être divin. Les cercles dévaniques sont les cercles de ceux qui sont parvenus à *Atma*. — En astrologie, la planète *Jupiter* incarne le principe d'équilibre et d'ordre. *Mars* est une planète souvent maléfique et associée à l'agressivité. L'« angle oriental » du Bélier est sa zone dans le zodiaque. Le signe du Bélier manifeste parfois une énergie brutale et chaotique.

54. Selon certaines légendes, *Banba* était l'aînée des trois filles de Caïn et fut l'une des premières occupantes de l'Irlande. Une autre tradition veut qu'elle ait été reine des Tuatha De Danann, race de héros mythiques. Son nom est devenu un nom poétique de l'Irlande.

55. *Bon dieu de bois* : *Christ M'Keown*, juron irlandais.

56. *Joe Gann* : nom d'un des deux employés du consulat britannique de Zurich, contre qui Joyce avait gardé une rancune durable parce qu'il avait refusé de témoigner pour lui lors du procès de Joyce contre le consul britannique de Zurich, Henry Carr, en 1918-1919. — *Bootle* : prison de haute sécurité près de

Liverpool. — Deux lignes plus bas, *Pentonville* : prison de haute sécurité à Londres.

57. Un bourreau anglais du nom de *Billington* se rendit célèbre pour avoir pendu trois Irlandais en une semaine en 1889. — *Toad Smith* : « Smith le crapaud », « Smith l'immonde ». Smith est le nom de l'autre employé du consulat britannique de Zurich.

58. Allusion à Sir Horace *Rumbold,* ambassadeur britannique à Berne, contre qui Joyce garda une rancune tenace à la suite de l'affaire Carr.

59. *Pays Noir* : région d'industrie minière et métallurgique du Staffordshire et du Warwickshire.

60. *L'Érèbe* : dans la mythologie grecque, c'est le royaume des ténèbres, qui sépare le monde d'en-haut de l'Hadès.

61. *Déconadologie, codology* : jeu de mots sur « *cod* » (morue) et « *to cod* » (raconter des balivernes). En argot, *cod* désigne également le scrotum ou les testicules.

62. *Kilmainham* : prison de la banlieue ouest de Dublin où furent emprisonnés et exécutés de nombreux nationalistes.

63. Citation des *Essais moraux* (Épître I, v. 262-263) (1731-1735) de Pope.

64. *Blumenduft* : « Parfum de fleur » en allemand.

65. *Corpora cavernosa* : « corps caverneux » en latin.

66. *Philoprogénérative* : « portée à la reproduction de descendance ». — *In articulo mortis...* : « à l'article de la mort par retranchement de la tête » en latin.

67. *La vieille garde* : les fondateurs du Mouvement Fénian : John O'Leary, Charles Joseph Kickham, Jeremiah O'Donovan. Ils furent arrêtés et déportés en 1865. *Soixante-sept* : 1867, date d'une tentative de soulèvement organisée par les Fénians et qui fut un échec. *Quatre-vingt-dix-huit* : la rébellion de 1798.

68. *Jacob* : fabricants de biscuits qui avaient une usine à Dublin.

69. Henry et John *Sheares* étaient membres des United Irishmen et participèrent à la rébellion de 1798. Ils furent trahis et exécutés.

70. *Robert Emmet* fut capturé alors qu'il allait dire adieu à sa fiancée Sarah Curran avant de partir en exil. Thomas Moore a écrit sur elle un poème : « Elle est loin du pays ».

71. *Pisseur Burke* : compère du Narrateur anonyme, source inépuisable de ragots. — *Une espèce de demeuré, Loodheramaun* en irlandais : « quelqu'un dont on a honte », « imbécile ».

72. Cette phrase apparaît de façon quasi identique dans une chanson de Thomas Moore, « Où est l'esclave ? ».

73. Ce reportage à sensation de l'exécution de Robert Emmet s'inspire parodiquement de la nouvelle de Washington Irving « Le cœur brisé » (1819-1820).

74. Fanfare du Club ouvrier conservateur de Dublin.

75. *Speranza* : pseudonyme de Lady Wilde, mère d'Oscar Wilde, qui participa au mouvement des Jeunes Irlandais en 1848 et écrivit des poèmes d'un nationalisme enflammé.

76. Titre d'une ballade irlandaise du XVIIIe siècle qui raconte sur le mode burlesque la dernière soirée d'un condamné à mort, passée à boire et à jouer aux cartes, puis sa pendaison.

77. *L'Île d'Émeraude* : image traditionnelle de l'Irlande.

78. Italien : littéralement « Baisers-baisers Assez bien Très bien ». — *The grandjoker Vladinmire Pokethankertscheff. Grandjoker* : « grand rigolo ». *Vladinmire* : « Vlad dans la fange ». *Pokethankertscheff* : jeu de mots sur « *pocket handkerchief* » (mouchoir de poche). — *Schwanzenbad* : parodie des noms de villes thermales allemandes qui se terminent par « Bad ». *Schwanz* : « queue ». *Hodenthaler* : « habitant de la vallée des testicules ». — *Marha Viraga Kisaszony Putrapesthi* (hongrois). *Marha* : « vache ». *Viraga* : « fleur ». *Kisaszony* : « mademoiselle », mais aussi jeu de mots sur *kiss ass* (« baise cul »). *Putrapesthi* : jeu de mots à la fois sur « Budapest » et sur l'anglais « *putrid* » (putride) et « *pest* » (peste). — *Hiram Y. Bomboost.* Hiram est le nom d'un des rois de Tyr (969-935) qui fut allié de Salomon. — *Athanathos* (grec) : « immortel ». — *Effendi* : terme de respect en turc. — *Malora* : « malheur » en espagnol. — *Hokopoko* : jeu de mots sur « *hocus pocus* » (supercherie, charabia). — *Hi Hung Chang.* Li Hung-Chang (1823-1901) dirigea la politique extérieure de la Chine et mit fin à la guerre sino-japonaise en 1895. — *Kobberkeddelsen* : jeu de mots sur « *copper kettle* » (« bouilloire en cuivre »). — *Mynheer Trik van Trumps* : jeu de mots sur « *trick* » (levée aux cartes) et « *trumps* » (atouts). — *Pan Poleaxe Paddyrisky. Pan* : « monsieur » en polonais. Jeu de mots sur le nom du pianiste Jan Paderewski (1860-1941), « *Paddy* » (diminutif irlandais courant) et « *poleaxe* » (hache d'armes, arme offensive munie d'un long manche et d'un fer large), mais aussi « *Polacks* », nom péjoratif des Polonais en anglais. — *Goosepond* : « mare aux oies », mais aussi jeu de mots sur le mot russe « *gospodin* » (« monsieur »). — *Borus Hupinkoff* : jeu de mots sur l'opéra de Moussorgski *Boris Godounov* (1874) et sur

« *whooping cough* » (« coqueluche »). — *Herr Hurhausdirektorpresident Hans Chuechli-Steuerli* (allemand) : « Monsieur le président-directeur de la maison de passe Hans Petit-gâteau-Petit-impôt ». — *Suspensorium* : « suspensoir ».

79. *A.D.L.I.D.E.* : « Amis De L'Île D'Émeraude ».

80. Personne ne connaît le jour de la naissance de saint Patrick.

81. *Booterstown* : ce village, situé à quelques kilomètres au sud-est de Dublin, était fier d'avoir un commissariat de police.

82. *Pagamimi* : jeu de mots sur « *paga mi* » (« paie-moi » en italien) et le nom du violoniste Nicolo Paganini.

83. *Gladiolus Cruentus* : « glaïeul (ou poignard) ensanglanté » en latin.

84. *Hoch* (allemand) : « sublime ». *Banzai* (japonais) : « Puissiez-vous vivre dix mille ans » (cri de bataille et salut à l'empereur). *Eljen* (hongrois) : « Longue vie à vous ». *Zivio* (serbo-croate) : « Longue vie à vous ». *Polla kronia* (grec moderne) : « Longue vie à vous ». *Evviva* (italien) : « Hourrah ».

85. La soprano italienne Angelica *Catalani* (1779-1849) était célèbre pour avoir une voix qui couvrait deux octaves.

86. À Rome en 1347, Cola di *Rienzi* renversa l'aristocratie par un soulèvement, prit le titre de tribun et instaura une dictature, s'efforçant de faire revivre la gloire romaine du passé.

87. Allusion à la fête du *Très Précieux Sang* de Notre Seigneur Jésus-Christ, le 1er juillet, instituée en 1849 par Pie IX en l'honneur de la victoire des armées françaises et pontificales sur la révolution de 1849 qui avait chassé le pape de Rome.

88. Il y avait effectivement à Dublin une Société des malades et indigents à domicile.

89. *Sheila* : l'un des nombreux noms emblématiques de l'Irlande.

90. *Hurley* : sport irlandais qui ressemble un peu au hockey sur gazon, mais est beaucoup plus brutal. La pratique de ce jeu était encouragée par la Gaelic Athletic Association.

91. Sarah Curran épousa en 1806, trois ans après la mort de Robert Emmet, le capitaine Henry Sturgeon de la Royal Military Academy (et non d'Oxford).

92. Lors de la révolte des Cipayes en Inde (1857-1858), des exécutions eurent effectivement lieu de cette manière.

93. « *Une larme furtive* » est le titre d'un des grands airs de l'opéra de Donizetti *L'Élixir d'amour* (1832).

94. *Limehouse* : quartier pauvre de l'East End à Londres.

95. *Shoneens* : « prétendus gentlemen [qui singent les Anglais] » en irlandais.

96. Il s'agit de la St Patrick's Anti-Treating League, fondée en 1902 pour combattre l'habitude du « *treating* » (chacun doit payer une tournée à tour de rôle) qui encourageait l'alcoolisme.

97. *Elle pouvait y aller…* : allusion à une chanson de Samuel Lover. — *Cocarde bleue* : insigne des membres de la Blue Ribbon Army, société antialcoolique fondée par le révérend Theobald Mathew.

98. Slogan antialcoolique créé par l'humoriste irlandais Robert A. Wilson, lui-même grand buveur.

99. L'origine de cette expression est dans une ballade écossaise qui raconte les vains efforts d'un paysan pour nourrir sa vache en lui jouant du violon au lieu de lui donner du fourrage.

100. *Pilotes du ciel* : « prêtres » ou « pasteurs » dans l'argot des marins.

101. *Pro bono publico* : « pour le bien public » en latin.

102. Tout le passage parodie les comptes rendus de soirées organisées dans les milieux du renouveau gaélique, comme on en trouvait dans *An Claidheamh Soluis*, le journal de la Gaelic League.

103. *Owen Garry* : roi légendaire du Leinster au IIIe siècle.

104. *Douce Petite Branche, An Craoibhin Aoibhinn* : pseudonyme irlandais du poète, traducteur, et plus tard premier président de l'Eire, Douglas Hyde.

105. Anthony *Raftery* (1784-1835), poète irlandais aveugle connu comme « le dernier des bardes ». À la fin du XIXe siècle, ses œuvres, essentiellement orales, furent redécouvertes et traduites par Douglas Hyde et Lady Gregory. — *Donal MacConsidine* : Domhnall Mac Consaidin, poète gaélique qui vécut à la fin du XVIIIe siècle dans le comté de Clare.

106. *L'englyn gallois* : forme métrique de la poésie galloise caractérisée par des règles très exigeantes sur le nombre de syllabes, les rimes, les rimes internes et les allitérations. Elle atteignit son sommet au XIVe siècle.

107. Parodie des efforts des poètes de l'Irish Revival pour imiter la poésie irlandaise ancienne.

108. Le music-hall de Dan *Lowry*, l'Empire Palace.

109. Lorsque quelqu'un empruntait de l'argent en donnant son assurance sur la vie comme garantie, l'emprunt n'était autorisé que lorsque la compagnie d'assurances avait donné son accord. Cette restriction était la source de nombreux procès.

110. *Shylock* : l'usurier juif dans *Le Marchand de Venise* de Shakespeare.

111. Ce lapsus de Bloom révèle ses inquiétudes concernant Molly et Boylan. Il a commencé par dire « *the wife's admirers* » (« les admirateurs de la femme »), puis s'est repris en corrigeant « *the wife's advisers* » (« les conseillers de la femme »).

112. *Bride street* : dans les Liberties, quartier pauvre de Dublin.

113. Peut-être un jeu de mots sur « *testament* » et « *fundament* » (« postérieur »).

114. Le maire de Dublin était élu par les membres de la Dublin Corporation, et le sous-shérif, qui supervisait les élections, avait une grande influence sur le résultat.

115. À la fin du Chant I de l'*Énéide* (v. 740-741), le poète Iopas (« *crinitus Iopas* » : « Iopas aux longs cheveux ») chante lors du banquet dans le palais de Didon.

116. Dans sa dédicace au poème « Le Corsaire » (1814), Byron présente Thomas Moore comme « le poète de tous les cercles et l'idole du sien ».

117. *Son bain pour la gale de mouton* : on soignait la gale des moutons en les plongeant dans un bain d'eau additionnée de chaux et de soufre. — *La langue de bois* : il s'agit de l'actinomycose, infection caractérisée par des lésions de la peau et parfois des poumons et du tube digestif.

118. *Mme O'Dowd* : propriétaire du City Arms Hotel.

119. *La question* : la question des remèdes à apporter à l'épidémie de fièvre aphteuse.

120. Cette association nationaliste se plaignait au Parlement, par l'intermédiaire de Nannetti, de ne pas être autorisée à organiser des jeux irlandais dans Phœnix Park.

121. *M. Vachar de l'Acre, Mr Cowe Conacre* : le *Conacre System* (« *conacre* » : acre en commun) était une pratique répandue en Irlande pendant une grande partie du XIXe siècle, qui permettait à un fermier de donner en location de petites parcelles de terre à des fermiers voisins plus pauvres, souvent à des prix exorbitants. Le système devint le symbole de l'exploitation des paysans pauvres par des fermiers plus riches. Tout l'échange entre les députés parodie les débats à la Chambre des com-

munes tels qu'on les trouve transcrits dans l'organe officiel *Hansard*. — *Multifarnham* : village au nord-ouest de Mullingar.

122. *Grosgourdin* : *Shillelagh*, village du comté de Wicklow.

123. *M. de Quatrepattes*, *Mr Allfours* : ce nom est peut-être aussi une allusion à Arthur James Balfour, Premier ministre conservateur en 1904. Il fut Premier secrétaire pour l'Irlande de 1887 à 1891 et se signala par sa politique de répression contre les nationalistes. — *Tamoshant* : *Tam-o-shanter* est le nom du béret écossais traditionnel. Pour les Irlandais, les Écossais représentaient le protestantisme le plus strict.

124. *M. Oreiller* : allusion à Myles George O'Reilly, homme politique du comté de Cork. — *Montenotte* : faubourg de Cork d'où était originaire Myles George O'Reilly.

125. En septembre 1887, lors d'une réunion de John Dillon, l'un des compagnons de Parnell, à *Mitchelstown* (comté de Cork), des désordres éclatèrent et trois hommes furent tués par la police. Balfour, qui était alors Premier secrétaire pour l'Irlande, répondit aux questions de l'opposition à la Chambre des communes en citant simplement le rapport télégraphié de la police.

126. Le gouvernement était accusé d'avoir mis l'embargo sur le bétail irlandais sous prétexte de fièvre aphteuse pour mieux étouffer l'économie du pays.

127. *La Fouterie* : *Buncombe*, comté de Caroline du Nord. Un représentant de ce comté au Congrès américain fit un jour un discours qui devint si célèbre que le nom de Buncombe fut désormais un symbole de l'art oratoire politique. Mais aussi jeu de mots sur *bunkum* (« foutaises »).

128. Michael Cusack, qui avait fondé la Gaelic Athletic Association en 1884 (voir la n. 5, p. 1416).

129. Rien ne prouve que Michael Cusack ait contribué à l'évasion de James Stephens.

130. *A nation once again* : titre d'une chanson nationaliste de Thomas Osborne Davis.

131. *Finn Mac Cool* : héros irlandais légendaire du IIIe siècle, chef du Fianna, l'armée irlandaise.

132. Les responsables de la *Gaelic League* invitaient souvent de nombreux membres du clergé à leurs réunions pour se concilier la population catholique. On a pu retrouver l'identité de la plupart des noms de cette liste par le *Irish Catholic Directory* de 1904.

133. William Keogh, l'un des chefs du mouvement catholique dans les années 1850, accepta le poste de procureur

général adjoint d'Irlande, ce qui fut considéré par ses partisans comme une trahison.

134. Le contraste de gabarit entre les deux boxeurs, ainsi que l'issue du combat, peuvent rappeler l'affrontement entre Ulysse et le Cyclope.

135. *L'œil droit était quasi clos* : encore un détail qui peut suggérer une analogie entre Bennett et le Cyclope.

136. Georg *Wettstein*, le vice-consul norvégien à Zurich, s'attira l'inimitié durable de Joyce à la suite de l'affaire Carr. — *Santry* : village proche de Dublin.

137. *Bright particular star* (« astre splendide ») : c'est l'image utilisée par Helena à propos de Bertram dans *Tout est bien qui finit bien* de Shakespeare (I, I, v. 96).

138. *Says I to myself, says I* : expression qui revient comme un refrain dans l'air du Grand Chancelier, à l'acte I de l'opérette de Gilbert et Sullivan, *Iolanthe, ou le Lord et la Péri* (1882).

139. L'expression vient du refrain d'une chanson de Percy French (« Le bal de Phil le joueur de flûte »).

140. Ce genre d'escroquerie n'était apparemment pas rare.

141. Dans la mythologie grecque, *Calpe* était une des deux colonnes d'Hercule, correspondant au rocher de Gibraltar. Molly Bloom est née à Gibraltar.

142. *Les jardins d'Alameda* : grand parc ou jardin d'attractions en Espagne. Il y en a un à Gibraltar, où est née Molly Bloom.

143. *Stubbs's Weekly Gazette* se proposait de défendre les banquiers et commerçants contre les escrocs et mauvais payeurs en offrant un service de recouvrement ainsi qu'une liste hebdomadaire de débiteurs.

144. *Cummins* : prêteur sur gages qui avait plusieurs agences à Dublin, y compris dans le quartier pauvre de Francis Street.

145. *Ye'll come home by weeping cross* : expression proverbiale. La « *weeping cross* » (« croix des pleurs ») était une croix placée au bord de la route, où les pénitents venaient prier.

146. James *Johnson*, pasteur presbytérien qui publia en 1890 une série de guides pour la vie chrétienne.

147. *Compos mentis* : « sain d'esprit » en latin.

148. *Un quimboiseur, a pishogue* en irlandais : « quelqu'un qui est ensorcelé ».

149. *Smashall Sweeney's moustaches* : « des moustaches à la Sweeney le matamore ». Sweeney était une figure de matamore irlandais dans le théâtre burlesque.

150. *Le signor Brini* : déformation italienne du nom du cousin du père de Dennis Breen. — *Summerhill* : village du comté de Meath, au nord-ouest de Dublin.

151. *Moss street* : rue pauvre du centre de Dublin.

152. *L'affaire Sadgrove-Hole* : procès après une plainte pour diffamation à propos d'accusations faites sur des cartes postales.

153. *Six shillings et huit pence* : l'expression était associée aux notaires et avocats au XVIIIe siècle, car la somme correspondait couramment à leurs honoraires.

154. Un certain James Wought avait vendu à un certain Zaretsky de faux billets pour le Canada à une livre chacun. James Wought fut finalement condamné.

155. *Meath* : comté limitrophe de Dublin au nord-ouest.

156. *Sir Frederick* : Sir Frederick Falkiner, président de la Cour de Dublin de 1876 à 1905.

157. *Reuben J.* : Reuben J. Dodd, comptable et prêteur d'argent. — *Gumley* : veilleur de nuit pour la Dublin Corporation.

158. *La déesse aux yeux de génisse* : qualificatif parfois appliqué par Homère à Héra. Cette déesse devint Junon dans la mythologie romaine et a donné son nom au mois de juin.

159. Le dimanche 29 mai 1904.

160. *Maître Courtenay* : le colonel Arthur H. Courtenay, *Master* de la Haute Cour de justice d'Irlande en 1904. — *Maître Andrews* : William Drennan Andrews, juge à la Cour supérieure de justice de Dublin en 1904.

161. *In re* : « en ce qui concerne » en latin.

162. Les *brehons* étaient les juges et législateurs dans l'ancienne Irlande. La *brehon law* était la loi qui prévalait en Irlande avant l'invasion anglaise.

163. *Le haut sanhédrin* : assemblée formée de membres de la noblesse sacerdotale juive et de docteurs pharisiens, qui jouait le rôle de cour suprême religieuse et civile pour toute la Palestine antique. Le chiffre de douze tribus ne correspond à rien dans l'histoire irlandaise, mais il est calqué sur les douze tribus d'Israël. Iar est l'un des trois fils du légendaire roi celtique Mileadh qui est parfois considéré comme l'ancêtre des clans royaux d'Irlande. — *La tribu de Hugh* : un des plus célèbres des Hugh fut le roi Hugh MacAnimire (572-598) qui réunit la première assemblée nationale. *La tribu de Conn* : le plus célèbre des Conn fut Conn Ced-Cathach (Conn des Cent Batailles). *La tribu d'Oscar* : le plus célèbre Oscar fut le fils d'Oisin, petit-fils de Finn

MacCool. *La tribu de Fergus* : le plus célèbre des Fergus fut Fergus Mac Roigh, roi légendaire qui fut l'ami de Cuchulain et causa la perte de Deirdre. *La tribu de Kevin* : saint Kevin de Glendalough (mort en 618) est l'un des patrons de l'Irlande. *La tribu de Caolte* : selon la légende, il y eut un Caolte Mac Ronain, guerrier et poète, qui rencontra saint Patrick à la fin de sa vie. *La tribu d'Ossian* : nom d'un poète du Fianna, fils du héros légendaire Finn MacCool.

164. *Ne bail ne mainprise* : formule juridique indiquant qu'on refuse d'accorder la liberté sous caution (*bail*) ou d'autoriser un tiers à être garant de la comparution devant la cour de l'accusé en liberté provisoire (*mainprise*).

165. Miles *Crawford* : rédacteur en chef du *Evening Telegraph.*

166. *Decree nisi* : formule juridique désignant un *jugement provisoire* de divorce, qui est ensuite rendu définitif à moins que des raisons ne s'y opposent avant la fin d'une période fixée.

167. *Police Gazette* : hebdomadaire fondé à New York en 1846 et qui eut un grand succès pour ses récits de faits divers sensationnels.

168. La main chaude, *the trick of the loop* : jeu de fête foraine dans lequel on doit gagner un objet en l'encerclant avec un anneau.

169. *Elle en a, du poil, There's hair* : exclamation populaire pour qualifier une jeune fille ayant des cheveux très abondants.

170. Les Celtes ont occupé l'Irlande, l'Écosse, le pays de Galles et la Bretagne à partir du nord de l'Espagne.

171. *Saxissions, Sassenachs* en irlandais : « Saxons ».

172. En 1801, lors de la bataille de Copenhague, Nelson, qui avait perdu un œil en 1793, refusa d'obéir au signal de retraite qui avait été hissé par le commandant en chef de la flotte. Il mit sa longue-vue sur son œil aveugle et affirma qu'il ne voyait pas le signal. La bataille fut finalement une victoire pour les Anglais. — *La confiscation des biens et la mort civile* : c'est la condamnation que le Sinn Fein d'Arthur Griffith voulait obtenir contre l'Angleterre devant le tribunal des nations.

173. Vers de la célèbre « Élégie écrite dans un cimetière de campagne » (1751) de Thomas Gray.

174. *Medher* en irlandais : coupe de bois carrée.

175. Cri de guerre de la famille des O'Neil de Tyrone dont la main rouge était l'emblème. Mais c'est aussi une exclama-

tion de buveurs, car les bouteilles de bière Allsop ont une main rouge sur leur étiquette.

176. Allusion au chant « Rule, Britannia » dont le refrain est : « Règne Britannia, que Britannia règne sur les flots ! / Les Britanniques ne seront jamais, jamais, jamais esclaves. »

177. La jument de Bass : *Sceptre*, le cheval de William Arthur Bass, qui arriva troisième derrière *Jetsam* et *Zinfandel*.

178. *Lord Howard de Walden* : Thomas Evelyn Eelis, baron de Walden, qui partageait son temps entre l'armée et les courses.

179. Écho d'*Hamlet* (I, II, v. 146).

180. Premier vers de la comptine « *Old Mother Hubbard* » qui raconte comment la mère Hubbard voulut aller chercher un os dans le placard pour son chien, mais comme le placard était vide, le chien n'eut rien.

181. La population de l'Irlande était d'un peu plus de huit millions d'habitants en 1841. Après la grande famine entre 1847 et 1851, elle était tombée à 6 500 000 en 1851. Elle continua à décliner pendant toute la seconde moitié du XIXe siècle. En 1901, elle était de 4 500 000 habitants. Environ quatre millions d'Irlandais émigrèrent aux États-Unis au cours du XIXe siècle. — Des douze tribus originelles d'Israël, dix furent dispersées ou exilées après les invasions assyriennes au début du VIIIe siècle avant J.-C.

182. Le citoyen exagère manifestement. On a peu de preuves de commerce important entre Rome et l'Irlande, même si après l'invasion de l'Angleterre par les Romains les ports irlandais étaient, selon Tacite, plus connus que les ports anglais. Quant à la laine irlandaise, elle ne commença à être connue qu'au XVIe siècle et fut à partir de cette époque lourdement taxée par les Anglais. — *Antrim* : ce comté était le centre de la culture et du tissage du lin dès le XVIe siècle. L'industrie du lin fut la seule que les Anglais encouragèrent et était la principale industrie irlandaise au XVIIIe siècle. — *Limerick* : ville fameuse pour sa dentelle à la fin du XVIIe et au XVIIIe siècles. Cette industrie déclina au XIXe siècle devant la concurrence de la dentelle faite à la machine. — *Ballybough* : on avait trouvé dans des cavernes près du village de Ballybough, au nord de Dublin, des fragments de verre datant de l'époque pré-normande. L'industrie du verre irlandaise fut florissante à Waterford de la fin du XVIIe siècle jusqu'au milieu du XVIIIe siècle. — *Jacquard* : le métier à tisser Jacquard fut inventé à Lyon vers 1801, mais la fabrication de la

popeline avait été introduite en Irlande par des réfugiés huguenots dès la fin du XVIIe siècle. — *Foxford* : village du comté de Mayo où s'est développé au XIXe siècle le tissage à la main du tweed. — *New Ross* : village du comté de Wexford où les Carmélites ont maintenu une tradition célèbre de travaux de couture. — *Carmen* : la foire de Carmen se tenait tous les trois ans à Wexford. Certains historiens affirment que cette foire était connue des marchands phéniciens et grecs. — *Tacite* : l'historien romain mentionne brièvement l'Irlande (Hibernia) dans sa *Vie d'Agricola* (section 24). — *Ptolémée* : le géographe et astronome grec fait une étude détaillée de l'Irlande dans sa *Géographie*. — *Giraldus Cambrensis* : Girald de Barri (1146-1220), chroniqueur gallois, écrivit deux ouvrages sur l'Irlande : *Topographia Hibernica*, étude géographique, et *Expurgatio Hibernica*, qui défend la conquête de l'Irlande par les Normands. — *Tipperary* : ce comté produisit de l'argent, du zinc et du plomb à partir de la fin du XVIIe siècle, mais ne résista pas à la concurrence d'autres pays au XIXe siècle. — *Le roi Philippe d'Espagne* : en 1553, Philippe II accepta de payer mille livres pendant vingt ans pour que les navires espagnols aient le droit de pêcher le long des côtes irlandaises.

183. Pendant la seconde moitié du XIXe siècle, il y eut de nombreux projets de creuser le lit des rivières Shannon et Barrow pour assécher les marécages qu'elles traversent, mais jusqu'à la Première Guerre mondiale ils n'aboutirent pas.

184. La presse nationaliste reprochait constamment aux Anglais de contribuer au déboisement de l'Irlande.

185. Un comité présidé par *lord Castletown* publia en 1908 un *rapport* qui étudiait les effets destructeurs de la politique agraire britannique sur les forêts irlandaises et préconisait un plan national de reboisement.

186. *Le frêne* : l'un des arbres sacrés de l'ancienne Irlande.

187. Allusion à la chanson « Oh, les belles collines de l'Irlande », traduite de l'irlandais en anglais par James Clarence Mangan.

188. Société d'inspiration catholique et nationaliste.

189. *Mlle Abeille du Chèvrefeuille* : peut-être un écho de la chanson de music-hall « Le chèvrefeuille et l'abeille » (1901). — *Mlle O. Mimosa San* : personnage de geisha dans l'opérette de James Philip *La Geisha* (1896).

190. *Mme Norma...* : l'héroïne de *Norma* (1831) de Bellini est la fille d'un grand prêtre des druides gaulois.

191. *M'Conifère du Gland* : jeu de mots sur l'expression « *of the Glens* », qualificatif attaché à plusieurs noms de nobles irlandais.

192. *Senhor Enrique Flor* : « Monsieur Henry Flower » en portugais.

193. Titre d'une chanson américaine de George P. Morris et Henry Russell à la gloire des forêts.

194. *Saint Fiacre* est le patron des jardiniers.

195. Le commerce entre l'Irlande et le continent s'était effectivement développé avant la conquête normande.

196. Au XVIe siècle, *Galway* était un des principaux ports irlandais. Son déclin commença au XVIIe siècle, après l'expédition de Cromwell.

197. Tous ces ports avaient été prospères aux XVIe et XVIIe siècles. Mais le petit port de *Killybegs*, à l'ouest du Donegal, était loin d'être « le troisième port du monde ».

198. Les *Lynch* étaient l'une des plus puissantes familles commerçantes de Galway. Les *O'Reilly*, puissante famille du comté de Cavan, se disaient descendants du roi celte légendaire Mileadh. Les *O'Kennedy* se disaient descendants de Brian Boru

199. James Fitzmaurice Fitzgerald, *comte de Desmond*, tenta en 1529 de conclure un traité avec l'empereur Charles Quint contre l'Angleterre.

200. Pour symboliser sa souveraineté sur l'Irlande, Henry VIII introduisit une *harpe* d'or dans les armes de l'Angleterre.

201. Dans l'ancienne Irlande, la province de Munster était divisée en *Desmond* au sud et *Thomond* au nord. — La légende veut que l'Irlande ait été envahie par Eibhear, Heremon et Iar, les *trois fils* du roi celte ibérique Mileadh, qui furent les ancêtres des clans royaux irlandais.

202. Les *chats de tannerie* étaient réputés pour leur inefficacité dans la lutte contre les rats qui abondaient en ces lieux. — *Les vaches…* : formule proverbiale : comme le Connacht est loin à l'Ouest, la distance favorise une réputation exagérée.

203. *Shanagolden* : localité du comté de Limerick.

204. *Molly Maguires* : groupes de nationalistes formés en 1641 par Cornelius Maguire pour empêcher que les terres des fermiers expropriés soient rachetées.

205. *Un cocktail Empereur, An imperial yeomanry* : pour les Irlandais, le régiment britannique *Imperial Yeomanry*, qui avait

combattu lors de la guerre des Boers, s'était surtout distingué en réprimant des nations indépendantes.

206. *Une Allsop* : *a hands up*, « une mains en l'air ». Sur l'étiquette de la bière Allsop figurait la main rouge de l'Ulster, emblème des héros légendaires de ce royaume.

207. Le *Freeman's Journal* du 9 mars 1904 rapporte un lynchage dans l'Ohio, au cours duquel la victime fut non seulement pendue mais aussi criblée de balles.

208. *Coureurs des bois* : *Deadwood Dicks*. Deadwood Dick, chercheur d'or et tueur d'Indiens, fut le héros d'une centaine de romans à bon marché de l'Américain Edward L. Wheeler.

209. Écho de la chanson « Les gars en bleu marine ».

210. *Portsmouth* : principal port de guerre britannique. Toute une controverse s'était développée à la fin du XIXe siècle sur les pratiques disciplinaires dans la marine anglaise et en particulier sur l'usage du fouet.

211. *Douze coups cul sec, A rump and dozen* : expression irlandaise utilisée lors d'un pari : le perdant devait offrir au gagnant un « *rump of beef* » (rumsteck) et une douzaine de bouteilles de vin. Mais l'expression veut aussi dire douze coups de fouet sur le postérieur (*rump*).

212. Peut-être Sir *John Beresford,* amiral de la flotte anglaise d'origine irlandaise, bien que rien dans sa biographie ne semble indiquer qu'il ait été particulièrement en faveur du fouet. Il y eut un autre John Beresford, qui participa à la violente répression après la rébellion de 1797-1798.

213. *Chambre héréditaire* : la Chambre des lords. Ce sont les lords qui mettaient leur veto au Home Rule, jusqu'au Parliament Act de 1911, qui rendit leur veto seulement suspensif.

214. Les *Yahoos* sont les êtres humains à l'animalité repoussante dans la quatrième partie des *Voyages de Gulliver* (1726) de Swift. Par extension, *yahoo* a en général le sens de « rustre ».

215. Parodie du Symbole des Apôtres : « Je crois en Dieu le Père tout-puissant, Créateur du ciel et de la terre, et en Jésus-Christ, son Fils unique, Notre Seigneur, qui a été conçu du Saint-Esprit, est né de la Vierge Marie, a souffert sous Ponce Pilate, a été crucifié, est mort, a été enseveli, est descendu aux enfers, est ressuscité des morts le troisième jour, est monté aux cieux, est assis à la droite de Dieu, le Père tout-puissant, d'où il viendra juger les vivants et les morts. Je crois au Saint-Esprit, à la Sainte Église catholique, à la communion des saints, à la

rémission des péchés, à la résurrection de la chair, à la vie éternelle. Ainsi soit-il. »

216. Écho du poème nationaliste « Les intrépides Fénians ».

217. *Notre grande Irlande au-delà des mers* : les États-Unis.

218. La famine commença en 1845 et atteignit son sommet en 1847.

219. Certains éditoriaux du *Times* entre 1845 et 1847 se félicitaient de la dépopulation de l'Irlande et de l'émigration.

220. Beaucoup de pays contribuèrent effectivement au mouvement de solidarité avec l'Irlande.

221. Si la récolte de pommes de terre de 1847 en Irlande fut catastrophique, la récolte de blé fut excellente, mais en grande partie exportée.

222. L'exode des Irlandais en 1846-1848 eut lieu dans des conditions épouvantables et de nombreux émigrants moururent pendant la traversée vers l'Amérique.

223. *Terre de la liberté* : l'expression apparaît dans l'hymne national américain « La bannière étoilée ». — *Terre de la servitude* : écho du Deutéronome (v, 6).

224. *Granuaile* : nom irlandais de Grace O'Malley (1530-1600), chef de tribu de l'ouest de l'Irlande, qui dirigea de nombreuses révoltes.

225. En 1798, une petite force expéditionnaire française débarqua à *Killala,* au nord-ouest de l'Irlande. Mais la rébellion irlandaise était déjà pratiquement écrasée et les Français, privés de soutien, durent se rendre.

226. Les Irlandais se soulevèrent pour soutenir Jacques II lorsqu'il fut déposé en 1688, mais ils furent battus par Guillaume III à la bataille de la Boyne en 1690 et Jacques II préféra s'exiler en France. Le traité de Limerick (1691), qui consacrait la défaite des Irlandais jacobites, fut signé sur un bloc de pierre qui devint ensuite un monument. Le Parlement irlandais protestant vota à partir de 1695 les « Lois pénales » déniant aux catholiques les droits civils les plus élémentaires. Les émigrés les plus connus furent ceux de la Brigade irlandaise, qui se distingua aux côtés des Français à la bataille de Fontenoy (1745). Leopold O'Donnell, descendant d'une famille d'émigrés irlandais, fut maréchal d'Espagne et plusieurs fois Premier ministre en Espagne entre 1854 et 1866. Ulysses Maximilian, comte de Brown, baron de Camus, fut maréchal dans l'armée de Marie-Thérèse, impératrice d'Autriche.

227. *Thomas Power* O'Connor, journaliste irlandais dont le

journal londonien *M.A.P.* (« *Mainly About People* ») était critiqué par les nationalistes irlandais pour son ton trop britannique.

228. *Georges l'Électeur* était prince électeur de Hanovre lorsqu'il devint héritier du trône d'Angleterre en 1714. — Le *petit boche* : le prince Albert de Saxe-Cobourg-Gotha, qui épousa la reine Victoria (*sa vieille pute*) en 1840.

229. John Brown, *cocher*, valet et confident de la reine Victoria, qui lui était très attachée.

230. *Ehren sur le Rhin* : titre d'une ballade américaine de Cobb et Wilham H. Hutchinson, qui décrit les adieux d'un soldat à sa bien-aimée. — *Viens là...* : allusion à la chanson de Stephen Foster « Viens là où ma bien-aimée endormie rêve », parodiée par George Dance en « Viens là où on picole pour moins cher ». Des ragots circulaient à la fin du règne de Victoria sur le goût de la reine pour l'alcool.

231. *Édouard le pacifique* : au moment de l'Entente Cordiale, Édouard VII fut appelé par les Français « le roi pacificateur ». — *Plus de vérole...* : Édouard VII avait la réputation d'un coureur de femmes. — Le nom de famille de la dynastie de Hanovre était Guelph. « Wettin » est la version prussienne du mot suédois « Wetter », nom de famille du prince Albert. Lorsque la reine Victoria épousa le prince Albert en 1840, le nom Wettin remplaça celui de Guelph.

232. En juillet 1903, Édouard VII fut reçu par l'Université catholique d'Irlande dans la ville de Maynooth, en présence des principaux dignitaires catholiques d'Irlande. Le réfectoire du collège avait été décoré aux couleurs de l'écurie de course royale ainsi que par des gravures représentant les deux chevaux favoris du roi. Tout l'épisode apparut comme un signe de soumission de l'Église catholique irlandaise à la couronne anglaise.

233. *Comte de Dublin* : titre conféré à Édouard, prince de Galles, par la reine Victoria après sa première visite en Irlande en 1849.

234. Expression irlandaise de remerciement.

235. *Livre de Ballymote* : anthologie de livres anciens achevée en 1391 à Sligo. L'ouvrage contient entre autres choses des généalogies d'anciennes familles irlandaises et des légendes sur les anciens rois irlandais.

236. Les *quatre maîtres* : les quatre compilateurs franciscains des *Annales des Quatre Maîtres* au monastère franciscain

de Donegal : Michael O'Clery, Conaire O'Clery, Cucogry O'Clery et Ferfeasa O'Mulconry.

237. *Carrantuohill* : la plus haute montagne de l'Irlande (1 041m).

238. *Duns* : collines fortifiées. — *Raths* : demeures fortifiées. — *Cromlechs* : enceintes de menhirs et de dolmens appartenant à l'âge de pierre. — *Grianaun* : salon ensoleillé d'un château. — *Pierres des maudits* : pierres empilées pour commémorer une catastrophe.

239. Allusion au refrain d'un poème de James Clarence Mangan, « Le temps des Barmécides ». Les Barmécides étaient une famille noble persane du VIIIe siècle.

240. *Glendalough* : ce site du comté de Wicklow, « la vallée des deux lacs », est considéré comme l'un des plus beaux de l'Irlande. — *Lacs de Killarney* : lacs entourés de forêts et de montagnes dans le comté de Kerry. — *Clonmacnois* : monastère du centre de l'Irlande qui fut au Moyen Âge un brillant foyer d'étude et d'art, puis fut dévasté successivement par les Vikings, les Normands et les Anglais. — *Cong* : abbaye située près de Galway, fondée en 624, brûlée en 1114 et reconstruite en style normand au XIIe siècle. — *Glen Inagh* : vallée montagneuse du comté de Galway, longée par douze collines. — *L'Œil de l'Irlande* : l'île MacNessan, proche de Dublin, au nord du promontoire de Howth. — *Les Vertes Collines de Tallaght* : collines situées au sud et à l'ouest de Dublin, lieu de villégiature recherché aux XVIIe et XVIIIe siècles. — *Croagh Patrick* : hauteur sur la côte du comté de Mayo, où saint Patrick aurait fait retraite pendant quarante jours et qui est devenue la montagne sacrée des Irlandais. — *Lac Neagh* : le plus grand lac de l'Irlande, au nord-est du pays. — *Ovoca* : confluent de deux rivières dans le comté de Wicklow, au sud de Dublin. — *La tour d'Yseut* : tour médiévale qui se dressa jusqu'en 1675 dans le centre de Dublin. — *L'obélisque de Mapas* : il fut construit en 1741 à Killiney, sur la côte sud de Dublin. — *L'hôpital de Sir Patrick Dun* : il fut construit au début du XIXe siècle à Dublin, le long du Grand Canal. — *Le cap Clair* : il se situe à l'extrémité sud-ouest de l'Irlande, sur une très belle côte découpée. — *Le glen d'Aherlow* : vallée de la rivière Aherlow, célèbre pour sa beauté. — *Le château de Lynch* : résidence à Galway de James Lynch, qui fut gouverneur de la ville au début du XVIe siècle. — *Le Scotch House* : pub de Dublin. — *Loughlinstown* : hameau situé à environ quinze kilomètres de Dublin. — *Tullamore* :

capitale du comté d'Offaly. — *Les rapides de Castleconnel* : chutes sur la rivière Shannon. — *Kilballymacshonakill* : « Église de la ville du fils de Jean de l'Église » en irlandais. — *La croix de Monasterboice* : ruines d'un des plus anciens monastères d'Irlande au nord-ouest de Drogheda. Il reste en particulier trois très belles croix sculptées. — *Le Jury's Hotel* : hôtel à Dublin. — *Le Purgatoire de saint Patrick* : caverne sur Station Island, un îlot du lac Lough Derg dans le comté de Donegal. On raconte que tous les démons d'Irlande s'y étaient réfugiés et que saint Patrick, après quarante jours de dur combat, réussit à les chasser définitivement du pays. C'est un lieu de pèlerinage très fréquenté. — *Le Saut du Saumon* : cascade sur la Liffey à Leixlip, à l'ouest de Dublin. — *Le trou de Curley* : petit lac et lieu de baignade à Dollymount, au nord-ouest de Dublin. — *Les trois lieux de naissance du premier duc de Wellington* : la question du lieu de naissance du duc de Wellington reste sujette à controverse. — *Le rocher de Cashel* : promontoire rocheux qui domine la plaine dans le comté de Tipperary. On y trouve les ruines d'une chapelle et d'un monastère. — *La tourbière d'Allen* : au sud-ouest de Dublin. — *La grotte de Fingal* : cette fameuse grotte basaltique n'est pas en Irlande, mais en Écosse, dans l'île de Staffa (Hébrides).

241. Jusqu'en 1907, les juifs du Maroc furent soumis à diverses vexations comme le « service obligatoire » qui les obligeait à accomplir des tâches domestiques pour les musulmans.

242. *La nouvelle Jérusalem* : l'expression peut évoquer à la fois la « Nouvelle Jérusalem » de l'Apocalypse (21) et la campagne du mouvement sioniste pour le retour des juifs en Palestine.

243. *Apôtre des gentils* : c'est ainsi que se désigne saint Paul dans l'Épître aux Romains (XI, 13).

244. Molly Bloom et Flam Boylan.

245. *Jumbo* : éléphant d'Afrique qui fut d'abord au zoo de Londres, puis fut acheté en 1882 par le cirque Barnum.

246. En 1649, *Cromwell* et ses troupes protestantes, les Ironsides (« Côtes de fer »), envahirent l'Irlande pour mettre fin à la résistance en faveur des Stuarts. À *Drogheda*, ses troupes massacrèrent les 2 800 hommes de la garnison ainsi que beaucoup de femmes et d'enfants.

247. *The United Irishman* : hebdomadaire dirigé par Arthur Griffith. — Le *Freeman's Journal* du 2 juin 1904 publia le compte rendu d'une visite du « Alake d'Abeokuta » en Angleterre.

248. *Abeakuta* : province de l'ouest du Nigeria.

249. *Ananias* : un des grands prêtres juifs devant lesquels comparut saint Paul. — *Priedieu Jusqualos, Praisegod Barebones* : Praise-God (« Loue Dieu ») Barebones (« jusqu'à l'os ») (1596-1679) était un tanneur puritain de Londres qui siégea au Parlement de Cromwell en 1653.

250. *Black and White* : marque de whisky écossais. — *Tord-boyaux, usquebaugh* : forme anglaise de l'expression gaélique *uisge beatha* (« eau-de-vie ») qui a donné le mot *whisky*.

251. *Cotonopolis* : surnom de Manchester, la capitale des industries textiles en Angleterre.

252. Arthur Griffith, qui était rédacteur en chef du *United Irishman*, écrivait parfois des articles humoristiques de ce genre, d'abord sous le pseudonyme de « Shanganagh », puis simplement sous l'initiale « P ».

253. Sans doute une allusion à Parnell.

254. Sir Roger *Casement*, d'origine irlandaise, consul britannique au Congo belge, fit en février 1904 un rapport sur les mauvais traitements infligés aux populations indigènes alors que le pays était sous administration belge. Le rapport conduisit à une conférence internationale qui décida des réformes. Casement rejoignit ensuite le Sinn Fein, essaya d'obtenir une aide allemande pour la rébellion irlandaise et fut arrêté à la veille du soulèvement du lundi de Pâques 1916, et pendu pour haute trahison.

255. L'expression « *the shekels* » (l'ancienne monnaie d'Israël) avait couramment le sens de « fric ».

256. Un fantaisiste de music-hall qui jouait le visage peint en noir et le pourtour des yeux en blanc avait pris comme nom de scène « *le Cafre aux yeux blancs* ».

257. La formule « *Good bye, Dublin, I'm going to Gort* » exprimait la déception de l'habitant de la campagne devant la grande ville. Gort est un petit village de l'ouest, près de Sligo.

258. *Slattery* : pub dans le centre de Dublin.

259. *Coucous, cuckoos* : le mot joue ici sur les deux sens de « cocus » et « cinglés ».

260. Expression courante, mais qui s'appliquait au chien excessivement affectueux d'un certain MacHale et non à sa chèvre.

261. *Un orangiste* : membre de la société des Orangemen créée en 1795 en Ulster pour défendre le protestantisme et la couronne britannique en Irlande. Le nom vient de Guillaume

d'Orange, devenu Guillaume III en 1689. — R. T. *Blackburne* (que Joyce orthographie sans e) était secrétaire du Conseil du Comté de Dublin.

262. *Junius* était le nom de plume de l'auteur d'une série de lettres publiées entre 1769 et 1772 dans le *Public Advertiser* à Londres, attaquant très violemment le roi George III et ses ministres. On suppose que leur auteur était l'Irlandais Sir Philip Francis.

263. En 1904, Arthur Griffith écrivit une série d'articles dans le *United Irishman* soutenant que la lutte d'indépendance de la Hongrie contre l'Autriche pouvait servir d'exemple dans le combat de l'Irlande contre la Grande-Bretagne. Comme Bloom est d'ascendance hongroise, il est soupçonné d'avoir inspiré ce plan à Griffith. Le bruit courait effectivement à Dublin que Griffith avait un conseiller politique juif. — *Le château* : résidence des représentants du gouvernement britannique à Dublin.

264. Il y avait en 1904 un Marcus J. Bloom, *dentiste,* dans Clare Street à Dublin.

265. Écho du chapitre III de *Gargantua* qui a pour titre « Comment Gargantua fut unze moys porté ou ventre de sa mère ».

266. Dans l'*Odyssée* (IX), Ulysse et ses compagnons s'échappent de l'antre de Polyphème en s'accrochant au ventre de ses moutons.

267. *Ahasvérus* : nom biblique de Xerxès, roi des Perses. Mais c'est surtout l'un des noms traditionnels du Juif errant.

268. *Jameson* : marque de whisky irlandais.

269. Le lieu de débarquement de saint Patrick en Irlande reste sujet à controverse. Mais aucune tradition ne mentionne *Ballykinlar,* village côtier du comté de Down.

270. Ce n'est pas l'*Introït* de la messe de l'Épiphanie (6 janvier) qui commence ainsi, mais l'Épître : « *Surge, illuminare, Ierusalem, quia venit lumen tuum, et gloria Domini super te orta est* » (« Lève toi et brille, Jérusalem, car ta lumière est arrivée et la gloire du Seigneur est descendue sur toi »).

271. *Graduel* de la messe de l'Épiphanie : « *Omnes de Saba venient, aurum et thus deferentes, Et laudem Domino annuntiantes* » (« Et tous les gens de Saba viendront, portant des présents d'or et d'encens, et chantant les louanges du Seigneur »).

272. Reprise de la prière *Alia Benedictio Domus* (« Une autre bénédiction de la maison »). Cette bénédiction ne fait plus partie du rituel catholique.

273. Formule prononcée avant la *Benedictio ad Omnia* : « — Notre aide est dans le nom du Seigneur. / — Qui a fait le ciel et la terre. / — Le Seigneur soit avec vous. / — Et avec ton esprit. »

274. « Dieu, par la parole de qui toutes choses sont sanctifiées, répands Ta bénédiction sur toutes ces créatures et accorde que tous ceux qui, en Te rendant grâces, usent de ces choses selon Ta loi et Ta volonté et invoquent Ton nom sacré, reçoivent par Ton aide santé du corps et protection de l'âme par le Christ notre Seigneur. » Il s'agit de la *Benedictio ad Omnia* (« Bénédiction pour toutes choses »), utilisée par le prêtre pour tout ce qui n'est pas l'objet d'une bénédiction particulière dans le rituel catholique.

275. *La malédiction de Cromwell* : malédiction particulièrement virulente en Irlande, en référence aux atrocités commises par Cromwell dans le pays. — Maudire quelqu'un « *cloche, livre et chandelle* » revient à prononcer l'excommunication majeure, c'est-à-dire irrévocable. La cloche attire l'attention, le livre contient la sentence prononcée et la chandelle est éteinte pour signifier l'obscurité dans laquelle va être plongé l'excommunié.

276. D'après la chanson américaine « Si le visage de la lune était celui d'un nègre » (1905). L'expression « *the man in the moon* » désigne le visage humain auquel ressemble la pleine lune.

277. *Mendelssohn* : il peut s'agir soit du philosophe allemand Moses Mendelssohn (1729-1786), soit plus probablement du compositeur Felix Mendelssohn-Bartholdy (1809-1847). — *Spinoza* fut élevé dans la tradition juive, mais son rationalisme le fit excommunier en 1656 par la communauté juive d'Amsterdam, puis bannir de la ville.

278. « Son Excellence le seigneur Léopold Fleur » en hongrois. *Lipóti Virag* est l'arrière grand-père hongrois de Bloom.

279. *MM. Alexander Thom* : imprimeurs et éditeurs de la *Dublin Gazette* et de *Thom's Dublin Post Office Directory*, d'où sont tirés de nombreux personnages d'*Ulysse*.

280. Cette expression regroupe les mots hongrois « cent trente », « veau » et « berger ».

281. *MM. Jacob* agus *Jacob* : propriétaires des biscuits Jacob, de fabrication dublinoise. *Agus* signifie « et » en irlandais.

282. *Reviens à Erin* : titre d'une ballade composée par Claribel (Charlotte Allington Barnard, 1830-1869). — *La Marche de*

Rakóczy : cette marche, composée par Miklos Scholl, devint la marche nationale des Hongrois, symbole de leur lutte contre les Autrichiens au XIXe siècle.

283. Les *quatre mers* qui entourent l'Irlande : le canal du Nord, la mer d'Irlande à l'est, le canal Saint-Georges au sud et l'Atlantique à l'ouest.

284. *Howth* : péninsule située au nord de la baie de Dublin. — La *Three Rock Mountain* : montagne au sud de Dublin, qu'on peut voir de la ville. — *Le Sugarloaf* : « Pain de Sucre ». — *Bray Head* : colline et promontoire de falaises situés au nord du comté de Wicklow. — *Monts Mourne* : monts granitiques situés au sud-est de l'Irlande du Nord. — Les *Galtees* : chaîne de montagnes du sud-ouest de l'Irlande. — *Les pitons d'Ox* : montagnes du comté de Sligo au nord-ouest de l'Irlande. — *Donegal* : comté montagneux du nord-ouest de l'Irlande. — *Sperrin* : montagnes du comté de Londonderry sur la côte nord de l'Irlande. — *Les Nagles et les Bograghs* : ces deux chaînes de montagnes sont dans le comté de Cork au sud de l'Irlande. — *Connemara* : région montagneuse sur la côte du comté de Galway à l'ouest de l'Irlande. — *M'Gillicuddy's reeks* : chaîne de montagnes du comté de Kerry, les plus hautes de l'Irlande. — Le *mont Aughty* : chaîne de montagnes entre le comté de Galway et le comté de Clare, à l'ouest de l'Irlande. — *Le mont Bernagh* : l'une des Mourne Mountains. — *Mont Bloom* : chaîne de montagnes du centre de l'Irlande, au sud-ouest de Dublin.

285. *Cambrie et Calédonie* : le pays de Galles et l'Écosse.

286. « Au revoir, mon cher ami ! Au revoir ! » en hongrois.

287. Avoir *le soleil dans l'œil* : familièrement, « être un peu ivre ».

288. *Le comté de Longford* : à environ 150 km au nord-ouest de Dublin.

289. Giuseppe *Mercalli* (1850-1914), sismologue italien, inventa une échelle de cinq degrés pour mesurer l'intensité des tremblements de terre. — Un *tremblement de terre* est effectivement mentionné en 1534 dans le *Thom's Dublin Directory* de 1904.

290. *Kinsale* : promontoire escarpé sur la côte sud-ouest de l'Irlande

291. *Missa pro defunctis* : « Messe pour les morts » en latin.

292. *Le Duc de Cornouailles* : le prince de Galles.

293. Écho parodique de la montée au ciel du prophète Élie (Deuxième Livre des Rois, II, 11).

294. Écho parodique de la Transfiguration du Christ : « son visage resplendit comme le soleil, et ses vêtements devinrent blancs comme la lumière. [...] voici qu'une voix disait de la nuée : "Celui-ci est mon Fils bien-aimé, qui a toute ma faveur, écoutez-le" » (Évangile selon saint Matthieu, XVII, 2, 5).

295. *Abba* : « père » en araméen. *Adonai* : « Dieu » en hébreu). Écho parodique de l'épisode du Christ à Gethsémani : « Et il disait : "Abba, Père ! tout t'est possible" » (Évangile selon saint Marc, XIV, 36).

296. Jeu de mots sur *ben*, qui signifie « sommet montagneux » en gaélique et « fils » en hébreu.

A. T.

XIII. NAUSICAA

1. *Sandymount* : nouvelle conjonction entre Bloom et Stephen puisque c'est au même endroit que se tient l'épisode III, « Protée ».

2. *La paisible église* : l'église Sainte-Marie-Étoile-de-la-Mer de la paroisse de Dignam, où se déroule dans le temps de l'épisode une retraite destinée aux alcooliques repentis. Dans l'hymne des vêpres de la Vierge, Marie est saluée comme étoile de la mer, *Ave Maris stella*.

3. Les litanies de la Vierge, dites litanies de Notre-Dame de Lorette (composées en 1483 pour célébrer le miracle de la translation de la Sainte Maison), scandent tout cet épisode, avant d'être parodiées par les filles d'Erin dans « Circé ».

4. Dans l'*Odyssée* (VI, v. 100-116), Nausicaa et ses suivantes descendent à la plage, où Ulysse se présentera nu, pour laver du linge et jouer à la balle.

5. *Flora O' Futile* : Flora MacFlimsy, héroïne du poème très populaire « *Nothing to Wear* » (1857) de l'Américain Willam A. Butler ; elle incarne le comble de la frivolité car malgré trois voyages à Paris et de grandes dépenses en toilettes, elle n'a « rien à se mettre ».

6. Véritable cliché depuis le poème « *Cherry Ripe* » (cri des marchands, « Cerises bien mûres ») de Thomas Campion (1617), dont le premier vers annonce « Son visage est un jardin », ou la

variation composée par Robert Herrick qui possède le même titre (1648).

7. Allusion à la pomme d'or que Pâris offre « à la plus belle » des trois déesses, Aphrodite, qui lui avait promis en retour la plus belle femme du monde, Hélène, dont l'enlèvement fut à l'origine de la guerre de Troie (voir l'*Iliade*, XXIV, v. 26-30). Cet épisode est à l'origine de l'*Odyssée*.

8. La pudibonderie victorienne et ses périphrases caractéristiques seront aussi régulièrement raillées que les allusions aux sous-vêtements, qu'ils soient immaculés ou souillés, sont fréquentes.

9. Voir l'épiphanie XXXVIII, dans *Œuvres*, « Bibl. de la Pléiade », t. I, p. 104.

10. *Gerty* est l'héroïne du roman à succès de Maria Cummins *The Lamplighter* publié en 1854 (« L'Allumeur de réverbères », personnage qui vient en aide à cette orpheline « seule au monde »).

11. *Nouvelle Princesse* : *The Princess's Novelette* (1886-1904), hebdomadaire londonien qui publiait un récit complet et un feuilleton dans chaque numéro. La page beauté et Mme Vera Verity sont une invention de Joyce, qui a pu penser au nom de Vera Miller, auteur de romans populaires publiés en feuilletons dans ce magazine. La narration et le monologue sont très directement inspirés de l'abondante publicité pour les produits de beauté qui y figurait.

12. *Le jeudi pour la richesse*, *Thursday for wealth* : expression empruntée à l'une des nombreuses comptines énumérant les jours de la semaine et leurs aspects fastes ou néfastes.

13. *Point de vue des Dames* : *The Lady's Pictorial*, hebdomadaire londonien publié depuis 1880. Dans sa rubrique « Irish Letter » des numéros des 4 et 18 juin 1904 est donné un compte rendu très détaillé de la kermesse Mirus dont le feu d'artifice sert de bouquet final à l'épisode.

14. Le bleu est la couleur de la Vierge, celle qui sied aux chastes amours, tandis que le vert est celle de la jalousie et de la colère. Les couleurs ont un rôle important dans *Ulysse*, où chaque épisode est associé à une couleur (voir les schémas Linati et Gorman, p. 1221-1230).

15. Une coutume permettait aux jeunes filles de faire une proposition de mariage lors d'une *année bissextile*.

16. La rêverie de Gerty est portée par son désir de mariage

et s'introduisent ici les vœux échangés par les époux lors de la cérémonie.

17. *Anything for a quiet life* : réplique qui reprend mot pour mot le titre d'une pièce de Thomas Middleton (1570-1627).

18. *Tritonville road* : artère de Sandymount qui évoque la divinité marine Triton, qui peut ordonner aux flots de s'apaiser. Celui-ci a ainsi donné naissance au littoral après le déluge voulu par Jupiter (Ovide, *Métamorphoses*, I, v. 332-342). Le triton est aussi l'équivalent masculin des sirènes et, de fait, son regard muet fascine Gerty.

19. Il y a dans cette *retraite* d'alcooliques repentis comme un écho ironique de l'*Odyssée*, puisque de nombreuses libations rythment le séjour d'Ulysse au palais d'Alkinoos, père de Nausicaa (*Odyssée*, chant VII, v. 136-139 et v. 179-183).

20. Cette *bénédiction*, ou salut au saint sacrement, est un office de dévotion à la présence réelle du Christ dans l'hostie et non envers la Vierge Marie. Il est cependant le résultat d'une fusion, dès le XVIe siècle, de ces deux types de salut.

21. *Votre santé, Pearson's Weekly* : magazine bon marché publié à Londres, empli de feuilletons édifiants et de réclames pour des médicaments censés guérir les alcooliques.

22. Tout aussi énigmatique que l'homme au mackintosh, cette figure de l'inconnu, l'autre par excellence, est susceptible d'attirer les jugements les plus contradictoires : alors que Gerty le trouve antipathique, il devient pour Bloom une « noble figure » et source d'inspiration, au point qu'il envisage d'écrire une nouvelle, *L'Inconnu de la plage*. Derrière ce masque de *Personne / Outis*, on peut aussi reconnaître la discrète présence d'Athéna.

23. Adaptation du titre d'une chanson qui connut le succès en 1888, *With all her faults I love her still* (« Je l'aime encore, avec tous ses défauts »). L'amour du père cache le désir de Gerty d'être aimée pour son *défaut*, cette boiterie qu'habille tout un feu d'artifice de bluettes.

24. *Tell me Mary how to woo thee* (« Dis-moi Mary comment te séduire ») : chanson de G.A. Hodson (1874).

25. Aria chantée par Michel à l'acte II de l'opéra *The Siege of Rochelle* (1835) de Fitzball (librettiste anglais, également auteur de mélodrames) et Balfe (musicien né à Dublin en 1808, figure de l'artiste irlandais devant chercher la reconnaissance à l'étranger, l'Italie et l'Angleterre dans son cas).

26. Extrait d'un duo du *Lis de Killarney* (1862), opérette en trois actes de John Oxenford et Dion Boucicault.

27. *Un ange secourable, a ministering angel* : expression tirée d'*Hamlet*, V, I, v. 263-265.

28. Pline, dans son *Histoire naturelle*, raconte que la mer reste calme la semaine qui précède la mi-hiver et celle qui suit, pour permettre aux alcyons de couver leurs œufs sur une mer apaisée. Cet oiseau fabuleux devient par là un heureux présage.

29. Invocations extraites des litanies de la Vierge.

30. Il s'agit du *Memorare*, ou *Souvenez-vous*, couramment attribué, à tort, à saint Bernard de Clairvaux, que le reste de la phrase reprend en grande partie.

31. Joyce semble ironiser sur la croyance que le juif est reconnaissable à son physique.

32. Sir John *Martin Harvey* (1863-1944), acteur anglais qui fit une série de représentations triomphales à Dublin au début du siècle.

33. Allusion à la comédie sentimentale de James Abery, *Two Roses* (1870).

34. *More sinned against than sinning* : expression devenue proverbiale en anglais depuis son occurrence dans *Le Roi Lear* de Shakespeare (III, II, v. 59-60).

35. En 1904, la *bicyclette* est doublement un cheval de bataille féministe, et un objet de scandale, puisqu'elle constitue la revendication du sport et du pantalon pour les femmes.

36. Refrain d'une chanson de l'opéra *Maritana* de W.V. Wallace.

37. Reprise des litanies de la Vierge, suivies du répons en latin, « Priez pour nous ».

38. Gerty reprend le motif du *Memorare*.

39. L'hymne de saint Bonaventure (1230-1306), *Stabat Mater Dolorosa*, fondé sur la prophétie de Siméon au temple, « Votre âme sera percée comme par une épée » (Luc, II, 35), est à l'origine non seulement de grandes œuvres musicales (Pergolèse, Vivaldi...), mais aussi d'une dévotion mariale très vive au XIXe siècle dont le chapelet des sept douleurs était emblématique.

40. Il était réellement vicaire de Sainte-Marie-étoile-de-la-Mer en 1904, mais l'homonymie avec Gabriel Conroy, protagoniste de la nouvelle « Les Morts », offre un nouvel exemple de brouillage entre réalité et fiction.

41. Neuvaine qui se termine le 9 août, jour de la saint Dominique, lequel avait une grande dévotion pour le rosaire.

42. Annonciation dans l'Évangile selon saint Luc, I, 38.

43. C'est la même pendule du presbytère qui ponctuera la fin de l'épisode de plusieurs « coucous » faisant écho à la visite de Boylan à Molly. Dans « Circé », le chanoine O'Hanlon présente la même pendule à l'adoration des fidèles. Le roman ne cesse de réarranger les épisodes entre eux.

44. *The fourty hours' adoration* : dévotion instituée par le pape Clément VIII en 1592. Le saint sacrement est exposé à l'adoration des fidèles pendant quarante heures, temps que le Christ a passé au tombeau. Plus tard, les paroisses d'un diocèse se succédèrent sans interruption dans cette dévotion, pour qu'elle devienne perpétuelle.

45. *Le tableau* : le mot français, employé en anglais, signifie « tableau vivant », soit l'évocation d'une peinture créée par l'immobilité des acteurs.

46. Gerty ne comprend pas le latin qu'elle chante, libérant les mots de leur sens bien à son insu, en un pur babil.

47. Bloom sera obsédé, tout au long de l'épisode, de ce que sa *montre* se soit arrêtée précisément à l'heure du rendez-vous de Molly et Boylan.

48. Avant de procéder à la bénédiction des fidèles avec l'ostensoir, le célébrant reçoit le voile huméral sur ses épaules, ce qui peut donner l'impression d'une *poche*.

49. « Tu leur as donné le pain du ciel. » Le répons, *Omne delectamentum in se habentem*, « empli de toutes sortes de délices », prend un sens particulier pour Bloom.

50. *L'éclat ultime de la verte Erin, The last glimpse of Erin* : allusion à une chanson de Thomas Moore, « *Tho' the last glimpse of Erin with sorrow I see* » (« Bien que je voie avec douleur s'évanouir la verte Erin »). Quand Joyce l'interpréta en concert le 22 août 1904, c'était la première fois que Nora l'entendait chanter. — *Ces cloches vespérales, Those evening bells* : titre d'une autre chanson de Thomas Moore. — Cette *chauve-souris*, qui revient dans tout le reste de l'épisode, fait écho au vampire auquel pense Stephen plus tôt, au même endroit dans l'épisode III, « Protée ».

51. Ce tiroir, réservé aux secrets du sexe féminin, lié dans le premier épisode, « Télémaque », à la mère de Stephen, revient dans « Circé », en relation explicite avec le voyeurisme de Bloom et l'exhibitionnisme complice de Gerty.

52. La confrérie des *Enfants de Marie* fut établie en 1847 pour commémorer les apparitions qui révélèrent à Catherine Labouré la médaille miraculeuse du scapulaire.

53. *Louis J. Walsh* (1880-1942) était surnommé *the boy orator* au temps de la jeunesse de Joyce. — *Magherafelt* est une bourgade de l'Ulster, dans le comté de Derry.

54. *Dalkey Hill* est une promenade publique très connue, située sur la côte à une douzaine de kilomètres au sud-est de Dublin. Elle domine le village de Dalkey d'où viennent certains élèves de Stephen.

55. *Love Laughs at Locksmiths* : pièce de George Colman de 1803 ; l'expression est devenue proverbiale et donne le premier vers de la chanson « *Linger Longer Loo* » (musique de Sidney Jones, auteur de *The Geisha*, paroles de Willie Younge). Le portrait d'Yvette Guilbert interprétant cette chanson réalisé par Toulouse-Lautrec (1893) témoigne de son immense popularité et donnera la mesure de l'enracinement d'*Ulysse* dans la culture populaire.

56. Le « *pays des chansons* » est un cliché courant pour l'Italie, mais c'est aussi sous ce vocable qu'est désigné le pays de Galles à partir de la fin du XIXe siècle et de sa renaissance culturelle. Joyce réussit le tour de force de brouiller les pistes et de nous faire rechercher une allusion là où il se contente peut-être d'enfiler clichés et expressions ayant un air de *déjà-lu*...

57. *Cruel to be kind* : expression mise par Shakespeare dans la bouche d'Hamlet s'adressant à sa mère (*Hamlet*, III, IV, v. 178-179).

58. *Dodder* : rivière qui traverse Irishtown, haut lieu de la prostitution à l'époque.

59. Premier vers de la chanson « *Love's Old Sweet Song* » (« L'ancien chant des doux amants »).

60. « Nations, louez toutes le Seigneur. » Le chant du psaume 117 termine la bénédiction du Saint-Sacrement.

61. Le feu d'artifice de la kermesse Mirus accompagne la masturbation de Bloom et sa culmination.

62. *The Congested Districts Board* : bureau établi en 1891 pour limiter la population dans les régions les plus pauvres, en encourageant l'émigration en particulier. Joyce joue sur le double sens de *congested*, « surpeuplé » et « congestionné ».

63. Bloom fera sienne cette rêverie sentimentale de retrouvailles, juste avant d'acquiescer au caractère fortuit de cet événement.

64. *Catch' em alive, O.* : écho de la chanson populaire irlandaise « *Sweet Molly Malone* » dont le refrain est « *Crying cockles and mussles ! Alive, alive, oh* » (« Criant de bon cœur, mes coques et mes moules, tout frais, tout frais, oh ! »).

65. À l'instar du Kinétoscope d'Edison (1888), dont le nom commercial était *kinetoscope peeping show machine*, le *Mutoscope* (du latin *mutare*, littéralement la vision du changement, mais on entend aussi un écho de *muthos*, le mythe, et donc la suggestion de vision de mythologies ou de fantasmes), breveté par Casler en 1894, était un ancêtre du cinéma. Dans les deux cas, les images étaient projetées pour un seul spectateur. Le nom de *peeping show* déposé par Edison est devenu synonyme de spectacle voyeur de bas étage. — *Capel street* est au centre de Dublin, au nord de la Liffey.

66. Bloom se remémore ici le passage des *Douceurs du péché* lu dans l'épisode X, « Les Rochers Errants ».

67. Écho d'une chanson populaire souvent parodiée de Thomas Haynes Bayly et Joseph Philip Knight, « *She wore a wreath of roses the night that we first met* » (« Elle portait une couronne de roses le premier soir où nous nous sommes rencontrés »).

68. Persistance du souvenir de la lettre de Martha.

69. Bloom est persuadé que les moniales ont inventé le fil de fer barbelé, qui s'incorpore ici dans une imagerie érotique. Notons que certaines publicités du XIXe siècle montraient un paradis retrouvé et le fruit défendu enfin protégés par des barbelés dont l'usage militaire et concentrationnaire fut inauguré quelques années auparavant lors de la guerre des Boers. Celle-ci est évoquée plusieurs fois dans *Ulysse*, et la guerre des tranchées était bien sûr dans la mémoire de Joyce.

70. Dans cette longue suite de pensées tournant autour des règles menstruelles, Bloom fournit la version populaire de l'impureté de « la femme qui aura un flux » définie par le Lévitique (XV, 19-33).

71. *Kiss in the dark and never tell* : inversion de l'adage *kiss and tell*, « embrasser et s'en vanter », emprunté à *Love for Love* (1695), comédie de William Congreve (1670-1729).

72. Molly se plaindra dans son monologue de ce que Bloom puisse envisager de la prostituer. Nora aurait eu le même grief à l'égard de Joyce.

73. Véritable croisement de lettres puisque, en deux lignes, se télescopent l'image de l'écriture de Boylan sur la lettre destinée à Molly (voir « Calypso »), et l'oubli à répétition de Bloom

d'indiquer une adresse (en particulier celle de Martha dans « Les Lestrygons »).

74. *Drimmie* : naguère employeur de Bloom.

75. Le *cidre* bu à l'Ormond bar et qui amène Bloom à ponctuer la fin des « Sirènes » de flatulences irrévérencieuses.

76. Bloom déforme encore un peu plus les paroles de l'opéra de Meyerbeer *Les Huguenots* qu'il a fredonnées plus tôt. Cette liberté prise avec le sens rappelle celle prise par Gerty avec le *Tantum ergo* mais poursuit également la désacralisation de la cause nationale irlandaise que le cidre avait encouragée.

77. *Via Appia, The Appian Way* : rue de Ranelagh, faubourg au sud de Dublin, qui ne manque pas d'évoquer celle de Rome.

78. *Meath street* : rue au sud du centre de Dublin, de mauvaise réputation à l'époque.

79. Les murailles mauresques et les jardins d'Alameda situent les premières amours de Molly à Gibraltar.

80. *Glencree dinner* : dîner annuel organisé à la maison de correction de Glencree.

81. Valentine *Dillon*, lord-maire de Dublin de 1894 (date de la mort de Rudy) à 1895 ; décédé en 1904.

82. *Jammet* : propriétaire du Burlington Hotel and Restaurant, situé non loin de Trinity College.

83. Conseil donné par Mme General à Amy dans *La Petite Dorrit* de Dickens (1857 ; livre II, chap. V).

84. Chanson de Blaze Boylan mentionnée dans sa lettre par Milly dans « Calypso ».

85. W. *Wilkins* était le proviseur du collège Erasmus-Smith, Harcourt Street, au centre de Dublin.

86. *Cuffe street* : au croisement de Harcourt Street et de St Stephen's Green.

87. *Roger Greene* : avoué établi dans le centre de Dublin, au 11, Wellington Quay.

88. *L'autre* : il s'agit du professeur Goodwin dont Bloom s'est souvenu au début de l'épisode VIII, « Les Lestrygons ».

89. *Beef to the heels* : raillerie qui vient de la lettre de Milly dans « Calypso ».

90. La citation de Shakespeare vient précisément d'*Hamlet*, I, I, v. 8.

91. *Your head it simply swirls* : extrait de la romance de Boylan.

92. *Every bullet has its billet* : expression attribuée à

Guillaume III d'Orange, vainqueur de la bataille de la Boyne. C'est aussi le titre d'une chanson de Charles Dibdin, musique de sir Henry R. Bishop.

93. Extrait d'une comptine américaine, « *Looking Through the Knothole* », dont le titre inscrit le voyeurisme (« En regardant par le trou de la palissade »).

94. Dans « Circé », Molly apparaît en femme turque réprimandant Bloom en arabe. Plus loin dans cet épisode, Bloom songe à un rêve où Molly lui apparaît habillée comme une Ottomane, rêve qui revient dans « Les Bœufs du Soleil ».

95. Nouvel écho des *Douceurs du péché*.

96. *As God made them, he matched them* (« Dieu les avait conçus pour qu'ils s'unissent ») : expression dérivée de *L'Anatomie de la Mélancolie* (1621) de Burton.

97. Au vu des moyens techniques réels de l'époque, qui ne permettent guère que de mesurer les variations du champ magnétique de la Terre, l'enthousiasme quelque peu délirant de Bloom est patent. Le lecteur peut aussi observer dès les phrases suivantes que c'est un magnétisme pansexuel qui est en jeu (la « théorie » de Bloom est exposée dans « Ithaque »).

98. *The Dublin Horse Show* : la première édition de ce concours, temps fort de la vie mondaine à Dublin, se tint en 1868, organisée par la *Royal Dublin Society*, fondée en 1731 afin de promouvoir en Irlande l'agriculture, les arts, la science et l'industrie.

99. Antonio Giulini, que Joyce orthographie *Giuglini* (1827-1865), était un ténor italien issu d'une famille démunie. Son succès à Dublin fut tel que toutes sortes de légendes circulaient sur son compte.

100. *L'opoponax* (ou opopanax) : parfum extrait d'un arbrisseau, le panax.

101. *La danse des heures* : pièce musicale de Ponchielli.

102. *Les fils de la Vierge* : cette expression dit à la fois la fragilité des propos de Bloom et la manière dont ils peuvent se tisser.

103. *Kismet* : mot d'origine turque (dérivé du persan et de l'arabe) qui signifie « destin ».

104. Phrase empruntée à une ritournelle sur le temps.

105. *The Prophecies of Mother Shipton* (1641), ouvrage très populaire jusqu'au début du XIXe siècle, contenant des prédictions sur les personnages célèbres, en rien météorologiques.

106. *Grace Darling* (1815-1842) et son père, gardien du phare

de Longstone, l'une des îles Farne, sauvèrent neuf des soixante-trois passagers du *Forbshire*, qui sombra en 1838. Ils furent traités en héros et, à la mort de Grace, Wordsworth lui consacra un poème, « Grace Darling » (1843). L'omission de la majuscule par Joyce joue sur le passage du nom propre au nom commun, « grâce chérie ».

107. Référence à la loi juive selon laquelle il fait encore jour quand luit une étoile, que le crépuscule arrive avec deux et que la nuit tombe lorsque apparaît la troisième. À la minutie des rites juifs s'ajoute l'amour de Bloom pour l'exactitude scientifique.

108. Nouvel écho du *Vaisseau fantôme* de Wagner et nouvelle correspondance avec Stephen qui est habité par cette vision dans « Protée ».

109. *My native land, good night* : citation de la lamentation de Childe Harold quittant l'Angleterre dans *Childe Harold's Pilgrimage* de Byron (1812 ; I, v. 118-125).

110. *Ye crags and peaks I'm with you once again* : citation de *Guillaume Tell* (1825), tragédie de l'Irlandais James Sheridan Knowles (I, II, v. 1).

111. *Les rhododendrons* : ces fleurs sont emblématiques de la première fois où Bloom et Molly ont fait l'amour « sous les fougères » de Howth, scène qui est l'antidote des pensées jalouses de Boylan.

112. Ecclésiaste, I, 9.

113. Extraits de la lettre de Martha, suivis de l'adresse poste restante.

114. « *Rip van Winkle* » (1819) est un conte de Washington Irving, dont le protagoniste se réveille d'un sommeil de vingt ans, pour découvrir que « tout est changé. Oublié » et que « la rosée a rouillé son fusil ». *Rip* peut être un prénom mais signifie aussi « déchirer » et les lettres R.I.P., *Rest in peace*, signifient « Repose en paix ».

115. *La Combe du Sommeil* : référence à « La Légende de l'antre du sommeil » (« *The Legend of Sleepy Hollow* »), autre conte de W. Irving.

116. *Saule pleureur* : son nom latin *Babylonica* lui a été donné par Linné en souvenir de la légende selon laquelle il aurait recueilli les lamentations des Juifs captifs à Babylone.

117. *L'odeur de sainteté* : le corps des saints avait la réputation d'exhaler une odeur aromatique après leur mort ou leur exhumation.

118. Les connaissances de Bloom en matière de liturgie catholique sont assez approximatives : il confond ici la bénédiction du Saint-Sacrement et la fin de la messe.

119. La réponse se trouve dans la fable d'Ésope, « Le corbeau et la cruche ».

120. *Archimède* mit son génie au service de la défense de sa cité et on lui attribue l'invention de miroirs capables d'incendier les vaisseaux romains. Syracuse tomba après un siège d'un an et Archimède fut tué par un légionnaire lors du sac de la ville en 212 av. J.-C. Le « J'y suis » de Bloom évoque le célèbre *Eurêka* de ce savant.

121. *Faugh a ballagh* : cri de guerre du régiment des Royal Irish Fusiliers, signifiant « Faites place ! » en irlandais.

122. *When the stormy winds do blow* : emprunt à une chanson traditionnelle, « *The Mermaid* » (1840), attribuée à un certain Parker.

123. Le traducteur a remplacé une allusion à « *Till Johnny comes marching home again* » (chant des soldats nordistes lors de la guerre de Sécession) par une référence à « *Malbrough s'en va-t-en guerre* », pour rendre plus sensible au lecteur en français la matière chantée dont se tisse *Ulysse*.

124. *The anchor's weighed* : titre d'une chanson dont les paroles sont du dramaturge Samuel James Arnold (1774-1852) et la mélodie du ténor John Braham (1774-1856), dont « La mort de Nelson » (*The Death of Nelson*) était le plus grand succès. La figure de Nelson joue un rôle symbolique important dans *Ulysse*.

125. *Le tiphilim* : les tephilims (ou tefillin, téfiline, tephillin...), du grec signifiant « amulette », sont les deux boîtes cubiques en cuir portées par les hommes, sur la tête et sur le bras gauche, pendant l'office du matin. Elles contiennent chacune quatre extraits de la Torah. — Le mot qui échappe à Bloom est *mezuzah* (en hébreu, « montant de porte »). C'est un parchemin, généralement placé dans un boîtier, qui contient des extraits de la Torah.

126. Bloom déforme le même passage biblique (Exode, XX, 2) à propos de la Pâque dans « Éole ».

127. *Agrippé à une planche* : c'est ainsi qu'Ulysse échappe à Calypso avant de finalement échouer sur la plage où il rencontre Nausicaa.

128. *Crumbin* : petit village au sud-ouest de Dublin.

129. *Calomel* : poudre utilisée notamment comme purgatif

et comme vermifuge. Le mot vient du grec *kalos*, « beau » (ironique, eu égard à l'usage du produit), et *melos*, « noir », couleur de départ de la poudre de chlorure mercureux qui devient blanche ensuite.

130. *Papli chéri* : terme affectueux employé par Milly au début de sa lettre dans « Calypso », qui entre en résonance avec le « Pauvre papa » dont use Bloom pour son propre père.

131. *Buena Vista*, point culminant de Gibraltar (408 m), est situé non loin de la *tour O'Hara*, construite en haut du rocher du Loup, Wolf's Crag (405 m).

132. *Le coup de canon* : signal de la fermeture des portes de la garnison jusqu'au matin.

133. Comptine enfantine qui fonctionne par ajouts successifs.

134. Variante d'une expression courante, dérivée d'une sentence du colonel Atwit (Jonathan Swift, *A Complete Collections of Genteel and Ingenious Conversation*, 1738). Joyce brouille les pistes en ajoutant le nom de Morris, qui peut évoquer William Morris (1834-1896), chantre du mouvement *Arts and Crafts*, qui entend amener de beaux objets dans la vie de tous les jours et est souvent associé à une vie simple, à la campagne de préférence.

135. *Ces Scottish Widows* : il s'agit de la Scottish Widows' Fund Life Assurance Society, compagnie d'assurances qui, en 1904, possédait quatre agences à Dublin.

136. *Cramer* : magasin qui vendait pianos et partitions de musique, situé sur Westmoreland Street, au centre-est de Dublin.

137. Voir les Évangiles, Marc, XII, 41-44 et Luc, XXI, 1-4.

138. *Empoisonnés par des moules* : ce cas précis n'est nulle part répertorié mais la baie de Dublin était véritablement un égout à ciel ouvert, très pollué par la Liffey et ses affluents.

139. Référence à l'Ecclésiaste (VIII, 15).

140. Le *bateau-poste* quittait Kingstown le soir et la traversée pour Holyhead, au nord du pays de Galles, durait deux heures.

141. Bloom y pense depuis son déjeuner chez Davy Byrne dans « Les Lestrygons.

142. Évoque la lettre de Deasy sur la fièvre aphteuse, dont Stephen a arraché une page pour griffonner l'une de ses épiphanies dans « Protée ».

143. Voir Ecclésiaste, XI, I, qui prend le contre-pied d'Héra-

clite : « Répandez votre pain sur les eaux qui passent, parce que vous le retrouverez après un long espace de temps. »

144. En anglais, *I*, suivi plus loin de *AM A*. Jeu sur deux lectures possibles, « Je suis un… » (laissant ouverte la liste de tous les déterminants possibles, Juif, Irlandais, cocu…) et « Je suis A », renvoyant à « Je suis l'alpha et l'oméga » (Apocalypse, I, 8). Mais on peut aussi lire le latin *Ama*, un « Aime ! » universel, très bloomien, ou encore, phonétiquement, dans ce contexte hispanisant, *Llama*, « il s'appelle » (Personne)…

145. Extrait de lettre de Martha reçue le matin même dans « Les Lotophages ».

146. Allusion transparente au roman de Jules Verne, où le voyage et le retour se confondent.

147. *Je n'irai pas* : … à la tournée organisée par Boylan pour Molly.

148. S'entremêlent ici deux motifs : les mots de Martha, dans sa lettre, de « méchant chéri (*naughty Darling*), et le nom de Grace D-/d-arling. Cette phrase revisite nombre d'événements ou de pensées de la journée. En particulier, l'adultère et la montre qui s'est arrêtée à l'heure supposée de sa consommation, le pataquès de Molly sur métempsychose et « mets ton p'tit chose » (*met him pike hoses*) qui fait vaguer les pensées de Bloom de l'adultère (*met him*) aux dessous féminins (*hoses*), au Mutoscope de Capel Street et au « rêve de bas de femme bien remplis » qu'il promet, sans oublier les *frillies*, les fanfreluches portées par l'héroïne des *Douceurs du péché* pour séduire son Raoul, ainsi que son parfum qui associe là encore Molly aux amours illicites (Bloom imagine qu'elle se parfume pour Boylan et Martha l'interroge sur le parfum de sa femme). Enfin, les culottes (*drawers*) ramènent à Gerty.

149. Allusion à la phrase de la Pessah, la Pâque juive, « *l'an prochain* à Jérusalem ».

M. C. et P. B.

XIV. LES BŒUFS DU SOLEIL

1. *Deshil* : de l'irlandais *deasil*, décrivant le geste de se tourner vers la droite, ou vers le soleil ; énoncé propitiatoire lorsqu'il est prononcé trois fois. Cette triple invocation, et les trois premiers paragraphes, s'inspireraient des pratiques des *Fratres arvales*, confrérie romaine supposée remonter à Romulus.

2. *Horhorn* : A.J. Horne était l'un des médecins-chefs de la maternité de Holles Street, où se déroule cet épisode. Le mot *horn* est riche de connotations sexuelles argotiques (phallus, érection, cocufiage). Mais un *hornbook* est un document d'apprentissage de l'alphabet et de la lecture. Notons enfin qu'il existe deux œuvres littéraires, *King Horn* (XIIIe siècle) et *Horn Child* (XIVe) dont l'intrigue comporte un épisode touchant la libération de l'Irlande envahie par les païens.

3. Le passage qui suit semble composé à l'imitation de Salluste. Les traducteurs ont souvent dû renoncer à garder les constructions latinisantes de Joyce.

4. *Lutulent* : boueux.

5. Allusion à la Genèse, I, 28 : « Croissez et multipliez-vous ».

6. Familles de médecins attachés à divers clans irlandais dès les XVIe-XVIIe siècles.

7. De nombreux hôpitaux furent fondés à Dublin dès le XVIIIe siècle. Le Rotunda Hospital, première maternité des îles Britanniques, fut construit dès le début du siècle.

8. *Before born babe bliss had. Within womb win he worship* : imitation du style allitératif des anciens textes anglo-saxons.

9. *Reproductitive* en anglais : graphie en apparence fautive, mais sans doute délibérée, visant à traduire typographiquement l'idée de reproduction.

10. Dans le passage qui suit, Joyce utilise des archaïsmes relevés dans les *Homélies* d'Ælfric, dit Grammaticus, moine du X-XIe siècle. En fait, il les a probablement trouvés dans G. Saintsbury, *A History of English Prose Rhythm* (1912), où il puisa largement pour cet épisode, en même temps que dans W. Peacock, *English Prose from Mandeville to Ruskin* (1903).

11. Genèse, VI-VIII. L'histoire du Déluge est redoublée par celle d'Ulysse et de ses compagnons, en butte au courroux de Zeus après le meurtre des bœufs du soleil (*Odyssée*, chant XII, v. 375-388).

12. *Chaume* : *thatch*. En argot ancien, *thatched house* désignait le sexe de la femme.

13. Les Bloom ont habité, sinon certes l'hôpital, du moins Holles Street, durant l'année 1895.

14. *Avait erré* : souvenir des dix années d'errance d'Ulysse après la guerre de Troie.

15. *L'île de Mona* : ancien nom d'Anglesey, île proche de

Liverpool, lieu de villégiature au début du siècle. — *La Noël* : en fait *Childermas*, fête des Saints Innocents (28 décembre).

16. *Qui que tu sois* : *everyman*. Allusion à *Everyman*, moralité du xve siècle, et à son prologue, qui porte sur ce sujet.

17. Livre de Job, XIV, 1.

18. Livre de Job, I, 21.

19. Rappel des neuf ans écoulés depuis le séjour des Bloom Holles Street.

20. Le passage qui commence ici et se poursuit dans les deux paragraphes suivants est un pastiche des *Voyages de Sir John de Mandeville* (XIVe siècle), compilation qui mélange merveilleux, géographie et histoire naturelle, à laquelle Joyce emprunte force expressions tirées de Peacock.

21. Piqûre d'abeille signalée dès « Calypso », dont le souvenir revient à plusieurs reprises.

22. *Homme plein de ruse et cautèle* (prudence mêlée de ruse) : tel l'Ulysse d'Homère, Bloom est souvent qualifié de « prudent, avisé ».

23. *Vénerie, venery* : le mot a également le sens, ici pertinent si l'on songe à l'épisode précédent, d'« activité sexuelle ».

24. *Mahom, Mahound* en anglais : comme « Mahun » chez Rabelais, cette corruption de « Mahomet » désignait jadis une incarnation du Diable.

25. Après la description des sardines en boîte et avant celle de la bière, voici celle du pain, dans un vocabulaire en partie emprunté au Deutéronome (XXXII, 14).

26. *Ce pendant, This meanwhile* : expression relevée chez Sir Thomas Malory (XVe siècle), qui introduit quatre paragraphes écrits dans le style de cet essayiste.

27. *Expecting each moment to be her next* : plaisanterie facile de Lenehan, ou bourde du type « *Irish bull* », bienvenue dans l'épisode de « Bœufs » du Soleil.

28. *Saint Mary Merciable* : le Mater Misericordiæ Hospital.

29. *Alba Longa* : l'allusion à cette ancienne ville du Latium est douteuse. Mais Joyce signifie peut-être que Crotthers est écossais : Alba est le nom jadis donné à l'Écosse par les Irlandais.

30. *Eblana* : nom donné par Ptolémée à l'actuel Dublin.

31. Genèse, III, 16.

32. *Saint Ultan* : saint irlandais, patron des enfants malades et des orphelins.

33. Sur ce péché, qui préoccupait fort Joyce, voir *Œuvres*, t. I, p. 687 et 1612.

34. *He cometh by his horn* : Joyce joue sur le double sens de *come* (jouir, et, dans *come by*, acquérir une corne) et de *horn* (corne, et érection). L'expression fait aussi écho à une chanson gaillarde, « Il ne jouit qu'une fois tous les mille ans… ».

35. Livre d'Isaïe, XXXIV, 14.

36. *Semences de clarté* : peut-être un souvenir de Paracelse (jadis lu par Joyce), pour qui le sperme tombe des étoiles.

37. Écho du poème composé par Stephen dans « Protée ».

38. Virgile, *Géorgiques*, III, v. 271-277.

39. *Par vapeur de œil de bouc, by the reek of the moonflower* : *moonflower* peut désigner diverses fleurs, dont le chrysanthème, mais également les menstrues.

40. Maxime reprise de « Télémaque » sous une forme biblique archaïsante.

41. « *The Vicar* [« curé » et non « vicaire »] *of Bray* » : chanson dont le héros éponyme, personnage historique, change de religion selon celle du souverain régnant.

42. Citation célèbre d'une lettre du poète William Blake à William Hayley, reprise par W.B.Yeats dans sa préface à la pièce de Lady Gregory, *Cuchulain of Muirthemne* (1902).

43. Joyce mêle ici les souvenirs de poèmes de Blake, de Yeats, et de Dante (*Le Paradis*, XIII, v. 133-135). Les images d'Ève comme épine et de Marie comme rose se trouvent chez Bernard de Clairvaux.

44. Variation sur l'Évangile selon saint Jean, I.

45. *Omnipotentiam…* : « toute-puissante pétition de la Mère de Dieu ».

46. Augustin ne fut ni le seul, ni le premier, à dire cela.

47. Idée reprise de « Protée ».

48. Citation de Dante, *Le Paradis*, XXXIII, v.1 : « Ô Vierge mère et fille de ton fils. »

49. Écho d'une *nursery rhyme* traditionnelle, « *The house that Jack built* », déjà rencontrée.

50. Ce paragraphe et les deux suivants constituent une parodie du style latinisé d'auteurs des XVIe et surtout XVIIe siècle : John Milton, Richard Hooker, Sir Thomas Browne et Jeremy Taylor.

51. Parodie des trois vœux canoniques.

52. Écho parodique des deux premiers vers de l'hymne « *Tantum ergo* », cher à Joyce.

53. *The Maid's Tragedy* (vers 1610).

54. Parodie de l'Évangile selon saint Jean, XV, 13, dans laquelle *life*, vie, est remplacé par *wife*, femme.

55. Conclusion de la parabole du bon Samaritain, Évangile selon saint Luc, X, 37.

56. *Lettres françaises* : *french letters* désigne en argot les capotes anglaises, jeu de mots éculé — *Osporc* : *Oxtail*, où la capitale associe Oxford à un potage, *oxtail soup*.

57. *Secondbest bed* : écho du testament de Shakespeare évoqué dans « Charybde et Scylla ».

58. Parodie de la fin de l'Offertoire : « Priez, mes frères, pour moi-même... »

59. Mélange d'un poème de Thomas Moore et du cantique de Moïse dans Deutéronome, XXXII, 7.

60. Écho des imprécations d'Ézéchiel contre Jérusalem, XVI, 15, 26 et 29.

61. Voir Deutéronome, XXXII, 15.

62. *Mélisienne* : la race de Mileadh, ou Milésiens, est une race de l'Irlande légendaire.

63. *Horeb* : ou Sinaï. C'est du mont *Nebo* que Moïse vit la terre promise, et là qu'il mourut. Les *Cornes de Hatten* : chaîne montagneuse au nord-est de la mer Morte.

64. Les traducteurs n'ont pas remarqué que Joyce avait remplacé *honey*, « miel », par *money*, « argent ».

65. Reprise synthétique de deux séries de notations : celles qui évoquent la mère de Stephen dans « Télémaque », et celles du poème esquissé par le même dans « Protée ».

66. Début d'une série d'emprunts stylistiques à Sir Thomas Browne (1605-1682).

67. *Tophet* : voir le Livre de Jérémie, VII, 31-33.

68. *The whatness of our whoness hath fetched his whenceness* : voir « Charybde et Scylla », p. 323 (« La chevaléité est la quiddité de tout cheval »).

69. Livre des Proverbes, IX, 1.

70. *Le palais de cristal* : le Crystal Palace, construction conçue pour l'Exposition Universelle de 1851, détruite par le feu en 1936.

71. Début d'une parodie du *Pilgrim's Progress* de John Bunyan (1628-1688).

72. Reprise de la réponse de Jésus aux Sadducéens, qui niaient qu'il y eût une Résurrection (Évangile selon saint Marc, XII, 25).

73. Début d'une parodie des journaux tenus au XVIIe siècle par John Evelyn et Samuel Pepys.

74. *Le grand vent* : allusion à l'ouragan des 26 et 27 février 1903.

75. *Fiacre* : Joyce utilise ce mot plutôt que *cab* ; il aimait rappeler que saint Fiacre était un saint irlandais.

76. Croyance populaire irlandaise : ne pas couper les ongles d'un enfant avant un an, de peur qu'il ne devînt un voleur.

77. Allusion au Livre de *Malachie*, IV, 1.

78. Sur *The Irish Homestead* et son directeur George *Russell*, voir p. 87 et n. 93.

79. Début d'un pastiche de Daniel Defoe (vers 1660-1731).

80. *La lecture des cartes, the use of the globes* : équivoque sur *globe*, « globe terrestre » et, en argot, « sein ».

81. Écho de la lettre écrite par M. Deasy dans « Nestor ».

82. Nicolas Breakspear, pape (anglais) sous le nom d'Adrien IV, accorda l'Irlande à Henri II d'Angleterre par sa bulle (en anglais *bull*, « taureau ») *Laudabiliter* (1155). Selon le *Metalogicon* de Jean de Salisbury, il lui aurait donné, symboliquement, une émeraude sertie dans un anneau d'or.

83. *Henry-le-Diable, the Lord Harry*, c'est-à-dire Henri II, mais également, en argot, « le Diable ».

84. *The four fields of Ireland* : les quatre provinces d'Ulster, Munster, Leinster et Connaught.

85. Ce qui suit est une brève histoire de la colonisation de l'Irlande à partir du XVIe siècle.

86. *Bon latin de latrine, bog latin* : littéralement « latin de tourbière », sonne comme *dog latin*, « latin de cuisine ». — *Patron de la boîte, boss of the show* : jeu sur *bos*, « bœuf », et *boss*, « patron ».

87. À partir de 1541, les rois d'Angleterre qui jusque-là n'étaient que « Seigneurs », *Lords*, d'Irlande, se déclarèrent rois de l'île à part entière, et donc en droit de disposer des terres. Le *bull* irlandais devenait *John Bull*.

88. Allusion à l'omniprésence du monogramme royal sur les bâtiments et monuments publics.

89. *Entre vent et marée, between wind and water* : le point vulnérable, ici entendu de façon salace.

90. Présentation plaisante de l'émigration irlandaise en Amérique à partir du XVIIe siècle.

91. Début d'un pastiche des essais de J. Addison et R. Steele dans le *Tatler* et le *Spectator* au début du XVIIIe siècle.

92. *Lambay* : île toute proche de Dublin.

93. *Notre parti tout-puissant, our ascendancy party* : à partir du XVIIIe siècle et jusqu'à l'indépendance, *ascendancy* a désigné l'aristocratie et la haute bourgeoisie anglicanes d'origine anglaise, loyaliste.

94. *Son quoniam bonus, her natural* : mot obsolète désignant les parties génitales, ou une nudité complète.

95. En latin : « Telle, et si considérable, ô citoyens, est la dépravation de ce siècle, que nos mères de famille préfèrent de loin les titillations lascives de demi-hommes de la Gaule, aux lourds testicules et aux hautes érections des centurions romains. »

96. *M. Austin Meldon* : chirurgien réputé et notable dublinois de l'époque.

97. *'Tis a pity she's a trollop* : variation lexicale sur le titre de la pièce de John Ford, *'Tis Pity She's a Whore* (*Dommage qu'elle soit une putain*, 1633), qui permet à Joyce d'introduire le nom du romancier Anthony Trollope (1815-1882).

98. Début d'un pastiche de Laurence Sterne, auteur de *Tristram Shandy* (1760-1767) et du *Sentimental Journey through France and Italy* (1768), où se glissent souvent des expressions françaises, comme on le voit ici.

99. *Kitty* : depuis la fin du XIXe siècle, ce prénom, en argot, peut désigner le sexe de la femme.

100. Ce procédé de suspens est typique de Sterne.

101. Début d'un pastiche du romancier et poète irlandais Oliver Goldsmith, auteur du *Vicar of Wakefield* (1766), qui ne reculait pas devant les tirades édifiantes.

102. Cliché biblique (Épitre aux Hébreux, XII, 1).

103. Début d'un pastiche du philosophe conservateur irlandais Edmund Burke (1729-1797), particulièrement hostile à la Révolution française. On trouve également des échos de l'essayiste Samuel Johnson et des lettres du comte de Chesterfield (même époque).

104. *Chaste* : le mot peut également désigner un style « sobre ».

105. Début d'un pastiche du dramaturge irlandais R.B. Sheridan (1751-1816).

106. *Matrone d'Éphèse* : personnage de veuve éplorée qui se console très vite (voir le *Satyricon* de Pétrone). C'est dans une maison d'Éphèse, découverte en 1891, que la Vierge Marie aurait passé la fin de sa vie.

107. *L'homme de la situation* : *the man in the gap* : dans la tradition celtique, le champion placé au point le plus vulnérable des défenses ; de même aujourd'hui dans le football gaélique. *Gap*, « vide, trou », permet de faire entendre une grivoiserie.

108. Pastiche de la prose du Dr Samuel Johnson (1709-1784).

109. Pastiche du style de Junius, pseudonyme d'un satiriste du XVIIIe siècle.

110. Il s'agit de Bloom, dont les coreligionnaires, expulsés des îles Britanniques en 1290, admis à nouveau au XVIIe siècle, obtinrent peu à peu, au fil des XVIIIe et XIXe siècles, tous les droits civiques.

111. *Une servante* : Mary Driscoll.

112. *Son baume de Judée, his balm of Gilead* : voir Livre de Jérémie, VIII, 22.

113. Allusion aux rapports entretenus par Bloom et Mme Riordan, selon Molly : voir « Pénélope ».

114. Début d'un pastiche de l'historien anglais E. Gibbon (1737-1794), auteur de la célèbre *History of the Decline and Fall of the Roman Empire*.

115. *Suivante* : *Abigail*. Ce nom propre biblique, devenu nom commun, doit sa fortune dans la langue anglaise au personnage de la servante dans la pièce de Beaumont et Fletcher *The Scornful Lady* (1616).

116. *Un furieux débat, A strife of tongues* : voir le Livre des Psaumes, XXXI, 26 (20 dans la Bible du Roi Jacques).

117. Comme on l'a vu dans « Les Rochers Errants », il s'agit d'un Pseudo-Aristote.

118. *Grissel Steevens* : ce personnage dublinois (1653-1746) fut l'objet de cette rumeur, probablement parce qu'elle faisait ses visites de charité voilée.

119. *Mémoire plasmique* : doctrine théosophique.

120. Allusion à l'école écossaise de psychologie des XVIII-XIXe siècles (T. Reid, D. Stewart, W. Hamilton).

121. Voir Ovide, *Métamorphoses*, VIII, et Aristote, *De la génération des animaux*, IV, III-VI.

122. Pastiche de roman gothique à la manière du *Château d'Otrante* (1764) d'Horace Walpole, avec des effets de style empruntés à la littérature irlandaise moderne.

123. La phrase de Joyce est une anthologie du parler populaire irlandais, marqué par le gaélique. Elle est mise dans la bouche de Haines, anglais collectionneur de folklore irlandais.

124. *La langue erse* : cette langue est celle de l'Écosse plutôt que de l'Irlande gaélique : erreur de Haines plutôt que de Joyce ?

125. Télescopage du cauchemar de Haines et des théories de Stephen sur Shakespeare.

126. *The lonely house by the graveyard* : allusion au roman de l'Irlandais Sheridan Le Fanu, *The House by the Churchyard*.

127. Début d'un pastiche de l'essayiste Charles Lamb (1775-1834).

128. *Porteur de modestes rentes* : voir dans « Ithaque », p. 1108.

129. Cette expression favorite de Tom Kernan, qui se dissémine dans l'œuvre, est un de ses ressorts.

130. *Baisemains* : le manuscrit est formel, Joyce avait écrit *baisemoins*, ce qui consonnait avec le thème de l'épisode, « le péché contre la fertilité ».

131. *Lunettes de corne* : détail distinctif de M. Bloom père, associé dans « Ithaque » à la lecture des Écritures.

132. Joyce cite presque littéralement *Le Marchand de Venise*, II, II, 75-76.

133. *La nuit nuptiale* : *the bride-night*, où l'on entend « *Bridie* ».

134. Les deux paragraphes qui débutent ici sont inspirés de *The English Mail Coach* (1849) de Thomas De Quincey.

135. *Un silence qui est l'infini de l'espace* : allusion à Pascal, « Le silence éternel de ces espaces infinis m'effraie ».

136. Joyce récrit ici une épiphanie recueillie dans son *Giacomo Joyce*.

137. L'orfraie : *screechowl*, traduction consacrée de « Lilith », le monstre de la nuit.

138. *Parallaxe* : voir dans « Les Lestrygons », p. 273.

139. Psaumes de David, XXII, 13-14.

140. Tout ce passage fait écho à l'évocation d'Hermès dans l'*Odyssée*, chant V, v. 43-46.

141. Début d'un pastiche de W.S. Landor dans ses *Imaginary Conversations* (1824-1829), où apparaissent divers auteurs anciens ; voir également le chant XI de l'*Odyssée* où Ulysse rend visite à l'Hadès et à ses habitants.

142. *Une poignée de poésies fugitives* : en 1904, Joyce en était à ce stade de sa carrière littéraire.

143. *All was lost now* : écho de l'air *Tutto è sciolto* de *La Somnambule* de Bellini. C'est le titre d'une des pièces de *Poèmes d'api*.

144. Voir Horace, *Odes*, II, v, v. 15.

145. *Glycère* : une personne de ce nom fut la maîtresse de Ménandre, une autre celle du peintre Pausias.

146. *A slight disorder in her dress* : expression, passée en cliché, tirée d'un poème de Robert Herrick, « Delight in Disorder » (1648).

147. Lenehan confond deux personnages de la même famille *Bass*, l'un propriétaire du cheval Sceptre, l'autre de la brasserie.

148. *Théosophos* : probablement A.E., ou l'un des théosophes mentionnés dans « Charybde et Scylla ».

149. Début d'un pastiche de l'historien T.B. Macaulay (1800-1859).

150. *Galloway* : île des Hébrides.

151. Ceci confirme que le personnage de Mulligan fut inspiré par Oliver St John Gogarty, d'autant qu'une équivalence entre Roland et Olivier est appelée par l'expression proverbiale *A Roland for an Oliver*, « Un prêté pour un rendu ».

152. James *Lafayette*, dans Westmoreland Street, n'était pas dessinateur, mais photographe : on nous suggère sournoisement qu'il retouchait ses tirages.

153. Début d'un pastiche de T.H. Huxley (1825-1895), naturaliste, défenseur de l'évolutionnisme. — *Transcendantalisme* : mouvement de pensée illustré par le penseur américain R.W. Emerson (1803-1882).

154. Personnages authentiques : obstétriciens, embryologistes, physiologistes des XVIIe, XVIIIe et XIXe siècles.

155. *Must [...] give us pause* : reprise du célèbre monologue d'*Hamlet*, III, I, v. 68.

156. *The survival of the fittest* : formule de Herbert Spencer dans ses *Principles of Biology* (III, XII).

157. *Pluterperfect imperturbability* : expression reprise de la lettre de M. Deasy dans « Nestor ».

158. Début d'un pastiche du style de Charles Dickens.

159. Échos de la Première Épitre à Timothée, VI, 12, et de la Seconde Épitre à Timothée, IV, 7.

160. *Doady* : surnom que, dans *David Copperfield*, la première femme de David, Dora, donne à son mari.

161. *The whirligig of years* : écho de *La Nuit des Rois* de Shakespeare, V, I, v. 385.

162. *The old shake of her pretty head* : écho de *David Copperfield*, chap. LIII.

163. La famille Purefoy, au nom évocateur, est loyaliste, et donne à ses enfants des prénoms de membres de la famille régnante ou du chef des armées.

164. Écho de l'Évangile selon saint Matthieu, XXV, 14-30.

165. Début d'un pastiche du style du cardinal Newman (1801-1890) auquel Joyce porta une durable admiration.

166. Début d'un pastiche de Walter Pater (1839-1894).

167. *Prédilection* : *flair*, en français dans le texte.

168. *Roundtown* : c'est là que Bloom a rencontré Molly.

169. *Floey, Adine, Toinette* (*Floey, Atty, Tiny*) : filles de Mat Dillon.

170. Ce détail, après coup, dans « Ithaque », permettra de penser que le petit garçon était Stephen Dedalus.

171. *Alles Vergängliche ist nur ein Gleichnis*, « Tout ce qui est transitoire n'est que semblant » : Goethe, *Faust II*, v. 12096.

172. Début d'un pastiche de l'esthéticien John Ruskin (1819-1900).

173. *Le Mot, the Word*, c'est-à-dire aussi bien le Verbe, au sens biblique.

174. Le style du passage qui débute ici est celui de l'essayiste Thomas Carlyle (1795-1881).

175. *Ton gomor de blé mûr, thy homer of ripe wheat* : *homer* ici ne désigne ni le poète ni un pigeon voyageur, mais, dans la Bible, une mesure de blé valant environ onze boisseaux.

176. Voir le Livre des Juges, VI, 36-38.

177. Cette phrase contient des échos de poèmes de Shakespeare et de Robert Herrick.

178. Souvenir de l'élégie XIX, « *Going to Bed* », de John Donne (1572-1631).

179. « Tu trais ta vache Affliction. Maintenant tu bois le doux lait de son pis », en allemand.

180. *The milk of human kin*. Joyce joue sur le cliché shakespearien, « *the milk of human kindness* », « le lait de la tendresse humaine » (*Macbeth*, I, V, v. 18).

181. *Partula* était la déesse des accouchements (voir Tertullien, *De anima*, XXXVII) ; *Pertunda*, celle de la perte de la virginité, comme saint Augustin se délecte à le rappeler dans *La Cité de Dieu* (VI, XIX).

182. *Voyageurs de bonne foi, Bonafides*, c'est-à-dire ceux qui, ayant réellement parcouru un certain nombre de milles, avaient accès aux pubs en dehors des heures d'ouverture.

183. *Timothy of the battered naggin* : un certain Timothy

O'Brien, aubergiste dublinois, laissait se cabosser ses *naggins*, mesures à whiskey, pour en réduire la contenance.

184. C'est dans cette rue qu'habitaient, vers 1880, nombre de membres de la société secrète des Invincibles.

185. *Parasange* : mesure itinéraire chez les anciens Perses, valant un peu plus de 5000 m.

186. Citation de « *Slattery's mounted foot* » (« L'infanterie montée de Slattery »), chanson comique irlandaise décrivant les déambulations d'un groupe de buveurs.

187. *Chuckingout time*, « l'heure où on vous vire », pour *checkingout time*, l'heure où l'on quitte l'hôtel.

188. Elles vont être énumérées quelques lignes plus bas : *bièrebœuf*, etc.

189. Écho parodique d'une chanson de marche.

190. Écho de la chanson « *God save Ireland* ».

191. Écho d'une chanson américaine, « *My Grandfather's Clock* », horloge achetée le jour de la naissance du grand-père.

J. A.

XV. CIRCÉ

1. *Cissy Caffrey* : c'est le même nom que celui de la jeune fille que nous avons rencontrée quatre heures plus tôt — et deux chapitres plus haut — sur la grève de « Nausicaa ». D'après les critères de vraisemblance que le récit, en dépit de toutes ses audaces, a toujours respectés jusqu'à présent, il est impossible que cette jeune fille soit présente dans ce quartier, chante une telle chanson et se déclare « une pute à un shilling ». Il est tout aussi invraisemblable qu'Edy Boardman et Bertha Supple, qui apparaissent quelques lignes plus bas, soient les camarades de Gerty MacDowell dans « Nausicaa » ou que les jumeaux Tommy et Jacky Caffrey, charmants bambins en costume marin, se retrouvent livrés à eux-mêmes dans ce quartier sordide. Bien que ni Bloom ni Stephen n'aient encore fait leur entrée, le chapitre commence à mettre en œuvre sa technique hallucinatoire (voir la Notice).

2. *Cavan, Cootehill et Belturbet* : petites villes irlandaises.

3. « Je vis de l'eau surgir à la droite du temple. Alleluia », en latin. D'après Alessandro Francini Bruni, Joyce avait patiemment recopié, dans les archives d'une abbaye suisse, une parti-

tion grégorienne sur les paroles de cet Introït pour le temps de Pâques, et aimait à l'interpréter en s'accompagnant au piano.

4. « (Un peu plus haut.) Et tout ceux qui furent touchés par cette eau », en latin.

5. « (Sur un ton triomphal.) Furent sauvés », en latin.

6. Nouvel écho des visions apocalyptiques de William Blake.

7. *Un épagneul* : le chien multiforme de « Protée » réapparaît dans cet épisode sous divers aspects.

8. *Mecklenburgh street* : ancien nom d'une des rues les plus chaudes du quartier réservé de Dublin.

9. Allusion à la onzième strophe des *Rubaiyat* d'Omar Khayyam dans l'adaptation anglaise d'Edward Fitzgerald : « Un livre de poésie sous la branche, une cruche de vin, un morceau de pain — et toi à mes côtés chantant dans le désert — Oh, le désert serait un paradis suffisant. »

10. *La belle dame sans merci* : en français dans le texte ; allusion possible au poème d'Alain Chartier (xve siècle). C'est surtout le titre d'un poème de John Keats. — *Ad deam*... : « vers la déesse qui réjouit ma jeunesse », en latin. « *Ad Deum qui laetificat juventutem meam* » est la réponse du servant à l'« *Introibo ad altare Dei* » du prêtre au début de la Messe (voir les premières lignes du roman). L'inversion de dieu en déesse confère un tout autre sens à l'autel divin.

11. *Illustre-le toi* : c'est-dire l'objet aimé évoqué par le poème d'Omar Khayyam.

12. *O'Beirne* : pub situé sur le trottoir nord de Talbot Street (Bloom est en train de suivre le trottoir sud).

13. « Bonsoir, Mademoiselle Blanche, quelle est cette rue ? », en espagnol.

14. *Sraid Mabbot* : « Rue Mabbot », en irlandais.

15. *Slan leath* : « Au revoir », en irlandais. — *Mangeurdefeu* : le Citoyen du « Cyclope ».

16. *Stepaside* : village des environs de Dublin, dont le nom signifie « Pas de côté ».

17. Écho parodique de l'Agnus Dei.

18. *Ja, ich weiss, papachi* : « Oui, père, je sais » en allemand et yiddish.

19. *Goim nachez* : « Plaisir de Gentils » en yiddish.

20. *La veuve Twankey* : personnage de mère dans une célèbre pantomime.

21. *Madame Marion* : la lettre de Boylan, aperçue dans l'épisode IV, « Calypso », était adressée à « Madame Marion Bloom ».

22. « Ton cœur frémit-il un peu ? », en italien. Dans le duo de *Don Giovanni* mentionné à la ligne suivante (« *La ci darem la mano* »), Zerline dit « *Mi trema un poco il cuore* ».

23. Cette question récurrente a trait à la prononciation du « *voglio* » (« je veux ») dans le duo où Zerline s'apprête à céder à Don Juan, mais elle porte aussi sur le désir fourvoyé de Molly.

24. *With all my worldly goods I thee and thou* : approximation phonétique du rituel catholique du mariage, « *with all my worldly goods I thee endow* ».

25. Les *Livermore* et les *Bohee* étaient deux troupes de *Black Minstrels* (chanteurs comiques grimés en nègres) qui s'étaient produites à Dublin en 1894.

26. *L'Ancien Chant des doux amants* : voir « Calypso », p. 135 et n. 54.

27. *Mordante interprète* : c'est l'expression favorite de Tom Kernan qui revient dans la bouche de Bloom.

28. *Une tête de mort...* : parce que Goulding est promis, selon Bloom, à une mort prochaine.

29. Sur ce passage, voir la Notice, p. 1283.

30. Les lignes suivantes entrecroisent divers motifs empruntés à l'épisode XI, « Les Sirènes ».

31. Le lapsus de Bloom sur les *courtisans* et les *courtiers* (*admirers* et *advisers*), dans « Le Cyclope », sous-tend ce passage.

32. Le terrassier continue à chanter « Les gars de Wexford » (voir « Éole », p. 237 et n. 51).

33. *Rencontres* et *Chacun son goût* : en français dans le texte.

34. *Garryowen* : le chien du « Cyclope ». C'est sans doute lui la « brute aujourd'hui ».

35. *Une carte tombe...* : c'est en effet une preuve de la culpabilité de Bloom, puisqu'il s'agit de la carte de poste restante qui lui permet d'entretenir sa correspondance clandestine.

36. Cette *Martha* est à la fois la correspondante de Bloom (voir l'épisode V, « Les Lotophages ») et la Martha de Flotow (voir l'épisode XI, « Les Sirènes »).

37. L'affaire du *courrier de Lyon* (qui vit l'exécution de Lesurques pour une attaque probablement commise par son sosie Dubosc) et l'affaire *Childs* sont deux procès très célèbres.

38. *Chieborlette* : les Gileadites faisaient prononcer le mot *shibboleth* aux fuyards Ephraïmites pour les identifier avant de les mettre à mort (Juges, XII, 1-6). Bloom échoue lamentablement à cette épreuve phonétique.

39. *Major-général Brian Tweedy* : Bloom exagère considérablement le grade, au demeurant mal défini, de son beau-père.

40. *La guerre distraite* : il s'agit de la guerre des Boers (allusion au poème de Kipling « *The Absent-Minded Beggar* »). Voir l'épisode IX, « Charybde et Scylla », p. 325 et n. 29.

41. *Jim Bludso* : ballade américaine de John Hay racontant l'histoire d'un marin du Mississippi qui périt en maintenant son embarcation en flammes contre la berge pour permettre aux passagers de s'en échapper.

42. « The Jackdaw of Rheims » est l'histoire d'une corneille qui vole l'anneau de l'archevêque dans *The Ingolsby Legend* (1840) de Richard Barham.

43. *Hallmark of the beast* : le sceau de la Bête de l'Apocalypse, mais aussi la trace de l'usage hygiénique que Bloom avait fait du journal.

44. *Pilori* : *whipping post*, alors qu'on attend *winning post* (poteau d'arrivée).

45. *Could a tale unfold* : citation d'*Hamlet*, I, V, v. 15.

46. *A penny in the pound* : c'est le montant, dérisoire, du dividende de faillite que Bloom propose à ses créanciers.

47. Condensé de l'épisode VII, « Éole », mêlant le discours absurdement ridicule de Dan Dawson avec la période oratoire de Seymour Bushe, considérée comme suprêmement harmonieuse, l'ensemble étant prononcé dans les mêmes circonstances que le discours de John F. Taylor, comble de l'éloquence.

48. Les références de Bloom sont d'inégale valeur. Si le marchand de bétail Joseph Cuffe et le papetier Wisdom Hely ont bien été ses employeurs, le lord-maire Vat Dillon est mort depuis quelques mois et Callan et Coleman ne sont que les premiers noms de la chronique nécrologique consultée par Bloom

49. *Vénus à la fourrure* : c'est le titre de l'ouvrage le plus célèbre de Léopold von Sacher-Masoch.

50. *A Nameless One* : allusion à un poème de James Clarence Mangan, « *The Nameless One* ». Sur ce passage, voir la Notice, p. 1283.

51. *Sir Frederick Falkiner* se confond avec le Moïse mi-homme mi-statue imaginé par Stephen alors qu'il écoute le discours de John F. Taylor.

52. *Écoute, écoute, ô écoute !* : voir « Charybde et Scylla », p. 326 et n. 35.

53. *Vobiscuits* : la formule rituelle « *Dominus vobiscum* » est contaminée par le nom des biscuits Jacobs.

54. *A man's touch* : un toucher masculin.

55. Allusion au poème « Lalla Rookh » de Thomas Moore.

56. Transcription tout à fait approximative de l'hébreu du Cantique des Cantiques : « Je suis noire, mais je suis belle, Ô filles de Jérusalem » (I, 5).

57. Transposition d'un appel lancé par les cloches de Londres dans la pantomime *Dick Whittington*.

58. *Vanderdecken* : c'est le nom du Hollandais Volant dans certaines versions de la légende.

59. *Cead Mile Failte* : « Cent mille fois bienvenu » en irlandais.

60. « Que ton roi est beau, Ô Israël » en hébreu.

61. *Kol Nidre* : prière juive qui, à la veille du Yom Kippour, annule tous les serments de l'année écoulée.

62. *Bloom's Boys*: sur le modèle des *wren boys* qui pratiquent *the hunting of the wren*, la chasse du roitelet, le jour de la Saint-Étienne, en agitant des branches d'aubépine et d'ajoncs et en chantant le couplet qui suit. Au cours de ce rituel pratiqué en Irlande (et jusqu'au XIXe siècle en France et en Angleterre), l'oiseau roi, tabou en temps normal, est mis à mort pour inaugurer la nouvelle année, généralement sous forme symbolique, mais dans certaines versions du rite avec une grande sauvagerie.

63. *Une gloire de soleil apparaît* : comme sur la manchette du *Freeman's Journal*.

64. C'est la formule annonçant l'élection d'un pape, où le mot *papam* est remplacé par *carneficem* : « Je vous annonce une grande joie. Nous avons un bourreau. »

65. *Ladysmith* : fait d'armes de la Guerre des Boers, qui n'eut pas lieu *vingt ans* mais six ans avant le 16 juin 1904.

66. *Une demi-lieue en avant !* : citation de « La charge de la brigade légère », très célèbre poème de Tennyson.

67. *Une pommarchande* : *an applewoman*, une marchande de pommes.

68. *Peter O'Brien* : Lord Chief Justice d'Irlande (1842-1914).

69. *Parallaxe* : voir « Les Lestrygons », p. 273 et n. 27.

70. Cette formule mystérieuse renvoie à la publicité flottante de Kino, le marchand de pantalons.

71. *M. Fox* : Fox (Renard) était l'un des pseudonymes utilisés par Parnell dans sa correspondance avec Kitty O'Shea.

72. Suite de termes irlandais déformés qui ne semble pas comporter de signification claire.

73. *Plus à plaindre qu'à blâmer* : voir l'épisode XIII, « Nausicaa », p. 582 et n. 34.

74. *Fetor judaicus* : « puanteur juive » en latin.

75. Dans la littérature rabbinique apocalyptique, le *Messie Ben Joseph* doit précéder l'avènement du Messie issu de la maison de David.

76. *Szombathely engendra Virag* : le grand-père de Bloom, Lipoti Virag, venait bien de Szombathely.

77. Tout ce passage parodie le mouvement littéraire de retour aux sources rurales irlandaises qui s'était développé autour du Théâtre de l'Abbaye.

78. C'est le rébus orthographique évoqué dans « Éole ».

79. Voir *Othello*, III, III, v. 166.

80. *Hand that rocks the cradle* : voir « Les Sirènes », p. 476 et n. 90 pour l'explicitation de la citation tronquée.

81. *Quintes sans but, empty fifths* : quintes creuses, c'est-à-dire dépourvues de la tierce qui permet de déterminer si l'accord est majeur ou mineur.

82. « Les cieux proclament la gloire du Seigneur » : Psaumes, XVIII, 1.

83. *L'hyperphrygien et le mixolydien* : deux modes musicaux de la Grèce antique.

84. Le psaume 18 est adressé « au principal musicien ».

85. En français dans le texte.

86. *La Cité Sainte* : hymne de F. Weatherly et S. Adams (1892).

87. *Ecco !* : « Voilà ! » en italien.

88. *Reuben J. Antéchrist* : il s'agit évidemment de Reuben J. Dodd, cible de toutes les injures antisémites, que Simon Dedalus avait traité de Barrabas (brigand gracié à la place du Christ).

89. *Ally Sloper* : héros comique d'un hebdomadaire illustré.

90. Le gobelin s'exprime en français dans le texte.

91. Ce sont les paroles de « *La Cité Sainte* » (voir la note 86).

92. Les mystérieuses paroles prononcées par A.E. au moment où Bloom le croisait dans « Les Lestrygons » se matérialisent ici.

93. Par association avec les prédicateurs auxquels il est

associé dans « Les Lestrygons », le discours d'Élie est truffé d'argot américain, d'américanismes ou de références américaines.

94. *Le visage noirci* : comme un « *Black Minstrel* » (voir la note 25). Élie emprunte maintenant le langage d'un prédicateur noir américain.

95. Ce sont les huit Béatitudes Britanniques des « Bœufs du Soleil » (voir p. 688, n. 188) qui se retrouvent ici, partiellement latinisées, grotesquement déformées et recombinées entre elles, avec l'adjonction de Barnum, le célèbre cirque américain.

96. Nous avons appris dans « Charybde et Scylla » qu'Eglinton était originaire d'Ulster, donc présumé « orangiste ».

97. Très célèbre citation de John Keats : « *A thing of beauty is a joy for ever* » (premier vers d'« Endymion »).

98. Dans son ouvrage *The Candle of Vision* (1918), A.E. étudie le sens occulte des sons qui forment ces syllabes.

99. *Basilicogrammate* : greffier royal dans l'Égypte grecque.

100. *Rualdus Columbus* : anatomiste du XVIe siècle, censé avoir découvert le clitoris.

101. Bloom n'est plus en état de profiter de l'occasion après son aventure sur la plage.

102. *Argumentum ad feminam* : d'après l'*argumentum ad hominem*, argument visant la personne de l'adversaire.

103. Voir l'Évangile selon saint Luc, XV, 16 : « [L'enfant prodigue] eût été bien aise de remplir son ventre des cosses que les pourceaux mangeaient ; mais personne ne lui en donnait. »

104. « Réfléchissez-y. Vous gâchez tout », en italien.

105. On dit proverbialement qu'on « en appelle de Philippe saoul à Philippe sobre ». En effet, une femme condamnée par Philippe de Macédoine alors qu'il était ivre déclara vouloir faire appel auprès de Philippe sobre.

106. *Larchet* est un pub qui n'a pas été mentionné jusqu'ici. Ce qui suggère que Stephen a bu, au cours de la journée, encore plus que le lecteur n'a pu s'en rendre compte.

107. *J'ai payé mon dû* : voir « Nestor », p. 86 et n. 30.

108. « Ma vie, je t'aime », en grec. C'est le refrain de « *The Maid of Athens* » de Byron.

109. Voir « Les Rochers Errants », p. 418 et n. 119.

110. *Verfluchte goim* : « Maudits Gentils » en yiddish.

111. Voir « Protée », p. 103 et n. 67.

112. Élie *Metchnikoff* venait d'inoculer la syphilis aux anthropoïdes en 1904.

113. Joyce avait déclaré à son ami Frank Budgen que l'*ataxie locomotrice* était le « rythme » de l'épisode. Cette perte de la coordination des mouvements était souvent associée à la syphilis.

114. Ce sont les ingrédients de la lotion que Bloom a fait préparer par le pharmacien à l'intention de Molly.

115. Cette assimilation du *tympan* et de l'hymen, risquée par Simon Dedalus à propos de Ben Dollard, fait ressurgir ce dernier avec divers éléments de son environnement dans « Les Sirènes ». Les deux barmaids sont toutefois remplacées par deux infirmières de la maternité.

116. *Un fils de cardinal. / Un péché cardinal* : en anglais, une seule lettre sépare le fils (*son*) de cardinal du péché (*sin*) cardinal.

117. *Un collier de bouchons* (*corks*) : c'est l'emblème de l'alcoolisme de Simon Dedalus, mais aussi de son origine géographique (la ville de Cork).

118. *Svengali* : personnage maléfique d'hypnotiseur dans *Trilby* (1894), roman de George du Maurier.

119. *Signor Laci Daremo* : nouvelle allusion au « *Là ci darem la mano* » de Don Juan.

120. *La course Gordon Bennett* : voir « Hadès », p. 189 et n. 67.

121. *Larry Rhinocéros* : probablement Larry O'Rourke.

122. *Notre confession commune* : Bloom fait sans doute allusion au patronyme juif de Bella Cohen.

123. *Pleasants street* : le quartier des amis juifs de Bloom évoqués dans « Calypso ».

124. *Chat manxois* : les chats de l'île de Man sont naturellement dépourvus de queue.

125. *La vieille Combe du Sommeil* : *Sleepy Hollow*. « *The Legend of Sleepy Hollow* » est ici combinée avec une autre nouvelle de Washington Irving, « *Rip van Winkle* ».

126. *Sauce pour le jars* : voir « Les Sirènes », p. 463 et n. 65.

127. Dans l'*Odyssée*, Circé explique à Ulysse comment aller aux Enfers et en revenir vivant.

128. Les spéculations de Bloom sur la signification des lettres I.H.S. lui reviennent en mémoire.

129. « Écoute, Israel, le Seigneur Dieu est un seul Dieu » en yiddish. Cette prière est rituellement prononcée pour les morts, mais aussi pour les apostats qui sont considérés comme morts.

130. *La suttee* : voir « Hadès », p. 196 et n. 94.

131. Le souvenir du chromo de la chambre de Bloom s'entremêle au motif du papier peint du bordel.

132. *Poulaphouca* : c'est le nom d'une chute d'eau sur la Liffey.

133. *Hamadryades* : divinités des bois.

134. *Un phénomène naturel* : nous avons appris dans « Le Cyclope » qu'il s'agissait d'une des expressions favorites de Bloom.

135. *Fini* : il s'agit de l'épitaphe de Robert Emmet interprétée par Bloom à la fin des « Sirènes ».

136. *Peccavi* : « J'ai péché » en latin.

137. *Mont Carmel* : montagne côtière d'Israël.

138. *Knock* et *Lourdes* : voir « Les Lotophages », p. 162 et n. 72.

139. *Chevalier élu des neuf* : grade de la franc-maçonnerie.

140. Dans « Les Lestrygons », Bloom attribuait à une nonne l'invention du *fil de fer barbelé*.

141. *Dans ce bordel où tenons nostre état* : c'est le refrain de la « Ballade de la belle Margot » de François Villon.

142. *Brevi manu* : dans ce contexte, « sans intermédiaire », en latin.

143. *The absentminded ou le mendiant distrait* : double allusion à *Hamlet ou le Distrait* et à « *The Absent-Minded beggar* ».

144. Seize ans auparavant, Stephen avait cassé ses *lunettes* (voir la note 147).

145. *Inéluctable modalité du visible* : référence au *Traité de l'âme* d'Aristote. Voir le début de « Protée ».

146. « Le désir intense, femme qui interroge, nous détruit tous », en allemand. Ces mots n'apparaissent pas dans *Le Crépuscule des Dieux*, mais on trouve l'expression « *Fragende Frau* » dans un autre opéra de Richard Wagner, *La Walkyrie*.

147. L'évocation de la *férule* entraîne le retour d'une scène traumatique de l'enfance de Stephen, au cours de laquelle il est battu injustement par le Père Dolan pour avoir cassé ses lunettes, avant d'être triomphalement réhabilité par le Père Conmee (voir le *Portrait de l'artiste en jeune homme*, Bibl. de la Pléiade, t. I, p. 578-588).

148. De nombreux élements de l'épisode XI, « Les Sirènes », font retour dans les pages suivantes.

149. *Le miroir tendu à la nature, The mirror up to nature* : formule d'Hamlet qui recommande aux comédiens de « tendre,

en quelque sorte, un miroir à la nature » (III, II). Lynch et les prostituées aperçoivent dans le miroir l'image de Bloom à laquelle vient se superposer celle du porte-manteau garni d'andouillers. Mais la citation d'*Hamlet* engendre, pour Stephen et Bloom, une autre apparition, où un Shakespeare lui aussi cornu parce que cocu (voir « Charybde et Scylla ») se substitue à l'image reflétée.

150. Dans « Hadès », Bloom avait comparé le visage de Martin Cunningham à celui de Shakespeare.

151. Littéralement, en latin : « Et les cornes des justes seront exaltées » (Psaumes, CXXV, 10).

152. *Un aigle...* : ce sont les armes des Joyce du comté de Galway.

153. *Un gros renard* : c'est à la fois le renard empaillé de l'entrée du bordel et le renard de la devinette de Stephen dans « Nestor ».

154. Par association avec les Houyhnhnm, le *cheval inconnu* ressemble à Swift tel qu'il était décrit dans « Protée ».

155. Aux concurrents de la God Cup, qui s'est courue dans la journée, se mêlent les « chevaux défunts », montés par des « cavaliers lutins », dont les portraits ornent les murs du bureau de Garett Deasy. Les lignes qui suivent comportent de nombreux renvois à « Nestor ».

156. *Baguette d'augure* : voir « Protée », p. 114 et n. 149.

157. *Tripudium* : voir « Protée », p. 116 et n. 160.

158. *Les heures matinales* : c'est la danse des heures de Ponchielli, qui avait été évoquée dans « Calypso ».

159. Reprise des récriminations de Simon Dedalus contre sa belle-famille.

160. On reconnaît notamment dans ce paragraphe, chevauchant les animaux d'un manège où prédominent les cochons circéens, y compris les pourceaux de Gadara (Marc, V, 1-20), tournant au son de « Ma môme est une fille du Yorkshire », le crieur de chez Dillon avec sa clochette, le Père Conmee et le marin unijambiste auquel il donne sa bénédiction, Corny Kelleher (voir « Les Rochers Errants ») ; l'amiral Nelson « Une-manche » et les vieilles filles de la « Parabole des Prunes » qui le contemplent en haut de sa colonne (voir « Éole ») ; un membre annobli de la famille Guinness ; Flamme Boylan dans sa voiture ; les coureurs cyclistes tels que les représentait l'affiche publicitaire ; ainsi que le Révérend Amour, Dilly Dedalus et le vice-roi et son épouse, issus des « Rochers Errants ».

161. La *mère de Stephen*, qui lui était apparue en rêve dans « Télémaque », surgit ici de plain-pied sur la scène de « Circé », accompagnée d'un Buck Mulligan qui reprend pêle-mêle les expressions qu'il avait utilisées au cours du premier épisode.

162. La rigidité cadavérique, la lèpre, l'absence de nez et le vert du tombeau renvoient au noyé imaginé par Stephen dans « Protée ». Les cheveux évoquent aussi ceux de Dilly Dedalus dans « Les Rochers Errants ».

163. Voir la quatrième station du chemin de croix où Jésus rencontre sa *mère affligée*.

164. *Non serviam* : je ne servirai point.

165. *Nothung* : c'est l'épée magique dans *L'Anneau des Nibelungen*.

166. *Fracasse le lustre* : voir « Nestor », p. 76 et n. 3.

167. Voir Évangile selon Matthieu, XXVI, 69-74.

168. *Lyepars* : animal sacré, identifié au Christ ou au démon dans la pensée médiévale. C'est le premier animal terrifiant rencontré par Dante au chant I de *L'Enfer*.

169. Cette liste constitue un véritable index, partiel, des personnages évoqués, directement ou indirectement, dans *Ulysse*.

170. *Fabulation des mères de la mémoire* : voir « Nestor », p. 76 et n. 2.

171. *Theirs not to reason why* : nouvelle citation de « La charge de la brigade légère ».

172. *Hardi petit soldat* : poème de Samuel Lover déjà cité dans « Le Cyclope ».

173. *Dolly Gray* : allusion à la chanson populaire « *Goodbye, Dolly Gray* ».

174. *L'héroïne de Jéricho* : la prostituée qui permet la prise de Jéricho par les Hébreux (Josué, 2).

175. Allusion à « *The Absent-Minded Beggar* » (voir « Charybde et Scylla », p. 325 et n. 29).

176. *Maçon sublime* : Édouard VII était franc-maçon. — *Made in Germany* : allusion à l'origine allemande des monarques anglais.

177. *Absinthe. Monstre aux yeuxverts* : la citation shakespearienne est cette fois appliquée à la « fée verte ». Cette évocation de l'absinthe annonce l'apparition de Kevin et Patrice Egan dans les lignes qui suivent.

178. La diversité des prénoms reflète le caractère cosmopolite de la diaspora irlandaise.

179. *Oies sauvages* : voir « Protée », p. 103 et n. 68.

180. *Rumbold, démon barbier* : d'après le mélodrame *Sweeney Todd. The Demon Barber of Fleet Street* (1842).

181. « Oublié de prier pour le repos de [s]a mère. » Le Ptit Tondu tente de continuer sa confession alors que le nœud se resserre.

182. Sur cette chanson, voir « Télémaque », p. 57 et n. 46.

183. La maladie de la pomme de terre a causé la grande famine qui dépeupla l'Irlande au XIXe siècle.

184. *Des étrangers dans ma maison* : voir « Charybde et Scylla », p. 321 et n. 11.

185. *Banshee* : terme anglo-irlandais désignant un esprit qui se manifeste notamment par des plaintes nocturnes annonçant la mort.

186. *Ochone* : « Hélas » en irlandais.

187. Citation de la ballade irlandaise « *The Wearing of the Green* ».

188. *Soggarth Aroon* : « Mon prêtre bien-aimé » en irlandais. C'est le titre d'une chanson patriotique.

189. *Turco le terrible* : voir « Télémaque », p. 55 et n. 39.

190. *Le signe du guerrier pèlerin…* : signe maçonnique.

191. *Up, guard, and at them !* : paroles célèbres de Wellington à Waterloo.

192. « Précipite-toi sur la proie » en hébreux (Isaie, VIII, 3). Formule utilisée dans le rituel maçonnique.

193. *Erin go bragh* : « Irlande toujours » en irlandais.

194. Citation des « *Auguries of Innocence* » de William Blake.

195. Allusion au poème en dialecte gitan « *The Rogue's Delight in Praise of His Strolling Mort* » (« Le plaisir du coquin à faire l'éloge de sa femme vagabonde ») qui était cité par Stephen dans « Protée ».

196. Allusion au poème de Robert Burns « *Tam o' Shanter* » (1791).

197. *Des héros armés surgissent des sillons* : référence au mythe de Cadmus, fondateur de Thèbes, qui sema des dents de dragon, faisant surgir des guerriers en armes qui se mirent à s'entretuer.

198. À partir d'ici, les noms de personnages réels de l'histoire irlandaise engendrent par symétrie formelle des antagonistes fictifs.

199. *Le Père Malachie O'Flynn* : conjoint Malachie Mulligan — qui célèbre une messe parodique à l'ouverture d'*Ulysse* — et

le Père O'Flynn de la chanson satyrique (voir « Les Lestrygons », p. 299 et n. 119).

200. *Le révérend M. Hugh C. Haines Love M. A* : nom formé à partir de Haines et du Révérend Hugh C. Love.

201. *Introibo ad altare Dei* : voir « Télémaque », p. 45 et n. 2.

202. En anglais, l'inversion de *Goooooooooood* (*god*, dieu) donne *Dooooooooooog* (*dog*, chien), rejoignant la thématique canine de l'épisode (voir ci-dessus, n. 7).

203. D'après le latin de la Vulgate : « Judas sortit et alla se pendre » (Matthieu, XXVII, 5).

204. Fragment de « *The Countess Kathleen* » de W.B. Yeats.

205. *Jure de toujours reconnaître...* : formule de serment maçonnique.

206. *Maître secret* : grade maçonnique.

207. *Onze ans* : c'est l'âge qu'aurait Rudy s'il avait vécu jusqu'en 1904.

208. *Il lit de droite à gauche* : comme le père de Bloom lisant les prières hébraïques.

209. *Mauve* : c'était la couleur du cadavre de Rudy.

D. F.

XVI. EUMÉE

1. *La bonne orthodoxie samaritaine* : voir l'Évangile selon saint Luc, X, 29-37. L'adjectif « orthodoxe » a ici une valeur ironique : le Samaritain était l'exclu de la communauté juive.

2. *Fontaine d'eau de la Vartry* : c'est l'eau de la Vartry qui alimentait Dublin.

3. *Là était le hic* : écho d'*Hamlet*, III, I, v. 65.

4. *Là où finissent tous les boutons* : dans le Troisième Livre des Rois, II, 2 (Bible catholique de Douai), David, sur son lit de mort, déclare : « Je vais là où va toute chair ». Bloom détourne cette expression qui est devenue un cliché. Notons que ce bouton a été perdu au bordel, là où se manifestent les faiblesses de la chair.

5. *La division C* : la brigade des détectives en civil de la police urbaine de Dublin.

6. *En de telles circ* : cette apocope du mot « circonstances » fait apparaître le début du substantif « circoncision », dans la

bouche d'un personnage dont la judéité est toujours problématique.

7. *Brazen Head* : allusion aux deux personnages principaux de la pièce de Robert Greene, *The Honourable Historie of Friar Bacon and Friar Bungay* (1594), qui ont fabriqué une tête de bronze (*brazen head*) que le diable a dotée de la parole.

8. Citation approximative de l'*Énéide*, chant I, v. 630 : « N'ignorant rien de l'adversité, j'ai appris à secourir les malheureux ».

9. *Rara avis* : « oiseau rare » en latin.

10. Traduction de l'italien : « — Qu'il file les sous, merde ! J'ai raison ou pas ? Sale enculé ! / — Mettons-nous d'accord. Un demi-souverain, plus… / — Ouais, c'est lui qui le dit ! / — Un demi. / — Crapule ! Fils de pute ! / — Mais écoute : cinq par tête, plus… »

11. *Fitzharris* resta vingt ans en prison pour avoir été complice des meurtres de Phoenix Park (1882).

12. *Cives populi* : « specimens du peuple » en latin.

13. *Bella Poetria* : « belle poésie » en italien. Ce devrait être « *bella poesia* ».

14. *Les Murphies* : si *murphy* est en Irlande le nom de la pomme de terre, ce patronyme vient du gaélique *murchadh* qui signifiait « marin guerrier ». Si l'on ajoute que le verbe *to murphy* signifie « tromper, duper » on voit comment se surdétermine l'emploi de ce nom. La phrase qui suit est une citation de Roméo et Juliette (II, II, v. 43).

15. C'est à *Bisley* (Surrey) que se déroulaient les concours annuels de *tir* de l'*English National Rifle Association*.

16. *Le Fort Camden et le Fort Carlisle* : deux forts qui défendaient l'entrée du port de Cork.

17. *Ben Bolt*, le héros d'une chanson de Thomas Dunn English rentre au pays après vingt-six ans d'absence pour découvrir qu'*Alice*, sa fiancée, est morte et enterrée. — *Enoch Arden* : allusion au poème de Tennyson « Enoch Arden » (1864). Le marin Enoch rentre chez lui après dix ans d'absence, mais sa femme qui le croyait mort a épousé un ami d'enfance. Enoch ne se fait pas connaître et meurt le cœur brisé. — *Rip van Winkle* : ce héros de la nouvelle éponyme de l'Américain Washington Irving rentre chez lui après une absence de vingt ans. Le monde a complètement changé : Mrs van Winkle, une mégère, est décédée, et il ira vivre chez sa fille et son gendre. Bloom apparaissait en Rip van Winkle dans « Circé ». — *Caoch O'Leary* : héros d'une

ballade de John Keegan (1809-1849). Il disparaît après avoir chanté pour un jeune garçon et reviendra vingt ans plus tard. — *John* Keegan *Casey* (1846-1870), le « poète des fenians ». Il refusa de s'exiler en Australie après sa libération de prison et vécut sous un déguisement, publiant ses œuvres en secret.

18. *Rocked in the cradle of the deep* : titre d'une chanson d'Emma Willard et Joseph Philip Knight. Le héros s'endort d'un sommeil paisible, s'en remettant à la miséricorde divine qui lui assurera le salut.

19. *Gospodi pomilyou* : « Dieu ait pitié de nous ! » en russe.

20. *Choza de Indios* : « huttes indiennes » en espagnol. *Beni* est une province de Bolivie à l'est de la Cordillère des Andes. — Plus bas, *Tarjeta Postal* : « carte postale » en espagnol.

21. *L'incident* : à l'acte II de *Maritana*, un opéra plusieurs fois évoqué dans le roman, Lazarillo tire sur don César mais la balle se loge dans son chapeau.

22. *Bona fides* : « bonne foi » en latin, une notation ironique dans le contexte de l'épisode et dans celui du roman en général.

23. *Holyhead* : c'est dans ce port gallois qu'aboutissaient les lignes maritimes reliant l'Irlande à l'Angleterre.

24. « *To break Boyd's heart* » (« fendre le cœur de Boyd ») était à Dublin synonyme de « prendre des risques financiers ». W.J. Boyd fut juge au tribunal des faillites de Dublin de 1885 à 1897.

25. *Tour, abbaye* : comme souvent s'agissant de noms de lieux, Joyce omet la majuscule. Il s'agit là de la Tour de Londres et de Westminster Abbey. *Park Lane* est un quartier chic de la capitale.

26. Charles Manners (1857-1935), de son vrai nom Southcote Mansergh et son épouse, la soprano née Fanny Moody, fondèrent la compagnie *Moody-Manners*. Le nom de la troupe qu'évoque Bloom est formé suivant le même modèle : le nom de jeune fille de l'épouse, suivi du nom d'emprunt du mari.

27. Une desserte maritime *Rosslare-Fishguard* fut mise en service en 1905.

28. Variation sur le titre du roman de Thomas Hardy, *Far from the Madding Crowd* (« *Loin de la foule déchaînée* », 1874), lui-même citation tirée du poème de Thomas Gray, « *Elegy Written in a Country Churchyard* » (« Élégie écrite dans un cimetière de campagne », 1751).

29. *Grace O'Malley* : cette Irlandaise, née autour de 1530, fut marin... et pirate. — En 1821, *George IV* débarqua à Howth pour la première visite officielle d'un souverain britannique en Irlande.

30. *Une humeur folâtre* : le promontoire de Howth est pour Bloom riche en souvenirs érotiques.

31. *La colonne* : la colonne Nelson, point de départ de nombreux trams.

32. Le *Times* de Londres en date du 8 mai 1882 émettait l'hypothèse que les assassins de Lord Cavendish et de Thomas Burke étaient venus du continent ou d'Amérique.

33. *Où l'ignorance est bénie* : citation de la fin de l'ode de Thomas Gray « *On a Distant Prospect of Eton College* » (« Sur une vue lointaine du collège d'Eton ») passée en proverbe : « *Where ignorance is bliss, / 'Tis folly to be wise* » (« Là où l'ignorance est un bienfait, c'est folie que d'être sage »).

34. *Événements agraires* : en 1879-1882, l'Irlande fut secouée par une intense agitation agraire.

35. *Gibraltar* : c'est là qu'a grandi Molly, d'où l'intérêt de Bloom pour ce lieu.

36. A l'origine, *North Bull* était une petite île au large de *Dollymount* au nord-est de l'embouchure de la Liffey. Pour éviter l'ensablement du port de Dublin, une jetée fut construite en 1819, qui reliait l'île à la terre ferme.

37. *Rêvant de frais ombrages et de verts pâturages* : dernier vers de « Lycidas », poème de John Milton.

38. *Le dimanche des sauveteurs en mer* : tous les ans, une démonstration de sauvetage en mer sert à collecter des fonds pour les volontaires de la *Royal National Lifeboat Institution.*

39. *L'Irlande compte sur chacun d'entre vous* : parodie du message que Nelson lança à ses équipages lors de la bataille de Trafalgar.

40. Dans la ballade irlandaise « *Skibbereen* », un père évoque la famine de 1848 qui a conduit la famille à quitter le pays.

41. *16* : ce chiffre est censé être le symbole de l'homosexualité.

42. La dernière édition de l'*Evening Telegraph* était imprimée sur papier *rose* et les bureaux du journal étaient situés dans *Abbey street*.

43. Dans l'Évangile selon saint Matthieu, X, 28, le Christ dit : « Ne craignez point ceux qui tuent le corps, et qui ne

peuvent tuer l'âme, mais craignez plutôt celui qui peut perdre et l'âme et le corps dans l'enfer ».

44. Dans la *Somme de théologie* (Ire partie, question LXXV, article 6), Thomas d'Aquin distingue les deux façons par lesquelles une chose peut être corrompue, *per se* et *per accidens*. Il montre ensuite qu'aucune d'elles ne peut affecter l'âme humaine qui est, par conséquent, incorruptible.

45. Une fois encore, les connaissances de Bloom se révèlent très approximatives : le *sulfate de cuivre* est CuSO4 et l'ion sulfate SO4 ne peut exister seul.

46. De toute évidence, le *couteau* évoque pour Stephen l'assassinat de Jules César.

47. *Antonio* : plusieurs personnages de Shakespeare portent ce prénom.

48. À la suite du naufrage en 1839 du navire *Favorite*, le poète américain Longfellow écrivit *The Wreck of the Hesperus* (« *Le naufrage de l'Hesperus* »), publié en 1842.

49. Des spectacles de variétés se déroulaient dans un musée de Henry street qui exposait des figures de cire. Bloom confond ici Aztèques et ascètes.

50. *Sinbad* : le marin des *Mille et Une Nuits* était le héros d'une pantomime alors très populaire à Dublin. — Le baryton dublinois William *Ledwidge* (1847-1923) se produisait sous le nom de Ludwig.

51. « Robert a volé sa marchandise » en italien.

52. Ce triangle est la figure traditionnelle de l'adultère. Elle rassemble ici trois maîtres chers à Stephen : Dante qui tomba amoureux de Béatrice Portinari, alors mariée à un banquier ; Léonard de Vinci et San Tommaso Mastino (saint Thomas d'Aquin).

53. Le 25 décembre 1895, le navire finlandais (et non norvégien) *Palme* s'échoua au large de Blackrock. Si l'équipage fut sain et sauf, les 15 occupants d'un canot de sauvetage périrent en allant lui porter secours. À la suite de cette tragédie, l'avocat dublinois Albert W. Quill écrivit « *The Storm of Christmas Eve* » (« La tempête de la veille de Noël ») qui parut dans l'*Irish Times* du 16 janvier 1896.

54. En 1904, Patrick *Tobin* était secrétaire d'une commission qui s'occupait du pavage des rues de Dublin.

55. Les bateaux qui assuraient la liaison Galway-Halifax appartenaient à l'homme d'affaires de Manchester John Orrell *Lever*.

56. Extrait de la chanson « *Leave her, Johnny, leave her* » (« Laisse-la tomber, Johnny, laisse-la tomber ») qui était chantée lorsque les marins débarquaient d'un long voyage. Les bateaux sont féminins en anglais.

57. En 1904, le colonel N.T. Everard parvint effectivement à faire pousser du *tabac* dans cette bourgade située à 45 kms au nord-ouest de Dublin. En revanche, l'Irlande n'a pas de mines de *charbon*.

58. *L'Irlande, disait Parnell, ne saurait se passer d'un seul de ses fils* : on ne trouve nulle part trace d'une telle phrase prononcée par Parnell.

59. *Jem Mullins* : ce patriote irlandais était un ami de Parnell et de Michael Davitt.

60. *La parole douce détourne la colère* : proverbes de Salomon, XV, I : « La parole douce rompt la colère, la parole dure excite la fureur. »

61. Citation tronquée de : « *et ex quibus est Christus secundum carnem* », Épître aux Romains, IX, 3 : « j'eusse désiré de devenir moi-même anathème et d'être séparé de Jésus-Christ pour mes frères qui sont d'un même sang que moi selon la chair ».

62. *Affligeante* : dans la chanson sur l'interdiction du port du vert en Irlande (« *The Wearing of the Green* »), l'Irlande est décrite comme « le pays le plus affligeant que l'ont ait jamais vu ».

63. Ferdinand IV signa en 1492 un traité expulsant les *Juifs* d'Espagne, se privant ainsi d'une communauté qui en assurait la prospérité économique. Cromwell, contre l'avis des ministres puritains, permit aux Juifs de revenir s'installer en Angleterre d'où ils avaient été chassés en 1290. Grâce à leurs relations ils favorisèrent le redressement économique de la Grande-Bretagne.

64. *Orthodoxe* : cet adjectif appliqué à Stephen a une valeur ironique.

65. La *guerre* hispano-américaine se déroula d'avril à août 1898. L'Espagne dut reconnaître l'indépendance de Cuba et céder les Philippines, Porto Rico et Guam aux États-Unis.

66. Comme souvent dans cet épisode, Bloom télescope deux formules : « *Ubi bene, ibi patria* » (« Où l'on est bien, là est ma patrie ») et « *Patria est ubicumque est bene* » (Ma patrie est partout où je suis heureux »).

67. *Pro tempore* : « provisoirement » en latin.

68. Stephen fait cette équation pour marquer la mainmise de l'Église sur l'Irlande grâce à saint Patrick et aussi pour rappeler que la France est son centre de référence culturel.

69. Cette section II traite des tentatives faites pour se procurer des femmes dont on abusera. Si on lit les chiffres de la section II comme des chiffres arabes on est renvoyé à la section 11 qui traite de l'homosexualité, un sujet qui traverse la page en filigrane.

70. Edouard VII et George V d'Angleterre, Nicolas II de Russie et Alphonse XII d'Espagne portaient des tatouages.

71. *L'affaire Cornwall* : il pourrait s'agir de Cornwall et French, deux fonctionnaires du Château de Dublin, dont les noms apparurent dans une affaire d'homosexualité. Notons également qu'en 1870 Edouard VII, alors prince de Galles, fut appelé à témoigner dans un procès en adultère que sir Charles Mordaunt intenta à son épouse.

72. *Mme Grundy :* ce personnage d'une pièce de Thomas Morton, *Speed the Plough*, est le symbole du respect des convenances sociales.

73. Le *choc* ressenti par Bloom tient au fait que le nom qu'il vient de lire rappelle le début du patronyme de son rival.

74. L'*Evening Telegraph* relatait le procès en rupture de promesse de mariage intenté à Frank P. Burke qui était un ardent défenseur de la renaissance de la langue irlandaise.

75. Il n'existe qu'une *Épître aux Hébreux*. Le texte proposé fait allusion à la lettre de Deasy dans « Nestor ».

76. Au moment de sa mort, les efforts de Parnell pour assurer l'unité de son parti étaient loin d'aboutir.

77. *Alice, y es-tu ?* : allusion à une chanson de Wellington Guernsey et Joseph Ascher. Alice a disparu depuis près d'une année et son amoureux demande : « Alice, où es-tu ? ».

78. Parnell et Ulysse ont tous deux eu recours à la ruse, que ce soit en empruntant un *pseudonyme* ou en se déguisant.

79. *Ces MM. Tartempion* : après la mort de Parnell, Timothy Healy et Justin M'Carthy s'imposèrent comme chefs politiques.

80. En 1881, le journal *United Ireland* (« L'Irlande unie ») avait été fondé pour soutenir la politique de Parnell. Après que les anti-parnellites eurent pris puis perdu le contrôle du journal, ils créèrent *The Insuppressible* (« L'Irréductible »).

81. *L'affaire Tichborne* : en 1854, Roger Charles, héritier de la famille Tichborne, disparut dans le naufrage du *Bella*. Arthur

Orton, un aventurier, parvint à se faire passer pour le défunt et intenta un procès au cadet de la famille afin de recevoir l'héritage qui devait lui revenir. Après deux longs procès, l'imposteur fut démasqué grâce au témoignage de Lord Bellew, ancien condisciple de Tichborne : Orton ne put montrer le tatouage que lui avait fait Bellew lorsqu'ils étaient en classe ensemble.

82. *Cette salope* : Katherine O'Shea, la maîtresse de Parnell, celle par qui le scandale — et la chute — arrivèrent.

83. À la fin de l'opéra *Maritana*, don César chante « *Farewell my gallant captain* » (« Adieu *mon vaillant capitaine* ») au capitaine de la garde qu'il vient de provoquer en duel. Le capitaine O'Shea provoqua Parnell à un duel qui n'eut jamais lieu.

84. *Une sorte d'arrangement rétrospectif* : c'est l'expression favorite de Mr Kernan, dans laquelle on peut voir le mode de fonctionnement du roman tout entier.

85. *Bon voyage et adieu...* : début de la ballade « *Farewell to You, Ye Fine Spanish Ladies* » (« Adieu à vous, belles dames d'Espagne ») que Joyce aimait à chanter et dont quelques bribes suivent.

86. Peu après leur mariage, les O'Shea s'installèrent à Madrid où ils vécurent un an. Ce séjour rapproche, aux yeux de Bloom, Kitty O'Shea de Molly.

87. James *Lafayette*, photographe de la reine et de la famille royale, avait sa boutique dans Westmoreland street.

88. *Sweet sixteen* : allusion à une chanson de James Thornton « *When you were sweet sixteen* » (« Dans la douceur de tes seize ans »).

89. Ce passage obscur semble faire allusion à la place que tint Joseph dans la conception de Jésus et se relie à la chanson blasphématoire entonnée par Mulligan dans « Télémaque ».

90. *J'ai cherché cette lampe dont elle m'a parlé* : ce vers figure dans « *The Song of O' Ruark, Prince of Breffni* », dans les *Irish Melodies* de Thomas Moore.

91. Bloom reprend le solécisme de Molly et s'en excuse auprès de *Lindley Murray*, grammairien américain (1745-1826).

92. Le journaliste nationaliste *O'Brien* fonda l'*United Ireland* avant de prendre position contre Parnell.

93. Le récit qui suit est un rappel de l'incident narré dans « Hadès » (p. 217), accompagné de l'écho de la fin du poème « *The Burial of John Moore* » (« Les funérailles de John Moore ») du révérend Charles Wolfe (1817).

94. William *Foster*, homme d'État anglais, Chief Secretary

for Ireland et opposé au *Home Rule*, avait ordonné que l'armée n'utilise que du petit plomb quand elle tirait sur la foule. Il y gagna le surnom de *Buckshot* (petit plomb).

95. *La question des métayers expulsés* : sans doute une allusion à l'agitation agraire de 1879, conséquence de l'éviction des tenanciers, victimes de mauvaises récoltes et d'un régime agraire injuste.

96. *Michael Davitt* : nationaliste irlandais, ancien fenian.

97. *Laquelle des deux branches de l'alternative* : impropriété délibérée.

98. *Potheen* : whiskey irlandais de contrebande.

99. George Henry, 5e comte de *Cadogan*, fut vice-roi d'Irlande de 1895 à 1902.

100. *Red as a Rose Is She* : roman sentimental de Rhoda Broughton (1870). C'est aussi la description de la mariée au début du poème « *The Rime of the Ancient Mariner* » (« Le dit du vieux marin ») de Coleridge.

101. Le 16 juin 1904, Ironmonger (que Joyce orthographie *Iremonger*), le batteur vedette de Nottingham, avait effectué 115 runs dans un match opposant son équipe à celle du Kent. Il était toujours en course à la fin de la journée.

102. *Vous vous sentirez un autre homme* : prise au sens littéral, cette promesse se relie à la thématique des transformations, des identités fluctuantes et de la métempsycose.

103. *Dans les bras de Murphy* : il s'agit plus d'une plaisanterie irlandaise que d'un pataquès.

104. *Of fresh fields and pastures new* : dernier vers (corrompu) du *Lycidas* de Milton, l'original étant « *of fresh woods and pastures new* » (« de fraîches forêts »).

105. *Lapidation* : Étienne, le saint patron de Stephen, fut lapidé. Ce châtiment rapproche Stephen de Parnell.

106. *Les Huguenots* : opéra de Meyerbeer déjà cité dans le roman. *Les Sept Dernières Paroles du Christ en croix* : oratorio de Haydn.

107. *Moody et Sankey* : ces deux prédicateurs américains virent leurs noms associés dans deux ouvrages réunis sous le titre de *Moody and Sankey Hymns*, bien que Sankey n'eût composé que quelques hymnes et Moody aucun. — *Dis-moi de vivre...* : « *Bid me to live and I will live thy protestant to be* », les deux premiers vers de « *To Anthea* », poème de Robert Herrick (1591-1674).

108. *Don Giovanni* : cet opéra de Mozart hante littéralement

Bloom. À la fin du XIXe siècle, *Don Juan* était considéré en Angleterre comme un opéra léger. — *Martha* : cet opéra fait la part belle aux déguisements et aux identités problématiques.

109. Joyce était un fervent admirateur des *chansons de Shakespeare*. — *John Dowland* fut l'un des compositeurs et luthistes les plus célèbres de son époque. L'anagramme qui suit (« J'ai épuisé ma jeunesse à jouer ») est fondée sur la forme latine de son nom et de son prénom. — Giles *Farnaby* et son fils Richard étaient des compositeurs de la première moitié du XVIIe siècle. Dans la musique contrapuntique, *dux* et *comes* font référence au thème et à la réponse. — *William Byrd* (1543 ?-1623) : musicien de cour anglican qui consacra ses dernières années à la liturgie catholique. — La famille *Tomkins* donna à l'Angleterre des compositeurs de talent aux XVIe et XVIIe siècles. — L'Anglais *John Bull* (1563 ?- 1628) fut compositeur, chanteur et organiste. L'hymne national britannique trouve peut-être son origine dans une gaillarde qu'il composa.

110. *John Bull* : c'est dans un recueil de pamphlets politiques publié en 1712 par John Arbuthnot que l'on trouve l'origine de cette personnification des Anglais, homologue de l'Oncle Sam.

111. *The Irish Industries Association*, placée sous l'égide d'Elizabeth Plunkett, comtesse de Fingall, et de Lady Dudley, l'épouse du vice-roi, tentait d'encourager l'industrie populaire en Irlande en donnant des concerts au profit de la cause qu'elles défendaient.

112. Jan Pieterszoon *Sweelinck* (1562-1621), compositeur et organiste hollandais. Stephen fait une erreur sur la traduction du titre, qui est en fait : « Ma jeune vie se termine ». — Johann *Jeep* (1581 ?- 1644), organiste et compositeur allemand.

113. « Des ruses des sirènes / Les poètes font des vers », en allemand. Une chanson de Jeep que Stephen reprendra, en la déformant, un peu plus tard.

114. *Ivan St Austell, Hilton St Just* : deux chanteurs qui faisaient partie de la troupe d'opéra d'Arthur Rouseby. Joyce dissimule leur patronyme plébéien sous leur nom de scène à la consonance plus aristocratique.

115. « Les imbéciles se précipitent là où les anges ont peur de fouler le sol » : ce vers d'Alexandre Pope (*Essays in Criticism*, 1711, v. 625) est passé en proverbe.

116. Chez les Assyriens, les Perses et les Celtes il était courant de fixer des *faux* aux roues des chars de bataille.

117. « Et tous leurs bateaux sont pontés », en allemand : vers de Johannes Jeep. Stephen confond ici « *brücken* » (pontés) et « *broken* » (cassés).

118. Ce paragraphe contient en italiques plusieurs citations de la chanson de Samuel Lover « *The Low-Backed Car* ».

M.-D. V.

XVII. ITHAQUE

1. Voir « Nausicaa », p. 608 : « À la base de tout, le magnétisme. » Bloom avait précédemment observé ce pouvoir chez son rival Boylan.

2. Reprise de la conclusion d'une conférence du jeune Joyce (voir *Œuvres*, Bibl. de la Pléiade, t. I, p. 390 et 960).

3. Cet *anachronisme* remontait aux *Annals of the Four Masters*, compilation historico-littéraire (1632-1636) de Michael O'Clery, utilisée dans *Finnegans Wake*. Joyce mélange d'ailleurs allégrement ses sources, souvent poétiques.

4. *Célestin Ier*, pape de 422 à 432, adversaire du pélagianisme et du nestorianisme.

5. Voir le Troisième Livre des Rois, XVIII, 44.

6. Adresse de J.F. Byrne, ami de Joyce qui servit de modèle pour le Cranly du *Portrait de l'artiste en jeune homme*.

7. C'est également par un *stratagème*, en se faisant passer pour un mendiant, qu'Ulysse parvint à rentrer chez lui.

8. *Cinq pieds neuf pouces et demi*, soit 1m76, taille de J.F. Byrne.

9. Autobiographie et fiction se mêlent dans la série d'évocations qui va suivre.

10. *Un compteur de 6 pouces, A 6 inch meter* : comme souvent dans cet épisode, Joyce se plaît à rapprocher des termes incongrus, du moins en apparence (*meter* ici désigne un compteur, non l'unité de mesure).

11. Une lettre de cet homme de loi sur ce sujet, publiée la veille dans *The Irish Independent*, a inspiré la seconde moitié de cette description.

12. *La projection de Mercator* : ce procédé avait effectivement pour effet d'agrandir les dimensions de l'océan.

13. *Les instruments rhabdomantiques* : c'est-à-dire des baguettes de sourcier.

14. Réponse à la question que se posait Bloom dans « Calypso », p. 124 : « Le noir conduit, reflète (réfracte non ?) la chaleur. »

15. De façon tout à fait inopinée, Joyce a introduit ici une série d'assonances : *a shock, a shoot, with thought of aught he sought though fraught with nought*.

16. Ce panier décrit si sensuellement a été offert à Molly par Boylan.

17. La typographie reflète l'effet de lecture créé par la lacération du billet.

18. Variation stylistique sur le morceau de bravoure d'« Éole », p. 255-257.

19. Dans le *Portrait de l'artiste en jeune homme,* Stephen Dedalus pose que « les sentiments éveillés par un art impur sont cinétiques : désir ou répugnance ».

20. *Greenleaf Whittier* : Joyce a pris l'auteur, Greenleaf Withers, pour le poète américain John Greenleaf Whittier (1807-1892), mais volontairement confondu en une seule interprète les deux actrices Kate Neverist et Nellie Bouverie. Il s'était abondamment documenté dans la presse.

21. *Anticipé* : *anticipated,* qui signifie également « attendu avec impatience », ironique dans le contexte irlandais de l'époque. La manifestation principale eut effectivement lieu le 22 juin 1897.

22. Il ouvrit le 11 mai 1897.

23. Cette visite eut lieu du 18 au 29 août 1897.

24. *Everybody's Book of Jokes,* titre bricolé à partir de titres analogues.

25. En fait, pour avoir 1 190 ans en 1952, Bloom devrait être né en 762, et non, comme on nous le dit, en 714 : le calcul a été fait sur 1904, et non sur 1952.

26. Autre erreur : le rapport entre les âges de Stephen et de Bloom est de 17, non de 70. Il faut donc lire « 20 230 » et non « 83 300 », et « 17 158 » au lieu de « 81 396 », nombre doublement erroné puisque de 83 300 il aurait fallu soustraire 3 072, l'année où Bloom aurait eu 1 190 ans, et non 1904.

27. Voir dans « Le Cyclope », p. 503 *sq.*, les commérages confirmés par Molly dans « Pénélope ».

28. *Repristination* : terme rare et récent (1838, appliqué à la Réforme).

29. Sur la théologie de la substance, voir « Télémaque », p. 72, « Charybde et Scylla », p. 64, et « Protée », p. 98.

30. *En dessous des notices nécrologiques* : voir « Les Lestrygons », p. 274 et 301.

31. *Mon héros favori* : à Belvedere College, sur ce sujet imposé, James Joyce avait choisi « Ulysse ».

32. *Procrastination is the thief of time* : vers passé en cliché d'Edward Young dans *Night Thoughts* (1742).

33. *Doctor Dick* : pseudonyme d'un auteur dublinois de pantomimes. — *Heblon* : pseudonyme d'un avoué dublinois, auteur de ces chroniques des bas-quartiers ; *blue*, dans la langue familière, peut signifier « grivois ».

34. *Mets ton ptit chose* : pataquès de Molly (voir « Calypso », p. 135 et « Les Lestrygons », p. 273).

35. *Alias* : Molly aurait confondu l'adverbe latin avec Ananias, compagnon des Apôtres, qui, pour avoir menti à Pierre, tomba mort (Actes, I, 11). En anglais, « *Ananias* » est synonyme de « menteur ».

36. Le monologue de Molly au dernier épisode confirme qu'il s'agit ici de son mari.

37. Daniel *Mendoza* (1763-1836), champion d'Angleterre de 1792 à 1795. — *Ferdinand Lassalle* : réformateur socialiste allemand (1825-1864), qui a inspiré à G. Meredith son roman *The Tragic Comedians* (1880).

38. Refrain d'une vieille chanson irlandaise, dans laquelle une fiancée s'adresse à son amoureux partant pour la guerre.

39. Cantique des Cantiques, IV, 3.

40. La culture irlandaise a toujours été friande de généalogies légendaires. Joyce tient à les associer à la question de la langue et de ses origines.

41. *Culdees* : anachorètes irlandais des VIIIe et IXe siècles. — *La Massore* : ensemble des annotations portées sur la Bible par les docteurs juifs (VIe-XIIe siècle). — *Le Livre de la Vache brune* : le plus ancien recueil de littérature irlandaise (XIIe siècle). — *La Guirlande de Howth* : sans doute *Le Livre de Howth* (VIIIe ou IXe siècle). — *Le Livre de Kells* : évangéliaire latin du VIIIe siècle, monument historique de la culture irlandaise, conservé à Trinity College, Dublin.

42. *S. Mary's Abbey* : la synagogue de Dublin s'y installa en 1835.

43. L'Église Saint-François d'Assise, sur Merchant's Quay, est plus connue sous le nom de *Adam and Eve's Church* : pendant les persécutions, les franciscains maintinrent là une église sous couvert d'une *taverne* du nom de *Adam and Eve*, qui existe

toujours, et qui lui vaut les honneurs de la première page de *Finnegans Wake*.

44. Noter que *L'État juif*, de Theodor Herzl, avait été publié récemment (1896).

45. Au moment où Joyce écrit ces lignes, à la fin de 1921, l'Irlande vient d'obtenir son *autonomie politique* par le traité signé le 6 décembre.

46. Premiers vers de « *Ha Tikwah* » (« L'Espoir », 1878), qui devint l'hymne du mouvement sioniste en 1897, avant de devenir celui de l'État d'Israël.

47. *L'ogham* : forme archaïque de l'écriture irlandaise, de Ogma, dieu de l'éloquence et de la littérature.

48. Note de travail de Joyce : « LB obtient la signature de SD par artifice. »

49. *Lentulus Romanus et Epiphanius Monachus* : deux auteurs ayant traité de l'apparence physique du Christ : le premier, imaginaire, dans une lettre ; le second dans des termes proches de ceux que devait employer plus tard Jean Damascène (700 ?-754 ?). Ce dernier est appelé ici par la question de l'hypostase (voir « Protée », p. 101), à laquelle il s'intéressa fort.

50. *Sesquipédalien* : terme signifiant au sens propre « d'un pied et demi », et au sens figuré « ampoulé, pédant ».

51. Mot permettant d'articuler christianisme et hellénisme par la résonance avec l'*epi oinopa ponton* de « Télémaque » (voir p. 48).

52. *Rufus Isaacs* : juriste et homme politique juif (1860-1935), premier marquis de Reading, élu député en août 1904.

53. Charles Culverwell, 1837-1919, anobli en Sir Charles Wyndham, acteur et directeur de théâtre.

54. Légende du jeune Hugh de Lincoln, qui aurait été crucifié par des juifs ; Geoffrey Chaucer la mentionne dans ses *Contes de Cantorbéry* (« Conte de la Prieure »). En janvier 1904, un rédemptoriste de Limerick avait lancé une accusation analogue, qui entraîna le départ de la moitié de la communauté juive locale.

55. *Hainau* : allusion au général autrichien Julius Jakob, baron Haynau, connu pour la répression sanglante des soulèvements de 1848-1849.

56. Le terme de *condisciple* fait le lien entre Bannon (voir « Télémaque », p. 73) et Stephen Dedalus.

57. À en juger d'après une note de travail, il faudrait attribuer cet adage à Bloom, et non à Stephen. Voir dans « Charybde

et Scylla », p. 337 : « Un homme aimera-t-il la fille s'il n'a pas aimé la mère ? » On sait que l'affection de Joyce s'est distribuée entre Nora et Lucia.

58. Cet accident est au centre de la nouvelle de *Dublinois* « Un cas douloureux ».

59. Cette date distingue clairement Mary Dedalus de Mary Joyce, mère de l'écrivain, qui mourut le 13 août de la même année. Question et réponse ont été ajoutées sur épreuve cinq jours avant la parution du livre.

60. Il n'y paraît guère : la réponse arrivera cinq questions plus loin, après que Bloom a meublé le silence par une question « inconséquente ».

61. En dépit des apparences, et du budget de Bloom présenté plus loin, il ne s'agit pas d'un prêt.

62. *Imprevidibility* : néologisme de Joyce.

63. *La menstruation* : ce sujet intéresse particulièrement Bloom ; voir « Nausicaa », p. 588 (« cette chose devait être sur le point d'arriver ») et 598 (« proche de ses règles, j'imagine [...] ») et surtout ci-dessous p. 1127. Par ailleurs, les règles de Molly ponctuent sa journée (voir « Pénélope », p. 1182 *sq.* (« ça coule de moi comme une mer [...] »).

64. Sur ce sujet, voir les méditations de Stephen dans « Télémaque », p. 71-72, « Nestor », p. 79-80, « Charybde et Scylla », p. 355 ainsi que p. 1072-1073 et 1125.

65. C'est ce Psaume que, dans *Le Purgatoire* (II, v. 46), Dante fait chanter aux âmes des bienheureux. On se souviendra qu'il choisit ce texte pour illustrer, dans sa lettre à Can Grande della Scala, la thèse des quatre niveaux de signification : littéral, allégorique, moral et anagogique (*Œuvres complètes*, Pléiade, p. 794-795).

66. *The heaventree of stars hung with humid nightblue fruit* : voir Dante, *L'Enfer,* XXXIV, v. 133-139.

67. *Périgée* : point de l'orbite d'un astre quand celui-ci se trouve le plus près de la Terre. C'est exact : la lune devait être à son périgée neuf heures plus tard, le 17 juin à midi.

68. *Lattiginous* : création verbale de Joyce à partir de *latten*, « laiton », et *ferruginous*.

69. Au début du siècle, *Arcturus* était considérée comme la deuxième étoile la plus brillante de l'hémisphère Nord après Sirius.

70. La *Nova* Persei, effectivement découverte en 1901 par T.D. Anderson.

71. *La quadrature du cercle* : cette recherche (apparemment peu désintéressée : voir p. 1101) a été mentionnée dans « Circé », p. 811. Le problème et son apparente résolution accompagneront la plongée de Bloom dans le sommeil p. 1129.

72. *La voie de Walsingham* : autre nom de la Voie lactée, inspiré par un poème anglais du XIVe siècle, dans lequel cette voie conduit au sanctuaire de la Vierge à Walsyngham dans le Norfolk. — *Le chariot de David* : dans la tradition juive, la Petite Ourse était identifiée soit au chariot envoyé par Joseph pour amener son père en Égypte, soit au chariot qui enleva au ciel Élie, soit encore à l'ours tiré par David.

73. *Simon Marius* : cet astronome allemand avait commencé à travailler avec une sorte de télescope lorsque Galilée inventa l'instrument en 1609 ; tous deux, chacun de leur côté, observèrent les quatre satellites de Jupiter l'année suivante. Les recherches de Giuseppe *Piazzi* (1746-1826) et de Sir William *Herschel* (1738-1822) furent parfois assez proches. *Leverrier* (1811-1877) et *Galle* (1812-1910) découvrirent de concert la planète Neptune en 1846, le premier faisant les calculs, le second l'observation.

74. *Libyennes* : la Libye est une région équatoriale de Mars.

75. L'observation de cette vieille lune est parfois considérée comme un mauvais présage. Noter aussi la prédiction d'Ulysse (*Odyssée*, v. 161-162) : « Je dis que tu verras s'accomplir tous mes mots ! soit à la fin du mois, soit au début de l'autre. »

76. Voir « Charybde et Scylla », p. 1115-1116 : la constellation de Cassiopée peut évoquer soit un W, soit un S, William (Shakespeare) ou Stephen (Dedalus), selon l'angle d'observation.

77. *Frigidité* : Diane, déesse de la chasteté, est associée à la lune.

78. Les deux problèmes soulevés par Stephen relèvent de la double nature, humaine et divine, du Christ. Pour l'Église, la circoncision de Jésus est un signe éminemment symbolique de son statut (voir l'Épître aux Romains, IV, 10-12). Mais Stephen, en évoquant l'hyperdulie et les degrés de latrie, raffine à partir de la distinction de base entre le culte de latrie (adoration que l'on rend à Dieu seul) et celui de dulie (respect et honneur que l'on doit aux saints).

79. Ruginée, *Arruginated* : mot inconnu des dictionnaires historiques de la langue anglaise.

80. Ce *carillon* résonne comme un glas, associé par Stephen à la prière aux agonisants, et par Bloom à des funérailles.

81. *Matthew F. Kane* : un Dublinois de ce nom, ami du père de Joyce, se noya dans la *baie de Dublin* le 10 juillet 1904 ; il servit de modèle pour le personnage de Martin Cunningham, et ses funérailles pour celles de Dignam.

82. *Michael Hart* : autre ami du père de Joyce, et prototype du personnage de Lenehan.

83. *Luke Doyle* : le personnage est imaginaire, mais le souvenir de la soirée vivace pour Bloom comme pour Molly.

84. Ulysse, au chant XVII de l'*Odyssée* (v. 409), reçoit d'Antinoüs un coup d'escabeau.

85. Nous apprendrons dans « Pénélope » que Molly en est la responsable.

86. *L'Union Jack* : plutôt, ou autant, qu'un indice de penchants loyalistes, ce drapeau, que Bloom voulait plus discret (« roulé serré »), est sans doute un souvenir du père de Molly, le « major » Tweedy.

87. *Un passif massif...* : Bloom, bien que substituant aux objets des sujets, est aveugle à ceux-ci, et semble ne percevoir que des prédicats. — *Avec sollicitation* : lapsus de Bloom, substituant *solicitation* à *solicitude* ; or en anglais *solicit* et ses dérivés sont utilisés pour décrire le racolage des prostituées.

88. *Un encens* : c'est ainsi qu'au chant XXII de l'*Odyssée* (v. 481-494), Ulysse purifie sa maison après le massacre des prétendants.

89. *Aliorelative* : terme créé par C.S. Pierce, rencontré peut-être par Joyce dans Bertrand Russell, *Introduction to Mathematical Philosophy* (1920), dont nous savons qu'il l'a lu.

90. Version joycienne d'une énigme irlandaise. La version traditionnelle implique un sujet parlant : « Quel est ce personnage [dans le miroir ou dans le tableau] ? Jamais je n'ai eu frère ni sœur. Mais le fils de mon père est le père de celui-là. Réponse : C'était l'image de son propre fils. » La version de Joyce permet deux réponses : « Lui-même », ou « Un cousin au premier degré », ce dont l'auteur ne paraît pas s'être avisé, à moins qu'il ne veuille faire assumer l'erreur par Bloom.

91. La liste qui suit comprend à la fois des ouvrages identifiables et des titres inexacts, douteux ou imaginaires.

92. *Incuneated* : mot inconnu du Dictionnaire d'Oxford, qui a cependant *cuneated*, terme de botanique et de zoologie. Peut-

être amené, à la suite de la liste précédente, par une association avec « incunable ».

93. Bloom suit donc le conseil de son père (voir « Circé », p. 811 : « Fais travailler ta mnémotechnie »). Noter qu'en anglais *mnemo* se prononce comme *nemo*, version latine de l'*outis* grec, « personne », nom qu'Ulysse se donne pour échapper au Cyclope.

94. *Une piqûre infligée [...] par une abeille* : incident d'une importance majeure pour Bloom, signalé dans les épisodes IV, VI, VIII, XIV, XV et XVIII.

95. Le fait que ce budget soit établi (on ne sait par qui, ni sur l'ordre de qui) au 16 juin, c'est-à-dire à minuit, explique que n'y figure pas l'argent dépensé dans la maison close dans « Circé ».

96. *Rus in Urbe* : « La campagne à la ville », Martial, *Épigrammes*, XII, XVII, v. 21. — *Qui Si Sana* : « Ici on se soigne » en italien.

97. *999 ans* : durée de certains baux anglais. Ce chiffre est également, en Angleterre, le numéro téléphonique de secours, qui, retourné, donne le chiffre de la Bête de l'Apocalypse, 666.

98. *Flowerville* : nom inspiré par le pseudonyme que Bloom s'est créé pour sa correspondance clandestine avec Martha Clifford.

99. Consécration sociale à laquelle Shakespeare aspirait (voir « Charybde et Scylla », p. 358-359), et que Joyce évoquait pour son ascendance.

100. Le publicain Zachée grimpa dans un sycomore pour voir passer Jésus dans Jéricho (Évangile selon saint Luc, XIX, 2-6). — La manifestation eut lieu la veille, mais on sait l'importance que Joyce attachait à sa date de naissance, le 2 février.

101. *Heure de Dunsink* : cette heure de l'observatoire de Dunsink, près de Dublin, heure officielle en Irlande, était en retard de 25 minutes sur l'heure de Greenwich.

102. Aucun de ces timbres n'a une valeur exceptionnelle. La description du premier est inexacte : le *Hambourg* est de 1865, mais Bloom lui donne la date de son année de naissance.

103. *Un lointain trésor* : souvenir confus du trésor de l'abbé Faria dans *Le Comte de Monte-Cristo*, œuvre chère au jeune Joyce.

104. *Protase* : en grammaire, la première partie d'une période, la seconde étant l'*apodose*.

105. *Blum Pasha* : Sir Julius Bloom (1843- ?) dut cette appellation à sa fonction de sous-secrétaire au Trésor égyptien.

106. *Tranquil recollection of the past* : écho d'une phrase célèbre du poète W. Wordsworth dans sa préface aux *Lyrical Ballads* (1798).

107. Réalisation de la prophétie de Bello dans « Circé », p. 850 : « Ils violeront les secrets de ton fond de tiroir. » Voir également « Nausicaa », p. 591 (« cet adorable journal intime [...] elle l'avait glissé dans le tiroir de sa table de toilette »).

108. *Maspha* : *Mizpah*. À l'époque moderne, ce mot signifie à peu près « Adieu » ; l'emploi originel était différent : voir la Genèse, XXXI, 49.

109. Dans ce type de cryptogramme, après avoir placé en parallèle l'alphabet de A à Z et de Z à A, donc sur le mode boustrophédontique (pour reprendre la terminologie de la prosodie grecque), on substitue les lettres du second aux lettres du premier, les voyelles étant remplacées par des points (d'où la précision « pointé »), et les lignes déterminées par des barres obliques (d'où « quadrilinéaire »). Cela dit, il apparaît que la quatrième ligne n'est pas fidèle à la procédure boustrophédontique.

110. *Deux préservatifs en caoutchouc* : Bloom en a également un dans son portefeuille (voir « Nausicaa », p. 603), moyen pour Molly de surveiller son mari (voir « Pénélope », p. 1187 : « je vérifierai qu'il a toujours cette capote angalise dans son portefeuille »).

111. *Loterie Royale et Privilégiée de Hongrie* : cette loterie semble avoir été aux limites de l'escroquerie, Molly le dira dans « Pénélope » aussi bien que le Citoyen dans « Le Cyclope ».

112. Ces documents viendraient à l'appui des accusations de « l'honorable Mrs Mervyn Talboys » dans « Circé ».

113. *Absent-minded beggar* : voir « Charybde et Scylla », p. 325 et n. 30.

114. *Quel secours* : *relief*. Joyce joue sur deux sens de *relief* : soulagement, et délivrance d'une ville assiégée.

115. *Le certificat de naissance de Leopold Paula Bloom* : qui ne nous révèle pas sa date de naissance (la remarque d'« Eumée », p. 967, permet de la situer le 6 mai 1866 ou aux environs de cette date).

116. *Sois gentil avec Athos, Leopold* : nous avons ici la source de la phrase rencontrée dans « Hadès », p. 178.

117. *Un arrangement rétrospectif* : expression associée à Tom Kernan dans plusieurs épisodes ; mais dans « Les Bœufs du

Soleil », elle est portée par une voix anonyme, avant de passer dans la bouche de Bloom dans « Circé » et « Eumée ». Bref, incorporée à l'écriture de Joyce, elle en devient l'emblème.

118. On aura reconnu dans la liste qui précède nombre de personnages croisés par Bloom durant la journée.

119. Ce but n'est bien sûr pas le même pour les trois religions monothéistes.

120. *Divinités grecques* : divinités que Bloom admire particulièrement (voir « Les Lestrygons », p. 308).

121. *Carniforme, carnose* : terme rare.

122. Anonyme pour commencer, cette *nymphe* prend en fin de phrase la figure de Pénélope, dernier terme d'une série passant par Calypso, Nausicaa ainsi que la « Nymphe au bain » au-dessus du lit des Bloom.

123. *Vengeur venu d'ailleurs...* : nouvelle allusion au comte de Monte-Cristo.

124. *Un dormeur éveillé* : allusion au légendaire Rip van Winkle.

125. *The Silver King* : titre d'un mélodrame anglais de Jones et Newman (1882, année de la naissance de Joyce), où l'innocence, bien que persécutée par les méchants, triomphe.

126. Références bibliques : *Saint des saints* : allusion aux prières du matin dans le rituel moderne, dont l'une se réfère de façon spécifique aux orifices du corps, remerciant Dieu qu'ils existent et soient ouverts. — *Rite de Jean* : allusion au baptême de Jésus par Jean-Baptiste. — *Rite de Samuel* : allusion aux funérailles de Samuel, Premier Livre de Samuel, XXVIII, 3. — *Urim et Thummim* : voir Exode, XXVIII, 30. — *Le déjeuner insubstantiel* : voir Genèse, XIV, 18. — *Simchath Torah* : fête annuelle marquant l'achèvement de la lecture du Pentateuque à la synagogue, lecture immédiatement recommencée, afin que Satan n'ait pas l'occasion d'accuser les Juifs d'en avoir fini avec la Torah. — *Shira Shirim* : Cantique des Cantiques. — *Rite d'Onan* : voir Genèse, XXXVIII, 8-10. — *Rite de l'élévation* : voir Exode, XXIX, 28, et Lévitique, VI, 14. — *Harmaguédon* : lieu où se déroule l'ultime bataille entre le Bien et le Mal dans Apocalypse, XVI, 16. — *Conciliation* : dans le judaïsme, fête jeûnée de Yom Kippour, jour d'expiation des péchés de l'année. Dans le christianisme, la même notion est qualifiée de « réconciliation », et rattachée à la rédemption de l'homme grâce aux mérites du Christ.

127. *Un unique bref craquement...* : variation sur le présage envoyé par Zeus à Ulysse (*Odyssée*, chant XXI, v. 413).

128. *Multicolores multiformes multitudineuses* : reprise d'adjectifs décrivant les vomissures de Stephen dans « Charybde et Scylla », p. 369.

129. C'est le journal du soir (« Eumée », p. 996) qui a transformé le vêtement occupé par un inconnu (« Hadès », p. 207, « Au fait qui est ce grand dadais d'efflanqué là-bas dans son macintosh ? », et 211) en un personnage mystérieux et inquiétant (« Circé », p. 722).

130. Question qui a occupé Bloom tout au long de la journée.

131. *Rehoboth* Terrace, adresse de Molly avant son mariage.

132. *Pièces vestimentaires féminines* : au chant XVIII de l'*Odyssée* (v. 292-301), Pénélope, à sa demande, reçoit des prétendants force parures.

133. *Les cigarettes turques* : le signifiant « turc » dans *Ulysse* évoque sexualité et transgression.

134. Nous avons appris dans « Circé », p. 855, les circonstances de cet accident.

135. Les époux Bloom dorment tête bêche, ce qui facilite la caresse signalée plus loin.

136. Cette *circonspection* rappelle celle d'Ulysse à son retour (*Odyssée*, XXXIII).

137. *Un gentleman inconnu* : Molly elle-même mentionne ce personnage dans « Pénélope », p. 1181 (« ce monsieur très chic à l'étage du dessus »).

138. Une invraisemblance parmi d'autres de ce catalogue. Bloom a croisé Ben Dollard et Simon Dedalus à l'hôtel Ormond. Mais ici encore on a affaire à une anticipation, ou à une forme de télépathie entre époux : les deux personnages vont traverser ensemble les pensées ou fantasmes sexuels de Molly dans « Pénélope », l'un associé à une exhibition particulière, le second à une séduction appuyée sur la voix.

139. *Andrew (Pisseur) Burke* : ce personnage n'inspire à Molly que de la détestation, mais il a dans le roman la fonction essentielle de nous informer sur les Bloom. — *Joseph Cuffe* : Bloom aurait tenté d'utiliser les charmes de Molly, d'après elle, pour conserver sa place chez ce marchand de bestiaux (« Pénélope », p. 1154). — *Wisdom Hely* : cet employeur de Bloom traverse deux fois le monologue de Molly (« Pénélope », p. 1156 et 1186) sans susciter le moindre intérêt, ou souvenir, amoureux. — *John Hooper* : cet employeur de Bloom, donateur de la chouette empaillée, jamais présenté comme séducteur, n'appa-

raît pas dans les pensées de Molly. — *Dr Francis Brady* : Molly se souviendra seulement qu'il a résolu ses problèmes d'allaitement par la prescription de belladone.

140. *Épicène*, terme de grammaire : qui désigne indifféremment l'un ou l'autre sexe.

141. Dès son annonce (« Les Lotophages », p. 152-153), cette *tournée* est suspecte à Bloom ; voir d'ailleurs le lapsus du « Cyclope », p. 514, sur « courtisans » et « courtiers » (repris dans « Circé », p. 723).

142. *Lit piège* : on pense au lit fabriqué par Héphaïstos pour confondre Aphrodite le trompant avec Arès, au chant VII de l'*Odyssée* (v. 266-324), épisode qui déclenche chez les Immortels « un rire inextinguible ».

143. La construction anglaise est obscure : *the void incertitude*.

144. Ces deux dernières propositions seraient à traduire ainsi : « *he fucked her*, il la baisa, *she was fucked*, elle fut baisée ».

145. Ces « îles Fortunées » sont aujourd'hui identifiées aux îles Canaries. Notons que nulle part dans cet épisode n'est mentionnée Ithaque (seuls dans « Éole », p. 265, sont mentionnés « les Ithaquiens »).

146. Une note de travail disait *Her rump = promised land*, « sa croupe = terre promise ». Voir *Odyssée*, XIII, 352 : « Il connut le bonheur, cet Ulysse divin. Sa terre ! il en baisait la glèbe nourricière, puis, les mains vers le ciel, il invoquait les nymphes. »

147. *Courbes d'amplitude* : le mot *curves*, « courbes », dans *Ulysse*, est toujours fortement sexualisé, en particulier dans le discours de Bloom, et même lorsqu'il semble décrire des objets neutres.

148. Voir *Odyssée*, XIX, 203 : « À tant de menteries, comme il savait donner l'apparence du vrai ! »

149. Molly partage son anniversaire avec celui de la Vierge Marie. Le 8 octobre, jour du départ d'Irlande de James et de Nora, et peut-être de leur premier rapport sexuel, était pour eux un anniversaire très cher.

150. Reprise et traduction de l'expression latine des Pères de l'Église.

151. Le calcul est légèrement inexact, mais l'essentiel est dans la durée de dix ans, durée de l'errance d'Ulysse et temps écoulé pour Dante entre sa séparation d'avec Béatrice et l'Enfer (voir *Le Purgatoire*, XXXII, v. 1-3).

152. *Tinbad et Whinbad*, en français ici respectivement

Tinbad et Binbad, sont des personnages de la pantomime *Sindbad the Sailor*.

153. Alors que les noms sont fabriqués de façon fantaisiste, les épithètes, sauf à la fin, ont un sens intelligible.

154. Réalisation dans le rêve de la quadrature du cercle qui hante Bloom. Sur l'*œuf d'alque*, voir « Charybde et Scylla », p. 286. *Roc* évoque le lieu de naissance de Molly, le rocher de Gibraltar, et son juron favori, *O rocks !* (Ô mes bonbons !).

J. A.

XVIII. PÉNÉLOPE

1. Leopold Bloom a-t-il vraiment demandé un *petit déjeuner au lit*, et si oui, à quel moment ? Rien n'en est dit dans l'épisode précédent. Fritz Senn suggère que ce n'est que l'écho déformé de ses dernières paroles avant de s'endormir, où l'on entend « lit » et « œuf ».

2. *Mme Riordan* apparaît sous le nom de Dante dans le *Portrait de l'Artiste en jeune homme*. La scène de l'hôtel, situé près du marché aux bestiaux (Bloom travaillait alors comme actuaire chez Joe Cuffe, marchand de bestiaux), remonte aux années 1893-1894, période de relatif dénuement pour les Bloom. C'est par l'intermédiaire de Mme Riordan que les Bloom ont connu la famille Dedalus.

3. *Il est allé faire ça quelque part, he came somewhere* : « il a joui quelque part », *to come* ayant ici un sens fortement sexuel.

4. *Pooles Myriorama* : spectacle itinérant qui passait à Dublin une fois par an au théâtre de la Rotonde.

5. *Cette souillon cette Mary* : Mary Driscoll était la bonne des Bloom lorsqu'ils habitaient à Ontario Terrace, à Rathmines, vers 1897.

6. *Des huîtres à 2 shillings 6 la douzaine* : prix quatre fois supérieur au prix normal vers 1900.

7. *En chantant La jeune lune de mai...* : voir « Les Lestrygons », p. 294, pour cette chanson populaire.

8. *The jews Temples garden*, jardin qui se trouve dans Adelaïde Road entre la synagogue et un hôpital, près du Grand Canal de Dublin. Molly y tricotait une brassière de laine destinée à Rudy avant sa naissance.

9. *Ils collent leurs affiches* : Molly prend au pied de la lettre le

fait que Boylan soit appelé *billsticker*, « afficheur » et donc impresario.

10. *Le mois de Marie* : Molly est née le même jour que la Vierge Marie à laquelle elle est associée.

11. *Il* : il s'agit ici de Leopold Bloom.

12. *Josie Powell* : nom de jeune fille de Mme Breen.

13. *Floey* : une des filles de Matthew Dillon.

14. *Mme Maybrick* avait été condamnée à mort, puis à la réclusion à perpétuité, pour avoir empoisonné son mari en 1889. Elle venait d'être libérée en janvier 1904.

15. *La DB* : pour la *Dublin Bakery Company*.

16. *Katty Laner* : célèbre danseuse.

17. *Kiss me straight on the brow and part which is my brown part* : jeu sur la chanson « *Goodbye* » de Whyte-Melville et Tosti qui signifie « Embrasse-moi sur le front et séparons-nous » mais qui, mal prononcée, suggère « Embrasse-moi sur mes parties brunes ». Molly avait suivi la chanson à la lettre en se faisant embrasser par le ténor Bartell d'Arcy.

18. *Kenilworth square* : petit parc à l'ouest de Rathmines, non loin de la maison qu'habitaient Molly et son père à Dolphin's Barn. Harolds Road passe à côté.

19. *Dans la poche de son gilet* : Ellmann rapporte l'habitude qu'avait Joyce à Zurich d'exhiber de minuscules culottes de femme qu'il gardait dans la poche de sa veste.

20. Le lieutenant Stanley G. *Gardner*, dont le nom évoque la batterie Gardner des fortifications de Gibraltar, est curieusement absent de la liste des amants de Molly (dans « Ithaque », p. 1120-1121). On peut en conclure qu'elle est composée du point de vue de Bloom, lequel n'a jamais rien su de Gardner.

21. *Il* : il s'agit cette fois de Boylan.

22. *Je sifflais Une belle fille que j'aime* : air du premier acte de *The Lily of Killarney* de Julius Benedict.

23. *Cork* est à cent cinquante kilomètres de Maryborough (maintenant Portlaoise), ces deux villes étant situées au sud de Dublin.

24. *Kathleen Kearney* : personnage de « Une Mère » dans *Dublinois*.

25. *Le mendiant distrait*, « *The absent-minded beggar* » : célèbre poème de Kipling mis en musique par Sullivan, et déjà cité par Stephen.

26. *Lord Roberts* : commandant en chef de l'armée britannique lors de la guerre des Boers.

27. *Lead kindly light, amidst the circling gloom, ead thou me on !* : début d'un hymne célèbre écrit par le cardinal Newman et mis en musique par Dylas.

28. Molly déforme *Sinn Feiner* en *Sinner Fein* comme pour faire entendre *sinner*, « le pécheur ».

29. *La guerre de Pretoria et Ladysmith et Blœmfontein* : victoires britanniques en février et mars 1900 lors de la guerre des Boers.

30. Stephanus Johannes Paulus *Kruger* (1825-1904), président de la république du Transvaal de 1883 à 1900, farouche adversaire des britanniques.

31. San *Roque*, ville espagnole à une dizaine de kilomètres de Gibraltar, avait une importante garnison.

32. *Algésiras* : port espagnol situé à l'extrémité opposée de la baie du même nom face à Gibraltar.

33. En fait, la bataille de la rivière *Tugéla*, où les *Royal Dublin Fusiliers* irlandais s'illustrèrent en février 1900, se termina en défaite pour l'armée anglaise.

34. *Manola* : rengaine populaire espagnole chantée à tue-tête dans la rue.

35. *Lewers* : magasin de mode féminine situé au 67, Grafton Street.

36. *J'aurai 33 ans en septembre* : en fait, Molly Bloom, née le 8 septembre 1870, aura 34 ans en septembre 1904.

37. *Kitty OShea* : une Mlle O'Shea habitait au 3, Grantham Street, mais elle n'avait rien à voir avec la célèbre maîtresse de Parnell qui avait causé sa chute en 1890.

38. La riche et belle *Mme Langtry* était devenue en 1881 la maîtresse officielle du prince de Galles, le futur Édouard VII. Son nom d'actrice était « le lis de Jersey » parce qu'elle était originaire de l'île de Jersey.

39. *Maître François* : on aura reconnu François Rabelais, dont le *Gargantua* est ici évoqué par Molly. La traduction à laquelle se réfère Molly était expurgée.

40. Allusion à l'église des Pères Oblats de Marie à *Inchicore* dans les faubourgs de Dublin, où l'on trouvait régulièrement une crèche avec des personnages et des animaux grandeur nature.

41. *L'année où je suis née* : le prince de Galles était bien venu à Gibraltar, mais en 1859 et en 1876, et non en 1870.

42. Les deux magasins de tissus étaient situés à quelques

portes l'un de l'autre, au 17-18 et 47 Mary Street pour *Todd et Burns*, au 48 Mary Street pour *Lee*.

43. *Grafton street* : rue chic du centre de Dublin.

44. Il y avait un régiment du 79ᵉ *Cameron Highlanders* en garnison à Gibraltar de 1879 à 1882. Ils furent remplacés par le régiment des Premiers East Surreys en 1882.

45. *La statue du poisson* : au centre de Gibraltar, on voyait alors dans les jardins de l'Alameda la figure de proue du navire espagnol *San Juan*, capturé à Trafalgar. Elle représentait un poisson traversé d'un harpon. Elle fut enlevée en 1884.

46. *La gare de Harcourt street* : gare au sud-est de Dublin.

47. *Le canal était gelé* : les canaux de Dublin gelèrent au cours de l'hiver 1893.

48. *Meadero* : « urinoir » en espagnol.

49. *Le levantin* : vent qui vient de l'est en fortes rafales à Gibraltar.

50. *Rocheuses* : montagne située à une dizaine de kilomètres au sud de Dublin.

51. *Mme Stanhope* : Hester Stanhope, l'amie d'enfance de Molly, emprunte son nom à Lady Hester Stanhope (1776-1839), nièce et secrétaire de William Pitt. À la fin de sa vie, elle alla fonder une nouvelle religion syncrétique au Liban.

52. Giuseppe *Concone* (1801-1861), auteur de livres d'exercices vocaux.

53. *Killiney* : de cette colline au sud-est de la baie de Dublin, on voit très bien le promontoire de Howth.

54. *Bell lane* : petite rue près de Ely Place à Dublin.

55. *Thomas à l'ombre d'Ashlydyat* : allusion à *The Shadow of Ashlydat* (1863), roman de Mme Henry (Ellen Price) Wood (1814-1887) dans lequel Thomas perd sa fiancée, morte du typhus, et voit toute sa fortune disparaître, mais il garde son courage et sa bonne humeur. Wood était aussi l'auteur de *East Lynne* (1861), un autre mélodrame populaire à l'époque.

56. *La Pierre de lune* : *The Moonstone* (1868), chef d'œuvre de Wilkie Collins (1824-1889), est considéré comme la première histoire de détective écrite en anglais. — *Henry Dunbar* : *Henry Dunbar* (1864) de Mary Elizabeth Braddon (1837-1915). — *Eugène Aram* : *The Trial and Life of Eugene Aram* (1832) d'Edward Bulwer-Lytton (1803-1873). — *Molly bawn* : *Molly Bawn* (1878) de Mme Hungerford (1855-1897). Le titre, emprunté à une ballade irlandaise, signifie « la belle Molly ». — *De Flandres* : *The Fortunes and Misfortunes of the Famous*

Moll Flanders (1722) de Daniel Defoe (1660-1731). Joyce évoque Moll Flanders, une « inoubliable fille de joie », dans sa conférence sur Defoe donnée à Trieste en 1912.

57. Molly fredonne les dernières paroles de la chanson d'Ellen Flagg et H. Millard, « *Waiting* ».

58. *Leurs sacrés canons* : des salves de canons marquaient l'arrivée du soir à Gibraltar, pour indiquer que les portes allaient être fermées. Chaque année, pour l'anniversaire de la reine, on faisait tirer toutes les batteries de canons en commençant par le sommet du rocher. — *Le général Ulysse Grant* : président des États-Unis de 1869 à 1877, visita Gibraltar en novembre 1878. — *Le vieux Sprague* : Horatio Sprague, consul des États-Unis à Gibraltar de 1873 à 1902. Son fils était mort en 1886.

59. *Qui parlaient de Rorkes drift de Plevna* : batailles de la guerre des Boers, déjà mentionnées.

60. *Sir Garnet Wolseley* (1833-1913), chef de l'armée britannique pendant la guerre contre les Zoulous en Afrique. Il ne put sauver le général Charles Gordon, massacré avec ses troupes à Khartoum en janvier 1885 lors de la révolte des partisans du Mhadi.

61. *La Correspondance des dames* : *The Ladies' and Gentlemen's Model Letter Writer* (1871). Nora Barnacle avait eu recours à l'un de ces guides pour ses premières lettres d'amour à James Joyce, qui réussit à la dissuader de suivre de tels modèles.

62. *Avec précipat précipatation* : la lettre de Nora du 16 août 1904 comportait aussi un mot redoublé et barré (*mel melancholy*).

63. Dans l'édition de Gabler, un point marque la fin de la quatrième phrase, comme on le voit dans le manuscrit Rosenbach.

64. *Horquilla* : « épingle » en espagnol.

65. *4 marins anglais...* : en fait, il fallut un siège de trois jours et plus de deux mille soldats pour que les forces britanniques prennent d'assaut le rocher de Gibraltar en juillet 1704 lors de la guerre de succession d'Espagne.

66. *Santa Maria* : cathédrale de Gibraltar.

67. *Calle Real* : nom espagnol de Waterport Street à Gibraltar.

68. « *Shall I wear a white rose or shall I wear a red ?* » : chanson de H. Saville Clarke et Emily B. Farmer.

69. *Un bluet qui fleurit, There is a flower that bloometh* : air de *Maritana* (voir p. 1337, n. 113). Molly joue sur le nom de « Bloom » aussi évoqué par *de la Flora*.

70. *Cappoquin* : petite ville irlandaise sur la rivière Blackwater dans le comté de Wexford.

71. *Les vieux singes* : vers la fin du XIXe siècle, il ne restait qu'une poignée de singes sur le rocher, mais ils commettaient des dégâts. En 1882, l'un d'eux fut envoyé au zoo de Regent's Park.

72. *Scorpion du rocher* : expression péjorative utilisée par les soldats anglais pour désigner les natifs de Gibraltar.

73. La *grotte de Saint Michel* est la plus importante des grottes de Gibraltar. Elle possède un grand nombre de stalactites, terme que Molly a oublié et remplace par *icicles* (« les glaçons »).

74. *Embarazada* : « enceinte » en espagnol.

75. *Molly chérie* : « *Molly Darling* », chanson populaire de W. S. Hays (1871).

76. *Les frères Benady* : Mordecai et Samuel Benadi, pâtissiers juifs à Engineer Lane, Gibraltar.

77. Le *cimetière juif* se trouvait au nord de Gibraltar.

78. *H M S Calypso* : tel était bien le nom du croiseur qui servait à l'entraînement des marins anglais.

79. Molly évoque la propagande d'Amelia Jenks Bloomer (1818-1894) qui prônait le port de ces habits féminins adaptés à une vie naturelle qu'on appelait des *bloomers*.

80. *Claddagh ring*, bague imitant les motifs celtes traditionnels, censée porter bonheur.

81. *Le Boudoir de ma Dame* : chanson de F.E. Weatherly et H. Temple.

82. *Nevada sierra* : chaîne de montagnes à 150 km au nord-est de Gibraltar.

83. *Mme Fleming* : c'est la femme de ménage des Bloom en 1904. — *Au furry glen ou aux fraisières* : Furry Glen et Strawberry Beds, lieux de promenade dans Phoenix Park.

84. *La baie des Catalans* : baie et village à l'est de Gibraltar. Les pêcheurs qui y habitent prétendaient descendre de familles génoises.

85. *Apporter un peu de sel* : geste traditionnel pour conjurer le mauvais sort quand on s'installe dans une nouvelle maison.

86. *Lloyd Weekly News* : magazine du dimanche publié à Londres entre 1902 et 1918.

87. *La mettre à l'académie Skerry* : Molly aurait préféré inscrire Milly à Skerry's College pour prendre des cours de secrétariat commercial, tandis que son mari l'a envoyée à Mullingar apprendre la photographie.

88. *Nelson street* : rue perpendiculaire à Eccles Street.

89. *La Seule Manière, The Only Way* : pièce de Freeman Croft Wills et de Frederick Langbridge (1899), adaptation du roman *A Tale of Two Cities* (*Un conte de deux villes*) de Dickens. L'acteur Martin Harvey, mentionné plus loin, était acclamé dans son interprétation de Sydney Carton, le héros. Carton se faisait passer pour le marquis de Saint-Evremont et mourait guillotiné, laissant le vrai marquis vivre auprès de la marquise pour laquelle Carton avait conçu une passion toute platonique.

90. *Beerbohm Tree dans Trilby* : les 10 et 11 octobre 1895, Sir Beerbohm Tree jouait le rôle de Svengali dans *Trilby* au Gaiety Theatre à Dublin.

91. *Broadstone* : terminus de la gare.

92. *Mme Kendal* était le nom de scène de Mme Grimston, actrice anglaise souvent en tournée à Dublin. Son mari était metteur en scène.

93. *Une pièce très osée* : la pièce de G.A. Greene *The Wife of Scarli* (1897) fut jouée pour la première fois à Dublin le 22 octobre 1897 au théâtre de la Gaîté. C'était une adaptation de la pièce de Giuseppe Giacosa (1847-1906), *Tristi Amori* (1887). Dans cette pièce, que Joyce connaissait bien, Emma, la femme de l'avocat Scarli, fortement tentée par une aventure avec le fils d'un comte, décide de revenir vers son mari pour ne pas perdre sa fille.

94. *O comme les eaux descendent sur Lahore* : écho du poème de Robert Southey « *The Cataract of Lodore* » (1823). Cette cataracte se trouve dans le Cumberland. Molly la transforme en la ville indienne de Lahore, ce qui ajoute la suggestion de *whore*, la prostituée.

95. *Ce qui émane de lui est objet de beauté et de joie éternelle* : Léopold citait à Molly les mots célèbres de John Keats, « *A Thing of Beauty is a Joy for Ever* », dans son *Endymion* (1818).

96. *À cause du fait que j'étais juive* : c'est la confirmation du fait que Molly Bloom est juive. Le texte garde une certaine ambiguïté, certains ont lu « *on account of my being jewess looking after my mother* » comme « *jewess-looking* ». Pourtant, il est plus logique d'entendre une virgule après *jewess* ; ceci implique que la mère de Molly, Lunita Laredo, était juive. Il s'ensuit que Molly est juive selon la loi religieuse. Laredo était le nom d'une famille juive sépharade de Gibraltar. Une communauté juive s'était installée à Gibraltar après sa capture par les Anglais. Le Traité d'Utrecht de 1713, qui donnait Gibraltar à la Grande-

Bretagne, spécifiait que ni juifs ni maures n'y seraient admis. Mais cette clause ne fut jamais respectée, ce que les Espagnols prirent comme prétexte pour assiéger la forteresse en 1727, sans succès. Vers la moitié du XVIIIe siècle, la population juive de Gibraltar faisait plus d'un tiers de la population civile. À l'époque de la naissance de Molly, il y avait près de 1500 juifs répertoriés à Gibraltar, où l'on trouvait quatre synagogues. Ces familles sépharades parlaient le plus souvent le ladino.

97. *O beau pays de la Touraine*: air de la reine Margot au début de l'acte II des *Huguenots* de Meyerbeer.

98. *Ce dieu indien*: il s'agissait en fait de la statue d'un Bouddha couché. Bloom exagère un peu le nombre des bouddhistes dans le monde.

99. *Vieux Cohen*: l'annuaire de Gibraltar mentionne un David A. Cohen, marchand de bottes, habitant au 22, Engineer Lane. Nous apprenons ici que Leopold Bloom ne connaît pas le secret de la provenance du lit conjugal, contrairement à Ulysse dans l'*Odyssée.* Il croit que son beau-père a acheté son lit dans une vente aux enchères et qu'il appartenait à Lord Napier, gouverneur de Gibraltar, alors qu'il vient tout simplement d'un marchand de chaussures juif. Ulysse prouve son identité à Pénélope en lui racontant comment il a fabriqué son lit dans un tronc d'olivier (*Odyssée*, chant XXIII, v. 183-204).

100. *Coadys lane*: rue donnant sur Bessborouh Avenue dans les faubourgs nord de Dublin. Un certain John Griffith habitait à Bessborough Avenue et faisait partie de la famille d'Arthur Griffith, le fondateur du Sinn Fein.

101. Molly déforme « Aristote » en « *Aristocrate* ».

102. *Hornblower*: voir p. 1337, n. 109.

103. *Tom Kernan:* personnage de « La Grâce » dans *Dublinois*. Tous les personages nommés ensuite se retrouvent dans cette nouvelle.

104. *Bill Bailey wont you please come home*: citation d'un air de ragtime de H. Cannon de 1902, très populaire à l'époque.

105. L'erreur du ténor Bartell d'Arcy, qui prononce *sweet tart* (littéralement, « douce pute ») au lieu de *sweet heart* (« chérie ») lorsqu'il chante l'air « *Phoebe dearest goodbye sweetheart* » de la chanson « *Phoebe Dearest* » de C. Bellamy et J.L. Hatton, est évitée par Simon Dedalus. Molly insiste sur la nécessité d'accentuer et de ponctuer correctement textes et chansons.

106. *Professeur d'italien à l'université*: carrière qui parut un moment devoir être celle de Joyce.

107. *L'horloge de la mort* : il s'agit d'un insecte appelé *death-watch* (psoque, atropos, vrillette ou horloge de la mort) dont le vrillement nocturne était censé annoncer un décès. Molly repense à la mort de Rudy qui aurait atteint l'âge de onze ans, mais refuse de s'apitoyer.

108. *Tarifa* : ville d'Andalousie située à environ quarante kilomètres de Gibraltar.

109. Vers de « Dans le vieux Madrid », voir p. 457.

110. *Margate plage* : plage publique de Gibraltar sur la côte est. Elle était parfois réservée aux hommes.

111. *Coronado* : Molly pense sans doute à *cornudo*, « cocu » en espagnol, mais elle dit « couronné ».

112. *Embrassé notre porte d'entrée* : Bloom a realisé l'équivalent de la cérémonie juive qui consiste à embrasser l'entrée de sa maison (*mezuzah*).

113. *Hardwicke lane* : près d'Eccles Street.

114. *Les vents que soufflent mes soupirs vers toi* : titre d'une chanson de H.W. Challis et W.V. Wallace.

115. Tous ces noms sont ceux de personnes ayant habité à Gibraltar ou de rues de Gibraltar.

116. Juan *Valera* (1824-1905), romancier et diplomate espagnol dont le roman le plus connu est *Pepita Jiménez* (1874). Allusion cachée au nom d'origine cubaine et espagnole d'Eamon de Valera (1882-1975), futur président de la République irlandaise.

117. *Criada* : « domestique » en espagnol.

118. *J'ai tout changé de place* : voir « Ithaque », p. 1082-1084.

119. *Dos huevos estrellados señor* : « deux œufs grillés, monsieur », en espagnol, dernière métamorphose du thème du petit-déjeuner au lit.

120. *Walpole* : marchand de tissus situé aux 8 et 9, Suffolk Street.

121. *Mi fa pieta Masetto... presto non son più forte...*, « Tu me fais pitié, Masetto, tout à coup je ne suis plus forte » : paroles de Zerline face à Don Giovanni, acte I, scène III de l'opéra de Mozart.

122. Alicia *Lambe*, fleuriste au 33, Sackville Street Upper, non loin d'Alexander *Findlater*, marchand de thés et vins, au 29-30 de la même rue, dans un quartier très chic.

123. *Lipton* : marchand de thés et d'alimentation générale au 59-61, Dame Street à Dublin.

124. *Gâteau à l'anis* : ce gâteau appelé *seedcake* avait donné des problèmes aux traducteurs, qui avaient d'abord pensé à une

« madeleine », mot trop proustien qui ne plut pas à Joyce. Joyce écrivit le 13 juillet 1924 à Sylvia Beach qu'il fallait éviter ce terme, et suggérait à la place un « gateau aux amants ». Joyce tenait à conserver le côté érotique du mot, puisque *seed* signifie « semence » ou « sperme ». Léon-Paul Fargue s'opposa à cette trouvaille, défendue par Sylvia Beach et Adrienne Monnier, et il eut gain de cause. La traduction de 1929 préfère « gâteau au cumin ».

125. L'excursion amoureuse des Bloom sur le promontoire de Howth eut lieu le 10 septembre 1888, et comme 1904, c'était *une année bissextile*.

126. *Posadas* : « auberges » en espagnol.

127. *Le veilleur qui faisait sa ronde serein* : jeu sur « sereno », le veilleur de nuit en espagnol.

J.-M. R.

PLANS DE DUBLIN

Le Dublin d'aujourd'hui n'est plus celui de James Joyce : des bâtiments ont disparu, des monuments ont été détruits ou déplacés, des appellations changées, en particulier depuis l'indépendance de l'Irlande.

C'est pourquoi nous avons jugé indispensable de donner une série de plans fondés sur l'irremplaçable *Topographical Guide to James Joyce's « Ulysses »* de Clive Hart et Leo Knuth, A Wake Newslitter Press, Colchester, 1975 (éd. révisée, 1976).

Le plan I fournit une vue schématique du centre de la ville, délimité par les canaux et les artères périphériques.

Le plan II permet de repérer les lieux mentionnés dans l'épisode IV, « Calypso », mais également : ceux que rencontre le cortège funèbre dans la seconde partie de l'épisode VI, « Hadès » ; les sections 3, 8 et 16 de l'épisode X, « Les Rochers Errants » ; et le retour, au début de l'épisode XVII, « Eumée », de Stephen Dedalus et de Léopold Bloom au domicile de ce dernier.

Le plan III correspond à : la partie centrale de l'épisode VI, « Hadès » ; l'épisode VIII, « Les Lestrygons » ; les sections 5 à 7, 11 et 18 de l'épisode X, « Les Rochers Errants ».

Le plan IV correspond à l'épisode XI, « Les Sirènes », et à l'épisode X, « Les Rochers Errants » (sections 8 à 11, 13 à 15, et 18).

Le plan V illustre lui aussi l'épisode XI, « Les Sirènes », et l'épisode X, « Les Rochers Errants » (sections 9 et 10, et 13 à 16).

Le plan VI situe le cadre de l'épisode XII, « Le Cyclope », et celui de la section 12 de l'épisode X, « Les Rochers Errants ».

Le plan VII situe les lieux où se déroulent l'épisode XV, « Circé », et l'essentiel de l'épisode XVI, « Eumée ».

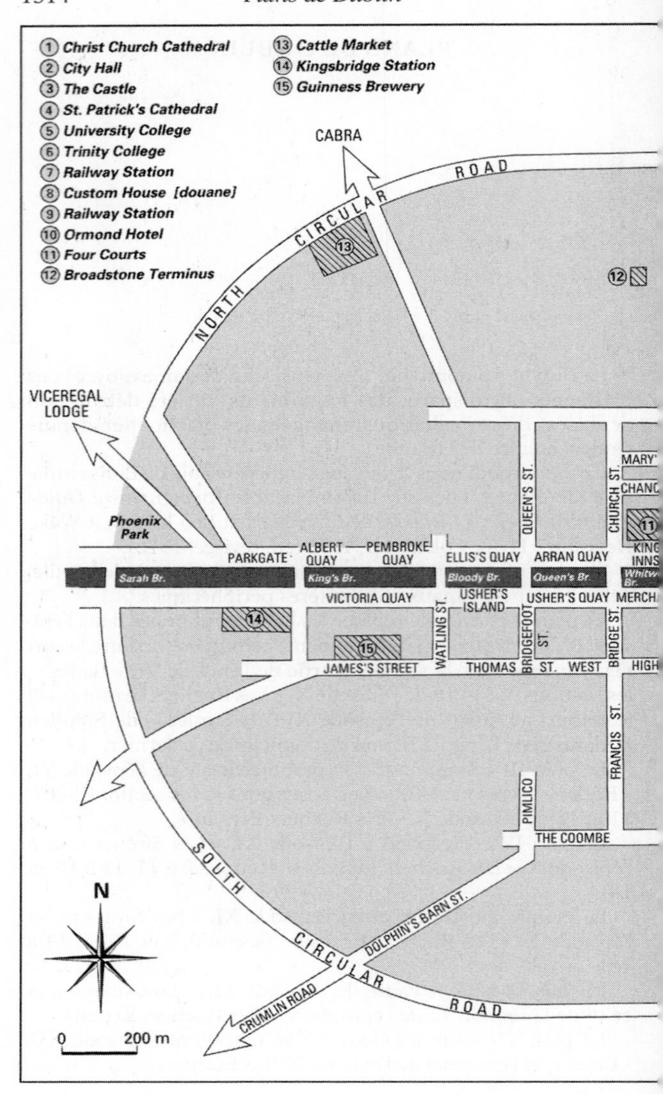

1 Christ Church Cathedral
2 City Hall
3 The Castle
4 St. Patrick's Cathedral
5 University College
6 Trinity College
7 Railway Station
8 Custom House [douane]
9 Railway Station
10 Ormond Hotel
11 Four Courts
12 Broadstone Terminus
13 Cattle Market
14 Kingsbridge Station
15 Guinness Brewery
CABRA
NORTH CIRCULAR ROAD
VICEREGAL LODGE
Phoenix Park
PARKGATE
ALBERT QUAY
PEMBROKE QUAY
ELLIS'S QUAY
ARRAN QUAY
QUEEN'S ST.
CHURCH ST.
Sarah Br.
King's Br.
Bloody Br.
Queen's Br.
VICTORIA QUAY
USHER'S ISLAND
USHER'S QUAY
WATLING ST.
BRIDGEFOOT ST.
BRIDGE ST.
JAMES'S STREET
THOMAS ST. WEST
FRANCIS ST.
PIMLICO
THE COOMBE
DOLPHIN'S BARN ST.
SOUTH CIRCULAR ROAD
CRUMLIN ROAD
N
0 200 m

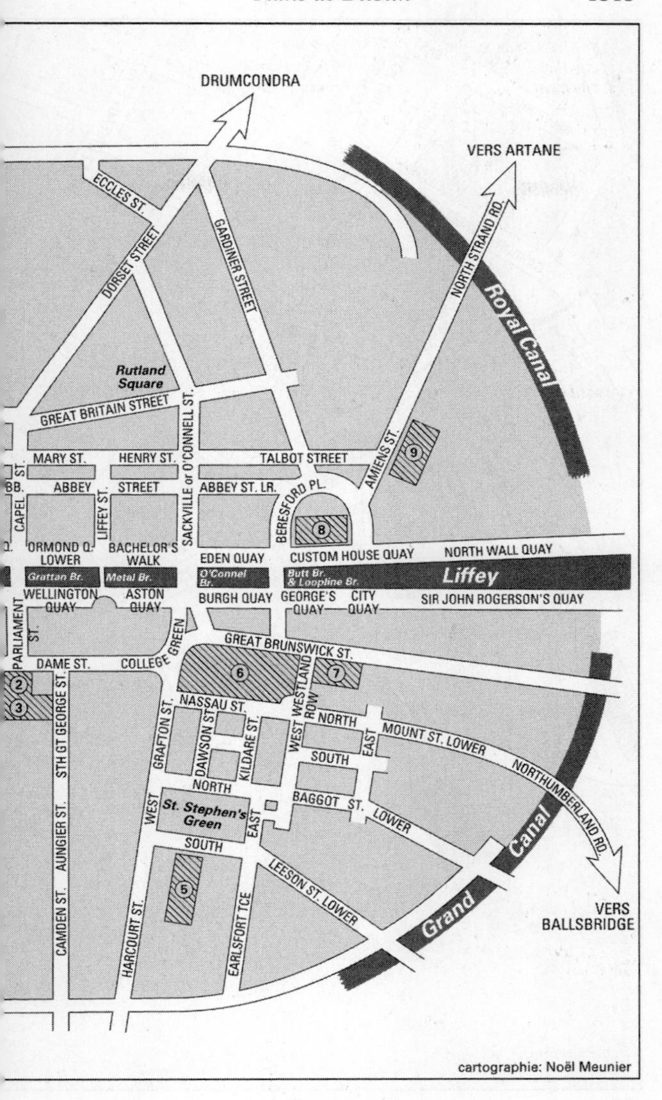
DRUMCONDRA
VERS ARTANE
ECCLES ST.
DORSET STREET
GARDINER STREET
NORTH STRAND RD.
Royal Canal
Rutland Square
GREAT BRITAIN STREET
SACKVILLE or O'CONNELL ST.
AMIENS ST.
MARY ST.
HENRY ST.
TALBOT STREET
CAPEL ST.
ABBEY STREET
LIFFEY ST.
ABBEY ST. LR.
BERESFORD PL.
ORMOND Q. LOWER
BACHELOR'S WALK
EDEN QUAY
CUSTOM HOUSE QUAY
NORTH WALL QUAY
Grattan Br.
Metal Br.
O'Connel Br.
Butt Br. & Loopline Br.
Liffey
WELLINGTON QUAY
ASTON QUAY
BURGH QUAY
GEORGE'S QUAY
CITY QUAY
SIR JOHN ROGERSON'S QUAY
PARLIAMENT ST.
COLLEGE GREEN
GREAT BRUNSWICK ST.
DAME ST.
WESTLAND ROW
NASSAU ST.
STH GT GEORGE ST.
GRAFTON ST.
DAWSON ST.
KILDARE ST.
WEST
NORTH
EAST
SOUTH
MOUNT ST. LOWER
NORTHUMBERLAND RD.
BAGGOT ST. LOWER
AUNGIER ST.
St. Stephen's Green
Canal
Grand
LEESON ST. LOWER
VERS BALLSBRIDGE
CAMDEN ST.
HARCOURT ST.
EARLSFORT TCE
cartographie: Noël Meunier

PLAN I

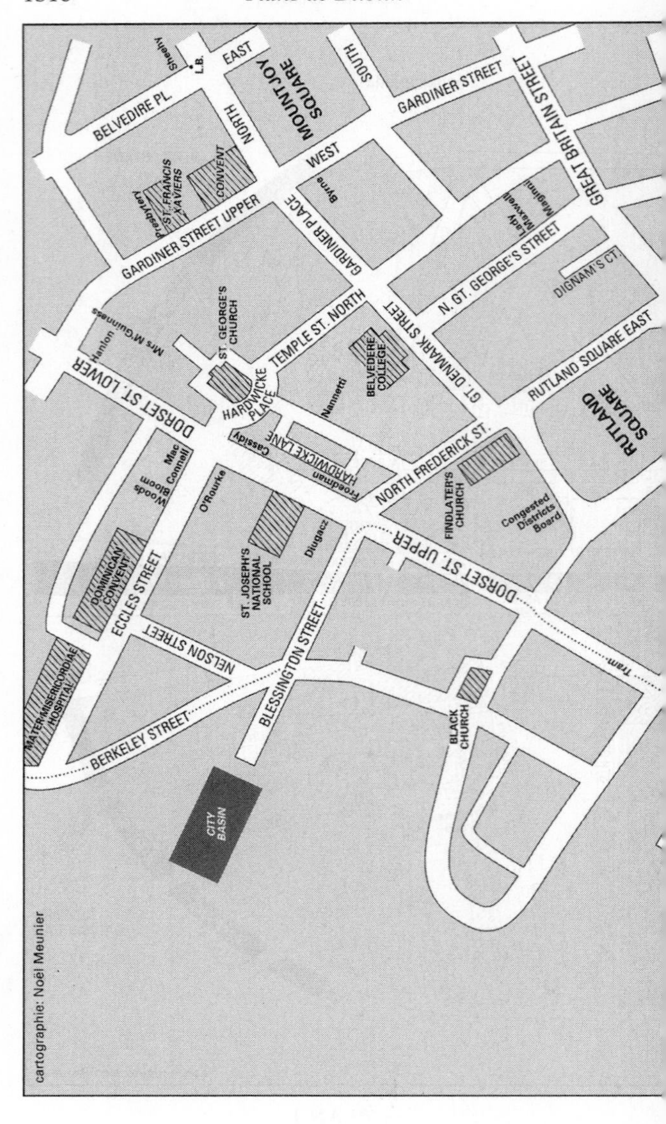
MOUNTJOY SQUARE
NORTH
EAST
SOUTH
WEST
L.B.
Sheehy
BELVEDIRE PL.
GARDINER STREET
GREAT BRITAIN STREET
Presbytery
ST. FRANCIS XAVIERS
CONVENT
GARDINER STREET UPPER
Byrne
GARDINER PLACE
Lady Maxwell
Maginni
N. GT. GEORGE'S STREET
DIGNAM'S CT.
ST. GEORGE'S CHURCH
TEMPLE ST. NORTH
GT. DENMARK STREET
Mrs M'Guinness
Hanlon
BELVEDERE COLLEGE
RUTLAND SQUARE EAST
RUTLAND SQUARE
DORSET ST. LOWER
HARDWICKE PLACE
Nannetti
Cassidy
HARDWICKE LANE
Froedman
NORTH FREDERICK ST.
Mac Connell
Woods
Bloom
O'Rourke
FINDLATER'S CHURCH
Congested Districts Board
DOMINICAN CONVENT
ECCLES STREET
ST. JOSEPH'S NATIONAL SCHOOL
Dlugacz
DORSET ST. UPPER
NELSON STREET
BLESSINGTON STREET
Tram
MATER MISERICORDIAE HOSPITAL
BERKELEY STREET
BLACK CHURCH
CITY BASIN
cartographie: Noël Meunier

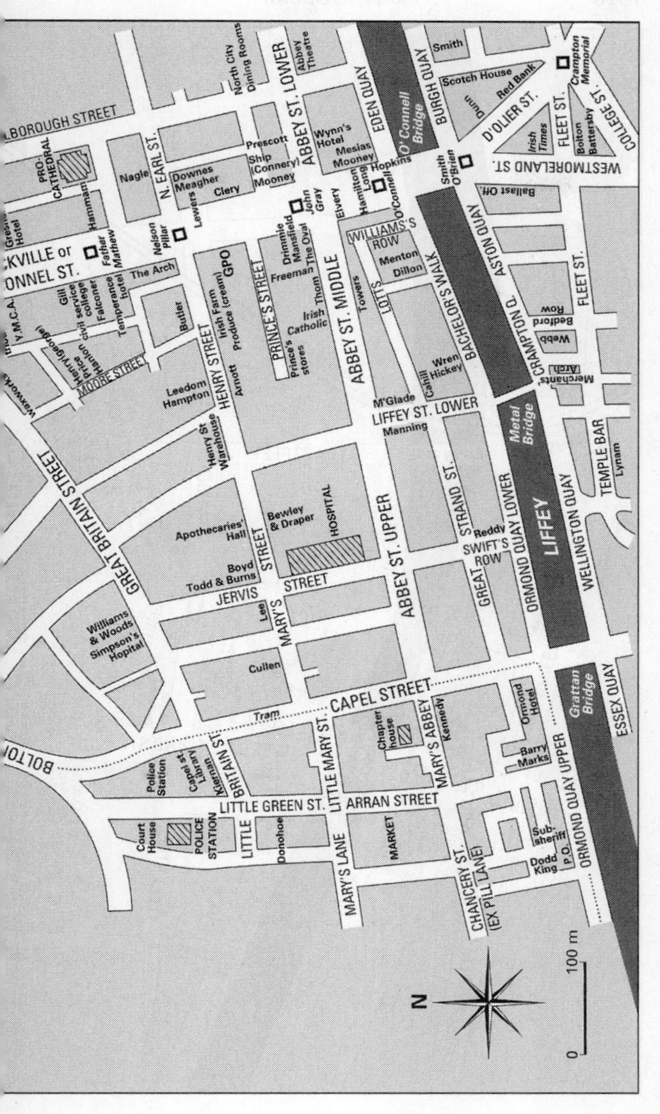
MARLBOROUGH STREET
PRO. CATHEDRAL
Hammam
Gresham Hotel
SACKVILLE or O'CONNELL ST.
Father Mathew
Gill
civil service college
Falconer
Temperance hotel
The Arch
Y.M.C.A.
Henry(george)
Price
Hanlon
MOORE STREET
Waxworks
North City Dining Rooms
Abbey Theatre
ABBEY ST. LOWER
N. EARL ST.
Nagle
Downes
Meagher
Clery
Lewers
Nelson Pillar
Prescott
Ship (Connery)
Mooney
John Gray
Drimmie
Mansfield
The Oval
Freeman
Thom
Irish Catholic
Prince's stores
PRINCE'S STREET
GPO
Irish Farm Produce (cream)
HENRY STREET
Arnott
Butler
Leedom
Hampton
Henry St Warehouse
ABBEY ST. MIDDLE
Wynn's Hotel
Mesias
Mooney
EDEN QUAY
Elvery
Hamilton Long
Hopkins
O'Connell
O'Connell Bridge
WILLIAMS'S ROW
Menton
Dillon
Towers
LOTTS
BACHELOR'S WALK
Wren
Hickey
Cahill
M'Glade
LIFFEY ST. LOWER
Manning
Smith
BURGH QUAY
Scotch House
Red Bank
Dunn
D'OLIER ST.
Crampton Memorial
Irish Times
FLEET ST.
Bolton
Battersby
COLLEGE ST.
WESTMORELAND ST.
Smith O'Brien
Ballast Off.
ASTON QUAY
FLEET ST.
Bedford Row
Webb
CRAMPTON Q.
Merchants' Arch
Metal Bridge
TEMPLE BAR
Lynam
LIFFEY
WELLINGTON QUAY
ORMOND QUAY LOWER
STRAND ST.
Reddy
GREAT SWIFT'S ROW
ABBEY ST. UPPER
GREAT BRITAIN STREET
Apothecaries' Hall
Bewley & Draper
HOSPITAL
Boyd
Todd & Burns
JERVIS STREET
MARY'S STREET
Lee
Williams & Woods
Simpson's Hopital
Cullen
CAPEL STREET
Tram
Chapter house
MARY'S ABBEY
Kennedy
Ormond Hotel
Barry
Marks
Grattan Bridge
ESSEX QUAY
BOLTON
Police Station
Capel st Library
Kiernan
BRITAIN ST.
LITTLE MARY ST.
LITTLE GREEN ST.
ARRAN STREET
Court House
POLICE STATION
LITTLE
Donohoe
MARKET
MARY'S LANE
CHANCERY ST. (EX PILL LANE)
Sub-sheriff
Dodd
King
P.O.
ORMOND QUAY UPPER
N
0
100 m

PLAN II

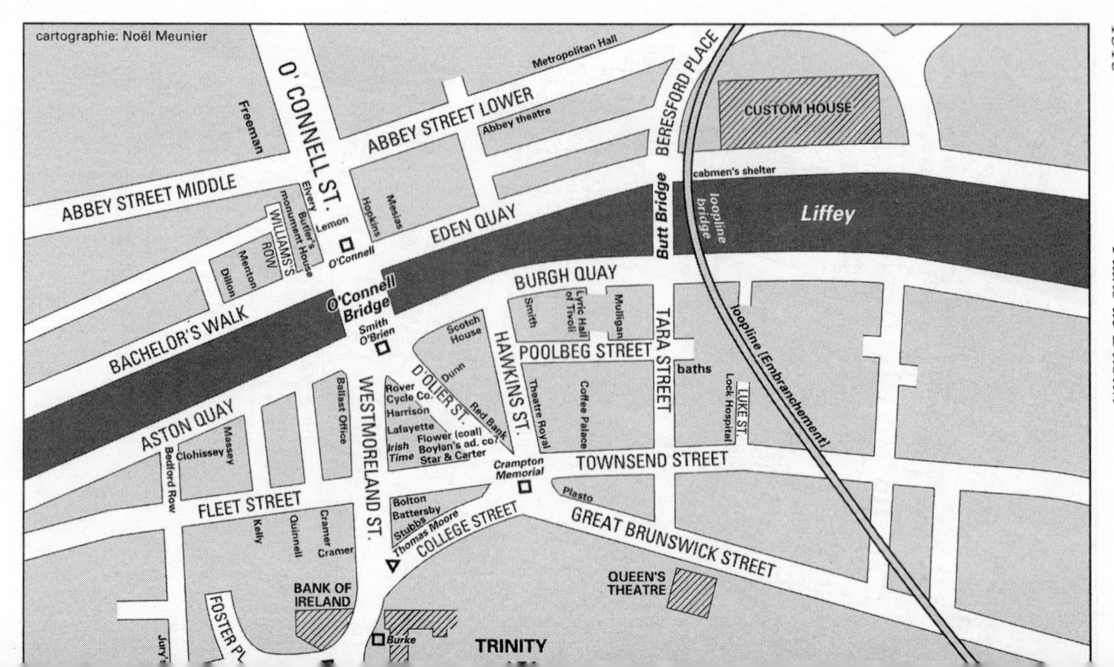
cartographie: Noël Meunier
Metropolitan Hall
BERESFORD PLACE
CUSTOM HOUSE
O' CONNELL ST.
ABBEY STREET LOWER
Abbey theatre
Freeman
ABBEY STREET MIDDLE
Elvery
Butler's monument House
WILLIAMS'S ROW
Lemon
Hopkins
Mesias
O'Connell
EDEN QUAY
cabmen's shelter
Butt Bridge
loopline bridge
Liffey
Menton
Dillon
O'Connell Bridge
BURGH QUAY
Smith
Lyric Hall of Tivoli
Mulligan
TARA STREET
BACHELOR'S WALK
Smith O'Brien
Scotch House
HAWKINS ST.
POOLBEG STREET
baths
Lock Hospital
LUKE ST.
loopline [Embranchement]
Dunn
D'OLIER ST.
Red Bank
Theatre Royal
Coffee Palace
Rover Cycle Co.
Harrison
Lafayette
Irish Time
Flower (coal)
Boylan's ad. co?
Star & Carter
Ballast Office
WESTMORELAND ST.
ASTON QUAY
Massey
Clohissey
Bedford Row
Crampton Memorial
TOWNSEND STREET
Plasto
GREAT BRUNSWICK STREET
FLEET STREET
Kelly
Quinnell
Cramer
Cramer
Bolton
Battersby
Stubbs
Thomas Moore
COLLEGE STREET
QUEEN'S THEATRE
BANK OF IRELAND
FOSTER PL
Burke
TRINITY

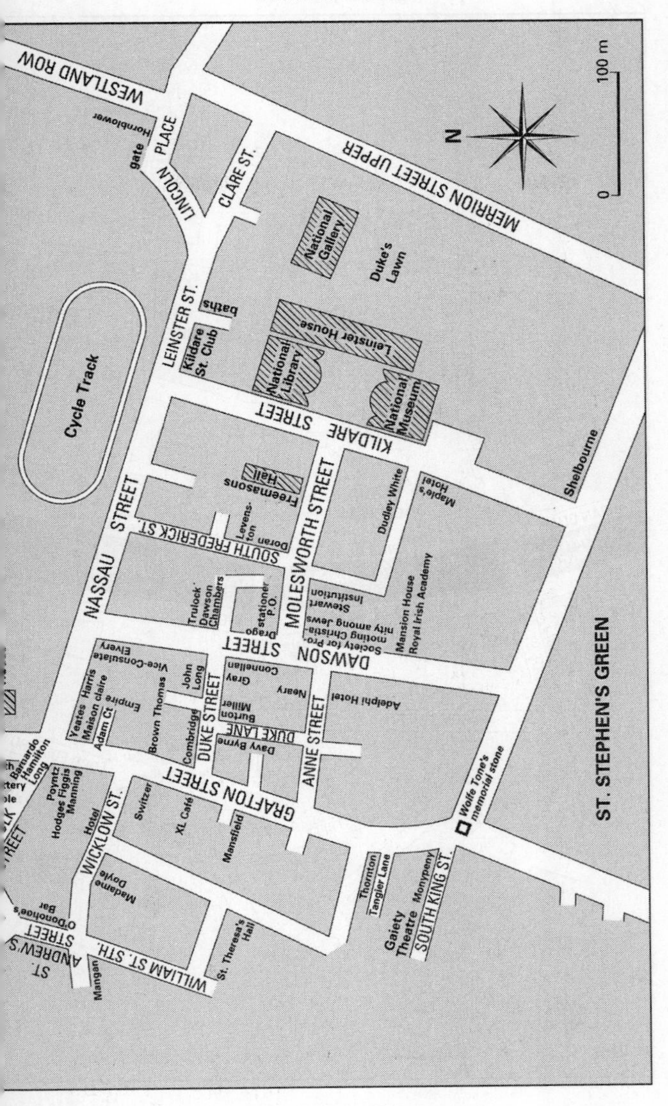
WESTLAND ROW
Hornblower gate
LINCOLN PLACE
CLARE ST.
MERRION STREET UPPER
N
0
100 m
National Gallery
Duke's Lawn
LEINSTER ST.
baths
Kildare St. Club
Leinster House
National Library
National Museum
Cycle Track
KILDARE STREET
Freemasons Hall
Shelbourne
Maple's Hotel
Dudley White
MOLESWORTH STREET
NASSAU STREET
SOUTH FREDERICK ST.
Levens-ton
Doran
Trulock
Dawson Chambers
stationer P.O.
Drago
Stewart Institution
Society for Pro-moting Christia-nity among Jews
Mansion House
Royal Irish Academy
DAWSON STREET
ST. STEPHEN'S GREEN
Elvery
Vice-Consulate
John Long
Connellan
Gray
Neary
Adelphi Hotel
Yeates Harris
Maison claire
Empire
Adam Ct
Brown Thomas
Combridge
DUKE STREET
Burton Miller
DUKE LANE
Davy Byrne
ANNE STREET
Barnardo
Hamilton Long
Poyntz
Hodges Figgis
Manning
GRAFTON STREET
Wolfe Tone's memorial stone
Switzer
XL Café
Mansfield
Hotel
WICKLOW ST.
Madame Doyle
O'Donohoe's Bar
ST. ANDREW'S STREET
WILLIAM ST. STH.
St. Theresa's Hall
Mangan
Thornton
Tangier Lane
Monypeny
Gaiety Theatre
SOUTH KING ST.

PLAN III

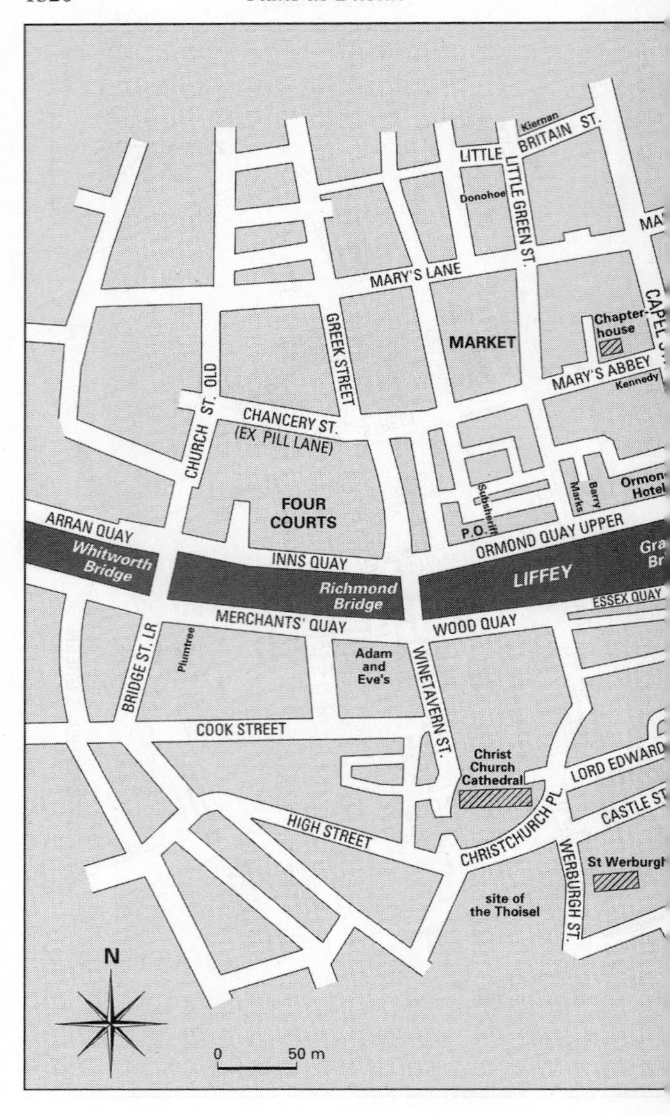
LITTLE BRITAIN ST.
Kiernan
Donohoe
LITTLE GREEN ST.
MARY'S LANE
MARKET
Chapter-house
MARY'S ABBEY
Kennedy
GREEK STREET
OLD CHURCH ST.
CHANCERY ST.
(EX PILL LANE)
FOUR COURTS
Subsheriff
P.O.
Marks
Barry
ORMOND QUAY UPPER
ARRAN QUAY
Whitworth Bridge
INNS QUAY
Richmond Bridge
LIFFEY
ESSEX QUAY
MERCHANTS' QUAY
WOOD QUAY
BRIDGE ST. LR
Plumtree
Adam and Eve's
WINETAVERN ST.
COOK STREET
Christ Church Cathedral
LORD EDWARD
CASTLE ST
HIGH STREET
CHRISTCHURCH PL.
WERBURGH ST.
St Werburgh
site of the Thoisel
N
0
50 m

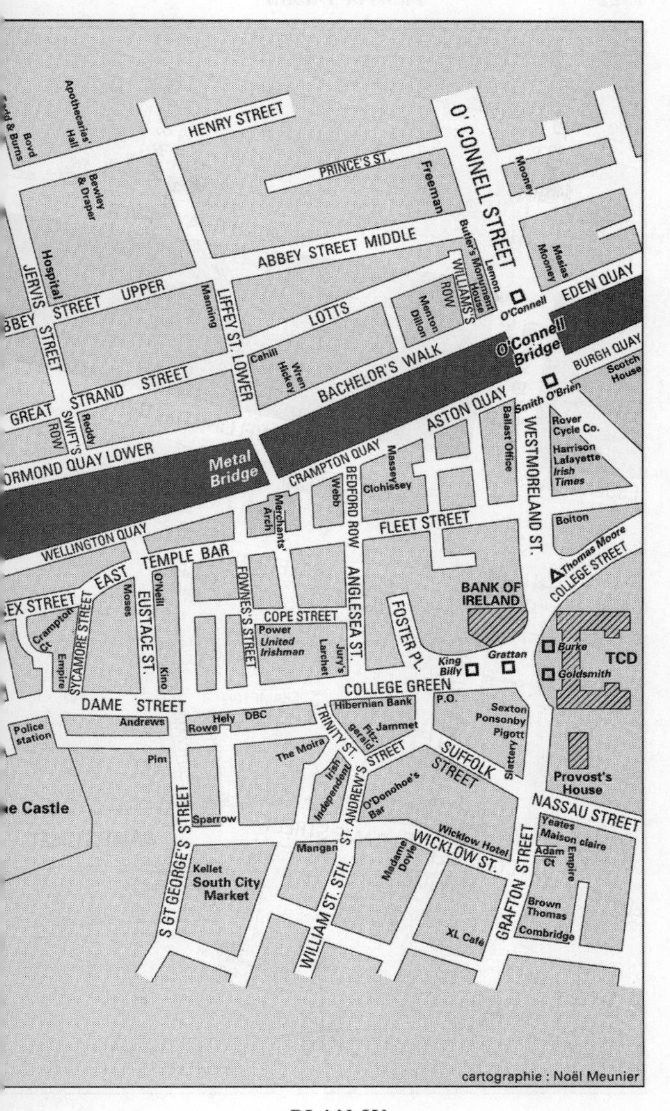
HENRY STREET
PRINCE'S ST.
O' CONNELL STREET
Apothecaries' Hall
Boyd & Burns
Bewley & Draper
Freeman
Mooney
Mesias Mooney
Lemon
Butler's Monument House
ABBEY STREET MIDDLE
JERVIS STREET
Hospital
ABBEY STREET UPPER
Manning
LIFFEY ST. LOWER
LOTTS
WILLIAM'S ROW
Menton Dillon
O'Connell
EDEN QUAY
O'Connell Bridge
BURGH QUAY
Scotch House
BACHELOR'S WALK
Cahill
Wren Hickey
GREAT STRAND STREET
SWIFT'S ROW
Reddy
ORMOND QUAY LOWER
Metal Bridge
ASTON QUAY
Smith O'Brien
Ballast Office
WESTMORELAND ST.
Rover Cycle Co.
Harrison Lafayette Irish Times
CRAMPTON QUAY
Massey
Clohissey
Webb
BEDFORD ROW
Merchants' Arch
WELLINGTON QUAY
FLEET STREET
Bolton
Thomas Moore
COLLEGE STREET
TEMPLE BAR
EAST
ESSEX STREET
Crampton Ct
SYCAMORE STREET
Empire
Moses
EUSTACE ST.
O'Neill
Kino
FOWNES'S STREET
COPE STREET
Power
United Irishman
Larchet
Jury's
ANGLESEA ST.
FOSTER PL.
BANK OF IRELAND
King Billy
Grattan
Burke
Goldsmith
TCD
COLLEGE GREEN
DAME STREET
Andrews
Police station
Hely
DBC
Rowe
Hibernian Bank
P.O.
Fitz-gerald
Jammet
TRINITY ST.
Sexton
Ponsonby
Pigott
Slattery
SUFFOLK STREET
The Moira
Pim
ST. ANDREW'S STREET
Irish Independent
O'Donohoe's Bar
Provost's House
NASSAU STREET
Castle
Sparrow
S GT GEORGE'S STREET
Mangan
WILLIAM ST. STH.
Madame Doyle
Wicklow Hotel
WICKLOW ST.
GRAFTON STREET
Yeates
Maison claire
Adam Ct
Empire
Kellet
South City Market
Brown Thomas
Combridge
XL Café
cartographie : Noël Meunier

PLAN IV

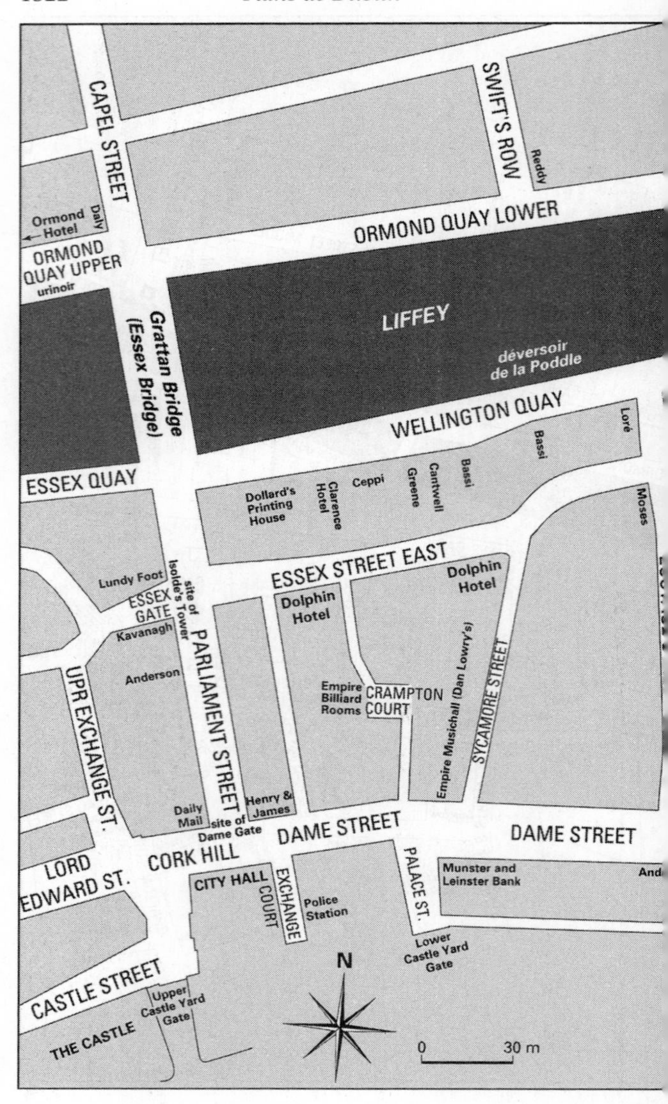
CAPEL STREET
SWIFT'S ROW
Reddy
Ormond Hotel
Daly
ORMOND QUAY LOWER
ORMOND QUAY UPPER
urinoir
LIFFEY
Grattan Bridge (Essex Bridge)
déversoir de la Poddle
WELLINGTON QUAY
Loré
Bassi
ESSEX QUAY
Dollard's Printing House
Clarence Hotel
Ceppi
Greene
Cantwell
Bassi
Moses
ESSEX STREET EAST
Dolphin Hotel
Dolphin Hotel
Lundy Foot
ESSEX GATE
site of Isolde's Tower
Kavanagh
Anderson
PARLIAMENT STREET
UPR EXCHANGE ST.
Empire Billiard Rooms
CRAMPTON COURT
Empire Musichall (Dan Lowry's)
SYCAMORE STREET
Henry & James
Daily Mail
site of Dame Gate
DAME STREET
DAME STREET
CORK HILL
LORD EDWARD ST.
CITY HALL
EXCHANGE COURT
Police Station
PALACE ST.
Munster and Leinster Bank
Lower Castle Yard Gate
N
CASTLE STREET
Upper Castle Yard Gate
THE CASTLE
0
30 m

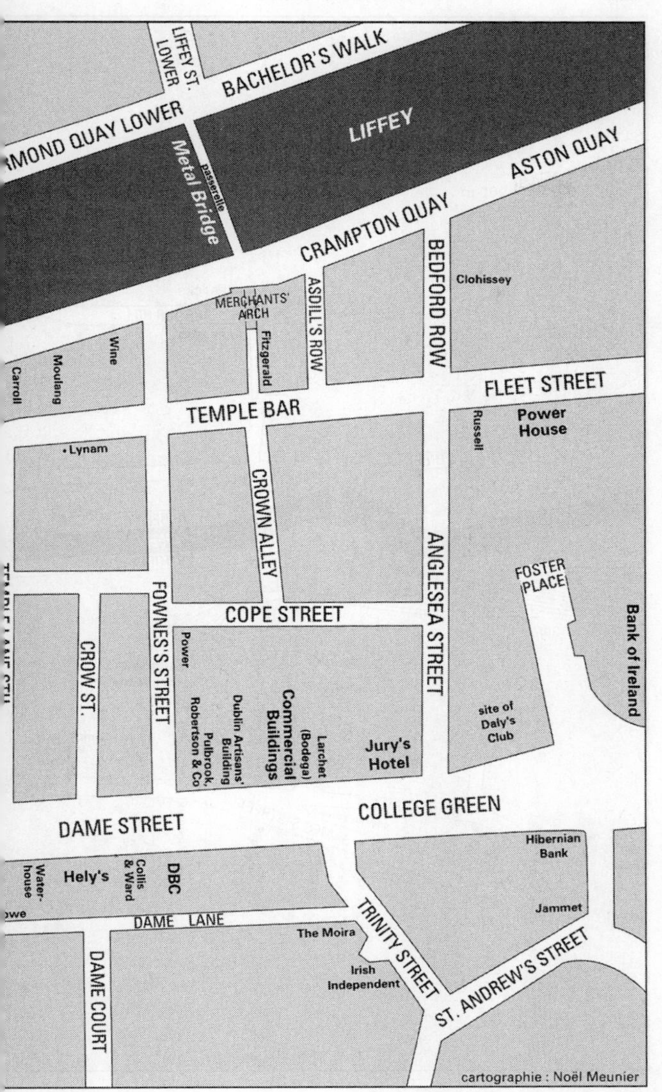
LIFFEY ST. LOWER
BACHELOR'S WALK
RMOND QUAY LOWER
LIFFEY
ASTON QUAY
Metal Bridge
passerelle
CRAMPTON QUAY
BEDFORD ROW
Clohissey
MERCHANTS' ARCH
ASDILL'S ROW
Fitzgerald
Wine
Moulang
Carroll
FLEET STREET
TEMPLE BAR
Russell
Power House
Lynam
CROWN ALLEY
ANGLESEA STREET
FOSTER PLACE
COPE STREET
FOWNES'S STREET
CROW ST.
Power
Bank of Ireland
Pulbrook, Robertson & Co
Dublin Artisans' Building
Commercial Buildings
Larchet (Bodega)
Jury's Hotel
site of Daly's Club
DAME STREET
COLLEGE GREEN
Water-house
Hely's
Collis & Ward
DBC
Hibernian Bank
DAME LANE
TRINITY STREET
Jammet
The Moira
Irish Independent
ST. ANDREW'S STREET
DAME COURT
cartographie : Noël Meunier

PLAN V

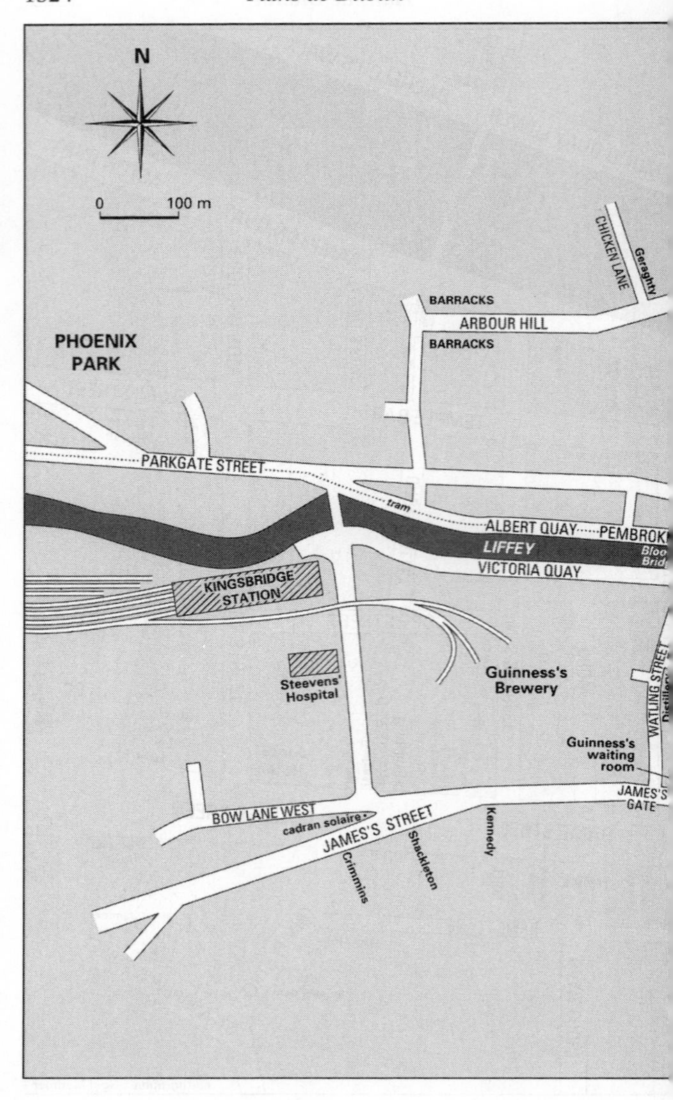
N
0
100 m
CHICKEN LANE
Geraghty
BARRACKS
ARBOUR HILL
BARRACKS
PHOENIX
PARK
PARKGATE STREET
tram
ALBERT QUAY
PEMBROK
LIFFEY
VICTORIA QUAY
KINGSBRIDGE
STATION
Guinness's
Brewery
Steevens'
Hospital
WATLING STREET
Guinness's
waiting
room
JAMES'S
GATE
BOW LANE WEST
cadran solaire
JAMES'S STREET
Kennedy
Shackleton
Crimmins

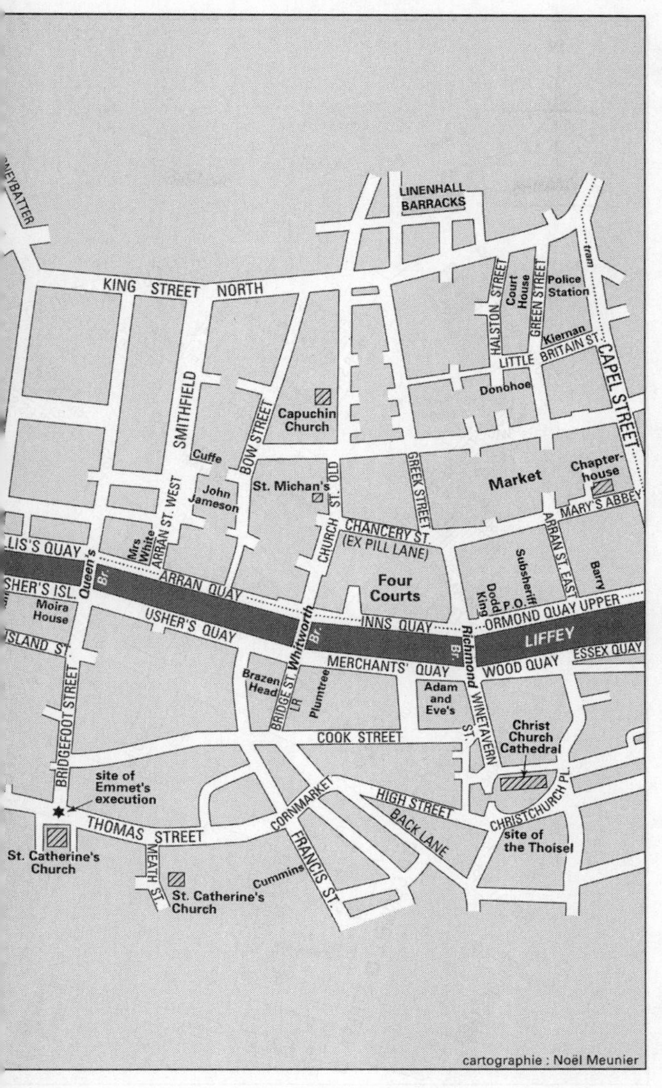
LINENHALL BARRACKS
KING STREET NORTH
Police Station
Court House
HALSTON STREET
GREEN STREET
tram
Kiernan
LITTLE BRITAIN ST.
CAPEL STREET
Donohoe
SMITHFIELD
BOW STREET
Capuchin Church
Cuffe
St. Michan's
OLD
GREEK STREET
Market
Chapter-house
John Jameson
ARRAN ST. WEST
MARY'S ABBEY
CHURCH
CHANCERY ST. (EX PILL LANE)
ARRAN ST. EAST
Mrs White
Subsheriff
Barry
Queen's Br.
ARRAN QUAY
Four Courts
Dodd
King
P.O.
ORMOND QUAY UPPER
Moira House
USHER'S QUAY
Whitworth Br.
INNS QUAY
Richmond Br.
LIFFEY
ESSEX QUAY
MERCHANTS' QUAY
WOOD QUAY
BRIDGEFOOT STREET
Brazen Head
BRIDGE ST. LR
Plumtree
Adam and Eve's
WINETAVERN ST.
COOK STREET
Christ Church Cathedral
site of Emmet's execution
CORNMARKET
HIGH STREET
CHRISTCHURCH PL.
THOMAS STREET
BACK LANE
site of the Thoisel
St. Catherine's Church
MEATH ST.
FRANCIS ST.
Cummins
St. Catherine's Church
cartographie : Noël Meunier

PLAN VI

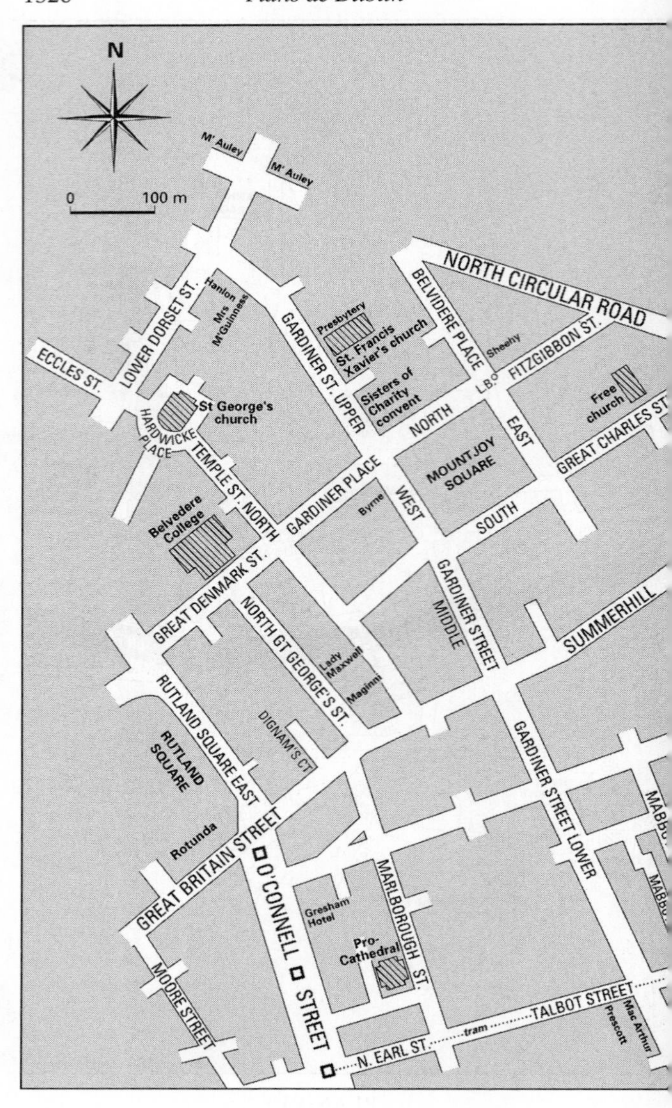
N
0
100 m
M' Auley
M' Auley
LOWER DORSET ST.
Hanlon
Mrs M'Guinness
ECCLES ST.
St George's church
HARDWICKE PLACE
TEMPLE ST. NORTH
GARDINER ST. UPPER
Presbytery
St. Francis Xavier's church
Sisters of Charity convent
BELVIDERE PLACE
NORTH CIRCULAR ROAD
Sheehy
FITZGIBBON ST.
L.B.O
Free church
GREAT CHARLES ST
NORTH
EAST
MOUNTJOY SQUARE
WEST
SOUTH
GARDINER PLACE
Byrne
Belvedere College
GREAT DENMARK ST.
NORTH GT GEORGE'S ST.
Lady Maxwell
Maginni
GARDINER STREET MIDDLE
SUMMERHILL
RUTLAND SQUARE EAST
RUTLAND SQUARE
DIGNAM'S CT
Rotunda
GREAT BRITAIN STREET
GARDINER STREET LOWER
O'CONNELL STREET
Gresham Hotel
MARLBOROUGH ST.
Pro-Cathedral
MOORE STREET
TALBOT STREET
tram
N. EARL ST.
Prescott
Mac Arthur

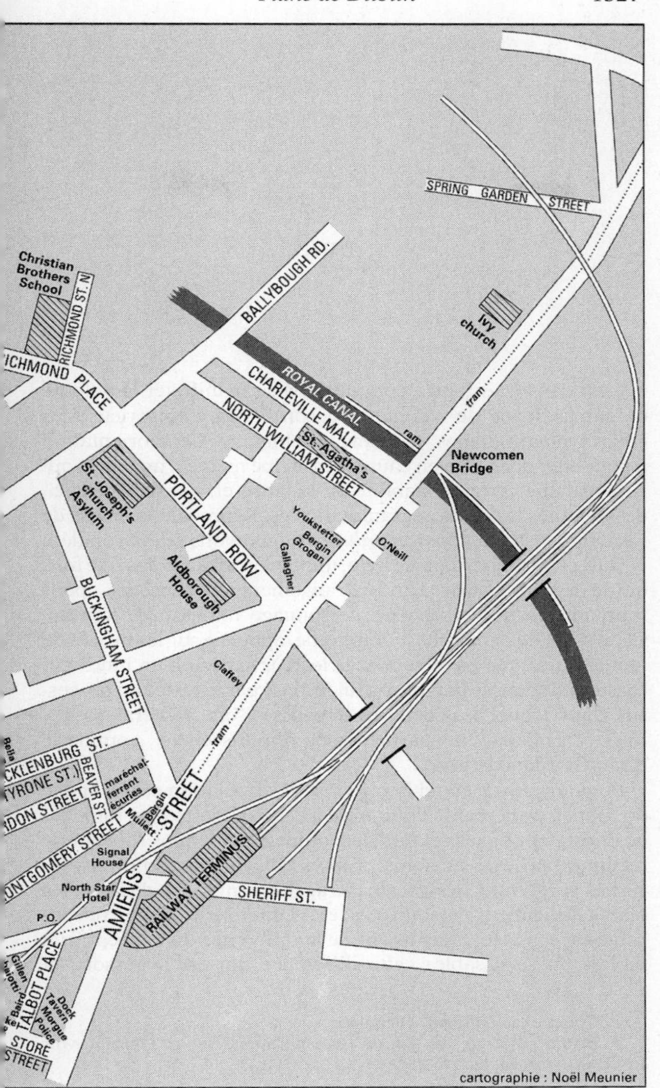
Christian Brothers School
RICHMOND ST. N
BALLYBOUGH RD.
SPRING GARDEN STREET
Ivy church
ROYAL CANAL
CHARLEVILLE MALL
NORTH WILLIAM STREET
St. Agatha's
ram
tram
Newcomen Bridge
St. Joseph's church Asylum
PORTLAND ROW
Youkstetter
Bergin
Grogan
Gallagher
O'Neill
Aldborough House
BUCKINGHAM STREET
Claffey
tram
BEAVER ST.
maréchal-ferrant écuries
Bergin
Mullett
AMIENS STREET
Signal House
North Star Hotel
RAILWAY TERMINUS
SHERIFF ST.
P.O.
TALBOT PLACE
Gillen
Baird
Dock Tavern
Morgue
Police
STORE STREET
cartographie : Noël Meunier

PLAN VII

INDEX

C'est dans *Ulysse* qu'a commencé à se manifester la volonté de James Joyce de soumettre à son écriture impérieuse les codes typographiques, et même graphiques[1]. Cette orientation a pour effet de mettre en cause le principe même d'un index, qui suppose une certaine stabilité de la lettre et, par-delà celle-ci, des identités lexicales et grammaticales. Reprenant la devise de l'auteur de viser un *bonum arduum*, nous avons relevé son défi.

On a pu dire que, dans ce livre, tout revenait au moins une fois, quitte à faire l'objet d'un « arrangement rétrospectif », pour reprendre le tic verbal d'un personnage mineur, M. Kernan. Cette sorte de démarche antérograde, appuyée sur les procès de la mémoire, crée en effet chez le lecteur le désir d'un index qui l'assurerait dans le parcours à lui imposé par le texte : un processus dans lequel les identités « réelles » sont « littéralement » mises en pièces, en « particules de réminiscence », comme le disait Giordano Bruno[2].

Du coup, Joyce étend le principe de circulation et d'échange du monde de la réalité dublinoise à celui des lettres, et force est de constater que les retours s'accompagnent le plus souvent de métamorphoses. Les noms propres deviennent communs, les verbes substantifs, les vocables s'agglutinent ou se délitent, les objets deviennent personnages, etc. Le retour n'est pas retrouvailles avec l'Idée, mais retour de la différence du concept, aux limites du saisissable : cette différence qui est le ressort, et

1. Comme en témoigne « Pénélope ».
2. Bruno parle en fait, ici, de remémoration. Sur ce concept, voir Joyce, *Œuvres*, Bibl. de la Pléiade, t. I, p. XCVII.

l'horizon inaccessible du catalogue, de l'inventaire, cadre mental congénital de l'auteur… La perspective est proprement folle par sa rigueur, et se résout dans *le point*. C'est le point, un point sinon énorme, du moins hors norme, qui clôt, après l'énumération des noms possibles de Sinbad le Marin, l'épisode d'« Ithaque » et, nous dit Joyce, le roman lui-même. C'est aussi la phrase interrompue qui marque l'impossible identification de la page 843 : « […] Larry Rhinocéros, la jeune fille, la femme, la putain, l'autre la allée la. » Il ne s'agit aucunement d'un non-dit produit par une censure [1], mais de la ponctuation — en l'occurrence son absence — par quoi le délire devient lire possible (le possible n'est-il pas ce qui pourrait *ne pas* être ?) : le dé en est jeté, qui donne au fol hasard figure de nécessité.

Nous avons indiqué en petites capitales romaines les noms propres de personnes et les personnages de « Circé » ; en petites capitales italiques les noms propres de lieux (s'agissant des fonds de commerce en particulier, il y a souvent des glissements des uns aux autres) ; en minuscules romaines les entrées qui, sans être grammaticalement des noms propres de personnes ou de lieux, méritaient toutefois d'être retenues ; enfin, les noms d'œuvres, les incipits et citations diverses viennent en minuscules italiques, ainsi que toutes les sous-entrées (nos interventions, dans ces sous-entrées, étant portées en romain).

JACQUES AUBERT

1. Comme, p. 474, « Et si c'était elle la ? », où Bloom conjoint deux objets de désir interdits, Gertie et Martha Clifford.

ULYSSE

I

II

III

DOSSIER

DU MÊME AUTEUR

Dans la même collection

PORTRAIT DE L'ARTISTE EN JEUNE HOMME. *Traduction de Ludmila Savitzky, révisée par Jacques Aubert. Édition de Jacques Aubert.*

Dans la collection Folio théâtre

EXILS. *Traduction de Jean-Michel Déprats. Édition de Jean-Michel Rabaté.*

*Tous les papiers utilisés pour les ouvrages
des collections Folio sont certifiés
et proviennent de forêts gérées durablement.*

*Composition : IGS-CP à L'Isle-d'Espagnac (16)
Impression Grafica Veneta
à Trebaseleghe, le 28 février 2022
Dépôt légal : février 2022
1er dépôt légal dans la collection : octobre 2013*

ISBN : 978-2-07-043971-3 / Imprimé en Italie

446631